La instalación

Las habitaciones de los hoteles que recomendamos poseen, en general, cuarto de baño completo. No obstante puede suceder que en las categorías , y algunas habitaciones carezcan de él.

30 hab/30 qto	*Número de habitaciones*
	Ascensor
	Aire acondicionado
TV	*Televisión en la habitación*
	Teléfono en la habitación directo con el exterior
	Habitaciones de fácil acceso para minusválidos
	Comidas servidas en el jardín o en la terraza
	Fitness club (gimnasio, sauna...)
	Piscina: al aire libre – cubierta
	Playa equipada – Jardín
18	*Tenis – Golf y número de hoyos*
25/150	*Salas de conferencias: capacidad de las salas*
	Garaje en el hotel (generalmente de pago)
P	*Aparcamiento reservado a la clientela*
	Prohibidos los perros (en todo o en parte del establecimiento)
Fax	*Transmisión de documentos por telefax*
mayo-octubre maio-outubro	*Período de apertura comunicado por el hotelero*
temp.	*Apertura probable en temporada sin precisar fechas. Sin mención, el establecimiento está abierto todo el año*
28 012 1 200	*Código postal*

Amigo lector

La 27ª edición de la Guía Michelin España Portugal le proporciona una selección de hoteles y restaurantes debidamente actualizada. En ella encontrará numerosos establecimientos, elegidos imparcialmente por nuestros inspectores, en los distintos niveles de confort y precio.

A partir de 1999, existe la posibilidad de aplicar las tarifas comerciales en EUROS, permitiendo a cada cliente liquidar indistintamente su factura en EUROS (mediante cheque o tarjeta de crédito) o en moneda nacional. Dado que esta medida se llevará a efecto de una manera progresiva, hemos decidido indicar los precios de nuestra publicación en la moneda nacional.

Para encontrar buenos establecimientos a precios moderados, consulte los restaurantes que le señala el ¡"Bib Gourmand"*!*

Le agradecemos el envio de sus comentarios, que nos serán de gran utilidad.

Buen viaje con Michelin.

Sumario

La elección de un hotel, de un restaurante

Esta guía propone una selección de hoteles y restaurantes para uso de los automovilistas. Los establecimientos, clasificados según su confort, se citan por orden de preferencia dentro de cada categoría.

Categorías

🏨🏨🏨🏨🏨	XXXXX	*Gran lujo y tradición*
🏨🏨🏨🏨	XXXX	*Gran confort*
🏨🏨🏨	XXX	*Muy confortable*
🏨🏨	XX	*Confortable*
🏨	X	*Sencillo pero confortable*
⌂		*Sencillo pero correcto*
sin rest.	sem rest.	*El hotel no dispone de restaurante*
con hab	com qto	*El restaurante tiene habitaciones*

Atractivo y tranquilidad

Ciertos establecimientos se distinguen en la guía por los símbolos en rojo que indicamos a continuación. La estancia en estos hoteles es especialmente agradable o tranquila.
Esto puede deberse a las características del edificio, a la decoración original, al emplazamiento, a la acogida y a los servicios que ofrece, o también a la tranquilidad del lugar.

🏨🏨🏨🏨🏨 ... 🏨	*Hoteles agradables*
XXXXX ... X	*Restaurantes agradables*
« Parque »	*Elemento particularmente agradable*
🐎	*Hotel muy tranquilo, o aislado y tranquilo*
🐎	*Hotel tranquilo*
< mar	*Vista excepcional*
<	*Vista interesante o extensa*

Las localidades que poseen establecimientos agradables o muy tranquilos están señaladas en los mapas de las páginas 73 a 81, 644 y 645
Consúltenos para la preparación de sus viajes y envíenos sus impresiones a su regreso. Así nos ayudará en nuestra selección.

La mesa

Las estrellas

Algunos establecimientos merecen ser destacados por la calidad de su cocina. Los distinguimos con ***las estrellas de buena mesa.***

En estos casos indicamos tres especialidades culinarias que pueden orientarles en su elección.

✿✿✿ **Una de las mejores mesas, justifica el viaje**

Cocina del más alto nivel, generalmente excepcional. Grandes vinos, servicio impecable, marco elegante... Precio en consonancia.

✿✿ **Mesa excelente, vale la pena desviarse**

Especialidades y vinos selectos... Cuente con un gasto en proporción.

✿ **Muy buena mesa en su categoría**

La estrella indica una buena etapa en su itinerario. Pero no compare la estrella de un establecimiento de lujo, de precios altos, con la de un establecimiento más sencillo en el que, a precios razonables, se sirve también una cocina de calidad.

El "Bib Gourmand"

Buenas comidas a precios moderados

Hemos realizado una selección de restaurantes que ofrecen, con una acertada relación calidad-precio, una buena comida, generalmente de tipo regional, para cuando Vd. desee encontrar establecimientos más sencillos a precios moderados.

Estos restaurantes se señalan con el "Bib Gourmand" *y* Comida *(España), o el* "Bib Gourmand" *y* Refeição *(Portugal). Ej.* Comida 3100/4000, Refeição 2800/3500.

Consulte los mapas con estrellas ✿✿✿, ✿✿, ✿ *y con* "Bib Gourmand", *páginas 73 a 81, 644 y 645.*

Los vinos: ver páginas 63 y 647

Los precios

Los precios que indicamos en esta guía nos fueron proporcionados en el verano de 1998 y se aplican en **temporada alta.** *Pueden producirse modificaciones debidas a variaciones de los precios de bienes y servicios. El servicio está incluido.*
En España el I.V.A. se añadirá al total de la factura (7 %), salvo en Andorra (exento), Canarias (4,5 % I.G.I.C.), Ceuta y Melilla (4 % I.P.S.I.). En Portugal (12 %) ya está incluido.
En algunas ciudades y con motivo de ciertas manifestaciones comerciales o turísticas (ferias, fiestas religiosas o patronales...), los precios indicados por los hoteleros pueden sufrir importantes aumentos.
Los hoteles y restaurantes figuran en negrita cuando los hoteleros nos han señalado todos sus precios comprometiéndose, bajo su responsabilidad, a respetarlos ante los turistas de paso portadores de nuestra Guía.
En temporada baja, algunos establecimientos ofrecen condiciones ventajosas, infórmese al reservar.
Entre en el hotel o en el restaurante con su Guía en la mano, demostrando, así, que ésta le conduce allí con confianza.
Los precios se indican en pesetas o en escudos.

Comidas

Comida 2 500 **Refeição** 2 300	**Menú a precio fijo.** *Almuerzo o cena servido a las horas habituales*
carta 3 200 a 5 800 lista 2 500 a 4 700	**Comida a la carta.** *El primer precio corresponde a una comida normal que comprende: entrada, plato fuerte del día y postre.* *El 2º precio se refiere a una comida más completa (con especialidad de la casa) que comprende: dos platos y postre*
☕ 500	*Precio del desayuno*

Habitaciones

hab 4 500/6 700 **qto** 4 500/6 700	*Precio de una habitación individual / Precio de una habitación doble, en temporada alta*
Suites, apartamentos	*Consulte al hotelero*
hab ☕ 4 800/7 000 **qto** ☕ 4 800/7 000	*Precio de la habitación con desayuno incluido*

Pensión

PA 3 600	*Precio de la Pensión Alimenticia (desayuno, comida y cena).* *El precio de la pensión completa por persona y por día se obtendrá añadiendo al importe de la habitación individual el de la pensión alimenticia.* *Conviene concretar de antemano los precios con el hotelero.*

Las arras

Algunos hoteleros piden una señal al hacer la reserva. Se trata de un depósito-garantía que compromete tanto al hotelero como al cliente. Conviene precisar con detalle las cláusulas de esta garantía.

Tarjetas de crédito

Tarjetas de crédito aceptadas por el establecimiento:

AE ⓓ E (MC)	*American Express – Diners Club – Eurocard (Master Card)*
VISA JCB	*Visa – Japan Credit Bureau*

Las poblaciones

2200	*Código postal*
✉ 7800 Beja	*Código postal y Oficina de Correos distribuidora*
P	*Capital de Provincia*
445 M 27	*Mapa Michelin y coordenadas*
24 000 h.	*Población*
alt. 175	*Altitud de la localidad*
3	*Número de teleféricos o telecabinas*
7	*Número de telesquíes o telesillas*
AX A	*Letras para localizar un emplazamiento en el plano*
18	*Golf y número de hoyos*
	Panorama, vista
	Aeropuerto
	Localidad con servicio Auto-Expreso. Información en el número indicado
	Transportes marítimos
	Información turística

Las curiosidades

Grado de interés

★★★	*De interés excepcional*
★★	*Muy interesante*
★	*Interesante*

Situación de las curiosidades

Ver	*En la población*
Alred./Arred.	*En los alrededores de la población*
Excurs.	*Excursión en la región*
Norte, Sur-Sul, Este, Oeste	*La curiosidad está situada: al Norte, al Sur, al Este, al Oeste*
①, ④	*Salir por la salida ① o ④, localizada por el mismo signo en el plano*
6 km	*Distancia en kilómetros*

El coche, los neumáticos

Marcas de automóviles

Al final de la Guía encontrará una relación de las principales marcas de automóviles. En caso de avería, en el teléfono indicado, de 9 h. a 17 h., le facilitarán la dirección del agente más cercano.

Velocidad máxima autorizada

	Autopista	*Carretera*	*Población*
España / *Portugal*	*120 km/h*	*90/100 km/h*	*50 km/h*

El uso del cinturón de seguridad es obligatorio delante y detrás.

Sus neumáticos

Cuando un agente de neumáticos carezca del artículo que necesite, diríjase: en **España,** *a la División Comercial Michelin en Madrid o a cualquiera de sus Sucursales en las poblaciones siguientes: Santa Perpètua de Mogoda (Barcelona), León, Coslada (Madrid), Valencia, Sevilla. En* **Portugal**, *diríjase a la Dirección Comercial Michelin en Sacavém (Lisboa).*

Las direcciones y números de teléfono de las Sucursales Michelin figuran en el texto de estas localidades.

Nuestras sucursales tendrán mucho gusto en dar a nuestros clientes todos los consejos necesarios para la mejor utilización de sus neumáticos.

Ver también las páginas con borde azul.

"Los Automóvil Club"

RACE	*Real Automóvil Club de España*
RACC	*Reial Automòbil Club de Catalunya*
RACVN	*Real Automóvil Club Vasco Navarro*
RACV	*Real Automóvil Club de Valencia*
ACA	*Automóvil Club de Andorra*
ACP	*Automóvel Club de Portugal*

Ver las direcciones y los números de teléfono en el texto de las localidades correspondientes.

Los planos

Hoteles
Restaurantes

Curiosidades

Edificio interesante y entrada principal
Edificio religioso interesante :
catedral, iglesia o capilla

Vías de circulación

Autopista, autovía
número del acceso : completo-parcial
Vía importante de circulación
Sentido único – Calle impracticable, de uso restringido
Calle peatonal – Tranvía
Colón P *Calle comercial – Aparcamiento*
Puerta – Pasaje cubierto – Túnel
Estación y línea férrea
Funicular – Teleférico, telecabina
B *Puente móvil – Barcaza para coches*

Signos diversos

Oficina de Información de Turismo
Mezquita – Sinagoga
Torre – Ruinas – Molino de viento – Depósito de agua
Jardín, parque, bosque – Cementerio – Crucero
Estadio – Golf – Hipódromo
Piscina al aire libre, cubierta
Vista – Panorama
Monumento – Fuente – Fábrica – Centro comercial
Puerto deportivo – Faro
Aeropuerto – Boca de metro – Estación de autobuses
Transporte por barco :
pasajeros y vehículos, pasajeros solamente
③ *Referencia común a los planos y a los mapas detallados Michelin*
Oficina central de lista de correos – Teléfonos
Hospital – Mercado cubierto
Edificio público localizado con letra :
D H J *- Diputación – Ayuntamiento – Palacio de Justicia*
G *- Delegación del Gobierno (España), Gobierno del distrito (Portugal)*
M T U *- Museo – Teatro – Universidad, Escuela Superior*
POL. *- Policía (en las grandes ciudades : Jefatura)*

Caro leitor

Esta 27ª edição do Guia Michelin España Portugal proporciona-lhe uma selecção actualizada de Hotéis e Restaurantes. Realizada com toda a imparcialidade pelos nossos inspectores, ela oferece aos que viajam uma larga escolha de estabelecimentos a varios níveis de conforto e preço.

Em 1999, a aplicação de tabelas de preços expressas em EUROS tende a divulgar-se, mas mantem-se no entanto facultativa, cada cliente pode pagar indiferentemente a sua conta em EUROS (em cheque ou cartão de crédito) ou na divisa nacional. Todavia, esta transição sendo progressiva, optamos por indicar no nosso guia os preços em moeda nacional.

Na sua rota, para encontrar bons estabelecimentos e preços pequenos, consulte os numerosos restaurantes assinalados pelo "Bib Gourmand".

Agradecemos o envío dos seus comentários, sempre tão apreciados.

Boa viagem com Michelin.

Sumário

A escolha de um hotel, de um restaurante

Este Guia propõe uma selecção de hotéis e restaurantes para servir o automobilista de passagem. Os estabelecimentos classificados, segundo o seu conforto, estão indicados por ordem de preferência dentro de cada categoria.

Classe e conforto

		Grande luxo e tradição
		Grande conforto
		Muito confortável
		Confortável
		Simples, mas confortável
		Simples, mas aceitável
sin rest.	sem rest.	*O hotel não tem restaurante*
con hab	com qto	*O restaurante tem quartos*

Atractivos e tranquilidade

A estadia em certos hotéis torna-se por vezes particularmente agradável ou repousante. Isto deve-se, por um lado às características do edifício, à decoração original, à localização, ao acolhimento e aos serviços prestados, e por outro lado à tranquilidade dos locais. Tais estabelecimentos distinguem-se no Guia pelos símbolos a vermelho que abaixo se indicam.

...	*Hotéis agradáveis*
...	*Restaurantes agradáveis*
« Parque »	*Elemento particularmente agradável*
	Hotel muito tranquilo, ou isolado e tranquilo
	Hotel tranquilo
mar	*Vista excepcional*
	Vista interessante ou ampla

As localidades que possuem hotéis e restaurantes agradáveis ou muito tranquilos encontram-se nos mapas nas páginas 73 a 81, 644 e 645. Consulte-as para a preparação das suas viagens e dê-nos as suas impressões quando regressar. Assim facilitará os nossos inquéritos.

A instalação

Os quartos dos hotéis que lhe recomendamos têm em geral quarto de banho completo. No entanto pode acontecer que certos quartos, nas categorias 🏘, 🏠 e ⛱, o não tenham.

30 hab/30 qto	*Número de quartos*
[elevador]	*Elevador*
[ar condicionado]	*Ar condicionado*
TV	*Televisão no quarto*
☎	*Telefone no quarto, directo com o exterior*
♿	*Quartos de fácil acesso para deficientes físicos*
[refeições]	*Refeições servidas no jardim ou no terraço*
[fitness]	*Fitness club*
[piscina] [piscina coberta]	*Piscina ao ar livre ou coberta*
[praia] [jardim]	*Praia equipada – Jardim de repouso*
[ténis]	*Ténis*
18	*Golfe e número de buracos*
[salas] 25/150	*Salas de conferências: capacidade mínima e máxima das salas*
[garagem]	*Garagem (geralmente a pagar)*
P	*Parque de estacionamento reservado aos clientes*
[cães]	*Proibido a cães: em todo ou em parte do estabelecimento*
Fax	*Transmissão de documentos por telecópias*
maio-outubro *mayo-octubre*	*Período de abertura comunicado pelo hoteleiro*
temp.	*Abertura provável na estação, mas sem datas precisas. Os estabelecimentos abertos todo o ano são os que não têm qualquer menção*
✉ 28 012 ✉ 1 200	*Código postal*

A mesa

As estrelas

Entre os numerosos estabelecimentos recomendados neste guia, alguns merecem ser assinalados pela qualidade da sua cozinha. Nós classificamo-los por **estrelas**. *Indicamos, para esses estabelecimentos, três especialidades culinárias que poderão orientar-vos na escolha.*

✿✿✿ **Uma das melhores mesas, vale a viagem**

Come-se sempre muito bem e por vezes maravilhosamente. Vinhos de marca, serviço impecável, ambiente elegante... Preços em conformidade.

✿✿ **Uma mesa excelente, merece um desvio**

Especialidades e vinhos seleccionados ; deve estar preparado para uma despesa em concordância.

✿ **Uma muito boa mesa na sua categoria**

A estrela marca uma boa etapa no seu itinerário. Mas não compare a estrela dum estabelecimento de luxo com preços elevados com a estrela duma casa mais simples onde, com preços moderados, se serve também uma cozinha de qualidade.

O "Bib Gourmand"

Refeições cuidadas a preços moderados

Deseja por vezes encontrar refeições mais simples a preços moderados, por isso nós selecionamos restaurantes propondo por um lado uma relação qualidade-preço particularmente favorável, por outro uma refeicão cuidada frequentemente de tipo regional.

Estes restaurantes estão sinalizados por o **"Bib Gourmand"** ☺ *e* Comida *(Espanha) ou o* **"Bib Gourmand"** ☺ *e* Refeição *(Portugal).*

Exemplo: Comida 3100/4000, Refeição 2800/3500.

Consulte os mapas com estrelas ✿✿✿, ✿✿, ✿ *e com* **"Bib Gourmand"** ☺, *páginas 73 a 81, 644 e 645.*

Os vinhos : ver páginas 63 e 647

Os preços

Os preços indicados neste Guia foram estabelecidos no Verão de 1998 e são preços de ***época alta****. Podem portanto ser modificados, nomeadamente se se verificarem alterações no custo de vida ou nos preços dos bens e serviços. Em Espanha o I.V.A. será aplicado à totalidade da factura (7 %), salvo em Andorra (isento), Canarias (4,5 % I.G.I.C.), Ceuta e Melilla (4 % I.P.S.I.). Em Portugal (12 %) já está incluído.*

Em algumas cidades, por ocasião de manifestações comerciais ou turísticas os preços pedidos pelos hotéis poderão sofrer aumentos consideráveis.

Quando os hotéis e restaurantes figuram em carácteres destacados, significa que os hoteleiros nos deram todos os seus preços e se comprometeram sob a sua própria responsabilidade, a aplicá-los aos turistas de passagem, portadores do nosso Guia. Em época baixa alguns estabelecimentos oferecem condições vantajosas, informe-se ao fazer a reserva.

Entre no hotel ou no restaurante com o Guia na mão e assim mostrará que ele o conduziu com confiança.

Os preços são indicados em pesetas ou em escudos.

Refeições

Comida 2 500
Refeição 2 300

Preço fixo

Preço da refeição servida às horas normais

carta 3 200 a 5 800
lista 2 500 a 4 700

Refeições à lista

O primeiro preço corresponde a uma refeição simples, mas esmerada, compreendendo: entrada, prato do dia guarnecido e sobremesa. O segundo preço, refere-se a uma refeição mais completa (com especialidade), compreendendo: dois pratos e sobremesa.

☕ 500 *Preço do pequeno almoço*

Quartos

hab 4 500/6 700 **qto** 4 500/6 700	*Preço para um quarto de uma pessoa / Preço para um quarto de duas pessoas em plena estação*
Suites, apartamentos	*Consulte o hoteleiro*
hab ☕ 4 800/7 000 **qto** ☕ 4 800/7 000	*O preço do pequeno almoço está incluído no preço do quarto*

Pensão

PA 3 600	*Preço das refeições (almoço e jantar). Este preço deve juntar-se ao preço do quarto individual (pequeno almoço incluído) para se obter o custo da pensão completa por pessoa e por dia.* *É indispensável um contacto antecipado com o hotel para se obter o custo definitivo.*

O sinal

Alguns hoteleiros pedem por vezes o pagamento de um sinal. Trata-se de um depósito de garantia que compromete tanto o hoteleiro como o cliente.

Cartões de crédito

Principais cartões de crédito aceites no estabelecimento:

AE ⓓ E (MC)	*American Express – Diners Club – Eurocard (Master Card)*
VISA JCB	*Visa – Japan Credit Bureau*

As cidades

2200	*Código postal*
✉ 7800 Beja	*Código postal e nome do Centro de Distribuição Postal*
P	*Capital de distrito*
445 M 27	*Mapa Michelin e quadrícula*
24 000 h.	*População*
alt. 175	*Altitude da localidade*
3	*Número de teleféricos ou telecabinas*
7	*Número de teleskis e telecadeiras*
AX A	*Letras determinando um local na planta*
18	*Golfe e número de buracos*
	Panorama, vista
	Aeroporto
	Localidade com serviço de transporte de viaturas em caminho-de-ferro. Informações pelo número de telefone indicado
	Transportes marítimos
	Informação turística

As curiosidades

Interesses

★★★	*De interesse excepcional*
★★	*Muito interessante*
★	*Interessante*

Localização

Ver	*Na cidade*
Alred./Arred.	*Nos arredores da cidade*
Excurs.	*Excursões pela região*
Norte, Sul-Sur, Este, Oeste	*A curiosidade está situada: a Norte, a Sul, a Este, a Oeste*
①, ④	*Chega-se lá pela saída ① ou ④, assinalada pelo mesmo sinal na planta*
6 km	*Distância em quilómetros*

O automóvel, os pneus

Marcas de automóveis

No final do Guia existe uma lista das principais marcas de automóveis. Em caso de avaría, o endereço do mais próximo agente da marca pretendida ser-lhe-á comunicado se ligar, entre as 9 h. e 17 h. para o número de telefone indicado.

Velocidade: límites autorizados

	Auto-estrada	*Estrada*	*Localidade*
Espanha / *Portugal*	*120 km/h*	*90/100 km/h*	*50 km/h*

O uso do cinto de segurança é obrigatório para todos os ocupantes do veículo.

Os seus pneus

Desde que um agente de pneus não tenha o artigo de que necessita, dirija – se: em **Espanha**, *à Divisão Comercial Michelin, em Madrid, ou à Sucursal da Michelin de qualquer das seguintes cidades: Santa Perpètua de Mogoda (Barcelona), León, Coslada (Madrid), Valencia, Sevilla.*
Em **Portugal**: *à Direcção Comercial Michelin em Sacavém (Lisboa).*

Os endereços e os números de telefone das agências Michelin figuram no texto das localidades correspondentes.

Ver também as páginas marginadas a azul.

Automóvel clubes

RACE	*Real Automóvil Club de España*
RACC	*Reial Automòbil Club de Catalunya*
RACVN	*Real Automóvil Club Vasco Navarro*
RACV	*Real Automóvil Club de Valencia*
ACA	*Automóvil Club de Andorra*
ACP	*Automóvel Club de Portugal*

Ver no texto da maior parte das grandes cidades, a morada e o número de telefone de cada um dos Clubes Automóvel.

As plantas

Hotéis
Restaurantes

Curiosidades

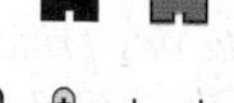
Edifício interessante e entrada principal
Edifício religioso interessante:
sé, igreja ou capela

Vias de circulação

Auto-estrada, estrada com faixas de rodagem separadas
- número do nó de acesso: completo-parcial
Grande via de circulação
Sentido único – Rua impraticável, regulamentada
Via reservada aos peões – Eléctrico
Colón P Rua comercial – Parque de estacionamento
Porta – Passagem sob arco – Túnel
Estação e via férrea
Funicular – Teleférico, telecabine
B Ponte móvel – Barcaça para automóveis

Diversos símbolos

Centro de Turismo
Mesquita – Sinagoga
Torre – Ruínas – Moinho de vento – Mãe d'água
Jardim, parque, bosque – Cemitério – Cruzeiro
Estádio – Golfe – Hipódromo
Piscina ao ar livre, coberta
Vista – Panorama
Monumento – Fonte – Fábrica – Centro Comercial
Porto de abrigo – Farol
Aeroporto – Estação de metro – Estação de autocarros
Transporte por barco:
passageiros e automóveis, só de passageiros
(3) Referência comum às plantas e aos mapas Michelin detalhados
Correio principal com posta-restante – Telefone
Hospital – Mercado coberto
Edifício público indicado por letra:
D H J - Conselho provincial – Câmara municipal – Tribunal
G - Delegação do Governo (Espanha), Governo civil (Portugal)
M T U - Museu – Teatro – Universidade, grande escola
POL. - Polícia (nas cidades principais: esquadra central)

Ami lecteur

Cette 27e édition du Guide Michelin España Portugal propose une sélection actualisée d'hôtels et de restaurants. Réalisée en toute indépendance par nos inspecteurs, elle offre au voyageur de passage un large choix d'adresses à tous les niveaux de confort et de prix.

En 1999, l'application des tarifs commerciaux exprimés en EUROS tend à se répandre, mais reste néanmoins facultative, chaque client pouvant régler indifféremment sa note en EUROS (par chèque ou carte bancaire) ou en devise nationale.
Toutefois, cette mise en oeuvre étant progressive, nous avons choisi d'indiquer dans notre ouvrage les prix dans la monnaie nationale.

Sur votre route, pour trouver de bonnes adresses à petits prix, suivez donc les nombreux restaurants que vous signale le **"Bib Gourmand"**.

Merci de vos commentaires toujours très appréciés.

Bon voyage avec Michelin.

Sommaire

Le choix d'un hôtel, d'un restaurant

Ce guide vous propose une sélection d'hôtels et restaurants établie à l'usage de l'automobiliste de passage. Les établissements, classés selon leur confort, sont cités par ordre de préférence dans chaque catégorie.

Catégories

⌂⌂⌂⌂⌂	XXXXX	*Grand luxe et tradition*
⌂⌂⌂⌂	XXXX	*Grand confort*
⌂⌂⌂	XXX	*Très confortable*
⌂⌂	XX	*De bon confort*
⌂	X	*Assez confortable*
⌂		*Simple mais convenable*
sin rest.	sem rest.	*L'hôtel n'a pas de restaurant*
con hab	com qto	*Le restaurant possède des chambres*

Agrément et tranquillité

Certains établissements se distinguent dans le guide par les symboles rouges indiqués ci-après. Le séjour dans ces hôtels se révèle particulièrement agréable ou reposant.
Cela peut tenir d'une part au caractère de l'édifice, au décor original, au site, à l'accueil et aux services qui sont proposés, d'autre part à la tranquillité des lieux.

⌂⌂⌂⌂⌂ ... ⌂	*Hôtels agréables*
XXXXX ... X	*Restaurants agréables*
« Parque »	*Élément particulièrement agréable*
🐎	*Hôtel très tranquille ou isolé et tranquille*
🐎	*Hôtel tranquille*
< mar	*Vue exceptionnelle*
<	*Vue intéressante ou étendue.*

Les localités possédant des établissements agréables ou très tranquilles sont repérées sur les cartes pages 73 a 81, 644 y 645.
Consultez-les pour la préparation de vos voyages et donnez-nous vos appréciations à votre retour, vous faciliterez ainsi nos enquêtes.

L'installation

Les chambres des hôtels que nous recommandons possèdent, en général, des installations sanitaires complètes. Il est toutefois possible que dans les catégories , et , certaines chambres en soient dépourvues.

30 hab/30 qto	*Nombre de chambres*
	Ascenseur
	Air conditionné
TV	*Télévision dans la chambre*
	Téléphone dans la chambre, direct avec l'extérieur
	Chambres accessibles aux handicapés physiques
	Repas servis au jardin ou en terrasse
	Salle de remise en forme
	Piscine : de plein air ou couverte
	Plage aménagée – Jardin de repos
18	*Tennis – Golf et nombre de trous*
25/150	*Salles de conférences : capacité des salles*
	Garage dans l'hôtel (généralement payant)
P	*Parking réservé à la clientèle*
	Accès interdit aux chiens (dans tout ou partie de l'établissement)
Fax	*Transmission de documents par télécopie*
mayo-octubre *maio-outubro*	*Période d'ouverture, communiquée par l'hôtelier*
temp.	*Ouverture probable en saison mais dates non précisées. En l'absence de mention, l'établissement est ouvert toute l'année.*
28 012 1 200	*Code postal*

La table

Les étoiles

Certains établissements méritent d'être signalés à votre attention pour la qualité de leur cuisine. Nous les distinguons par **les étoiles de bonne table.** *Nous indiquons, pour ces établissements, trois spécialités culinaires qui pourront orienter votre choix.*

✪✪✪ **Une des meilleures tables, vaut le voyage**
On y mange toujours très bien, parfois merveilleusement. Grands vins, service impeccable, cadre élégant... Prix en conséquence.

✪✪ **Table excellente, mérite un détour**
Spécialités et vins de choix... Attendez-vous à une dépense en rapport.

✪ **Une très bonne table dans sa catégorie**
L'étoile marque une bonne étape sur votre itinéraire. Mais ne comparez pas l'étoile d'un établissement de luxe à prix élevés avec celle d'une petite maison où à prix raisonnables, on sert également une cuisine de qualité.

Le "Bib Gourmand"

Repas soignés à prix modérés

Vous souhaitez parfois trouver des tables plus simples, à prix modérés ; c'est pourquoi nous avons sélectionné des restaurants proposant, pour un rapport qualité-prix particulièrement favorable, un repas soigné, souvent de type régional.
Ces restaurants sont signalés par le **"Bib Gourmand"** ☺ *et* Comida *(Espagne) ou le* **"Bib Gourmand"** ☺ *et* Refeição *(Portugal) ; Ex.* Comida 3100/4000, Refeição 2800/3500.

Consultez les cartes des étoiles ✪✪✪, ✪✪, ✪ et des **"Bib Gourmand"** ☺, *pages 73 à 81, 644 et 645.*
Les vins : voir pages 63 et 647

Les prix

Les prix que nous indiquons dans ce guide ont été établis en été 1998 et s'appliquent à **la haute saison.** *Ils sont susceptibles de modifications, notamment en cas de variations des prix des biens et services. Ils s'entendent service compris.*
En Espagne la T.V.A. (I.V.A.) sera ajoutée à la note (7 %), sauf en Andorre (pas de T.V.A.), aux Canaries (4,5 % I.G.I.C.), Ceuta et Melilla (4 % I.P.S.I.). Au Portugal (12 %) elle est comprise dans les prix.
Dans certaines villes, à l'occasion de manifestations commerciales ou touristiques, les prix demandés par les hôteliers risquent d'être considérablement majorés.
Les hôtels et restaurants figurent en gros caractères lorsque les hôteliers nous ont donné tous leurs prix et se sont engagés, sous leur propre responsabilité, à les appliquer aux touristes de passage porteurs de notre Guide.
Hors saison, certains établissements proposent des conditions avantageuses, renseignez-vous lors de votre réservation.
Entrez à l'hôtel le Guide à la main, vous montrerez ainsi qu'il vous conduit là en confiance.
Les prix sont indiqués en pesetas ou en escudos.

Repas

Comida 2 500 **Refeição** 2 300	**Menu à prix fixe :** *Prix du menu servi aux heures normales*
	Repas à la carte
carta 3 200 a 5 800 lista 2 500 a 4 700	*Le premier prix correspond à un repas normal comprenant : entrée, plat garni et dessert.* *Le 2e prix concerne un repas plus complet (avec spécialité) comprenant : deux plats et dessert*
☕ 500	*Prix du petit déjeuner*

Chambres

hab 4 500/6 700 **qto** 4 500/6 700	*Prix pour une chambre d'une personne / Prix pour une chambre de deux personnes en haute saison*
Suites, apartamentos	*Se renseigner auprès de l'hôtelier*
hab ☕ 4 800/7 000 **qto** ☕ 4 800/7 000	*Prix des chambres petit déjeuner compris*

Pension

PA 3 600	*Prix de la « Pensión Alimenticia » (petit déjeuner et les deux repas), à ajouter à celui de la chambre individuelle pour obtenir le prix de la pension complète par personne et par jour.* *Il est indispensable de s'entendre par avance avec l'hôtelier pour conclure un arrangement définitif.*

Les arrhes

Certains hôteliers demandent le versement d'arrhes. Il s'agit d'un dépôt-garantie qui engage l'hôtelier comme le client. Bien faire préciser les dispositions de cette garantie.

Cartes de crédit

Cartes de crédit acceptées par l'établissement :

AE ⓓ E (MC)	*American Express – Diners Club – Eurocard (Master Card)*
VISA JCB	*Visa – Japan Credit Bureau*

Les villes

2200	*Numéro de code postal*
✉ 7800 Beja	*Numéro de code postal et nom du bureau distributeur du courrier*
P	*Capitale de Province*
445 M 27	*Numéro de la Carte Michelin et carroyage*
24 000 h.	*Population*
alt. 175	*Altitude de la localité*
3	*Nombre de téléphériques ou télécabines*
7	*Nombre de remonte-pentes et télésièges*
AX A	*Lettres repérant un emplacement sur le plan*
18	*Golf et nombre de trous*
	Panorama, point de vue
	Aéroport
	Localité desservie par train-auto. Renseignements au numéro de téléphone indiqué
	Transports maritimes
	Information touristique

Les curiosités

Intérêt

★★★	*Vaut le voyage*
★★	*Mérite un détour*
★	*Intéressant*

Situation

Ver	*Dans la ville*
Alred./Arred.	*Aux environs de la ville*
Excurs.	*Excursions dans la région*
Norte, Sur-Sul, Este, Oeste	*La curiosité est située : au Nord, au Sud, à l'Est, à l'Ouest*
①, ④	*On s'y rend par la sortie ① ou ④ repérée par le même signe sur le plan du Guide et sur la carte*
6 km	*Distance en kilomètres*

La voiture, les pneus

Marques automobiles

Une liste des principales marques automobiles figure en fin de Guide.
En cas de panne, l'adresse du plus proche agent de la marque vous sera communiquée en appelant le numéro de téléphone indiqué, entre 9 h et 17 h.

Vitesse : limites autorisées

	Autoroute	*Route*	*Agglomération*
Espagne / *Portugal*	*120 km/h*	*90/100 km/h*	*50 km/h*

Le port de la ceinture de sécurité est obligatoire à l'avant et à l'arrière des véhicules.

Vos pneumatiques

Lorsqu'un agent de pneus n'a pas l'article dont vous avez besoin, adressez-vous : en **Espagne** *à la Division Commerciale Michelin à Madrid ou à la Succursale Michelin de l'une des villes suivantes : Santa Perpètua de Mogoda (Barcelone), León, Coslada (Madrid), Valencia, Sevilla. Au* **Portugal**, *à la Direction Commerciale à Sacavém (Lisbonne).*
Les adresses et les numéros de téléphone des agences Michelin figurent au texte des localités correspondantes.

Dans nos agences, nous nous faisons un plaisir de donner à nos clients tous conseils pour la meilleure utilisation de leurs pneus.

Voir aussi les pages bordées de bleu.

Automobile clubs

RACE	*Real Automóvil Club de España*
RACC	*Reial Automòbil Club de Catalunya*
RACVN	*Real Automóvil Club Vasco Navarro*
RACV	*Real Automóvil Club de Valencia*
ACA	*Automóvil Club de Andorra*
ACP	*Automóvel Club de Portugal*

Voir au texte de la plupart des grandes villes, l'adresse et le numéro de téléphone de ces différents Automobile Clubs.

Les plans

Hôtels
Restaurants

Curiosités

Bâtiment intéressant et entrée principale
Édifice religieux intéressant :
cathédrale, église ou chapelle

Voirie

Autoroute, route à chaussées séparées
échangeur : complet, partiel, numéro
Grande voie de circulation
Sens unique – Rue impraticable, réglementée
Rue piétonne – Tramway
Colón *Rue commerçante – Parc de stationnement*
Porte – Passage sous voûte – Tunnel
Gare et voie ferrée
Funiculaire – Téléphérique, télécabine
B *Pont mobile – Bac pour autos*

Signes divers

Information touristique
Mosquée – Synagogue
Tour – Ruines
Moulin à vent – Château d'eau
Jardin, parc, bois – Cimetière – Calvaire
Stade – Golf – Hippodrome
Piscine de plein air, couverte
Vue – Panorama
Monument – Fontaine – Usine – Centre commercial
Port de plaisance – Phare
Aéroport – Station de métro – gare routière
Transport par bateau :
passagers et voitures, passagers seulement
③ *Repère commun aux plans et aux cartes Michelin détaillées*
Bureau principal de poste restante – Téléphone
Hôpital – Marché couvert
Bâtiment public repéré par une lettre :
D H J *- Conseil provincial – Hôtel de ville – Palais de justice*
G *- Délégation du gouvernement (Espagne),*
Gouvernement du district (Portugal)
M T U *- Musée – Théâtre – Université, grande école*
POL. *- Police (commissariat central)*

Amico Lettore

Questa 27esima edizione della Guida Michelin España Portugal propone una selezione aggiornata di alberghi e ristoranti. Realizzata dai nostri ispettori in piena autonomia, offre al viaggiatore di passaggio un'ampia scelta a tutti i livelli di confort e prezzo.

Nel 1999 l'applicazione delle tariffe commerciali in EURO tende a diffondersi, ma resta ancora facoltativa, potendo il cliente scegliere di pagare il conto in EURO (con assegno o carta di credito) od in valuta nazionale.
Essendo questa trasformazione ancora in atto, abbiamo preferito indicare nella nostra pubblicazione i prezzi in moneta nazionale.

Lungo la vostra strada, per trovare dei buoni indirizzi a prezzi interessanti, cercate i tanti ristoranti contrassegnati dal "Bib Gourmand".

Grazie delle vostre segnalazioni sempre gradite.

Buon viaggio con Michelin

Sommario

La scelta di un albergo, di un ristorante

Questa guida propone una selezione di alberghi e ristoranti per orientare la scelta, dell'automobilista. Gli esercizi, classificati in base al confort che offrono, vengono citati in ordine di preferenza per ogni categoria.

Categorie

		Gran lusso e tradizione
		Gran confort
		Molto confortevole
		Di buon confort
		Abbastanza confortevole
		Semplice, ma conveniente
sin rest.	sem rest.	*L'albergo non ha ristorante*
con hab	com qto	*Il ristorante dispone di camere*

Amenità e tranquillità

Alcuni esercizi sono evidenziati nella guida dai simboli rossi indicati qui di seguito. Il soggiorno in questi alberghi si rivela particolarmente ameno o riposante.

Ciò può dipendere sia dalle caratteristiche dell'edificio, dalle decorazioni non comuni, dalla sua posizione e dal servizio offerto, sia dalla tranquillità dei luoghi.

...	*Alberghi ameni*
...	*Ristoranti ameni*
« Parque »	*Un particolare piacevole*
	Albergo molto tranquillo o isolato e tranquillo
	Albergo tranquillo
mar	*Vista eccezionale*
	Vista interessante o estesa

Le località che possiedono degli esercizi ameni o molto tranquilli sono riportate sulle carte da pagina 73 a 81, 644 e 645.

Consultatele per la preparazione dei vostri viaggi e, al ritorno, inviateci i vostri pareri ; in tal modo agevolerete le nostre inchieste.

Installazioni

Le camere degli alberghi che raccomandiamo possiedono, generalmente, delle installazioni sanitarie complete. È possibile tuttavia che nelle categorie , e alcune camere ne siano sprovviste.

30 hab/30 qto	*Numero di camere*
	Ascensore
	Aria condizionata
	Televisione in camera
	Telefono in camera comunicante direttamente con l'esterno
	Camere di agevole accesso per i portatori di handicap
	Pasti serviti in giardino o in terrazza
	Palestra
	Piscina: all'aperto – coperta
	Spiaggia attrezzata – Giardino
9	*Tennis – Golf e numero di buche*
25/150	*Sale per conferenze: capienza minima e massima delle sale*
	Garage nell'albergo (generalmente a pagamento)
	Parcheggio riservato alla clientela
	Accesso vietato ai cani (in tutto o in parte dell'esercizio)
Fax	*Trasmissione telefonica di documenti*
mayo-octubre *maio-outubro*	*Periodo di apertura, comunicato dall'albergatore*
temp.	*Probabile apertura in stagione, ma periodo non precisato. Gli esercizi senza tali menzioni sono aperti tutto l'anno.*
28 012 1 200	*Codice postale*

La tavola

Le stelle

*Alcuni esercizi meritano di essere segnalati alla vostra attenzione per la qualità particolare della loro cucina ; li abbiamo evidenziati con le « **stelle di ottima tavola** ».*
Per ognuno di questi ristoranti indichiamo tre specialità culinarie che potranno aiutarvi nella scelta.

✿✿✿ **Una delle migliori tavole, vale il viaggio**
Vi si mangia sempre molto bene, a volte meravigliosamente. Grandi vini, servizio impeccabile, ambientazione accurata... Prezzi conformi.

✿✿ **Tavola eccellente, merita una deviazione**
Specialità e vini scelti... Aspettatevi una spesa in proporzione.

✿ **Un'ottima tavola nella sua categoria**
La stella indica una tappa gastronomica sul vostro itinerario.
Non mettete però a confronto la stella di un esercizio di lusso, dai prezzi elevati, con quella di un piccolo esercizio dove, a prezzi ragionevoli, viene offerta una cucina di qualità.

Il "Bib Gourmand"

Pasti accurati a prezzi contenuti
Talvolta desiderate trovare delle tavole più semplici a prezzi contenuti. Per questo motivo abbiamo selezionato dei ristoranti che, per un rapporto qualità-prezzo particolarmente favorevole, offrono un pasto accurato spesso a carattere tipicamente regionale.
Questi ristoranti sono evidenziati nel testo con il "Bib Gourmand" *e* Comida *(Spagna) o il* "Bib Gourmand" *e* Refeição *(Portogallo), es.* Comida 3100/4000, Refeição 2800/3500.

Consultate le carte con stelle ✿✿✿, ✿✿, ✿ e con "Bib Gourmand", *pagine 73 a 81, 644 e 645.*
I vini: vedere pagine 63 e 647

I prezzi

I prezzi che indichiamo in questa guida sono stati stabiliti nell'estate 1998 e si applicano in **alta stagione**. *Potranno pertanto subire delle variazioni in relazione ai cambiamenti dei prezzi di beni e servizi. Essi s'intendono comprensivi del servizio. In Spagna l'I.V.A. sarà aggiunta al conto (7 %) salvo in Andorra (non c'è l'I.V.A.), Canarie (4,5 % I.G.I.C.), Ceuta e Melilla (4 % I.P.S.I.). In Portogallo (12 %) è già compresa.*

In alcune città, in occasione di manifestazioni turistiche o commerciali, i prezzi richiesti dagli albergatori potrebbero risultare considerevolmente più alti.

Gli alberghi e i ristoranti vengono menzionati in carattere grassetto quando gli albergatori ci hanno comunicato tutti i loro prezzi e si sono impegnati, sotto la propria responsabilità, ad applicarli ai turisti di passaggio, in possesso della nostra Guida.

In bassa stagione, certi esercizi applicano condizioni più vantaggiose, informatevi al momento de la prenotazione.

Entrate nell'albergo o nel ristorante con la Guida in mano, dimostrando in tal modo la fiducia in chi vi ha indirizzato.

I prezzi sono indicati in pesetas o in escudos.

Pasti

Comida 2 500
Refeição 2 300

Menu a prezzo fisso
Prezzo del menu servito ad ore normali

carta 3 200 a 5 800
lista 2 500 a 4 700

Pasto alla carta
Il primo prezzo corrisponde ad un pasto semplice comprendente: antipasto, piatto con contorno e dessert.
Il secondo prezzo corrisponde ad un pasto più completo (con specialità) comprendente: due piatti e dessert.

☕ 500 *Prezzo della prima colazione*

Camere

hab 4 500/6 700 **qto** 4 500/6 700	*Prezzo per una camera singola / Prezzo per una camera per due persone in alta stagione.*
Suites, apartamentos	*Informarsi presso l'albergatore*
hab ☕ 4 800/7 000 **qto** ☕ 4 800/7 000	*Prezzo della camera compresa la prima colazione*

Pensione

PA 3 600	*Prezzo della « Pensión Alimenticia » (prima colazione più due pasti) da sommare a quello della camera per una persona per ottenere il prezzo della pensione completa per persona e per giorno. E' tuttavia indispensabile prendere accordi preventivi con l'albergatore per stabilire le condizioni definitive.*

La caparra

Alcuni albergatori chiedono il versamento di una caparra. Si tratta di un deposito-garanzia che impegna tanto l'albergatore che il cliente. Vi consigliamo di farvi precisare le norme riguardanti la reciproca garanzia di tale caparra.

Carte di credito

Carte di credito accettate dall'esercizio:

AE ⓓ E (MC)	*American Express – Diners Club – Eurocard (Master Card)*
VISA JCB	*Visa – Japan Credit Bureau*

Le città

2200	*Codice di avviamento postale*
✉ *7800 Beja*	*Numero di codice e sede dell'Ufficio Postale*
P	*Capoluogo di Provincia*
445 *M 27*	*Numero della carta Michelin e del riquadro*
24 000 h.	*Popolazione*
alt. 175	*Altitudine della località*
3	*Numero di funivie o cabinovie*
7	*Numero di sciovie e seggiovie*
AX A	*Lettere indicanti l'ubicazione sulla pianta*
18	*Golf e numero di buche*
	Panorama, vista
	Aeroporto
	Località con servizio auto su treno. Informarsi al numero di telefono indicato
	Trasporti marittimi
	Ufficio informazioni turistiche

Luoghi d'interesse

Grado di interesse

★★★	*Vale il viaggio*
★★	*Merita una deviazione*
★	*Interessante*

Ubicazione

Ver	*Nella città*
Alred.Arred.	*Nei dintorni della città*
Excurs.	*Nella regione*
Norte, Sur-Sul, Este, Oeste	*Il luogo si trova: a Nord, a Sud, a Est, a Ovest*
①, ④	*Ci si va dall'uscita ① o ④ indicata con lo stesso segno sulla pianta della guida e sulla carta stradale*
6 km	*Distanza chilometrica*

L'automobile, i pneumatici

Marche automobilistiche

L'elenco delle principali case automobilistiche si trova in fondo alla Guida. In caso di necessità l'indirizzo della più vicina officina autorizzata, vi sarà comunicato chiamando dalle 9 alle 17, il numero telefonico indicato.

Velocità massima autorizzata

	Autostrada	*Strada*	*Abitato*
Spagna / *Portogallo*	*120 km/h*	*90/100 km/h*	*50 km/h*

L'uso della cintura di sicurezza è obbligatorio sia sui sedili anteriori che su quelli posteriori degli autoveicoli.

I vostri pneumatici

Se vi occorre rintracciare un rivenditore di pneumatici potete rivolgervi: in **Spagna** *alla Divisione Commerciale Michelin di Madrid o alla Succursale Michelin di una delle seguenti città: Santa Perpètua de Mogoda (Barcelona), León, Coslada (Madrid), Valencia, Sevilla. Per il* **Portogallo**, *potete rivolgervi alla Direzione Commerciale Michelin di Sacavém (Lisboa). Gli indirizzi ed i numeri telefonici delle Succursali Michelin figurano nel testo delle relative località. Le nostre Succursali sono in grado di dare ai nostri clienti tutti i consigli relativi alla migliore utilizzazione dei pneumatici.*

Vedere anche le pagine bordate di blu.

Automobile clubs

RACE	*Real Automóvil Club de España*
RACC	*Reial Automòbil Club de Catalunya*
RACVN	*Real Automóvil Club Vasco Navarro*
RACV	*Real Automóvil Club de Valencia*
ACA	*Automóvil Club de Andorra*
ACP	*Automóvel Club de Portugal*

Troverete l'indirizzo e il numero di telefono di questi Automobile Club nel testo della maggior parte delle grandi città.

Le piante

Alberghi
Ristoranti

Curiosità

Edificio interessante ed entrata principale
Costruzione religiosa interessante: cattedrale, chiesa, cappella

Viabilità

Autostrada, strada a carreggiate separate
Svincolo: completo, parziale, numero
Grande via di circolazione
Senso unico – Via impraticabile, a circolazione regolamentata
Via pedonale – Tranvia
Colón P Via commerciale – Parcheggio
Porta – Sottopassaggio – Galleria
Stazione e ferrovia
Funicolare – Funivia, Cabinovia
B Ponte mobile – Traghetto per auto

Simboli vari

Ufficio informazioni turistiche
Moschea – Sinagoga
Torre – Ruderi – Mulino a vento – Torre idrica
Giardino, parco, bosco – Cimitero – Calvario
Stadio – Golf – Ippodromo
Piscina: all'aperto, coperta
Vista – Panorama
Monumento – Fontana – Fabbrica – Centro commerciale
Porto per imbarcazioni da diporto – Faro
Aeroporto – Stazione della Metropolitana – Autostazione
Trasporto con traghetto: passeggeri ed autovetture, solo passeggeri
③ Simbolo di riferimento comune alle piante ed alle carte Michelin particolareggiate
Ufficio postale centrale e telefono
Ospedale – Mercato coperto
Edificio pubblico indicato con lettera:
D H - Sede del Governo della Provincia – Municipio
G - Delegazione del governo (Spagna), Governo distrettuale (Portogallo)
J M T U - Palazzo di Giustizia – Museo – Teatro – Università
POL. - Polizia (Questura, nelle grandi città)

Lieber Leser

Die vorliegende 27. Ausgabe des Roten Michelin-Führers España Portugal bringt eine aktuelle Auswahl an Hotels und Restaurants. Sie wurde von unseren Inspektoren in völliger Unabhängigkeit erstellt und bietet dem Reisenden eine breit gefächerte Auswahl von Adressen in allen Komfort-und Preisklassen.

1999 gehen immer mehr Geschäfte dazu über, ihre Preise in EURO anzugeben, wenn dies auch noch nicht verbindlich vorgeschrieben ist und es dem Kunden freigestellt bleibt, ob er seine Rechnung in EURO (bei bargeldloser Zahlung) oder in der Landeswährung begleichen will.
Da sich diese Umstellung aber nach und nach vollzieht, haben wir uns entschieden, in der vorliegenden Ausgabe die Preise noch in der Landeswährung anzugeben.

Wenn Sie unterwegs gut und preiswert essen möchten, folgen Sie dem **"Bib Gourmand"**, *der Ihnen den Weg zu zahlreichen Restaurants mit besonders günstigem Preis-/Leistungsverhältnis weist.*

Vielen Dank für Ihre Anregungen und Hinweise, die uns stets willkommen sind.

Gute Reise mit Michelin

Inhaltsverzeichnis

Wahl eines Hotels, eines Restaurants

Die Auswahl der in diesem Führer aufgeführten Hotels und Restaurants ist für Reisende gedacht. In jeder Kategorie drückt die Reihenfolge der Betriebe (sie sind nach ihrem Komfort klassifiziert) eine weitere Rangordnung aus.

Kategorien

🏨🏨🏨🏨🏨	XXXXX	*Großer Luxus und Tradition*
🏨🏨🏨🏨	XXXX	*Großer Komfort*
🏨🏨🏨	XXX	*Sehr komfortabel*
🏨🏨	XX	*Mit gutem Komfort*
🏨	X	*Mit Standard-Komfort*
⌂		*Bürgerlich*
sin rest.	sem rest.	*Hotel ohne Restaurant*
con hab	com qto	*Restaurant vermietet auch Zimmer*

Annehmlichkeiten

Manche Häuser sind im Führer durch rote Symbole gekennzeichnet (s. unten.) Der Aufenthalt in diesen ist wegen der schönen, ruhigen Lage, der nicht alltäglichen Einrichtung und Atmosphäre sowie dem gebotenen Service besonders angenehm und erholsam.

🏨🏨🏨🏨🏨 ... 🏨	*Angenehme Hotels*
XXXXX ... X	*Angenehme Restaurants*
« Parque »	*Besondere Annehmlichkeit*
🐴	*Sehr ruhiges, oder abgelegenes und ruhiges Hotel*
🐴	*Ruhiges Hotel*
⇐ mar	*Reizvolle Aussicht*
⇐	*Interessante oder weite Sicht*

Die Übersichtskarten S. 73 – S. 81, 644 und 645, auf denen die Orte mit besonders angenehmen oder sehr ruhigen Häusern eingezeichnet sind, helfen Ihnen bei der Reisevorbereitung. Teilen Sie uns bitte nach der Reise Ihre Erfahrungen und Meinungen mit. Sie helfen uns damit, den Führer weiter zu verbessern.

Einrichtung

Die meisten der empfohlenen Hotels verfügen über Zimmer, die alle oder doch zum größten Teil mit Bad oder Dusche ausgestattet sind. In den Häusern der Kategorien, und kann diese jedoch in einigen Zimmern fehlen.

30 hab/30 qto	*Anzahl der Zimmer*
	Fahrstuhl
	Klimaanlage
TV	*Fernsehen im Zimmer*
	Zimmertelefon mit direkter Außenverbindung
	Für Körperbehinderte leicht zugängliche Zimmer
	Garten-, Terrassenrestaurant
	Fitneßraum
	Freibad – Hallenbad
	Strandbad – Liegewiese, Garten
18	*Tennisplatz – Golfplatz und Lochzahl*
25/150	*Konferenzräume: Mindest- und Höchstkapazität*
	Hotelgarage (wird gewöhnlich berechnet)
P	*Parkplatz reserviert für Gäste*
	Hunde sind unerwünscht (im ganzen Haus bzw. in den Zimmern oder im Restaurant)
Fax	*Telefonische Dokumentenübermittlung*
mayo-octubre *maio-outubro*	*Öffnungszeit, vom Hotelier mitgeteilt*
temp.	*Unbestimmte Öffnungszeit eines Saisonhotels. Häuser ohne Angabe von Schließungszeiten sind ganzjährig geöffnet.*
28 012 1 200	*Postleitzahl*

Küche

Die Sterne

*Einige Häuser verdienen wegen ihrer überdurchschnittlich guten Küche Ihre besondere Beachtung. Auf diese Häuser weisen die Sterne hin. Bei den mit « **Stern** » ausgezeichneten Betrieben nennen wir drei kulinarische Spezialitäten, die Sie probieren sollten.*

✿✿✿ **Eine der besten Küchen: eine Reise wert**

Man ißt hier immer sehr gut, öfters auch exzellent. Edle Weine, tadelloser Service, gepflegte Atmosphäre... entsprechende Preise.

✿✿ **Eine hervorragende Küche: verdient einen Umweg**

Ausgesuchte Menus und Weine... angemessene Preise.

✿ **Eine sehr gute Küche: verdient Ihre besondere Beachtung**

Der Stern bedeutet eine angenehme Unterbrechung Ihrer Reise.
Vergleichen Sie aber bitte nicht den Stern eines sehr teuren Luxusrestaurants mit dem Stern eines kleineren oder mittleren Hauses, wo man Ihnen zu einem annehmbaren Preis eine ebenfalls vorzügliche Mahlzeit reicht.

Der "Bib Gourmand"

Sorgfältig zubereitete, preiswerte Mahlzeiten

Für Sie wird es interessant sein, auch solche Häuser kennenzulernen, die eine etwas einfachere, vorzugsweise regionale Küche zu einem besonders günstigen Preis/Leistungs-Verhältnis bieten.
Im Text sind die betreffenden Restaurants durch die roten Angaben ☺ "Bib Gourmand" *und* Comida *(Spanien) oder* ☺ "Bib Gourmand" *und* Refeição *(Portugal) kenntlich gemacht, z. B.* Comida 3100/4000, Refeição 2800/3500.

Siehe Karten der Sterne ✿✿✿, ✿✿, ✿ *und* "Bib Gourmand" ☺, *S. 73 bis S. 81, 644 und 645.*

Weine: siehe S. 63 und S. 647.

Preise

Die in diesem Führer genannten Preise wurden uns im Sommer 1998 angegeben, es sind **Hochsaisonpreise**. *Sie können sich mit den Preisen von Waren und Dienstleistungen ändern. Sie enthalten das Bedienungsgeld ; in Spanien, die MWSt. (I.V.A.) wird der Rechnung hinzugefügt (7 %), mit Ausnahme von Andorra (keine MWSt), Kanarische Inseln (4,5 %), Ceuta und Melilla (4 %). In Portugal sind die angegebenen Preise Inklusivpreise (12 %).*

In einigen Städten werden bei touristischen Veranstaltungen, Messen und Ausstellungen von den Hotels beträchtlich erhöhte Preise verlangt.

Die Namen der Hotels und Restaurants, die ihre Preise genannt haben, sind fettgedruckt. Gleichzeitig haben sich diese Häuser verpflichtet, die von den Hoteliers selbst angegebenen Preise den Benutzern des Michelin-Führers zu berechnen.

Außerhalb der Saison bieten einige Betriebe günstigere Preise an. Erkundigen Sie sich bei Ihrer Reservierung danach.

Halten Sie beim Betreten des Hotels den Führer in der Hand. Sie zeigen damit, daß Sie aufgrund dieser Empfehlung gekommen sind.

Die Preise sind in Pesetas oder Escudos angegeben.

Mahlzeiten

Comida 2 500 **Refeição** 2 300	**Feste Menupreise** *Preis für ein Menu, das zu den normalen Tischzeiten serviert wird*
	Mahlzeiten « à la carte »
carta 3 200 a 5 800 lista 2 500 a 4 700	*Der erste Preis entspricht einer einfachen Mahlzeit und umfaßt Vorspeise, Tagesgericht mit Beilage, Dessert. Der zweite Preis entspricht einer reichlicheren Mahlzeit (mit Spezialgericht) bestehend aus zwei Hauptgängen und Dessert*
☕ 500	*Preis des Frühstücks*

Zimmer

hab 4 500/6 700 **qto** 4 500/6 700	*Preis für ein Einzelzimmer / Preis für ein Doppelzimmer während der Hauptsaison*
Suites, apartamentos	*Preise auf Anfrage*
hab ☕ 4 800/7 000 **qto** ☕ 4 800/7 000	*Zimmerpreis inkl. Frühstück*

Pension

PA 3 600 — *Preis der « Pensión Alimenticia » (= Frühstück und zwei Hauptmahlzeiten). Die Addition des Einzelzimmerpreises und des Preises der « Pensión Alimenticia » ergibt den Vollpensionspreis pro Person und Tag.*
Es ist unerläßlich, sich im voraus mit dem Hotelier über den definitiven Endpreis zu verständigen.

Anzahlung

Einige Hoteliers verlangen eine Anzahlung. Diese ist als Garantie sowohl für den Hotelier als auch für den Gast anzusehen. Es ist ratsam, sich beim Hotelier nach den genauen Bestimmungen zu erkundigen.

Kreditkarten

Vom Haus akzeptierte Kreditkarten:

AE ⓓ E (MC) — *American Express – Diners Club – Eurocard (Master Card)*

VISA JCB — *Visa – Japan Credit Bureau*

Städte

2200	*Postleitzahl*
✉ 7800 Beja	*Postleitzahl und Name des Verteilerpostamtes*
P	*Provinzhauptstadt*
445 M 27	*Nummer der Michelin-Karte und Koordinaten des Planquadrats*
24 000 h.	*Einwohnerzahl*
alt. 175	*Höhe*
3	*Anzahl der Kabinenbahnen*
7	*Anzahl der Schlepp- oder Sessellifts*
AX A	*Markierung auf dem Stadtplan*
18	*Golfplatz und Lochzahl*
	Rundblick – Aussichtspunkt
	Flughafen
	Ladestelle für Autoreisezüge – Nähere Auskunft unter der angegebenen Telefonnummer
	Autofähre
	Informationsstelle

Sehenswürdigkeiten

Bewertung

★★★	*Eine Reise wert*
★★	*Verdient einen Umweg*
★	*Sehenswert*

Lage

Ver	*In der Stadt*
Alred./Arred.	*In der Umgebung der Stadt*
Excurs.	*Ausflugsziele*
Norte, Sur-Sul, Este, Oeste	*Im Norden, Süden, Osten, Westen der Stadt*
①, ④	*Zu erreichen über die Ausfallstraße ① bzw. ④, die auf dem Stadtplan und auf der Michelin-Karte identisch gekennzeichnet sind*
6 km	*Entfernung in Kilometern*

Das Auto, die Reifen

Automobilfirmen

Am Ende des Führers finden Sie eine Liste mit Adressen der wichtigsten Automarken.
Im Pannenfall erfahren Sie zwischen 9 und 17 Uhr die Adresse der nächstgelegenen Vertragswerkstatt, wenn Sie die angegebene Rufnummer wählen.

Geschwindigkeitsbegrenzung (in km/h)

	Autobahn	*Landstrasse*	*Geschlossene Ortschaften*
Spanien / *Portugal*	*120 km/h*	*90/100 km/h*	*50 km/h*

Das Tragen von Sicherheitsgurten ist auf Vorder-und Rücksitzen obligatorisch.

Ihre Reifen

Sollte ein Reifenhändler den von Ihnen benötigten Artikel nicht vorrätig haben, wenden Sie sich bitte in **Spanien** *an die Michelin-Hauptverwaltung in Madrid, oder an eine der Michelin-Niederlassungen in den Städten: Santa Perpètua de Mogoda (Barcelona), León, Coslada (Madrid), Valencia, Sevilla.*
In **Portugal** *können Sie sich an die Michelin-Hauptverwaltung in Sacavém (Lissabon) wenden.*

Die Anschriften und Telefonnummern der Michelin-Niederlassungen sind jeweils bei den entsprechenden Orten vermerkt.

In unseren Depots geben wir unseren Kunden gerne Auskunft über alle Reifenfragen.

Siehe auch die blau umrandeten Seiten.

Automobil-clubs

RACE	*Real Automóvil Club de España*
RACC	*Reial Automòbil Club de Catalunya*
RACVN	*Real Automóvil Club Vasco Navarro*
RACV	*Real Automóvil Club de Valencia*
ACA	*Automóvil Club de Andorra*
ACP	*Automóvel Club de Portugal*

Im Ortstext der meisten großen Städte sind Adresse und Telefonnummer der einzelnen Automobil-Clubs angegeben.

Stadtpläne

Hotels
Restaurants

Sehenswürdigkeiten

Sehenswertes Gebäude mit Haupteingang
Sehenswerter Sakralbau
Kathedrale, Kirche oder Kapelle

Straßen

Autobahn, Schnellstraße
Nummer der Anschlußstelle: Autobahneinfahrt und/oder -ausfahrt
Hauptverkehrsstraße
Einbahnstraße – Gesperrte Straße, mit Verkehrsbeschränkungen
Fußgängerzone – Straßenbahn
Colón P *Einkaufsstraße – Parkplatz, Parkhaus*
Tor – Passage – Tunnel
Bahnhof und Bahnlinie
Standseilbahn – Seilschwebebahn
B *Bewegliche Brücke – Autofähre*

Sonstige Zeichen

Informationsstelle
Moschee – Synagoge
Turm – Ruine – Windmühle – Wasserturm
Garten, Park, Wäldchen – Friedhof – Bildstock
Stadion – Golfplatz – Pferderennbahn
Freibad – Hallenbad
Aussicht – Rundblick
Denkmal – Brunnen – Fabrik – Einkaufszentrum
Jachthafen – Leuchtturm
Flughafen – U-Bahnstation – Autobusbahnhof
Schiffsverbindungen: Autofähre – Personenfähre
(3) *Straßenkennzeichnung (identisch auf Michelin Stadtplänen und -Abschnittskarten)*
Hauptpostamt (postlagernde Sendungen), Telefon
Krankenhaus – Markthalle
Öffentliches Gebäude, durch einen Buchstaben gekennzeichnet:
D H J *- Provinzverwaltung – Rathaus – Gerichtsgebäude*
G *- Vertretung der Zentralregierung (Spanien), Bezirksverwaltung (Portugal)*
M T U *- Museum – Theater – Universität, Hochschule*
POL. *- Polizei (in größeren Städten Polizeipräsidium)*

Dear Reader

This 27th edition of the Michelin Guide España Portugal offers the latest selection of hotels and restaurants. Independently compiled by our inspectors, the Guide offers travellers a wide choice of establishments at all levels of comfort and price.

In 1999, prices in EURO will become more widely used, although to a large extent they remain optional, so that a customer may settle their bill in EURO (either by cheque or credit card) or in the local currency. The implementation of the EURO is still under development, and we have therefore decided to continue to include prices in this Guide in local currency.

On your travels look out for the many restaurants awarded the "Bib Gourmand" *symbol, which indicates moderately priced menus and good value for money.*

Thank you for your comments which are always appreciated.

Bon voyage !

Contents

Choosing a hotel or restaurant

This guide offers a selection of hotels and restaurants to help the motorist on his travels. In each category establishments are listed in order of preference according to the degree of comfort they offer.

Categories

	Luxury in the traditional style
	Top class comfort
	Very comfortable
	Comfortable
	Quite comfortable
	Simple comfort
sin rest. sem rest.	*The hotel has no restaurant*
con hab com qto	*The restaurant also offers accommodation*

Peaceful atmosphere and setting

Certain establishments are distinguished in the guide by the red symbols shown below.

Your stay in such hotels will be particularly pleasant or restful, owing to the character of the building, its decor, the setting, the welcome and services offered, or simply the peace and quiet to be enjoyed there.

...	*Pleasant hotels*
...	*Pleasant restaurants*
« Parque »	*Particularly attractive feature*
	Very quiet or quiet, secluded hotel
	Quiet hotel
mar	*Exceptional view*
	Interesting or extensive view

The maps on pages 73 to 81, 644 and 645 indicate places with such peaceful, pleasant hotels and restaurants.

By consulting them before setting out and sending us your comments on your return you can help us with our enquiries.

Hotel facilities

In general the hotels we recommend have full bathroom and toilet facilities in each room. This may not be the case, however, for certain rooms in categories 🏘, 🏠 and ⛱.

30 hab/30 qto	*Number of rooms*
[lift]	*Lift (elevator)*
[air]	*Air conditioning*
TV	*Television in room*
☎	*Direct-dial phone in room*
♿	*Rooms accessible to disabled people*
[terrace]	*Meals served in garden or on terrace*
[exercise]	*Exercise room*
[pool] [pool]	*Outdoor or indoor swimming pool*
[beach] [garden]	*Beach with bathing facilities – Garden*
[tennis] 18	*Tennis court – Golf course and number of holes*
[conference] 25/150	*Equipped conference hall (minimum and maximum capacity)*
[garage]	*Hotel garage (additional charge in most cases)*
P	*Car park for customers only*
[no dogs]	*Dogs are excluded from all or part of the hotel*
Fax	*Telephone document transmission*
mayo-octubre *maio-outubro*	*Dates when open, as indicated by the hotelier*
temp.	*Probably open for the season – precise dates not available.* *Where no date or season is shown, establishments are open all year round.*
✉ 28 012 ✉ 1 200	*Postal number*

Cuisine

Stars

Certain establishments deserve to be brought to your attention for the particularly fine quality of their cooking. ***Michelin stars*** *are awarded for the standard of meals served.*

For such restaurants we list three culinary specialities to assist you in your choice.

❀❀❀ **Exceptional cuisine, worth a special journey**

One always eats here extremely well, sometimes superbly. Fine wines, faultless service, elegant surroundings. One will pay accordingly !

❀❀ **Excellent cooking, worth a detour**

Specialities and wines of first class quality. This will be reflected in the price.

❀ **A very good restaurant in its category**

The star indicates a good place to stop on your journey. But beware of comparing the star given to an expensive « de luxe » establishment to that of a simple restaurant where you can appreciate fine cuisine at a reasonable price.

The "Bib Gourmand"

Good food at moderate prices

You may also like to know of other restaurants with less elaborate, moderately priced menus that offer good value for money and serve carefully prepared meals, often of regional cooking. In the guide such establishments are marked ☺ *the* **"Bib Gourmand"** *and* Comida *(Spain) or* ☺ *the* **"Bib Gourmand"** *and* Refeição *(Portugal) just before the price of the menu, for example* Comida 3100/4000, Refeição 2800/3500.

Please refer to the map of star-rated restaurants ❀❀❀, ❀❀, ❀ *and* **"Bib Gourmand"** ☺, *on pp 73 to 81, 644 and 645.*

Wines: see pp 63 and 647

Prices

Prices quoted are valid for summer 1998, apply to **high season**. *Changes may arise if goods and service costs are revised. The rates include service charge. In Spain the V.A.T. (I.V.A.) will be added to the bill (7 %), except in Andorra (no V.A.T.), Canary Islands (4,5 %), Ceuta and Melilla (4 %). In Portugal, the V.A.T. (12 %) is already included.*

In some towns, when commercial or tourist events are taking place, the hotel rates are likely to be considerably higher.

Hotels and restaurants in bold type have supplied details of all their rates and have assumed responsibility for maintaining them for all travellers in possession of this Guide.

Out of season, certain establishments offer special rates. Ask when booking.

Your recommendation is self-evident if you always walk into a hotel, Guide in hand.

Prices are given in pesetas or escudos.

Meals

Comida 2 500
Refeição 2 300

Set meals
Price for set meal served at normal hours

carta 3 200 a 5 800
lista 2 500 a 4 700

« A la carte » meals
The first figure is for a plain meal and includes hors-d'œuvre, main dish of the day with vegetables and dessert
The second figure is for a fuller meal (with speciality) and includes two main courses and dessert

☕ 500 — *Price of continental breakfast*

Rooms

hab 4 500/6 700 **qto** 4 500/6 700	*Price for a single room / Price for a double in the season*
Suites, apartamentos	*Ask the hotelier*
hab ☕ 4 800/7 000 **qto** ☕ 4 800/7 000	*Price includes breakfast*

Full board

PA 3 600 — *Price of the « Pensión Alimenticia » (breakfast, lunch and dinner). Add the charge for the « Pensión Alimenticia » to the room rate to give you the price for full board per person per day. To avoid any risk of confusion it is essential to agree terms in advance with the hotel.*

Deposits

Some hotels will require a deposit, which confirms the commitment of customer and hotelier alike. Make sure the terms of the agreement are clear.

Credit cards

Credit cards accepted by the establishment:

AE Ⓓ E (MC)	*American Express – Diners Club – Eurocard (Master Card)*
VISA JCB	*Visa – Japan Credit Bureau*

Towns

2200	*Postal number*
✉ 7800 Beja	*Postal number and name of the post office serving the town*
P	*Provincial capital*
445 M 27	*Michelin map number and co-ordinates*
24 000 h.	*Population*
alt. 175	*Altitude (in metres)*
3	*Number of cable-cars*
7	*Number of ski and chair-lifts*
AX **A**	*Letters giving the location of a place on the town plan*
18	*Golf course and number of holes*
✳ <	*Panoramic view, viewpoint*
	Airport
	Place with a motorail connection; further information from telephone number listed
	Shipping line
	Tourist Information Centre

Sights

Star-rating

★★★	*Worth a journey*
★★	*Worth a detour*
★	*Interesting*

Location

Ver	*Sights in town*
Alred./Arred.	*On the outskirts*
Excurs.	*In the surrounding area*
Norte, Sur-Sul, Este, Oeste	*The sight lies north, south, east or west of the town*
①, ④	*Sign on town plan and on the Michelin road map indicating the road leading to a place of interest*
6 km	*Distance in kilometres*

Car, tyres

Car manufacturers

A list of the main Car Manufacturers is to be found at the end of the Guide.

Maximum speed limits

	Motorways	*All other roads*	*Built-up areas*
Spain / *Portugal*	*120 km/h*	*90/100 km/h*	*50 km/h*

The wearing of seat belts is compulsory in the front and rear of vehicles.

Your tyres

When a tyre dealer is unable to supply your needs, get in touch: in **Spain** *with the Michelin Head Office in Madrid or with the Michelin Branch in one of the following towns: Santa Perpètua de Mogoda (Barcelona), León, Coslada (Madrid), Valencia, Sevilla. In* **Portugal** *with the Michelin Head Office in Sacavém (Lisbon).*

Addresses and phone numbers of Michelin Agencies are listed in the text of the towns concerned.

The staff at our depots will be pleased to give advice on the best way to look after your tyres.

See also the pages bordered in blue

Motoring organisations

RACE	*Real Automóvil Club de España*
RACC	*Reial Automòbil Club de Catalunya*
RACVN	*Real Automóvil Club Vasco Navarro*
RACV	*Real Automóvil Club de Valencia*
ACA	*Automóvil Club de Andorra*
ACP	*Automóvel Club de Portugal*

The address and telephone number of the various motoring organisations are given in the text of most of the large towns.

Town plans

Hotels
Restaurants

Sights

Place of interest and its main entrance
Interesting place of worship: cathedral, church or chapel

Roads

Motorway, dual carriageway
Junction complete, limited, number
Major through route
One-way street – Unsuitable for traffic, street subject to restrictions
Pedestrian street – Tramway
Colón *Shopping street – Car park*
Gateway – Street passing under arch – Tunnel
Station and railway
Funicular – Cable-car
Lever bridge – Car ferry

Various signs

Tourist Information Centre
Mosque – Synagogue
Tower – Ruins – Windmill – Water tower
Garden, park, wood – Cemetery – Cross
Stadium – Golf course – Racecourse
Outdoor or indoor swimming pool
View – Panorama
Monument – Fountain – Factory – Shopping centre
Pleasure boat harbour – Lighthouse
Airport – Underground station – Coach station
Ferry services:
- passengers and cars, passengers only
③ *Reference number common to town plans and Michelin maps*
Main post office with poste restante and telephone
Hospital – Covered market
Public buildings located by letter:
D H J *- Provincial Government Office – Town Hall – Law Courts*
G *- Central government representation (Spain), District government office (Portugal)*
M T U *- Museum – Theatre – University, College*
POL. *- Police (in large towns police headquarters)*

Los vinos
Os vinhos
Les vins
I vini
Weine
Wines

① y ②	*Rías Baixas, Ribeiro*
③ al ⑤	*Valdeorras, Monterrei, Ribeira Sacra*
⑥ al ⑨	*Bierzo, Toro, Rueda, Cigales*
⑩	*Ribera del Duero*
⑪	*Rioja*
⑫	*Chacolí de Bizkaia y de Getaria*
⑬	*Navarra*
⑭ al ⑰	*Campo de Borja, Calatayud, Cariñena, Somontano*
⑱ al ㉓	*Terra Alta, Costers del Segre, Priorato, Conca de Barberá, Tarragona, Penedès*
㉔ y ㉕	*Alella, Pla de Bages*
㉖	*Ampurdán, Costa Brava*
㉗ al ㉙	*Méntrida, Vinos de Madrid, Mondéjar,*
㉚ y ㉛	*Valdepeñas, La Mancha*
㉜	*Ribera del Guadiana*
㉝ al ㊴	*Utiel – Requena, Almansa, Jumilla, Valencia, Yecla, Alicante, Bullas*
㊵	*Binissalem – Mallorca*
㊶ al ㊹	*Condado de Huelva, Jerez – Manzanilla – Sanlúcar de Barrameda, Málaga, Montilla – Moriles*
㊺	*Tacoronte – Acentejo, Valle de la Orotava, Ycoden – Daute – Isora, Abona, Valle de Güímar*
㊻ al ㊽	*Lanzarote, La Palma, El Hierro*

CAVA ⑪, ⑬, ⑭, ⑯, ㉒ *al* ㉖

Vinos y especialidades regionales

En el mapa indicamos las Denominaciones de Origen que la legislación española controla y protege.

Regiones y localización en el mapa	Características de los vinos	Especialidades regionales
Andalucía ㊶ *al* ㊹	**Blancos** *afrutados* **Amontillados** *secos, avellanados* **Finos** *secos, punzantes* **Olorosos** *abocados, aromáticos*	*Jamón, Gazpacho, Fritura de pescados*
Aragón ⑭ *al* ⑰	**Tintos** *robustos* **Blancos** *afrutados* **Rosados** *afrutados, sabrosos* **Cava** *espumoso (método champenoise)*	*Jamón de Teruel, Ternasco, Magras*
Madrid, Castilla y León, Castilla-La Mancha, Extremadura ⑥ *al* ⑩ *y* ㉗ *al* ㉜	**Tintos** *aromáticos, muy afrutados* **Blancos** *aromáticos, equilibrados* **Rosados** *refrescantes*	*Asados, Embutidos, Queso Manchego, Migas, Cocido madrileño, Pisto*
Cataluña ⑱ *al* ㉖	**Tintos** *francos, robustos, redondos, equilibrados* **Blancos** *recios, amplios, afrutados, de aguja* **Rosados** *finos, elegantes* **Dulces y mistelas** *(postres)* **Cava** *espumoso (método champenoise)*	*Butifarra, Embutidos, Romesco (salsa), Escudella, Escalivada, Esqueixada, Crema catalana*
Galicia, Asturias, Cantabria ① *al* ⑤	**Tintos** *de mucha capa, elevada acidez* **Blancos** *muy aromáticos, amplios, persistentes (Albariño)*	*Pescados, Mariscos, Fabada, Queso Tetilla, Queso Cabrales, Empanada, Lacón con grelos, Filloas, Olla podrida, Sidra, Orujo*
Islas Baleares ㊵	**Tintos** *jugosos, elegantes* **Blancos y rosados** *ligeros*	*Sobrasada, Queso de Mahón, Caldereta de langosta*
Islas Canarias ㊺ *al* ㊽	**Tintos** *jóvenes, aromáticos* **Blancos y rosados** *ligeros*	*Pescados, Papas arrugadas*
Valencia, Murcia ㉝ *al* ㊴	**Tintos** *robustos, de gran extracto* **Blancos** *aromáticos, frescos, afrutados*	*Arroces, Turrón, Verduras, Hortalizas, Horchata*
Navarra ⑬	**Tintos** *sabrosos, con plenitud, muy aromáticos* **Rosados** *suaves, afrutados* **Cava** *espumoso (método champenoise)*	*Verduras, Hortalizas, Pochas, Espárragos, Queso Roncal*
País Vasco ⑫	**Blancos** *frescos, aromáticos, ácidos* **Tintos** *fragantes*	*Changurro, Cocochas, Porrusalda, Marmitako, Pantxineta, Queso Idiazábal*
La Rioja (Alta, Baja, Alavesa) ⑪	**Tintos** *de gran nivel, equilibrados, francos, aromáticos, poco ácidos* **Blancos** *secos* **Cava** *espumoso (método champenoise)*	*Pimientos, Chilindrón*

Vinhos e especialidades regionais

Indicamos no mapa as Denominações de Origem (Denominaciones de Origen) que são controladas e protegidas pela legislação.

Regiões e localização no mapa	Características dos vinhos	Especialidades regionais
Andalucía ㊶ *a* ㊹	**Brancos** *frutados* **Amontillados** *secos, avelanados* **Finos** *secos, pungentes* **Olorosos** *com bouquet, aromáticos*	*Presunto, Gazpacho (Sopa fria de tomate), Fritada de peixe*
Aragón ⑭ *a* ⑰	**Tintos** *robustos* **Brancos** *frutados* **Rosés** *frutados, saborosos* **Cava** *espumante (método champenoise)*	*Presunto de Teruel, Ternasco (Borrego), Magras (Fatias de fiambre)*
Madrid, Castilla y León, Castilla-La Mancha, Extremadura ⑥ *a* ⑩ *e* ㉗ *a* ㉜	**Tintos** *aromáticos, muito frutados* **Brancos** *aromáticos, equilibrados* **Rosés** *refrescantes*	*Assados, Enchidos, Queijo Manchego, Migas, Cozido madrilense, Pisto (Caldeirada de legumes)*
Cataluña ⑱ *a* ㉖	**Tintos** *francos, robustos, redondos, equilibrados* **Brancos** *secos, amplos, frutados, « perlants »* **Rosés** *finos, elegantes* **Doces e « mistelas »** *(sobremesas)* **Cava** *espumante (método champenoise)*	*Butifarra (Linguiça catalana), Enchidos, Romesco (molho), Escudella (Cozido), Escalivada (Pimentos e biringelas no forno), Esqueixada (Salada de bacalhau cru), Crema catalana (Leite creme)*
Galicia, Asturias, Cantabria ① *a* ⑤	**Tintos** *espessos, elevada acidêz* **Brancos** *muito aromáticos, amplos, persistentes (Albariño)*	*Peixes, Mariscos, Fabada (Feijoada), Queijo Tetilla, Queijo Cabrales, Empanada (Empada), Lacón con grelos (Pernil de porco com grelos), Filloas (Crêpes), Olla podrida (Cozido), Sidra, Aguardente*
Islas Baleares ㊵	**Tintos** *com bouquet, elegantes* **Brancos e rosés** *ligeiros*	*Sobrasada (Embuchado de porco), Queijo de Mahón, Guisado de lagosta*
Islas Canarias ㊺ *a* ㊽	**Tintos** *novos, aromáticos* **Brancos e rosés** *ligeiros*	*Peixes, Papas arrugadas (Batatas)*
Valencia, Murcia ㉝ *a* ㊴	**Tintos** *robustos, de grande extracto* **Brancos** *aromáticos, frescos, frutados*	*Arroz, Nogado, Legumes, Hortaliças, Horchata (Orchata)*
Navarra ⑬	**Tintos** *saborosos, encorpados, muito aromáticos* **Rosés** *suaves, frutados* **Cava** *Espumante (método champenoise)*	*Legumes, Hortaliças, Pochas (Feijão branco), Espargos, Queijo Roncal*
País Vasco ⑫	**Brancos** *frescos, aromáticos, acídulos* **Tintos** *perfumados*	*Changurro (Santola), Cocochas (Glândulas de peixe), Porrusalda (Sopa de bacalhau), Marmitako (Guisado de atum), Pantxineta (Folhado de amêndoas), Queijo Idiazábal*
La Rioja (Alta, Baja, Alavesa) ⑪	**Tintos** *de grande nível, equilibrados, francos, aromáticos, de pouca acidêz* **Brancos** *secos* **Cava** *espumante (método champenoise)*	*Pimentos, Chilindrón (Guisado de galinha ou borrego)*

Vins et spécialités régionales

Les Appellations d'Origine Contrôlées (Denominaciones de Origen) sont indiquées sur la carte.

Régions et localisation sur la carte	Caractéristiques des vins	Spécialités régionales
Andalucía ㊶ *à* ㊹	**Blancs** *fruités* **Amontillados** *secs au goût de noisette* **Finos** *secs, piquants* **Olorosos** *bouquetés, aromatiques*	*Jambon, Gazpacho (Soupe froide à la tomate), Fritura de pescados (Friture de poissons)*
Aragón ⑭ *à* ⑰	**Rouges** *corsés* **Blancs** *fruités* **Rosés** *fruités, équilibrés* **Cava** *mousseux (méthode champenoise)*	*Jambon de Teruel, Ternasco (Agneau), Magras (Tranches de jambon)*
Madrid, Castilla y León, Castilla-La Mancha Extremadura ⑥ *à* ⑩ *et* ㉗ *à* ㉜	**Rouges** *aromatiques, très fruités* **Blancs** *aromatiques, équilibrés* **Rosés** *frais*	*Rôtis, Charcuteries, Fromage Manchego, Migas (Pain et lardons frits) Pot-au-feu madrilène, Pisto (Ratatouille)*
Cataluña ⑱ *à* ㉖	**Rouges** *francs, corsés, ronds équilibrés* **Blancs** *secs, amples, fruités, perlants* **Rosés** *fins, élégants* **Vins doux et mistelles** *(de dessert)* **Cava** *mousseux (méthode champenoise)*	*Butifarra (saucisse catalane) Charcuterie, « Romesco » (sauce), Escudella (Pot-au-feu), Escalivada (Poivron et aubergine au four), Esqueixada (Salade de morue crue), Crema catalana (Crème brûlée)*
Galicia, Asturias, Cantabria ① *à* ⑤	**Rouges** *épais à l'acidité élevée* **Blancs** *très aromatiques, amples, persistants (Albariño)*	*Poissons et fruits de mer, Fabada (Cassoulet au lard) Fromage Tetilla, Fromage Cabrales, Empanada (Friand), Lacón con grelos (Jambonneau au tendre de navet), Filloas (Crêpes), Olla podrida (Pot-au-feu), Cidre, Eau de vie*
Islas Baleares ㊵	**Rouges** *bouquetés, élégants* **Blancs et rosés** *légers*	*Sobrasada (Saucisse pimentée), Fromage de Mahón, Ragoût de langouste*
Islas Canarias ㊺ *à* ㊽	**Rouges** *jeunes, aromatiques* **Blancs et rosés** *légers*	*Poissons, Papas arrugadas (Pommes de terre)*
Valencia, Murcia ㉝ *à* ㊴	**Rouges** *charpentés, tanniques* **Blancs** *aromatiques, frais, fruités*	*Riz, Nougat, Légumes, Primeurs, Horchata (Orgeat)*
Navarra ⑬	**Rouges** *bouquetés, pleins, très aromatiques* **Rosés** *fins, fruités* **Cava** *mousseux (méthode champenoise)*	*Légumes, Primeurs, Pochas (Haricots blancs), Asperges, Fromage Roncal*
País Vasco ⑫	**Blancs** *frais, aromatiques, acides* **Rouges** *parfumés*	*Changurro (Araignée de mer), Cocochas (Glandes de poisson), Porrusalda (Soupe de morue), Marmitako (Ragoût de thon), Pantxineta (Gâteau feuilleté aux amandes), Fromage Idiazábal*
La Rioja (Alta, Baja, Alavesa) ⑪	**Rouges** *équilibrés, francs, aromatiques, peu acides* **Blancs** *secs* **Cava** *mousseux (méthode champenoise)*	*Poivrons, Chilindrón (Ragoût de poulet ou agneau)*

Vini e specialità regionali

Sulla carta indichiamo le Denominazioni d'Origine (Denominaciones de Origen) controllate e protette dalla legislazione spagnola.

Regioni e localizzazione sulla carta	Caratteristiche dei vini	Specialità regionali
Andalucía ㊶ *a* ㊹	**Bianchi** *fruttati* **Amontillados** *secchi dal gusto di nocciola* **Finos** *secchi, frizzanti* **Olorosos** *con bouquet, aromatici*	*Prosciutto, Gazpacho (Zuppa fredda di pomodoro), Fritura de pescados (Frittura di pesce)*
Aragón ⑭ *a* ⑰	**Rossi** *corposi* **Bianchi** *fruttati* **Rosati** *fruttati, equilibrati* **Cava** *spumante (metodo champenoise)*	*Prosciutto di Teruel, Ternasco (Agnello), Magras (Fette di prosciutto)*
Madrid, Castilla y Léon, Castilla-La Mancha Extremadura ⑥ *a* ⑩ *e* ㉗ *a* ㉜	**Rossi** *aromatici, molto fruttati* **Bianchi** *aromatici, equilibrati* **Rosati** *freschi*	*Arrosti, Salumi, Formaggio Manchego, Migas (Pane e pancetta fritta), Bollito madrileno, Pisto (Peperonata)*
Cataluña ⑱ *a* ㉖	**Rossi** *franchi, corposi, rotondi, equilibrati* **Bianchi** *secchi, ampi, fruttati, effervescenti* **Rosati** *fini, eleganti* **Vini dolci, Mistelle** *(da dessert)* **Cava** *spumante (metodo champenoise)*	*Butifarra (Salsiccia catalana), Salumi, « Romesco » (salsa), Escudella (Bollito), Escalivada (Peperoni e melanzane al forno), Esqueixada (Insalata di merluzo crudo), Crema catalana*
Galicia, Asturias, Cantabria ① *a* ⑤	**Rossi** *aciduli* **Bianchi** *molto aromatici, ampi, persistenti (Albariño)*	*Pesci e frutti di mare, Fabada (Stufato di lardo), Formaggio Tetilla, Formaggio Cabrales, Empanada (Pasticcino), Lacón con grelos (Prosciuttino con rape), Filloas (Crespelle), Olla podrida (Bollito), Sidro, Acquavite*
Islas Baleares ㊵	**Rossi** *con bouquet, eleganti* **Bianchi e rosati** *leggeri*	*Sobrasada (Salsiccia piccante), Formaggio di Mahón, Spezzatino di aragosta*
Islas Canarias ㊺ *a* ㊽	**Rossi** *giovani, aromatici* **Bianchi e rosati** *leggeri*	*Pesci, Papas arrugadas (Patate)*
Valencia, Murcia ㉝ *a* ㊴	**Rossi** *strutturati, tannici* **Bianchi** *aromatici, freschi*	*Riso, Torrone, Verdure, Primizie, Horchata (Orzata)*
Navarra ⑬	**Rossi** *con bouquet, pieni, molto aromatici* **Rosati** *fini, fruttati* **Cava** *spumante (metodo champenoise)*	*Verdure, Primizie, Pochas (Fagioli bianchi), Asparagi, Formaggio Roncal*
País Vasco ⑫	**Bianchi** *freschi, aromatici, aciduli* **Rossi** *profumati*	*Changurro (Granseola), Cocochas (Guanciale di pesce), Porrusalda (Zuppa di merluzo), Marmitako (Ragù di tonno), Pantxineta (Sfoglia alle mandorle), Formaggio Idiazábal*
La Rioja (Alta, Baja, Alavesa) ⑪	**Rossi nobili** *equilibrati, franchi, aromatici, sapidi* **Bianchi** *secchi* **Cava** *spumante (metodo champenoise)*	*Peperoni, Chilindrón (Ragù di pollo o agnello)*

Weine und regionale Spezialitäten

Auf der Karte sind die geprüften und gesetzlich geschützten Herkunftsbezeichnungen (Denominaciones de Origen) angegeben.

Regionen und Lage auf der Karte	**Charakteristik der Weine**	**Regionale Spezialitäten**
Andalucía ㊶ *bis* ㊹	*Fruchtige* **Weißweine** **Amontillados** *trocken Nußgeschmack* **Finos** *trocken, pikant-bissig* **Olorosos** *Bukettreich, aromatisch*	*Schinken, Gazpacho (Kalte Tomatensuppe), Fritura de pescados (Fisch friture : ausgebackene Fische)*
Aragón ⑭ *bis* ⑰	*Vollmundige* **Rotweine** *Fruchtige* **Weißweine** *Fruchtige ausgewogene* **Rotweine** **Cava** *(Flaschengärung oder méthode champenoise)*	*Schinken von Teruel, Ternasco (Lamm), Magras (Schinkenscheiben)*
Madrid, Castilla y León, Castilla-La Mancha Extremadura ⑥ *bis* ⑩ *und* ㉗ *bis* ㉜	*Aromatische, sehr fruchtige* **Rotweine** *Aromatische, ausgewogene* **Weißweine** *Erfrischende* **Roséweine**	*Braten, Würste, Manchego-Käse, Migas (Brot und frischer Speck), Pot-au-feu Madrider Art, Pisto (Ratatonille)*
Cataluña ⑱ *bis* ㉖	*Natürliche, körperreiche, ausgewogene, runde* **Rotweine** *Trockene, reiche, fruchtige spritzige* **Weißweine** *Feine, elegante* **Roséweine** **Süße Weine, Mistella** *(Dessertweine)* **Cava** *(Flaschengärung oder méthode champenoise)*	*Butifarra (Katalanische Wurst), Würste, « Romesco » (sauce), Escudella (Eintopf), Escalivada (Paprika und Auberginen übersbacken), Esqueixada (Salat von Stockfisch : roh), Crema catalana (Karamelisierte Vanillecreme)*
Galicia, Asturias, Cantabria ① *bis* ⑤	*Schwere* **Rotweine** *mit hohem Säuregehalt* *Sehr aromatische, volle, nachaltige* **Weißweine** *(Albariño)*	*Fische und Meeresfrüchte, Fabada (Bohneneintopf mit Speck), Tetilla-Käse, Cabrales-Käse, Empanada (Fleischpastete), Lacón con grelos (Schinken mit weißen Rüben), Filloas (Pfannkuchen), Olla podrida (Eintopf), Cidre, Schnaps*
Islas Baleares ㊵	*Bukettreiche, elegante* **Rotweine** *Leichte Weiß- und* **Roséweine**	*Sobrasada (Paprikawurst), Mahón-Kase, Langoustenragout*
Islas Canarias ㊺ *bis* ㊽	*Junge aromatische* **Rotweine** *Leichte Weiß- und* **Roséweine**	*Fische, Papas arrugadas (Kartoffeln)*
Valencia, Murcia ㉝ *bis* ㊴	*Kräftige tanninhaltige* **Rotweine** *Frische, fruchtige aromatische* **Weißweine**	*Reis, Nougat, Frühgemüse, Gemüse, Horchata (Mandelmilchgetränk)*
Navarra ⑬	*Bukettreiche, volle sehr aromatische* **Rotweine** *Feine, fruchtige* **Roséweine** **Cava** *(Flaschengärung oder méthode champenoise)*	*Frühgemüse, Gemüse, Pochas (Weiße Bohnen), Spargel, Roncal-Käse*
País Vasco ⑫	*Frische, aromatische, Säuvebetont* **Weißweine** *Parfümiert* **Rotweine**	*Changurro (Mecresspinne), Cocochas, Porrusalda (Stockfischsuppe), Marmitako (Thnnfischragout), Pantxineta (Blätterteigkuchen mit Mandeln), Idiazábal-Käse*
La Rioja (Alta, Baja, Alavesa) ⑪	*Hochwertige, ausgeglichene, saubere, aromatische* **Rotweine** *mit geringem Säuregehalt* *Trockene* **Weißweine** **Cava** *(Flaschengärung oder méthode champenoise)*	*Paprika, Chilindrón (Ragout vom Hahn oder Lamm)*

Wines and regional specialities

The map shows the official wine regions (Denominaciones de Origen) which are controlled and protected by Spanish law.

Regions and location on the map	**Wine's characteristics**	**Regional Specialities**
Andalucía ㊶ *to* ㊹	*Fruity* **whites** **Amontillados** *medium dry and nutty* **Finos** *very dry and piquant* **Olorosos** *smooth and aromatic*	*Gazpacho (Cold tomato soup), Fritura de pescados (Fried Fish)*
Aragón ⑭ *to* ⑰	*Robust* **reds** *Fruity* **whites** *Pleasant, fruity* **rosés** **Sparkling wines** *(méthode champenoise)*	*Teruel ham, Ternasco (Roast Lamb), Magras (Aragonese Ham Platter)*
Madrid, Castilla y León, Castilla-La Mancha Extremadura ⑥ *to* ⑩ *and* ㉗ *to* ㉜	*Aromatic and very fruity* **reds** *Aromatic and well balanced* **whites** *Refreshing* **rosés**	*Roast, Sausages, Manchego Cheese, Migas (fried breadcrumbs), Madrid stew, Pisto (Ratatouille)*
Cataluña ⑱ *to* ㉖	*Open, robust, rounded and well balanced* **reds** *Strong, full bodied and fruity* **whites** *Fine, elegant* **rosés** **Sweet, subtie** *dessert wines* **Sparking wines** *(méthode champenoise)*	*Butifarra (Catalan sausage), « Romesco » (sauce), Escudella (Stew), Escalivada (Mixed boiled vegetables), Esqueixada (Raw Cod Salad), Crema catalana (Crème brûlée)*
Galicia, Asturias, Cantabria ① *to* ⑤	*Complex, highly acidic* **reds** *Very aromatic and full bodied* **whites** *(Albariño)*	*Fish and seafood, Fabada (pork and bean stew), Tetilla Cheese, Cabrales Cheese, Empanada (Savoury Tart), Lacón con grelos (Salted shoulder of Pork with sprouting turnip tops), Filloas (Crêpes), Olla podrida (Hot Pot), Cider, Orujo (distilled grape skins and pips)*
Islas Baleares ㊵	*Meaty, elegant* **reds** *Light* **whites and rosés**	*Sobrasada (Sausage spiced with pimento), Mahón Cheese, Lobster ragout*
Islas Canarias ㊺ *to* ㊽	*Young, aromatic* **reds** *Light* **whites and rosés**	*Fish, Papas arrugadas (Potatoes)*
Valencia, Murcia ㉝ *to* ㊴	*Robust* **reds** *Fresh, fruity and aromatic* **whites**	*Rice dishes, Nougat, Market garden produce, Horchata (Tiger Nut Summer Drink)*
Navarra ⑬	*Pleasant, full bodied and highly aromatic* **reds** *Smooth and fruity* **rosés** **Sparkling wines** *(méthode champenoise)*	*Green vegetables, Market garden produce, Pochas (Haricot Beans), Asparagus, Roncal Cheese*
País Vasco ⑫	*Fresh, aromatic and acidic* **whites** *Fragrant* **reds**	*Changurro (Spider Crab), Cocochas (Hake jaws), Porrusalda (Cod soup), Marmitako (Tuna & Potato stew), Pantxineta (Almond Pastry), Idiazábal Cheese*
La Rioja (Alta, Baja, Alavesa) ⑪	*High quality, well balanced, open and aromatic* **reds** *with little acidity* *Dry* **whites** **Sparkling wines** *(méthode champenoise)*	*Peppers, Chilindrón (Chicken/Lamb in a spicy tomato & pepper sauce)*

España

✿✿✿ *Las estrellas*
✿✿ *As estrelas*
✿ *Les étoiles*

Le stelle
Die Sterne
The stars

"Bib Gourmand"

Comida 3100/4000

Buenas comidas a precios moderados
Refeições cuidadas a preços moderados
Repas soignés à prix modérés
Pasti accurati a prezzi contenuti
Sorgfältig zubereitete, preiswerte Mahlzeiten
Good food at moderate prices

Atractivo y tranquilidad
Atractivos e tranquilidade
L'agrément
Amenità e tranquillità
Annehmlichkeit
Peaceful atmosphere and setting

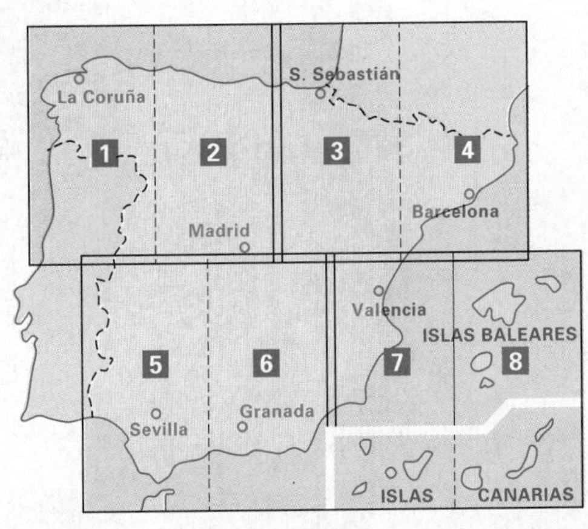

1

OCÉANO
N 642
Ferrol
LA CORUÑA
Fene
Viavélez
Figueras
N 634
Camariñas
Buño
Arteijo
Coirós
Taramundi
Sísamo
A 9
A 6
N 640
SANTIAGO
DE COMPOSTELA
Labacolla
Lugo
Casalonga
San Julián de Sales
con hab.
A 6
Rois
Merza
La Estrada
Carril
N VI
Miño
San Vicente
del Mar
El Grove
S. Salvador de Poyo
N 540
Cacabelos
Congos
Villalonga
Pontevedra
Sangenjo
Bueu
Arcade
N 120
A 52
VIGO
La Cañiza
Orense
Playa de la Barca
Arnoia
Bentraces
Xares
Bayona
Tuy
Rio
La Guardia
Verin
A 52
RIO
DOURO
PORTUGAL
N 620
Ciudad
Rodrigo

ATLÁNTICO

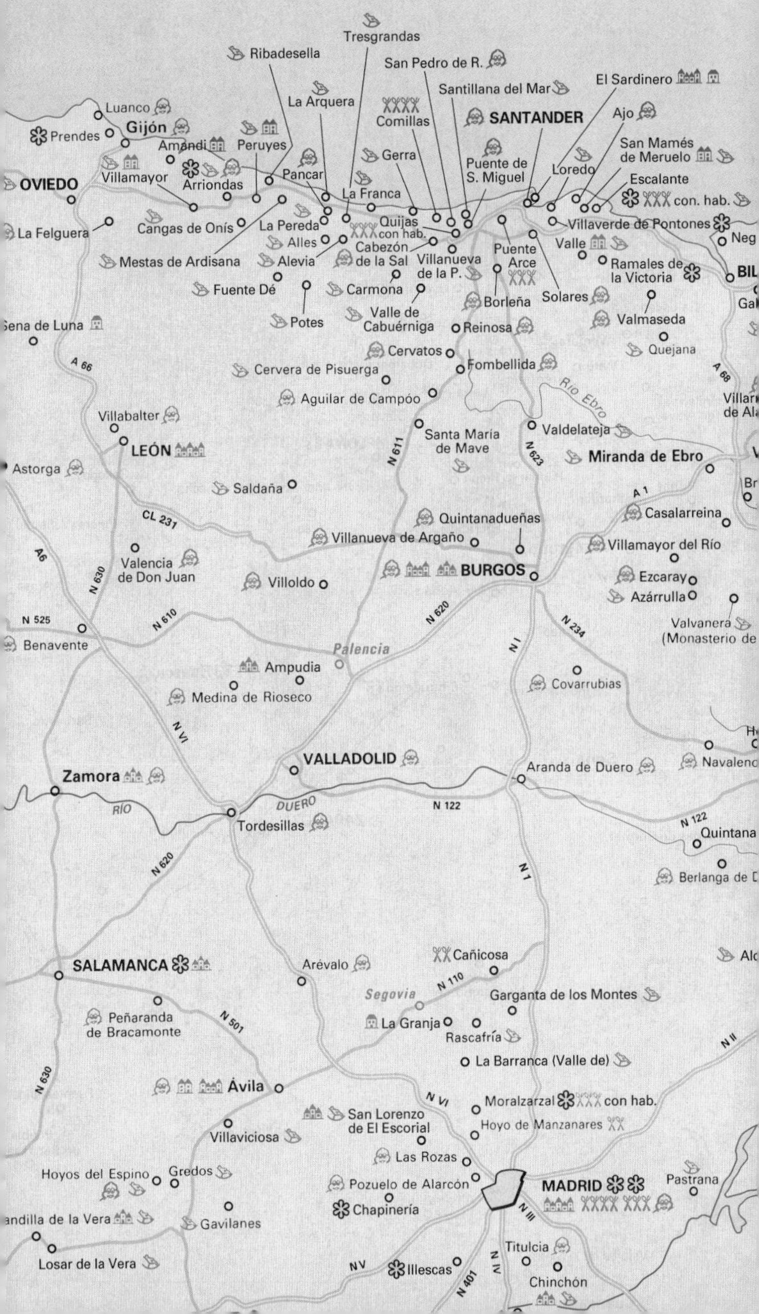

Tresgrandas
Ribadesella
San Pedro de R.
Santillana del Mar
El Sardinero
La Arquera
Comillas
SANTANDER
Ajo
Luanco
Gijón
Prendes
Amandi
Peruyes
Gerra
Puente de
S. Miguel
San Mamés
de Meruelo
Loredo
Escalante
con hab.
OVIEDO
Villamayor
Arriondas
Pancar
La Franca
La Felguera
Cangas de Onís
La Pereda
Quijas
con hab.
Villaverde de Pontones
Neg
Alles
Cabezón
de la Sal
Valle
Puente
Arce
Mestas de Ardisana
Alevia
Villanueva
de la P.
Ramales de
la Victoria
BIL
Fuente Dé
Carmona
Solares
Borleña
Potes
Valle de
Cabuérniga
Valmaseda
Ga
Sena de Luna
Reinosa
Quejana
Cervatos
A 66
Cervera de Pisuerga
Fombellida
A 68
Río Ebro
Aguilar de Campóo
Villar
de Al
Villabalter
Santa María
de Mave
Valdelateja
LEÓN
N 611
N 623
Miranda de Ebro
Astorga
Saldaña
Br
A 1
CL 231
Quintanadueñas
Casalarreina
Villanueva de Argaño
Villamayor del Río
A6
Valencia
de Don Juan
BURGOS
Ezcaray
N 630
Villoldo
Azárrulla
N 525
N 610
N 620
N 234
Valvanera
(Monasterio de
Benavente
Palencia
N I
Ampudia
Covarrubias
Medina de Rioseco
N VI
VALLADOLID
Aranda de Duero
Navalenc
Zamora
RÍO
DUERO
N 122
Tordesillas
N 122
Quintana
N 620
N I
Berlanga de
SALAMANCA
Arévalo
Cañicosa
Al
Segovia
N 110
Garganta de los Montes
Peñaranda
de Bracamonte
N 501
La Granja
Rascafría
N II
La Barranca (Valle de)
N 630
Ávila
N VI
Moralzarzal
con hab.
San Lorenzo
de El Escorial
Hoyo de Manzanares
Villaviciosa
Las Rozas
Pastrana
Hoyos del Espino
Gredos
Pozuelo de Alarcón
MADRID
Chapinería
N III
andilla de la Vera
Gavilanes
Titulcia
Losar de la Vera
N V
Illescas
N IV
N 401
Chinchón

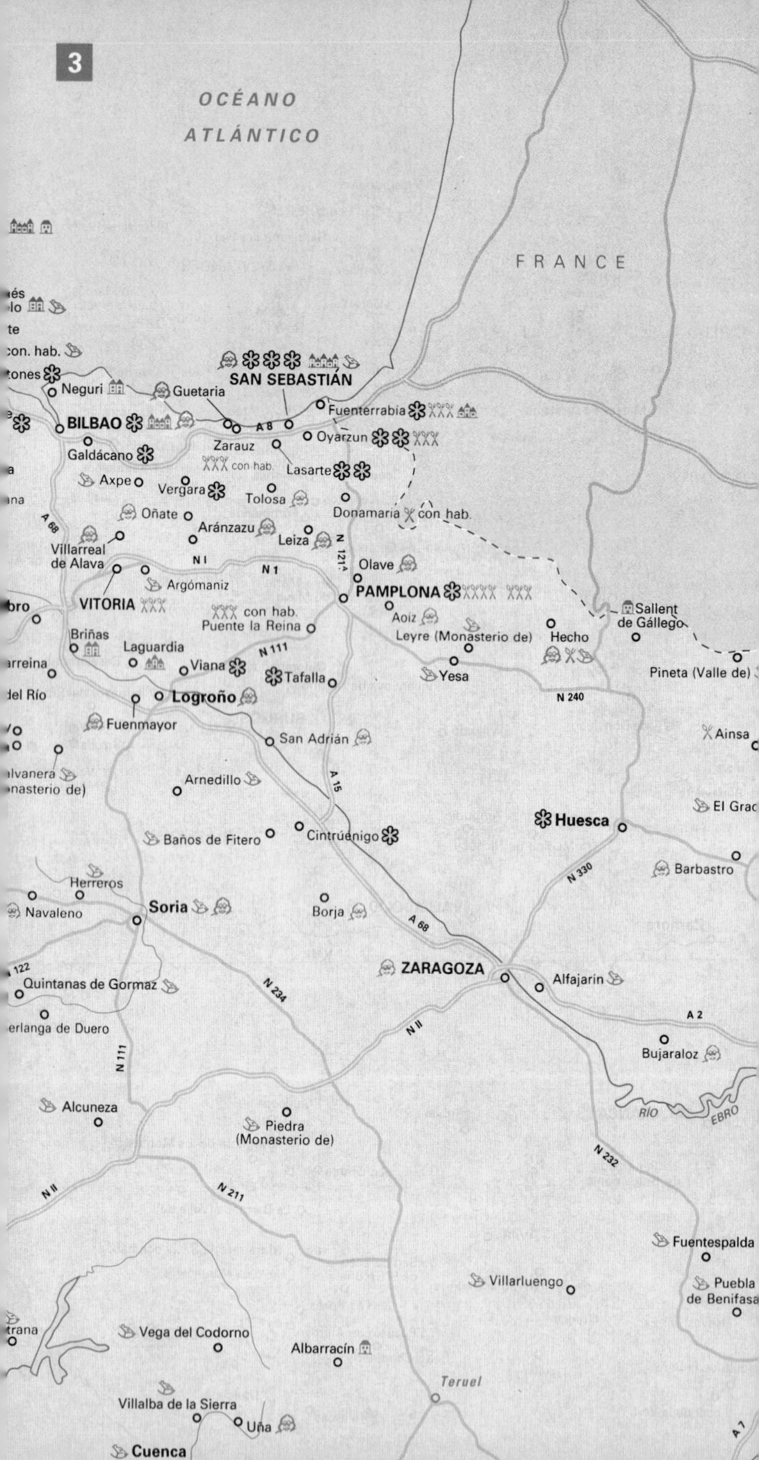

3
OCÉANO
ATLÁNTICO
FRANCE
SAN SEBASTIÁN
Neguri
Guetaria
BILBAO
Fuenterrabía
Zarauz
A 8
Oyarzun
Galdácano
con hab.
Lasarte
Axpe
Vergara
Tolosa
Donamaria
con hab.
Oñate
Aránzazu
A 68
Leiza
N 121A
Villarreal
de Alava
N I
N 1
Olave
Argómaniz
PAMPLONA
VITORIA
con hab.
Puente la Reina
Aoiz
Sallent
de Gállego
Hecho
Briñas
Leyre (Monasterio de)
Laguardia
N 111
Viana
Yesa
Tafalla
Pineta (Valle de)
Logroño
N 240
Fuenmayor
San Adrián
Ainsa
Arnedillo
A 15
El Grac
Huesca
Baños de Fitero
Cintrúenigo
N 330
Barbastro
Herreros
Navaleno
Soria
Borja
A 68
ZARAGOZA
Alfajarín
Quintanas de Gormaz
N 234
A 2
N II
N 111
Bujaraloz
Alcuneza
RÍO
EBRO
Piedra
(Monasterio de)
N 232
N II
N 211
Fuentespalda
Villarluengo
Puebla
de Benifasa
Vega del Codorno
Albarracín
Teruel
Villalba de la Sierra
Uña
Cuenca

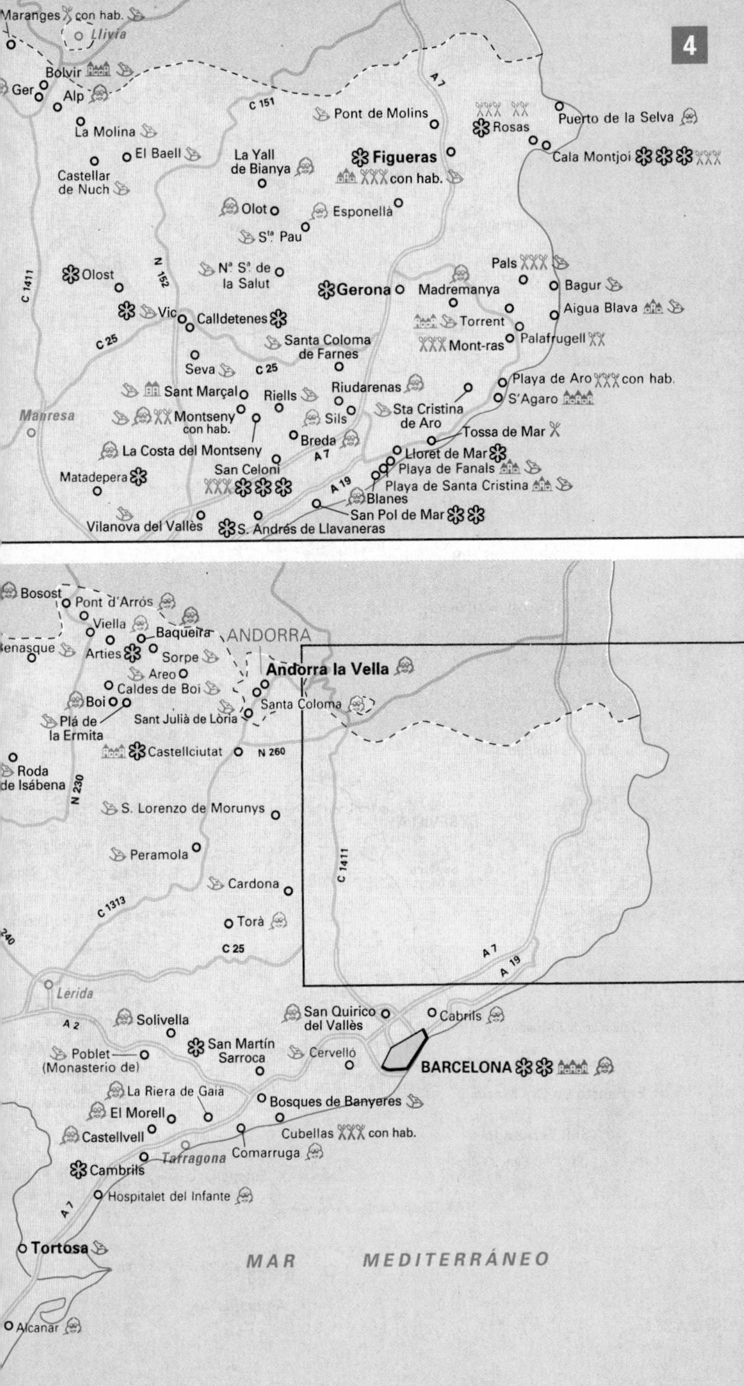
4
Maranges con hab.
Llivia
Bolvir
Ger
Alp
C 151
A 7
Pont de Molins
Rosas
Puerto de la Selva
La Molina
El Baell
La Yall de Bianya
Figueras
Cala Montjoi
Castellar de Nuch
con hab.
Olot
Esponellà
Sta. Pau
N 152
C 1411
Olost
Nª Sª de la Salut
Gerona
Madremanya
Pals
Bagur
Vic
Calldetenes
Torrent
Aigua Blava
C 25
Santa Coloma de Farnes
Mont-ras
Palafrugell
Seva
C 25
Sant Marçal
Riells
Riudarenas
Playa de Aro con hab.
S'Agaro
Manresa
Montseny con hab.
Sils
Sta Cristina de Aro
Breda
Tossa de Mar
La Costa del Montseny
A 7
Lloret de Mar
San Celoni
Playa de Fanals
Matadepera
A 19
Playa de Santa Cristina
Blanes
San Pol de Mar
Vilanova del Vallès
S. Andrés de Llavaneras
Bosost
Pont d'Arrós
Viella
Baqueira
ANDORRA
Benasque
Arties
Sorpe
Andorra la Vella
Areo
Caldes de Boí
Boi
Santa Coloma
Plá de la Ermita
Sant Julià de Lòria
Castellciutat
N 260
Roda de Isábena
N 230
S. Lorenzo de Morunys
C 1411
Peramola
Cardona
C 1313
Torà
240
C 25
A 7
A 19
Lérida
San Quirico del Vallès
Cabrils
A 2
Solivella
Poblet (Monasterio de)
San Martín Sarroca
Cervelló
BARCELONA
La Riera de Gaià
Bosques de Banyeres
El Morell
Castellvell
Cubellas con hab.
Tarragona
Comarruga
Cambrils
Hospitalet del Infante
A 7
Tortosa
MAR MEDITERRÁNEO
Alcanar

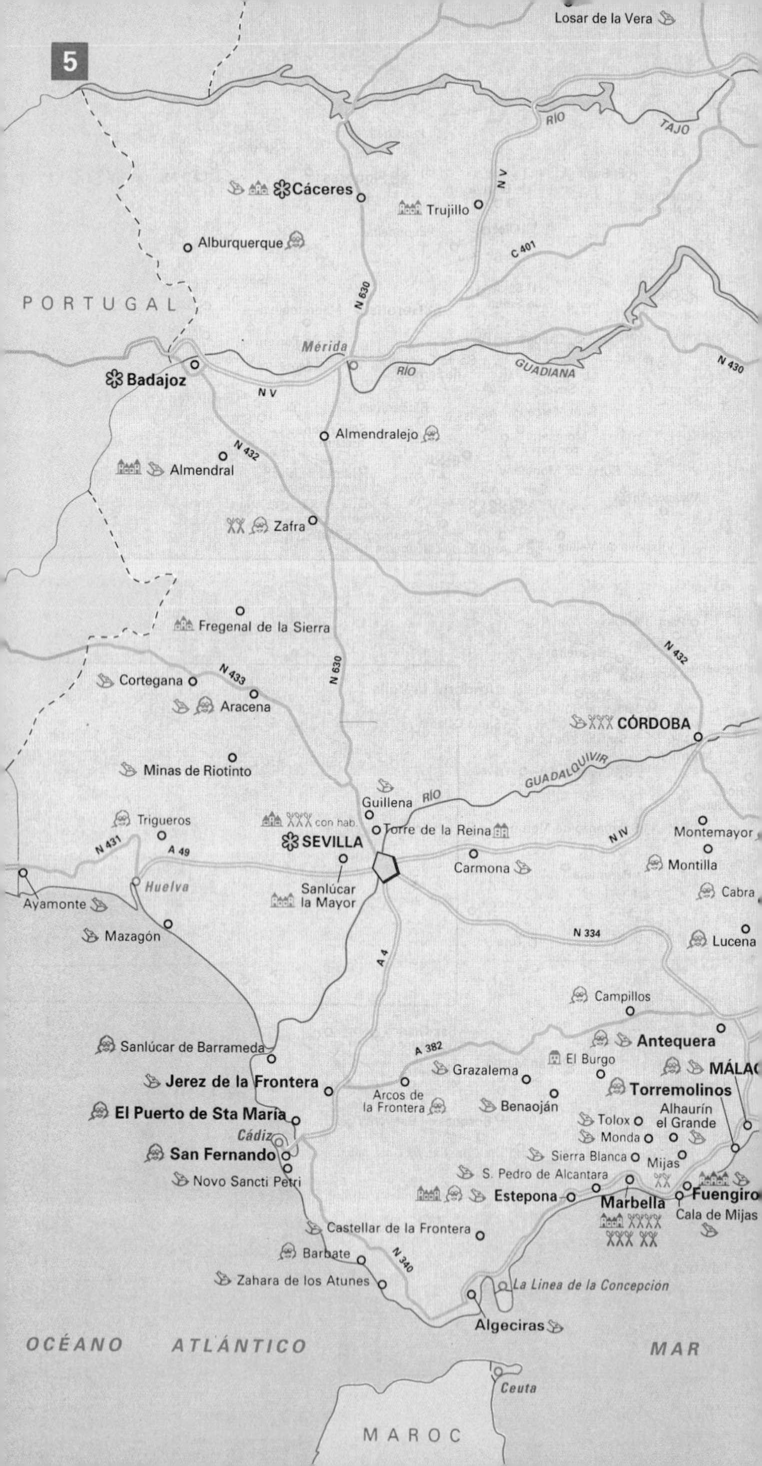
5
Losar de la Vera
RÍO TAJO
Cáceres
Trujillo
N V
C 401
Alburquerque
PORTUGAL
N 630
Mérida
RÍO GUADIANA
N 430
Badajoz
N V
Almendralejo
N 432
Almendral
Zafra
Fregenal de la Sierra
N 432
N 630
Cortegana
N 433
Aracena
CÓRDOBA
Minas de Riotinto
GUADALQUIVIR
Guillena
RÍO
con hab.
Torre de la Reina
Trigueros
Montemayor
N 431
A 49
SEVILLA
N IV
Carmona
Montilla
Ayamonte
Huelva
Sanlúcar la Mayor
Cabra
Mazagón
N 334
Lucena
A 4
Campillos
Sanlúcar de Barrameda
Antequera
A 382
El Burgo
Grazalema
MÁLA
Jerez de la Frontera
Arcos de la Frontera
Benaoján
Torremolinos
El Puerto de Sta María
Tolox
Alhaurín el Grande
Cádiz
Monda
San Fernando
Sierra Blanca
Mijas
Novo Sancti Petri
S. Pedro de Alcantara
Estepona
Marbella
Fuengiro
Cala de Mijas
Castellar de la Frontera
Barbate
N 340
Zahara de los Atunes
La Linea de la Concepción
Algeciras
OCÉANO ATLÁNTICO
MAR
Ceuta
MAROC

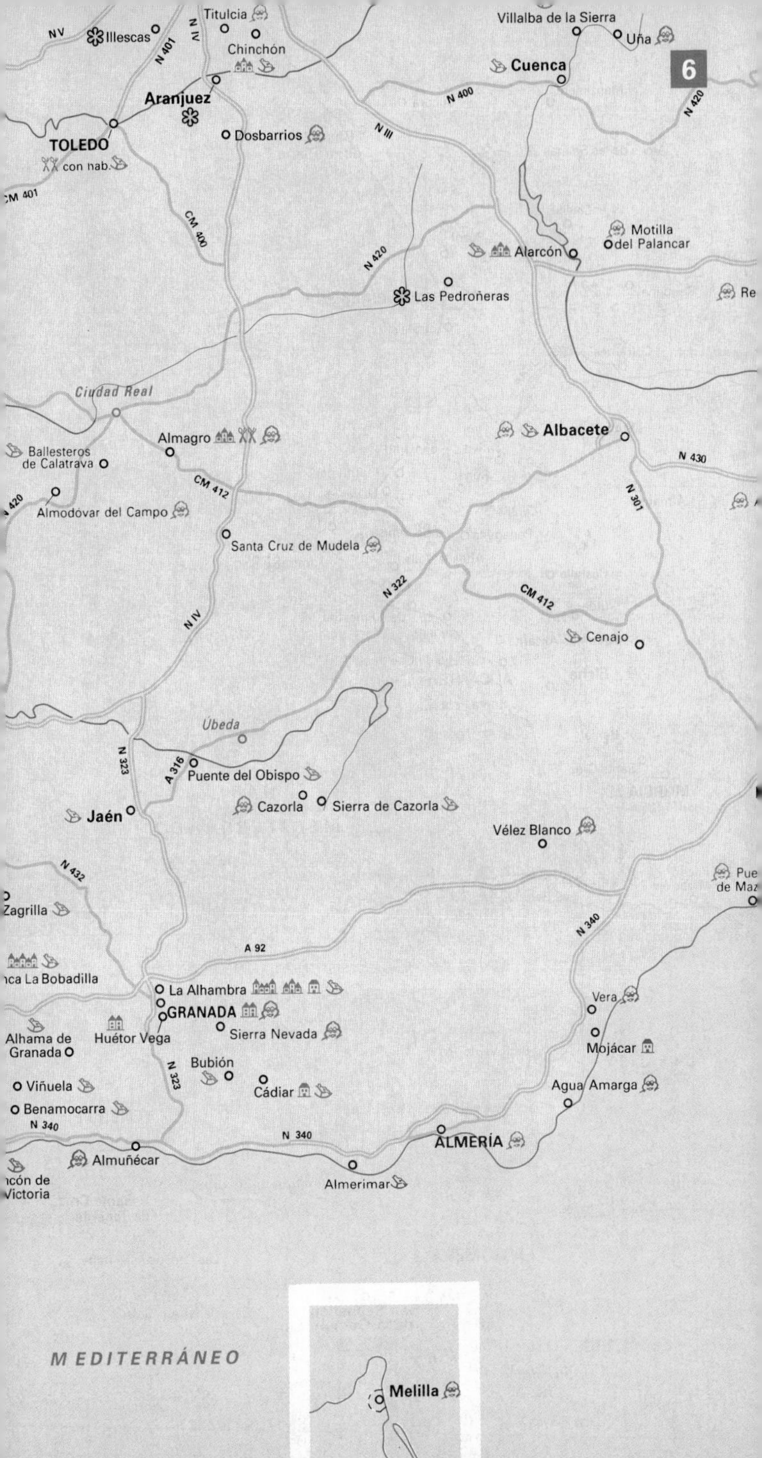

6
N V
Illescas
N 401
N IV
Titulcia
Chinchón
Villalba de la Sierra
Uña
Cuenca
N 400
N 420
Aranjuez
TOLEDO
con hab.
Dosbarrios
N III
CM 401
CM 400
N 420
Motilla
del Palancar
Alarcón
Las Pedroñeras
Ciudad Real
Almagro
Albacete
Ballesteros
de Calatrava
N 430
CM 412
N 301
Almodóvar del Campo
Santa Cruz de Mudela
N 322
CM 412
N IV
Cenajo
Úbeda
N 323
A 316
Puente del Obispo
Jaén
Cazorla
Sierra de Cazorla
Vélez Blanco
N 432
Zagrilla
N 340
A 92
La Alhambra
GRANADA
Alhama de
Granada
Huétor Vega
Sierra Nevada
Vera
Mojácar
N 323
Bubión
Cádiar
Agua Amarga
Viñuela
Benamocarra
N 340
N 340
ALMERÍA
Almuñécar
Almerimar
MEDITERRÁNEO
Melilla

7
N 420
Manzanera
Alcora
Castellón de la Plana
A 7
Arcos de las Salinas
N 234
Chulilla
Puzol
Requena
A 3
VALÈNCIA
El Saler
Cofrentes
RÍO JÚCAR
Ayora
N 430
Játiva con hab.
Rugat
Guardamar
Oliva
Almansa
Bocairente
A 7
Jávea
N 330
Penáguila
Benisa
Altea la Vella
Moraira
Castalla
Altea
Elda
Cala Finestrat
Villajoyosa
San Juan de Alicante
Playa de San Juan
Elche
ALICANTE
Santa Pola
Tabarca
A 7
Beniel
Santa Cruz
MURCIA
MAR
MEDITERRÁNEO
N 301
Puerto de Mazarrón
Los Belones
Cartagena
LA PALMA
Barlovento
Santa Cruz de la Palma
TENERIFE
Puerto de la Cruz
Santa Cruz de Tenerife
LA GOMERA
Las Cañadas del Teide
San Sebastián de la Gomera
Playa de las Américas
EL HIERRO
Valverde
Las Playas

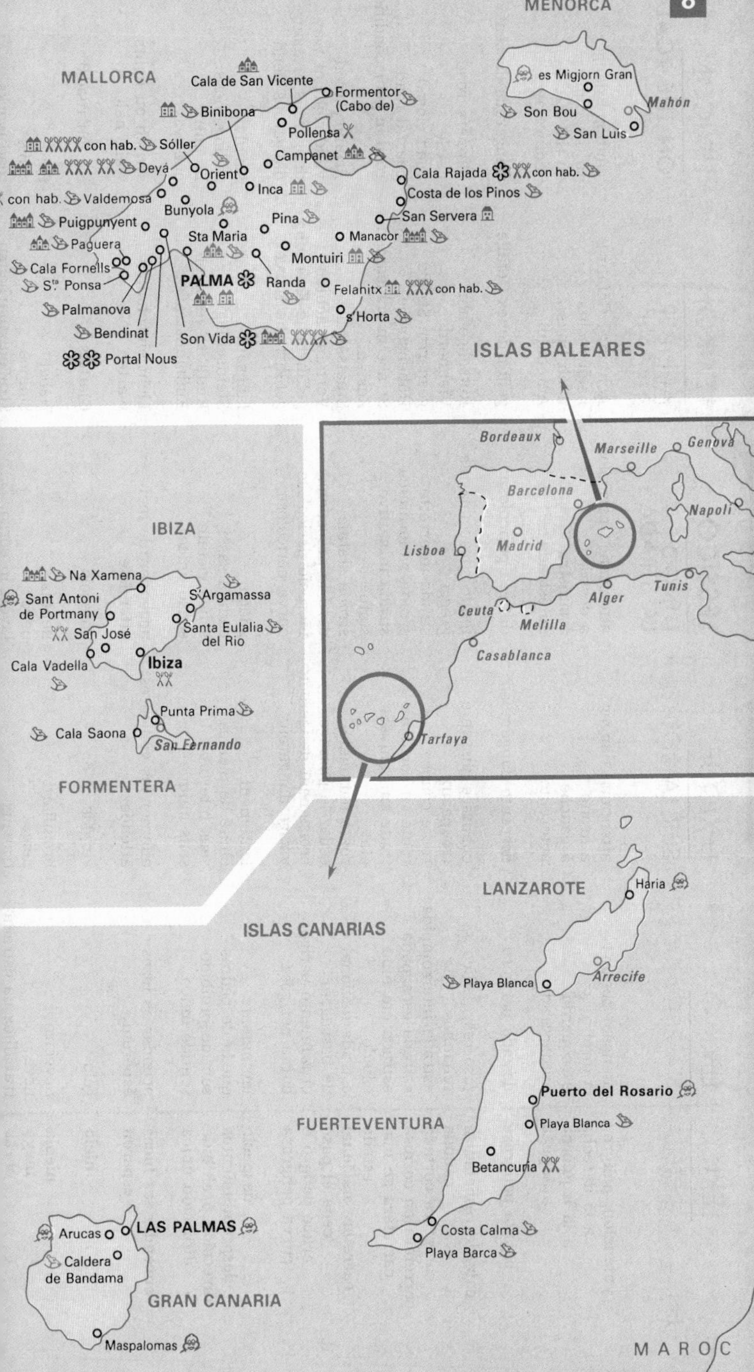
MENORCA
es Migjorn Gran
Son Bou
San Luis
Mahón
MALLORCA
Cala de San Vicente
Formentor (Cabo de)
Binibona
Pollensa
con hab.
Sóller
Deyá
Orient
Inca
Campanet
Cala Rajada
con hab.
Costa de los Pinos
con hab.
Valldemosa
Bunyola
Puigpunyent
Pina
San Servera
Sta Maria
Manacor
Paguera
Montuiri
Cala Fornells
Sta Ponsa
PALMA
Randa
Felanitx
con hab.
Palmanova
s'Horta
Bendinat
Son Vida
Portal Nous
ISLAS BALEARES
Bordeaux
Marseille
Genova
Barcelona
Napoli
Lisboa
Madrid
Tunis
Alger
Ceuta
Melilla
Casablanca
Tarfaya
IBIZA
Na Xamena
Sant Antoni de Portmany
S'Argamassa
Santa Eulalia del Rio
San José
Cala Vadella
Ibiza
Punta Prima
Cala Saona
San Fernando
FORMENTERA
ISLAS CANARIAS
LANZAROTE
Haria
Playa Blanca
Arrecife
FUERTEVENTURA
Puerto del Rosario
Playa Blanca
Betancuria
Costa Calma
Playa Barca
Arucas
LAS PALMAS
Caldera de Bandama
GRAN CANARIA
Maspalomas
MAROC

LÉXICO EN LA CARRETERA	LÉXICO NA ESTRADA	LEXIQUE SUR LA ROUTE	LESSICO LUNGO LA STRADA	LEXIKON AUF DER STRASSE	LEXICON ON THE ROAD
¡ atención, peligro !	atenção! perigo !	attention ! danger !	attenzione ! pericolo !	Achtung ! Gefahr !	caution ! danger !
a la derecha	à direita	à droite	a destra	nach rechts	to the right
a la izquierda	à esquerda	à gauche	a sinistra	nach links	to the left
autopista	auto-estrada	autoroute	autostrada	Autobahn	motorway
bajada peligrosa	descida perigosa	descente dangereuse	discesa pericolosa	gefährliches Gefälle	dangerous descent
calzada resbaladiza	piso resvaladiço	chaussée glissante	fondo sdrucciolevole	Rutschgefahr	slippery road
cañada	rebanhos	troupeaux	greggi	Viehherde	cattle
carretera cortada	estrada interrompida	route coupée	strada interrotta	gesperrte Straße	road closed
carretera en cornisa	estrada escarpada	route en corniche	strada panoramica	Höhenstraße	coastal road
carretera en mal estado	estrada em mau estado	route en mauvais état	strada in cattivo stato	Straße in schlechtem Zustand	road in poor condition
carretera nacional	estrada nacional	route nationale	strada statale	Staatsstraße	Primary road
ceda el paso	dê passagem	cédez le passage	dare la precedenza	Vorfahrt achten	yield right of way
cruce peligroso	cruzamento perigoso	croisement dangereux	incrocio pericoloso	gefährliche Kreuzung	dangerous crossing
curva peligrosa	curva perigosa	virage dangereux	curva pericolosa	gefährliche Kurve	dangerous bend
despacio	lentamente	lentement	adagio	langsam	slowly
desprendimientos	queda de pedras	chute de pierres	caduta sassi	Steinschlag	falling rocks
dirección prohibida	sentido proibido	sens interdit	senso vietato	Einfahrt verboten	no entry
dirección única	sentido único	sens unique	senso unico	Einbahnstraße	one way
encender las luces	acender as luzes	allumer les veilleuses	accendere le luci	Licht einschalten	switch on lights
esperen	esperem	attendez	attendete	warten	wait, halt
hielo	gelo	verglas	ghiaccio	Glatteis	ice (on roads)
niebla	nevoeiro	brouillard	nebbia	Nebel	fog
nieve	neve	neige	neve	Schnee	snow
obras	trabalhos na estrada	travaux	lavori in corso	Straßenbauarbeiten	road works

parada obligatoria	paragem obrigatória	arrêt obligatoire	fermata obbligatoria	Halt !	compulsory stop
paso de ganado	passagem de gado	passage de troupeaux	passaggio di mandrie	Viehtrieb	cattle crossing
paso a nivel sin barreras	passagem de nível sem guarda	passage à niveau non gardé	passaggio a livello incustodito	unbewachter Bahnübergang	unattended level crossing
peaje	portagem	péage	pedaggio	Gebühr	toll
peatones	peões	piétons	pedoni	Fußgänger	pedestrians
¡ peligro !	perigo !	danger !	pericolo !	Gefahr !	danger !
precaución	prudência	prudence	prudenza	Vorsicht	caution
prohibido	proibido	interdit	vietato	verboten	prohibited
prohibido aparcar	estacionamento proibido	stationnement interdit	divieto di sosta	Parkverbot	no parking
prohibido el adelantamiento	proibido ultrapassar	défense de doubler	divieto di sorpasso	Überholverbot	no overtaking
puente estrecho	ponte estreita	pont étroit	ponte stretto	enge Brücke	narrow bridge
puesto de socorro	pronto socorro	poste de secours	pronto soccorso	Unfall-Hilfsposten	first aid station
salida de camiones	saída de camiões	sortie de camions	uscita camion	LKW-Ausfahrt	lorry exit
travesía peligrosa	perigoso atravessar	traversée dangereuse	attraversamento pericoloso	gefährliche Durchfahrt	dangerous crossing

PALABRAS DE USO CORRIENTE	PALAVRAS DE USO CORRENTE	MOTS USUELS	PAROLE D'USO CORRENTE	ALLGEMEINER WORTSCHATZ	COMMON WORDS
abierto	aberto	ouvert	aperto	offen	open
abril	Abril	avril	aprile	April	April
acantilado	falésia	falaise	scogliera	Steilküste	cliff
acceso	acesso	accès	accesso	Zugang, Zufahrt	access
acueducto	aqueduto	aqueduc	acquedotto	Aquadukt	aqueduct
adornado	adornado, enfeitado	orné, décoré	decorato	geschmückt	decorated
agencia de viajes	agencia de viagens	agence de voyages	agenzia viaggi	Reisebüro	travel bureau
agosto	Agosto	août	agosto	August	August
agua potable	água potável	eau potable	acqua potabile	Trinkwasser	drinking water

alameda	alameda	promenade	passeggiata	Promenade	promenade
alcazaba	antiga fortaleza árabe	ancienne forteresse arabe	antica fortezza araba	alte arabische Festung	old Arab fortress
alcázar	antigo palácio árabe	ancien palais arabe	antico palazzo arabo	alter arabischer Palast	old Arab palace
almuerzo	almoço	déjeuner	colazione	Mittagessen	lunch
alrededores	arredores	environs	dintorni	Umgebung	surroundings
altar esculpido	altar esculpido	autel sculpté	altare scolpito	Schnitzaltar	carved altar
ambiente	ambiente	ambiance	ambiente	Stimmung	ambience
antiguo	antigo	ancien	antico	alt	ancient
aparcamiento	parque de estacionamento	parc à voitures	parcheggio	Parkplatz	car park
apartado	apartado, caixa postal	boîte postale	casella postale	Postfach	post office box
arbolado	arborizado	ombragé	ombreggiato	schattig	shady
arcos	arcadas	arcades	portici	Arkaden	arcades
artesanía	artesanato	artisanat	artigianato	Handwerkskunst	craftwork
artesonado	tecto de talha	plafond à caissons	soffitto a cassettoni	Kassettendecke	stuccoed ceiling
avenida	avenida	avenue	viale, corso	Boulevard, breite Straße	avenue
bahia	baía	baie	baia	Bucht	bay
bajo pena de multa	sob pena de multa	sous peine d'amende	passibile di contravvenzione	bei Geldstrafe	under penalty of fine
balneario	termas	station thermale	stazione termale	Thermalbad	health resort, Spa
baños	termas	bains, thermes	terme	Thermen	public baths, thermal bath
barranco	barranco, ravina	ravin	burrone	Schlucht	ravine
barrio	bairro	quartier	quartiere	Stadtteil	quarter, district
bodega	adega	chais, cave	cantina	Keller	cellar
bonito	bonito	joli	bello	schön	beautiful
bosque	bosque	bois	bosco	Wäldchen	wood
bóveda	abóbada	voûte	volta	Gewölbe, Wölbung	vault, arch
cabo	cabo	cap	capo	Kap	headland
caja	caixa	caisse	cassa	Kasse	

cala	enseada	crique, calanque	insenatura	Bucht	creek
calle	rua	rue	via	Straße	street
callejón sin salida	beco	impasse	vicolo cieco	Sackgasse	no through road
cama	cama	lit	letto	Bett	bed
camarero	criado, empregado	garçon, serveur	cameriere	Ober, Kellner	waiter
camino	caminho	chemin	cammino	Weg	way, path
campanario	campanário	clocher	campanile	Glockenturm	belfry, steeple
campo, campiña	campo	campagne	campagna	Land	country, countryside
capilla	capela	chapelle	cappella	Kapelle	chapel
capitel	capitel	chapiteau	capitello	Kapitell	capital (of column)
cartuja	cartuxa	chartreuse	certosa	Kartäuserkloster	monastery
casa señorial	solar	manoir	villa	Herrensitz	manor house
cascada	cascata	cascade	cascata	Wasserfall	waterfall
castillo	castelo	château	castello	Burg, Schloß	castle
cena	jantar	dîner	pranzo	Abendessen	dinner
cenicero	cinzeiro	cendrier	portacenere	Aschenbecher	ashtray
centro urbano	baixa, centro urbano	centre ville	centro città	Stadtzentrum	town centre
cercano	próximo	proche	prossimo	nah	near
cerillas	fósforos	allumettes	fiammiferi	Zündhölzer	matches
cerrado	fechado	fermé	chiuso	geschlossen	closed
certificado	registado	recommandé (objet)	raccomandato	Einschreiben	registered
césped	relvado	pelouse	prato	Rasen	lawn
circunvalación	circunvalação	contournement	circonvallazione	Umgehung	by-pass
ciudad	cidade	ville	città	Stadt	town
claustro	claustro	cloître	chiostro	Kreuzgang	cloisters
climatizado	climatizado	climatisé	con aria condizionata	Klimatisiert	air conditioned
cocina	cozinha	cuisine	cucina	Küche	kitchen
colección	colecção	collection	collezione	Sammlung	collection
colegiata	colegiada	collégiale	collegiata	Stiftskirche	collegiate church
colina	colina	colline	colle, collina	Hügel	hill
columna	coluna	colonne	colonna	Säule	column
comedor	casa de jantar	salle à manger	sala da pranzo	Speisesaal	dining room
comisaría	esquadra de policia	commissariat de police	commissariato di polizia	Polizeistation	police headquarters
conjunto	conjunto	ensemble	insieme	Gesamtheit	group
conserje	porteiro	concierge	portiere	Portier	porter

convento	convento	couvent	convento	Kloster	convent
coro	coro	chœur	coro	Chor	chancel
correos	correios	bureau de poste	ufficio postale	Postamt	post office
crucero	transepto	transept	transetto	Querschiff	transept
crucifijo, cruz	crucifixo, cruz	crucifix, croix	crocifisso, croce	Kruzifix, Kreuz	crucifix, cross
cuadro, pintura	quadro, pintura	tableau, peinture	quadro, pittura	Gemälde, Malerei	painting
cuenta	conta	note	conto	Rechnung	bill
cueva, gruta	gruta	grotte	grotta	Höhle	cave
cuchara	colher	cuillère	cucchiaio	Löffel	spoon
cuchillo	faca	couteau	coltello	Messer	knife
cúpula	cúpula	coupole, dôme	cupola	Kuppel	dome, cupola
dentista	dentista	dentiste	dentista	Zahnarzt	dentist
deporte	desporto	sport	sport	Sport	sport
desembocadura	foz	embouchure	foce	Mündung	mouth
desfiladero	desfiladeiro	défilé	gola	Engpaß	pass
diario	jornal	journal	giornale	Zeitung	newspaper
diciembre	Dezembro	décembre	dicembre	Dezember	December
dique	dique	digue	diga	Damm	dike, dam
domingo	Domingo	dimanche	domenica	Sonntag	Sunday
embalse	barragem	barrage	sbarramento	Talsperre	dam
encinar	azinhal	chênaie	querceto	Eichenwald	oak-grove
enero	Janeiro	janvier	gennaio	Januar	January
entrada	entrada	entrée	entrata, ingresso	Eingang, Eintritt	entrance, admission
equipaje	bagagem	bagages	bagagli	Gepäck	luggage
ermita	eremitério, retiro	ermitage	eremo	Einsiedelei	hermitage
escalera	escada	escalier	scala	Treppe	stairs
escuelas	escolas	écoles	scuole	Schulen	schools
escultura	escultura	sculpture	scultura	Schnitzwerk	carving
espectáculo	espectáculo	spectacle	spettacolo	Schauspiel	show, sight
estanco	tabacaria	bureau de tabac	tabaccaio	Tabakladen	tobacconist
estanque	lago, tanque	étang	stagno	Teich	pond, pool
estatua	estátua	statue	statua	Standbild	statue
estrecho	estreito	détroit	stretto	Meerenge	strait
estuario	estuário	estuaire	estuario	Mündung	estuary

fachada	fachada	façade	facciata	Vorderseite	façade
farmacia	farmácia	pharmacie	farmacia	Apotheke	chemist
faro	farol	phare	faro	Leuchtturm	lighthouse
febrero	Fevereiro	février	febbraio	Februar	February
festivo	feriado	férié	festivo	Feiertag	holiday
florido	florido	fleuri	fiorito	blühend	in bloom
fortaleza	fortaleza	forteresse, château fort	fortezza	Festung, Burg	fortress, fortified castle
fortificado	fortificado	fortifié	fortificato	befestigt	fortified
frescos	frescos	fresques	affreschi	Fresken	frescoes
frío	frio	froid	freddo	kalt	cold
friso	friso	frise	fregio	Fries	frieze
frontera	fronteira	frontière	frontiera	Grenze	frontier
fuente	fonte	source	sorgente	Quelle	source, stream
garganta	garganta	gorge	gola	Schlucht	gorge, stream
gasolina	gasolina	essence	benzina	Benzin	petrol
guardia civil	polícia	gendarme	poliziotto	Polizist	policeman
habitación	quarto	chambre	camera	Zimmer	room
hermoso	belo, formoso	beau	bello	schön	beautiful
huerto (a)	horta	potager	orto	Gemüsegarten	kitchen-garden
iglesia	igreja	église	chiesa	Kirche	church
informaciones	informações	renseignements	informazioni	Auskünfte	information
instalado	instalado	installé	installato	eingerichtet	established
invierno	Inverno	hiver	inverno	Winter	winter
isla	ilha	île	isola, isolotto	Insel	island
jardin	jardim	jardin	giardino	Garten	garden
jueves	5ª feira	jeudi	giovedì	Donnerstag	Thursday
julio	Julho	juillet	luglio	Juli	July
junio	Junho	juin	giugno	Juni	June
lago	lago	lac	lago	See	lake
laguna	lagoa	lagune	laguna	Lagune	lagoon
lavado	lavagem de roupa	blanchissage	lavanderia	Wäscherei	laundry

lonja	bolsa de comércio	bourse de commerce	borsa	Handelsbörse	Trade exchange
lunes	2ª feira	lundi	lunedì	Montag	Monday
llanura	planície	plaine	pianura	Ebene	plain
mar	mar	mer	mare	Meer	sea
martes	3ª feira	mardi	martedì	Dienstag	Tuesday
marzo	Março	mars	marzo	März	March
mayo	Maio	mai	maggio	Mai	May
médico	medico	médecin	medico	Arzt	doctor
mediodía	meio-dia	midi	mezzogiorno	Mittag	midday
mesón	estalagem	auberge	albergo	Gasthof	inn
mezquita	mesquita	mosquée	moschea	Moschee	mosque
miércoles	4ª feira	mercredi	mercoledì	Mittwoch	Wednesday
mirador	miradouro	belvédère	belvedere	Aussichtspunkt	belvedere
mobiliario	mobiliário	ameublement	arredamento	Einrichtung	furniture
molino	moinho	moulin	mulino	Mühle	windmill
monasterio	mosteiro	monastère	monastero	Kloster	monastery
montaña	montanha	montagne	montagna	Berg	mountain
muelle	cais, molhe	quai, môle	molo	Mole, Kai	quay
murallas	muralhas	murailles	mura	Mauern	walls
nacimiento	presépio	crèche	presepio	Krippe	crib
nave	nave	nef	navata	Kirchenschiff	nave
Navidad	Natal	Noël	Natale	Weihnachten	Christmas
noviembre	Novembro	novembre	novembre	November	November
obra de arte	obra de arte	œuvre d'art	opera d'arte	Kunstwerk	work of art
octubre	Outubro	octobre	ottobre	Oktober	October
orilla	orla, borda	bord	orlo	Rand	edge
otoño	Outono	automne	autunno	Herbst	autumn
pagar	pagar	payer	pagare	bezahlen	to pay
paisaje	paisagem	paysage	paesaggio	Landschaft	landscape
palacio real	palácio real	palais royal	palazzo reale	Königsschloß	royal palace
palmera, palmeral	palmeira, palmar	palmier, palmeraie	palma, palmeto	Palme, Palmenhain	palm-tree, palm

Español	Português	Français	Italiano	Deutsch	English
pantano	barragem	barrage	sbarramento	Talsperre	dam
papel de carta	papel de carta	papier à lettre	carta da lettera	Briefpapier	writing paper
parada	paragem	arrêt	fermata	Haltestelle	stopping place
paraje, emplazamiento	local	site	posizione	Lage	site
parque	parque	parc	parco	Park	park
pasajeros	passageiros	passagers	passeggeri	Fahrgäste	passengers
Pascua	Páscoa	Pâques	Pasqua	Ostern	Easter
paseo	passeio	promenade	passeggiata	Spaziergang, Promenade	walk, promenade
patio	pátio interior	cour intérieure	cortile interno	Innenhof	inner courtyard
peluquería	cabeleireiro	coiffeur	parrucchiere	Friseur	hairdresser, barber
peñón	rochedo	rocher	roccia	Felsen	rock
pico	pico	pic	picco	Gipfel	peak
pinar, pineda	pinhal	pinède	pineta	Pinienhain	pine wood
piso	andar	étage	piano (di casa)	Etage	floor
planchado	engomado	repassage	stiratura	bügeln	pressing, ironing
plato	prato	assiette	piatto	Teller	plate
playa	praia	plage	spiaggia	Strand	beach
plaza de toros	praça de touros	arènes	arena	Stierkampfarena	bull ring
portada, pórtico	portal, pórtico	portail	portale	Haupttor, Portal	doorway
prado, pradera	prado, pradaria	pré, prairie	prato, prateria	Wiese	meadow
primavera	Primavera	printemps	primavera	Frühling	spring (season)
prohibido fumar	proibido fumar	défense de fumer	vietato fumare	Rauchen verboten	no smoking
promontorio	promontório	promontoire	promontorio	Vorgebirge	promontory
propina	gorjeta	pourboire	mancia	Trinkgeld	tip
pueblo	aldeia	village	villaggio	Dorf	village
puente	ponte	pont	ponte	Brücke	bridge
puerta	porta	porte	porta	Tür	door
puerto	colo, porto	col, port	passo, porto	Gebirgspaß, Hafen	mountain pass, harbour
púlpito	púlpito	chaire	pulpito	Kanzel	pulpit
punto de vista	vista	point de vue	vista	Aussichtspunkt	viewpoint
recinto	recinto	enceinte	recinto	Ringmauer	perimeter walls
recorrido	percurso	parcours	percorso	Strecke	course
reja, verja	grade	grille	cancello	Gitter	iron gate

reliquia	relíquia	relique	reliquia	Reliquie	relic
reloj	relógio	horloge	orologio	Uhr	clock
Renacimiento	Renascença	Renaissance	Rinascimento	Renaissance	Renaissance
recepción	recepção	réception	ricevimento	Empfang	reception
retablo	retábulo	retable	pala d'altare	Altaraufsatz	altarpiece, retable
río	rio	fleuve	fiume	Fluß	river
roca, peñón	rochedo, rocha	rocher, roche	roccia	Felsen	rock
rocoso	rochoso	rocheux	roccioso	felsig	rocky
rodeado	rodeado	entouré	circondato	umgeben	surrounded
románico, romano	românico, romano	roman, romain	romanico, romano	romanisch, römisch	Romanesque, Roman
ruinas	ruínas	ruines	ruderi	Ruinen	ruins
sábado	Sábado	samedi	sabato	Samstag	Saturday
sacristía	sacristia	sacristie	sagrestia	Sakristei	sacristy
sala capitular	sala capitular	salle capitulaire	sala capitolare	Kapitelsaal	chapterhouse
salida	partida	départ	partenza	Abfahrt	departure
salida de socorro	saída de socorro	sortie de secours	uscita di sicurezza	Notausgang	emergency exit
salón	salão, sala	salon, grande salle	sala, salotto, salone	Salon	drawing room, sitting room
santuario	santuário	sanctuaire	santuario	Heiligtum	shrine
sello	selo	timbre-poste	francobollo	Briefmarke	stamp
septiembre	Setembro	septembre	settembre	September	September
sepulcro, tumba	sepúlcro, túmulo	sépulcre, tombeau	sepolcro, tomba	Grabmal	tomb
servicio incluido	serviço incluído	service compris	servizio compreso	Bedienung inbegriffen	service included
servicios	toilette, casa de banho	toilettes	gabinetti	Toiletten	toilets
sierra	serra	chaîne de montagnes	catena montuosa	Gebirgskette	mountain range
siglo	século	siècle	secolo	Jahrhundert	century
sillería del coro	cadeiras de coro	stalles	stalli	Chorgestühl	choir stalls
sobres	envelopes	enveloppes	buste	Briefumschläge	envelopes
sótano	cave	sous-sol, cave	sottosuolo	Keller	basement
subida	subida	montée	salita	Steigung	hill
tapices, tapicerías	tapeçarias	tapisseries	tappezzerie, arazzi	Wandteppiche	tapestries
tarjeta postal	bilhete postal	carte postale	cartolina	Postkarte	postcard
techo	tecto	plafond	soffitto	Zimmerdecke	[illegible]

tenedor	garfo	fourchette	forchetta	Gabel	fork
tesoro	tesouro	trésor	tesoro	Schatz	treasure, treasury
torre	torre	tour	torre	Turm	tower
tribuna	tribuna, galeria	jubé	tribuna, galleria	Lettner	rood screen
valle	vale	val, vallée	valle, vallata	Tal	valley
vaso	copo	verre	bicchiere	Glas	glass
vega	veiga	vallée fertile	valle fertile	fruchtbare Ebene	fertile valley
verano	Verão	été	estate	Sommer	summer
vergel	pomar	verger	frutteto	Obstgarten	orchard
vidriera	vitral	verrière, vitrail	vetrata	Kirchenfenster	stained glass windows
viernes	6ª feira	vendredi	venerdì	Freitag	Friday
viñedos	vinhedos, vinhas	vignes, vignoble	vigne, vigneto	Reben, Weinberg	vines, vineyard
víspera, vigilia	véspera	veille	vigilia	Vorabend	preceding day, eve
vista pintoresca	vista pitoresca	vue pittoresque	vista pittoresca	malerische Aussicht	picturesque view
vuelta, circuito	volta, circuito	tour, circuit	giro, circuito	Rundreise	tour

COMIDAS Y BEBIDAS	COMIDAS E BEBIDAS	NOURRITURE ET BOISSONS	CIBI E BEVANDE	SPEISEN UND GETRÄNKE	FOOD AND DRINK
aceite, aceitunas	azeite, azeitonas	huiles, olives	olio, olive	Öl, Oliven	oil, olives
agua con gas	água gaseificada	eau gazeuse	acqua gasata	Sprudel	soda water
agua mineral	água mineral	eau minérale	acqua minerale	Mineralwasser	mineral water
ahumado	fumado	fumé	affumicato	geräuchert	smoked
ajo	alho	ail	aglio	Knoblauch	garlic
alcachofa	alcachofra	artichaut	carciofo	Artischocke	artichoke
almendras	amêndoas	amandes	mandorle	Mandeln	almonds
alubias	feijão	haricots	fagioli	Bohnen	beans
anchoas	anchovas	anchois	acciughe	Sardellen	anchovies
arroz	arroz	riz	riso	Reis	rice
asado	assado	rôti	arrosto	gebraten	roast
atún	atum	thon	tonno	Thunfisch	tunny
ave	aves, criação	volaille	pollame	Geflügel	poultry
azúcar	açúcar	sucre	zucchero	Zucker	sugar

bacalao	bacalhau fresco	morue fraîche, cabillaud	merluzzo	Kabeljau, Dorsch	cod
bacalao en salazón	bacalhau salgado	morue salée	baccalà, stoccafisso	Stockfish	dried cod
berenjena	beringela	aubergine	melanzana	Aubergine	aubergine
bogavante	lavagante	homard	gambero di mare	Hummer	lobster
brasa (a la)	na brasa	à la braise	brasato	geschmort	braised
café con leche	café com leite	café au lait	caffelatte	Milchkaffee	coffee with milk
café solo	café simples	café nature	caffè nero	schwarzer Kaffee	black coffee
calamares	lulas, chocos	calmars	calamari	Tintenfische	squid
caldo	caldo	bouillon	brodo	Fleischbrühe	clear soup
cangrejo	caranguejo	crabe	granchio	Krabbe	crab
caracoles	caracóis	escargots	lumache	Schnecken	snails
carne	carne	viande	carne	Fleisch	meat
castañas	castanhas	châtaignes	castagne	Kastanien	chestnuts
caza mayor	caça grossa	gros gibier	cacciagione	Wildbret	game
cebolla	cebola	oignon	cipolla	Zwiebel	onion
cerdo	porco	porc	maiale	Schweinefleisch	pork
cerezas	cerejas	cerises	ciliegie	Kirschen	cherries
cerveza	cerveja	bière	birra	Bier	beer
chipirones	lulas pequenas	petits calmars	calamaretti	kleine Tintenfische	small squid
chorizos	chouriços	saucisses au piment	salsicce piccanti	Pfefferwurst	spiced sausages.
chuleta, costilla	costeleta	côtelette	costoletta	Kotelett	cutlet
ciervo venado	veado	cerf	cervo	Hirsch	deer
cigalas	lagostins	langoustines	scampi	Langustinen	crayfish
ciruelas	ameixas	prunes	prugne	Pflaumen	plums
cochinillo, tostón	leitão assado	cochon de lait grillé	maialino grigliato, porchetta	Spanferkel gegrillt	roast suckling pig
cordero	carneiro	mouton	montone	Hammelfleisch	mutton
cordero lechal	cordeiro	agneau de lait	agnello	Lammfleisch	lamb
corzo	cabrito montês	chevreuil	capriolo	Reh	venison
fiambres	charcutaria	charcuterie	salumi	Aufschnitt (Wurst)	pork-butchers' meat
dorada, besugo	dourada, besugo	daurade	orata	Goldbrassen	sea bream

ensalada	salada	salade	insalata	Salat	green salad
entremeses	entrada	hors-d'œuvre	antipasti	Vorspeise	hors d'œuvre
espárragos	espargos	asperges	asparagi	Spargel	asparagus
espinacas	espinafres	épinards	spinaci	Spinat	spinach
fiambres	carnes frias	viandes froides	carni fredde	kalter Braten	cold meats
filete	filete, bife de lombo	filet	filetto	Filetsteak	fillet
fresas	morangos	fraises	fragole	Erdbeeren	strawberries
frutas	fruta	fruits	frutta	Früchte	fruit
frutas en almíbar	fruta em calda	fruits au sirop	frutta sciroppata	Früchte in Sirup	fruit in syrup
galletas	bolos sêcos	gâteaux secs	biscotti secchi	Gebäck	cakes
gambas	camarões	crevettes (bouquets)	gamberetti	Garnelen	prawns
garbanzos	grão	pois chiches	ceci	Kichererbsen	chick peas
guisantes	ervilhas	petits pois	piselli	junge Erbsen	garden peas
helado	gelado	glace	gelato	Speiseeis	ice cream
hígado	fígado	foie	fegato	Leber	liver
higos	figos	figues	fichi	Feigen	figs
horno (al)	no forno	au four	al forno	im Ofen gebacken	baked in the oven
huevos al plato	ovos estrelados	œufs au plat	uova fritte	Spiegeleier	fried eggs
huevo pasado por agua	ovo quente	œufs à la coque	uovo à la coque	weiches Ei	soft boiled egg
jamón	presunto, fiambre	jambon (cru ou cuit)	prosciutto (crudo o cotto)	Schinken (roh, gekocht)	ham (raw or cooked)
judías verdes	feijão verde	haricots verts	fagiolini	grüne Bohnen	French beans
langosta	lagosta	langouste	aragosta	Languste	crawfish
langostino	gamba	crevette géante	gamberone	große Garnele	prawns
legumbres	legumes	légumes	verdura	Gemüse	vegetables
lenguado	linguado	sole	sogliola	Seezunge	sole
lentejas	lentilhas	lentilles	lenticchie	Linsen	lentils
limón	limão	citron	limone	Zitrone	lemon
lobarro, perca	perca	perche	pesce persico	Barsch	perch
lomo	lombo	filet, échine	lombata, lombo	Rückenstück	loin chine
lubina	robalo	bar, loup	spigola	Barsch	bass

mantequilla	manteiga	beurre	burro	Butter	butter
manzana	maçã	pomme	mela	Apfel	apple
mariscos	mariscos	fruits de mer	frutti di mare	Meeresfrüchte	seafood
mejillones	mexilhões	moules	cozze	Muscheln	mussels
melocotón	pêssego	pêche	pesca	Pfirsich	peach
membrillo	marmelo	coing	cotogna	Quitte	quince
merluza	pescada	colin, merlan	nasello	Kohlfisch, Weißling	hake
mero	cherne	mérou	cernia	Zackenbarsch	brill
naranja	laranja	orange	arancia	Orange	orange
ostras	ostras	huîtres	ostriche	Austern	oyster
paloma, pichón	pombo, borracho	palombe, pigeon	piccione	Taube	pigeon
pan	pão	pain	pane	Brot	bread
parrilla (a la)	grelhado	à la broche, grillé	allo spiedo	am Spieß	grilled
pasteles	bolos	pâtisseries	dolci, pasticceria	Kuchen, Torten	pastries
patatas	batatas	pommes de terre	patate	Kartoffeln	potatoes
pato	pato	canard	anitra	Ente	duck
pepino, pepinillo	pepino	concombre, cornichon	cetriolo, cetriolino	Gurke, Essiggürkchen	cucumber, gherkin
pepitoria	fricassé	fricassée	fricassea	Frikassee	fricassée
pera	pêra	poire	pera	Birne	pear
perdiz	perdiz	perdrix	pernice	Rebhuhn	partridge
pescados	peixes	poissons	pesci	Fische	fish
pimienta	pimenta	poivre	pepe	Pfeffer	pepper
pimiento	pimento	poivron	peperone	Pfefferschote	pimento
plátano	banana	banane	banana	Banane	banana
pollo	frango	poulet	pollo	Hähnchen	chicken
postres	sobremesas	desserts	dessert	Nachspeise	dessert
potaje	sopa	potage	minestra	Suppe	soup
queso	queijo	fromage	formaggio	Käse	cheese
rape	lota	lotte	rana pescatrice, coda di rospo	Seeteufel	monkfish, angler fish

relleno	recheado	farci	ripieno, farcito	gefüllt	stuffed
riñones	rins	rognons	rognoni	Nieren	kidneys
rodaballo	pregado	turbot	rombo	Steinbutt	turbot
sal	sal	sel	sale	Salz	salt
salchichas	salsichas	saucisses	salsicce	Würstchen	sausages
salchichón	salpicão	saucisson	salame	Hartwurst, Salami	salami, sausage
salmón	salmão	saumon	salmone	Lachs	salmon
salmonete	salmonete	rouget	triglia	Barbe, Rötling	red mullet
salsa	molho	sauce	salsa	Soße	sauce
sandía	melancia	pastèque	cocomero	Wassermelone	water-melon
sesos	miolos, mioleira	cervelle	cervella	Hirn	brains
setas, hongos	cogumelos	champignons	funghi	Pilze	mushrooms
sidra	cidra	cidre	sidro	Apfelwein	cider
solomillo	bife de lombo	filet	filetto	Filetsteak	fillet
sopa	sopa	soupe	minestra, zuppa	Suppe	soup
tarta	torta, tarte	tarte, grand gâteau	torta	Kuchen	tart, pie
ternera	vitela	veau	vitello	Kalbfleisch	veal
tortilla	omelete	omelette	frittata	Omelett	omelette
trucha	truta	truite	trota	Forelle	trout
turrón	torrão de Alicante, nougat	nougat	torrone	Nugat, Mandelkonfekt	nougat
uva	uva	raisin	uva	Traube	grapes
vaca, buey	vaca, boi	bœuf	manzo	Rindfleisch	beef
vieira	vieira	coquille St-Jacques	cappesante	Jakobsmuschel	scallop
vinagre	vinagre	vinaigre	aceto	Essig	vinegar
vino blanco dulce	vinho branco doce	vin blanc doux	vino bianco amabile	süßer Weißwein	sweet white wine
vino blanco seco	vinho branco seco	vin blanc sec	vino bianco secco	trockener Weißwein	dry white wine
vino rosado	vinho « rosé »	vin rosé	vino rosato	Roséwein	rosé wine
vino de marca	vinho de marca	grand vin	vino pregiato	Prädikatswein	fine wine
vino tinto	vinho tinto	vin rouge	vino rosso	Rotwein	red wine
zanahoria	cenoura	carotte	carota	Karotte	carrot
zumo de frutas	sumo de frutas	jus de fruits	succo di frutta	Fruchtsaft	fruit juice

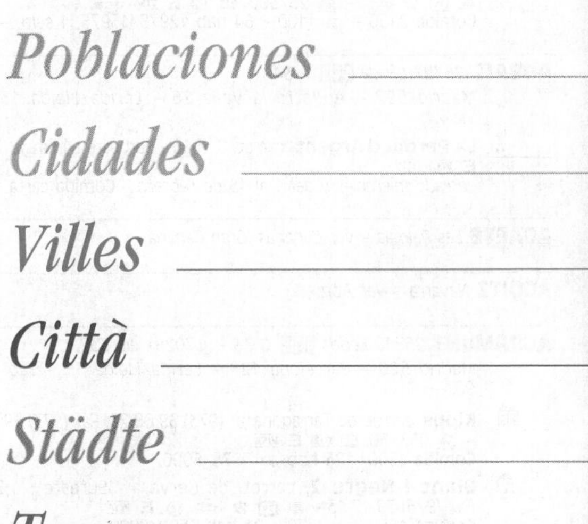

Poblaciones

Cidades

Villes

Città

Städte

Towns

ABADIANO o **ABADIÑO** *48220 Vizcaya* 442 C 22 – *7 008 h. alt. 133.*
Madrid 399 – Bilbao/Bilbo 35 – Vitoria/Casteiz 43.

en la carretera N 634 *Norte : 2 km – ✉ 48220 Abadiano :*

San Blas, Laubideta 7 ℘ (94) 681 42 00, *Fax (94) 681 42 00* – rest, TV ☎ P. AE ⓞ E VISA. ✈ rest
Comida 950 – ☐ 270 – **17 hab** 4500/6800.

ABEJAR *42146 Soria* 442 G 21 – *375 h. alt. 1 138.*
Madrid 261 – Burgos 115 – Logroño 122 – Soria 30.

Puerta Pinares, Anselmo de la Orden 41 ℘ (975) 37 32 70, *Fax (975) 37 32 71* – |$| rest, TV ☎ P. E VISA. ✈
Comida 1400 – ☐ 500 – **28 hab** 5800/8600 – PA 3200.

ADEMUZ *46140 Valencia* 445 L 26 – *1 208 h. alt. 670.*
Madrid 286 – Cuenca 120 – Teruel 44 – Valencia 136.

Casa Domingo, av. de Valencia 1 ℘ (978) 78 20 30, *Fax (978) 78 20 56* – rest, ☎ P. AE E VISA. ✈
Comida carta 2100 a 3275 – ☐ 390 – **30 hab** 2800/4250.

ADRA *04770 Almería* 446 V 20 – *20 002 h. alt. 15 – Playa.*
Madrid 541 – Almería 59 – Granada 127 – Málaga 145.

Meliá Adra ⛐, Fábricas 86 ℘ (950) 60 40 00, *Fax (950) 56 04 44*, ←, Ⅎ6, ⛱, ⛱ – |$| TV ☎ ⇔ – 🏰 25/300. AE ⓞ E VISA JCB. ✈
Comida 2150 – ☐ 1100 – **64 hab** 12975/15975, 1 suite – PA 5050.

ADRALL *25797 Lérida* 443 F 34.
Madrid 592 – Andorra la Vella 26 – Lérida/Lleida 132 – Font-Romeu-Odeillo Via 74.

La Perdiu d'Argent, carret. C 1313 - Suroeste : 1 km ℘ (973) 38 72 52, ← – P. ⓞ E VISA. ✈
cerrado miércoles y del 1 al 15 de febrero – **Comida** carta aprox. 3800.

AGAETE *Las Palmas – ver Canarias (Gran Canaria).*

AGOITZ *Navarra – ver Aoiz.*

AGRAMUNT *25310 Lérida* 443 G 33 – *4 702 h. alt. 337.*
Madrid 520 – Barcelona 123 – Lérida/Lleida 51 – Seo de Urgel/La Seu d'Urgell 98.

Kipps, carret. de Tarragona ℘ (973) 39 08 25, *Fax (973) 39 05 73*, ⛱ – |$| TV ☎ P – 🏰 25/150. AE ⓞ E VISA
Comida 1500 – **25 hab** ☐ 3575/5000.

Blanc i Negre 2, carret. de Cervera - Sureste : 1,2 km ℘ (973) 39 12 13, *Fax (973) 39 12 13* – TV ☎ ⇔ P. E VISA
Comida 1500 – ☐ 750 – **24 hab** 3500/6000.

ÁGREDA *42100 Soria* 442 G 24 – *3 617 h. alt. 941.*
Madrid 276 – Logroño 115 – Pamplona/Iruñea 118 – Soria 50 – Zaragoza 107.

Doña Juana, av. de Soria 16 ℘ (976) 64 72 16, *Fax (976) 64 76 69* – |$| TV ☎ P. VISA. ✈
Juani **:** Comida carta 1950 a 3195 – ☐ 995 – **47 hab** 3000/4850.

AGUA AMARGA *04149 Almería* 446 V 24 – *Playa.*
Madrid 568 – Almería 62 – Mojácar 33 – Níjar 32.

La Chumbera, carret. de Carboneras - Norte : 1 km ℘ (950) 16 83 21, *Fax (950) 16 83 21*, ⛱ – P. E VISA
cerrado lunes noche en invierno, martes, febrero y del 15 al 30 de noviembre – **Comida** - sólo cena en verano - carta 3500 a 4150.

AGUADULCE *04720 Almería* 446 **V 22** – *Playa.*
Madrid 560 – Almería 10 – Motril 102.

Andarax, Santa Fé (carret. N 340) ☎ (950) 34 07 08, *Fax (950) 34 07 55,* – 25/100. AE E VISA. rest
Comida 1800 – **108 hab** 6500/12000.

La Encina, edificio puerto deportivo ☎ (950) 34 66 16, *Fax (950) 34 66 16,* ←, – . AE E VISA.
cerrado lunes y 7 enero-6 febrero – **Comida** carta 2700 a 4100.

AGÜERO *22808 Huesca* 443 **E 27** – *165 h.*
Alred. : *Los Mallos★ Este : 11 km.*
Madrid 432 – Huesca 42 – Jaca 59 – Pamplona/Iruñea 132.

AGUILAR DE CAMPÓO *34800 Palencia* 442 **D 17** – *7 594 h. alt. 895.*
pl. de España 32 ☎ (979) 12 20 24 (temp).
Madrid 323 – Palencia 97 – Santander 104.

Valentín, av. Generalísimo 23 ☎ (979) 12 21 25, *Fax (979) 12 24 42* – , rest, – 25/250. AE E VISA.
Comida 1500 – 550 – **50 hab** 6500/8500.

Posada de Santa María la Real , carret. de Cervera de Pisuerga ☎ (979) 12 20 00, *Fax (979) 12 56 80,* « Conjunto rústico con jardín » – . E VISA.
cerrado del 10 al 31 de enero – **Comida** *(cerrado lunes)* 1700 – **18 hab** 5500/8500.

Cortés con hab, Puente 39 ☎ (979) 12 30 55
. E VISA.
Comida carta 3320 a 4950 – 600 – **12 hab** 5000/6000.

ÁGUILAS *30880 Murcia* 445 **T 25** – *24 610 h.* – *Playa.*
pl. Antonio Cortijos ☎ (968) 41 33 03 Fax (968) 44 60 82.
Madrid 494 – Almería 132 – Cartagena 84 – Lorca 42 – Murcia 104.

Carlos III, Rey Carlos III-22 ☎ (968) 41 16 50, *Fax (968) 41 16 58* – . AE VISA.
rest
Comida 1100 – 600 – **32 hab** 7000/10500.

El Paso, Cartagena 13 ☎ (968) 44 71 25, *Fax (968) 44 71 27* – . AE E VISA.
Comida 1300 – 350 – **24 hab** 5500/8000 – PA 3000.

Ruano, Iberia 8 ☎ (968) 41 11 25, – VISA
cerrado martes noche – **Comida** carta 2300 a 3900.

en Calabardina *Noreste : 8,5 km – ✉ 30889 Calabardina :*

El Paraíso, ☎ (968) 41 94 44, *Fax (968) 41 94 44* – rest, . AE E VISA.
cerrado 20 diciembre-10 enero – **Comida** 1200 – **39 hab** 4785/7610.

AIGUA BLAVA *Gerona – ver Bagur.*

AIGUADOLÇ (Puerto de) *Barcelona – ver Sitges.*

AINSA *22330 Huesca* 443 **E 30** – *1 387 h. alt. 589.*
Ver : *Plaza Mayor★.*
av. Pirenaica ☎ (974) 50 07 67 (temp).
Madrid 510 – Huesca 120 – Lérida/Lleida 136 – Pamplona/Iruñea 204.

Dos Ríos sin rest. con cafetería, av. Central 4 ☎ (974) 50 09 61, *Fax (974) 51 00 25* – . AE E VISA.
abril-octubre – 750 – **18 hab** 6200/8200.

Mesón de L'Ainsa, Sobrarbe 12 ☎ (974) 50 00 28, *Fax (974) 50 07 33* – . E VISA.
cerrado 9 diciembre-9 marzo – **Comida** 1350 – 650 – **40 hab** 5950/6950 – PA 2900.

Dos Ríos sin rest, av. Central 2 ☎ (974) 50 01 06, *Fax (974) 51 00 25* – AE E VISA.
abril-octubre – 750 – **17 hab** 3900/5200.

Bodegas del Sobrarbe, pl. Mayor 2 ✆ (974) 50 02 37, *Fax (974) 50 09 37,* « Antiguas bodegas decoradas en estilo medieval » – AE ⓓ E VISA JCB. ✻
cerrado 7 enero-7 febrero – **Comida** carta 3150 a 3800.

Bodegón de Mallacán, pl. Mayor 6 ✆ (974) 50 09 77, *Fax (974) 50 09 77,* – ▤ AE E VISA
Comia carta 3100 a 4400.

AJO *39170 Cantabria* 442 *B 19 – Playa.*
Madrid 416 – Bilbao/Bilbo 86 – Santander 38.

La Casuca, Benedicto Ruiz ✆ (942) 62 10 54, *Fax (942) 62 10 54* – ▤ Ⓟ. VISA. ✻
cerrado martes y enero-10 febrero
Comida carta aprox. 4000.

ALACANT – *ver Alicante.*

ALAGÓN *50630 Zaragoza* 443 *G 26 – 5 487 h.*
Madrid 350 – Pamplona/Iruñea 150 – Zaragoza 23.

Los Ángeles, pl. de la Alhóndiga 4 ✆ (976) 61 13 40, *Fax (976) 61 21 11* – ▤ TV ☎ E VISA. ✻
Comida 1400 – ☕ 425 – **17 hab** 3500/6000 – PA 2900.

ALAIOR *Baleares – ver Baleares (Menorca).*

ALAMEDA DE LA SAGRA *45240 Toledo* 444 *L 18 – 2 724 h.*
Madrid 52 – Toledo 31.

La Maruxiña, carret. de Ocaña - Noroeste : 0,7 km ✆ (925) 50 04 92, *Fax (925) 50 02 1* – |‡| ▤ TV ☎ Ⓟ. AE E VISA
Comida 1100 – ☕ 350 – **32 hab** 3500/7000.

ALAMEDA DEL VALLE *28749 Madrid* 444 *J 18 – 137 h. alt. 1 135.*
Madrid 83 – Segovia 59.

La Posada de Alameda ⟡, Grande 34 ✆ (91) 869 13 37, *Fax (91) 869 01 63* – TV ☎ Ⓟ – 🏛 25/90. AE ⓓ VISA. ✻
Comida 2750 – ☕ 750 – **22 hab** 8500/10500 – PA 6250.

ALAQUÁS *46970 Valencia* 445 *N 28 – 24 107 h.*
Madrid 352 – Alicante/Alacant 184 – Castellon de la Plana/Castelló de la Plana 96 – Valencia 7

La Sequieta, av. Camí Vell de Torrent 28 ✆ (96) 150 00 27 – ▤. AE ⓓ VISA. ✻
cerrado sábado mediodía, domingo, festivos y agosto – **Comida** carta 3500 a 4900.

ALARCÓN *16213 Cuenca* 444 *N 23 – 245 h. alt. 845.*
Ver : *Emplazamiento★★. – Madrid 189 – Albacete 94 – Cuenca 85 – Valencia 163.*

Parador de Alarcón ⟡, av. Amigos de los Castillos 3 ✆ (969) 33 03 15 *Fax (969) 33 03 03,* « Castillo medieval sobre un peñón rocoso dominando el río Júcar » – |‡| ▤ TV ☎ Ⓟ. AE ⓓ E VISA JCB. ✻
Comida 3700 – ☕ 1300 – **13 hab** 15200/19000 – PA 7395.

ALÁS o ALÀS i CERC *25718 Lérida* 443 *E 34 – 388 h. alt. 768.*
Madrid 603 – Lérida/Lleida 146 – Seo de Urgel/La Seu d'Urgell 7.

Alás, Zulueta 10 ✆ (973) 35 41 92, *Fax (973) 35 41 92* – ⓓ VISA. ✻
cerrado lunes – **Comida** carta 2000 a 3500.

ALAYOR *Baleares – ver Baleares (Menorca).*

ALBA DE TORMES *37800 Salamanca* 441 *J 13 – 4 422 h. alt. 826.*
Ver : *Iglesia de San Juan (grupo escultórico★).*
ℹ *Lepanto 4 ✆ (923) 30 08 98.*
Madrid 191 – Ávila 85 – Plasencia 123 – Salamanca 19.

Alameda, av. Juan Pablo II ✆ (923) 30 00 31, *Fax (923) 37 02 81,* ⛱ – ▤ rest, TV ☎ Ⓟ. AE ⓓ E VISA. ✻
Comida 1000 – ☕ 300 – **34 hab** 3300/5500 – PA 2300.

ALBACETE *02000* 🅿 444 **O y P 24** – *135 889 h. alt. 686.*

Ver : *Museo (Muñecas romanas articuladas★)* BY **M1**.

🅸 *Tinte 2-edificio Posada del Rosario ✉ 02001 ✆ (967) 58 05 22* – **R.A.C.E.** *✆ 900 20 00 93.*

Madrid 249 ⑥ – Córdoba 358 ④ – Granada 350 ④ – Murcia 147 ③ – Valencia 183 ②

ALBACETE

Street	Grid	No.
Arcángel San Gabriel	AZ	3
Arquitecto Julio Carrilero (Av. del)	AY	4
Batalla del Salado	BZ	5
Caba	AZ	6
Carretas (Pl. de las)	BZ	7
Catedral (Pl. de la)	AY	8
Comandante Padilla	AZ	9
Fernán Pérez de Oliva	AY	14
Francisco Fontecha	BY	16
G. Lodares (Pl. de)	AZ	17
Granada	AY	18
Iris	BY	19
Isabel la Católica	AY	20
Joaquín Quijada	AY	21
Libertad (Pas. de la)	BY	22
Marqués de Molins	BZ	24
Martínez Villena	BY	26
Mayor	AYZ	28
Mayor (Pl.)	AY	29
Pedro Martínez Gutiérrez	AY	30
Pedro Simón Abril (Pas. de)	AZ	32
Rosario	AY	33
San Antonio	BY	34
San Julián	AY	35
San Sebastián	AY	36
Santa Quiteria	BZ	37
Tesifonte Gallego	AZ	38
Tinte	AZ	39
Valencia (Puerta de)	BZ	42
Virgen de las Maravillas	AY	44
Zapateros	AY	46

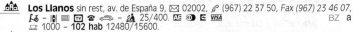

Los Llanos sin rest, av. de España 9, ✉ 02002, ✆ (967) 22 37 50, *Fax (967) 23 46 07*, – 25/400. AE ⓓ E VISA — BZ a
1000 – **102 hab** 12480/15600.

Manila sin rest, San José de Calasanz 12, ✉ 02002, ✆ (967) 50 74 02, *Fax (967) 50 61 27* – 25/50. AE ⓓ E VISA. — ABZ u
500 – **45 hab** 8000/10000, 1 apartamento.

Europa, San Antonio 39, ✉ 02001, ✆ (967) 24 15 12, *Fax (967) 21 45 69* – 25/350. AE ⓓ E VISA JCB. rest — BY a
Comida 1600 – 500 – **116 hab** 6400/8500, 3 suites – PA 3700.

San Antonio, San Antonio 8, ✉ 02001, ☏ (967) 52 35 35, *Fax (967) 52 31 30* – |$| ▤ TV ☎ 🚗 – 🏛 25/40. AE ⓓ E VISA JCB. ✂ rest BY
Comida 2000 – ☕ 600 – **32 hab** 10000/15000.

Gran Hotel sin rest, Marqués de Molins 1, ✉ 02001, ☏ (967) 21 37 87 *Fax (967) 24 00 63* – |$| ▤ TV ☎ – 🏛 25/60 BY
49 hab.

NH Albar, Isaac Peral 3, ✉ 02001, ☏ (967) 21 68 61, *Fax (967) 21 43 79* – |$| ▤ TV ☎. AE ⓓ E VISA JCB. ✂ BY
Comida 1500 – ☕ 900 – **51 hab** 8000/8500 – PA 3900.

Universidad ⛰, av. de España 71, ✉ 02006, ☏ (967) 50 88 95, *Fax (967) 23 69 79* – |$| ▤ TV ☎ ♿ 🚗 – 🏛 25/350. AE ⓓ E VISA. ✂ por av. de España BZ
Comida 1350 – ☕ 700 – **80 hab** 4900/7060.

Florida, Ibáñez Íbero 14, ✉ 02005, ☏ (967) 55 00 88, *Fax (967) 22 91 15* – |$| ▤ TV ☎ 🚗. AE VISA. ✂ AY
Comida 1600 – ☕ 700 – **69 hab** 8500/13000 – PA 3700.

Altozano sin rest y sin ☕, pl. Altozano 7, ✉ 02001, ☏ (967) 21 04 62 *Fax (967) 52 13 66* – |$| ▤ TV ☎ 🚗. E VISA ABY
40 hab 4500/7900.

Cardinal sin rest, Virgen de las Maravillas 5, ✉ 02004, ☏ (967) 50 87 78 *Fax (967) 50 87 79* – |$| ▤ TV ☎ 🚗 AY
15 hab.

Albacete, Carcelén 8, ✉ 02001, ☏ (967) 21 81 11, *Fax (967) 21 87 25* – ▤ TV ☎. AE ⓓ E VISA. ✂ rest BY
Comida *(cerrado sábado, domingo, julio y agosto)* 1500 – ☕ 500 – **36 hab** 4000/7300 – PA 3000.

Álvarez, Salamanca 12, ✉ 02001, ☏ (967) 21 82 69 – ▤. E VISA. ✂ BY
cerrado domingo y agosto – **Comida** carta aprox. 3200.

Rincón Gallego, Teodoro Camino, ✉ 02002, ☏ (967) 21 14 94 – ▤. AE ⓓ E VISA
Comida - cocina gallega - carta 3350 a 4200. BZ

Nuestro Bar, Alcalde Conangla 102, ✉ 02002, ☏ (967) 24 33 73, *Fax (967) 24 33 73* – ▤ Ⓟ. AE ⓓ E VISA JCB BZ
cerrado domingo noche (salvo Navidades) y julio – **Comida** - cocina regional - carta 2750 a 4100.

Casa Paco, La Roda 26, ✉ 02005, ☏ (967) 50 06 18, *Fax (967) 50 06 18* – ▤. AE ⓓ E VISA. ✂ AY
cerrado domingo noche y agosto – **Comida** carta 2650 a 3900.

Las Rejas, Dionisio Guardiola 9, ✉ 02002, ☏ (967) 22 72 42, « Mesón típico » – ▤. AE ⓓ E VISA. ✂ AZ
cerrado domingo y del 15 al 31 de agosto – **Comida** carta 3800 a 5250.

Horno de la Cruz, Cruz 7, ✉ 02001, ☏ (967) 52 05 52 – ▤. AE ⓓ E VISA. ✂ BY
cerrado domingo noche y agosto – **Comida** carta 2800 a 4300.

al Sureste : *5 km por ② o ③*

Parador de Albacete ⛰, ☏ (967) 24 53 21, *Fax (967) 24 32 71*, ←, « Conjunto de estilo regional », 🏊, 🎾 – ▤ TV ☎ Ⓟ – 🏛 25/200. AE ⓓ E VISA JCB. ✂ rest
Comida 3500 – ☕ 1300 – **70 hab** 12000/15000 – PA 7055.

ALBAIDA *46860 Valencia* 445 **P 28** – *5 862 h. alt. 315.*
Madrid 381 – Albacete 132 – Alicante/Alacant 80 – Valencia 82.

El Bessó, av. El Romeral 6 ☏ (96) 239 02 91 – ▤. AE ⓓ E VISA. ✂
cerrado domingo noche y 15 días en agosto – **Comida** carta 2950 a 4200.

ALBARRACÍN *44100 Teruel* 443 **K 25** – *1 164 h. alt. 1 200.*
Ver : *Pueblo típico★ Emplazamiento★ Catedral (tapices★).*
Madrid 268 – Cuenca 105 – Teruel 38 – Zaragoza 191.

Casa de Santiago ⛰, Subida a las Torres 11 ☏ (978) 70 03 16 – ☎. VISA. ✂ rest
Comida 1500 – ☕ 450 – **9 hab** 5300/7900 – PA 2975.

Posada del Adarve ⛰ sin rest, Portal de Molina 23 ☏ (978) 70 03 04 – TV ☎ VISA. ✂
cerrado del 14 al 21 de septiembre – ☕ 375 – **5 hab** 5000/7500.

Arabia sin rest, Bernardo Zapater 2 ☎ (978) 71 02 12, *Fax (978) 71 02 37*, ←, – TV ☎. AE VISA. ✗
☕ 390 – **11 hab** 5500/6990, 10 apartamentos.

Santo Cristo sin rest, camino Santo Cristo ☎ (978) 70 03 01 – TV P. ⓪ E VISA. ✗
cerrado octubre – ☕ 350 – **12 hab** 3500/5000.

Mesón del Gallo, Los Puentes 1 ☎ (978) 71 00 32 – TV ☎. VISA. ✗
Comida 1400 – ☕ 300 – **17 hab** 2900/5000.

El Portal, Portal de Molina 14 ☎ (978) 70 03 90, « Decoración castellana » – ⓪ E VISA. ✗
cerrado lunes y octubre – **Comida** carta 2300 a 3300.

en la carretera de Teruel *Noreste : 1,5 km* – ✉ *44100 Albarracín :*

Montes Universales, ☎ (978) 71 01 58, *Fax (978) 71 02 12* – TV ☎ P. AE E VISA. ✗
Comida 1250 – ☕ 390 – **32 hab** 4200/5500 – PA 2590.

La ALBERCA *37624 Salamanca* 441 K 11 – *958 h. alt. 1050.*

Ver : *Pueblo típico★★.*
Alred. : *Sur : Carretera de Las Batuecas★ – Peña de Francia★★ : ✱★★ Oeste : 15 km.*
pl. Mayor ☎ (923) 41 52 91 (temp).
Madrid 299 – Béjar 54 – Ciudad Rodrigo 49 – Salamanca 94.

Doña Teresa, carret. de Mogarraz ☎ (923) 41 53 08, *Fax (923) 41 53 08*, – TV ☎. AE ⓪ E VISA. ✗
Comida 2200 – ☕ 1300 – **41 hab** 10000/16000.

Las Batuecas, av. de Las Batuecas 6 ☎ (923) 41 51 88, *Fax (923) 41 50 55* – rest, TV ☎ P. E VISA. ✗ rest
Comida 1850 – ☕ 575 – **38 hab** 5500/9000.

París, San Antonio 2 ☎ (923) 41 51 31, *Fax (923) 41 50 40* – rest, TV ☎ P. AE E VISA. ✗
Comida 1500 – ☕ 600 – **22 hab** 5500/7500.

ALBOLOTE *18220 Granada* 446 U 19 – *10070 h. alt. 654.*

Madrid 415 – Antequera 91 – Granada 8.

Príncipe Felipe, av. Jacobo Camarero 32 ☎ (958) 46 54 11, *Fax (958) 46 54 46*, – TV ☎ – 25/200. AE ⓪ E VISA. ✗ rest
Comida *(cerrado domingo)* 1000 – ☕ 425 – **57 hab** 4700/6000.

en la autovía N 323 *Noreste : 3 km* – ✉ *18220 Albolote :*

Villa Blanca, urb. Villas Blancas ☎ (958) 45 30 02, *Fax (958) 45 31 61*, ←, – TV ☎ P. AE ⓪ E VISA
Comida 1500 – ☕ 500 – **36 hab** 8500/10500.

La ALBUFERETA (Playa de) *Alicante – ver Alicante.*

ALBURQUERQUE *06510 Badajoz* 444 O 8 y 9 – *5714 h. alt. 440.*

Madrid 372 – Badajoz 46 – Cáceres 72 – Castelo de Vide 65 – Elvas 59.

Las Alcabalas, carret. C 530 ☎ (924) 40 11 02, *Fax (924) 40 11 89*, ← – TV ☎ P. AE VISA. ✗
Comida carta 2650 a 3600 – **14 hab** ☕ 3500/5800.

ALCALÁ DE GUADAIRA *41500 Sevilla* 446 T 12 – *52515 h. alt. 92.*

Madrid 529 – Cádiz 117 – Córdoba 131 – Málaga 193 – Sevilla 14.

Guadaira sin rest. con cafetería, Mairena 8 ☎ (95) 568 14 00, *Fax (95) 568 14 00* – TV ☎. ⓪ E VISA
☕ 300 – **27 hab** 8500/11000.

Guadahotel, pl. de la Zarzuela ☎ (95) 568 00 59, *Fax (95) 568 44 57* – TV ☎ – 25/80. AE ⓪ E VISA. ✗
Comida (ver rest Nuevo Coliseo) – ☕ 500 – **53 hab** 8000/12000.

Zambra, av. Antonio Mairena 98 ☎ (95) 561 28 29, *Fax (95) 561 07 13*, – . AE ⓪ E VISA. ✗
Comida - sólo almuerzo salvo de viernes a domingo - carta 3350 a 4250.

Nuevo Coliseo, pl. de la Zarzuela ☎ (95) 568 34 01, *Fax (95) 568 44 57* – .

ALCALÁ DE HENARES *28800 Madrid 444 K 19 – 162 780 h. alt. 588.*

Ver : *Antigua Universidad o Colegio de San Ildefonso (fachada plateresca★) Z – Capilla de San Ildefonso (sepulcro★ del Cardenal Cisneros) Z.*

Valdeláguila, por ② : 8 km ℘ (91) 885 96 59 Fax (91) 885 96 59.

Callejón de Santa María 1 ℘ (91) 889 26 94 ✉ 28801.

Madrid 31 ③ – Guadalajara 25 ① – Zaragoza 290 ①

ALCALÁ DE HENARES

Andres Saborit .... Z 3
Angel .... Y 4
Azucena .... Y 6
Cánovas del Castillo .... Y 7
Cardenal Cisneros .... Z 9
Cardenal Lorenzana .... Z 10
Cardenal Sandoval y Rojas .... Z 12
Carmen Descalzo .... Z 13
Cervantes (Pl. de) .... Z 15
Colegios .... Z 16
Daoiz y Velarde .... Y 18
Diego Ros y Medrano .... Y 19
Doctora de Alcalá .... Y 21
Ejército (Av. del) .... Z 22
Eras de San Isidro .... Y 24
Escritorios .... Z 25
Estación (Paseo de la) .... Y 27
Henares (Ronda del) .... Z 28
Libreros .... Y 30
Luis Astrana Marín .... Y 31
Madrid (Av. de) .... Z 33
Núñez de Guzmán .... Z 34
Pastrana (Paseo de) .... Z 36
San Julian .... Z 37
Santa Ursula .... Z 39
Santos Niños (Pl.) .... Z 40
Tinte .... Y 42

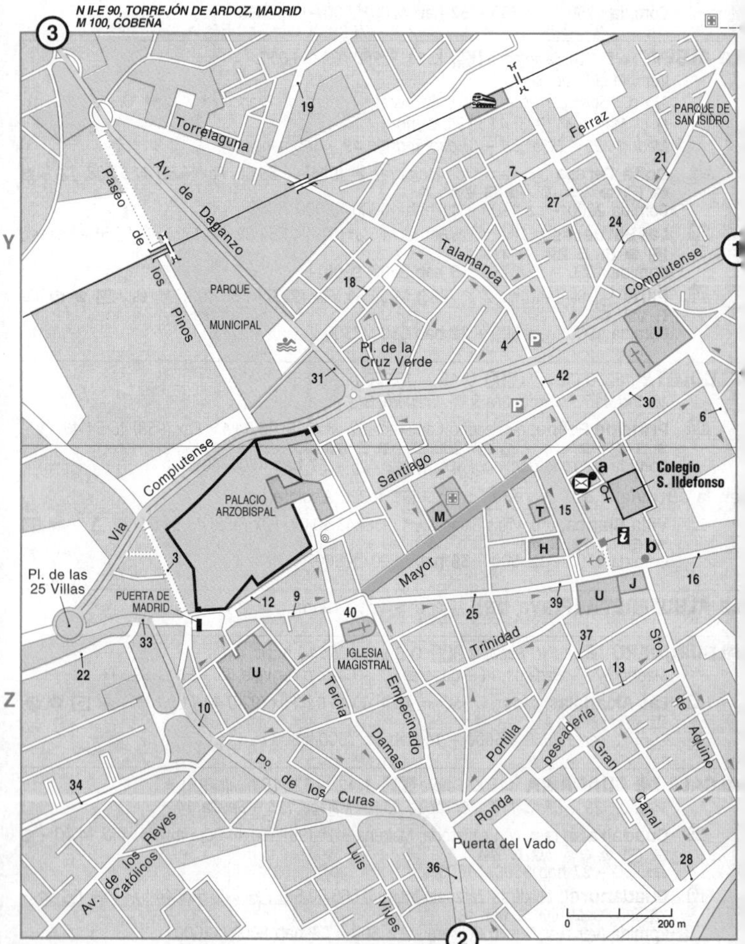

El Bedel sin rest. con cafetería, pl. San Diego 6, ✉ 28801, ℘ (91) 889 37 00, *Fax (91) 889 37 16* – 25/90. Z a
950 – **51 hab** 7900/12600.

Cisneros, paseo de Pastrana 32, ✉ 28803, ☎ (91) 888 25 11, *Fax (91) 883 19 95*, – ▤ 25/60. AE ⓓ E VISA JCB. ✻ rest por ②
Comida 1500 – ☕ 800 – **42 hab** 9150/11500 – PA 3230.

Bari, Vía Complutense 112, ✉ 28805, ☎ (91) 888 14 50, *Fax (91) 883 38 36* – ▤ rest, AE ⓓ E VISA. ✻ por ①
Comida 2300 – ☕ 600 – **49 hab** 6500/10000.

Hostería del Estudiante, Colegios 3, ✉ 28801, ☎ (91) 888 03 30, *Fax (91) 888 05 27*, « Decoración de estilo castellano. Claustro del siglo XV » – ▤. AE ⓓ E VISA. ✻ Z b
cerrado agosto – **Comida** carta 3500 a 5300.

ALCALÁ DEL JÚCAR *02210 Albacete* 444 **O 25** – *1609 h. alt. 596.*
Ver : *Emplazamiento★.*
Madrid 278 – Albacete 66 – Alicante/Alacant 158 – Murcia 203 – Valencia 135.

ALCALÁ DE LOS GAZULES *11180 Cádiz* 446 **W 12** – *5592 h. alt. 211.*
Madrid 615 – Algeciras 55 – Arcos de la Frontera 42 – Cádiz 63 – Jerez de la Frontera 49.

San Jorge, Pico del Campo ☎ (956) 41 32 55, *Fax (956) 42 01 75* – ▤. ⓓ VISA. ✻
Comida (ver rest. ***Pizarro***) – ☕ 400 – **15 hab** 4000/7500, 1 apartamento.

Pizarro, paseo de la Playa 16 ☎ (956) 42 01 03, *Fax (956) 42 01 75*, – ▤. ✻
Comida carta aprox. 2400.

ALCANAR *43530 Tarragona* 443 **K 31** – *7828 h. alt. 72 – Playa.*
Madrid 507 – Castellón de la Plana/Castelló de la Plana 85 – Tarragona 101 – Tortosa 37.

Can Bunyoles, av. d'Abril 5 ☎ (977) 73 20 14
▤. ⓓ VISA. ✻
cerrado domingo noche, lunes y septiembre – **Comida** carta 3000 a 4300.

en Cases d'Alcanar *Noreste : 4,5 km – ✉ 43569 Cases d'Alcanar :*

Racó del Port, Lepanto 41 ☎ (977) 73 70 50 – AE ⓓ E VISA. ✻
cerrado lunes en invierno y del 5 al 30 de noviembre – **Comida** - pescados y mariscos - carta 2685 a 4775.

ALCÁNTARA *10980 Cáceres* 444 **M 9** – *1948 h. alt. 232.*
Ver : *Puente Romano★.*
Madrid 339 – Cáceres 64 – Castelo Branco 78 – Plasencia 109.

ALCANTARILLA *30820 Murcia* 445 **S 26** – *30070 h. alt. 66.*
Madrid 397 – Granada 276 – Murcia 7.

junto a la autovía N 340 *Suroeste : 5 km – ✉ 30835 Sangonera la Seca :*

La Paz, ☎ (968) 80 13 37, *Fax (968) 80 12 41*, – ▤ – 25/500. AE ⓓ E VISA. ✻
Comida 2200 – ☕ 1000 – **111 hab** 6600/10500 – PA 4600.

ALCAÑIZ *44600 Teruel* 443 **I 29** – *12820 h. alt. 338.*
Ver : *Colegiata (portada★).*
Madrid 397 – Teruel 156 – Tortosa 102 – Zaragoza 103.

Parador de Alcañiz ⛰, castillo de Calatravos ☎ (978) 83 04 00, *Fax (978) 83 03 66*, ≤ valle y colinas, « Edificio medieval. Decoración castellana » – ▤. AE ⓓ E VISA. ✻
cerrado 18 diciembre-enero – **Comida** 3500 – ☕ 1300 – **12 hab** 14000/17500 – PA 7055.

Calpe, carret. de Zaragoza - Oeste : 1 km ☎ (978) 83 07 32, *Fax (978) 83 00 54* – ▤ – 25/350. AE ⓓ E VISA. ✻ rest
Comida *(cerrado domingo noche)* 1400 – ☕ 550 – **40 hab** 5000/9000 – PA 3000.

Meseguer, av. Maestrazgo 9 ☎ (978) 83 10 02, *Fax (978) 83 01 41* – ▤. ⓓ E VISA. ✻
Comida *(cerrado domingo y del 13 al 30 de septiembre)* 1285 – ☕ 450 – **24 hab** 3800/6800.

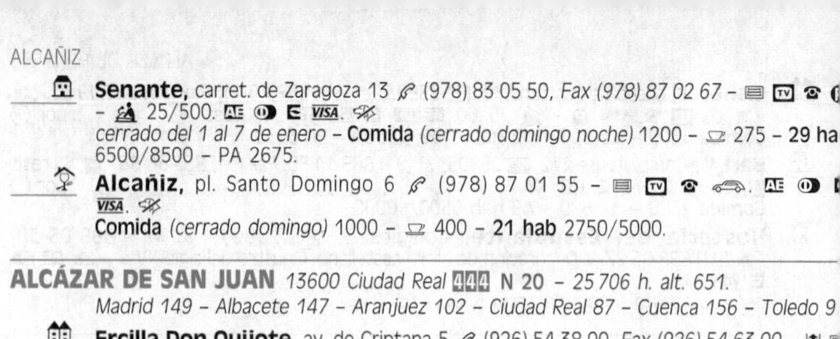

Senante, carret. de Zaragoza 13 ☎ (978) 83 05 50, *Fax (978) 87 02 67* – 🅰 25/500. AE ⓪ E VISA.
cerrado del 1 al 7 de enero – **Comida** *(cerrado domingo noche)* 1200 – ☕ 275 – **29 ha**[b] 6500/8500 – PA 2675.

Alcañiz, pl. Santo Domingo 6 ☎ (978) 87 01 55 – AE ⓪ VISA.
Comida *(cerrado domingo)* 1000 – ☕ 400 – **21 hab** 2750/5000.

ALCÁZAR DE SAN JUAN *13600 Ciudad Real* 444 N 20 – *25 706 h. alt. 651.*

Madrid 149 – Albacete 147 – Aranjuez 102 – Ciudad Real 87 – Cuenca 156 – Toledo 9

Ercilla Don Quijote, av. de Criptana 5 ☎ (926) 54 38 00, *Fax (926) 54 63 00* – AE ⓪ E VISA
Comida (ver rest. ***Sancho***) – ☕ 475 – **44 hab** 6370/10185.

Sancho, av. de Criptana 5 ☎ (926) 54 38 00, *Fax (926) 54 63 00* – AE ⓪ VISA.
cerrado domingo noche y festivos noche – **Comida** carta 3150 a 4550.

La Mancha, av. de la Constitución ☎ (926) 54 10 47, – VISA.
cerrado miércoles y agosto – **Comida** - cocina regional - carta aprox. 2700.

en la carretera de Herencia *Oeste : 2 km* – ✉ *13600 Alcázar de San Juan :*

Ercilla Barataria, av. de Herencia ☎ (926) 54 06 17, *Fax (926) 54 32 32* – 🅿 – 🅰 25/500. AE ⓪ E VISA. rest
Comida *(cerrado domingo y festivos noche)* 1400 – ☕ 475 – **37 hab** 6370/10185 – P[A] 3275.

Los ALCÁZARES *30710 Murcia* 445 S 27 – *4 052 h. – Playa.*

ℹ *Fuster 63 ☎ (968) 17 13 61 Fax (968) 57 52 49.*
Madrid 444 – Alicante/Alacant 85 – Cartagena 25 – Murcia 54.

Corzo, La Base 6 ☎ (968) 57 51 25, *Fax (968) 17 14 51* – 🅰 25/4[0] AE ⓪ E VISA.
cerrado Navidades – **Comida** 2000 – **48 hab** ☕ 7000/10500.

Cristina sin rest, La Base 4 ☎ (968) 17 11 10, *Fax (968) 17 11 10* – ⓪ E VISA.
cerrado 22 diciembre-7 enero – ☕ 300 – **35 hab** 5500/7500.

ALCIRA o ALZIRA *46600 Valencia* 445 O 28 – *40 055 h. alt. 24.*

Madrid 387 – Albacete 153 – Alicante/Alacant 127 – Valencia 39.

Reconquista, Sueca 14 ☎ (96) 240 30 61, *Fax (96) 240 25 36* – 🅰 25/200. AE E VISA. rest
Comida 1600 – ☕ 600 – **78 hab** 7500/10000.

ALCOBENDAS *28100 Madrid* 444 K 19 – *78 916 h. alt. 670.*

Madrid 16 – Ávila 124 – Guadalajara 60.

junto a la autovía N I *Suroeste : 3 km* – ✉ *28100 Alcobendas :*

La Moraleja sin rest, av. de Europa 17 - parque empresarial La Moralej[a] ☎ (91) 661 80 55, *Fax (91) 661 21 88*, – 🅿. AE ⓪ VISA.
☕ 1350 – **37 suites** 32000.

en La Moraleja *Sur : 4 km* – ✉ *28109 La Moraleja :*

Ascot, pl. de La Moraleja ☎ (91) 650 13 53, – AE ⓪ E VISA.
Comida carta 4675 a 6300.

ALCOCÉBER o ALCOSSEBRE *12579 Castellón* 445 L 30 – *Playa.*

ℹ *San José 58 ☎ (964) 41 22 05 Fax (964) 41 22 05.*
Madrid 471 – Castellón de la Plana/Castelló de la Plana 49 – Tarragona 139.

en la playa :

Las Fuentes, urb. Las Fuentes ☎ (964) 41 44 00, *Fax (964) 41 25 53*, – 🅿 – 🅰 25
temp – **Comida** - sólo buffet – **208 hab.**

Jeremías , Sur : 1 km ☎ (964) 41 44 37, *Fax (964) 41 45 12*, – res[t] 🅿. AE E VISA.
cerrado noviembre-diciemnbre – **Comida** 1500 – **39 hab** ☕ 5700/7000.

Can Roig, Sur : 3 km ☏ (964) 41 43 91, – AE ◑ E VISA.
marzo-octubre – **Comida** *(cerrado martes)* carta 3000 a 4050.

Sancho Panza, Jai-Alai - urb. Las Fuentes ☏ (964) 41 22 65, – ▤. AE ◑ E VISA JCB.
cerrado 15 enero-15 febrero – **Comida** carta aprox. 4325.

hacia la carretera N 340 *Noroeste : 2 km – ✉ 12579 Alcocéber :*

D'el Tossalet sin rest, ☏ (964) 41 44 69, ≤, – Ⓟ. ◑ E VISA.
julio-septiembre – ☕ 250 – **16 hab** 5610.

ALCORA o **L'ALCORA** *12110 Castellón* 445 **L 29** – *8 372 h. alt. 279.*
Madrid 407 – Castellón de la Plana/Castelló de la Plana 19 – Teruel 130 – Valencia 94.

Sant Francesc, av. Castelló 19 ☏ (964) 36 09 24
▤. AE E VISA.
Comida - sólo almuerzo salvo sábado - carta 2500 a 3600.

ALCOSSEBRE *Castellón – ver Alcocéber.*

ALCOY o **ALCOI** *03803 Alicante* 445 **P 28** – *64 579 h. alt. 545.*
Alred. : *Puerto de la Carrasqueta★ Sur : 15 km.*
Madrid 405 – Albacete 156 – Alicante/Alacant 55 – Murcia 136 – Valencia 110.

Reconquista, puente de San Jorge 1 ☏ (96) 533 09 00, *Fax (96) 533 09 55,* ≤ – ▤ – 25/260. AE ◑ E VISA. rest
Comida *(cerrado domingo y viernes)* 1800 – ☕ 875 – **72 hab** 6000/9800 – PA 3825.

Lolo, Castalla 5 ☏ (96) 533 69 42, *Fax (96) 533 59 02* – ▤. AE ◑ E VISA.
cerrado lunes y del 15 al 30 de septiembre – **Comida** carta 2800 a 4450.

ALCUDIA DE CARLET o **L'ALCUDIA** *46250 Valencia* 445 **O 28** – *9 988 h.*
Madrid 362 – Albacete 153 – Alicante/Alacant 134 – Valencia 33.

Galbis, av. Antonio Almela 15 ☏ (96) 254 10 93, *Fax (96) 299 65 84* – ▤. AE ◑ E VISA.
cerrado domingo y Semana Santa – **Comida** carta aprox. 2500.

ALCUNEZA *Guadalajara – ver Sigüenza.*

ALDEA o **L'ALDEA** *43896 Tarragona* 443 **J 31** – *3 543 h. alt. 5.*
Madrid 498 – Castellón de la Plana/Castelló de la Plana 118 – Tarragona 72 – Tortosa 13.

Can Quimet, av. Catalunya 328 ☏ (977) 45 00 03, *Fax (977) 45 00 03* – ▤. AE E VISA.
cerrado 23 diciembre-15 enero – **Comida** 1300 – ☕ 500 – **38 hab** 3200/6000 – PA 3000.

ALDEANUEVA DE LA VERA *10440 Cáceres* 444 **L 12** – *2 476 h. alt. 658.*
Madrid 217 – Ávila 149 – Cáceres 128 – Plasencia 49.

Chiquete, av. Extremadura 3 ☏ (927) 57 24 94 – ▤. VISA.
Comida 1000 – ☕ 150 – **13 hab** 1500/3500.

La ALDOSA *Andorra – ver Andorra (Principado de) : La Massana.*

ALELLA *08328 Barcelona* 443 **H 36** – *6 865 h. alt. 90.*
Madrid 641 – Barcelona 15 – Granollers 16.

Can Jonc, carret. de Granollers - Norte : 1,5 km ☏ (93) 555 20 68, *Fax (93) 540 82 36,* « Villa modernista en un cerro con ≤ mar, monte y alrededores » – ▤ Ⓟ. AE ◑ E VISA.
cerrado domingo noche y lunes – **Comida** carta 3700 a 5475.

El Niu, rambla Angel Guimerà 16 (interior) ☏ (93) 555 17 00, *Fax (93) 540 39 60* – ▤. ◑ E VISA.
cerrado domingo noche, lunes y última semana de septiembre – **Comida** carta 3950 a 4850.

ALEVIA *Asturias – ver Panes.*

ALFAFAR *46910 Valencia* 445 **28 N** – *19 996 h. alt. 6.*
Madrid 356 – Valencia 7.

en la carretera de El Saler *Sureste : 4 km – ✉ 46910 Alfafar :*

La Matandeta, carret. CV 1045 ☎ (96) 211 21 84, *Fax (96) 211 21 84,* – Ⓟ. E VISA. ✻
cerrado lunes y del 15 al 30 de enero – **Comida** - sólo almuerzo salvo fines de seman y julio-octubre - carta 3300 a 3600.

ALFAJARÍN *50172 Zaragoza* 443 **H 27** – *1 546 h. alt. 199.*
Madrid 342 – Lérida/Lleida 129 – Zaragoza 23.

Rausán, carret. N II (autopista A 2 - salida 1) ☎ (976) 10 00 02, *Fax (976) 10 10 17* – ▤ TV ☎ Ⓟ. AE VISA. ✻ – **Comida** 1150 – ☐ 535 – **42 hab** 3500/5500.

por la carretera N II y carretera particular *Este : 3 km – ✉ 50172 Alfajarín :*

Casino de Zaragoza sin rest, ☎ (976) 10 20 04, *Fax (976) 10 20 87,* ←, ⛱, ✻ – |‡| ▤ TV ☎ Ⓟ – 25/200. AE E VISA
37 hab ☐ 6990.

ALFARO *26540 La Rioja* 442 **F 24** – *9 432 h. alt. 301.*
Madrid 319 – Logroño 78 – Pamplona/Iruñea 81 – Soria 93 – Zaragoza 102.

Palacios, av. de Zaragoza 6 ☎ (941) 18 01 00, *Fax (941) 18 36 22,* « Museo del vino de Rioja », ⛱, , ✻ – |‡| ▤ TV ☎ Ⓟ – 25/250. AE ⓓ E VISA. ✻ rest
Comida 1500 - ***El Museo* : Comida** carta 2550 a 4850 – ☐ 640 – **86 hab** 5295/7435

ALFAZ DEL PÍ *03580 Alicante* 445 **Q 29** – *6 671 h. alt. 80.*
ℹ *Federico García Lorca 11 ☎ (96) 588 82 65.*
Madrid 468 – Alicante/Alacant 50 – Benidorm 7.

El Molí, Calvari 12 ☎ (96) 588 82 44, *Fax (96) 588 82 44,* , ⛱ – TV ☎. ⓓ E VISA
Comida 1850 – ☐ 750 – **10 hab** 4700/7500.

en la carretera N 332 *Este : 3 km – ✉ 03580 Alfaz del Pí :*

La Torreta, ☎ (96) 686 65 07, – ▤ Ⓟ. AE ⓓ E VISA. ✻
cerrado sábado mediodía y domingo – **Comida** carta 3200 a 5100.

La ALGABA *41980 Sevilla* 446 **T 11** – *12 298 h. alt. 10.*
Madrid 560 – Huelva 61 – Sevilla 11.

en la carretera A 431 *Norte : 2 km – ✉ 41980 La Algaba :*

Torre de los Guzmanes sin rest, ☎ (95) 578 91 75, *Fax (95) 578 92 05,* ⛱ – ▤ TV ☎ Ⓟ – 25/120. AE ⓓ E VISA
☐ 600 – **40 hab** 12000/15000.

ALGAIDA *Baleares – ver Baleares (Mallorca).*

ALGAR *11369 Cádiz* 446 **W 13** – *1 846 h. alt. 204.*
Madrid 597 – Algeciras 74 – Arcos de la Frontera 20 – Cádiz 87 – Marbella 121.

Villa de Algar, camino Arroyo Vinateros ☎ (956) 71 02 75, *Fax (956) 71 02 66,* ← – |‡| ▤ TV ☎ Ⓟ. ⓓ E VISA JCB. ✻
Comida *(cerrado martes)* 1200 – ☐ 315 – **20 hab** 3000/5250 – PA 3770.

El ALGAR *30366 Murcia* 445 **T 27.**
Madrid 457 – Alicante/Alacant 95 – Cartagena 15 – Murcia 64.

José María Los Churrascos, av. Filipinas 24 ☎ (968) 13 60 28, *Fax (968) 13 62 30* – ▤ Ⓟ. AE ⓓ E VISA
Comida carta 3200 a 4500.

ALGECIRAS *11200 Cádiz* 446 **X 13** – *101 556 h. – Playas en El Rinconcillo y Getares.*
Ver : ←★★ *(Peñón de Gibraltar).*
☎ *(956) 65 49 07.*
para Tánger y Ceuta : Cía Trasmediterránea, recinto del puerto ☎ (956) 66 52 00 Telex 78002 Fax (956) 66 52 16.
ℹ *Juan de la Cierva ✉ 11207 ☎ (956) 57 26 36 Fax (956) 57 04 75.*
Madrid 681 ① – Cádiz 124 ② – Jerez de la Frontera 141 ② – Málaga 133 ① – Ronda 102 ①

ALGECIRAS

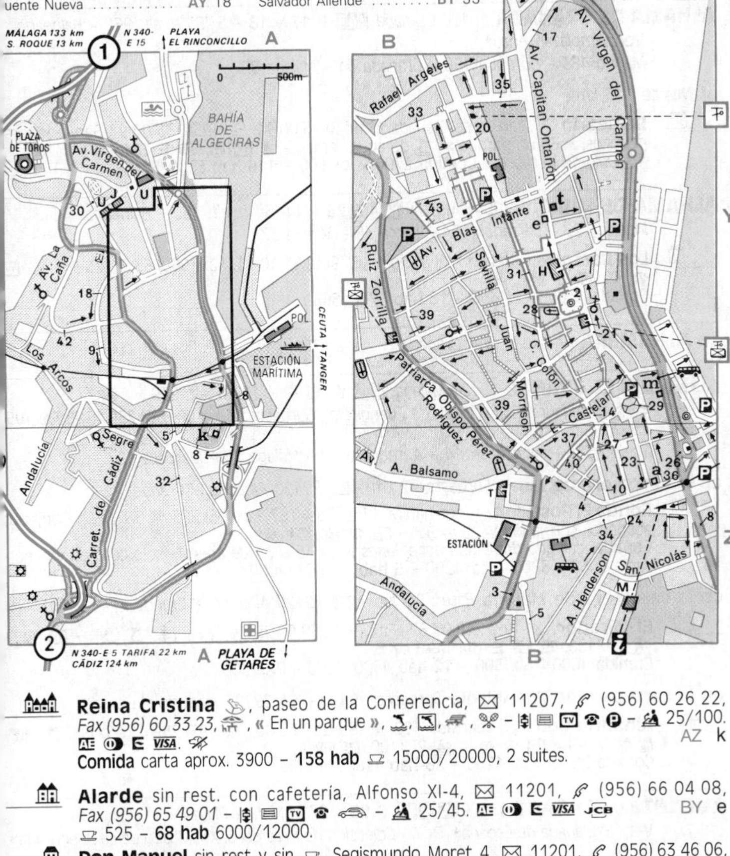

Reina Cristina, paseo de la Conferencia, ✉ 11207, ☎ (956) 60 26 22, *Fax (956) 60 33 23*, « En un parque », – 25/100. AE ⓓ E VISA. AZ k
Comida carta aprox. 3900 – **158 hab** 15000/20000, 2 suites.

Alarde sin rest. con cafetería, Alfonso XI-4, ✉ 11201, ☎ (956) 66 04 08, *Fax (956) 65 49 01* – – 25/45. AE ⓓ E VISA JCB BY e
525 – **68 hab** 6000/12000.

Don Manuel sin rest y sin , Segismundo Moret 4, ✉ 11201, ☎ (956) 63 46 06, *Fax (956) 63 47 16* – . VISA. BZ a
15 hab 3000/5800.

El Estrecho sin rest y sin , av. Virgen del Carmen 15-7º, ✉ 11201, ☎ (956) 65 35 11, *Fax (956) 65 35 11*, – . AE E VISA. BY m
20 hab 3200/4300.

Asador Iruña, Alfonso XI-11, ✉ 11201, ☎ (956) 63 28 18 – . AE ⓓ E VISA BY t
Comida - carnes - carta 2850 a 4400.

en la autovía N 340 *por ① : 4 km – ✉ 11205 Algeciras :*

Alborán, Álamo ☎ (956) 63 28 70, *Fax (956) 63 23 20* – – 25/550. AE ⓓ E VISA. rest
Comida 1400 – 500 – **79 hab** 8400/11000 – PA 3300.
Ver también : **Palmones** *por ① : 8 km.*

ALGORTA *Vizcaya – ver Getxo.*

ALHAMA DE ARAGÓN *50230 Zaragoza* **443** **I 24** – *1 195 h. alt. 634 – Balneario.*
Madrid 206 – Soria 99 – Teruel 166 – Zaragoza 115.

Balneario Termas Pallarés, Constitución 20 ✆ (976) 84 00 11, *Fax (976) 84 05 3.* « Lago de agua termal en un gran parque », de agua termal, – 25/120. AE E VISA. rest
marzo-noviembre – **Comida** 2800 – 600 – **126 hab** 7500/10600.
Ver también : **Piedra (Monasterio de)** *Sureste : 17 km.*

ALHAMA DE GRANADA *18120 Granada* **446** **U 17 y 18** – *5 783 h. alt. 960 – Balneario.*
Ver : *Emplazamiento★★.*
Madrid 483 – Córdoba 158 – Granada 54 – Málaga 82.

al Norte : *3 km*

Balneario , carret. de Granada ✆ (958) 35 00 11, *Fax (958) 35 02 97,* Servicios terapéuticos, « En un parque », de agua termal – . E VISA.
10 junio-10 octubre – **Comida** 2700 – 600 – **116 hab** 5500/8600.

ALHAMA DE MURCIA *30840 Murcia* **445** **S 25** – *14 131 h. alt. 180 – Balneario.*
Madrid 422 – Cartagena 54 – Lorca 35 – Murcia 37.

Los Bartolos, Alfonso X El Sabio 1 ✆ (968) 63 16 71, *Fax (968) 63 31 43* – . AE E VISA.
Comida 1300 – 350 – **18 hab** 3770/5660.

La ALHAMBRA *Granada – ver Granada.*

ALHAURÍN EL GRANDE *29120 Málaga* **446** **W 15** – *17 197 h. alt. 239.*
18 18 9 *Alhaurín Golf, carret. de Fuengirola - Suroeste : 4 km ✆ (95) 259 45 86 Fax (95) 259 59 70.*
Madrid 556 – Algeciras 114 – Antequera 77 – Málaga 28 – Marbella 33.

en la carretera de Mijas *Suroeste : 2 km – ✉ 29120 Alhaurín el Grande :*

Fonda El Postillón con hab, ✆ (95) 259 44 87, *Fax (95) 259 44 88,* , « Conjunto acogedor con jardín y », – . VISA.
Comida *(cerrado domingo noche, lunes y del 15 al 31 de enero) - sólo cena en verano* - carta 3050 a 3800 – 1200 – **5 hab** 12000/14000.

en la carretera de Málaga *Este : 2,5 km – ✉ 29120 Alhaurín el Grande :*

El Mirador, ✆ (95) 249 07 89, *Fax (95) 259 50 29,* , , , , – – 25/150. AE E VISA JCB.
Comida 1000 – 300 – **12 hab** 4500/7000 – PA 2300.

en la carretera de Fuengirola *Suroeste : 3 km – ✉ 29120 Alhaurín el Grande :*

Alhaurín Golf , apartado 102 ✆ (95) 259 58 00, *Fax (95) 259 41 95,* , , , 18 18 9 – – 25/100. AE E VISA.
Comida 2500 – 1200 – **38 hab** 12800/14800.

ALICANTE o **ALACANT** *03000* **P** **445** **Q 28** – *275 111 h. – Playa.*
Ver : *Explanada de España★* DEZ - *Colección de Arte del S. XX. Museo de La Asegurada★* EY **M.**
de Alicante por ② : 12 km ✆ (96) 691 90 00 – Iberia : av. Dr. Gadea 12 (entreplanta) ✉ 03001 ✆ (96) 521 86 13 DYZ.
✆ (96) 592 50 47.
para Argel, Orán y Marsella : Romeu y Cia S.A. Jorge Juan 6 ✉ 03002 ✆ (96) 514 15 09 Fax (96) 520 82 90.
explanada de España 2 ✉ 03002 ✆ (96) 520 00 00 Fax (96) 520 02 43 y Portugal 17 ✉ 03003 ✆ (96) 592 98 02 Fax (96) 592 01 12 – **R.A.C.E.** *Orense 3 ✉ 03003 ✆ (96) 522 93 49 Fax (96) 512 55 97.*
Madrid 417 ③ – Albacete 168 ③ – Cartagena 110 ② – Murcia 81 ② – Valencia (por la costa) 174 ①

Plano página siguiente

Meliá Alicante, playa de El Postiguet, ✉ 03001, ✆ (96) 520 50 00, *Fax (96) 520 47 56,* , – – 25/500. AE E VISA. EZ r
Comida 3300 – 1250 – **540 hab** 16800/20400, 5 suites – PA 7850.

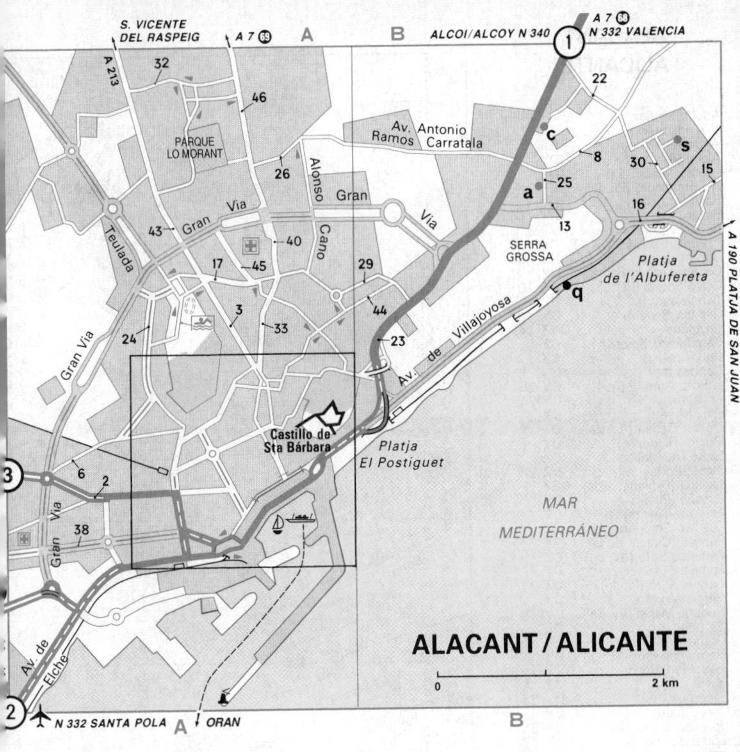

Aguilera (Av. de)	A 2	Conde Lumiares (Av.)	A 17	German Bernacer	A 32
Alcoy (Av. de)	A 3	Costa (Camino de la)	B 22	Jijona (Av. de)	A 33
Auso y Monzo	A 6	Denia (Av. de)	B 23	Lorenzo Carbonell	A 38
Caja de Ahorros (Av. de)	B 8	Doctor Rico (Av.)	A 24	Maestro Alonso	A 40
Camarada Jaime Llopis	B 13	Duque de Rivas	B 25	Novelda (Av. de)	A 43
Colonia (Camino de la)	B 15	Ejercitos Españoles (Av.)	A 26	Padre Esplá	B 44
Condomina (Av. de la)	B 16	Enrique Madrid	B 29	Pintor Baeza (Av.)	A 45
		Flora de España (Vial)	B 30	Pintor Gaston Castelló (Av.)	A 46

Eurhotel, Pintor Lorenzo Casanova 33, ✉ 03003, ☎ (96) 513 04 40, *Fax (96) 592 83 23* – AE DC E VISA. CZ a
Comida *(cerrado sábado, domingo y agosto)* carta aprox. 3450 – ☕ 1000 – **115 hab** 12800/14500, 1 suite.

Tryp Gran Sol, Rambla Méndez Núñez 3, ✉ 03002, ☎ (96) 520 30 00, *Fax (96) 521 14 39,* – 25/200. AE DC E VISA. DZ a
Comida 2500 – ☕ 1000 – **123 hab** 14000/18000 – PA 5000.

Covadonga sin rest, pl. de los Luceros 17, ✉ 03004, ☎ (96) 520 28 44, *Fax (96) 521 43 97* – AE DC VISA. CY d
☕ 650 – **83 hab** 5000/8000.

NH Cristal sin rest. con cafetería por la noche de lunes a jueves, López Torregrosa 9, ✉ 03002, ☎ (96) 514 36 59, *Fax (96) 520 66 96* – 35/40. AE E VISA JCB. DY c
☕ 1100 – **53 hab** 11200/15500.

Sol Inn Alicante sin rest, Gravina 9, ✉ 03002, ☎ (96) 521 07 00, *Fax (96) 521 09 76* – 25/150. AE DC E VISA JCB EY r
☕ 875 – **66 hab** 8400/9800.

Leuka sin rest. con cafetería, Segura 23, ✉ 03004, ☎ (96) 520 27 44, *Fax (96) 514 12 22* – 25/125. AE DC E VISA. CY h
☕ 750 – **108 hab** 6285/10230.

La Reforma sin rest. con cafetería, Reyes Católicos 7, ✉ 03003, ☎ (96) 592 81 47, *Fax (96) 592 39 50* – AE DC E VISA DZ h
☕ 650 – **52 hab** 5000/8500.

ALACANT
ALICANTE

Adolfo Muñoz
 Alonso (Av.) . . . . CY
Aguilera (Av. de) . . . . . . CZ
Alcoy (Av. de) . . . . DY
Alfonso X el Sabio (Av. de) DY
Ayuntamiento (Pl. del) . EY 7
Bailén . . . . DY
Bazán . . . . DY
Benito
 Pérez Galdós (Av.) . . CY
Bono Guarner . . . . CY
Calderón de la Barca . . DY
Calvo Sotelo (Pl.) . . . . . DZ 10
Canalejas . . . . DZ
Capitán Segarra . . . . . . DY
Castaños . . . . DYZ 14
Catedrático Soler (Av.) . CZ
Churruca . . . . CZ
Condes de
 Soto Ameno (Av.) . . . CY 20
Constitución (Av. de la) . DY 21
Díaz Moreu . . . . DY
Doctor Gadea (Av. del) . DZ
Doctor Rico (Av.) . . . . . CY
Elche (Av. de) . . . . CZ
Elche (Portal de) . . . . . . DZ 28
España (Explanada de) . DEZ
España (Pl. de) . . . . DY
Estación (Av. de la) . . . . CY
Eusebio Sempere (Av.) . . CZ
Fábrica (Cuesta de la) . EY
Federico Soto (Av. de) . DZ
Foglieti . . . . CZ
Gabriel Miró (Pl. de) . . . DZ 31
García Morato . . . . DY
General Marvá (Av. del) . CY
Gerona . . . . DZ
Gomiz (Paseo de) . . . . . EY
Hermanos Pascual (Pl.) . DY
Isabel la Católica . . . . . CZ
Italia . . . . CZ
Jijona (Av. de) . . . . DY 33
Jorge Juan . . . . EY
Jovellanos (Av. de) . . . . EY 35
López Torregrosa . . . . . DY 37
Loring (Av. de) . . . . CZ
Maisonnave (Av. de) . . . CZ
Major . . . . EY
Méndez Núñez
 (Rambla) . . . . DYZ
Montañeta (Pl. de la) . . DZ 41
Navas . . . . DYZ
Oliveretes (Pl. de los) . . DY
Oscar Esplá (Av.) . . . . . CZ
Pablo Iglesias . . . . DY
Padre Mariana . . . . DY
Pintor Aparicio . . . . CZ
Pintor Gisbert . . . . CY
Pintor Murillo . . . . DY
Poeta
 Carmelo Calvo (Av.) . DY 47
Portugal . . . . DZ
Puerta del Mar (Pl.) . . . EZ 48
Rafael Altamira . . . . EZ 50
Rafael Terol . . . . DZ
Ramiro (Pas.) . . . . EY 51
Ramón y Cajal (Av. de) . DZ
Reyes Católicos . . . . . . CZ
Salamanca (Av. de) . . . . CY
San Carlos . . . . EY
San Fernando . . . . DEZ 53
San Francisco . . . . DZ
San Vicente . . . . DY
Santa Teresa (Pl.) . . . . . DY
Teatre Chapí . . . . DY 58
Vázquez de Mella (Av.) . EY

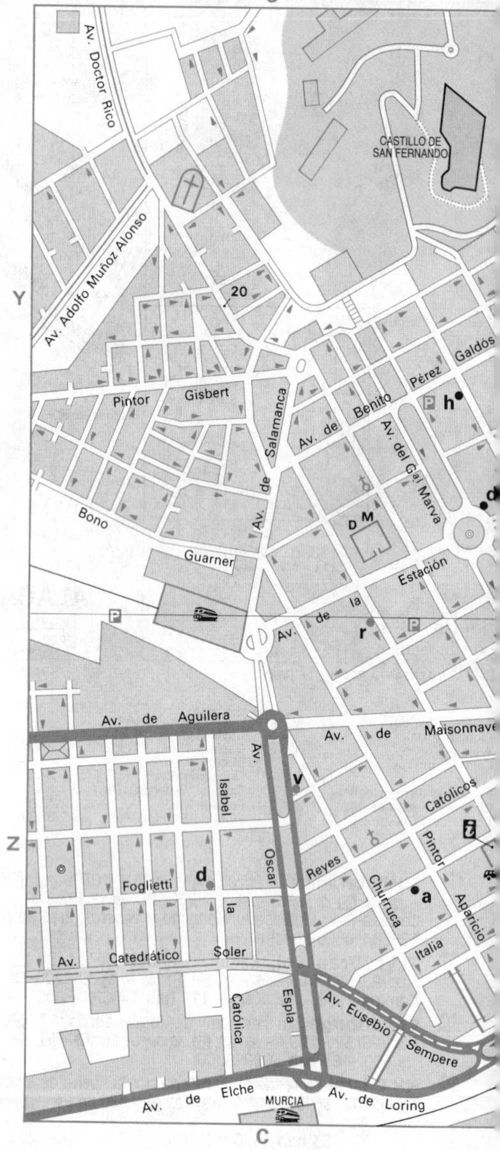

XXX **Delfín,** explanada de España 12, ✉ 03001, ☎ (96) 521 49 11, *Fax (96) 521 99 07*, ←, ☼ – ▤. AE ⓓ E VISA. ✗ – **Comida** carta 4650 a 5250. DZ y

XX **Nou Manolín,** Villegas 3, ✉ 03001, ☎ (96) 520 03 68, *Fax (96) 521 70 07*, Vinoteca – ▤. AE ⓓ E VISA. ✗
Comida carta 3400 a 4350. DY m

XX **Piripi,** Oscar Esplá 30, ✉ 03003, ☎ (96) 522 79 40, *Fax (96) 521 70 07* – ▤. AE ⓓ E VISA. ✗ – **Comida** carta 2750 a 4400. CZ v

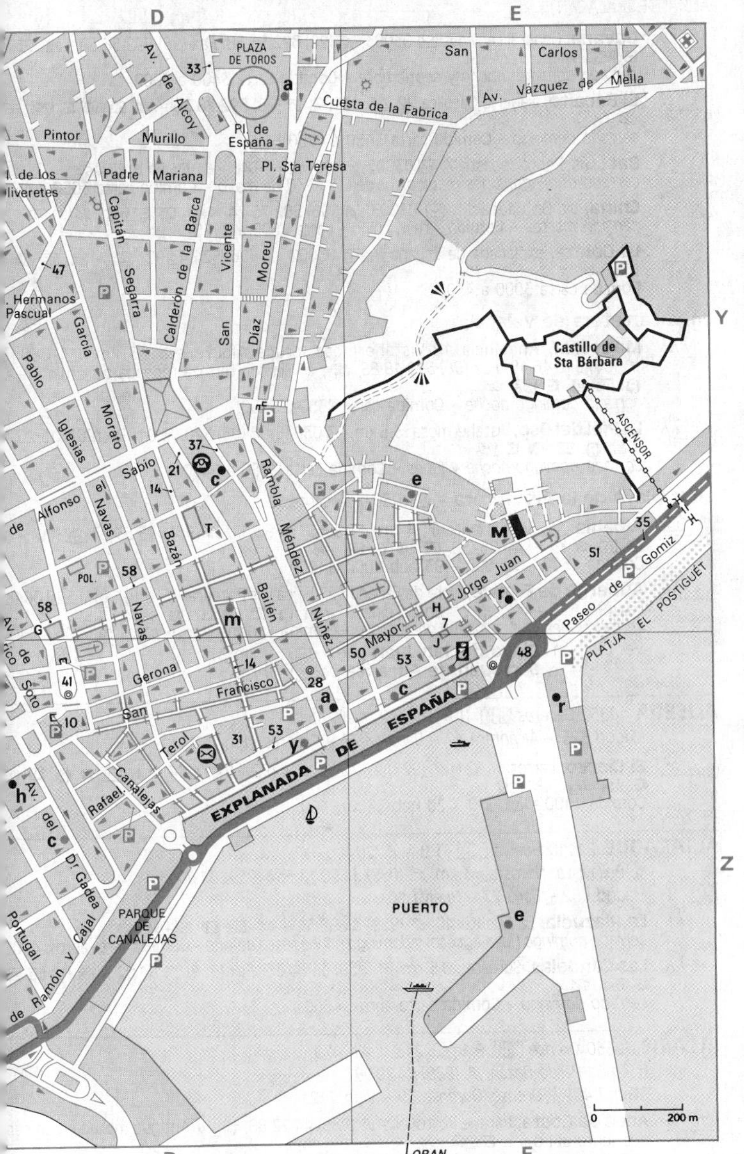

XX **Dársena,** Marina Deportiva - Muelle 6, ✉ 03001, ☎ (96) 520 75 89, *Fax (96) 514 37 45*, ≤, « En el puerto deportivo » – 🛗 ▤. AE ⓓ E VISA. 🚭 EZ
cerrado domingo noche y lunes noche – **Comida** - espec. en arroces - carta 3200 a 5100.

XX **Valencia Once,** Valencia 11, ✉ 03012, ☎ (96) 521 13 09, *Fax (96) 521 13 09* – ▤. AE E VISA. 🚭 DY a
cerrado domingo noche, lunes noche y 15 agosto-15 septiembre – **Comida** carta aprox. 3900.

X **Govana,** General Lacy 17, ✉ 03003, ☏ (96) 592 56 58, *Fax (96) 592 56 58* – ▤. AE ⓘ E VISA. ✻ CZ
cerrado domingo noche y septiembre – **Comida** carta 3400 a 4000.

X **El Bocaíto,** Isabel la Católica 22, ✉ 03007, ☏ (96) 592 26 30 – ▤. AE ⓘ E VISA JCB. ✻ CZ
cerrado domingo – **Comida** carta 3450 a 4750.

X **Bar Luis,** Pedro Sebastiá 7, ✉ 03002, ☏ (96) 521 14 46 – ▤. AE ⓘ E VISA. ✻ EY
cerrado domingo, lunes mediodía y del 15 al 30 de mayo – **Comida** carta 3050 a 460

X **China,** av. Dr. Gadea 11, ✉ 03003, ☏ (96) 592 75 74 – ▤. AE E VISA. ✻ DZ
cerrado martes – **Comida** - rest. chino - carta 1600 a 2175.

X **La Goleta,** explanada de España 8, ✉ 03002, ☏ (96) 521 43 92, ☂ – ▤. AE ⓘ VISA. ✻ EZ
Comida carta 3000 a 4300.

en la carretera de Valencia :

XXX **Maestral,** Andalucía 18-Vistahermosa, cruce Albufereta : 3 km, ✉ 0301 ☏ (96) 516 46 18, *Fax (96) 516 18 88*, ☂, « Villa con terraza rodeada de jardín » – Ⓟ. AE ⓘ E VISA. ✻ B
cerrado domingo noche – **Comida** carta 4350 a 5250.

XX **La Piel del Oso,** Vistahermosa : 3,5 km, ✉ 03016, ☏ (96) 526 06 01, *Fax (96) 515 20 4* – ▤ Ⓟ. AE ⓘ E VISA B
cerrado domingo noche y lunes – **Comida** carta 3250 a 5450.

en la playa de la Albufereta – ✉ *03016 Alicante :*

🏨 **Albahía** ⛰, Sol Naciente 6 : 4 km ☏ (96) 515 59 79, *Fax (96) 515 53 73*, ⛱, 🎾 – ▤ TV ☎ Ⓟ – 🎤 25/50. AE ⓘ E VISA. ✻ B
Comida 1500 – ☕ 800 – **93 hab** 9000/11000.

XX **Auberge de France,** Flora de España 32 - Finca Las Palmeras : 5 km ☏ (96) 526 06 0 *Fax (96) 526 44 42*, ☂, « En un pinar » – ▤ Ⓟ. AE ⓘ E VISA B
cerrado lunes y 2ª quincena de octubre – **Comida** - cocina francesa - carta 3100 a 440

Ver también : **Playa de San Juan** *por A 190 : 7 km* B
San Juan de Alicante *por ① : 9 km.*

ALISEDA *10550 Cáceres* **444** N 9 – *2 342 h. alt. 351.*
Madrid 325 – Alcántara 42 – Badajoz 77 – Cáceres 28.

🏠 **El Ciervo,** carret. N 521 ☏ (927) 27 72 92, *Fax (927) 27 74 84* – ▤ TV ☎ Ⓟ. AE ⓘ E VISA JCB. ✻ rest
Comida 1100 – ☕ 250 – **20 hab** 3500/6400.

ALJARAQUE *21110 Huelva* **446** U 8 – *6 720 h.*
⛳18 *Bellavista, Noreste : 3 km* ☏ *(959) 31 90 17 Fax (959) 31 90 25.*
Madrid 652 – Faro 77 – Huelva 10.

XX **La Plazuela,** La Fuente 40 ☏ (959) 31 88 31 – ▤. AE ⓘ E VISA. ✻
cerrado domingo (julio-agosto) y domingo noche resto del año – **Comida** carta aprox. 470

XX **Las Candelas,** Sureste : 0,5 km ☏ (959) 31 84 33, *Fax (959) 31 83 02* – ▤ Ⓟ. AE ⓘ E VISA. ✻
cerrado domingo – **Comida** carta aprox. 4650.

ALLARIZ *32660 Orense* **441** F 6 – *5 218 h. alt. 470.*
ℹ *Emilia Pardo Bazán* ☏ *(988) 44 20 08.*
Madrid 482 – Orense/Ourense 19 – Vigo 112.

X **Acea da Costa,** Parque Portovello ☏ (988) 44 22 88, ☂, « Antiguo molino en un par que junto al río » – E VISA. ✻
cerrado lunes y 8 enero-8 febrero – **Comida** carta aprox. 2750.

ALLES *Asturias – ver Panes.*

La ALMADRABA (Playa de) *Gerona – ver Rosas.*

LA ALMADRABA DE MONTELEVA *Almería – ver Cabo de Gata.*

L'ALMADRAVA (Playa de) *Tarragona – ver Hospitalet del Infante.*

ALMAGRO *13270 Ciudad Real* 444 **P 18** – *8 962 h. alt. 643.*
Ver : *Pueblo típico*★, *Plaza Mayor*★★ *(Corral de Comedias*★*).*
Bernardas 2 (Palacio Valdeparaiso) (926) 86 07 17 Fax (926) 86 07 17.
Madrid 189 – Albacete 204 – Ciudad Real 23 – Córdoba 230 – Jaén 165.

Parador de Almagro, Ronda de San Francisco 31 (926) 86 01 00, *Fax (926) 86 01 50*, « Instalado en el convento de Santa Catalina-siglo XVI », – 25/100. AE E VISA.
Comida 3700 – 1300 – **52 hab** 14000/17500, 2 suites.

Confortel Almagro, carret. de Bolaños (926) 86 00 11, *Fax (926) 86 06 18*, – 25/150. AE VISA.
cerrado 3 enero-14 febrero – **Comida** 1500 – 800 – **50 hab** 9965/ 12665.

Don Diego sin rest, Bolaños 1 (926) 86 12 87, *Fax (926) 86 05 74* – AE E VISA
500 – **31 hab** 8000/11000.

Hospedería Almagro, Ejido de Calatrava (926) 88 20 87, *Fax (926) 88 21 22*, « Instalado parcialmente en un convento » – VISA. rest
Comida *(cerrado domingo noche)* 1100 – 250 – **42 hab** 3000/5000.

El Corregidor, pl. Fray Fernando Fernández de Córdoba 2 (926) 86 06 48, *Fax (926) 88 27 69*, « Antigua posada » – AE E VISA JCB
cerrado lunes – **Comida** carta aprox. 4500.

La Cuerda, pl. General Jorreto 6 (926) 88 28 05, AE E VISA.
cerrado lunes y 1ª quincena de septiembre – **Comida** carta 3200 a 3900.

ALMANDOZ *31976 Navarra* 442 **C 25.**
Madrid 437 – Bayonne 76 – Pamplona/Iruñea 42.

Beola, Mayor (948) 58 50 02, *Fax (948) 58 50 30*, « Decoración rústica » – VISA.
cerrado lunes, Navidades y enero – **Comida** - sólo almuerzo salvo sábado - carta 2850 a 3900.

ALMANSA *02640 Albacete* 444 **P 26** – *22 488 h. alt. 685.*
Madrid 325 – Albacete 76 – Alicante/Alacant 96 – Murcia 131 – Valencia 111.

Los Rosales, carret. de circunvalación (967) 34 07 50, *Fax (967) 31 18 82* – rest, AE E VISA.
Comida 1600 – 330 – **33 hab** 4265/6415.

Mesón de Pincelín, Las Norias 10 (967) 34 00 07, *Fax (967) 34 54 27*, « Decoración regional » – AE E VISA.
cerrado domingo noche, lunes, del 5 al 11 de abril y del 1 al 21 de agosto – **Comida** carta 3200 a 4450.

Bodegón, Corredera 128 (967) 31 06 37, *Fax (967) 31 00 66* – AE E VISA.
cerrado 22 junio-7 julio – **Comida** carta 2050 a 4100.

Casa Valencia, carret. de circunvalación 20 (967) 31 16 52 – E VISA.
cerrado lunes y del 15 al 31 de julio – **Comida** carta 2900 a 4100.

al Noroeste : *2,3 km*

Confortel Almansa, av. de Madrid - salida 586 autovía (967) 34 47 00, *Fax (967) 31 15 60*, – 25/200. AE VISA.
cerrado 17 diciembre-11 enero – **Comida** 1600 – **50 hab** 7000/ 10700.

ALMARZA *42169 Soria* 442 **G 22** – *627 h. alt. 1 600.*
Madrid 251 – Burgos 165 – Logroño 83 – Soria 22 – Tudela 113.

en la carretera N 111 *Sur : 4,5 km – 42169 Almarza :*

El Valle, (975) 25 01 24, *Fax (975) 25 01 08*, ← – 25/200. VISA.
Comida 1100 – 350 – **29 hab** 5000/6700.

ALMÀSSERA *Valencia – ver Valencia.*

ALMAZCARA 24170 León 441 E 10.

Madrid 378 – León 99 – Ponferrada 10.

Los Rosales, carret. N VI ✆ (987) 46 71 67, *Fax (987) 46 72 00* – ... E VISA.
Comida 1200 – ☕ 300 – **40 hab** 3400/5500.

ALMENDRAL 06171 Badajoz 444 Q 9 – *1 444 h. alt. 324.*

Madrid 405 – Badajoz 36 – Mérida 70 – Zafra 52.

por la carretera N 435 *Sur : 6 km y desvío a la izquierda 1 km – ✉ 06171 Almendral :*

Rocamador (es necesario reservar), ✆ (924) 48 90 00, *Fax (924) 48 90 01,* « Imponente finca de estilo rústico con y dehesa extremeña » – 25/80. AE VISA.
Comida *(cerrado lunes)* 5500 – ☕ 2000 – **30 hab** 15000/18000.

ALMENDRALEJO 06200 Badajoz 444 P 10 – *24 120 h. alt. 336.*

Madrid 368 – Badajoz 56 – Mérida 25 – Sevilla 172.

Vetonia, carret. N 630 - Noreste : 2 km ✆ (924) 67 11 51, *Fax (924) 67 11 51* – – 25/500. AE E VISA JCB
Comida 1400 – ☕ 450 – **30 hab** 6460/7600.

España, av. San Antonio 69 ✆ (924) 67 01 20, *Fax (924) 67 01 20* – VISA
cerrado 20 diciembre-7 enero – **Comida** (ver rest. ***Zara***) – ☕ 500 – **26 hab** 3500/5000

El Paraíso, carret. N 630 - Sureste : 2 km ✆ (924) 66 10 01, *Fax (924) 67 02 55,* – . AE E VISA.
cerrado lunes noche – **Comida** carta aprox. 3200.

El Danubio, carret. N 630 - Sureste : 1 km ✆ (924) 66 10 84 – . AE VISA
Comida carta 1600 a 2650.

Nandos, Ricardo Romero 16 ✆ (924) 66 12 71 – . AE E VISA.
cerrado domingo noche, miércoles noche y del 1 al 15 de agosto – **Comida** carta aprox 3300.

Zara, carret. N 630 ✆ (924) 66 10 78 – . VISA.
Comida carta aprox. 2700.

ALMERÍA 04000 P 446 V 22 – *159 587 h. – Playa.*

Ver : *Alcazaba★ (jardines★)* Y – *Catedral★* Z.

Alred. : *Cabo de Gata★ (playas de los Genoveses y Monsul★) Este : 29 km por ② – Ruta★ de Benahadux a Tabernas Noroeste : 55 km por ①.*

de Almería por ② : 8 km ✆ (950) 21 37 15.

para Melilla : Cía. Trasmediterránea, parque Nicolás Salmerón 19 ✉ 04002 ✆ (950) 23 61 55 Telex 78811 Fax (950) 26 37 14.

Parque de Nicolás Salmerón ✉ 04002 ✆ (950) 27 43 55 Fax (950) 27 43 60 – **R.A.C.E.** *✆ 900 20 00 93.*

Madrid 550 ② – Cartagena 240 ② – Granada 171 ① – Jaén 232 ① – Lorca 157 ② – Motril 112 ③

Plano página siguiente

Torreluz IV, pl. Flores 5, ✉ 04001, ✆ (950) 23 49 99, *Fax (950) 23 49 99,* « Terraza con » – – 25/220. AE E VISA JCB. Y e
Comida (ver también rest. ***Asador Torreluz***) – ☕ 1125 – **100 hab** 10295/17610, 5 suites.

G.H. Almería sin rest. con cafetería, av. Reina Regente 8, ✉ 04001, ✆ (950) 23 80 11, *Fax (950) 27 06 91,* – – 25/300. AE E VISA. Z c
☕ 1100 – **114 hab** 11000/18000, 3 suites.

Torreluz II, pl. Flores 3, ✉ 04001, ✆ (950) 23 43 99, *Fax (950) 23 43 99* – – 25/200. AE E VISA. Y v
Comida - en el hotel ***Torreluz*** (ver también rest. ***Torreluz Mediterráneo***) – ☕ 725 – **73 hab** 6550/9975.

Costasol sin rest. con cafetería, paseo de Almería 58, ✉ 04001, ✆ (950) 23 40 11, *Fax (950) 23 40 11* – – 25/100. AE E VISA. Z e
☕ 650 – **55 hab** 8140/10170.

Indálico sin rest. con cafetería, Dolores R. Sopeña 4, ✉ 04004, ✆ (950) 23 11 11, *Fax (950) 23 10 28* – – 25/60. AE E VISA Y s
☕ 550 – **52 hab** 7900/9900.

Torreluz, pl. Flores 2, 04001, (950) 23 43 99, *Fax (950) 23 43 99* – AE E VISA. Y v
Comida 1575 – 725 – **24 hab** 4650/7725 – PA 3875.

Sol Almería sin rest. con cafetería, carret. de Ronda 193, 04005, (950) 27 18 11, *Fax (950) 27 37 09* – E VISA Y q
500 – **25 hab** 4500/8500.

Embajador sin rest. con cafetería, Calzada de Castro 4, 04006, (950) 25 55 11, *Fax (950) 25 93 64* – VISA Z b
400 – **67 hab** 4410/6825.

Nixar sin rest, Antonio Vico 24, 04003, (950) 23 72 55, *Fax (950) 23 72 55* – VISA. Y f
275 – **37 hab** 3280/5570.

Balzac, Gerona 29, 04002, (950) 26 61 60, Cenas amenizadas con música – AE E VISA. Z x
cerrado sábado mediodia, domingo y agosto – **Comida** carta aprox. 4250.

Torreluz Mediterráneo, pl. Flores 1, 04001, (950) 23 43 99, *Fax (950) 23 43 99* – AE E VISA. Y e
cerrado domingo en verano – **Comida** carta 3300 a 4950.

XXX **Asador Torreluz,** Fructuoso Pérez 8, ✉ 04001, ☎ (950) 23 45 45, *Fax (950) 23 49 9* – ▤. AE ⓓ E VISA JCB. ✂
cerrado domingo – **Comida** carta aprox. 4500. Y

XX **Club de Mar,** playa de las Almadrabillas, ✉ 04007, ☎ (950) 23 50 48 *Fax (950) 23 05 99,* – ▤. AE ⓓ E VISA. ✂
Comida carta aprox. 4300. Z

X **Valentín,** Tenor Iribarne 19, ✉ 04001, ☎ (950) 26 44 75 – ▤. AE ⓓ E VISA. ✂ Y
cerrado lunes – **Comida** carta aprox. 3550.

X **Veracruz,** av. del Cabo de Gata 119, ✉ 04007, ☎ (950) 25 12 20 – ▤. AE VISA. ✂ por av. del Cabo de Gata Z
Comida - pescados y mariscos - carta 2450 a 4100.

en la carretera de Málaga *por ③ : 2,5 km – ✉ 04002 Almería :*

Solymar, ☎ (950) 27 70 00, *Fax (950) 27 70 10,* ← – ▤ TV ☎ P. E VISA. ✂ res
Comida 3100 – 1100 – **15 hab** 10800/14000 – PA 7300.

en la carretera de Aguadulce *por ③ : 5 km – ✉ 04002 Almería :*

XX **La Gruta,** ☎ (950) 23 93 35, *Fax (950) 27 56 27,* « En una gruta » – ▤ P. AE ⓓ E VISA. ✂
cerrado domingo y noviembre – Comida - carnes, sólo cena - carta aprox 4500.

XX **El Bello Rincón,** ☎ (950) 23 84 27, *Fax (950) 23 84 27,* – ▤ P. AE ⓓ E VISA. ✂
cerrado lunes, julio y agosto – **Comida** - pescados y mariscos - carta 4500 a 5250.

ALMERIMAR *Almería – ver El Ejido.*

ALMODÓVAR DEL CAMPO *13580 Ciudad Real* 444 **P 17** – *7 718 h. alt. 670.*
Madrid 234 – Alcázar de San Juan 135 – Ciudad Real 47 – Puertollano 7 – Valdepeñas 89.

X **El Comendador,** Jardín ☎ (926) 48 39 53, « En una bodega »
AE ⓓ E VISA
cerrado lunes y 15 septiembre-1 octubre – Comida carta 2300 a 4000.

ALMODÓVAR DEL RIO *14720 Córdoba* 446 **S 14** – *6 960 h. alt. 123.*
Ver : *Castillo★.*
Madrid 414 – Córdoba 17 – Sevilla 123.

X **La Taberna,** Antonio Machado 24 ☎ (957) 71 36 84 – ▤. ⓓ E VISA. ✂
cerrado lunes y agosto – **Comida** carta 2950 a 3800.

ALMONTE *21730 Huelva* 446 **U 10** – *16 350 h. alt. 75.*
Madrid 593 – Huelva 53 – Sevilla 63.

en la carretera de El Rocío *Sur : 5 km – ✉ 21730 Almonte :*

X **El Pastorcito,** ☎ (959) 45 02 05, *Fax (959) 45 02 69* – ▤ P. AE ⓓ E VISA. ✂
cerrado lunes y semana del Rocío – **Comida** carta 2350 a 3350.

ALMORADÍ *03160 Alicante* 445 **R 27** – *12 304 h. alt. 9.*
Madrid 428 – Alicante/Alacant 52 – Cartagena 74 – Murcia 39.

X **El Cruce,** Camino de Catral 156 - Norte : 1 km ☎ (96) 678 05 59 – ▤ P. AE E VISA. ✂
cerrado lunes y del 1 al 15 de agosto – **Comida** carta 1900 a 3400.

La ALMUNIA DE DOÑA GODINA *50100 Zaragoza* 443 **H 25** – *5 775 h. alt. 366.*
Madrid 270 – Tudela 87 – Zaragoza 52.

El Patio, av. del Generalísimo 6 ☎ (976) 60 10 37, *Fax (976) 60 05 63* – ▤ TV ☎ P. AE ⓓ E VISA. ✂
Comida 1500 - ***El Patio de Goya*** *(cerrado domingo noche)* **Comida** carta aprox. 4000 – 500 – **24 hab** 4500/6500.

ALMUÑA *Asturias – ver Luarca.*

LMUÑÉCAR *18690 Granada* 446 **V 18** – *20 461 h. alt. 24 – Playa.*
av. Europa-Palacete La Najarra (958) 63 11 25 Fax (958) 63 50 07.
Madrid 516 – Almería 136 – Granada 87 – Málaga 85.

Helios, paseo de las Flores (958) 63 44 59, *Fax (958) 63 44 69*, climatizada – 25/200. VISA.
Comida 1850 – 800 – **232 hab** 10000/12000.

Chinasol, av. del Mediterráneo 51 (958) 63 33 44, *Fax (958) 63 43 04*, – rest, – 25/80. VISA
El Bodegón : **Comida** carta 2250 a 3300 – **95 hab** 12125, 55 apartamentos.

Casablanca, pl. San Cristóbal 4 (958) 63 55 75, – hab, . VISA.
Comida *(cerrado miércoles)* carta aprox. 2600 – 350 – **15 hab** 5000/9000.

Goya, av. de Europa 31 (958) 63 05 50, *Fax (958) 63 11 92*, – rest, . VISA.
Comida *(cerrado domingo y lunes)* 1200 – 300 – **26 hab** 3500/6000 – PA 2700.

Playa de San Cristóbal sin rest, pl. San Cristóbal 5 (958) 63 36 12, *Fax (958) 63 36 12* – . VISA
15 marzo-15 octubre – 300 – **22 hab** 4300/6500.

Carmen (sin rest. obras en curso), av. de Europa 19 (958) 63 14 13, *Fax (958) 63 14 13* – VISA
400 – **24 hab** 5000/8000.

San Sebastián sin rest, Ingenio Real 18 (958) 63 04 66 –
abril-septiembre – 250 – **19 hab** 3000/4800.

El Puente sin rest, av. de la Costa del Sol 14 (958) 63 01 23 –
250 – **24 hab** 1800/4000.

Tropical sin rest, av. de Europa 39 (958) 63 34 58 – VISA.
marzo-noviembre – 200 – **11 hab** 3200/5200.

Antonio, bajos del Paseo 12 (958) 63 00 20, – . VISA.
Comida carta 2900 a 4200.

Los Geranios, pl. de la Rosa 4 (958) 63 07 24, , « Decoración típica regional » – VISA JCB
cerrado domingo y 15 noviembre-15 diciembre – **Comida** - sólo cena salvo en verano - carta 1700 a 3150.

Mar de Plata, paseo San Cristóbal (958) 63 30 79,
VISA JCB.
cerrado martes – **Comida** carta aprox. 3175.

La Última Ola, Puerta del Mar 4 (958) 63 00 18, – VISA
cerrado lunes y 15 enero-15 marzo – **Comida** carta 2050 a 3400.

en la playa de Velilla *Este : 2,5 km – 18690 Velilla :*

Velilla sin rest, edificio Inti-Yan IV (958) 63 07 58, *Fax (958) 88 10 30* – VISA.
abril-octubre – 350 – **28 hab** 4600/6300.

al Oeste : *2,5 km*

Jacquy Cotobro, paseo de Cotobro 11 (playa de Cotobro) (958) 63 18 02, – VISA
cerrado lunes (salvo en verano) y del 20 al 30 de noviembre – **Comida** carta 3150 a 4100.

ALMUSAFES o **ALMUSSAFES** *46440 Valencia* 445 **O 28** – *6 335 h. alt. 30.*
Madrid 402 – Albacete 172 – Alicante/Alacant 146 – Valencia 18.

Reig, Llavradors 13 (96) 178 02 91, *Fax (96) 178 03 42* – . VISA.
Comida *(cerrado domingo)* 1500 – 500 – **36 hab** 5000/7000.

ALOVERA *19208 Guadalajara* 444 **K 20** – *1 371 h. alt. 644.*
Madrid 52 – Guadalajara 13 – Segovia 139 – Toledo 122.

al Sureste : *4,5 km*

Lux sin rest, autovía N II - km 45,5 (949) 27 01 61, *Fax (949) 27 04 12* – – 25/70. VISA JCB
48 hab 6200/7760.

ALP *17538 Gerona* **443** **E 35** – *908 h. alt. 1 158 – Deportes de invierno en Masella, Sureste : 7 km* *11.*
Madrid 644 – Lérida/Lleida 175 – Puigcerdá 8.

Aero Hotel Cerdanya, passeig Agnès Fabra 4 (972) 89 00 33, *Fax (972) 89 08 6* – . AE E VISA.
Comida 1600 - ***Ca l'Eudald*** : **Comida** carta 2750 a 3700 – 900 – **34 hab** 5500/950

Casa Patxi, Orient 23 (972) 89 01 82, , « Decoración rústica » –
E VISA
cerrado miércoles, del 6 al 22 de julio y del 9 al 25 de noviembre – **Comida** carta 255 a 3850.

ALPEDRETE *28430 Madrid* **444** **K 17** – *3 482 h. alt. 919.*
Madrid 41 – Segovia 54.

Sierra Real , Primavera 20 (91) 857 15 00, *Fax (91) 857 13 54,* « Terraza-átic con valle y sierra de Guadarrama », – – 50/170. AE E VIS
Comida carta aprox. 3725 – **48 hab** 9300/12975.

ALQUÉZAR *22145 Huesca* **443** **F 30** – *215 h. alt. 660.*
Ver : *Paraje★★.*
Alred. : *Cañón de río Vero★.*
Madrid 434 – Huesca 48 – Lérida/Lleida 105.

Villa de Alquézar sin rest, Pedro Arnal Cavero 12 (974) 31 84 1 *Fax (974) 31 84 16* – . E VISA.
20 hab 3500/6000.

ALSÁSUA o ALTSASU *31800 Navarra* **442** **D 23** – *6 793 h. alt. 532.*
Alred. : *Sur : carretera★★ del Puerto de Urbasa – Este : carretera★★ del Puerto de Lizárrag (mirador★★).*
Excurs. : *Santuario de San Miguel de Aralar★ (iglesia : frontal de altar★★) Noreste : 19 km*
Madrid 402 – Pamplona/Iruñea 50 – San Sebastián/Donostia 71 – Vitoria/Gasteiz 46.

ALTEA *03590 Alicante* **445** **Q 29** – *12 829 h. – Playa.*
Don Cayo, Norte : 4 km (96) 584 80 46 Fax (96) 584 19 65.
San Pedro 9 (96) 584 41 14 Fax (96) 584 42 13.
Madrid 475 – Alicante/Alacant 57 – Benidorm 11 – Gandía 60.

Altaya sin rest, La Mar 115 (zona del puerto) (96) 584 08 00 – . AE E VIS
500 – **24 hab** 6000.

Racó de Toni, La Mar 127 (zona del puerto) (96) 584 17 63, *Fax (96) 584 16 97* . AE E VISA JCB
cerrado martes y noviembre – **Comida** carta 2650 a 4850.

Oustau de Altea, Mayor 5 (casco antiguo) (96) 584 20 78, *Fax (96) 584 23 01,* – AE E VISA
cerrado lunes (octubre-mayo) y 24 enero-3 marzo – **Comida** - sólo cena - carta aprox. 380

El Negro, Santa Bárbara 4 (casco antiguo) (96) 584 18 26, bahía, , « En un cueva » – . E VISA
cerrado lunes salvo julio-agosto – **Comida** - sólo cena - carta aprox. 3600.

por la carretera de Valencia – *03590 Altea :*

Meliá Altea Hills , urb. Altea Hills - Noreste : 6 km (96) 688 10 0 *Fax (96) 688 10 24,* , « En un enclave entre pinos y montañas con el mar al fondo » , , , , – – 25/600. AE E VISA.
Altaya : **Comida** carta 3650 a 5700 – 1600 – **50 suites** 22400/26800.

Monte Molar, Noreste : 2,5 y desvío a la izquierda 1 km (96) 584 15 8 *Fax (96) 584 15 81,* , « Instalado en una villa con terraza » – . AE E VISA
cerrado miércoles (salvo julio-agosto) y 11 enero-marzo – **Comida** 8500 y carta 4950 8800
Espec. Lomo de lubina al aceite virgen con tomate confitado. Dentón al Noilly Prat. Pichó de Bresse en su jugo.

Flamingo, urb. Altea Hills - Noreste : 6 km (96) 584 52 23, – E VISA.
cerrado viernes (salvo en verano) y del 6 al 18 de diciembre – **Comida** carta 3725 a 6025

ALTEA LA VELLA *03599 Alicante* 445 **Q 29.**

Madrid 462 – Alicante/Alacant 48 – Benidorm 16 – Gandía 63.

XX **Ca Toni,** Rectora Llinares 3 ✆ (96) 584 84 37
– AE ⓓ E VISA
cerrado miércoles – **Comida** carta aprox. 4200.

ALTO CAMPÓO *Cantabria – ver Reinosa.*

ALTO DE MEAGAS *Guipúzcoa – ver Zarauz.*

ALTRÓN *Lérida – ver Llessuy.*

ALTSASU *Navarra – ver Alsasua.*

ALTURA *12410 Castellón* 445 **M 28** – *2 985 h. alt. 400.*

Madrid 402 – Castellón/Castelló 60 – Sagunto/Sagunt 35 – Teruel 85 – Valencia 58.

Victoria, av. Valencia 64 ✆ (964) 14 61 53 – |☰|, ▤ rest, TV ☎. ⓓ E VISA.
Comida *(cerrado lunes salvo festivos y julio-agosto)* 2800 – ☕ 600 – **20 hab** 3500/6000.

X **Thalassa,** av. Santuario 126 ✆ (964) 14 62 50 – E VISA
cerrado lunes, martes y miércoles (octubre-junio) y del 15 al 28 de febrero – **Comida** carta 2550 a 3200.

ALZIRA *Valencia – ver Alcira.*

AMANDI *33311 Asturias* 441 **B 13.**

Ver : *Iglesia de San Juan (ábside★, decoración★ de la cabecera).*

Madrid 495 – Gijón 31 – Oviedo 42.

La Casona de Amandi sin rest, ✆ (98) 589 01 30, *Fax (98) 589 01 29*, « Antigua casa solariega », – TV ☎ Ⓟ. E VISA
cerrado enero – ☕ 850 – **9 hab** 13900.

AMASA *Guipúzcoa – ver Villabona.*

AMENEIRO *15866 La Coruña* 441 **D 4.**

Madrid 611 – La Coruña/A Coruña 71 – Pontevedra 50 – Santiago de Compostela 9.

X **Cierto Blanco,** carret. N 550 ✆ (981) 54 83 83 – Ⓟ. AE ⓓ E VISA.
cerrado lunes – **Comida** carta 4200 a 6500.

AMETLLA DE MAR o **L'AMETLLA DE MAR** *43860 Tarragona* 443 **J 32** – *4 183 h. alt. 20 – Playa.*

ℹ *Amistad Hispano Italiana ✆ (977) 45 64 77 Fax (977) 45 64 77 y St. Joan 55 ✆ (977) 45 64 77 Fax (977) 45 67 38.*

Madrid 509 – Castellón de la Plana/Castelló de la Plana 132 – Tarragona 50 – Tortosa 33.

L'Alguer sin rest, Mar 20 ✆ (977) 49 33 72, *Fax (977) 49 33 75* – |☰| ▤ TV ☎. AE ⓓ VISA.
☕ 525 – **37 hab** 4500/8300.

Bon Repòs, pl. Catalunya 49 ✆ (977) 45 60 25, *Fax (977) 45 65 82*, « Jardín con arbolado », – ▤ hab, TV ☎ Ⓟ. E VISA
Semana Santa-octubre – **Comida** *(sólo julio-agosto)* 1900 – ☕ 700 – **38 hab** 5100/8400.

X **L'Alguer,** Trafalgar 21 ✆ (977) 45 61 24, *Fax (977) 45 66 21*, ≤, – ▤. AE ⓓ E VISA.
cerrado lunes y 20 diciembre-9 enero – **Comida** - pescados y mariscos - carta 3000 a 4500.

La AMETLLA DEL VALLÉS o **L'AMETLLA DEL VALLÈS** *08480 Barcelona* 443 **G 36** – *3 459 h. alt. 312.*

Madrid 648 – Barcelona 35 – Gerona/Girona 83.

X **La Masía,** passeig Torregassa 77 ✆ (93) 843 00 02, *Fax (93) 843 00 02* – ▤ Ⓟ. AE ⓓ E VISA JCB.
cerrado martes salvo festivos y del 9 al 22 de agosto – **Comida** carta 2400 a 5100.

AMEYUGO *09219 Burgos* 442 E 20 – *57 h.*
Madrid 311 – Burgos 67 – Logroño 60 – Vitoria/Gasteiz 44.

en el monumento al Pastor *Noroeste : 1 km – ✉ 09219 Ameyugo :*

X **Mesón El Pastor,** carret. N I ✆ *(947) 34 43 75, Fax (947) 35 42 90* – ▤ Ⓟ. AE ⓓ E VISA JCB. ✗
Comida carta 2700 a 3950.

AMOREBIETA o **ZORNOTZA** *48340 Vizcaya* 442 **C 21** – *15 798 h. alt. 70.*
Madrid 415 – Bilbao/Bilbo 22 – San Sebastián/Donostia 79 – Vitoria/Gasteiz 51.

XX **El Cojo,** San Miguel 11 ✆ *(94) 673 00 25, Fax (94) 673 15 29* – ▤. AE ⓓ VISA. ✗
cerrado lunes – **Comida** carta aprox. 4500.

en la carretera de Gernika-Lumo *Noreste : 1 km – ✉ 48340 Amorebieta :*

XX **Juantxu,** barrio Enartze ✆ (94) 673 26 50, ←, 🌳 – ▤ Ⓟ. AE ⓓ E VISA. ✗
cerrado martes en verano y 24 agosto-15 septiembre – **Comida** - sólo almuerzo salvo fines de semana de octubre a junio - carta 4300 a 5000.

por la carretera N 634 *Sureste : 1,5 km – ✉ 48340 Amorebieta :*

XX **Andikoa,** barrio Zelaieta 29 ✆ (94) 673 45 55, *Fax (94) 673 45 55* – ▤ Ⓟ. AE ⓓ E VISA. ✗
cerrado lunes noche, martes y del 1 al 15 de agosto – **Comida** carta 4200 a 5400.

AMPUDIA *34160 Palencia* 442 G 15 – *750 h. alt. 790.*
Madrid 243 – León 115 – Palencia 25 – Valladolid 53 – Zamora 114.

🏨 **Posada de la Casa del Abad** 🐦, pl. Francisco Martín Gromaz 12 ✆ (979) 76 80 08, *Fax (979) 76 83 00,* « Edificio del siglo XVII », *Lб*, 🏊 – ▤ TV ☎ 🚗 – 🏛 25/40. AE E VISA. ✗ rest
Comida 3000 – ☕ 1500 – **18 hab** 12000/15500.

AMPUERO *39840 Cantabria* 442 B 19 – *3 324 h. alt. 11.*
Alred. : *Santuario de Nuestra Señora La Bien Aparecida ✻★ Suroeste : 4 km.*
Madrid 430 – Bilbao/Bilbo 68 – Santander 52.

X **La Pinta** con hab, José Antonio 31 ✆ (942) 62 23 35, *Fax (942) 62 22 98* – ▤ rest, TV ☎ Ⓟ. AE E VISA. ✗
Comida carta 3000 a 3850 – ☕ 450 – **16 hab** 3500/5000.

X **Casa Sarabia,** Melchor Torío 3 ✆ (942) 62 23 65 – ▤. AE ⓓ E VISA. ✗
Comida carta 3200 a 4100.

AMPURIABRAVA o **EMPURIABRAVA** *17487 Gerona* 443 F 39 – *Playa.*
Ver : *Urbanización★.*
ℹ *Puigmal 1 ✆ (972) 45 00 88 Fax (972) 45 10 95 Pompeu Fabra.*
Madrid 752 – Figueras/Figueres 15 – Gerona/Girona 53.

🏨 **Briaxis,** Port Principal 25 ✆ (972) 45 15 45, *Fax (972) 45 18 89,* 🌳, « Junto al canal principal con ← », 🏊 – |‡| ▤ TV ☎ Ⓟ. ⓓ E VISA
Comida 2200 – ☕ 1000 – **52 hab** 11500/13000 – PA 5200.

🏨 **Silvia,** Puigmal 14 ✆ (972) 45 29 92, *Fax (972) 45 28 55,* 🌳 – |‡| TV ☎ Ⓟ. E VISA. ✗
Comida *(cerrado sábado en invierno y domingo noche resto del año)* 1300 – ☕ 800 – **33 hab** 5000/7000 – PA 3300.
Ver también : **Castelló de Ampurias.**

ANCÉIS *La Coruña – ver Cambre.*

ANDORRA (Principado de) ★★ 443 E 34 y 35 86 ⑭ ⑮ – *61 599 h. alt. 1 029.*

Andorra la Vella *Capital del Principado – alt. 1 029.*
ℹ *Dr. Vilanova ✆ (00-376) 82 02 14 Fax (00-376) 82 58 23* – **A.C.A.** *Babot Camp 13 ✆ (00-376) 82 08 90 Fax (00-376) 82 25 60.*
Madrid 625 – Barcelona 220 – Carcassonne 168 – Foix 105 – Gerona/Girona 245 – Lérida/Lleida 155 – Perpignan 166 – Tarragona 208 – Toulouse 185.

🏨 **Plaza,** María Pla 19 ✆ (00-376) 86 44 44, *Fax (00-376) 82 17 21,* *Lб* – |‡| ▤ TV ☎ ♿ 🚗 – 🏛 25/300. AE ⓓ E VISA JCB
Comida 1750 - ***La Cúpula*** : **Comida** carta aprox. 3490 – ☕ 1500 – **93 hab** 15000/19000, 8 suites.

Andorra Park H., Les Canals 24 (00-376) 82 09 79, *Fax (00-376) 82 09 83*, « rodeada de jardines », - - 25/80. .
Comida 5975 - 1800 - **38 hab** 9600/11600, 2 suites.

Andorra Center, Dr. Nequi 12 (00-376) 82 48 00, *Fax (00-376) 82 86 06*, - , rest, - 25/50
Comida La Dama Blanca - **130 hab**, 10 suites.

Holiday Inn Crowne Plaza, Prat de la Creu 88 (00-376) 87 44 44, *Fax (00-376) 87 44 45*, - - 25/700.
Comida 1700 - 1500 - **133 suites** 16000/20000.

Mercure, de La Roda (00-376) 82 07 73, *Fax (00-376) 82 85 52*, - - 25/175.
Comida 3000 - 1200 - **145 hab** 16650/18250.

Novotel Andorra, Prat de la Creu (00-376) 86 11 16, *Fax (00-376) 86 11 20*, - - 25/200. . rest
Comida 3000 - 1200 - **97 hab** 16000/18500, 5 suites.

President, av. Santa Coloma 44 (00-376) 82 29 22, *Fax (00-376) 86 14 14*, - - 25/110. .
Comida 2500 - **109 hab** 12000/17000, 2 suites.

Eden Roc, av. Dr. Mitjavila 1 (00-376) 82 10 00, *Fax (00-376) 86 03 19* - . .
Comida *(cerrado junio)* 2200 - **56 hab** 10500/15000.

Flora sin rest, antic carrer Major 25 (00-376) 82 15 08, *Fax (00-376) 86 20 85*, - . .
45 hab 7500/12000.

Xalet Sasplugas, La Creu Grossa 15 (00-376) 82 03 11, *Fax (00-376) 82 86 98*, - . . rest
Comida 2800 - ***Metropol*** *(cerrado domingo noche, lunes mediodía y del 1 al 15 de julio)* Comida carta 3550 a 4450 - **26 hab** 6800/9500.

Ibis, av. Meritxell 58 (00-376) 82 07 77, *Fax (00-376) 82 82 45*, - , rest, . . rest
Comida carta aprox. 3500 - 1200 - **70 hab** 12875/15500.

Pyrénées, av. Princep Benlloch 20 (00-376) 86 00 06, *Fax (00-376) 82 02 65*, - , rest, . . rest
Comida carta aprox. 3000 - **74 hab** 5950/9500.

Font del Marge, Baixada del Molí 49 (00-376) 82 34 43, *Fax (00-376) 82 31 82*, - , rest, . . rest
Comida 2250 - **42 hab** 7875/11800.

De l'Isard, av. Meritxell 36 (00-376) 82 00 96, *Fax (00-376) 86 66 95* - , rest, . . rest
Comida carta aprox. 3650 - 1100 - **61 hab** 7825/9600.

Cassany sin rest, av. Meritxell 28 (00-376) 82 06 36, *Fax (00-376) 86 36 09* - .
1000 - **54 hab** 6500/8500.

Florida sin rest, Llacuna 15 (00-376) 82 01 05, *Fax (00-376) 86 19 25* - .
48 hab 5875/8750.

Sant Jordi sin rest. con cafetería, av. Príncep Benlloch 45 (00-376) 82 08 65, *Fax (00-376) 86 14 14* - .
cerrado 15 mayo-15 junio - **30 hab** 7300/9600.

Celler d'En Toni con hab, Verge del Pilar 4 (00-376) 82 12 52, *Fax (00-376) 82 18 72* - . .
Comida carta 4200 a 6350 - **17 hab** 3400/5800.

Borda Estevet, carret. de La Comella 2 (00-376) 86 40 26, *Fax (00-376) 82 31 42*, « Decoración rústica » - .
Comida carta aprox. 4200.

Can Manel, Mestre Xavier Plana 6 (00-376) 82 23 97
.
cerrado miércoles - **Comida** carta 3400 a 4100.

Arinsal - *alt. 1 145 - La Massana - Deportes de invierno : 1 550/2 800 m. 14.*
Andorra la Vella 12.

Solana, (00-376) 83 51 27, *Fax (00-376) 83 73 95*, - - 25/40. . rest
cerrado noviembre - **Comida** 2500 - 800 - **95 hab** 5500/9000.

Canillo – *alt. 1 531 – ✉ Canillo.*

Alred. : *Crucifixión★ en la iglesia de Sant Joan de Caselles, Noreste : 1 km – Santuari de Meritxell (paraje★) Suroeste : 3 km.*

Andorra la Vella 12.

Bonavida, pl. Major ✆ (00-376) 85 13 00, *Fax (00-376) 85 17 22,* ← – |♦| TV ☎ AE ⓓ E VISA.
cerrado octubre-2 diciembre – **Comida** - sólo cena salvo julio-septiembre - 2650 – **43 hab** ☕ 9600/12600.

Roc del Castell sin rest, carretera General ✆ (00-376) 85 18 25, *Fax (00-376) 85 17 0.* – |♦| TV ☎. AE E VISA.
☕ 900 – **44 hab** 6000/9000.

Encamp – *alt. 1 313 – ✉ Encamp.*

Andorra la Vella 6.

Coray, Caballers 38 ✆ (00-376) 83 15 13, *Fax (00-376) 83 18 06,* ←, – |♦| TV ☎. E VISA.
cerrado noviembre – **Comida** 1300 – **85 hab** ☕ 5000/6000.

Univers, René Baulard 13 ✆ (00-376) 83 10 05, *Fax (00-376) 83 19 70* – |♦| TV ☎ P. AE E VISA.
cerrado noviembre – **Comida** 1400 – ☕ 600 – **36 hab** 4500/6000 – PA 3400.

Les Escaldes Engordany – *alt. 1 105 – ✉ Les Escaldes Engordany.*

Andorra la Vella 2.

Roc de Caldes, carret. d'Engolasters ✆ (00-376) 86 27 67, *Fax (00-376) 86 33 25* « En el flanco de una montaña con ← », – |♦| TV ☎ ♿ P – 🏛 25/120. AE ⓓ E VISA. rest
Comida 4600 – **45 hab** ☕ 16000/21500 – PA 9000.

Roc Blanc, pl. dels Co-Prínceps 5 ✆ (00-376) 82 14 86, *Fax (00-376) 86 02 44,* , – |♦|, rest, TV ☎ P – 🏛 25/600. AE ⓓ E VISA JCB. rest
Comida 4600 - ***Brasserie L'Entrecôte*** : **Comida** carta aprox. 3400 - ***El Pí*** : **Comida** carta aprox. 5000 – ☕ 1800 – **184 hab** 15500/19600.

Delfos, av. del Fener 17 ✆ (00-376) 82 46 42, *Fax (00-376) 86 16 42* – |♦|, rest, TV ☎ – 🏛 25/75. AE ⓓ E VISA JCB. rest
Comida 2900 – **200 hab** ☕ 10000/13000.

Panorama, carret. de l'Obac ✆ (00-376) 86 18 61, *Fax (00-376) 86 17 42,* « Terraza con ← valle y montañas », , – |♦|, rest, TV ☎ ♿ – 🏛 25/500. AE ⓓ E VISA. rest
Comida 3500 – ☕ 1400 – **177 hab** 11900/13800 – PA 8400.

Valira, av. Carlemany 37 ✆ (00-376) 82 05 65, *Fax (00-376) 86 67 80* – |♦| TV ☎ P. AE VISA.
Comida 2150 – ☕ 1100 – **55 hab** 7825/9600 – PA 5400.

Eureka, av. Carlemany 36 ✆ (00-376) 86 66 00, *Fax (00-376) 86 68 00* – |♦| TV ☎. AE ⓓ E VISA. rest
Comida 1200 – **75 hab** ☕ 7200/9600.

Eurotel, av. Fiter i Rosell 51 ✆ (00-376) 86 30 31, *Fax (00-376) 86 30 24* – |♦| TV ☎ P. AE E VISA. rest
Comida - sólo cena - 1400 – **70 hab** ☕ 7600/11000.

Comtes d'Urgell, av. Escoles 29 ✆ (00-376) 82 06 21, *Fax (00-376) 82 04 65* – |♦|, rest, TV ☎. AE ⓓ E VISA JCB. rest
Comida 2600 – **200 hab** ☕ 5800/8500.

Cosmos, av. de les Escoles 10 ✆ (00-376) 86 30 10, *Fax (00-376) 86 30 15* – |♦|, rest, TV ☎. AE ⓓ E VISA.
Comida 1650 – ☕ 950 – **75 hab** 7600/11200, 76 apartamentos.

Les Closes sin rest. con cafetería, av. Carlemany 93 ✆ (00-376) 82 83 11, *Fax (00-376) 86 39 70* – |♦| TV ☎. E VISA.
78 hab ☕ 6000/10500.

Espel, pl. Creu Blanca 1 ✆ (00-376) 82 08 55, *Fax (00-376) 82 80 56* – |♦| TV ☎. AE E VISA.
cerrado mayo – **Comida** 1900 – **102 hab** ☕ 5100/7500.

Aquarius, Parc de la Mola 10 (Caldea) ✆ (00-376) 80 09 90, *Fax (00-376) 82 92 22,* « Decoración moderna con ← al centro termolúdico » – P. AE E VISA
cerrado martes, del 1 al 15 de junio y del 1 al 12 de noviembre – **Comida** carta 3750 a 5200.

La Massana – *alt. 1 241 – ✉ La Massana.*
Andorra la Vella 5.

Xalet Ritz, carret. de Sispony - Sur : 1,8 km ✆ (00-376) 83 78 77, *Fax (00-376) 83 77 20*, ≤, « Bonita decoración interior », – ‖ TV ☎ ⇔ P. AE ⓘ E VISA. ✻
Comida 3000 – **47 hab** ⊡ 14100/19200.

Rutllan, av. del Ravell ✆ (00-376) 83 50 00, *Fax (00-376) 83 51 80*, ≤, climatizada, ✻ – ‖ TV ☎ ⇔. AE ⓘ E VISA. ✻ rest
Comida 3000 – ⊡ 1300 – **100 hab** 7000/11000.

El Rusc, carret. de Arinsal 1,5 km ✆ (00-376) 83 82 00, *Fax (00-376) 83 51 80*, « Rústico elegante » – ▤ P. AE ⓘ E VISA. ✻
cerrado domingo noche y lunes – **Comida** carta aprox. 5550.

La Borda de l'Avi, carret. de Arinsal 0,7 km ✆ (00-376) 83 51 54, *Fax (00-376) 83 53 90* – P. AE ⓘ E VISA
Comida - carnes - carta 4300 a 6400.

Borda Raubert, carret. de Arinsal 2 km ✆ (00-376) 83 54 20, *Fax (00-376) 86 61 65*, « Decoración rústica » – P. AE E VISA. ✻
cerrado junio – **Comida** - cocina regional - carta 2850 a 3550.

en La Aldosa *Noreste : 2,7 km – ✉ La Massana :*

Del Bisset, carret. de Ordino ✆ (00-376) 83 75 55, *Fax (00-376) 83 79 89*, ≤ – ‖ TV ☎ ♿ ⇔ P. E VISA. ✻ rest
Comida 2200 – **30 hab** ⊡ 4000/7500.

Ordino – *alt. 1 304 – ✉ Ordino – Deportes de invierno : 1940/2600 m. ⛷ 12.*
Andorra la Vella 9.

Coma, ✆ (00-376) 83 51 16, *Fax (00-376) 83 79 38*, ≤, ✻, climatizada, ✻ – ‖, ▤ rest, TV ☎ ⇔ P. AE E VISA. ✻
cerrado noviembre – **Comida** 2500 – **48 hab** ⊡ 8500/12000.

en Ansalonga *Noroeste : 1,8 km – ✉ Ordino :*

Sant Miquel, carret. del Serrat ✆ (00-376) 85 07 70, *Fax (00-376) 85 05 71*, ≤, ✻ – ‖ TV ☎ P. VISA. ✻ rest
cerrado 20 mayo-20 junio – **Comida** 1550 – **19 hab** ⊡ 5500/7500.

Pas de la Casa – *alt. 2 091 – ✉ Pas de la Casa – Deportes de invierno : 2 050/2 600 m. ⛷ 29.*
Ver : *Emplazamiento★.*
Alred. : *Port d'Envalira★★.*
Andorra la Vella 29.

Le Sporting, Catalunya 1 ✆ (00-376) 85 54 51, *Fax (00-376) 85 54 65* – ‖ TV ☎ ⇔ – ✻ 25/60. VISA
5 diciembre-14 abril – **Comida** 3500 – **76 hab** ⊡ 11875/21000.

Esquí d'Or, Catalunya 9 ✆ (00-376) 85 51 27, *Fax (00-376) 85 51 78*, ✻ – ‖ TV ☎ ⇔. E VISA
diciembre-abril – **Comida** 2700 – ⊡ 1050 – **62 hab** 13500.

Campistrano, Bearn 30 ✆ (00-376) 85 64 88 – E VISA. ✻
cerrado miércoles y julio – **Comida** - pescados y mariscos - carta 3300 a 5900.

por la carretera de Soldeu *Suroeste : 10 km – ✉ Pas de la Casa*

Refugi Grau Roig, Grau Roig ✆ (00-376) 85 55 56, *Fax (00-376) 85 50 37*, ≤, ✻, ✻ – ‖ TV ☎ ♿ P. AE ⓘ E VISA. ✻ rest
diciembre-abril y junio-septiembre – **Comida** 3000 – **44 hab** ⊡ 13500/19000.

Santa Coloma – *alt. 970 – ✉ Andorra la Vieja.*
Andorra la Vella 4.

Cerqueda, Mossèn Lluís Pujol ✆ (00-376) 82 02 35, *Fax (00-376) 86 19 09*, ≤, ✻, ✻ – ‖ TV ☎ P. AE ⓘ E VISA. ✻ rest
cerrado 7 enero-7 febrero – **Comida** 2400 – ⊡ 600 – **65 hab** 4400/8100.

Don Pernil, av. d'Enclar 94 ✆ (00-376) 86 52 55, *Fax (00-376) 86 36 24*, ✻, « Decoración rústica » – ▤ P. AE ⓘ E VISA
Comida - carnes a la brasa - carta 2750 a 3900.

Sant Julià de Lòria – *alt. 909 – ✉ Sant Julià de Lòria.*
Andorra la Vella 7.

Pol, Verge de Canolich 52 ✆ (00-376) 84 11 22, *Fax (00-376) 84 18 52* – ‖, ▤ rest, TV ☎ P. AE E VISA. ✻
cerrado 7 enero-9 febrero – **Comida** - sólo cena - 2400 – **80 hab** ⊡ 9300/9800.

Imperial sin rest, av. Rocafort 27 ✆ (00-376) 84 33 92, *Fax (00-376) 84 34 79* –
cerrado del 15 al 30 de junio y del 15 al 30 de noviembre – **44 hab** 8500/10500.

La Guingueta, carret. de La Rabassa ✆ (00-376) 84 29 45, *Fax (00-376) 84 39 45,* « Decoración rústica » – AE VISA
cerrado domingo noche, lunes y agosto – **Comida** carta 4900 a 6700.

al Sureste : *7 km*

Coma Bella, alt. 1 300 ✆ (00-376) 84 12 20, *Fax (00-376) 84 14 60,* ≤, « En el bosque de La Rabassa », – E VISA. rest
cerrado del 15 al 30 de noviembre – **Comida** 1700 – **35 hab** 9200.

Soldeu – *alt. 1 826 – ✉ Canillo – Deportes de invierno : 1 700/2 560 m. 20 1.*
Andorra la Vella 19.

en Incles *Oeste : 1,8 km – ✉ Canillo :*

Parador Canaro, ✆ (00-376) 85 10 46, *Fax (00-376) 85 17 20,* ≤ – AE E VISA.
cerrado 10 mayo-junio – **Comida** 1900 – **18 hab** 4450/8400.

en El Tarter *Oeste : 3 km – ✉ Canillo :*

Del Tarter, ✆ (00-376) 85 11 65, *Fax (00-376) 85 14 74,* ≤ – . AE E VISA.
3 diciembre-abril y junio-15 octubre – **Comida** 2500 – 1200 – **37 hab** 8000/10500.

Llop Gris, ✆ (00-376) 85 15 59, *Fax (00-376) 85 12 29,* ≤, – – 30/80. AE VISA. rest
Comida 3100 – **68 hab** 14900/18800.

Del Clos, ✆ (00-376) 85 15 00, *Fax (00-376) 85 15 54,* ≤ – . AE E VISA.
Comida - sólo cena, buffet en invierno - 2000 – **54 hab** 11410/16300.

De Sant Pere con hab, ✆ (00-376) 85 10 87, *Fax (00-376) 85 10 87,* ≤, « Decoración rústica » – . AE E VISA. hab
cerrado mayo – **Comida** carta 4100 a 5300 – **6 hab** 9000/12000.

ANDRÍN *33596 Asturias* **441** **B 15** – *241 h.*
Madrid 441 – Gijón 99 – Oviedo 110 – Santander 94.

La Boriza sin rest, ✆ (98) 541 70 49, *Fax (98) 541 70 49,* ≤ – . E VISA.
cerrado del 15 al 30 de octubre – **11 hab** 8000/10000.

ANDÚJAR *23740 Jaén* **446** **R 17** – *35 803 h. alt. 212.*
Ver : *Iglesia de Santa María (reja★).*
Excurs. : *Santuario de la Virgen de la Cabeza : carretera en cornisa ≤★★ Norte : 32 km.*
Madrid 321 – Córdoba 77 – Jaén 66 – Linares 41.

Del Val, av. Puerta de Madrid 29 ✆ (953) 50 09 50, *Fax (953) 50 66 06,* , , – – 25/200. AE E VISA. rest
Comida 1400 – 500 – **79 hab** 6000/8500 – PA 2805.

Don Pedro, Gabriel Zamora 5 ✆ (953) 50 12 74, *Fax (953) 50 47 85,* – . AE E VISA. rest
Comida 1250 – 250 – **29 hab** 3295/5195 – PA 2500.

La Fuente, Vendederas 4 ✆ (953) 50 46 29, *Fax (953) 50 19 00* – . AE VISA
Comida 1200 – 325 – **17 hab** 3000/5500.

Los ÁNGELES u OS ÁNXELES *15280 La Coruña* **441** **D 3**.
Madrid 626 – Noya 24 – Pontevedra 50 – Santiago de Compostela 13.

Pousada Rosalía, ✆ (981) 88 75 65, *Fax (981) 88 75 57,* , « Antigua casa de labranza », – – 25/60. AE E VISA. rest
Comida *(cerrado domingo noche y lunes mediodía en invierno)* 1600 – 435 – **31 hab** 5450/6950 – PA 3635.

ANSALONGA *Andorra – ver Andorra (Principado de) : Ordino.*

ANTEQUERA *29200 Málaga* **446** **U 16** – *38 827 h. alt. 512.*

Ver : *Castillo* ≤★ - *Museo Municipal (Efebo de Antequera★).*

Alred. : *Noreste : Los dólmenes★ (cuevas de Menga, Viera y del Romeral) – El Torcal★ Sur : 16 km – Carretera★ de Antequera a Málaga* ≤★★.

pl. de San Sebastián 7 ☎ (95) 270 25 05 Fax (95) 270 25 05.

Madrid 521 – Córdoba 125 – Granada 99 – Jaén 185 – Málaga 52 – Sevilla 164.

Parador de Antequera, paseo García del Olmo ☎ (95) 284 02 61, *Fax (95) 284 13 12*, ≤ – 25/60. AE VISA JCB.

Comida 3500 – 1200 – **55 hab** 10800/13500.

Nuevo Infante sin rest. y sin, Infante Don Fernando 5-2° ☎ (95) 270 02 93, *Fax (95) 270 00 86* – . E VISA.

12 hab 3500/5000.

Noelia, Alameda de Andalucía 12 ☎ (95) 284 54 07 – . VISA.

cerrado miércoles y del 8 al 25 de septiembre – **Comida** carta 3000 a 3500.

en la antigua carretera de Málaga *Este : 2,5 km* – *29200 Antequera :*

Lozano con hab, av. Principal 1 ☎ (95) 284 27 12, *Fax (95) 284 27 12*, – . AE E VISA.

Comida carta aprox. 3200 – 500 – **17 hab** 4500/6800.

en la autovía de Málaga *Sureste : 12 km* – *29200 Antequera :*

La Sierra, ☎ (95) 284 54 10, *Fax (95) 284 52 65*, ≤ – . AE VISA.

Comida 1625 – 750 – **30 hab** 7000/10500 – PA 3400.

La ANTILLA *21449 Huelva* **446** **U 8** – *Playa.*

Madrid 656 – Ayamonte 28 – Faro 88 – Huelva 39 – Lepe 6.

Lepe-Mar, Delfín 12 ☎ (959) 48 10 01, *Fax (959) 48 14 78*, ≤ – rest, . AE VISA.

Comida - sólo buffet - 1600 – 700 – **73 hab** 8500/11000.

Os ÁNXELES *La Coruña* – *ver Los Ángeles.*

AOÍZ o **AGOITZ** *31430 Navarra* **442** **D 25** – *360 h.*

Francisco Indurain 12 - 1° ☎ (948) 33 65 98 Fax (948) 33 65 98.

Madrid 413 – Pamplona/Iruñea 28 – St-Jean-Pied-de-Port 58.

Beti Jai con hab, Santa Águeda 2 ☎ (948) 33 60 52, *Fax (948) 33 60 52* – rest, . E VISA.

Comida carta aprox. 4200 – 400 – **14 hab** 4000/6000.

ARACENA *21200 Huelva* **446** **S 10** – *6 739 h. alt. 682.*

Ver : *Gruta de las Maravillas★★.*

Excurs. : *Sur : Sierra de Aracena★.*

Madrid 514 – Beja 132 – Cáceres 243 – Huelva 108 – Sevilla 93.

Los Castaños, av. de Huelva 5 ☎ (959) 12 63 00, *Fax (959) 12 62 87* – – 25/60. AE VISA.

Comida *(cerrado lunes)* 1500 – 400 – **33 hab** 4000/7000.

Finca Valbono sin rest, carret. de Carboneras - Noreste : 1,5 km ☎ (959) 12 77 11, *Fax (959) 12 76 79*, –

6 hab, 14 apartamentos.

Sierra de Aracena sin rest, Gran Vía 21 ☎ (959) 12 60 19, *Fax (959) 12 62 18* – – 25/75. AE E VISA.

475 – **43 hab** 4400/6500.

Casas, Colmenetas 41 ☎ (959) 12 80 44, *Fax (959) 12 82 12*, « Decoración de estilo andaluz » – AE VISA.

Comida - sólo almuerzo - carta 3200 a 4700.

José Vicente, av. Andalucía 53 ☎ (959) 12 84 55, *Fax (959) 12 84 55* – . AE E VISA

cerrado viernes y del 1 al 15 de junio – **Comida** carta 2800 a 4425.

ARANDA DE DUERO *09400 Burgos* 442 G 18 - *29 446 h. alt. 798.*

Alred. : *Peñaranda de Duero (plaza Mayor★) – Palacio de Avellaneda★ : artesonados★ Est 18 km.*

La Sal ✆ (947) 51 04 76.

Madrid 156 – Burgos 83 – Segovia 115 – Soria 114 – Valladolid 93.

Tres Condes, av. Castilla 66 ✆ (947) 50 24 00, *Fax (947) 50 24 04* – rest, – 25/200. AE E VISA. rest
Comida *(cerrado domingo noche)* 1850 – 650 – **35 hab** 5800/8400 – PA 4350.

Julia, pl. de la Virgencilla ✆ (947) 50 12 00, *Fax (947) 50 04 49* – rest, 25/60. VISA
Comida 1650 – 500 – **60 hab** 3800/6600 – PA 3350.

Aranda, San Francisco 51 ✆ (947) 50 16 00, *Fax (947) 50 16 04* – rest, E VISA. rest
Comida 1800 – 525 – **44 hab** 4500/7000.

Mesón de la Villa, pl. Mayor 3 ✆ (947) 50 10 25, *Fax (947) 50 83 19*, « Decoració castellana » – AE E VISA.
cerrado lunes y del 15 al 31 de octubre – **Comida** carta aprox. 4500.

Casa Florencio, Isilla 14 ✆ (947) 50 02 30 – E VISA.
Comida - cordero asado - carta aprox. 3030.

El Ciprés, pl. Jardines de Don Diego 1 ✆ (947) 50 74 14 – AE E VISA.
cerrado domingo noche – **Comida** - cordero asado - carta aprox. 4400.

El Asador de Aranda-Mesón El Roble, pl. Jardines de Don Diego ✆ (947) 50 29 02, « Decoración rústica castellana » – VISA
cerrado martes noche – **Comida** - cordero asado - carta aprox. 2900.

El Lagar, Isilla 18 ✆ (947) 51 06 83, *Fax (947) 50 43 16*, « Decoración rústi castellana » – AE E VISA.
Comida - pescados y carnes a la brasa - carta 2850 a 3950.

Chef Fermín, av. Castilla 69 ✆ (947) 50 23 58, *Fax (947) 50 41 27* – AE E VI
cerrado martes (salvo festivos o vísperas) y 3 noviembre-3 diciembre – **Comida** carta 30 a 3575.

La Perla, pl. Arco Isilla 13 ✆ (947) 50 00 20 – AE E VISA.
cerrado miércoles salvo festivos o vísperas y 17 febrero-17 marzo – **Comida** carta 28 a 3950.

en la antigua carretera N I – ✉ *09400 Aranda de Duero :*

Montermoso, salida 164 ó 165 autovía - Norte : 4,5 km ✆ (947) 50 15 5 *Fax (947) 50 15 50*, – rest, – 25/250. AE E VISA JCB. re
Comida 2500 – 700 – **51 hab** 5600/7100.

Motel Tudanca con hab. y self-service, salida 152 ó 153 autovía - Sur : 6,5 k ✆ (947) 50 60 11, *Fax (947) 50 60 15* – rest, – 25/1000. AE E VI
Comida carta 3450 a 3850 – 650 – **20 hab** 8200.

en la carretera N 122 *Oeste : 5,5 km* – ✉ *09400 Aranda de Duero :*

El Ventorro, carret. de Valladolid ✆ (947) 53 60 00, *Fax (947) 53 61 34* – rest, AE E VISA.
cerrado enero – **Comida** 1950 – 450 – **21 hab** 3300/4800.

ARANJUEZ *28300 Madrid* 444 L 19 - *35 872 h. alt. 489.*

Ver : *Reales Sitios★★ : Palacio Real★ (salón de porcelana★★), parterre y Jardín de la Isla* AX – *Jardín del Príncipe★★ (Casa del Labrador★★, Casa de Marinos : falúas reales★★)* B

Los Pinos, antigua carret. N IV - por ① : 2km ✆ (91) 891 07 81.

pl. de San Antonio 9 ✆ (91) 891 04 27 Fax (91) 891 41 97.

Madrid 47 ① – Albacete 202 ② – Ciudad Real 156 ② – Cuenca 147 ② – Toledo 48

Plano página siguiente

Isabel II sin rest, av. Infantas 15 ✆ (91) 891 09 45, *Fax (91) 891 52 44* – – 25/150. AE E VISA JCB. BX
750 – **25 hab** 7400/11000.

Almíbar, Almíbar 138 ✆ (91) 891 00 97, *Fax (91) 892 53 02* – AE E VISA. BZ
Comida carta aprox. 4250.

Casa José, Abastos 32 ✆ (91) 891 14 88, *Fax (91) 891 14 88* – AE E VI AY
cerrado domingo noche, lunes y 25 julio-25 agosto – **Comida** carta 4300 a 5200
Espec. Fondos de alcachofas glaseados con yemas de erizos. Chuletitas de corzo en adob de canela y alcaravea. Mousse de limón sobre genovesa de pistachos.

ARANJUEZ

Street	Grid	No.
Abastos	ABY	
Almibar	BY	
Andres Martinez	BZ	3
Calandria	ABZ	4
Capitán Angosto G. Castrillon	BYZ	6
Carretas	BZ	7
Concha	BY	9
Constitución (Pl.)	AY	10
Gobernación	AY	12
Montesinos	BXY	13
Naranja	BY	15
Noblejas (Camino)	BY	16
Palacio de Silvela	AY	18
Peñarredonda	BY	19
Postas	AY	21
Principe de la Paz	AY	22
Real	BY	24
Rio Tajo	AZ	25
Rio Tajuña	AZ	27
Rusiñol (Glorieta)	AX	28
San Antonio	ABY	
San Pascual (Pl.)	BZ	30
Stuart	AY	
Virgen de las Nieves	BZ	31

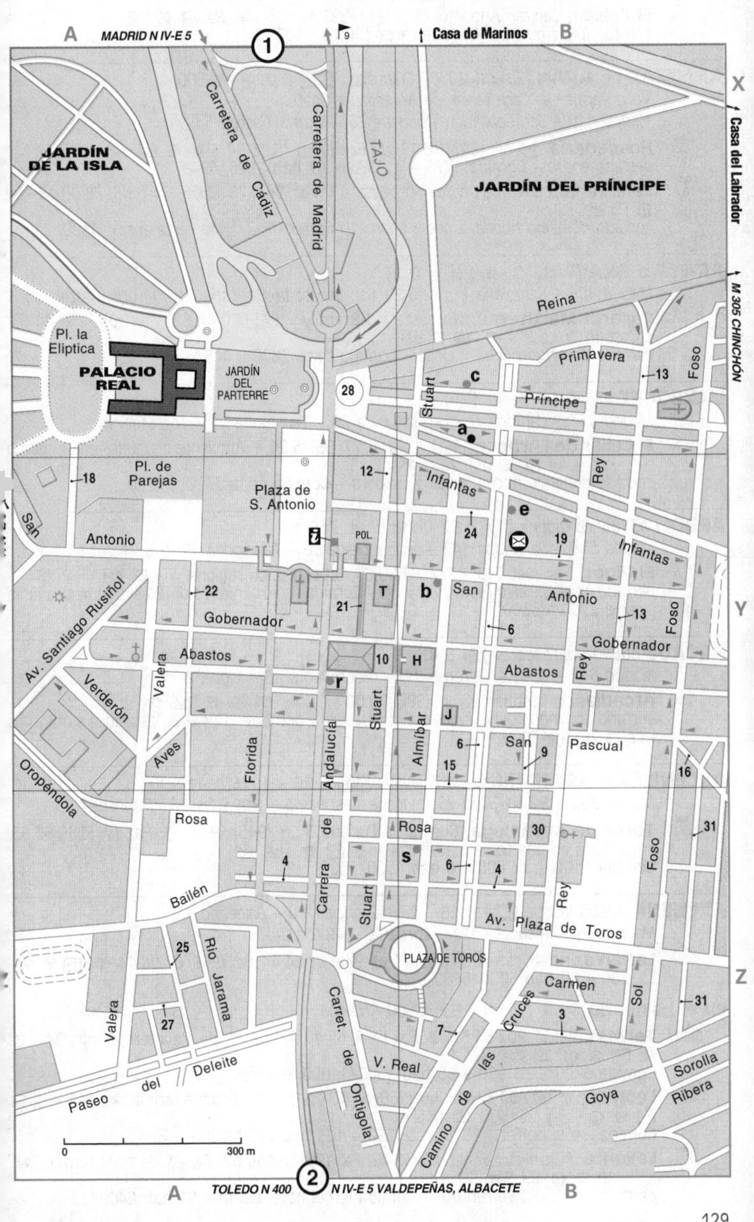

XXX **Casa Pablo,** Almíbar 42 ☎ (91) 891 14 51, *Fax (91) 892 50 49,* « Decoración castellana » – ▤. AE ⓓ E VISA. ✻ BY b
cerrado agosto – **Comida** carta aprox. 4700.

XX **Palacio de Osuna,** Príncipe 21 ☎ (91) 892 42 15, *Fax (91) 892 42 33,* 🏠 – ▤. AE ⓓ E VISA JCB. ✻ BX c
cerrado domingo noche – **Comida** - espec. en asados - carta 3000 a 4900.

X **El Faisán,** Capitán Angosto 21 ☎ (91) 892 16 83 – ▤. AE ⓓ E VISA. ✻ BY e
cerrado lunes noche – **Comida** carta 3500 a 4400.

ARÁNZAZU o ARANTZAZU *20567 Guipúzcoa* 442 D 22 – *alt. 800.*

Ver : *Paraje★ – Carretera★ de Aránzazu a Oñate.*
Madrid 410 – San Sebastián/Donostia 83 – Vitoria/Gasteiz 54.

🏨 **Hospedería** 🐌, ☎ (943) 78 13 13, *Fax (943) 78 13 14* – |‡|. E VISA. ✻
cerrado enero – **Comida** 1775 – ☕ 385 – **47 hab** 2525/3900.

XXX **Zelai Zabal,** carret. de Oñate - Noroeste : 1 km ☎ (943) 78 13 06, *Fax (943) 78 00 18* – ▤ Ⓟ. AE VISA.
cerrado domingo noche, lunes y enero-10 febrero – **Comida** carta aprox. 4300.

ARAYA o ARAIA *01250 Álava* 442 D 23.

Madrid 408 – Pamplona/Iruñea 64 – San Sebastián/Donostia 84 – Vitoria/Gasteiz 35.

X **Caserío Marutegui,** Noroeste : 1,8 km ☎ (945) 30 44 55, *Fax (945) 30 44 55,* « Caserío típico » – Ⓟ. ⓓ E VISA
cerrado domingo noche y lunes – **Comida** carta 2800 a 4450.

L'ARBOCET *43312 Tarragona* 443 I 32.

Madrid 553 – Cambrils 8 – Lérida/Lleida 98 – Tarragona 25 – Tortosa 71.

X **El Celler de l'Arbocet,** Baix 11 ☎ (977) 83 75 91, « Ambiente acogedor en un marco rústico » – ▤ Ⓟ. E VISA JCB. ✻
cerrado domingo noche, lunes y octubre – **Comida** carta 3400 a 4850.

ARBOLÍ *43365 Tarragona* 443 I 32 – *138 h. alt. 715.*

Madrid 538 – Barcelona 142 – Lérida/Lleida 86 – Tarragona 39.

X **El Pigot,** Trinquet 7 ☎ (977) 81 60 63, « Decoración regional » – E VISA
cerrado martes (salvo festivos) y junio – **Comida** - sólo almuerzo del 21 septiembre a junio - carta 2200 a 3600.

ARCADE *36690 Pontevedra* 441 E 4.

Madrid 612 – Orense/Ourense 113 – Pontevedra 12 – Vigo 22.

X **Arcadia,** av. Castelao 25 ☎ (986) 70 00 37 – ▤. AE ⓓ E VISA. ✻
cerrado domingo noche, lunes (salvo festivos) y octubre – **Comida** - pescados y mariscos - carta 2650 a 3900.

ARCENIEGA o ARTZINIEGA *01474 Álava* 290 C 20 – *1216 h. alt. 210.*

Madrid 384 – Bilbao/Bilbo 25 – Vitoria/Gasteiz 55 – San Sebastián/Donostia 123.

🏨 **Torre de Artziniega,** Cuesta de Luciano 3 ☎ (945) 39 65 00, *Fax (945) 39 65 65,* « Instalado en una torre medieval » – |‡| 📺 ☎. VISA. ✻
Comida 1100 – ☕ 600 – **8 hab** 4500/7300.

ARCHENA *30600 Murcia* 445 R 26 – *13 852 h. alt. 100 – Balneario.*

Madrid 374 – Albacete 127 – Lorca 76 – Murcia 24.

🏨 **La Parra** sin rest, carret. Balneario 3 ☎ (968) 67 04 44, *Fax (968) 67 04 44* – ▤ 📺 ☎. ✻
☕ 280 – **27 hab** 3000/5100.

en el balneario *Oeste : 2 km –* ✉ *30600 Archena :*

🏨 **Termas** 🐌, ☎ 902 33 32 22, *Fax (968) 67 10 02,* 🏋, 🏊 de agua termal, 🌳, 🎾 – |‡| ▤ 📺 ☎ Ⓟ. AE VISA. ✻
Comida 3000 – ☕ 980 – **65 hab** 9000/11000, 6 suites.

🏨 **León** 🐌, ☎ 902 33 32 22, *Fax (968) 67 10 02,* 🏋, 🏊 de agua termal, 🌳, 🎾 – |‡| ▤ 📺 ☎ Ⓟ – 🎤 25/300. AE VISA. ✻
Comida - sólo buffet - 2075 – ☕ 590 – **103 hab** 7950/9900.

🏨 **Levante** 🐌 sin ☕, ☎ 902 33 32 22, *Fax (968) 67 10 02,* 🏋, 🏊 de agua termal, 🌳, 🎾 – |‡| ☎ Ⓟ. AE VISA. ✻
cerrado 23 diciembre-febrero – **Comida** (en el hotel ***León***) – **81 hab** 6400/7950.

ARCONES *40164 Segovia* **442** **I 18** – *255 h. alt. 1152.*
Madrid 113 – Aranda de Duero 78 – Segovia 42 – Valladolid 120.

La Berrocosa, carret. N 110 ☎ (921) 50 41 45, ≤ – TV P. E VISA. ✕
Comida 1200 – ☕ 250 – **21 hab** 3500/6000 – PA 2650.

Los ARCOS *31210 Navarra* **442** **E 23** – *1381 h. alt. 444.*
Alred.: *Torres del Río (iglesia del Santo Sepulcro★) Suroeste : 7 km.*
Madrid 360 – Logroño 28 – Pamplona/Iruñea 64 – Vitoria/Gasteiz 63.

ARCOS DE LA FRONTERA *11630 Cádiz* **446** **V 12** – *26466 h. alt. 187.*
Ver: *Emplazamiento★★ – Plaza del Cabildo ≤★ – Iglesia de Santa María (fachada occidental★).*
pl. del Cabildo ☎ (956) 70 22 64 Fax (956) 70 09 00.
Madrid 586 – Cádiz 65 – Jerez de la Frontera 32 – Ronda 86 – Sevilla 91.

Parador de Arcos de la Frontera ⑤, pl. del Cabildo ☎ (956) 70 05 00, *Fax (956) 70 11 16,* ≤, « Magnífica situación dominando un amplio panorama » – ⇕ ▤ TV ☎. AE ⊙ E VISA. ✕
Comida 3500 – ☕ 1300 – **24 hab** 14000/17500.

Marqués de Torresoto sin rest, Marqués de Torresoto 4 ☎ (956) 70 07 17, *Fax (956) 70 42 05* – ▤ TV ☎. AE ⊙ E VISA. ✕
☕ 525 – **15 hab** 7590/10120.

Los Olivos sin rest, paseo de Boliches 30 ☎ (956) 70 08 11, *Fax (956) 70 20 18* – ▤ TV ☎. AE ⊙ E VISA. ✕
☕ 600 – **19 hab** 5000/9000.

El Convento ⑤, Maldonado 2 ☎ (956) 70 23 33, *Fax (956) 70 41 28,* ≤ – ▤ TV ☎. AE ⊙ E VISA. ✕
Comida (ver rest. ***El Convento***) – ☕ 800 – **11 hab** 10000.

El Convento, Marqués de Torresoto 7 ☎ (956) 70 32 22, *Fax (956) 70 41 28,* « Patio de estilo andaluz » – ▤. AE ⊙ E VISA. ✕
Comida carta 3100 a 4100.

El Lago con hab, carret. N 342 - Este : 1 km ☎ (956) 70 11 17, *Fax (956) 70 04 67,* ☂ – ▤ TV ☎ P. AE ⊙ E VISA. ✕ rest
Comida carta aprox. 2800 – ☕ 700 – **10 hab** 4600/8600.

ARCOS DE LAS SALINAS *44421 Teruel* **443** **L y M 26** – *166 h. alt. 1081.*
Madrid 383 – Teruel 80 – Valencia 133.

La Posada ⑤, Noreste : 0,7 km ☎ (96) 210 81 29, *Fax (96) 210 81 41,* ≤ pueblo y montañas – TV P
20 hab.

AREA (Playa de) *Lugo – ver Vivero.*

AREETA *Vizcaya – ver Getxo (Las Arenas).*

La ARENA (Playa de) *Cantabria – ver Isla.*

S'ARENAL *Baleares – ver Baleares (Mallorca) : Palma.*

Los ARENALES DEL SOL *03195 Alicante* **445** **R 28** – *Playa.*
Madrid 434 – Alicante/Alacant 14 – Cartagena 90 – Elche/Elx 20 – Murcia 76.

Las Palomas, Isla de Ibiza 7 ☎ (96) 691 07 76, ☂ – AE E VISA. ✕
cerrado domingo noche salvo julio-agosto – **Comida** - asados por encargo - carta 2000 a 4200.

Las ARENAS *Vizcaya – ver Getxo.*

ARENAS DE CABRALES *33554 Asturias* **441 C 15.**

Alred. : *Desfiladero del Cares★ (Garganta divina del Cares★★ 3 h. y media a pie ida) Gargantas del Cares★.*

Madrid 458 – Oviedo 100 – Santander 106.

Picos de Europa, carretera General (98) 584 64 91, *Fax (98) 584 65 45*, ←, – . AE E VISA.
Comida 2000 – 600 – **36 hab** 10500/13000.

Villa de Cabrales sin rest, carretera General (98) 584 67 19, *Fax (98) 584 67 3*
– . E VISA.
23 hab 6000/8000.

Naranjo de Bulnes, carretera General (98) 584 65 19, *Fax (98) 584 65 20*,
– . AE VISA.
cerrado enero-15 marzo – **Comida** 1300 – 400 – **30 hab** 3500/6800 – PA 3000.

ARENAS DE SAN PEDRO *05400 Ávila* **442 L 14** – *6 153 h.*

Alred. : *Cuevas del Águila★ : 9 km.*

Madrid 143 – Ávila 73 – Plasencia 120 – Talavera de la Reina 46.

Hostería Los Galayos con hab, pl. del Castillo 2 (920) 37 13 79, *Fax (920) 37 13 7*
, « Bodegón típico » – . E VISA.
Comida carta aprox. 3500 – 300 – **20 hab** 4500/6500.

Les ARENES *Valencia – ver Valencia (playa de Levante).*

ARENYS DE MAR *08350 Barcelona* **443 H 37** – *11 048 h. – Playa.*

Madrid 672 – Barcelona 37 – Gerona/Girona 60.

en la carretera N II *Suroeste : 2 km –* ✉ *08350 Arenys de Mar :*

Hispania, Real 54 (93) 791 03 06, *Fax (93) 791 26 61* – . AE E VISA
cerrado domingo noche, martes, Semana Santa y octubre – **Comida** carta 3450 a 545

AREO o **AREU** *25575 Lérida* **443 E 33** – *alt. 920.*

Madrid 613 – Lérida/Lleida 157 – Seo de Urgel/La Seu d'Urgell 83.

Vall Ferrera *(anexo)*, Martí 1 (973) 62 43 43, *Fax (973) 62 43 43*, ← – E VISA
rest
27 diciembre-6 enero, 26 marzo-2 noviembre y del 3 al 9 de diciembre – **Comida** 197
– 780 – **17 hab** 4800/9000, 6 apartamentos – PA 4150.

ARETA *Álava – ver Llodio.*

ARÉVALO *05200 Ávila* **442 I 15** – *7 267 h. alt. 827.*

Ver : *Plaza de la Villa★.*

Madrid 121 – Ávila 55 – Salamanca 95 – Valladolid 78.

Fray Juan Gil sin rest. y sin , av. de los Deportes 2 (920) 30 08 00
Fax (920) 30 08 00 – . VISA.
27 hab 5500/7500, 3 suites.

El Tostón de Oro, av. de los Deportes 2 (920) 30 07 98, *Fax (920) 30 07 98* –
E VISA.
cerrado lunes y 10 diciembre-10 enero – **Comida** carta 2500 a 3100.

Las Cubas, Figones 9 (920) 30 01 25 – . AE E VISA.
cerrado 2ª quincena de junio – **Comida** - sólo almuerzo salvo sábado - carta 2200 a 325

La Pinilla, Figones 1 (920) 30 00 63
. AE E VISA.
cerrado domingo, lunes, festivos noche y del 15 al 31 de julio – **Comida** carta aprox. 285

Donis, pl. El Salvador 2 (920) 30 06 92 – . VISA.
cerrado martes noche, miércoles y del 15 al 30 de septiembre – **Comida** carta 3925 a 515

junto a la autovía N VI *Noroeste : 3 km –* ✉ *05200 Arévalo :*

Las Fuentes, salida 129 (920) 30 37 67, *Fax (920) 30 16 56* –
25/400. AE E VISA JCB.
Comida 1000 – 550 – **14 hab** 3000/4000.

'ARGAMASSA (Urbanización) *Baleares – ver Baleares (Ibiza) : Santa Eulalia del Río.*

ARGENTONA *08310 Barcelona* 443 **H 37** – *7 819 h. alt. 75.*
Madrid 657 – Barcelona 27 – Mataró 4.

XX **El Celler d'Argentona,** Bernat de Riudemeya 6 ☎ (93) 797 02 69, *Fax (93) 756 15 05,* « Celler típico » – ▤. AE ◑ E VISA
cerrado domingo noche y lunes – **Comida** carta 4000 a 5450.

ARGÓMANIZ o **ARGOMAIZ** *01192 Álava* 442 **D 22.**
Madrid 364 – San Sebastián/Donostia 95 – Vitoria/Gasteiz 15.

Parador de Argómaniz ⛰, ☎ (945) 29 32 00, *Fax (945) 29 32 87,* ← – |♦| TV ☎ P – 25/65. AE ◑ E VISA. ✂
Comida 3500 – ☐ 1300 – **53 hab** 12000/15000.

ARGOÑOS *39197 Cantabria* 442 **B 19** – *650 h. alt. 24.*
Madrid 482 – Bilbao/Bilbo 85 – Santander 43.

Noray, av. de Trasmiera 2 ☎ (942) 62 61 11, *Fax (942) 62 62 52* – |♦|, ▤ rest, TV ☎ P. ◑ E VISA. ✂
abril-noviembre – **Comida** 1625 – ☐ 375 – **50 hab** 4700/8000.

ARGUINEGUÍN *Las Palmas – ver Canarias (Gran Canaria).*

ARGUIS *22150 Huesca* 443 **F 28** – *62 h. alt. 1 044.*
Ver : *Embalse*★.
Madrid 404 – Huesca 21 – Jaca 52 – Pamplona/Iruñea 163.

en la carretera N 330 *Este : 2 km* – ✉ *22150 Arguis :*

Hospedería de Arguis, ☎ (974) 27 20 00, *Fax (974) 27 20 00,* ⛱ – |♦|, ▤ rest, TV ☎ P. AE ◑ E VISA. ✂
Comida 1500 – **36 hab** ☐ 5775/6200.

ARINSAL *Andorra – ver Andorra (Principado de).*

ARLABÁN (Puerto de) *Guipúzcoa – ver Salinas de Leniz.*

ARMENTIA *Álava – ver Vitoria.*

ARMILLA *18100 Granada* 446 **U 19** – *10 990 h. alt. 675.*
Madrid 435 – Granada 6 – Guadix 64 – Jaén 99 – Motril 60.

Los Galanes, carret. de Granada - Noreste : 1 km ☎ (958) 55 05 08, *Fax (958) 55 05 08* – ▤ TV ☎. ◑ E VISA. ✂ rest
Comida 1200 – ☐ 500 – **30 hab** 4500/6500 – PA 2800.

ARNEDILLO *26589 La Rioja* 442 **F 23** – *393 h. alt. 640 – Balneario.*
Madrid 294 – Calahorra 26 – Logroño 61 – Soria 68 – Zaragoza 150.

Spa Arnedillo ⛰, ☎ (941) 39 40 00, *Fax (941) 39 40 75,* Fō, ⛱ de agua termal, ⛱, 🌳, 🎾 – |♦|, ▤ rest, TV ☎ P – 25/220. AE ◑ VISA. ✂
Comida 3200 – ☐ 1000 – **132 hab** 10925/14500, 4 suites – PA 5500.

El Olivar ⛰, ☎ (941) 39 41 05, *Fax (941) 39 40 75,* ←, ⛱ de agua termal – TV ☎ P – 25/200. AE VISA. ✂ rest
mayo-octubre – **Comida** 2500 – ☐ 950 – **45 hab** 8400/10500 – PA 4450.

ARNEDO *26580 La Rioja* 442 **F 23** – *12 463 h. alt. 550.*
Madrid 306 – Calahorra 14 – Logroño 49 – Soria 80 – Zaragoza 138.

Victoria, paseo de la Constitución 97 ☎ (941) 38 01 00, *Fax (941) 38 10 50,* Fō – |♦|, ▤ rest, TV ☎ – 25/500. AE ◑ E VISA. ✂
Comida 1800 – ☐ 850 – **46 hab** 8000/12000.

Virrey, paseo de la Constitución 27 ☎ (941) 38 01 50, *Fax (941) 38 30 17* – |♦| ▤ TV ☎ P. AE E VISA. ✂
Comida 1600 – ☐ 350 – **36 hab** 6500/10000.

ARNOIA *32234 Orense* **441 F 5** – *1 028 h. alt. 95 – Balneario.*
Madrid 516 – Orense/Ourense 37 – Pontevedra 92 – Santiago de Compostela 153 – Vigo 7

Arnoia, Vilatermal 1 ☎ (988) 49 24 00, *Fax (988) 49 24 22*, Servicios terapéutico « En un bonito paraje de viñedos y montes junto al Miño », de agua termal, – rest, . AE E VISA.
Comida 1800 – **24 hab** 8500/11500, 1 suite.

ARNUERO *39195 Cantabria* **442 B 19** – *1 884 h. alt. 45.*
Madrid 451 – Bilbao/Bilbo 81 – Burgos 179 – Santander 45 – Torrelavega 62.

Hostería de Arnuero con hab, barrio Palacio 17 ☎ (942) 67 71 21, *Fax (942) 67 71 2* – rest, . E VISA
cerrado enero-febrero – **Comida** *(cerrado domingo noche y lunes)* carta 3350 a 4550 – 750 – **11 hab** 9900/12900.

ARONA *Santa Cruz de Tenerife – ver Canarias (Tenerife).*

La ARQUERA *Asturias – ver Llanes.*

ARRASATE *Guipúzcoa – ver Mondragón.*

ARRECIFE *Las Palmas – ver Canarias (Lanzarote).*

ARRIONDAS *33540 Asturias* **441 B 14** – *2 214 h. alt. 39.*
Alred. : *Mirador del Fito★★ Norte : 10,5 km.*
Madrid 426 – Gijón 62 – Oviedo 66 – Ribadesella 18.

Carús, carret. N 625 - Sur : 1 km ☎ (98) 584 05 31, *Fax (98) 584 09 51*, – AE E VISA JCB.
Comida *(cerrado lunes y noviembre)* 1600 – 800 – **21 hab** 5000/9500 – PA 400

El Corral del Indianu, av. de Europa 14 ☎ (98) 584 10 72, *Fax (98) 584 10 72*, – AE E VISA.
cerrado miércoles noche y jueves – **Comida** carta 3350 a 4700.

en la carretera AS 342 :

Posada del Valle, sin rest, Collía - Norte : 2,5 km ☎ (98) 584 11 57 *Fax (98) 584 15 59*, ≤ valle, – . E VISA.
15 marzo-15 octubre – 750 – **8 hab** 6500/9300.

Casa Marcial, La Salgar 10 - Noreste : 4 km ☎ (98) 584 09 91
E VISA.
cerrado domingo noche y lunes salvo 15 julio-15 septiembre – **Comida** carta 3200 a 405
Espec. Milhojas de boletus y foie al Pedro Ximénez. Lomo de merluza con almejas. Gallet de naranja y almendra con crema inglesa.

ARROYO DE LA ENCOMIENDA *47195 Valladolid* **442 H 15** – *1 427 h. alt. 690.*
Madrid 189 – Ávila 121 – Salamanca 108 – Segovia 119 – Valladolid 10 – Zamora 88.

La Vega, av. de Salamanca - Noreste : 2 km ☎ (983) 40 71 00, *Fax (983) 40 70 5* – – 25/400. AE E VISA.
Comida 2500 – 1000 – **143 hab** 12100/15000, 6 suites.

ARROYO DE LA MIEL *29630 Málaga* **446 W 16** – *15 180 h.*
Madrid 552 – Málaga 18 – Marbella 40.

Ventorrillo de la Perra, av. de la Constitución 85 (carret. de Torremolinos ☎ (95) 244 19 66, *Fax (95) 244 19 66*, – AE E VISA.
cerrado lunes – **Comida** carta 3345 a 4350.

ARTÁ (Cuevas de) *Baleares – ver Baleares (Mallorca).*

Pleasant hotels or restaurants are shown in the Guide by a red sign.
Please send us the names of any where you have enjoyed your stay.
Your **Michelin Guide** will be even better.

ARTEIJO o **ARTEIXO** *15142 La Coruña* 441 **C 4** – *17 934 h. alt. 32.*
Madrid 615 – La Coruña/A Coruña 12 – Santiago de Compostela 78.

en la carretera C 552 – ✉ *15142 Arteijo :*

Europa, av. de Finisterre 31 - Noreste : 1,5 km ☎ (981) 64 04 44, *Fax (981) 64 04 44* – AE VISA JCB.
Comida *(cerrado domingo)* 1200 – ☐ 400 – **24 hab** 4000/6000 – PA 2500.

El Gallo de Oro, av. de Finisterre 8 ☎ (981) 60 04 10, *Fax (981) 60 27 41*, Vivero propio – AE VISA.
cerrado domingo noche, lunes y febrero – **Comida** - pescados y mariscos - carta aprox. 6500.

en Villarrodis *Noreste : 3 km* – ✉ *15141 Villarrodis :*

Las Camelias, carret. LC 410 ☎ (981) 64 03 25, *Fax (981) 64 03 25* – AE VISA JCB.
Comida *(cerrado domingo y Semana Santa)* 1400 – ☐ 500 – **39 hab** 4500/7500.

ARTENARA *Las Palmas – ver Canarias (Gran Canaria).*

ARTESA DE SEGRE *25730 Lérida* 443 **G 33** – *3 141 h. alt. 400.*
Madrid 519 – Barcelona 141 – Lérida/Lleida 50.

Montaña, carret. de Agramunt 84 ☎ (973) 40 01 86, *Fax (973) 40 20 05* – rest, VISA. rest
Comida 1200 – ☐ 450 – **29 hab** 1750/4100 – PA 2400.

por la carretera de Foradada *Suroeste : 3 km* – ✉ *25737 Montsonis :*

El Celler de L'Arnau, Montsonis ☎ (973) 40 11 18, *Fax (973) 40 11 18* – .

ARTIES *25599 Lérida* 443 **D 32** – *alt. 1 143 – Deportes de invierno en Baqueira.*
Madrid 603 – Lérida/Lleida 169 – Viella/Vielha 6.

Parador de Arties, carret. de Baqueira ☎ (973) 64 08 01, *Fax (973) 64 10 01*, , rest, – 25/100. AE VISA JCB.
Comida 3500 – ☐ 1300 – **54 hab** 14000/17500, 3 suites.

Valartiés, Mayor 3 ☎ (973) 64 43 64, *Fax (973) 64 21 74*, – . AE VISA.
cerrado 15 octubre-20 noviembre – **Comida** (ver a continuación rest. ***Casa Irene***) – ☐ 950 – **26 hab** 5200/9500, 1 suite.

Edelweiss, carret. de Baqueira ☎ (973) 64 44 23, *Fax (973) 64 09 02*, – . VISA.
Montarto *(cerrado martes, del 4 al 25 de mayo y del 3 al 20 de noviembre)* **Comida** carta 2025 a 3200 – ☐ 750 – **25 hab** 5500/9900.

Besiberri sin rest, Deth Fort 4 ☎ (973) 64 08 29, *Fax (973) 64 42 60* – . VISA.
cerrado mayo y noviembre – **16 hab** ☐ 8000/11000.

Casa Irene - *Hotel Valartiés*, Mayor 3 ☎ (973) 64 43 64, *Fax (973) 64 21 74* – . AE VISA.
cerrado lunes en invierno y 15 octubre-20 noviembre – **Comida** 5500 carta 4800 a 6650
Espec. Bacalao con coulis de tomate a la crema de ajos gratinados. Foie gras poché con sopa de trufas. Crujiente de mató a la crema de frambuesas.

San Pelegrín, Deth Remei 2 ☎ (973) 64 45 33, « Decoración rústica » – AE VISA
cerrado mayo-15 julio y 15 septiembre-noviembre – **Comida** - sólo cena salvo fines de semana y verano - carta 4200 a 5900.

La Sal Gorda, carret. de Baqueira 5 ☎ (973) 64 45 31, *Fax (973) 64 40 73* – AE VISA JCB.
cerrado domingo noche y lunes (primavera y verano) y junio – **Comida** - es necesario reservar - carta 4300 a 5800.

Urtau, pl. Urtau 2 ☎ (973) 64 09 26 – AE VISA.
cerrado miércoles en invierno, mayo y noviembre – **Comida** - carnes - carta 3050 a 3650.

ARTZINIEGA *Álava – ver Arceniega.*

ARUCAS *Las Palmas – ver Canarias (Gran Canaria).*

ARURE *Santa Cruz de Tenerife – ver Canarias (Gomera).*

El ASTILLERO *39610 Cantabria* 442 **B 18** – *12 587 h. alt. 20 – Playa.*

Alred. : *Peña Cabarga* ✳ ★★ *Sureste : 8 km.*

Madrid 394 – Bilbao/Bilbo 99 – Santander 10.

Las Anclas, San José 11 ✆ (942) 54 08 50, *Fax (942) 54 07 15* – ⇅, ▤ rest, TV ☎. ✗ Comida 1200 – ☕ 600 – **58 hab** 9000/11000.

ASTORGA *24700 León* 441 **E 11** – *13 802 h. alt. 869.*

Ver : *Catedral★ (retablo mayor★, pórtico★).*

ℹ *pl. Eduardo de Castro (iglesia Santa Marta) ✆ (987) 61 68 38 Fax (987) 61 92 99.*

Madrid 320 – León 47 – Lugo 184 – Orense/Ourense 232 – Ponferrada 62.

Gaudí, pl. Eduardo de Castro 6 ✆ (987) 61 56 54, *Fax (987) 61 50 40* – ⇅ TV ☎. AE ⦿ E VISA. ✗ Comida 1500 – ☕ 950 – **32 hab** 6250/10000, 3 suites – PA 3950.

La Peseta con hab, pl. San Bartolomé 3 ✆ (987) 61 72 75, *Fax (987) 61 53 00* – ⇅, ▤ rest, TV. E VISA Comida *(cerrado domingo noche salvo agosto y del 15 al 31 de octubre)* carta 2650 a 3400 – ☕ 550 – **19 hab** 5500/7200.

en la carretera N VI :

Motel de Pradorrey, Noroeste : 5 km, ✉ 24700, ✆ (987) 61 57 29, *Fax (987) 61 92 20,* « En un marco medieval » – ▤ rest, TV ☎ P. AE ⦿ E VISA JCB Comida 1500 – ☕ 875 – **64 hab** 9000/12400.

Monterrey, Noroeste : 8,5 km, ✉ 24714 Pradorrey, ✆ (987) 60 66 11, *Fax (987) 60 66 33,* ≤ – TV ☎ 🚗 P. VISA. ✗ Comida (ver rest. ***Monterrey***) – ☕ 350 – **22 hab** 3800/6600.

Monterrey, Noroeste : 8,5 km, ✉ 24714 Pradorrey, ✆ (987) 60 66 11, *Fax (987) 60 66 33* – P. VISA. ✗ *cerrado miércoles* – **Comida** carta 2100 a 3300.

ASTÚN (Valle de) *22889 Huesca* 443 **D 28** – *alt. 1 700 – Deportes de invierno : ⛷16.*

Madrid 517 – Huesca 108 – Oloron-Ste. Marie 59 – Pamplona/Iruñea 147.

Europa ⛰, ✆ (974) 37 33 12, *Fax (974) 37 33 12,* ≤, 🎾 – ⇅ TV ☎. AE ⦿ VISA. ✗ *cerrado mayo y junio* – **Comida** 1750 – **36 hab** ☕ 12365/16935 – PA 3525.

Las ATALAYAS (Urbanización) *Castellón – ver Peñíscola.*

AURITZ *Navarra – ver Burguete.*

AUSEJO *26513 La Rioja* 442 **E 23** – *747 h.*

Madrid 326 – Logroño 29 – Pamplona/Iruñea 95 – Zaragoza 148.

Maite, carret. N 232 ✆ (941) 43 00 00, *Fax (941) 43 02 35,* 🏊 – ▤ rest, TV ☎ 🚗 P. AE VISA. ✗ rest Comida 1300 – ☕ 350 – **24 hab** 3000/5000.

ÁVILA *05000* P 442 **K 15** – *49 868 h. alt. 1 131.*

Ver : *Murallas★★ – Catedral★★* B*(obras de arte★★, sepulcro del Tostado★★, sacristía★★)* Y *– Basílica de San Vicente★★ (portada occidental★★, sepulcro de los Santos Titulares★★, cimborrio★)* B *– Monasterio de Santo Tomás★ (mausoleo★, Claustro del Silencio★, retablo de Santo Tomás★★)* B.

ℹ *pl. Catedral 4 ✉ 05001 ✆ (920) 21 13 87 Fax (920) 25 37 17* – **R.A.C.E.** *✆ 900 20 00 93.*

Madrid 107 ① – Cáceres 235 ③ – Salamanca 98 ④ – Segovia 67 ① – Valladolid 120 ①

Plano página siguiente

Palacio de Los Velada ⛰, pl. de la Catedral 10, ✉ 05001, ✆ (920) 25 51 00, *Fax (920) 25 49 00,* « Edificio del siglo XVI con bonito patio interior » – ⇅ ▤ TV ☎ 🚗 – 🏛 25/550. AE ⦿ E VISA JCB. ✗ B v Comida carta aprox. 4400 – ☕ 1200 – **84 hab** 15000/17700, 1 suite.

Parador de Ávila ⛰, Marqués Canales de Chozas 2, ✉ 05001, ✆ (920) 21 13 40, *Fax (920) 22 61 66,* « Decoración castellana », 🌳 – ⇅ ▤ TV ☎ 🚗 P – 🏛 25/170. AE ⦿ E VISA. ✗ A x Comida 3700 – ☕ 1300 – **60 hab** 12000/15000, 1 suite.

ÁVILA

emania . . . . B 2
férez Provisional
(Av. de) . . . . B 4
aballeros . . . . B 6
alvo Sotelo (Plaza de) . . . . . B 8
ardenal Pla y Deniel . . . . . . B 10
Esteban Domingo . . . . B 12
General Mola (Plaza) . . . . . A 13
Generalísimo Franco . . . . . . B 14
Jimena Blázquez . . . . A 15
Lope Núñez . . . . B 16
Marqués de Benavites . . . . AB 18
Peregrino (Bajada del) . . . . B 19
Ramón y Cajal . . . . A 20
Reyes Católicos . . . . B 21
San Segundo . . . . B 22
San Vicente . . . . B 24
Santa (Pl. la) . . . . A 25
Sonsoles (Bajada de) . . . . . . B 27
Telares . . . . A 28
Tomás Luis de Victoria . . . . B 30
Tostado . . . . B 31

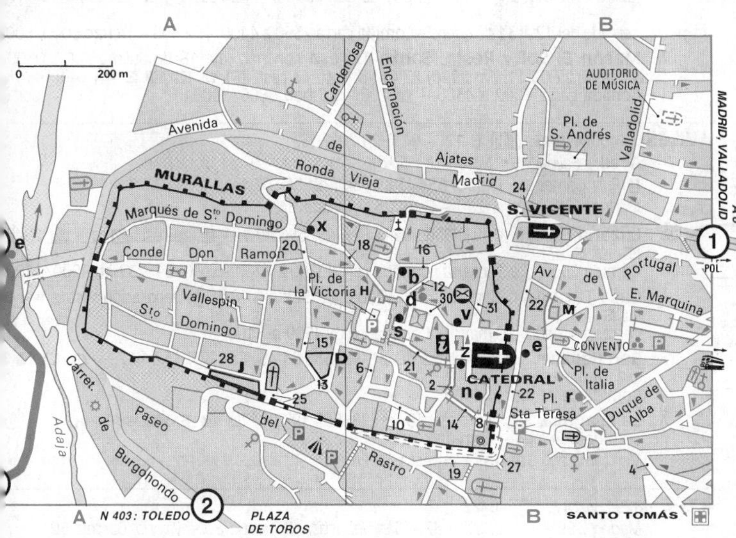

G.H. Palacio de Valderrábanos, pl. Catedral 9, ✉ 05001, ☎ (920) 21 10 23, *Fax (920) 25 16 91*, « Decoración elegante » – |♦| ▤ TV ☎ – 🏛 25/290. AE ⓘ E VISA JCB. ✗ rest B z
Comida 3700 - ***El Fogón de Santa Teresa* : Comida** carta aprox. 4200 – ☕ 1000 – **70 hab** 9000/14000, 3 suites.

Reina Isabel sin rest. con cafetería, av. José Antonio 17, ✉ 05001, ☎ (920) 25 10 22, *Fax (920) 25 11 73*, « Decoración elegante » – |♦| ▤ TV ☎ 🚗 – 🏛 25/130. AE ⓘ E VISA. ✗ por ①
☕ 900 – **60 hab** 9500/13500.

Cuatro Postes, carret. de Salamanca 23, ✉ 05002, ☎ (920) 22 00 00, *Fax (920) 25 00 00*, ⩽ – |♦| ▤ TV ☎ 🚗 P – 🏛 25/250. AE ⓘ E VISA. ✗ por ④
Comida 2125 – ☕ 800 – **95 hab** 7325/11375 – PA 4275.

Hostería de Bracamonte, Bracamonte 6, ✉ 05001, ☎ (920) 25 12 80, « Decoración castellana » – TV ☎. E VISA B b
Comida *(cerrado martes)* carta aprox. 3750 – ☕ 400 – **20 hab** 6000/10000.

Don Carmelo sin rest, paseo de Don Carmelo 30, ✉ 05001, ☎ (920) 22 80 50, *Fax (920) 25 12 41* – |♦| TV ☎ 🚗. AE ⓘ E VISA. ✗ por ①
☕ 700 – **95 hab** 5200/8200, 2 suites.

San Antonio, av. José Antonio 27, ✉ 05001, ☎ (920) 22 29 79, *Fax (920) 25 72 26* – |♦|, ▤ rest, TV ☎ 🚗. VISA. ✗ por ①
Comida 1800 – ☕ 350 – **40 hab** 4500/8000.

San Segundo, San Segundo 28, ✉ 05001, ☎ (920) 25 25 90, *Fax (920) 25 27 90* – ▤ rest, TV ☎. AE ⓘ E VISA JCB. ✗ rest B e
Comida - cocina italiana - 2000 – ☕ 500 – **14 hab** 5000/7500.

San Juan sin rest y sin ☕, Comuneros de Castilla 3, ✉ 05001, ☎ (920) 25 14 75, *Fax (920) 21 32 40* – TV ☎. AE ⓘ E VISA B s
13 hab 3600/6500.

El Almacén, carret. de Salamanca 6, ✉ 05002, ☎ (920) 25 44 55, *Fax (920) 21 10 26*, ⩽ – ▤. AE ⓘ E VISA JCB. ✗ A e
cerrado domingo noche, lunes y septiembre – **Comida** carta aprox. 4100.

Copacabana, San Millán 9, ✉ 05001, ☎ (920) 21 11 10, *Fax (920) 25 04 28* – ▤. AE ⓘ E VISA JCB B r
Comida carta 3150 a 3700.

XX **Doña Guiomar,** Tomás Luis de Victoria 3, ✉ 05001, ☎ (920) 25 37 0
Fax (920) 25 62 58 – ▤. AE ⓓ E VISA JCB. ✂ B
cerrado domingo noche – **Comida** carta 3250 a 4750.

X **Las Cancelas** ♘ con hab, Cruz Vieja 6, ✉ 05001, ☎ (920) 21 22 4
Fax (920) 21 22 30, « Antigua posada con patio » – ▤ rest, TV ☎. AE E VISA. ✂ re B
cerrado del 12 al 31 de enero – **Comida** carta 2350 a 4400 – ☐ 400 – **14 hab** 5000/800

X **Mesón El Sol y Resid. Santa Teresa** con hab, av. 18 de Julio 25, ✉ 0500
☎ (920) 22 02 11, *Fax (920) 22 41 13* – |‡|, ▤ rest, TV ☎. AE ⓓ E VISA JCB. ✂
Comida carta 3000 a 4300 – ☐ 700 – **15 hab** 5800/8000. por (

AVILÉS *33400 Asturias* 441 **B 12** – *84 582 h. alt. 13.*
Alred. : *Salinas* ≤★ *Noroeste : 5 km.*
ℹ *Ruiz Gómez 21 ☎ (98) 554 43 25 Fax (98) 554 63 15.*
Madrid 466 – Ferrol 280 – Gijón 25 – Oviedo 31.

Luzana, Fruta 9 ☎ (98) 556 58 40, *Fax (98) 556 49 12* – |‡|, ▤ rest, TV ☎ – 🏛 25/6
AE ⓓ E VISA
Comida 2500 - ***La Serrana*** : **Comida** carta 2700 a 4200 – ☐ 675 – **73 hab** 9000/1100

X **Casa Tataguyo 6,** pl. del Carbayedo 6 ☎ (98) 556 48 15, « Decoración rústica » – ▤
AE E VISA. ✂
cerrado 15 abril-15 mayo – **Comida** carta 4500 a 5100.

X **San Félix,** av. de los Telares 48 ☎ (98) 556 51 46, *Fax (98) 552 17 79* – Ⓟ. AE ⓓ
VISA JCB. ✂
Comida carta aprox. 4400.

X **La Fragata,** San Francisco 18 ☎ (98) 555 19 29 – AE ⓓ E VISA. ✂
cerrado domingo – **Comida** carta 3500 a 4200.
Ver también : **Salinas** *Noroeste : 5 km.*

AXPE *48291 Vizcaya* 442 **C 22.**
Madrid 399 – Bilbao/Bilbo 37 – San Sebastián/Donostia 80 – Vitoria/Gasteiz 50.

XX **Mendigoikoa** ♘ con hab, barrio San Juan 33, ✉ 48290 apartado 74 Abadian
☎ (94) 682 08 33, *Fax (94) 682 11 36,* « Decoración rústica » – ☎ Ⓟ. AE E VISA. ✂
cerrado Navidades – **Comida** *(cerrado domingo noche y lunes)* carta aprox. 5100 – ☐ 90
– **12 hab** 8925/13125.

XX **Etxebarri,** pl. San Juan 1 ☎ (94) 658 30 42, *Fax (94) 658 26 40* – ▤ Ⓟ. AE ⓓ E VIS
✂
cerrado domingo noche, lunes noche y del 24 al 31 de diciembre – **Comida** carta 380
a 5800.

AYAMONTE *21400 Huelva* 446 **U 7** – *14 937 h. alt. 84 – Playa.*
Ver : *Vista desde el Parador*★.
⛳18 *Isla Canela, carret. de la Playa, Sureste : 6 km ☎ (959) 47 72 63 Fax (959) 47 72 71*
⛴ *para Vila Real de Santo António (Portugal).*
ℹ *av. Ramón y Cajal ☎ (959) 47 09 88 Fax (959) 47 09 88.*
Madrid 680 – Beja 125 – Faro 53 – Huelva 52.

Parador de Ayamonte ♘, El Castillito ☎ (959) 32 07 00, *Fax (959) 32 07 00,*
Ayamonte, el Guadiana, Portugal y el Atlántico, 🏊, 🌳 – ▤ TV ☎ Ⓟ – 🏛 25/110. AE
ⓓ E VISA JCB. ✂
Comida 3200 – ☐ 1200 – **52 hab** 12000/15000, 2 suites.

en la playa de Isla Canela *Sureste : 6,5 km – ✉ 21470 Isla Canela :*

Riu Canela ♘, paseo de los Gavilanes ☎ (959) 47 71 24, *Fax (959) 47 71 70,*
« Conjunto de estilo andaluz. Agradables terrazas junto a la 🏊 », Fá, 🏊, 🎾 – |‡| ▤
☎ ♿ Ⓟ – 🏛 25/50. AE ⓓ E VISA. ✂
Comida - sólo cena buffet - 3200 – ☐ 1300 – **350 hab** 22000/32000, 14 suites.

AYORA *46620 Valencia* 445 **O 26** – *5 402 h. alt. 552.*
Madrid 341 – Albacete 94 – Alicante/Alacant 117 – Valencia 132.

Murpimar sin rest y sin ☐, Virgen del Rosario 52 ☎ (96) 219 10 33, *Fax (96) 219 12 1*
16 hab 2500/4500.

X **El Rincón,** Parras 10 ☎ (96) 219 17 05
▤. AE ⓓ E VISA
cerrado lunes, del 1 al 15 de julio y del 1 al 15 de septiembre – **Comida** carta 2250 a 292

AZÁRRULLA *26289 La Rioja* 442 F 20.

Madrid 328 – Burgos 100 – Logroño 70 – Soria 170 – Vitoria/Gasteiz 85.

Hostería Valle del Oja ⛰, ☎ (941) 42 74 16, *Fax (941) 42 74 32*, « Conjunto rural de estilo rústico-regional », – TV ☎ P. ⓓ E VISA
cerrado febrero – **Comida** *(cerrado domingo noche y lunes)* carta 2550 a 4370 – **12 hab** ☕ 8175/10900, 8 apartamentos.

AZCOITIA o AZKOITIA *20720 Guipúzcoa* 442 C 23 – *10 283 h. alt. 113.*

Madrid 417 – Bilbao/Bilbo 67 – Pamplona/Iruñea 94 – San Sebastián/Donostia 46 – Vitoria/Gasteiz 68.

Joseba, Aizkibel 10 ☎ (943) 85 34 12 – ▤. AE ⓓ E VISA. ✻
cerrado domingo noche, lunes noche y Navidades – **Comida** carta 3200 a 4600.

AZPEITIA *20730 Guipúzcoa* 442 C 23 – *13 170 h. alt. 84.*

Madrid 427 – Bilbao/Bilbo 74 – Pamplona/Iruñea 92 – San Sebastián/Donostia 44 – Vitoria/Gasteiz 71.

Loiola, av. de Loyola 47 ☎ (943) 15 16 16, *Fax (943) 15 16 18* – ⇅ TV ☎ 🚗 P. AE E VISA. ✻
cerrado 24 diciembre-7 enero – **Comida** *(cerrado domingo noche)* 1800 – ☕ 750 – **36 hab** 6000/8500.

Juantxo, av. de Loyola 3 ☎ (943) 81 43 15 – ▤. AE ⓓ E VISA. ✻
cerrado domingo, martes noche y 3 agosto-1 septiembre – **Comida** carta 3025 a 4575.

en Loyola *Oeste : 1,5 km – ✉ 20730 Loyola :*

Kiruri, ☎ (943) 81 56 08, *Fax (943) 15 03 62*, 🏖 – ▤ P. AE ⓓ E VISA. ✻
cerrado lunes noche y 20 diciembre-7 enero – **Comida** carta 3150 a 5600.

AZUQUECA DE HENARES *19200 Guadalajara* 444 K 20 – *11 996 h. alt. 626.*

Madrid 46 – Guadalajara 12 – Segovia 139.

Alcor, av. de Alcalá - Sur : 1,5 km ☎ (949) 26 46 05, *Fax (949) 26 31 01*, ≤ – ⇅ ▤ TV ☎ 🚗 P – 🏛 25/200. AE ⓓ E VISA. ✻ rest
Comida 1400 - ***La Gabarra*** **: Comida** carta 4390 a 5460 – ☕ 500 – **36 hab** 7500/9600 – PA 3300.

Azuqueca, av. de Alovera - Norte : 1 km ☎ (949) 26 44 88, *Fax (949) 26 44 98* – ⇅ ▤ TV ☎ P – 🏛 25/300. AE ⓓ E VISA. ✻ rest
Comida 1200 – **45 hab** ☕ 7500/9500.

BADAJOZ *06000* P 444 P 9 – *130 247 h. alt. 183.*

Guadiana, por ② : 8 km ☎ (924) 44 81 88 Fax (924) 44 80 33.

✈ *de Badajoz, por ② : 16 km ✉ 06195 ☎ (924) 21 04 00 Fax (924) 21 04 10.*

pl. de la Libertad 3 ✉ 06005 ☎ (924) 22 27 63 – **R.A.C.E.** ☎ *900 20 00 93.*

Madrid 409 ② – Cáceres 91 ① – Córdoba 278 ③ – Lisboa 247 ④ – Mérida 62 ② – Sevilla 218 ③

Plano página siguiente

G.H. Zurbarán, paseo Castelar, ✉ 06001, ☎ (924) 22 37 41, *Fax (924) 22 01 42*, 🏊 – ⇅ ▤ TV ☎ 🚗 – 🏛 25/500. AE ⓓ E VISA JCB. ✻ rest AY k
Comida 3950 - ***Los Monjes*** **: Comida** carta 3300 a 5400 – ☕ 1150 – **215 hab** 11275/18375.

Río, av. Adolfo Díaz Ambrona 13, ✉ 06006, ☎ (924) 27 26 00, *Fax (924) 27 38 74*, 🏊 – ⇅ ▤ TV ☎ P – 🏛 25/400. AE ⓓ E VISA. ✻ rest por ④
Comida 1575 – ☕ 975 – **92 hab** 9580/12975.

Condedu sin rest, Muñoz Torrero 27, ✉ 06001, ☎ (924) 22 46 41, *Fax (924) 22 00 03* – ⇅ ▤ TV ☎. AE ⓓ E VISA JCB. ✻ BY r
☕ 400 – **34 hab** 4900/7000.

Aldebarán, av. de Elvas - urb. Guadiana, ✉ 06006, ☎ (924) 27 42 61, *Fax (924) 27 42 61*, « Decoración elegante » – ▤. AE ⓓ VISA. ✻ por ④
cerrado domingo – **Comida** 4800 y carta 4800 a 5400
Espec. Ensalada de queso del Casar. Rape asado con setas y jugo de carne. Carrillera de retinto estofada al vino tinto.

BADAJOZ

Antonio Masa Campos (Av.)	AZ 2
Calatrava	BCZ 3
Carolina Coronado	AY 4
Doblados	CZ 5
España (Pl. de)	BZ 6
Francisco Pizarro	BY 7
Hernán Cortés	BZ 8
Huelva (Av. de)	AZ 9
Joaquín Costa (Av. de)	AY 12
Juan Sebastián Elcano (Av. de)	CZ 14
Minayo (Pl. de)	BZ 15
Muñoz Torrero	BYZ 16
Obispo San Juan de Rivera	BZ 17
Pedro de Valdivia	BZ 1
Reyes Católicos (Pl.)	AY 1
San Blas	BZ 2
San Francisco (Paseo)	AZ 2
San Juan	BY
Soledad (Pl. de la)	BY 2

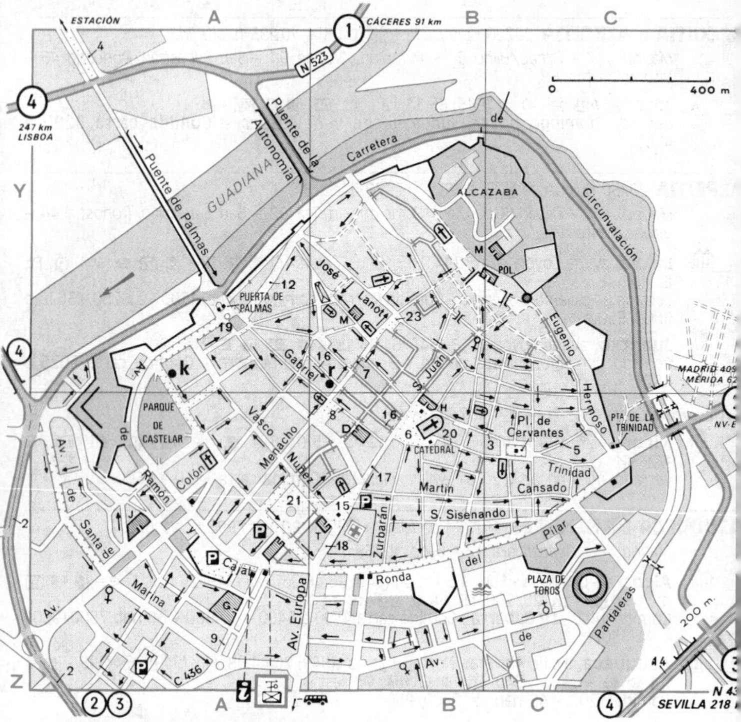

en la antigua carretera N V *por ② : 8 km – ✉ 06080 Badajoz :*

Confortel Badajoz, Golf del Guadiana ✆ (924) 44 37 11, *Fax (924) 44 37 08*, – 25/400. AE E VISA.
cerrado del 1 al 24 de enero – **Comida** 1800 – 1000 – **104 hab** 10000/12500, 1 suites – PA 4500.

BADALONA *08911 Barcelona* 443 **H 36** – *218 171 h.* – *Playa.*
Madrid 635 – Barcelona 8,5 – Mataró 19.

Miramar sin rest. con cafetería por la noche, Santa Madrona 60 ✆ (93) 384 03 11 *Fax (93) 389 16 27*, – . AE E VISA.
850 – **42 hab** 4500/9000.

Obiols, Prim 170 ✆ (93) 384 42 78, *Fax (93) 384 42 78* – . AE E VISA
cerrado 15 agosto-15 septiembre – **Comida** carta 2500 a 4500.

El BAELL *Gerona – ver Campellas.*

BAENA *14850 Córdoba* 446 **T 16** – *16 599 h. alt. 407.*
Madrid 392 – Antequera 88 – Andújar 89 – Córdoba 66 – Granada 105 – Jaén 66.

Iponuba, Nicolás Alcalá 7 ✆ (957) 67 00 75, *Fax (957) 69 07 02* – , rest, VISA.
Comida *(cerrado domingo noche)* 1400 – 500 – **31 hab** 3900/6250.

BAEZA *23440 Jaén* 446 **S 19** *– 17 691 h. alt. 760.*

Ver : *Centro monumental★★ : plaza del Pópulo★* Z *- Catedral (interior★)* Z*-Palacio de Jabalquinto★ (fachada★)* Z *- Ayuntamiento★* Y *– Iglesia de San Andrés (tablas góticas★)* Y.

pl. del Pópulo ☎ (953) 74 04 44 Fax (953) 74 04 44.

Madrid 319 ① – Jaén 48 ③ – Linares 20 ① – Úbeda 9 ②

BAEZA

Calle	Plano	Nº
Aguayo	Y	2
Alcalde Garzón Nebrera (Av. del)	Y	
Barbacana	Z	3
Cardenal Benavides (Pasaje)	Y	5
Carmen	Z	
Cipriano Tornero o del Rojo	Y	
Compañía	Z	6
Concepción	Y	
Conde de Romanones	Z	7
Constitución (Plaza de la)	Z	8
Córdoba (Puerta de)	Z	9
Corvera	Y	
España (Pl. de)	Y	
Gaspar Becerra	Y	12
General Cuadros	Y	13
José M. Cortés	Y	15
Julio Burel	YZ	
Los Molinos	Y	
Magdalena	Y	16
Merced	Z	
Motilla	Y	
Obispo Mengíbar	Z	17
Obispo Narváez o Barreras	YZ	
Pintada Baja	Y	
Pópulo (Pl. del)	Z	
Real (Camino)	Z	19
Sacramento	Z	20
San Andrés	Y	21
San Felipe Neri (Cuesta)	Z	23
San Francisco	Y	
San Gil (Cuesta de)	Z	25
San Juan Bautista	Z	
San Pablo	Y	
Santa María (Pl. de)	Z	

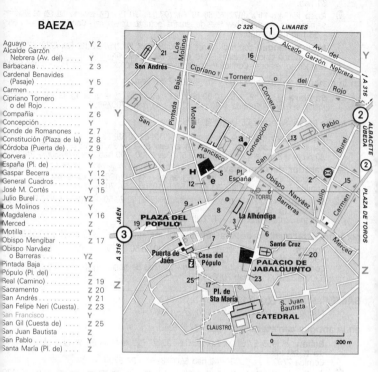

Confortel Baeza, Concepción 3 ☎ (953) 74 81 30, *Fax (953) 74 25 19* – – 25/60. AE VISA. Y a
cerrado 14 diciembre-29 enero – **Comida** 1700 – **84 hab** 8650/12100.

Hospedería Fuentenueva, paseo Arca del Agua ☎ (953) 74 31 00, *Fax (953) 74 32 00,* – AE VISA por ②
Comida *(cerrado lunes)* 1800 – **12 hab** 6000/8800.

La Loma, carret. de Úbeda ☎ (953) 74 33 02 – AE VISA. por ②
Comida 1325 – 325 – **10 hab** 3850/4900 – PA 2530.

Juanito con hab, av. Puche Pardo 43 ☎ (953) 74 00 40, *Fax (953) 74 23 24* – VISA. por ②
Comida *(cerrado domingo noche y lunes noche)* carta aprox. 4800 – 525 – **35 hab** 4750/5750.

Sali, pasaje Cardenal Benavides 15 ☎ (953) 74 13 65, – AE VISA. Y e
cerrado miércoles noche y 15 septiembre-15 octubre – **Comida** carta 2400 a 4600.

BAGERGUE *Lérida – ver Salardú.*

Die Preise

Einzelheiten über die in diesem Führer angegebenen Preise finden Sie in der Einleitung.

BAGUR o **BEGUR** *17255 Gerona* 443 G 39 – *2 734 h.*

Ver : *Pueblo*★.

pl. de la Iglesia 8 ☎ (972) 62 40 20 Fax (972) 62 35 88.

Madrid 739 – Gerona/Girona 46 – Palamós 17.

Begur, Comas y Ros 8 ☎ (972) 62 34 00, *Fax (972) 62 29 38,* –
31 hab.

Rosa, Pi i Rallo 11 ☎ (972) 62 30 15, *Fax (972) 62 30 15* – . AE E VISA.
Semana Santa-septiembre y fines de semana (octubre-diciembre) – **Comida** 1400 – 550 – **23 hab** 4500/8400.

Mas Comangau con hab, carret. de Fornells ☎ (972) 62 32 10, *Fax (972) 62 36 40,* « Decoración típica catalana » – . AE E VISA.
cerrado noviembre – **Comida** *(cerrado martes)* carta aprox. 4300 – 750 – **4 hab** 9500.

en la playa de Sa Riera *Norte : 2 km* – ✉ *17255 Begur :*

Sa Riera, ☎ (972) 62 30 00, *Fax (972) 62 34 60,* – . E VISA. rest
marzo-octubre – **Comida** 1650 – 750 – **43 hab** 4700/9000.

en Aigua Blava *Sureste : 3,5 km* – ✉ *17255 Begur :*

Aigua Blava, playa de Fornells ☎ (972) 62 20 58, *Fax (972) 62 21 12,* « Parque ajardinado, cala », , – – 25/60. AE E VISA.
20 febrero-8 noviembre – **Comida** 3650 – 1600 – **90 hab** 11500/18600 – PA 7000.

Parador de Aiguablava, ☎ (972) 62 21 62, *Fax (972) 62 21 66,* « Magnífica situación con cala », – – 25/180. AE E VISA.
Comida 3500 – 1300 – **83 hab** 15600/19500 – PA 7055.

Bonaigua sin rest, playa de Fornells ☎ (972) 62 20 50, *Fax (972) 62 20 54,* , – . AE E VISA.
Semana Santa-septiembre – **47 hab** 6990/10000.

por la antigua carretera de Palafrugell *y desvío a la izquierda - Sur : 5 km* – ✉ *17255 Begur*

Jordi's con hab, apartado 47 Begur ☎ (972) 30 15 70, *Fax (972) 61 13 14,* , « Antigua masía », – . AE E VISA
Comida *(20 junio-20 septiembre, festivos y fines de semana resto del año)* carta aprox 3900 – 600 – **8 hab** 7000/9000.

BAILÉN *23710 Jaén* 446 R 18 – *16 814 h. alt. 349.*

Madrid 294 – Córdoba 104 – Jaén 37 – Úbeda 40.

en la antigua carretera N IV – ✉ *23710 Bailén :*

Bailén, ☎ (953) 67 01 00, *Fax (953) 67 25 30,* , – – 25/80. AE E VISA.
Comida 2700 – 1000 – **40 hab** 6600/8250 – PA 5700.

Zodíaco, ☎ (953) 67 10 62, *Fax (953) 67 19 06* – – 25/120 AE E VISA JCB.
Comida 1750 – 600 – **52 hab** 5775/7925.

BAIONA *Pontevedra – ver Bayona.*

BAKIO *Vizcaya – ver Baquio.*

BALAGUER *25600 Lérida* 443 G 32 – *13 086 h. alt. 233.*

pl. Mercadal 1 ☎ (973) 44 66 06 Fax (973) 44 86 21.

Madrid 496 – Barcelona 149 – Huesca 125 – Lérida/Lleida 27.

Balaguer sin rest, La Banqueta 7 ☎ (973) 44 57 50, *Fax (973) 44 57 50* – . AE E VISA
750 – **30 hab** 5000/7500.

Cal Morell, passeig Estació 18 ☎ (973) 44 80 09, *Fax (973) 44 66 59* – . AE E VISA
cerrado domingo noche, lunes (salvo festivos o vísperas) y del 1 al 10 de octubre – **Comida** carta 3950 a 5250.

El Turó, Hostal Nou (carret. C 148) - Este : 1 km ☎ (973) 44 50 59 – . VISA.
cerrado lunes (salvo festivos) y del 1 al 15 de septiembre – **Comida** carta aprox. 3075

en la carretera C 1313 *Este : 2 km* – ✉ *25600 Balaguer :*

El Bosquet, ☎ (973) 44 68 68, – .

BALEARES (Islas) o BALEARS (Illas)★★★

443 - *745 944 h.*

● *El archipiélago balear se extiende sobre una superficie de 5.000 km². Está formado por cinco islas (Mallorca, Menorca, Ibiza, Formentera y Cabrera), siendo Palma su capital administrativa.*

● *O arquipélago das Baleares, com uma superfície de 5.000 km², é composto de cinco ilhas (Maiorca, Menorca, Ibiza, Formentera e Cabrera), e tem como capital administrativa Palma.*

● *L'archipel des Baléares qui s'étend sur une superficie de 5.000 km², est composé de cinq îles (Majorque, Minorque, Ibiza, Formentera et Cabrera). Palma en est la capitale administrative.*

● *L'arcipelago delle Baleari, che si estende su una superficie di 5.000 Kmq, è composto da cinque isole (Maiorca, Minorca, Ibiza, Formentera e Cabrera). Palma è la capitale amministrativa.*

● *Die Inselgruppe der Balearen hat eine Fläche von 5.000 km². Sie besteht aus fünf insein (Mallorca, Menorca, Ibiza, Formentera und Cabrera). Der Verwaltungssitz der Provinz ist Palma.*

● *The Balearics are made up of 5 islands (Majorca, Minorca, Ibiza, Formentera and Cabrera) covering 5.000 km². Palma is the administrative capital.*

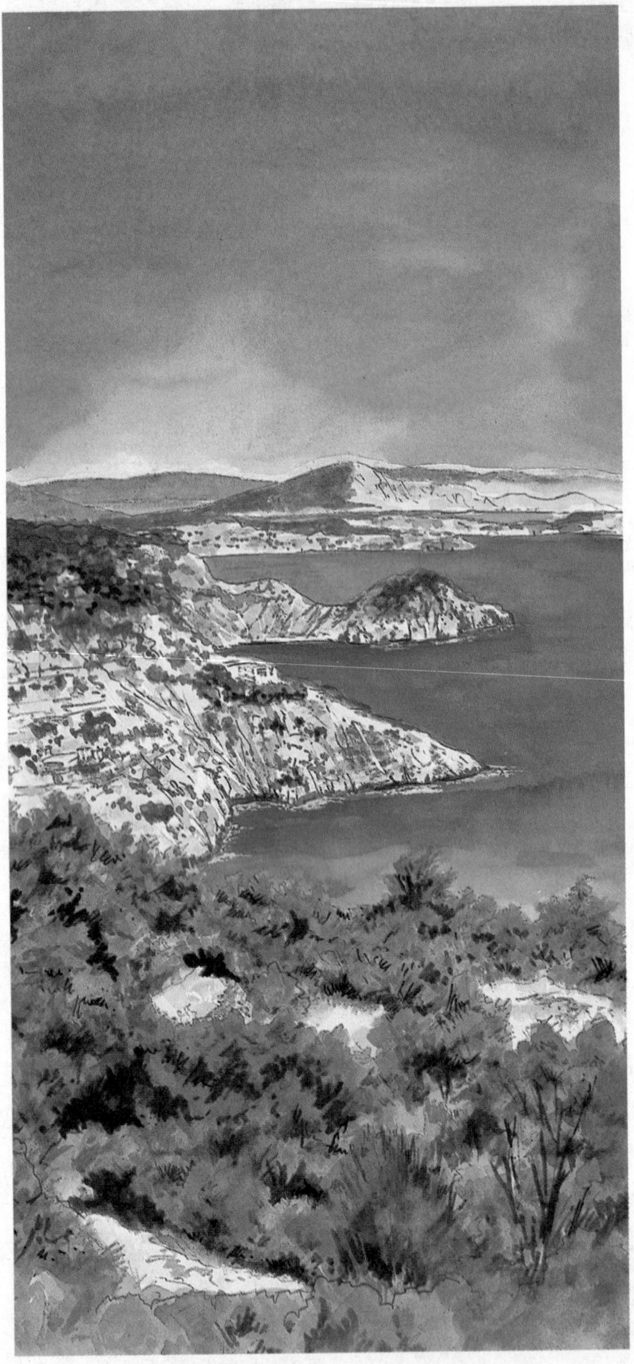

BALEARES (Islas) o BALEARS (Illes) ★★★ 443 - *745 944 h.*

ver : Palma, Mahón, Ibiza.

para Baleares ver : Barcelona, Valencia. En Baleares ver : Palma, Mahón, Ibiza.

MALLORCA

Algaida *07210* 443 N 38 - *3 157 h.*

Palma 23.

XX **Binicomprat,** carret. de Manacor - Noroeste : 1 km ✆ (971) 12 54 11, *Fax (971) 12 54 09,* - ▤ P. AE E VISA.
cerrado domingo noche, lunes y 15 enero-15 febrero - **Comida** carta 2950 a 4300.

X **Es 4 Vents,** carret. de Manacor ✆ (971) 66 51 73, *Fax (971) 12 54 09,* - ▤ P. E VISA.
cerrado jueves (salvo festivos) y 15 junio-15 julio - **Comida** carta 2750 a 3900.

X **Hostal Algaida,** carret. de Manacor ✆ (971) 66 51 09, - ▤ P. ⓓ E VISA
Comida carta 2100 a 3100.

Artà (Cuevas de) *07570* ★★★ 443 N 40.

Palma 78.
Hoteles y restaurantes ver : **Cala Rajada** *Norte : 11,5 km,* **Son Servera** *Suroeste : 13 km.*

Bañalbufar o Banyalbufar *07191* 443 M 37 - *440 h. alt. 100.*

Alred. : *Mirador de Ses Ànimes★★ Suroeste : 2 km.*
Palma 23.

Sa Coma ⛰, Camí d'es Molí 3 ✆ (971) 61 80 34, *Fax (971) 61 81 98,* ≤, ⛱, 🎾 - |‡| ▤ ☎ P. E VISA.
13 marzo-octubre - **Comida** - sólo cena - 3500 - ☕ 2500 - **32 hab** 7500/11500.

Mar i Vent ⛰, Major 49 ✆ (971) 61 80 00, *Fax (971) 61 82 01,* ≤ mar y montaña, ⛱, 🎾 - |‡| ☎ 🚗 P. E VISA.
cerrado diciembre-enero - **Comida** *(cerrado domingo noche)* 2700 - **23 hab** ☕ 10500/14500 - PA 5000.

X **Son Tomás,** Baronía 17 ✆ (971) 61 81 49, *Fax (971) 61 81 35,* ≤, - AE ⓓ E VISA.
cerrado martes y 5 noviembre-5 diciembre - **Comida** carta 2375 a 4300.

Bendinat 443 N 37 - ✉ *07015 Portals Nous.*

Palma 11.

Bendinat ⛰, ✆ (971) 67 57 25, *Fax (971) 67 72 76,* , « Bungalows en un jardín con árboles y terrazas junto al mar », ⛱, , 🎾 - ▤ TV ☎ P. AE ⓓ E VISA.
febrero-octubre - **Comida** carta aprox. 5300 - ☕ 1600 - **38 hab** 18000/34000.

Binissalem *07350* 443 M 38 - *4 676 h. alt. 160.*

Palma 24 - Inca 7.

Scott's ⛰ sin rest, pl. Iglesia 12 ✆ (971) 87 01 00, *Fax (971) 87 02 67,* « Antigua casa señorial », - ▤ ☎. E VISA.
cerrado 15 diciembre-7 enero - **10 hab** ☕ 14500/26000.

Bunyola *07110* 443 M 38 - *4 045 h. alt. 230.*

Palma 14.

XX **Sa Costa,** Cuesta de la Estación 21 ✆ (971) 61 31 10, *Fax (971) 61 32 70,* ≤, - P. AE ⓓ E VISA
cerrado domingo noche, lunes y noviembre - **Comida** carta aprox. 4300.

en la carretera de Sóller - ✉ *07110 Bunyola :*

X **Ses Porxeres,** Noroeste : 3,5 km ✆ (971) 61 37 62, « Decoración rústica » - P. AE E VISA.
cerrado domingo noche, lunes y agosto - **Comida** carta aprox. 5050.

X **Ca'n Penasso,** Oeste : 1,5 km ✆ (971) 61 32 12, *Fax (971) 61 53 53,* ≤, , « Conjunto de estilo rústico regional », ⛱, - P. E VISA.
cerrado miércoles - **Comida** carta aprox. 3000.

Caimari *07314* 443 M 38.
Palma 38 – Inca 6.

en Binibona *Noreste : 4 km y desvío 1,5 km – ✉ 07314 Caimari :*

Ets Albellons ⊗, ☎ (971) 87 50 69, *Fax (971) 87 51 43,* ⛱, « Conjunto rústico en pleno campo con ≤ pueblos, campo y montaña », 🏊 – ▤ 📺 ☎ P. ⓓ E VISA. ✱
Comida - sólo cena - 3600 – **9 hab** ☕ 17976/25145, 3 suites.

Cala Figuera *07659* 443 O 39.
Ver : *Paraje★.*
Palma 59.

Cala Pí *07639* 443 N 38.
Palma 41.

Miquel, Torre de Cala Pí 13 ☎ (971) 12 30 00, *Fax (971) 12 30 92,* ⛱, « Decoración regional » – E VISA. ✱
marzo-noviembre – **Comida** *(cerrado lunes)* carta 2800 a 3750.

Cala Rajada *07590* 443 M 40 – *Playa.*
Alred. : *Capdepera (murallas ≤★) Oeste : 2,5 km.*
ℹ *pl. dels Pins ☎ (971) 56 30 33 Fax (971) 56 52 56.*
Palma 79.

Aguait ⊗, av. des Pins 61 - Sur : 2 km ☎ (971) 56 34 08, *Fax (971) 56 51 06,* ≤, 🏊, 🏊 – |‡| ▤ 📺 ☎ P. E VISA. ✱
cerrado 7 noviembre-23 enero – **Comida** - sólo buffet - 2500 – **188 hab** ☕ 8100/8900

Son Moll, Tritón 25 ☎ (971) 56 31 00, *Fax (971) 56 35 81,* ≤, 🏊 – |‡| ▤ 📺 ☎. E VISA. ✱
abril-octubre – **Comida** - sólo buffet - 2800 – ☕ 1200 – **125 hab** 7500/13000.

L'Illot, Hernán Cortés 41 ☎ (971) 81 82 84, *Fax (971) 81 81 67,* Servicios terapéuticos, Ⅰ₆, 🏊, 🏊 – |‡| ▤ 📺 ☎. AE ⓓ E VISA. ✱
Comida 2500 – ☕ 1500 – **102 apartamentos** 17825/20945.

Ses Rotges con hab, Rafael Blanes 21 ☎ (971) 56 31 08, *Fax (971) 56 43 45,* ⛱, « Terraza rústico-regional con plantas » – ▤ hab, 📺 ☎ 🚗. AE ⓓ E VISA. ✱
marzo-15 noviembre – **Comida** - cocina francesa - 5250 y carta 5620 a 7700 – ☕ 147 – **24 hab** 9450/11700
Espec. Delicias de foie gras hecho en casa. Alas de raya Ses Rotges. Pichón de Bresse co nabos confitados.

Cala de San Vicente o **Cala Sant Vicenç** 443 M 39 – ✉ *07469 Pollença – Play*
Palma 58.

La Moraleja ⊗ sin rest. con cafetería, ☎ (971) 53 40 10, *Fax (971) 53 34 18,* ≤, 🏊 climatizada, 🌳 – |‡| ▤ 📺 ☎ P – 🎾 25/50. AE ⓓ E VISA. ✱
22 marzo-octubre – **17 hab** ☕ 35000.

Cala Sant Vicenç ⊗, Maresers 2 ☎ (971) 53 02 50, *Fax (971) 53 20 84,* ⛱, Ⅰ₆, 🏊 climatizada – |‡| ▤ 📺 ☎ ♿. AE ⓓ E VISA. ✱
cerrado diciembre y enero – **Comida** 6500 - ***Cavall Bernat*** *(sólo cena)* **Comida** carta 480 a 6350 – **38 hab** ☕ 20000/34000.

Molins ⊗, Cala Molins ☎ (971) 53 02 00, *Fax (971) 53 02 16,* Amplias terrazas con ≤, 🏊, 🎾 – |‡| ▤ 📺 ☎ P
temp – **Comida** - sólo buffet - – **100 hab.**

Cala d'Or *07660* 443 N 39 – *Playa.*
Ver : *Paraje★.*
⛳18 *Vall d'Or, Norte : 7 km ☎ (971) 83 70 68 Fax (971) 83 72 99.*
ℹ *av. Cala Llonga 10 ☎ (971) 65 74 63 Fax (971) 65 74 63.*
Palma 69.

Cala D'Or ⊗, av. de Bélgica 33 ☎ (971) 65 72 49, *Fax (971) 65 93 51,* ⛱, « Terraza bajo los pinos », 🏊 climatizada – |‡| ▤ 📺 ☎. AE E VISA. ✱
marzo-noviembre – **Comida** - sólo cena - 3000 – **97 hab** ☕ 12000/17000.

Rocador, Marqués de Comillas 3 ☎ (971) 65 70 75, *Fax (971) 65 77 51,* ≤, Ⅰ₆, 🏊, 🏊, 🌳 – |‡|, ▤ rest, ☎
temp – **Comida** - sólo buffet - – **105 hab.**

Rocador Playa, Marqués de Comillas 1 ☎ (971) 65 77 25, *Fax (971) 65 77 51*, ≤, Ⅰⅆ, ⛱, ⛱ - |ǂ|, ▤ rest, ☎
temp - **Comida** - sólo buffet - **110 hab.**

Port Petit, av. Cala Llonga ☎ (971) 64 30 39, *Fax (971) 64 30 73*, ≤, ☂ - AE ⓓ E VISA
abril-octubre - **Comida** - sólo cena - carta 3700 a 5200.

Cala Llonga, av. Cala Llonga - Porto Cari ☎ (971) 65 80 36, ☂ - ▤. AE ⓓ E VISA. ✗
cerrado lunes (en invierno) y noviembre - **Comida** carta aprox. 3500.

Ca'n Trompé, av. de Bélgica 12 ☎ (971) 65 73 41, ☂ - ▤. E VISA. ✗
9 febrero-15 noviembre - **Comida** *(cerrado martes en invierno y martes mediodía en verano)* carta 2500 a 4000.

.a Calobra o sa Calobra *07008* 443 M 38 - *Playa.*

Ver : *Paraje★ - Carretera de acceso★★★ - Torrente de Pareis★, mirador★.*
Palma 66.

:alonge *07669* 443 N 39.

Palma 59 - Manacor 28.

La Cascina, carret. Cala Llonga 22 ☎ (971) 16 71 52, ☂ - Ⓟ
abril-octubre - **Comida** - cocina italiana - carta 3750 a 5175.

:alvià *07184* 443 N 37 - *37 173 h. alt. 156.*

🅱 *Ca'n Vich 29 ☎ (971) 13 91 00 Fax (971) 13 91 46.*
Palma 20.

Ses Forquetes, C'an Vich (edificio Ayuntamiento) ☎ (971) 67 06 13, ≤, ☂ - ▤ Ⓟ. AE E VISA. ✗
Comida *(sólo almuerzo en invierno salvo viernes y sábado)* carta 2800 a 3825.

:ampanet *07310* 443 M 38 - *2 182 h. alt. 167.*

Palma 40 - Inca 11 - Manacor 35.

ıl Noroeste : *4 km - ✉ 07310 Campanet :*

Monnaber Nou ⛰, Finca Monnaber Nou ☎ (971) 87 71 76, *Fax (971) 87 71 27*, ☂, « Antigua casa de campo rodeada de extensa finca agrícola con ≤ campo y montaña », Ⅰⅆ, ⛱, ⛱, 🎾 - ▤ 📺 ☎ Ⓟ. AE ⓓ E VISA. ✗
Comida 4000 - ☕ 1500 - **8 hab** 16500/22300, 6 suites, 11 apartamentos.

:an Picafort *07458* 443 M 39 - *Playa.*

Palma 56.

Mandilego, Isabel Garau 49 ☎ (971) 85 00 89, ☂ - ▤. AE ⓓ E VISA. ✗
abril-noviembre - **Comida** *(cerrado lunes)* carta 3800 a 5600.

:apdepera *07580* 443 M 40 - *7 017 h. alt. 102.*

⛳18 *Capdepera, carret de Palma km 71 ☎ (971) 81 85 00 Fax (971) 81 81 93* - ⛳18 *Canyamel, carret. de Artà Canyamel, Sur : 4 km ☎ (971) 84 13 13 Fax (971) 84 13 14.*
Palma 77.

ın Canyamel *Sureste : 9 km - ✉ 07580 Capdepera :*

Canyamel Park, Vía de Melesigeni ☎ (971) 84 10 11, *Fax (971) 84 10 14*, Ⅰⅆ, ⛱, ⛱ - |ǂ| ▤ 📺 ☎. AE E VISA. ✗
febrero-octubre - **Comida** - sólo cena buffet - 1800 - **133 hab** ☕ 9000/15700.

:olònia de Sant Jordi *07638* 443 O 38 - *Playa.*

Palma 9.

Marisol, Gabriel Roca 65 ☎ (971) 65 50 70, *Fax (971) 65 50 70*, ≤, ☂ - ▤
temp -.

)eyá o Deià *07179* 443 M 37 - *616 h. alt. 184.*

Palma 27.

La Residencia ⛰, Finca Son Canals ☎ (971) 63 90 11, *Fax (971) 63 93 70*, ≤, « Antigua casa señorial de estilo mallorquín », Ⅰⅆ, ⛱ climatizada, 🌳, 🎾 - |ǂ| ▤ ☎ Ⓟ - 🏛 25/50. AE ⓓ E VISA. ✗
Comida (ver rest. ***El Olivo***) - **64 hab** ☕ 27000/50600, 3 suites.

Es Molí, carret. de Valldemosa - Suroeste : 1 km (971) 63 90 00, *Fax (971) 63 93 33*, < valle y mar, , « Jardín escalonado », climatizada, – . .
23 abril-30 octubre – **Comida** - sólo cena - 5200 – **86 hab** 21800/38900, 1 suite.

El Olivo - *Hotel La Residencia* Finca Son Canals (971) 63 90 11, *Fax (971) 63 93 70*, , « Instalado en un antiguo molino de aceite » – . .
Comida carta 6500 a 8500.

Ca'n Quet, carret. de Valldemosa - Suroeste : 1,2 km (971) 63 91 96, *Fax (971) 63 93 33*, < montaña, , – . .
23 abril-30 octubre – **Comida** *(cerrado lunes)* carta 3900 a 5100.

Sebastián, Felipe Bauzá (971) 63 94 17 –
cerrado miércoles y 7 enero-14 febrero – **Comida** - sólo cena - carta 4800 a 5700.

por la carretera C 710 *Noreste : 3 km* – *07179 Deià* :

Costa d'Or, Llucalcari (971) 63 90 25, *Fax (971) 63 93 47*, , – . .
abril-28 octubre – **Comida** - sólo cena salvo julio y agosto - 1600 – **43 hab** 5300/9500

Drach (Cuevas del) ★★★ 443 N 39.

Palma 63 – Porto Cristo 1.
Hoteles y restaurantes ver : **Portocristo** *Norte : 1 km.*

Estellenchs o Estellencs *07192* 443 N 37 – *411 h. alt. 150.*

Alred. : *Mirador Ricardo Roca*★★ *Suroeste : 8 km.*
Palma 30.

Son Llarg, pl. Constitució 6 (971) 61 85 64, – .
cerrado martes y 9 diciembre-29 enero – **Comida** carta aprox. 3200.

Felanitx *07200* 443 N 39 – *14 176 h. alt. 151.*

Palma 51.

al Noreste : *6,5 km*

Sa Posada d'Aumallía, camino Son Prohens 1027 (971) 58 26 57 *Fax (971) 58 32 69*, <, , « En pleno campo », , , – .
cerrado diciembre-enero – **Comida** 3000 – **14 hab** 15750/21000.

al Sureste : *6 km*

Vista Hermosa con hab, carret. de Portocolom (971) 82 49 60 *Fax (971) 82 45 92*, , « Antigua casa señorial con < valle, monte y mar », , , , – hab, .
cerrado 7 enero-febrero – **Comida** carta 3450 a 5900 – **6 hab** 30240, 4 suites.

Formentor (Cabo de) *07470* 443 M 39.

Ver : *Carretera*★ *de Puerto de Pollensa al Cabo Formentor – Mirador des Colomer*★★★ · *Cabo Formentor*★.
Palma 78 – Puerto de Pollensa 20.

Formentor, (971) 89 91 00, *Fax (971) 86 51 55*, , « Magnífica situación frente al mar rodeado de un extenso pinar con < bahía y montañas », climatizada, , – – 25/200. .
cerrado 9 enero-25 marzo – **Comida** 7200 - ***El Pi*** *(sólo cena)* **Comida** carta 6500 a 8100 – **110 hab** 29000/46000, 17 suites.

s'Horta *07669* 443 N 39.

Palma 60 – Manacor 27.

al Este : *2,5 km*

Sa Pletassa, Camino Viejo de s'Horta - Cala Marçal 362 (971) 83 70 69 *Fax (971) 83 73 20*, , « En pleno campo », – . .
Comida - sólo cena - 2700 – **10 hab** 12000/18900.

Illetas o ses Illetes *07015* 443 N 37 – *Playa.*

Palma 4.

Meliá de Mar, passeig d'Illetes 7 (971) 40 25 11, *Fax (971) 40 58 52*, < mar costa, , « Jardín con arbolado », , , – – 25/220. .
cerrado diciembre y enero – **Comida** 6000 – 2600 – **133 hab** 29700/37000, 11 suite

Bonsol ⛰, passeig d'Illetes 30 ☎ (971) 40 21 11, *Fax (971) 40 25 59*, ≤, ☂, « Terrazas bajo los pinos. Decoración castellana », Ⓛ, ⛱ climatizada, ☰, ✂ – |‡| ☰ TV ☎ P – 🧑 25/80. AE ① E VISA JCB. ✂ rest
cerrado 5 enero-5 febrero – **Comida** carta aprox. 5300 – **88 hab** ☕ 15500/24000, 4 suites.

Riu Palace Bonanza Playa ⛰, passeig d'Illetes ☎ (971) 40 11 12, *Fax (971) 40 40 50*, ≤ mar, « Amplia terraza con ⛱ al borde del mar », Ⓛ, ⛱, ✂ – |‡| ☰ TV ☎ ♿ P – 🧑 25/330. AE ① E VISA. ✂
Comida 3500 – **274 hab** ☕ 19500/32000, 7 suites – PA 7300.

---

s'Illot *07687* 443 **N 40** – *Playa.*
Palma 66.

La Gamba de Oro, Camí de la Mar 25 ☎ (971) 81 04 97 – ☰. AE ① E VISA JCB. ✂
cerrado lunes y 7 enero-7 febrero – **Comida** carta 4300 a 6300.

Inca *07300* 443 **M 38** – *20415 h. alt. 120.*
Palma 28.

Ca'n Amer, Pau 39 ☎ (971) 50 12 61, « Celler típico » – ☰. AE E VISA
cerrado domingo (mayo-septiembre) y 15 días en julio – **Comida** carta 3100 a 3850.

Ca'n Moreno, Gloria 103 ☎ (971) 50 35 20 – ☰. ① E VISA. ✂
cerrado domingo y agosto – **Comida** carta 1650 a 3500.

por la carretera de Sencelles *Sur : 4 km – ✉ 07300 Inca :*

Casa del Virrey ⛰, Son Campaner ☎ (971) 88 10 18, *Fax (971) 88 33 23*, ☂, « Mansión señorial del siglo XVII », ⛱, ☰ – ☰ TV ☎ P – 🧑 25. ① E VISA. ✂
Comida carta 3500 a 4800 – **10 hab** ☕ 17750/29200, 6 suites.

Magaluf *07182* 443 **N 37** – *Playa.*
Poniente, carret. de Cala Figuera ☎ (971) 13 01 48 Fax (971) 13 01 76.
av. Magaluf 1 ☎ (971) 13 11 26 Fax (971) 13 21 45.
Palma 17.

Flamboyan, Martí Ros García 16 ☎ (971) 68 04 62, *Fax (971) 68 22 67*, ≤, ⛱ – |‡| ☰ TV ☎ P
temp – **Comida** - sólo buffet - – **128 hab.**

Caribe Garden, Miguel Altolaguirre ☎ (971) 68 38 50, *Fax (971) 68 38 54*, ≤ – |‡| ☰ TV ☎ P. AE ① E VISA JCB. ✂
cerrado 15 noviembre-enero – **Comida** - sólo cena buffet - 1900 – **67 hab** ☕ 14000/18500.

en Cala Vinyes *Sur : 2 km – ✉ 07184 Cala Viñas :*

Cala Viñas ⛰, Sirenes 17 ☎ (971) 13 11 00, *Fax (971) 13 09 82*, ≤, Ⓛ, ⛱, ⛱, ✂ – |‡| ☰ TV ☎ ♿ P – 🧑 25/250. AE ① E VISA. ✂
abril-noviembre – **Comida** 2200 – **240 hab** ☕ 12000/20400, 10 suites, 25 apartamentos.

Manacor *07500* 443 **N 39** – *26021 h. alt. 110.*
Palma 50.

Ses Arcades, carret. Palma-Artà, km 49 ☎ (971) 55 47 66, ☂ – ☰. AE ① E VISA. ✂
cerrado lunes – **Comida** carta aprox. 4200.

al Norte : *4 km*

La Reserva Rotana *(anexo* 🏠 *)* ⛰, camí de s'Avall ☎ (971) 84 56 85, *Fax (971) 55 52 58*, ☂, « Finca señorial acogedora y elegante en una extensa reserva natural », ⛱, ⛱, ☰, ✂, ⛳9 – |‡| ☰ TV ☎ P. AE ① E VISA. ✂
Comida 6000 – **21 hab** ☕ 32000/41500, 1 suite.

Montuiri *07230* 443 **N 38** – *2045 h. alt. 170.*
Palma 30 – Manacor 21.

Es Figueral Nou ⛰, carret. de Sant Joan - Noreste : 1 km ☎ (971) 64 67 64, *Fax (971) 64 67 47*, ≤ valle y sierra de Tramuntana, « Antigua casa señorial », ⛱ climatizada, ☰, ✂ – ☰ TV ☎ ♿ P – 🧑 25/50. ① E VISA. ✂
***Es Pati de Montuiri* :** **Comida** carta 4450 a 6000 – **18 hab** ☕ 16000/22000.

Orient *07349* 443 **M 38.**
Palma 25.

L'Hermitage , carret. de Alaró - Noreste : 1,3 km (971) 18 03 03 *Fax (971) 18 04 11*, , , « Antigua casa de campo », , , - . AE E VISA.
6 febrero-8 noviembre – **Comida** carta 4400 a 5300 – **23 hab** 18000/28500 1 suite.

Mandala, Nueva 1 (971) 61 52 85, – E VISA.
cerrado domingo noche, lunes, 12 junio-3 julio y 29 noviembre-10 diciembre – **Comida** - sólo cena de julio-15 septiembre - carta 2850 a 3575.

Paguera o **Peguera** *07160* 443 **N 37** – *Playa.*
del Sebel.lí 5 (971) 68 70 83 Fax (971) 68 54 68.
Palma 22.

Villamil, Bulevar de Peguera 66 (971) 68 60 50, *Fax (971) 68 68 15*, , , « Terraza bajo los pinos con », , , - - 25/50. AE E VISA.
Comida 3100 - ***La Terrasse*** *(15 mayo-15 octubre, sólo cena)* **Comida** carta 3050 a 525 – **121 hab** 18860/39140, 4 suites.

G.H. Sunna Park, Gavines 19 (971) 68 67 50, *Fax (971) 68 67 66*, , , , - . E VISA.
cerrado 8 noviembre-23 enero – **Comida** - sólo cena buffet - 2905 – **128 hab** 11500/17000.

Bahía, av. de Peguera 81 (971) 68 61 00, *Fax (971) 68 61 04*, , – . E VISA.
20 marzo-20 noviembre – **Comida** - sólo cena - 2500 – **55 hab** 9000/16000.

La Gran Tortuga, carret. de Cala Fornells (971) 68 60 23, *Fax (971) 68 52 20*, « Terrazas con y bahía y mar » – AE E VISA.
cerrado lunes (en invierno) y del 1 al 22 de diciembre – **Comida** carta 3275 a 4800.

La Gritta, L'Espiga 5 (971) 68 60 22, *Fax (971) 68 60 22*, , « Terraza con mar » – *temp* –.

en la carretera de Palma *Este : 2 km – 07160 Peguera :*

Galatzó , (971) 68 62 70, *Fax (971) 68 78 52*, , « Magnífica situación sobre un promontorio, mar y colinas circundantes », , , , , - 25/50. E VISA
cerrado 15 diciembre-12 marzo – **Comida** 3500 - ***Vista de Rey*** *(cerrado domingo noche)* **Comida** carta 4000 a 4900 – **132 hab** 12100/22000, 66 suites.

en Cala Fornells *Suroeste : 1,5 km – 07160 Peguera :*

Coronado , (971) 68 68 00, *Fax (971) 68 74 57*, cala y mar, « Rodeado de pinos », , , , - . E VISA.
cerrado noviembre-16 diciembre – **Comida** - sólo cena - 2100 – 950 – **139 hab** 15000/25000.

Palma *07000* P 443 **N 37** – *308 616 h. – Playas : Portixol* DX *, Can Pastilla por ④ : 10 km, s'Arenal por ④ : 14 km.*

Ver : *Barrio de la Catedral★ : Catedral★★* FZ *– Iglesia de Sant Francesc (claustro★)* GZ *– Museo de Mallorca (Sección de Bellas Artes★ : San Jorge★)* GZ **M1** *- Museo Diocesano (cuadro de Pere Nisart : San Jorge★)* FGZ **M2.**

Otras curiosidades : *La Lonja★* EZ *- Palacio Sollerich (patio★)* FY **Z** *– Pueblo Español* BV **A** *- Castillo de Bellver★* BV *★★.*

Son Vida, Noroeste : 5 km (971) 79 12 10 Fax (971) 79 11 27 BU *– Bendinat, carret. de Bendinat, Oeste : 15 km (971) 40 52 00.*

de Palma de Mallorca por ④ : 11 km (971) 78 90 99 – Iberia : passeig des Born 10 07006 (971) 26 26 00 FYZ *y Aviaco : aeropuerto (971) 78 99 01.*

para la Península, Menorca e Ibiza : Cía. Trasmediterránea, Muelle de Peraires 07015 (971) 40 50 14 Telex 68555 Fax (971) 70 06 11 EZ.

Santo Domingo 11 07001 (971) 72 40 90 Fax (971) 72 02 40 pl. Espanya 0700 (971) 71 15 27 y en el aeropuerto (971) 78 95 56 Fax (971) 78 95 56 – **R.A.C.** *Capitán Salom 39 (bajo) 07004 (971) 75 01 10 Fax (971) 75 04 03.*

Alcudia 52 ② – Paguera 22 ⑤ – Sóller 30 ① – Son Servera 64 ③

En la ciudad :

Saratoga, passeig Mallorca 6, ✉ 07012, ☎ (971) 72 72 40, *Fax (971) 72 73 12*, – 25/130. AE E VISA. EY s
Comida - sólo buffet - 2000 – **162 hab** 9500/14600, 25 suites.

Palacio Ca Sa Galesa sin rest, Miramar 8, ✉ 07001, ☎ (971) 71 54 00, *Fax (971) 72 15 79*, « Decoración elegante en un antiguo palacete. Mobiliario de época », – . AE E VISA. GZ a
cerrado del 16 al 26 de diciembre – 2200 – **12 hab** 21000/28250.

Sol Inn Jaime III sin rest. con cafetería, passeig Mallorca 14-B, ✉ 07012, ☎ (971) 72 59 43, *Fax (971) 72 59 46* – . AE E VISA JCB. EY n
750 – **88 hab** 10900/13100.

Palladium sin rest. con cafetería, passeig Mallorca 40, ✉ 07012, ☎ (971) 71 28 41, *Fax (971) 71 46 65* – . AE E VISA JCB. EY z
1040 – **53 hab** 9200/13750.

San Lorenzo sin rest, San Lorenzo 14, ✉ 07012, ☎ (971) 72 82 00, *Fax (971) 71 19 01*, « Antigua casa señorial », – . AE E VISA EZ v
1400 – **6 hab** 14000/16000.

Almudaina sin rest. con cafetería, av. Jaume III-9, ✉ 07012, ☎ (971) 72 73 40, *Fax (971) 72 25 99* – – 25/35. AE E VISA. FY a
350 – **80 hab** 7650/10750.

Born sin rest, Sant Jaume 3, ✉ 07012, ☎ (971) 71 29 42, *Fax (971) 71 86 18*, « Antigua casa solariega. Patio con palmeras » – . AE E VISA. FY b
750 – **25 hab** 8000/16000.

Barceló Cannes sin rest, Cardenal Pou 8, ✉ 07003, ☎ (971) 72 69 43, *Fax (971) 72 69 43* – . E VISA. GY b
450 – **56 hab** 5000/7000.

Chopin, Ca'n Puigdorfila 2, ✉ 07001, ☎ (971) 72 35 56, – FY n

Gran Dragón, Ruiz de Alda 5, ✉ 07011, ☎ (971) 28 02 00, *Fax (971) 28 02 00* – . AE E VISA. EY k
Comida - rest. chino - carta 1920 a 3255.

Diplomatic, Palau Reial 5, ✉ 07001, ☎ (971) 72 64 82, *Fax (971) 72 64 82* – . AE E VISA. FGZ s
cerrado sábado noche y domingo – **Comida** carta aprox. 4300.

Xoriguer, Fábrica 60, ✉ 07013, ☎ (971) 28 83 32, *Fax (971) 28 83 32* – CV a

Asador Tierra Aranda, Concepción 4, ✉ 07012, ☎ (971) 71 42 56, *Fax (971) 71 42 56*, – . AE E VISA. FY e
cerrado domingo noche (invierno), domingo (verano) y julio – **Comida** - asados y carnes a la brasa - carta 3000 a 4050.

Parlament, Conquistador 11, ✉ 07001, ☎ (971) 72 60 26 – FZ e

Peppone, Bayarte 14, ✉ 07013, ☎ (971) 45 42 42 – . AE E VISA. EY d
cerrado domingo y lunes mediodía – **Comida** - cocina italiana - carta 3300 a 3690.

Los Gauchos, Sant Magí 80, ✉ 07013, ☎ (971) 28 00 23 – . AE E VISA. EY f
cerrado domingo y agosto – **Comida** - carnes - carta 2325 a 3670.

Ca'n Nofre, Manacor 27, ✉ 07006, ☎ (971) 46 23 59 – . AE E VISA. HY a
cerrado domingo y julio – **Comida** carta 2525 a 3200.

La Lubina, Muelle Viejo, ✉ 07012, ☎ (971) 72 33 50, *Fax (971) 72 46 56*, ≤, – . AE E VISA JCB. EZ c
Comida - pescados y mariscos - carta 2550 a 4550.

Caballito de Mar, passeig de Sagrera 5, ✉ 07012, ☎ (971) 72 10 74, *Fax (971) 72 46 56*, – . AE E VISA JCB. EZ a
Comida - pescados y mariscos - carta 2550 a 4400.

Casa Gallega, Pueyo 4, ✉ 07003, ☎ (971) 72 11 41, *Fax (971) 72 27 94* – . AE VISA. GY a
Comida - cocina gallega - carta aprox. 4500.

Al Oeste de la Bahía :

borde del mar :

Meliá Victoria, av. Joan Miró 21, ✉ 07014, ☎ (971) 73 25 42, *Fax (971) 45 08 24*, ≤ bahía y ciudad, , , – – 25/120. AE E VISA JCB. BV u
Comida carta 4500 a 6500 – 1900 – **156 hab** 16000/35000, 6 suites.

PALMA

Adrià Ferràn	DV 2
Andrea Doria	BV 5
Arquebisbe Aspáreg	DV 12
Arquitecte Bennàzar (Av.)	CU 15
Capità Vila	DV 26
Del Pont (Pl.)	CV 45
Espartero	CV 48
Fàbrica	50
Federico García Lorca	BV 51
Fra Juníper Serra	BCV 54
Francesc M. de los Herreros	DV 61
Francesc Pi i Margall	DV 63
General Ricardo Ortega	DV 74
Guillem Forteza	CU 79
Jaume Balmes	CU-DV 82
Joan Crespí	CV 85
Joan Maragall	CDV 88
Joan Miró (Av.)	BVX 90
Josep Darder	DV 93
Marquès de la Sènia	BCV 101
Miquel Arcas	CU 103
Niceto Alcalá Zamora	CV 106
Pere Garau (Pl.)	DV 110
Quetglas	CV 114
Rosselló i Caçador	CU 128
Teniente C. Franco (Pl.)	DV 152
Valldemossa (Carret. de)	CU 155

Meliá Confort Palas Atenea, av. Ingeniero Gabriel Roca 29, ⊠ 07014, ☏ (971) 28 14 00, *Fax (971) 45 19 89,* ≤, ⛱, ▣ - |♦| ▤ TV ☎ - 🏛 25/350. AE ◑ E VISA. ✂ BV e
Comida 3250 - ☕ 1200 - **362 hab** 20500/24000, 8 suites.

Meliá Confort Bellver, av. Ingeniero Gabriel Roca 11, ⊠ 07014, ☏ (971) 73 51 42, *Fax (971) 73 14 51,* ≤ bahía y ciudad, ⛱, ⛱ - |♦| ▤ TV ☎ - 🏛 25/150. AE ◑ E VISA JCB. ✂ CV v
Comida - sólo cena - ☕ 1000 - **385 hab** 15100/20000, 3 suites.

Mirador, av. Ingeniero Gabriel Roca 10, ⊠ 07014, ☏ (971) 73 20 46, *Fax (971) 73 39 15,* ≤ - |♦| ▤ TV ☎ - 🏛 25/80. AE ◑ E VISA. ✂ CV x
Comida - sólo buffet - 2000 - ☕ 1300 - **87 hab** 11570/17290.

Mediterráneo 1930, av. Ingeniero Gabriel Roca 33, ⊠ 07014, ☏ (971) 73 03 77, *Fax (971) 28 92 66,* « Decoración estilo años treinta » - ▤. AE E VISA. ✂ BVX u
Comida carta aprox. 4300.

Koldo Royo, av. Ingeniero Gabriel Roca 3, ⊠ 07014, ☏ (971) 73 24 35, *Fax (971) 28 58 18,* ≤ - ▤. E VISA. ✂ - *cerrado sábado mediodía, domingo, del 16 al 31 de enero y del 16 al 30 junio* - **Comida** 3600 carta 4600 a 6000 CV
Espec. Brocheta de langostinos con bacon y judías verdes. Lomo de mero sobre espárrag trigueros y salsa de vino tinto. Lechona confitada en aceite de oliva con salsa de mi

en Terreno BVX :

Isla Mallorca, pl. Almirante Churruca 5, ⊠ 07014, ☏ (971) 28 12 C *Fax (971) 45 65 03,* 🏋, ⛱ - |♦| ▤ TV ☎ - 🏛 25/90. AE ◑ E VISA JCB. ✂ BV
Comida 1200 - **110 hab** ☕ 8470/11825.

en La Bonanova BX - ⊠ *07015 Palma :*

Valparaíso Palace 🐦, Francisco Vidal Sureda 23 ☏ (971) 40 03 C *Fax (971) 40 59 04,* ⛱, « Magnífica situación con ≤ bahía, puerto y ciudad 🏋, ⛱, ▣, 🌳, 🎾 - |♦| ▤ TV ☎ P - 🏛 25/300. AE ◑ E VISA. ✂ BX
Comida 7000 - **168 hab** ☕ 20500/36000, 6 suites.

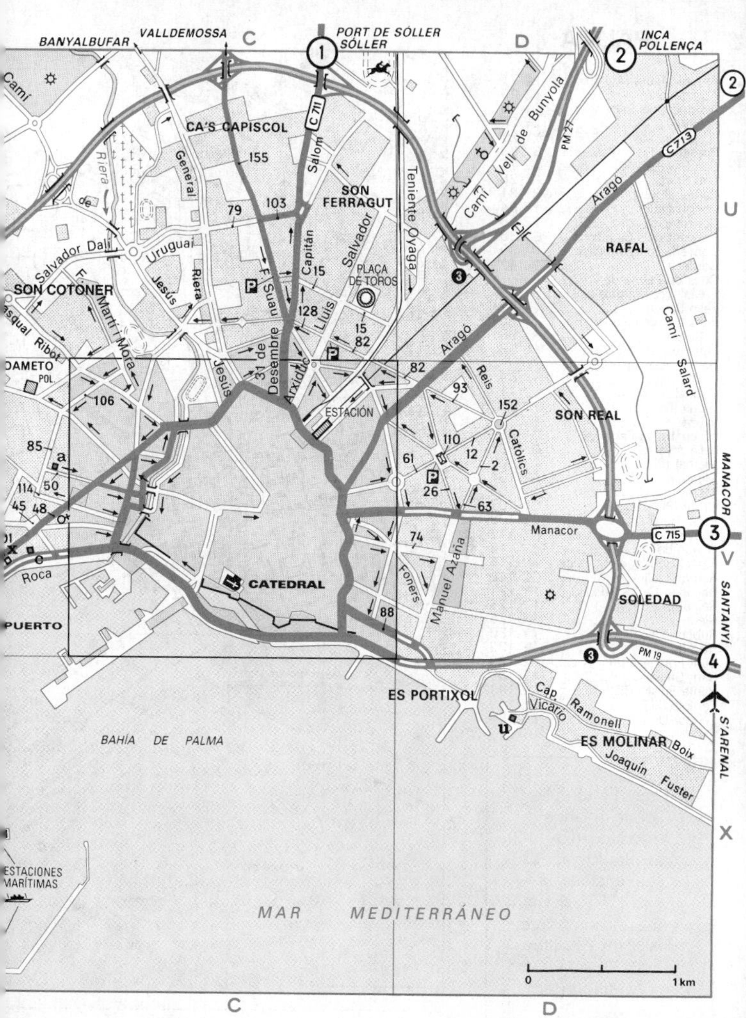

Ciutat de Mallorca, Francisco Vidal Sureda 24 ☎ (971) 70 13 06, *Fax (971) 70 14 16*, 🏋, 🏊 - 🛗 ▤ 📺 ☎ 🅿 - 🏔 25/75. AE ⓓ E VISA. 🚫 BX x
Comida carta aprox. 3300 - ☕ 700 - **60 hab** 10800/14400, 2 suites.

Samantha's, Francisco Vidal Sureda 115 ☎ (971) 70 00 00, *Fax (971) 70 09 99* - ▤ 🅿. AE ⓓ E VISA. 🚫 AX c
Comida carta 3580 a 5975.

en Portopí BX - ✉ *07015 Palma* :

Porto Pí, av. Joan Miró 174 ☎ (971) 40 00 87, 🏡, « Antigua villa mallorquina » - ▤. ⓓ E VISA. 🚫 BX e
Comida carta 4200 a 5550.

Gran Dragón III, av. Joan Miró 146 ☎ (971) 70 17 17, *Fax (971) 28 02 00* - ▤. AE ⓓ E VISA. 🚫 BX v
Comida - rest. chino - carta 1920 a 3855.

Rififí, av. Joan Miró 182 ☎ (971) 40 20 35, *Fax (971) 40 09 06*, « Decoración marinera » - ▤. AE ⓓ E VISA. 🚫 BX p
cerrado martes y enero - **Comida** - pescados y mariscos - carta 2400 a 4850.

PALMA

Antoni Maura (Av. d')	FZ	7
Apuntadors	EZ	10
Arxiduc Lluís Salvador	GY	18
Bayarte	EY	20
Born (Pas. des)	FYZ	21
Bosseria	GY	23
Can Savellà	GZ	25
Can Serra	GZ	26
Cardenal Reig (Pl.)	GHY	31
Conquistador	FZ	34
Constitució	FZ	36
Convent dels Caputxins	GY	38
Convent Sant Francesc	GZ	39
Cordeia	GYZ	42
Ducs de Palma de Mallorca (Rambla dels)	FGY	43
Felip Bauça	FZ	52
Francesc Barceló i Combis	HY	56
Francesc Martí i Mora	EY	58
Gabriel Alomar i Villalonga (Av.)	HYZ	69
Gabriel Roca (Av.)	EZ	71
Gloria (Forn de la)	EZ	76
Jaume III (Av.)	EY	
Josep Tous i Ferrer	GY	95
Julià Álvarez	GY	98
Mercat (Pl.)	FY	102
Miramar	GZ	104
Morey	GZ	105
Olivar (Pl.)	GY	107
Palau Reial	FZ	109
Pueyo	GY	112
Quadrado	GZ	113
Rafael Rodríguez Méndez	EY	116
Ramón Llull	GZ	118
Rei Joan Carles I (Pl.)	FY	121
Reina (Pl.)	FZ	123
Riera	GY	125
Rubén Darío	FY	130
Ruiz de Alda	EY	132
Sant Francesc (Pl.)	GZ	133
Sant Gaieta	FY	135
Santa Eulalia (Pl.)	GZ	141
Temple (Pl.)	HZ	149
Teodor Llorente	EY	154

Para el buen uso de los planos de ciudades, consulte los signos convencionales.

Pour un bon usage des plans de villes, voir les signes conventionnels.

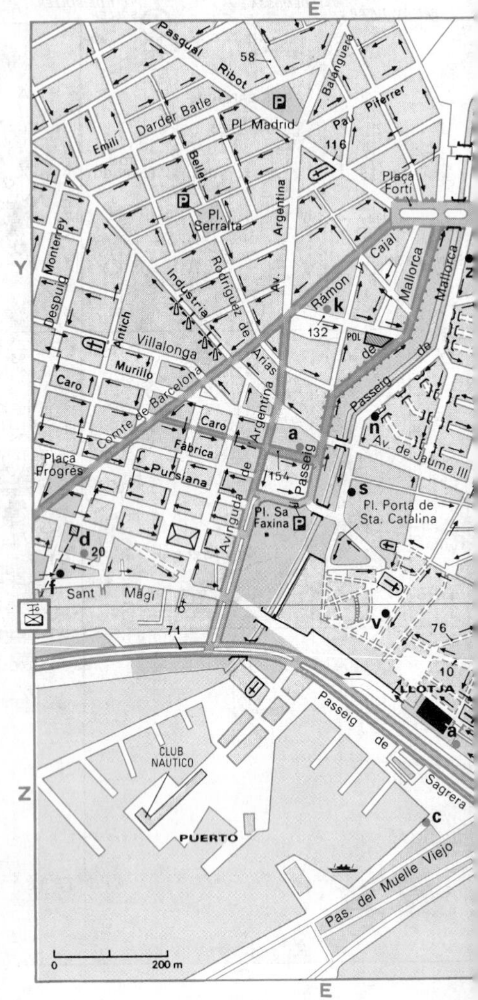

en Cala Major AX – ✉ *07015 Palma :*

Nixe Palace, av. Joan Miró 269 ☎ (971) 70 08 88, *Fax (971) 40 31 71,* ≤ mar y costa – 25/180. AE ⊙ E VISA. AX
Comida carta aprox. 8100 – ☕ 2750 – **125 hab** 26400/33000, 8 suites.

en Sant Agustí AX – ✉ *07015 Sant Agustí :*

Buona Sera, av. Joan Miró 299 ☎ (971) 40 03 22 – ▤. AE E VISA. AX
Comida - cocina italiana - carta 2475 a 3650.

en Gènova AXV – ✉ *07015 Gènova :*

Son Berga, carret. Gènova km 4 ☎ (971) 45 38 69, *Fax (971) 45 38 69*, « Decoracion típica regional » – ▤ ⓟ. AE ⊙ E VISA JCB. AV
Comida carta 2440 a 3800.

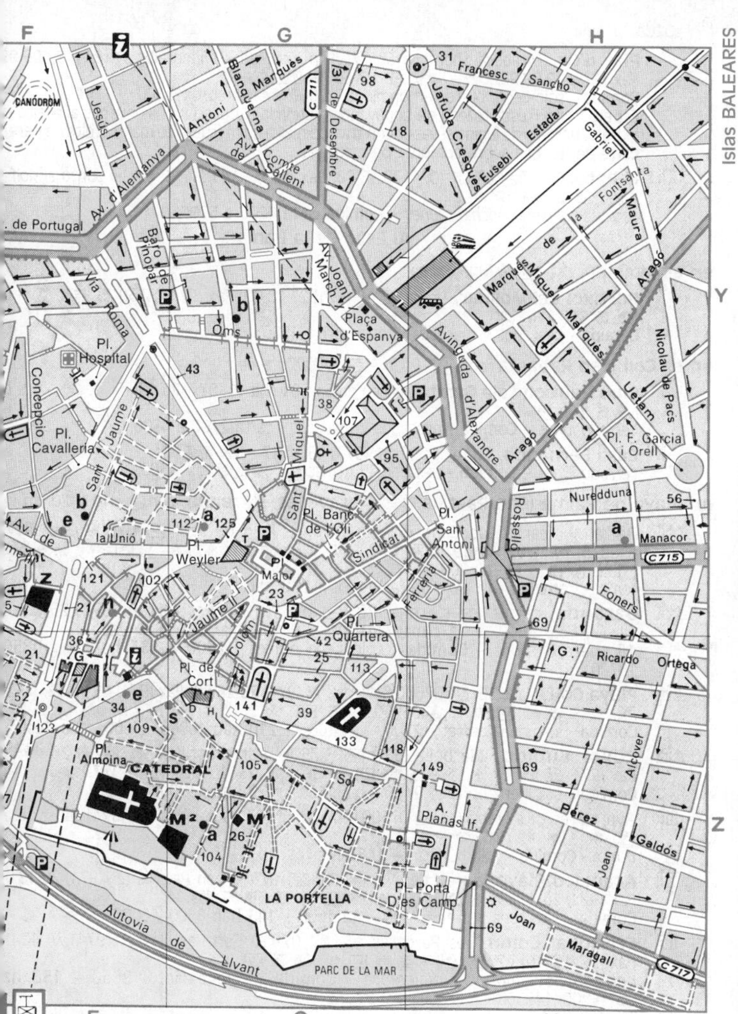

Son Vida BU *Noroeste : 6 km* – ✉ *07013 Son Vida :*

Son Vida ⛰, Raixa 2 ☎ (971) 79 00 00, *Fax (971) 79 00 17*, ☂, « Antiguo palacio señorial entre pinos con ← ciudad, bahía y montañas », 🏋, ⛱ climatizada, ⛱, 🎾, 🎾, 🏌18 – 🛗 ▤ 📺 ☎ 🅟 – 🏛 25/200. AE ⓪ E VISA. ✂ rest
***El Jardín :* Comida** carta 6400 a 9750 - ***Bellver :* Comida** carta aprox. 6500 – **158 hab** ☕ 30900/39900, 12 suites.

Arabella Sheraton Golf H. Son Vida ⛰, de la Vinagrella ☎ (971) 79 99 99, *Fax (971) 79 99 97*, ←, ☂, « Edificio señorial en un marco elegante de ambiente acogedor junto al golf », ⛱, ⛱, 🎾, 🎾, 🏌18 – 🛗 ▤ 📺 ☎ 🚗 🅟 – 🏛 25/90. AE ⓪ E VISA. ✂
Comida (ver también rest. ***Plat d'Or***) - ***Foravila :* Comida** carta aprox. 3850 – **92 hab** ☕ 22950/46225, 1 suite.

XXXX ✿ **Plat d'Or** - *Arabella Sheraton Golf H. Son Vida,* de la Vinagrella ✆ (971) 79 99 99 *Fax (971) 79 99 97,* - . AE E VISA.
Comida - sólo cena, buffet en domingo - 7000 y carta aprox. 5800
Espec. Pasta fresca rellena de bogavante gratinada al queso y finas hierbas al aceite de trufas. Suprema de lubina al vapor con trampó mallorquín, frutas de mar y aceite de perej... Carré de lechona sobre compota de manzana.

XXX **El Pato,** Club de Golf ✆ (971) 79 15 00, *Fax (971) 79 11 27,* ≤, , « Junto al golf » - . E VISA.
cerrado domingo noche y lunes – **Comida** carta 4200 a 5700.

Al Este de la Bahía :

en es Molinar DX - ✉ *07006 Palma :*

X **Portixol del Molinar,** Sirena 27 ✆ (971) 27 18 00, *Fax (971) 27 50 25,* , - E VISA JCB. DX
Comida - pescados y mariscos - carta aprox. 4500.

en es Coll d'en Rabassa *por ④ : 6 km – ✉ 07007 Palma :*

XX **Club Náutico Cala Gamba,** paseo de Cala Gamba ✆ (971) 26 10 45, ≤, - . E VISA JCB.
cerrado lunes – **Comida** - pescados y mariscos - carta 2700 a 4500.

X **Casa Fernando,** Trafalgar 27 ✆ (971) 26 54 17 – . VISA.
cerrado lunes – **Comida** - pescados y mariscos - carta aprox. 4500.

en Playa de Palma (Can Pastilla, ses Meravelles, s'Arenal) *por ④ : 10 y 20 km :*

Delta, carret. de Cabo Blanco km 6,4 - Puig de Ros, ✉ 07609 Cala Blav... ✆ (971) 74 10 00, *Fax (971) 74 10 00,* , « En un pinar », , , , , - ... 25/200
temp – **Comida** Delta *(sólo buffet)* Argos – **288 hab.**

Garonda, carret. de s'Arenal 28, ✉ 07610 Can Pastilla, ✆ (971) 26 22 0... *Fax (971) 26 21 09,* ≤, climatizada, – . AE E VISA.
15 enero-octubre – **Comida** - sólo cena buffet - 2600 – **133 hab** 10850/16700.

Playa Golf, Llaüt 26, ✉ 07600 S'Arenal, ✆ (971) 26 26 50, *Fax (971) 49 18 52,* ≤, , – – 25/60. AE E VISA.
Comida - sólo cena buffet - 2200 – 1000 – **210 hab** 10000/14000, 12 suites.

Royal Cupido, Marbella 32, ✉ 07600 Can Pastilla, ✆ (971) 26 43 0... *Fax (971) 26 55 10,* ≤, – – 25/100. AE E VISA.
Comida - sólo cena buffet - 2400 – 1150 – **179 hab** 13200/16500.

Aya, carret. de s'Arenal 60, ✉ 07600 s'Arenal, ✆ (971) 26 04 50, *Fax (971) 26 62 16,* ... , – , rest,
temp – **Comida** - sólo buffet - – **145 hab.**

Acapulco Playa, carret. de s'Arenal 21, ✉ 07610 Can Pastilla, ✆ (971) 26 18 0... *Fax (971) 26 80 85,* ≤, , – . AE E VISA.
Comida - sólo cena buffet - 2200 – 1000 – **143 hab** 8500/16000.

Cristóbal Colón, Les Parcelles 13, ✉ 07610 Can Pastilla, ✆ (971) 74 40 0... *Fax (971) 74 34 42,* , – . E VISA.
cerrado noviembre-19 diciembre – **Comida** - sólo buffet - 2650 – **158 ha...** 11200/14950.

Leman, av. Son Rigo 6, ✉ 07610 Can Pastilla, ✆ (971) 26 07 12, *Fax (971) 49 25 2...* ≤, , , – . E VISA.
cerrado noviembre-15 diciembre – **Comida** - sólo cena buffet - 1850 – 950 – **98 ha...** 10500/16750, 23 apartamentos.

Boreal, Mar Jónico 9, ✉ 07610 Can Pastilla, ✆ (971) 26 21 12, *Fax (971) 26 21 12,* ... , – .
cerrado 4 noviembre-12 diciembre – **Comida** - sólo buffet - 1100 – **64 hab** 564... 9400.

Luxor, av. Son Rigo 21, ✉ 07610 Can Pastilla, ✆ (971) 26 05 12, *Fax (971) 49 25 0...* , – , rest.
cerrado 30 octubre-15 diciembre – **Comida** - sólo buffet - 1375 – 400 – **92 h...** 5145/8400.

XX **Ca's Cotxer,** carret. de s'Arenal 31, ✉ 07600 Can Pastilla, ✆ (971) 26 20 49 – . E VISA.
cerrado domingo (noviembre-abril) y enero-febrero – **Comida** carta 3200 a 4850.

X **Nuevo Club Naútico El Arenal,** Roses, ✉ 07600 s'Arenal, ✆ (971) 44 04 2... *Fax (971) 44 05 68,* ≤, – . AE E VISA.
cerrado lunes – **Comida** carta 3700 a 4750.

almanova *07181* 443 **N 37** – *Playa.*

Poniente, zona de Magaluf ☎ (971) 72 36 15.

Palma 14.

or la carretera de Palma – ✉ *07011 Portals Nous :*

Punta Negra ⛵, Noreste : 2,5 km ☎ (971) 68 07 62, *Fax (971) 68 39 19,* ≤ bahía, « Magnífica situación al borde de una cala », – ■ TV ☎ P – 25/40. AE ⓓ E VISA.
Comida 4000 – **69 hab** 15000/34000.

Son Caliu ⛵, urb. Son Caliu - Noreste : 2 km ☎ (971) 68 22 00, *Fax (971) 68 37 20,* « Jardín con », – ■ TV ☎ – 25/200. AE ⓓ E VISA. rest
Comida 3000 – **226 hab** 15000/24000, 5 suites.

ina *07220* 443 **N 38.**

Palma 27 – Inca 16 – Manacor 40.

Son Xotano ⛵, carret. de Sencelles - Norte : 1,5 km ☎ (971) 87 25 00, *Fax (971) 87 25 01,* ≤, « Casa de campo », – ■ hab, TV ☎ P. AE ⓓ E VISA.
Comida 3750 – **8 hab** 17250/27900, 8 suites.

ollensa o **Pollença** *07460* 443 **M 39** – *11 256 h. alt. 200 – Playa en Port de Pollença.*

Pollensa, carret. de Palma km 49,3 ☎ (971) 53 32 16 Fax (971) 53 32 65.

Palma 52.

Juma sin rest, pl. Major 9 ☎ (971) 53 50 02, *Fax (971) 53 41 55,* « Mobiliario de estilo antiguo en un marco acogedor » – ■ TV ☎. AE ⓓ E VISA.
cerrado 15 noviembre-15 diciembre – **7 hab** 10700/14980.

XXX **Clivia,** av. Pollentia 5 ☎ (971) 53 36 35 – ■. AE ⓓ E VISA.
cerrado 15 noviembre-15 diciembre – **Comida** carta 2850 a 4750.

XX **Ca'n Costa,** Costa i Llobera 11 ☎ (971) 53 00 42 – ■. E VISA
15 marzo-15 noviembre – **Comida** - sólo cena - carta 3750 a 5100.

X **Cantonet,** Montesión 20 ☎ (971) 53 04 29, – ■. ⓓ E VISA.
cerrado martes y 6 enero-1 febrero – **Comida** - sólo cena en verano - carta aprox. 4500.

X **La Font del Gall,** Montesión 4 ☎ (971) 53 03 96 – ■. E VISA
15 marzo-15 noviembre – **Comida** *(cerrado lunes)* - sólo cena en verano - carta 3050 a 3800.

n la carretera del Port de Pollença *Este : 2 km* – ✉ *07470 Port de Pollença :*

X **Ca'n Pacienci,** ☎ (971) 53 07 87, – ■ P. ⓓ E VISA.
abril-octubre – **Comida** *(cerrado domingo)* - sólo cena - carta aprox. 4850.

s Pont d'Inca *07009* 443 **N 38.**

Palma 5.

X **S'Altell,** av. Antonio Maura 69 (carret. de Inca C 713) ☎ (971) 60 10 01 – ■. AE ⓓ E VISA.
cerrado domingo, lunes y del 1 al 15 de agosto – **Comida** - sólo cena - carta 2850 a 3350.

ortals Nous *07015* 443 **N 37** – *Puerto deportivo.*

Palma 5.

XXXX ✿✿ **Tristán,** Puerto Portals ☎ (971) 67 55 47, *Telex 69804, Fax (971) 17 11 17,* ≤, « Elegante terraza en el puerto deportivo » – ■. AE ⓓ E VISA.
cerrado lunes (salvo mayo-septiembre), 11 enero-1 febrero y 24 noviembre-15 diciembre – **Comida** - sólo cena - 12500 y carta 6600 a 8500
Espec. Lubina a la parrilla con ruccula y patatas marinadas. Raviolis de gambas con mantequilla ligera al Curry. Rape asado entero con balsámico y lasaña de berenjenas.

ortals Vells *07184* 443 **N 37** – *Playa.*

Palma 20.

X **Ca'n Pau Perdiueta,** Ibiza 5 ☎ (971) 18 05 09, – E VISA.
cerrado domingo noche, lunes y 20 diciembre-5 enero – **Comida** - pescados y mariscos - carta aprox. 5100.

Portocolom 07670 443 N 39 – Playa.

Palma 63.

Ses Portadores, Ronda del Creuer Baleares 59 (971) 82 52 71, – . E VISA.
16 febrero-15 noviembre – **Comida** *(cerrado martes en invierno y martes mediodía en verano)* carta 3300 a 4700.

Celler Sa Sinia, Pescadors 25 (971) 82 43 23, – . E VISA.
febrero-octubre – **Comida** *(cerrado lunes)* carta 3450 a 4770.

Portocristo 07680 443 N 40 – Playa.

Alred. : *Cuevas del Drach*** Sur : 1 km – Cuevas del Hams (sala de los Anzuelos*) Oeste 1,5 km.*

Gual 31 A (971) 82 09 31 Fax (971) 82 09 31.

Palma 62.

Ses Comes, av. dels Pins 50 (971) 82 12 54 – AE E VISA
cerrado lunes y 15 noviembre-15 diciembre – **Comida** carta aprox. 3830.

Sa Carrotja, av. d'en Joan Amer 45 (971) 82 15 03 – . AE E VISA.
cerrado lunes noche – **Comida** carta 3100 a 5500.

Portopetro 07691 443 N 39.

Alred. : *Cala Santanyí (paraje*) Suroeste : 16 km.*

Palma 65.

Puerto de Alcudia o Port d'Alcúdia 07410 443 M 39 – Playa.

carret. de Artà 68 (971) 89 26 15 Fax (971) 89 26 15.

Palma 54.

Golf Garden, av. Reina Sofía 13 (971) 89 24 26, *Fax (971) 89 24 26*, <, , ,
–
Comida - sólo cena - - **117 hab.**

Jardín, dels Tritons (971) 89 23 91, – AE E VISA.
cerrado lunes en invierno – **Comida** - sólo almuerzo en invierno salvo viernes y sábado carta 3500 a 4500.

Bogavante, Teodor Canet 2 (971) 54 73 64, *Fax (971) 54 73 64*, – . AE E VISA
cerrado lunes mediodía y 20 noviembre-20 diciembre – **Comida** carta 3300 a 4100.

en la carretera de sa Pobla *Suroeste : 4 km – 07410 Puerto de Alcudia :*

Mesón los Patos, (971) 89 02 65, *Fax (971) 89 02 64*, , « Decoración rústica »
 – . AE E VISA.
cerrado martes y 10 enero-20 febrero – **Comida** carta aprox. 4900.

en la playa de Muro *Sur : 6 km – 07458 Platja de Muro :*

Parc Natural, carret. de Alcúdia-Artà (971) 89 20 17, *Fax (971) 89 03 45*, ,
 – – 25/175. AE E VISA.
5 febrero-5 noviembre – **Comida** 4200 – 1500 – **120 hab** 16800/25600, 36 suites

Puerto de Andraitx o Port d'Andratx 07157 443 N 37.

Alred. : *Paraje* – Recorrido en cornisa*** de Puerto de Andraitx a Sóller.*

Palma 33.

Brismar, av. Almirante Riera Alemany 6 (971) 67 16 00, *Fax (971) 67 11 83*, <,
– . AE E VISA.
cerrado 22 noviembre-20 enero – **Comida** 1300 – 650 – **56 hab** 6400/8800 – PA 2800

Miramar, av. Mateo Bosch 22 (971) 67 16 17, *Fax (971) 67 34 11*, <, – AE
E VISA
cerrado 20 diciembre-20 enero – **Comida** carta 4215 a 5340.

Layn, av. Almirante Riera Alemany 20 (971) 67 18 55, *Fax (971) 67 30 11*, <,
AE E VISA JCB
cerrado 15 diciembre-15 enero – **Comida** carta 3375 a 4200.

Rocamar, av. Almirante Riera Alemany 27 bis (971) 67 12 61, *Fax (971) 67 16 78*, <
 – AE E VISA.
Comida - pescados y mariscos - carta 4000 a 5050.

uerto de Pollensa o Port de Pollença 07470 443 M 39 – *Playa.*

Ver : *Paraje*★.

Alred. : *Carretera*★ *de Puerto de Pollensa al Cabo Formentor*★ *: Mirador d'Es Colomer*★★★.

carret. de Formentor 31 bajos ✆ (971) 86 54 67 Fax (971) 86 67 46.

Palma 58.

Illa d'Or, passeig Colón 265 ✆ (971) 86 51 00, *Fax (971) 86 42 13*, <, « Terraza con árboles », – ▤ ☎ – 25/40. AE ⓓ E VISA. *cerrado 10 enero-11 febrero* – **Comida** 3800 – **118 hab** 11560/25120, 2 suites – PA 7500.

Daina, Atilio Boveri 2 ✆ (971) 86 62 50, *Fax (971) 86 64 61*, <, – ▤ rest, ☎. AE ⓓ E VISA. *marzo-noviembre* – **Comida** - sólo cena buffet - 3000 – **62 hab** 9355/17110, 5 suites.

Miramar, passeig Anglada Camarasa 39 ✆ (971) 86 64 00, *Fax (971) 86 40 75*, < – ▤ ☎. AE E VISA. *abril-octubre* – **Comida** - sólo cena - 2000 – **84 hab** 8700/14000.

Uyal, passeig de Londres ✆ (971) 86 55 00, *Fax (971) 86 55 13*, <, « Terraza con árboles », – ▤ rest, ☎ P. AE ⓓ VISA. *marzo-noviembre* – **Comida** - sólo cena buffet - 2745 – **105 hab** 8400/15220.

Pollentia, passeig de Londres ✆ (971) 86 52 00, *Fax (971) 86 60 34*, <, « Terraza con palmeras » – ▤ rest, ☎. AE E VISA. *marzo-noviembre* – **Comida** - sólo cena buffet - 1450 – **70 hab** 7540/16500.

Capri sin rest, passeig Anglada Camarasa 69 ✆ (971) 86 66 01, *Fax (971) 86 61 45* – ☎. ⓓ E VISA. *mayo-octubre* – **33 hab** 6920/12380.

Bahía, passeig Voramar 27 ✆ (971) 86 59 84, *Fax (971) 86 56 30*, – ☎. E VISA. *abril-octubre* – **Comida** carta aprox. 2800 – **30 hab** 9000/14450.

Panorama Golden Beach, urb. Gommar 5 ✆ (971) 86 51 92, *Fax (971) 86 51 92*, – P. AE ⓓ E VISA. rest *mayo-octubre* – **Comida** - sólo cena buffet - 1200 – 750 – **40 hab** 4000/6000.

Reial Club Nàutic, Muelle Viejo ✆ (971) 86 56 22, *Fax (971) 86 46 35*, <, – ▤. AE E VISA. **Comida** carta 3800 a 4650.

Corb Mari, passeig Anglada Camarasa 91 ✆ (971) 86 70 40, « Terraza » – AE ⓓ E VISA. *cerrado lunes, diciembre y enero* – **Comida** - carnes y pescados a la parrilla - carta 4065 a 5085.

Stay, Estación Marítima ✆ (971) 86 40 13, *Fax (971) 86 52 32*, <, « Terraza frente al mar » – AE E VISA JCB. **Comida** carta 3650 a 5550.

Hibiscus, carret. de Formentor 5 ✆ (971) 86 64 83, – ▤. AE ⓓ E VISA. *cerrado jueves y enero* – **Comida** carta aprox. 3800.

Lonja del Pescado, Muelle Viejo ✆ (971) 86 65 04, <, – ▤. E VISA *cerrado domingo noche (salvo en verano), enero y febrero* – **Comida** - pescados y mariscos - carta 3350 a 5100.

a la carretera de Alcudia *Sur : 3 km* – ✉ *07470 Puerto de Pollensa :*

Ca'n Cuarassa, ✆ (971) 86 42 66, *Fax (971) 86 42 66*, <, – AE E VISA **Comida** carta 3200 a 4300.

uerto de Sóller o Port de Sóller 07108 443 M 38 – *Playa.*

Palma 35.

Edén, passeig Es Través 26 ✆ (971) 63 16 00, *Fax (971) 63 36 56*, <, – ▤ rest, ☎ P. AE ⓓ E VISA. *abril-octubre* – **Comida** - sólo buffet - 3060 – 900 – **150 hab** 5100/9700.

Edén Park sin rest, Lepanto ✆ (971) 63 12 00, *Fax (971) 63 36 56*, – ☎ P. AE ⓓ E VISA. *mayo-15 octubre* – 900 – **64 hab** 5100/9700.

Es Canyis, platja de'n Repic ✆ (971) 63 14 06, *Fax (971) 63 30 18*, – ▤. E VISA. *cerrado lunes, diciembre y enero* – **Comida** carta 3100 a 4300.

Randemar, Es Través 16 ✆ (971) 63 45 78, *Fax (971) 63 45 78*, – ▤. AE ⓓ E VISA. *fines de semana de 10 enero-febrero y 15 noviembre-20 diciembre* – **Comida** *(cerrado miércoles de marzo a mayo)* - cocina italiana - carta 3000 a 4350.

Puigpunyent *07194 Baleares* 443 N 37 – *1 145 h. alt. 240.*
Palma 36.

G.H. Son Net, Castillo Son Net (971) 14 70 00, *Fax (971) 14 70 01*, « Elegante mansión mallorquina del siglo XVII », 25/40.
Comida carta 6100 a 7400 – 2500 – **16 hab** 25000/35000, 6 suites.

Randa *07629* 443 N 38.
Ver : *Santuario de Cura★ ★★.*
Palma 26.

Es Recó de Randa con hab, Font 13 (971) 66 09 97, *Fax (971) 66 25 5* « Terrazas ».
Comida carta aprox. 3650 – **14 hab** 14250/19000.

sa Ràpita *07639 Baleares* 443 N 38 – *Playa.*
Palma 50.

Ca'n Pep, av. Miramar 30 (971) 64 01 02, *Fax (971) 64 01 02*
Comida carta 2800 a 4600.

San Salvador o **Sant Salvador** 443 N 39 – *alt. 509.*
Ver : *Monasterio★ (★★).*
Palma 55 – Felanitx 6.
Hoteles y restaurantes ver : **Cala d'Or** *Sureste : 21 km.*

Santa María o **Santa Maria del Camí** *07320* 443 N 38 – *3 972 h. alt. 150.*
Palma 16.

al Norte : *4 km*

Read's H., (971) 14 02 62, *Fax (971) 14 07 62*, « Antigua casa señor de estilo mallorquín rodeada de césped con ».
Comida 5400 – **15 hab** 30015/35310, 6 suites.

Santa Ponsa o **Santa Ponça** *07180* 443 N 37 – *Playa.*
Santa Ponsa, urb. Nova Santa Ponsa (971) 69 48 54 Fax (971) 69 33 64.
vía Puig de Galatzó (971) 69 17 12 Fax (971) 69 41 37.
Palma 20.

Bahía del Sol, av. Rei Jaume I-74 (971) 69 11 50, *Fax (971) 69 06 50*, 25/60.
cerrado noviembre-17 diciembre – **Comida** - sólo cena buffet - 1400 – **209 ha** 8400/14500.

Casablanca, Vía Rei Sancho 6 (971) 69 03 61, *Fax (971) 69 05 51*, re
mayo-octubre – **Comida** - sólo cena buffet - 1400 – 630 – **87 hab** 651 9450.

Miguel, av. Rei Jaume I-92 (971) 69 09 13
marzo-octubre – **Comida** *(cerrado lunes)* carta 3200 a 4300.

La Rotonda, av. Rei Jaume I-105 (971) 69 02 19
cerrado lunes y 20 noviembre-enero – **Comida** carta 3300 a 4700.

Jackie's, Vía Puig de Galatzó 18 (971) 69 00 67
abril-octubre – **Comida** carta 2170 a 3505.

en el Club de Golf *Sureste : 3 km – 07180 Santa Ponsa :*

Golf Santa Ponça, (971) 69 71 33, *Fax (971) 69 48 53*, camp de golf y bahía, rest
Comida 1995 – **10 hab** 18000/30000, 2 suites.

Sineu *07510 Baleares* 443 **N 39** – *2 581 h. alt. 160.*
Palma 24.

León de Sineu sin rest, dels Bous 129 (971) 52 02 11, *Fax (971) 85 50 58,* « Antigua casa con bonito patio ajardinado », – TV. E VISA
8 hab 8000/16000.

Sóller *07100* 443 **M 38** – *10 021 h. alt. 54 – Playa en Puerto de Sóller.*
pl. de Sa Constitució 1 (971) 63 02 00 Fax (971) 63 37 22.
Palma 30.

Ca's Puers con hab, Isabel II-39 (971) 63 80 04, *Fax (971) 63 04 29,* , « Antigua casa señorial » – TV. AE E VISA.
Comida *(cerrado lunes)* - sólo cena salvo sábado y domingo - carta 6000 a 7900 – **4 hab** 22500/30000, 2 suites.

El Guía con hab. de Semana Santa a octubre, Castañer 3 (971) 63 02 27, *Fax (971) 63 26 34* – rest, . E VISA.
Comida *(cerrado lunes salvo festivos de noviembre a marzo)* carta 2800 a 4300 – 650 – **18 hab** 5000/7000.

en el camino de Son Puça *Noroeste : 2 km – 07100 Sóller :*

Ca N'ai , (971) 63 24 94, *Fax (971) 63 18 99,* sierra de Alfabia y Puig Major, , « Casa de campo », – . AE E VISA.
11 febrero-14 noviembre – **Comida** *(cerrado lunes, sólo cena salvo sábado y domingo)* carta 4300 a 5200 – **11 hab** 21000/30870.

por la carretera de Deià *Noroeste : 5 km y desvío a la derecha 2,3 km – 07100 Sóller :*

Bens d'Avall, urb. Costa de Deià (971) 63 23 81, *Fax (971) 63 23 81,* , – AE VISA.
cerrado domingo noche, lunes y diciembre-febrero – **Comida** carta aprox. 5000.
Ver también : **Puerto de Sóller** *Noroeste : 5 km.*

Son Servera *07550* 443 **N 40** – *6 002 h. alt. 92 – Playa.*
Son Servera, Noreste : 7,5 km (971) 84 00 96 Fax (971) 84 01 60.
av. Joan Servera Camps (971) 58 58 64.
Palma 64.

en la carretera de Capdepera *Noreste : 3 km – 07550 Son Servera :*

Petit H. Cases de Pula sin rest, (971) 56 74 92, *Fax (971) 56 72 71,* , « Antigua casa de campo », – TV . E VISA.
10 hab 24840/28980.

S'Era de Pula, (971) 56 79 40, *Fax (971) 56 81 80,* , « Decoración rústica regional » – . AE E VISA.
cerrado 7 enero-20 febrero – **Comida** carta 3100 a 4150.

en Cala Millor *Sureste : 3 km – 07560 Cala Millor :*

Hipocampo Park, av. S'Estanyol (971) 58 70 02, *Fax (971) 58 70 30,* , , , – TV – 25/120. AE E VISA.
cerrado noviembre y diciembre – **Comida** 3500 – **98 hab** 15120, 105 suites.

Son Floriana con hab, urb. Son Floriana (971) 58 60 75, *Fax (971) 81 35 46,* , « Decoracion rústica regional » – hab, TV . AE VISA. rest
Comida carta aprox. 4850 – **10 hab** 18000/26000.

en Costa de los Pinos *Noreste : 7,5 km – 07559 Costa de los Pinos :*

Eurotel Golf Punta Rotja , (971) 84 00 00, *Fax (971) 84 01 15,* mar y montaña, , Servicios de talasoterapia, « Jardín bajo los pinos », , climatizada, – TV – 25/250. AE E VISA.
Comida 3200 – **199 hab** 23965/30530, 2 suites.

Valdemosa o **Valldemossa** *07170* 443 **M 37** – *1 370 h. alt. 427.*
Palma 17.

en la carretera de Andratx *Oeste : 2,5 km – 07170 Valdemosa :*

Vistamar con hab, (971) 61 23 00, *Fax (971) 61 25 83,* , « Conjunto de estilo mallorquín », – TV . AE E VISA.
febrero-noviembre – **Comida** *(cerrado lunes mediodía)* carta 4150 a 5200 – 1800 – **18 hab** 18000/31000.

MENORCA

Alayor o **Alaior** *07730* 443 **M 42** – *6 406 h. alt. 130.*
Mahón 12.

en Son Bou *Suroeste : 8,5 km – ✉ 07730 Alayor :*

San Valentín, urb. Torre Solí Nou, ✉ apartado 7, ☎ (971) 37 26 02, *Fax (971) 37 23 75,* – 25/100
temp – **Comida** (sólo cena buffet) – **210 hab**, 98 apartamentos.

Jardín de Menorca, urb. Torre Solí Nou ☎ (971) 37 80 40, *Fax (971) 37 80 50,* « Villas en torno a la rodeada de césped », – 25/200. AE E VISA.
mayo-octubre – **Comida** - sólo cena buffet - 1700 – **144 hab** 25200.

Club San Jaime, urb. San Jaime ☎ (971) 37 27 87, – AE E VISA.
mayo-octubre – **Comida** carta 3325 a 4475.

es Castell *07720* 443 **M 42.**
Mahón 3.

Barceló Hamilton, paseo de Santa Águeda 6 ☎ (971) 36 20 50, *Fax (971) 35 16 94,* – rest, E VISA.
Comida 1600 – 850 – **162 hab** 9550/14300 – PA 3200.

Rey Carlos III, Carlos III-2 ☎ (971) 36 31 00, *Fax (971) 36 31 08,* « Amplias terrazas con y » – rest, E VISA.
mayo-octubre – **Comida** 1900 – 600 – **82 hab** 6900/10500, 3 suites.

Ciudadela o **Ciutadella** *07760* 443 **M 41** – *20 707 h.*
Ver : *Localidad★.*
Mahón 44.

Patricia sin rest, passeig Sant Nicolau 90 ☎ (971) 38 55 11, *Fax (971) 48 11 20* – 25/110. AE E VISA.
mayo-octubre – 950 – **44 hab** 15500/16650.

Casa Manolo, Marina 117 ☎ (971) 38 00 03, – AE E VISA.
cerrado noviembre – **Comida** carta aprox. 4700.

Club Nàutic, Camí de Baix 8-1º ☎ (971) 38 27 73, *Fax (971) 38 27 73,* – AE E VISA.
Comida carta 3350 a 5600.

Cas Quintu, pl. d'Alfons III-4 ☎ (971) 38 10 02, *Fax (971) 38 27 73,* – AE E VISA.
Comida carta 3400 a 6100.

El Horno, d'es Forn 12 ☎ (971) 38 07 67 – AE E VISA.
Semana Santa-octubre – **Comida** carta aprox. 3700.

Racó d'es Palau, Palau 3 ☎ (971) 38 54 02, – AE E VISA.
abril-octubre – **Comida** *(cerrado domingo mediodía)* carta aprox. 4500.

en la carretera del Cap d'Artrutx *Sur : 3 km – ✉ 07760 Ciudadela :*

Es Caliu, ✉ apartado 355, ☎ (971) 38 01 65, « Decoración rústica » – E VISA
Comida - carnes a la brasa - carta 2250 a 3900.

en Cala Blanca *Sur : 4 km – ✉ 07760 Ciudadela :*

Sagitario, av. de la Playa 4 ☎ (971) 38 28 77, *Fax (971) 38 33 19,* – rest
Comida (sólo buffet) – **72 hab.**

Ferrerías o **Ferreries** *07750* 443 **M 42** – *3 652 h.*
Mahón 29.

en Cala Santa Galdana *Suroeste : 7 km – ✉ 07750 Cala Santa Galdana :*

Cala Galdana, ☎ (971) 15 45 00, *Fax (971) 15 45 26,* – AE E VISA JCB.
abril-octubre – **Comida** 1750 – 750 – **204 hab** 8200/13600.

Tornare, ☎ (971) 15 45 00, *Fax (971) 15 45 26,* –

Fornells *07748* 443 L 42.
Mahón 30.

S'Áncora, passeig Marítim 8 ☎ (971) 37 66 70, – . AE E VISA.
cerrado domingo noche – **Comida** carta aprox. 4250.

Es Cranc, Escoles 31 ☎ (971) 37 64 42, Vivero propio – . E VISA.
marzo-noviembre – **Comida** *(cerrado miércoles salvo 15 julio-15 septiembre)* carta 2925 a 4850.

en la urbanización Playas de Fornells *Suroeste : 4 km – ✉ 07748 Fornells :*

Tramontana Park, ☎ (971) 37 67 42, *Fax (971) 37 67 48*, – rest, . E VISA.
mayo-octubre – **Comida** - sólo cena buffet - 1600 – 600 – **87 apartamentos** 14325/17000.

Mahón o **Maó** *07700* 443 M 42 – *21814 h.*
Ver : *Emplazamiento★, La Rada★.*
de Menorca, San Clemente, Suroeste : 5 km ☎ (971) 15 70 00 Fax (971) 15 70 70 – Aviaco : aeropuerto ☎ (971) 36 90 15.
para la Península y Mallorca : Cía Trasmediterránea, Nuevo Muelle Comercial (971) 36 60 50 Fax (971) 36 99 28.
pl. Explanada 40 ✉ 07703 ☎ (971) 36 37 90 Fax (971) 36 37 90.

Port Mahón, av. Fort de l'Eau 13, ✉ 07701, ☎ (971) 36 26 00, *Fax (971) 35 10 50*, – 25/40. AE E VISA.
Comida 2000 – **80 hab** 10000/20000, 2 suites.

Sol Mirador des Port, Dalt Vilanova 1, ✉ 07701, ☎ (971) 36 00 16, *Fax (971) 36 73 46*, – . AE E VISA JCB. rest
Comida - sólo cena - 1600 – 850 – **69 hab** 9740/14210.

Capri sin rest. con cafetería, Sant Esteve 8, ✉ 07703, ☎ (971) 36 14 00, *Fax (971) 35 08 53* – – 25/50. AE E VISA.
75 hab 11280/18500.

La Minerva, Moll de Llevant 87 (puerto), ✉ 07701, ☎ (971) 35 19 95, *Fax (971) 35 20 76* – .

Jardí Marivent, Moll de Llevant 314 (puerto), ✉ 07701, ☎ (971) 36 98 01, – . AE E VISA.
cerrado domingo y 20 diciembre-1 febrero – **Comida** carta aprox. 4500.

Club Marítimo, Moll de Llevant 287 (puerto), ✉ 07701, ☎ (971) 36 42 26, *Fax (971) 36 80 78*, .

Jàgaro, Moll de Llevant 334 (puerto), ✉ 07701, ☎ (971) 36 23 90, – . AE E VISA JCB.
Comida carta 3275 a 4675.

Pilar d'en Doro, d'es Forn 61, ✉ 07702, ☎ (971) 36 68 17, – E VISA
cerrado domingo noche y lunes (en invierno), domingo en verano (salvo agosto), enero y febrero – **Comida** carta 3600 a 4550.

Gregal, Moll de Llevant 306 (puerto), ✉ 07701, ☎ (971) 36 66 06, *Fax (971) 35 11 47*, – . AE E VISA JCB.
Comida carta aprox. 4200.

en Cala Fonduco *Este : 1 km – ✉ 07720 es Castell :*

Miramar, Fonduco 46 ☎ (971) 36 29 00, *Fax (971) 35 12 40* – . AE VISA.
abril-octubre – **Comida** 2000 – **25 hab** 8000/12000.

Rocamar, Fonduco 32-1º ☎ (971) 36 56 01, *Fax (971) 36 52 99*, – . AE E VISA JCB.
cerrado domingo noche, lunes (en invierno) y noviembre – **Comida** carta 2000 a 3500.

es Mercadal *07740* 443 M 42 – *2601 h. alt. 120.*
Alred. : *Monte Toro : ★★ (3,5 km).*
Son Parc, Noreste : 6 km ☎ (971) 18 88 75.
Mahón 22.

Ca N'Aguedet, Lepanto 30-1º ☎ (971) 37 53 91 – . AE E VISA JCB.
Comida - cocina regional - carta 2550 a 4400.

es Migjorn Gran *07749* 443 **M 42** - *1051 h.*
Mahón 18.

S'Engolidor con hab, Major 3 ☏ (971) 37 01 93, - E VISA.
mayo-noviembre y fines de semana de enero-abril – **Comida** *(cerrado lunes)* - sólo cen - carta 2450 a 3130 – **4 hab** ☐ 4000/5000.

San Clemente o **Sant Climent** *07712* 443 **M 42**.
Mahón/Mahó 6.

Es Molí de Foc, Sant Llorenç 65 ☏ (971) 15 32 22, *Fax (971) 15 32 22,* – ▤. ① E VISA.
cerrado domingo noche, lunes, del 7 al 17 de enero y del 14 al 20 de marzo – **Comid** carta 3450 a 4550.

San Luis o **Sant Lluís** *07710* 443 **M 42** – *3404 h.*
Mahón 4.

en la carretera de Binibèquer *Suroeste : 1,5 km* – ✉ *07710 San Luis :*

Biniali con hab, carret. S'Ullastrar-Binibèquer 50 ☏ (971) 15 17 24 *Fax (971) 15 03 52,* ≤, , « Antigua casa de campo », – ☎ P. AE ① E VIS JCB.
abril-octubre – **Comida** carta aprox. 4050 – ☐ 1090 – **9 hab** 14690/16360.

IBIZA

Ibiza o **Eivissa** *07800* 443 **P 34** – *30376 h.* – *Playa.*

Ver : *Emplazamiento★★, La ciudad alta★ (Dalt vila)* BZ : *Catedral* B ★ - *Muse Arqueológico★* **M1**.

Otras curiosidades : *Museo monográfico de Puig de Molins★* AZ **M2** *(busto de la Dios Tanit★) - Sa Penya★* BY.

18 9 *Ibiza, por ② : 10 km ☏ (971) 19 61 18 Fax (971) 19 60 51.*

✈ *de Ibiza, por ③ : 9 km ☏ (971) 80 90 00 – Iberia : passeig Vara de Rey 1 ☏ (971) 30 08 33* BY.

⛴ *para la Península y Mallorca : Cía. Trasmediterránea, Andenes del Puerto, Estació Marítima ☏ (971) 31 50 50 Fax (971) 31 21 04* BY.

passeig Vara de Rey 13 ☏ (971) 30 19 00 Fax (971) 30 15 62.

Royal Plaza, Pere Francès 27 ☏ (971) 31 00 00, *Fax (971) 31 40 95,* – ▤ TV ☎ – 25/45. AE ① E VISA. AY
Comida 3200 – ☐ 1050 – **112 hab** 15500/22700, 5 suites.

Montesol sin rest, con cafetería, passeig Vara de Rey 2 ☏ (971) 31 01 6 *Fax (971) 31 06 02* – ▤ TV ☎. E VISA. BY
☐ 650 – **55 hab** 7600/12800.

La Ventana, Sa Carrossa 13 ☏ (971) 39 08 57, *Fax (971) 39 01 45,* , « Decoració original » – TV ☎. AE E VISA. rest BZ
Comida *(cerrado martes)* - sólo cena en verano - carta aprox. 5450 – ☐ 1500 – **13 ha** 26750, 1 suite.

El Corsario , Ponent 5 ☏ (971) 30 12 48, *Fax (971) 39 19 53,* ≤, , « Conjunt de estilo ibicenco » – ① E VISA. rest BZ
Comida *(cerrado lunes)* - sólo cena - carta 4100 a 5800 – **14 hab.**

El Cigarral, Frare Vicent Nicolau 9 ☏ (971) 31 12 46, *Fax (971) 31 12 46* – ▤. AE ① E VISA JCB. AY
cerrado domingo y 25 agosto-10 septiembre – **Comida** carta 3500 a 5150.

Sa Caldera, Bisbe Huix 19 ☏ (971) 30 64 16 – ▤. AE ① E VISA. AY
cerrado sábado y domingo mediodía en julio y agosto – **Comida** carta 3000 a 4100.

Nanking, del Mar 8-1º ☏ (971) 19 09 51, *Fax (971) 19 11 44* – ▤. AE ① VISA. BY
cerrado miércoles y 11 enero-11 febrero – **Comida** - rest. chino - carta 2200 a 3800

Ca n'Alfredo, passeig Vara de Rey 16 ☏ (971) 31 12 74, *Fax (971) 31 12 74,* , Bistr – ▤. AE ① E VISA. BY
Comida carta 3450 a 5500.

...n la playa de ses Figueretes AZ – ✉ *07800 Ibiza* :

Los Molinos, Ramón Muntaner 60 ☎ (971) 30 22 50, *Fax (971) 30 25 04*, <, « Bonito jardín y terraza con ⛱ al borde del mar », – ⛻ – 25/150. AE ⓓ E VISA. — AZ a
Comida carta 3750 a 5400 – ☕ 1000 – **154 hab** 11400/19400.

Ibiza Playa, Tarragona 5 ☎ (971) 30 48 00, *Fax (971) 30 69 02*, <, , – , rest, TV ☎. AE ⓓ E VISA. — AZ u
20 abril-octubre – **Comida** - sólo cena - 3100 – **157 hab** ☕ 9000/16000.

Cenit sin rest, Arxiduc Lluìs Salvador ☎ (971) 30 14 04, *Fax (971) 30 07 54*, <, – . AE ⓓ E VISA. — AZ r
mayo-octubre – ☕ 550 – **62 hab** 5500/8000.

Central Playa, Galicia 12 ☎ (971) 30 23 50, *Fax (971) 39 21 76* – — AZ e
temp – **Comida** (sólo cena) – **72 hab.**

Príncipe, passeig de Figueretes ☎ (971) 30 19 14, – . AE E VISA — AZ s
marzo-octubre – **Comida** carta 2700 a 4550.

...n es Vivé AZ *Suroeste : 2,5 km* – ✉ *07819 Es Vivé* :

Torre del Mar , platja d'en Bossa ☎ (971) 30 30 50, *Fax (971) 30 40 60*, <, « Jardín con terraza y al borde del mar », , , – TV ☎ – 25/120. AE ⓓ E VISA.
mayo-octubre – **Comida** - sólo cena - 3000 – ☕ 1000 – **213 hab** 17000/24000, 4 suites.

...Este *por* ② :

Anchorage sin rest, puerto deportivo Marina Botafoch : 2,5 km, ✉ apartado 750-Ibiza, ☎ (971) 31 17 11, *Fax (971) 31 15 57*, < puerto y ciudad – TV ☎
20 hab.

Argos, playa de Talamanca : 2,8 km, ✉ apartado 107 Ibiza, ☎ (971) 31 21 62, *Fax (971) 31 62 01*, <, – ☎ . AE ⓓ E VISA.
abril-octubre – **Comida** - sólo cena buffet - 2500 – ☕ 1200 – **106 hab** 9500/17000.

en la carretera de San Miguel *por ② : 6,5 km – ✉ 07800 Ibiza :*

XX **La Masía d'en Sord,** ✉ apartado 897 Ibiza, ☎ (971) 31 02 28, «Antigua mas ibicenca. Galería de arte» – P. AE O E VISA. *abril-octubre* – **Comida** - sólo cena - carta 3650 a 5100.

Portinatx 07820 443 M 34 – *Playa.*

Ver : *Paraje*★.

Ibiza 29.

San Agustín o Sant Agustí des Vedrà *07839* 443 P 33.

Ibiza 20.

por la carretera de Sant Josep – *✉ 07830 San José :*

X **Sa Tasca,** ☎ (971) 80 00 75, «Rincón rústico en el campo» – P. AE E VISA. *cerrado lunes* – **Comida** carta 3500 a 5100.

San Antonio de Portmany o Sant Antoni de Portmany *07820* 443 P 33

14 663 h. – Playa.

para la Península : Cía. Flebasa, edificio Faro ☎ (971) 34 28 71 Fax (971) 34 32 2

ℹ passeig de Ses Fonts ☎ (971) 34 33 63.

Ibiza 15.

Tropical, Cervantes 28 ☎ (971) 34 00 50, *Fax (971) 34 40 69,* – AE O E VISA. *mayo-octubre* – **Comida** - sólo cena buffet - 1700 – 800 – **142 hab** 4100/8200.

X **Rías Baixas,** Ignasi Riquer 4 ☎ (971) 34 04 80, *Fax (971) 34 07 71* – AE O E VISA. *marzo-noviembre* – **Comida** *(cerrado lunes de marzo a junio)* - cocina gallega - carta 28(a 4700.

X **Sa Prensa,** General Prim 6 ☎ (971) 34 16 70, – AE O E VISA JCB. *fines de semana en invierno* – **Comida** *(cerrado miércoles mediodía resto del año)* car 2500 a 3900.

en la playa de s'Estanyol *Suroeste : 2,5 km – ✉ 07820 San Antonio de Portmany :*

Bergantín, ☎ (971) 34 09 50, *Fax (971) 34 19 71,* climatizada, – , rest, ☎ **Comida** - sólo buffet - – **253 hab.**

en la carretera de Santa Agnès *Norte : 1 km – ✉ 07820 San Antonio de Portmany :*

XX **Sa Capella,** ☎ (971) 34 00 57, «En una antigua capilla» – P. E VISA. *15 abril-octubre* – **Comida** - sólo cena - carta 3800 a 5800.

San José o Sant Josep de Sa Talaia *07830* 443 P 33.

Ibiza 14.

por la carretera de Ibiza – *✉ 07830 San José :*

XX **Cana Joana,** Este : 2,5 km, ✉ apartado 149 San José, ☎ (971) 80 01 5 *Fax (971) 80 07 75,* ≤, «Decoracion regional» – P. AE E VISA *cerrado domingo noche y lunes (30 diciembre-mayo) y 2 noviembre-29 diciembre* – **Comi** - sólo cena de junio-2 noviembre - carta 4750 a 5350.

X **Ca'n Domingo de Ca'n Botja,** Este : 3 km ☎ (971) 80 01 84, – P. AE O E VI *abril-septiembre* – **Comida** *(cerrado domingo salvo julio-septiembre)* - sólo cena - car 4275 a 5100.

en la playa de Cala Tarida *Noroeste : 7 km – ✉ 07830 San José :*

X **C'as Milà,** ☎ (971) 80 61 93, ≤, – P. AE E VISA. *cerrado sábado, domingo y festivos en invierno* – **Comida** carta aprox. 4175.

en Cala Vedella *Suroeste : 8 km – ✉ 07830 San José :*

Village , urb. Caló d'en Real ☎ (971) 80 80 01, *Fax (971) 80 80 27,* – TV ☎ P. E VISA. **Comida** *(cerrado noviembre)* 3000 – **19 hab** 18000/33500, 1 suite – PA 6000.

San Miguel o Sant Miquel de Balansat *07815* 443 O 34.

Ibiza 19.

en la urbanización Na Xamena *Noroeste : 6 km*

Hacienda , ☎ (971) 33 45 00, *Fax (971) 33 45 14,* «Edificio de estilo ibicen con ≤ cala», – TV ☎ P. AE O E VISA. rest *25 abril-octubre* – **Comida** carta 8000 a 11900 – 2400 – **56 hab** 29700/39600, 7 suit

Santa Eulalia del Río o Santa Eulària des Riu 07840 443 P 34 – 15 545 h. – Playa.

Ver : *Puig de Missa★.*

Marià Riquer Wallis 4 (971) 33 07 28.

Ibiza 15.

San Marino sin rest. con cafetería, Ricardo Curtoys Gotarredona 1 (971) 33 03 16, *Fax (971) 33 90 76,* – . AE E VISA
950 – **44 hab** 14700/19200.

Tres Torres, passeig Marítim (frente puerto deportivo) (971) 33 03 26, *Fax (971) 33 20 85,* , climatizada – . AE E VISA.
mayo-octubre – **Comida** - sólo cena buffet - 2500 – 1000 – **110 hab** 13500/18500, 2 suites.

La Cala, Huesca 1 (971) 33 00 09, *Fax (971) 33 15 12,* – , rest, .
Comida - sólo buffet - 1500 – 650 – **180 hab** 9800/12300.

Celler Ca'n Pere, Sant Jaume 63 (971) 33 00 56, , « Celler típico » – AE E VISA.
cerrado jueves y 15 enero-febrero – **Comida** carta 3000 a 4900.

Doña Margarita Puerto, puerto deportivo (971) 33 22 00, *Fax (971) 33 99 88,* , – AE E VISA
cerrado lunes (Semana Santa-14 diciembre) y 15 diciembre-10 febrero – **Comida** *(sólo almuerzo de domingo a jueves de de febrero a Semana Santa)* - carta 3350 a 5450.

El Naranjo, Sant Josep 31 (971) 33 03 24, – AE E VISA.
marzo-octubre – **Comida** *(cerrado lunes)* - sólo cena - carta 2800 a 4600.

Bahía, Molins de Rei 2 (971) 33 08 28, *Fax (971) 33 08 28,* – . AE VISA
cerrado martes (en invierno) y enero – **Comida** carta aprox. 4000.

en la urbanización s'Argamassa *Noreste : 3,5 km – 07849 Urbanización S'Argamassa :*

Sol S'Argamassa , (971) 33 00 51, *Fax (971) 33 00 76,* , , , – . AE E VISA JCB.
mayo-octubre – **Comida** - sólo buffet - 2250 – 750 – **217 hab** 8200/13200.

por la carretera de Cala Llonga *Sur : 4 km – 07840 Santa Eulalia del Río :*

La Casita, urb. Valverde (971) 33 02 93, *Fax (971) 33 05 77,* , « Decoración regional » – . AE E VISA
cerrado martes y 15 noviembre-15 diciembre – **Comida** - sólo cena salvo domingo - carta 3600 a 4900.

en la carretera de Ibiza *Suroeste : 5,5 km – 07840 Santa Eulalia del Río :*

La Colina , (971) 33 27 67, *Fax (971) 33 27 67,* « Antigua casa de campo », – . AE E VISA
Comida 2800 – **16 hab** 10600/13600.

Santa Gertrudis de Fruitera *07814* 443 OP 34.

Ibiza 11.

en la carretera de Ibiza – *07814 Santa Gertrudis de Fruitera :*

Ama Lur, Sureste : 2,5 km (971) 31 45 54, – . AE E VISA.
Comida - cocina vasca - carta 4500 a 5100.

Can Pau, Sur : 2 km (971) 19 70 07, , « Antigua casa campesina. Terraza » – .
AE E VISA.
cerrado lunes en invierno – **Comida** carta 4400 a 6250.

FORMENTERA

Cala Saona o Cala Sahona *07860* 443 P 35 – *Playa.*

Cala Saona , playa, 07860 apartado 88 San Francisco, (971) 32 20 30, *Fax (971) 32 25 09,* , , , – . AE E VISA.
mayo-15 octubre – **Comida** - sólo cena - 1600 – 800 – **116 hab** 11150/16000.

es Pujols *07871* 443 P 34 – *Playa.*

Port de la Savina (971) 32 20 57 Fax (971) 32 28 25.

Sa Volta sin rest. con cafetería, Miramar 94, 07860 apartado 71 San Francisco, (971) 32 81 25, *Fax (971) 32 82 28* – . AE E VISA.
875 – **25 hab** 6000/10500.

X **Le Cyrano,** passeig Marítim, ✉ 07860 apartado 46 San Francisco, ☎ (971) 32 83 86 ≤, 🏖 - AE E VISA
Semana Santa-15 noviembre - **Comida** - cocina francesa - carta 3700 a 4600.

X **Capri** con hab, Miramar 41-47, ✉ 07871 San Fernando, ☎ (971) 32 83 52 *Fax (971) 32 88 39*, 🏖 - P. AE E VISA. ✂
marzo-octubre - **Comida** carta 2100 a 3450 - ☕ 500 - **15 hab** 2200/5600.

en Punta Prima *Este : 2 km* - ✉ *07871 San Fernando :*

Club Punta Prima 🔇, ☎ (971) 32 82 44, *Fax (971) 32 81 28*, ≤ mar e isla de Ibiza, 🏖 « Bungalows rodeados de jardín », 🏊, 🎾 - TV ☎ P
Comida (sólo cena buffet) - **94 hab.**

al Noroeste : *5 km* - ✉ *07870 La Savina :*

X Es Molí de Sal, Ses Illetes ☎ 608 13 67 73, ≤ mar e isla de Ibiza, 🏖 - P
temp.

San Fernando o Sant Ferran de ses Roques *07871* 443 P 34.

Illes Pitiüses sin rest, av. Joan Castelló 48 ☎ (971) 32 87 40, *Fax (971) 32 80 17* - ▤ TV ☎ P. AE E VISA
☕ 650 - **26 hab** 5000/7300.

X **Las Ranas,** carret. de Cala En Baster ☎ (971) 32 81 95, 🏖 - ✂
abril-octubre - **Comida** *(cerrado lunes y martes)* - sólo cena - carta 3600 a 5100.

BALLESTEROS DE CALATRAVA *13432 Ciudad Real* 444 P 18 - *644 h. alt. 659.*

Madrid 198 - Alcázar de San Juan 82 - Ciudad Real 21 - Puertollano 34 - Valdepeñas 60

Palacio de la Serna 🔇, Cervantes 18 ☎ (926) 84 22 08, *Fax (926) 84 22 24*, « Palacio del siglo XVIII », 🏊 - TV ☎ P - 🏛 25/150. AE ⓓ VISA. ✂ rest
Comida *(sólo viernes, sábados y domingos)* 2500 - **20 hab** ☕ 12000/15500.

BALMASEDA *Vizcaya - ver Valmaseda.*

BALNEARIO *- ver el nombre propio del balneario.*

BANDEIRA *36570 Pontevedra* 441 D 5.

Madrid 581 - Lugo 91 - Orense/Ourense 80 - Pontevedra 83 - Santiago de Compostela 30.

Victorino, Empanada 1 ☎ (986) 58 53 30, *Fax (986) 58 53 30* - |‡| TV ☎. AE E VISA. ✂
Comida 1300 - ☕ 300 - **12 hab** 3500/6000.

BANYALBUFAR *Baleares - ver Baleares (Mallorca) : Bañalbufar.*

BANYOLES *Gerona - ver Bañolas.*

BAÑALBUFAR *Baleares - ver Baleares (Mallorca).*

BAÑERAS o BANYERES DEL PENEDÈS *43711 Tarragona* 443 I 34 - *1 438 h. alt. 170*

Madrid 558 - Barcelona 69 - Lérida/Lleida 101 - Tarragona 37.

en la urbanización Bosques de Banyeres *Sur : 1,5 km* - ✉ *43711 Banyeres del Penedès*

X **El Bosque** 🔇 con hab, ☎ (977) 67 10 02, *Fax (977) 67 14 13*, 🏊, 🎾 - ▤ rest, TV AE E VISA
cerrado enero - **Comida** *(cerrado martes)* carta 2300 a 3800 - ☕ 575 - **7 hab** 7000

La BAÑEZA *24750 León* 441 F 12 - *9 722 h. alt. 771.*

Madrid 297 - León 48 - Ponferrada 85 - Zamora 106.

XX **Los Ángeles,** pl. Obispo Alcolea 2 ☎ (987) 65 57 30, *Fax (987) 66 61 82* - |‡| ▤. AE ⓓ E VISA. ✂
cerrado lunes y 15 septiembre-1 octubre - **Comida** carta 2900 a 4450.

X **Chipén,** carret. de Madrid N VI - km 301 ☎ (987) 64 03 89 - P. AE ⓓ E VISA JCB
Comida carta 2000 a 3475.

en la carretera LE 420 *Norte : 1,5 km* - ✉ *24750 La Bañeza :*

Río Verde, ☎ (987) 64 17 12, ≤, 🏖, 🌳 - TV P. VISA. ✂ rest
Comida 1700 - ☕ 500 - **15 hab** 4900/5900.

AÑOLAS o **BANYOLES** *17820 Gerona* 443 F 38 – *11 870 h. alt. 172.*
Ver : *Museo Arqueológico Comarcal*★.
Alred. : *Lago*★ – *Iglesia de Santa María de Porqueres*★.
passeig Industria 25 ☎ (972) 57 55 73 Fax (972) 57 49 17.
Madrid 729 – Figueras/Figueres 29 – Gerona/Girona 20.

XX **Quatre Estacions,** passeig de La Farga ☎ (972) 57 33 00, *Fax (972) 57 33 00* – ▤. AE E VISA. ✻
cerrado domingo noche, lunes y agosto – **Comida** carta 3000 a 3800.

orillas del lago :

L'Ast ⛬ sin rest, passeig Dalmau 63 ☎ (972) 57 04 14, *Fax (972) 57 04 14*, ⛱ – ⇕ TV ☎. AE ⓞ E VISA JCB. ✻
27 hab ☕ 5500/9500.

AÑOS DE FITERO *Navarra – ver Fitero.*

AÑOS DE FORTUNA *Murcia – ver Fortuna.*

AÑOS DE MOLGAS *32701 Orense* 441 F 6 – *3 208 h. alt. 460 – Balneario.*
Madrid 536 – Orense/Ourense 36 – Ponferrada 154.

Balneario, Samuel González Movilla 26 ☎ (988) 43 02 46, *Fax (988) 43 04 05* – ⇕ TV ☎. AE VISA. ✻
15 febrero-15 diciembre – **Comida** 1450 – ☕ 400 – **28 hab** 3600/6200.

AÑOS DE SIERRA ALHAMILLA *Almería – ver Pechina.*

AQUEIRA *Lérida – ver Salardú.*

AQUIO o **BAKIO** *48130 Vizcaya* 442 B 21 – *1 220 h. – Playa.*
Alred. : *Recorrido en cornisa*★ *de Baquio a Arminza* ≤★ – *Carretera de Baquio a Bermeo* ≤★.
Madrid 425 – Bilbao/Bilbo 26.

Hostería del Señorío de Bizkaia ⛬, Dr. José María Cirarda 4 ☎ (94) 619 47 25, *Fax (94) 619 47 25*, ≤, « Instalación rústica en un extenso césped con jardín » – TV ☎ P. E VISA. ✻ rest
cerrado enero y febrero – **Comida** 1975 – ☕ 525 – **16 hab** 6975/9325.

XX **Gotzón,** carret. de Bermeo ☎ (94) 619 40 43, 🏞 – ▤. AE E VISA. ✻
marzo-noviembre – **Comida** *(cerrado lunes)* carta 3400 a 5000.

la carretera de Bermeo *Noreste : 4 km – ✉ 48130 Baquio :*

XX **Eneperi,** barrio San Pelayo 89 ☎ (94) 619 40 65, *Fax (94) 619 34 17*, Museo de antiguos útiles de labranza, « En un caserío » – P. AE VISA
cerrado lunes y enero – **Comida** carta 4500 a 5500.

ARAJAS *28042 Madrid* 444 K 19.
✈ *de Madrid-Barajas ☎ (91) 305 83 43.*
Madrid 14.

Barajas, av. de Logroño 305 ☎ (91) 747 77 00, *Fax (91) 747 87 17*, 🏞, Fö, ⛱, 🌳 – ⇕ ▤ TV ☎ P – 🔺 25/675. AE ⓞ E VISA. ✻ rest
Comida 5500 – ☕ 1850 – **218 hab** 23200/29000, 12 suites – PA 10325.

Alameda, av. de Logroño 100 ☎ (91) 747 48 00, *Fax (91) 747 89 28*, ⛱ – ⇕ ▤ TV ☎ P – 🔺 25/280. AE ⓞ E VISA JCB. ✻ rest
Comida carta aprox. 4600 – ☕ 1400 – **136 hab** 19200/24000, 9 suites.

Villa de Barajas, av. de Logroño 331 ☎ (91) 329 28 18, *Fax (91) 329 27 04* – ⇕ ▤ TV ☎ 🚗 – 🔺 25. AE ⓞ E VISA. ✻ rest
Comida - sólo cena - 2000 – ☕ 900 – **36 hab** 10700/13400.

X **Mesón Don Fernando,** Canal de Suez 1 ☎ (91) 747 75 51 – ▤. AE ⓞ E VISA. ✻
cerrado sábado, domingo noche y agosto – **Comida** carta 2900 a 4600.

la carretera del aeropuerto a Madrid *Sur : 3 km – ✉ 28042 Madrid :*

Tryp Diana, Galeón 27 (Alameda de Osuna) ☎ (91) 747 13 55, *Telex 45688, Fax (91) 747 97 97*, ⛱ – ⇕ ▤ TV ☎ – 🔺 25/220. AE ⓞ E VISA JCB. ✻ rest
Comida 2400 - ***Asador Duque de Osuna*** *(cerrado domingo y festivos)* **Comida** carta 3400 a 5500 - ***El Pato Mudo*** *(cerrado lunes)* **Comida** carta aprox. 4900 – ☕ 1600 – **228 hab** 15200/18100, 42 suites.

BARAÑAIN *Navarra – ver Pamplona.*

BARBASTRO *22300 Huesca* 443 **F 30** – *15 827 h. alt. 215.*
Ver : *Catedral★.*
Alred. : *Torreciudad : ≤★★ (Noreste : 24 km).*
pl. de Aragón ☎ (974) 31 43 13 Fax (974) 31 43 13.
Madrid 442 – Huesca 52 – Lérida/Lleida 68.

Pirineos, General Ricardos 13 ☎ (974) 31 00 00, *Fax (974) 31 00 00* – TV ☎ AE ⓓ E VISA. rest
Comida *(cerrado domingo noche)* 1850 – 800 – **27 hab** 4000/6800.

Flor, Goya 3 ☎ (974) 31 10 56, *Fax (974) 31 13 18* – AE ⓓ E VISA.
Comida carta aprox. 3650.

L'Arrabal, av. de los Pirineos 7 ☎ (974) 31 16 73, *Fax (974) 31 16 73* – AE ⓓ E VI…
cerrado domingo (salvo Navidades y Semana Santa) y del 1 al 15 de octubre – **Comi…** carta 3000 a 3600.

en la carretera de Huesca N 240 *Oeste : 1 km – ✉ 22300 Barbastro :*

Rey Sancho Ramírez, ☎ (974) 31 00 50, *Fax (974) 31 00 58,* ≤, – ☎ P. AE ⓓ E VISA JCB.
Comida *(cerrado lunes y enero-febrero)* carta aprox. 4900 – 1100 – **75 h…** 12000/16800.

BARBATE *11160 Cádiz* 446 **X 12** – *21 440 h. – Playa.*
Ramón y Cajal 43 ☎ (956) 43 10 06 Fax (956) 43 10 06 (temp).
Madrid 677 – Algeciras 72 – Cádiz 60 – Córdoba 279 – Sevilla 169.

Galia sin rest, Dr. Valencia 5 ☎ (956) 43 33 76, *Fax (956) 43 04 82* – TV ☎
23 hab.

Torres, Ruiz de Alda 1 ☎ (956) 43 09 85, *Fax (956) 43 09 85* – AE ⓓ VISA.
cerrado lunes (salvo agosto) y octubre – **Comida** - pescados y mariscos - carta aprox. 35…

BARBERÁ o BARBERÀ DEL VALLÈS *08210 Barcelona* 443 **H 36** – *30 905 h.*
Madrid 609 – Barcelona 19 – Mataró 39.

junto a la autopista A 7 *Sureste : 2 km – ✉ 08210 Barberà del Vallès :*

Campanile, carret. N 150 - sector Baricentro ☎ (93) 729 29 28, *Fax (93) 729 25 5…*
TV ☎ P – 60/220. AE ⓓ E VISA. rest
Comida 1990 – 890 – **212 hab** 8300.

La BARCA (Playa de) *Pontevedra – ver Vigo.*

BARCELONA

08000 P 443 H 36 – *1 681 132 h.*

Madrid 627 ⑥ – Bilbao/Bilbo 607 ⑥ – Lérida/Lleida 169 ⑥ – Perpignan 187 ② – Tarragona 109 ⑥ – Toulouse 388 ② – Valencia 361 ⑥ – Zaragoza 307 ⑥.

Planos de Barcelona

OFICINAS DE TURISMO

pl. de Catalunya 17-S, ✉ 08002, ☎ (93) 304 31 35, Fax (93) 304 31 55, passeig de Gràcia 107, ✉ 08008, ☎ (93) 238 40 00, Fax (93) 238 40 10, Sants Estació, ✉ 08014 ☎ (93) 491 44 31 y en el aeropuerto ☎ (93) 478 05 65 (Terminal A) y ☎ (93) 478 47 04 (Terminal B) – **R.A.C.C.** *(R.A.C. de Catalunya) Parc de Negocis Mas Blau (edif. Muntadas 1º 4-esc. B), ✉ 08820 El Prat de Llobregat, ☎ (93) 478 77 05, Fax (93) 478 77 36.*

INFORMACIONES PRÁCTICAS

18, 18 *Prat por ⑤ : 16 km ☎ (93) 379 02 78.* – ✈ *de Barcelona por ⑤ : 12 km ☎ (93) 298 38 38 – Iberia : Diputació 258, ✉ 08007, ☎ (93) 401 32 82* HV *y Aviaco : aeropuerto ☎ (93) 478 24 11 – Sants ☎ (93) 490 75 91.*
para Baleares : Cia. Trasmediterránea, Moll de Sant Beltrà – Estació Marítima, ✉ 08039, ☎ (93) 295 91 00, Fax (93) 295 91 34 CT.

CURIOSIDADES

Barrio Gótico★★ : *Casa de l'Ardiaca★* MX **A** *Catedral★* MX, *Carrer Paradis 10 (columnas romanas★)* MX **135**, *Plaça del Rei★★* MX **149**, *Museu d'Història de la Ciutat★ (excavaciones ciudad romana★★)* MX **M¹**, *Capilla de Santa Ágata★ (retablo del Condestable★★)* MX **F**, *Mirador del Rei Martí ⩽ ★★* MX **K** *Museu Frederic Marès★* MX **M²**. – **La Rambla★★** : *Museu d'Art Contemporani de Barcelona (MACBA)★★* HX **M¹⁰**, *Centre de Cultura Contemporània de Barcelona (CCCB) : patio★* HX **R**, *Antiguo Hospital de la Santa Creu (patio gótico★)* LY, *Iglesia de Santa Maria del Pi★* LX, *Palau Güell★★* LY, *Plaça Reial★★* MY
La Fachada Marítima★ : *Atarazanas y Museo Marítimo★★* MY, *Port Vell★* NY, *Basílica de la Mercé★* NY, *La Llotja★ (sala gótica★★)* NX, *Estació de França★* NVX, *Parque de la Ciutadella★* NV, KX *(Castell dels Tres Dragons★★* NV **M⁷**, *Museo de Zoología★* NV **M⁷**, *Parque Zoológico★* KX), *La Barceloneta★* KXY, *Villa Olímpica★ (puerto deportivo★★, torres gemelas ✳★★★)* DT
Carrer de Montcada★★ : *Museo Picasso★* NV, *Iglesia de Santa María del Mar★★ (rosetón★)* NX
Montjuïc★ : *⩽★* CT, *Pavelló Mies van der Rohe★★* BT **Z**, *Museu Nacional d'Art de Catalunya★★★* CT **M⁴**, *Pueblo Español (Poble Espanyol)★* BT **E**, *Anella Olímpica★ (Estadi Olímpic★* CT, *Palau Sant Jordi★★* BT **P¹**), *Fundació Joan Miró★★★* CT **W**, *Teatre Grec★* CT **T¹**, *Museo Arqueológico★* CT **M⁵** – **El Ensanche★★** : *Sagrada Familia★★★ (fachada este o del Nacimiento★★, ⩽ desde la torre este★★)* JU, *Hospital de Sant Pau★* CS, *Passeig de Gràcia★★* HV *(Casa Lleó i Morera★* HV **Y**, *Casa Amatller★* HV **Y**, *Casa Batlló★★* HV **Y**, *La Pedrera o Casa Milà★★★* HV **P**), *Casa Terrades (les Punxes★)* HV **Q**, *Park Güell★★* BS *(banco ondulado★★)*, *Palau de la Música Catalana★★* MV *(fachada★, cúpula invertida★★)*, *Fundació Antoni Tàpies★★* HV **S**
Otras curiosidades : *Monasterio de Santa María de Pedralbes★★ (iglesia★, claustro★, frescos de la capilla de Sant Miquel★★★, colección Thyssen-Bornemisza★)* AT, *Palacio de Pedralbes (Museu de les Arts Decoratives★)* EX *Pabellones Güell★* EX *Iglesia de Sant Pau del Camp (claustro★)* LY *Museu de la Ciència★* BS **M¹⁹**

BARCELONA

Alfons XIII (Av. d') ...... DS 2
Bartrina ...... CS 8
Berlín ...... BT 12
Bisbe Català ...... AT 13
Bonanova (Pas. de la) ... BT 16
Borbó (Av. de) ...... CS 17
Brasil ...... BT 25
Can Serra (Av. de) ...... AT 30
Carles III
(Gran Via de) ...... BT 38
Constitució ...... BT 50
Creu Coberta ...... BT 53
Dalt (Travessera de) ...... CS 56
Doctor Pi i Molist ...... CS 65
Enric Prat de la Riba .... AT 66
Entença ...... BT 71
Estadi (Av. de l') ...... BCT 75
Fabra i Puig (Pas. de) ... CS 77
FF. CC. (Pas. dels) ...... AT 78
Gavà ...... BT 84
Gran Sant Andreu ...... CS 88
Hospital Militar (Av. de l') . BS 93
Isabel la Católica (Av. d') . AT 96
Josep Tarradellas (Av.) ... BT 102
Just Oliveras (Rambla de) . AT 105
Llorens Serra (Pas.) ...... DS 107
Madrid (Av. de) ...... BT 110
Manuel Girona (Pas. de) . BT 112
Mare de Déu de
Montserrat (Av. de la) . CS 113
Marina ...... CT 114
Marquès de Comillas (Av.) BT 115
Marquès de Mont-Roig (Av.) DS 116
Marquès de Sant Mori
(Av. del) ...... DS 117
Miramar (Av. de) ...... CT 119
Numància ...... BT 129
Pi i Margall ...... CS 138
Príncep d'Astúries
(Av. del) ...... BT 144
Pujades (Pas. de) ...... CT 14
Ramiro de Maeztu ...... CS 14
Reina Elisenda de
Montcada (Pas. de la) . BT 15
Reina Maria Cristina (Av.) . BT 15
Ribes (Carret.) ...... CS 15
Sant Antoni (Ronda de) .. CT 16
Sant Antoni Maria Claret . CS 16
Sant Gervasi (Pas. de) ... BS 16
Sant Joan (Rambla) ...... DS 16
Sant Pau (Ronda de) ...... CT 17
Sant Sebastià
(Rambla de) ...... DS 17
Santa Coloma (Av. de) ... DS 18
Santa Coloma (Pas. de) .. CS 18
Sardenya ...... CT 19
Tarragona ...... BT 19
Tibidabo (Av. del) ...... BS 19
Universitat (Pl. de la) ...... CT 19
Verdum (Pas. de) ...... CS 20
4 Camins ...... BS 20

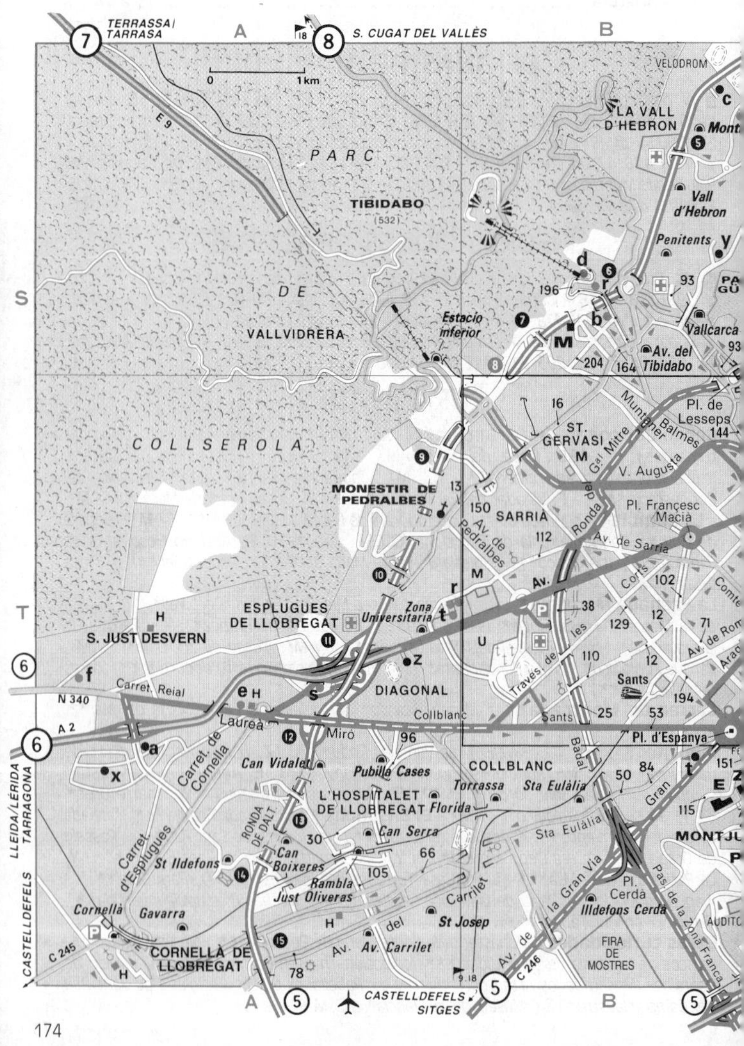

GIRONA/ GERONA
PUIGCERDÀ VIC
MICHELIN
MATARÓ
BALEARES GENOVA
VALLBONA
STA COLOMA DE GRAMENET
NOU BARRIS
BADALONA
S. ANDREU
S. ADRIÀ DE BESÒS
ORTA
Pl. de les Glòries Catalanes
PLAÇA BRAUS MONUMENTAL
SAGRADA FAMILIA
PARC ZOOLOGIC
CATEDRAL
BARRI GÒTIC
LA BARCELONETA
ESTACIÓ MARÍTIMA
VILA OLÍMPICA
MAR MEDITERRÀNEO
MAR MEDITERRÀNIA
Castell de Montjuïc
Av. del Paral. lel
Diagonal
E POBLE ESPANYOL
M4 MUSEU D'ART DE CATALUNYA
M5 MUSEU ARQUEOLÒGIC
P1 PALAU SANT JORDI
T1 TEATRE GREC
W FUNDACIÓ JOAN MIRÓ
Z PAVELLÓ MIES VAN DER ROHE

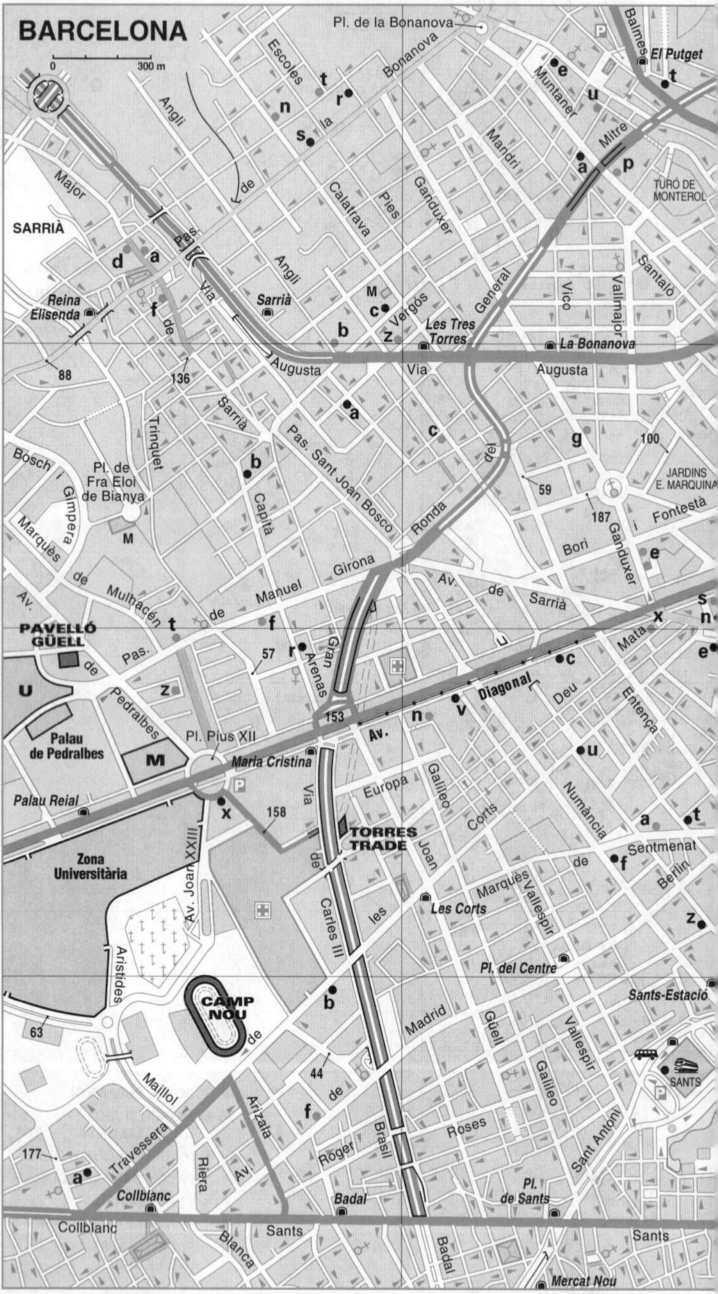

E F

BARCELONA

0 300 m

Pl. de la Bonanova
Balmes
El Putget
Escoles
Bonanova
de la
Pas.
Angli
Muntaner
Mitre
Mandri
Major
SARRIÀ
Calatrava
Pies
Ganduxer
TURÓ DE MONTEROL
Santaló
Vico
Vallmajor
General
Vergós
Sarrià
Reina Elisenda
Via
Les Tres Torres
La Bonanova
Augusta
Via
Augusta
88
136
Trinquet
Sarrià
Pas. Sant Joan Bosco
del
Ronda
100
JARDINS E. MARQUINA
Bosch i Gimpera
Pl. de Fra Eloi de Bianya
Capità
59
187
Fontestà
Bori
Ganduxer
Marquès de Mulhacén
Girona
Manuel
Av. de Sarrià
Av.
PAVELLÓ GÜELL
Pas. de Pedralbes
57
Arenas
Gran
Mata
Diagonal
Deu
Entença
153
Av.
Palau de Pedralbes
Pl. Pius XII
Maria Cristina
Galileo
Europa
Via
Numància
Palau Reial
158
Corts
TORRES TRADE
Joan
Sentmenat
Berlin
Zona Universitària
Av. Joan XXIII
de
de
Carles III
les
Marquès
Vallespir
Les Corts
Aristides
Pl. del Centre
CAMP NOU
Sants-Estació
63
Madrid
Güell
Vallespir
44
Galileo
SANTS
Maillol
de
Arizala
Brasil
Roses
Sant Antoni
Travessera
Riera
Av.
Roger
177
Collblanc
Badal
Pl. de Sants
Collblanc
Sants
Blanca
Badal
Sants
Mercat Nou

U V X Y

E F

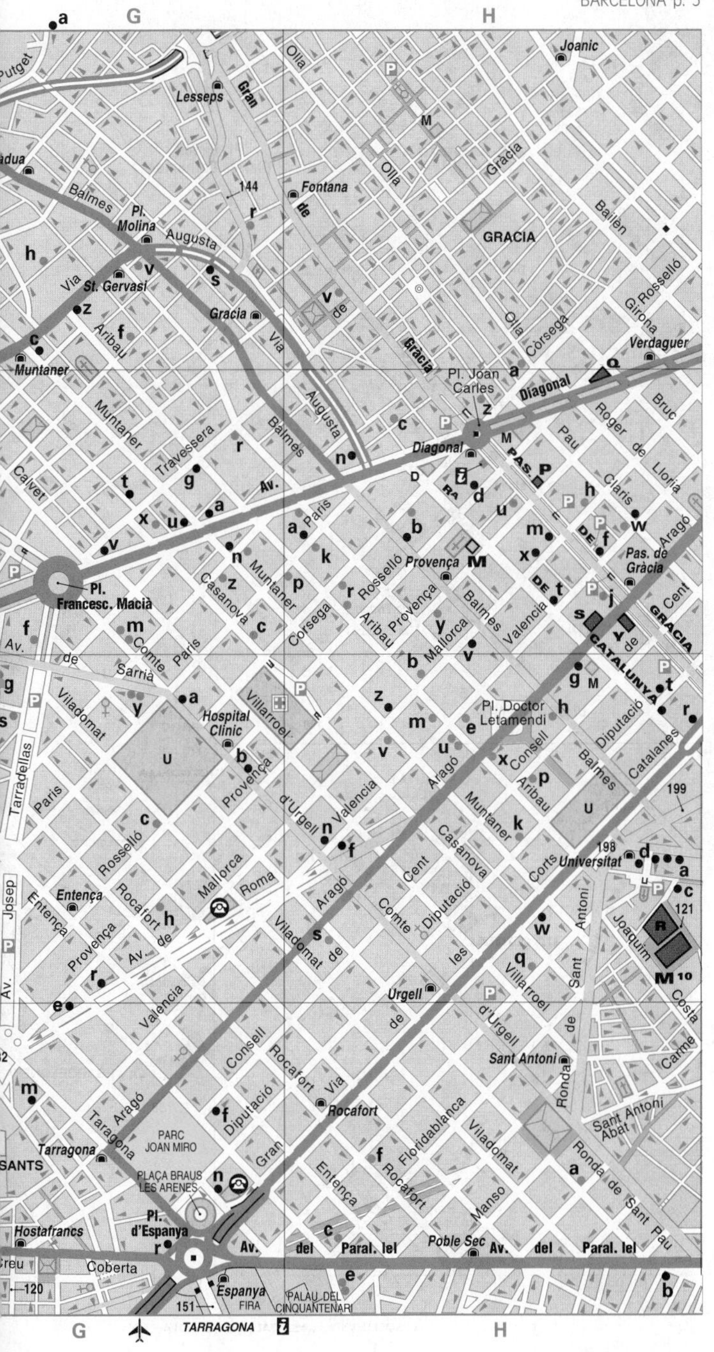
G
H
Lesseps
Fontana
GRACIA
Joanic
Verdaguer
Diagonal
Pl. Joan Carles
Provença
Pas. de Gràcia
Pl. Molina
St. Gervasi
Gracia
Muntaner
Pl. Francesc. Macià
Hospital Clinic
Pl. Doctor Letamendi
Universitat
Urgell
Sant Antoni
Rocafort
Entença
Tarragona
SANTS
PARC JOAN MIRO
PLAÇA BRAUS LES ARENES
Pl. d'Espanya
Hostafrancs
Espanya
FIRA
PALAU DEL CINQUANTENARI
Poble Sec
Av. del Paral. lel
TARRAGONA

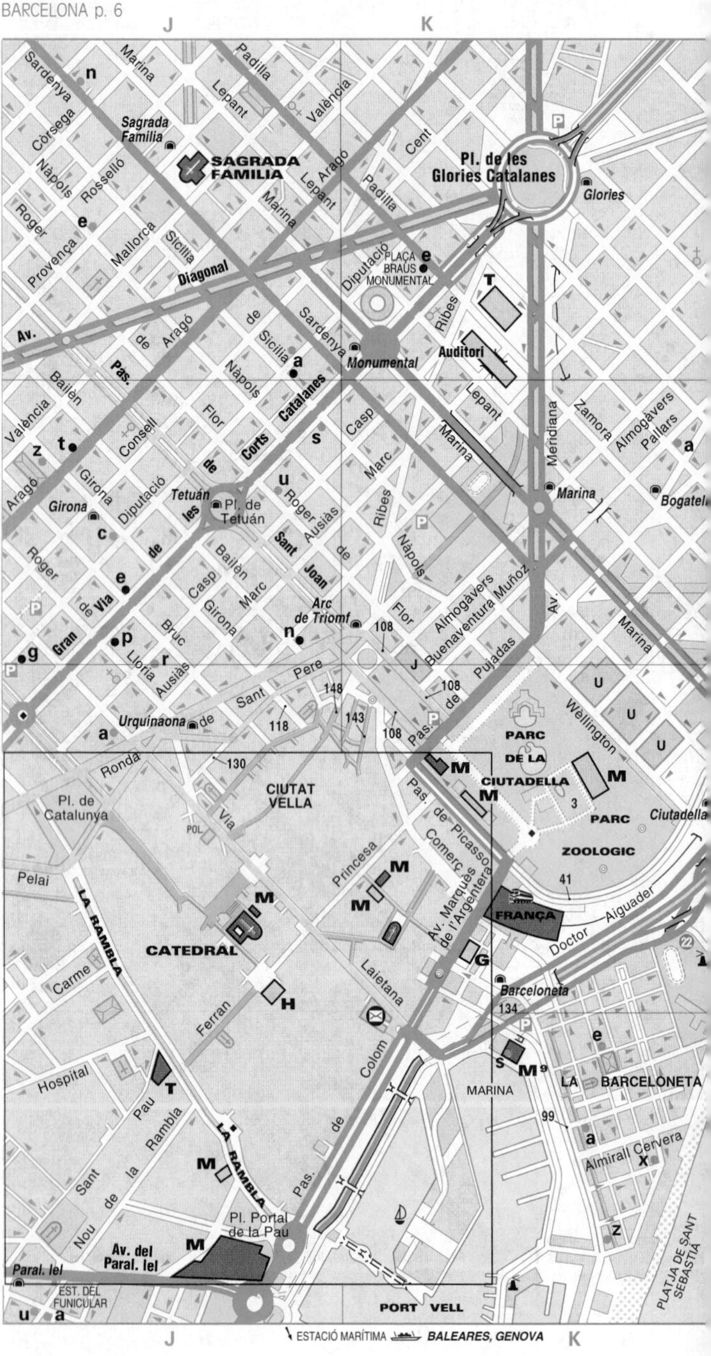

J K

Sardenya
Marina
Padilla
Lepant
València
Còrsega
Sagrada Família
SAGRADA FAMILIA
Nàpols
Rosselló
Roger
Provença
Mallorca
Sicília
Arago
Lepant
Marina
Cent
Padilla
Pl. de les Glories Catalanes
Glories
Diagonal
Diputació
PLAÇA BRAUS MONUMENTAL
Av.
de Aragó
Pas.
de
Sicília
Sardenya
Monumental
Ribes
Auditori
T
Bailèn
València
Consell
Nàpols
Flor
Catalanes
Corts
de
Casp
Lepant
Marina
Meridiana
Zamora
Almogàvers
Pallars
Aragó
Girona
Diputació
Tetuán
Pl. de Tetuán
les
Roger
Ausiàs
Marc
Ribes
Marina
Bogatell
Roger
de
Sant
Joan
Nàpols
Bailèn
Casp
Marc
Girona
Almogàvers
Buenaventura Muñoz
Av.
Via
Gran
Arc de Triomf
108
Flor
Marina
Bruc
Llòria
Ausiàs
Pere
Sant
148
de
Pujadas
108
Urquinaona
de
118
143
108
Pas.
Wellington
U
PARC DE LA CIUTADELLA
Ronda
130
CIUTAT VELLA
M
Pl. de Catalunya
Via
POL
Pas.
de Picasso
Comerç
PARC ZOOLOGIC
Ciutadella
3
Princesa
Av. Marques de l'Argentera
41
Pelai
LA RAMBLA
CATEDRAL
FRANÇA
Doctor
Aiguader
Carme
Laietana
G
H
Barceloneta
Ferran
134
22
Hospital
T
Colom
S
M 9
MARINA
LA BARCELONETA
Pau
Rambla
de
99
a
Almirall Cervera
x
LA RAMBLA
Sant
la
Pas.
de
Nou
Pl. Portal de la Pau
z
Av. del Paral. lel
Paral. lel
EST. DEL FUNICULAR
PORT VELL
PLATJA DE SANT SEBASTIÀ

J
ESTACIÓ MARÍTIMA
BALEARES, GENOVA
K

Continuación Barcelona p. 8

REPERTORIO DE CALLES (fin)

Sant Joan (Rambla) . . . p. 3 **DS** 166
Sant Joan Bosco (Pas. de) . . . . . . p. 4 **EV**
Sant Josep Oriol . . . . . p. 8 **LX** 167
Sant Josep (Rambla de) p. 8 **LX** 168
Santa Mònica (Rambla de) . . . . p. 9 **MY**
Sant Lu (Pl. de) . . . . . . p. 9 **MX** 170
Sant Miquel (Pl. de) . . p. 9 **MX** 173
Sant Pau . . . . p. 8 **LY**
Sant Pau (Ronda de) . . p. 3 **CT** 174
Sant Pere més alt . . . . p. 9 **MV**
Sant Pere més baix . . . p. 9 **MV**
Sant Pere (Ronda de) . p. 6 **JX**
Sant Rafael . . . . p. 8 **LY**
Sant Ramon Nonat (Av. de) . . . . p. 4 **EY** 177
Sant Sebastià (Rambla de) . . . . p. 3 **DS** 179
Sant Sever . . . . p. 9 **MX** 181
Santa Anna . . . . p. 8 **LV** 182
Santa Coloma (Av. de) . p. 3 **DS** 184
Santa Coloma (Pas. de) . . . . p. 3 **CS** 186
Santa Eulàlia . . . . p. 2 **BT**
Santa Fe de Nou Mèxic . . . . p. 4 **FV** 187
Santa Maria (Pl.) . . . . . p. 9 **NX** 189
Santaló . . . . p. 4 **FU**
Santander . . . . p. 3 **DS**
Sants . . . . p. 4 **FY**
Sardenya . . . . p. 3 **CT** 191
Sarrià (Av. de) . . . . p. 4 **FV**
Serra . . . . p. 9 **MY**
Sicília . . . . p. 6 **JU**
Seu (Pl. de la) . . . . p. 9 **MX** 192
Tapineria . . . . p. 9 **MX** 193
Tarragona . . . . p. 2 **BT** 194
Teatre (Pl. del) . . . . . . p. 9 **MY**
Tetuàn (Pl. de) . . . . . . p. 6 **JV**
Tibidabo (Av. del) . . . . p. 2 **BS** 196
Trinquet . . . . p. 4 **EV**
Universitat (Pl. de la) . . . . p. 5 **HX** 198
Universitat (Ronda de la) . . . . . . p. 8 **LV** 199
Urquinaona (Pl.) . . . . . . p. 6 **JX**
València . . . . p. 5 **HX**
Valldaura (Pas. de) . . . . p. 3 **CS**
Vallespir . . . . p. 4 **FY**
Vallmajor . . . . p. 4 **FU**
Verdum (Pas. de) . . . . . p. 3 **CS** 200
Vergós . . . . p. 4 **FU**
Vico . . . . p. 4 **FU**
Viladomat . . . . p. 5 **HY**
Villarroel . . . . p. 5 **GX**
Wellington . . . . p. 6 **KX**
Zamora . . . . p. 6 **KV**
Zona Franca (Pas. de la) . . . . p. 2 **BT**
4 Camins . . . . p. 2 **BS** 204

Michelin pone sus mapas constantemente al día. Llévelos en su coche y no tendrá sorpresas desagradables en carretera.

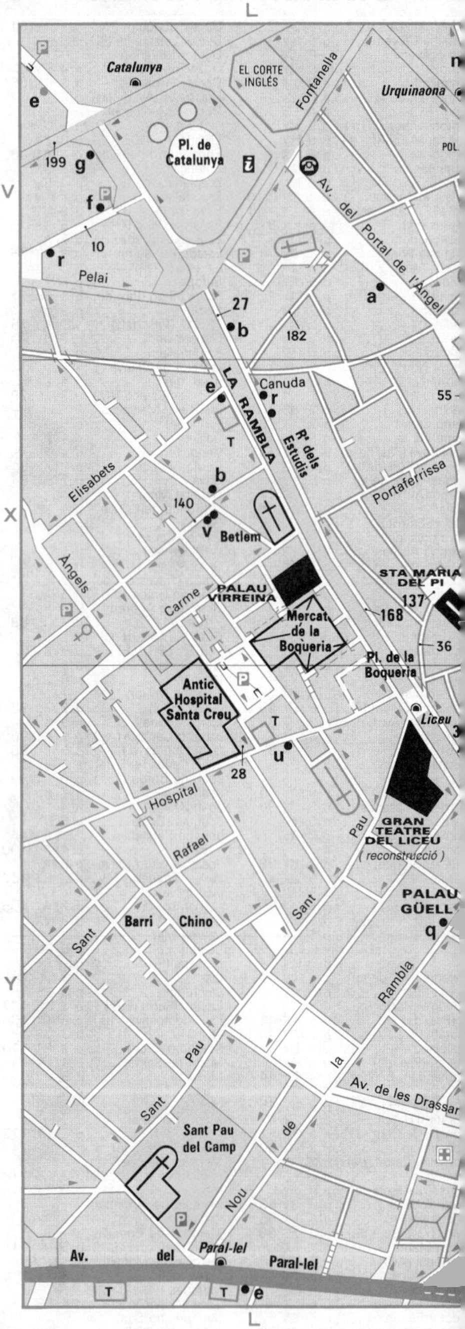

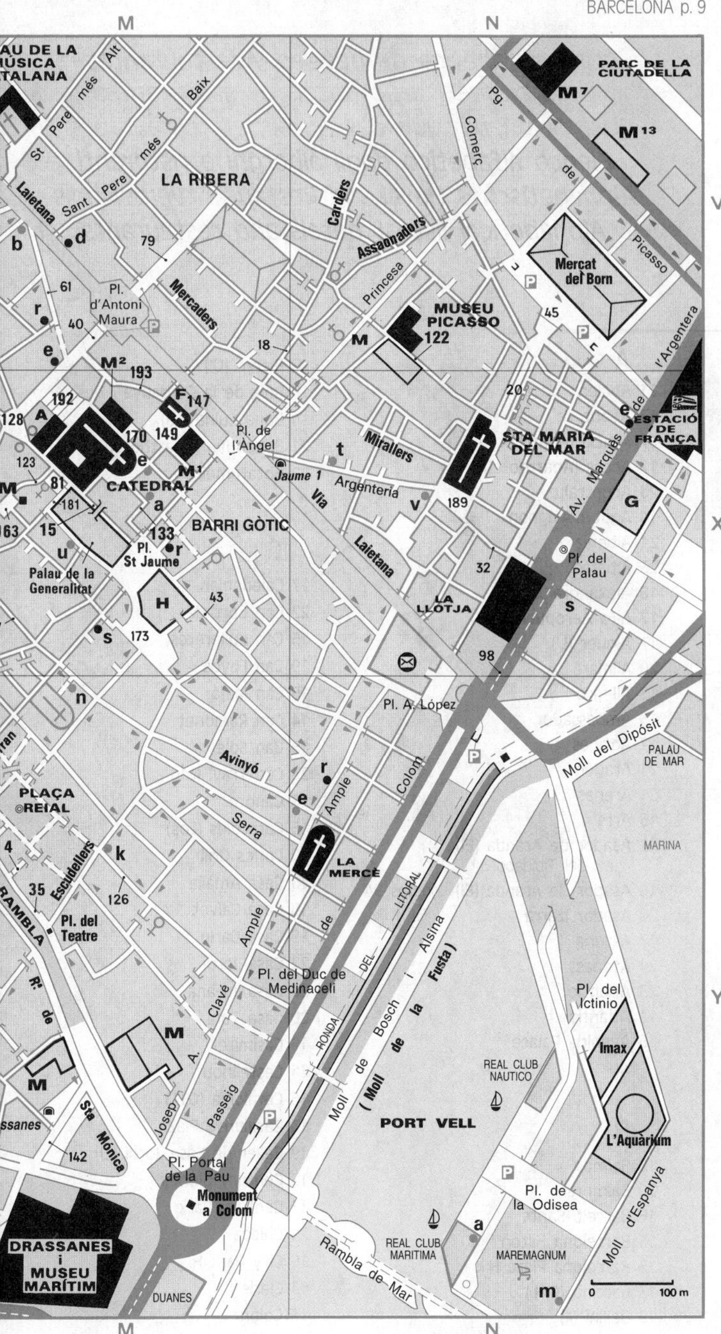
M
N
PARC DE LA CIUTADELLA
LA RIBERA
Laietana
Sant Pere més Baix
Pere més Alt
Mercaders
Carders
Assaonadors
Princesa
Mercat del Born
MUSEU PICASSO
Pg. Comerç
de Picasso
l'Argentera
Pl. d'Antoni Maura
STA MARIA DEL MAR
ESTACIÓ DE FRANÇA
Av. Marquès
CATEDRAL
Pl. de l'Àngel
Jaume 1
Miralles
Argenteria
Via Laietana
BARRI GÒTIC
Pl. St Jaume
Palau de la Generalitat
LA LLOTJA
Pl. del Palau
Pl. A. López
Moll del Dipòsit
PALAU DE MAR
MARINA
PLAÇA REIAL
Avinyó
Ample
Colom
Serra
LA MERCÈ
Escudellers
RAMBLA
Pl. del Teatre
Pl. del Duc de Medinaceli
RONDA DEL LITORAL
Moll de Bosch i Alsina
(Moll de la Fusta)
Pl. del Ictinio
Imax
REAL CLUB NAUTICO
PORT VELL
L'Aquàrium
Moll d'Espanya
Pl. de la Odisea
Pl. Portal de la Pau
Monument a Colom
REAL CLUB MARITIMA
MAREMAGNUM
Rambla de Mar
DRASSANES i MUSEU MARÍTIM
DUANES
Sta Mònica
Passeig Josep A. Clavé
0 100 m
V
X
Y

Lista alfabética de hoteles y restaurantes
Lista alfabética de hotéis e restaurantes
Liste alphabétique des hôtels et restaurants
Elenco alfabetico degli alberghi e ristoranti
Alphabetisches Hotel-und Restaurantverzeichnis
Alphabetical list of hotels and restaurants

Ciutat Vella y La Barceloneta : Ramblas, pl. de Catalunya, Via Laietana, pl. St. Jaume, passeig de Colom, passeig de Joan Borbó Comte de Barcelona (planos p. 5 a 9)

Le Meridien Barcelona, La Rambla 111, 08002, (93) 318 62 00, *Telex 54634, Fax (93) 301 77 76* – 25/200. LX b
Comida carta 4000 a 5375 – 2350 – **197 hab** 30000/36000, 7 suites.

Colón, av. de la Catedral 7, 08002, (93) 301 14 04, *Fax (93) 317 29 15* – 25/120. MV e
Comida 3800 – 1800 – **138 hab** 17000/25500, 9 suites – PA 9400.

Rivoli Rambla, La Rambla 128, 08002, (93) 302 66 43, *Telex 99222, Fax (93) 317 20 38,* – 25/180 LX r
81 hab, 9 suites.

Royal sin rest. con cafetería, La Rambla 117, 08002, (93) 301 94 00, *Fax (93) 317 31 79* – 25/100. LX e
1600 – **108 hab** 14000/18500.

Meliá Confort Apolo sin rest. con cafetería, av. del Paral.lel 57, 08004, (93) 443 11 22, *Fax (93) 443 00 59* – 25/500. LY e
1050 – **314 hab** 16000/20000.

Ambassador, Pintor Fortuny 13, 08001, (93) 412 05 30, *Telex 99222, Fax (93) 317 20 38,* – 25/200. LX v
Comida 3000 – 1600 – **96 hab** 22000/28000, 9 suites – PA 7100.

Duques de Bergara, Bergara 11, 08002, (93) 301 51 51, *Fax (93) 317 34 42,* – 25/400. LV f
Comida 1950 – 1500 – **149 hab** 18600/22900 – PA 5400.

G.H. Barcino sin rest, Jaume I-6, 08002, (93) 302 20 12, *Fax (93) 301 42 42* – MX r
1800 – **53 hab** 18745/27000.

Mercure Barcelona Rambla sin rest, La Rambla 124, 08002, (93) 412 04 04, *Fax (93) 318 73 23* – LX r
1400 – **74 hab** 9500/16400, 1 suite.

Allegro sin rest, av. Portal de l'Àngel 15-17, 08002, (93) 318 41 41, *Fax (93) 301 26 31,* « En el antiguo palacio Rocamora » – LV a
950 – **74 hab** 20900/22900.

Gravina sin rest. con cafetería, Gravina 12, 08001, (93) 301 68 68, *Fax (93) 317 28 38* – 25/50. HX d
1400 – **81 hab** 12000/18000, 5 suites.

Guitart Almirante sin rest, Via Laietana 42, 08003, (93) 268 30 20, *Fax (93) 268 31 92* – 25/40. MV d
76 hab 17180/22900.

Regina sin rest. con cafetería, Bergara 2, 08002, (93) 301 32 32, *Telex 59380, Fax (93) 318 23 26* – LV r
1500 – **102 hab** 14300/21800.

Reding, Gravina 5, 08001, (93) 412 10 97, *Fax (93) 268 34 82* – HX d
Comida *(cerrado domingo y festivos)* 2450 – 1300 – **44 hab** 16200/20000 – PA 6200.

Catalunya Plaza sin rest. con cafetería, pl. de Catalunya 7, 08002, (93) 317 71 71, *Fax (93) 317 78 55* – 25. LV g
1500 – **46 hab** 20000/23000.

Atlantis sin rest, Pelai 20, 08001, (93) 318 90 12, *Fax (93) 412 09 14* – HX a
1000 – **42 hab** 10000/13000.

Metropol sin rest, Ample 31, 08002, (93) 310 51 00, *Fax (93) 319 12 76* – NY r
1000 – **68 hab** 11700/12900.

Gaudí sin rest. con cafetería, Nou de la Rambla 12, 08001, (93) 317 90 32, *Fax (93) 412 26 36* – LY q
1000 – **73 hab** 12000/15000.

Lleó sin rest. con cafetería, Pelai 22, 08001, (93) 318 13 12, *Fax (93) 412 26 57* – 25/150. HX a
1150 – **80 hab** 11600/14500.

Turín, Pintor Fortuny 9, 08001, (93) 302 48 12, *Fax (93) 302 10 05* – LX v
Comida *(cerrado sábado)* 1200 – 1000 – **60 hab** 10500/14500.

🏨 **Ramblas H.** sin rest, Rambles 33, ✉ 08002, ℘ (93) 301 57 00, *Fax (93) 412 25 07* – |♦| ▤ TV ☎ – 🏛 25. AE VISA MY z
70 hab ☕ 18000/20000.

🏨 **Rialto** sin rest. con cafetería, Ferran 42, ✉ 08002, ℘ (93) 318 52 12, *Fax (93) 318 53 12* – |♦| ▤ TV ☎. AE ① E VISA JCB MX s
☕ 1450 – **163 hab** 12400/16100, 2 suites.

🏨 **Park H.,** av. Marquès de l'Argentera 11, ✉ 08003, ℘ (93) 319 60 00, *Fax (93) 319 45 19* – |♦| ▤ TV ☎ ♿. AE ① E VISA. ✗ NX e
Comida 2950 – ☕ 1150 – **87 hab** 11500/14500.

🏨 San Agustín, pl. Sant Agustí 3, ✉ 08001, ℘ (93) 318 16 58, *Fax (93) 317 29 28* – |♦| ▤ TV ☎ ♿ LY u
77 hab.

🏨 **Regencia Colón** sin rest, Sagristans 13, ✉ 08002, ℘ (93) 318 98 58 *Fax (93) 317 28 22* – |♦| ▤ TV ☎. AE ① E VISA MV
☕ 1200 – **55 hab** 9500/16000.

🏨 **Mesón Castilla** sin rest, Valldoncella 5, ✉ 08001, ℘ (93) 318 21 82, *Fax (93) 412 40 20* – |♦| ▤ TV ☎ 🚗. AE ① E VISA JCB HX c
☕ 850 – **56 hab** 9800/11500.

🏨 **Continental** sin rest, Rambles 138-2º, ✉ 08002, ℘ (93) 301 25 70, *Fax (93) 302 73 60* – |♦| TV ☎. AE ① E VISA LV b
☕ 550 – **35 hab** 6950/11250.

XX **Hofmann,** Argenteria 74-78 (1º), ✉ 08003, ℘ (93) 319 58 89, *Fax (93) 319 58 89*, « Marco acogedor con plantas » – ▤. AE ① E VISA. ✗ NX v
cerrado sábado, domingo, Semana Santa y agosto – **Comida** carta 4725 a 6290.

XX **Agut d'Avignon,** Trinitat 3, ✉ 08002, ℘ (93) 302 60 34, *Fax (93) 302 53 18* – ▤. AE ① E VISA JCB. ✗ MY n
Comida carta 5090 a 5965.

XX **Neyras,** Julià Portet 1, ✉ 08003, ℘ (93) 302 46 47, *Fax (93) 412 53 87* – ▤. AE ① E VISA JCB. ✗ MV b
Comida carta 3750 a 5650.

XX **La Bona Cuina,** Pietat 12, ✉ 08002, ℘ (93) 268 23 94, *Fax (93) 315 07 98* – ▤. AE ① E VISA JCB. ✗ MX e
Comida carta 3550 a 5975.

XX **Flo,** Jonqueres 10, ✉ 08003, ℘ (93) 319 31 02, *Fax (93) 268 23 95* – ▤. AE ① E VISA. ✗ LV m
Comida carta 3950 a 5760.

XX **Reial Club Marítim,** Moll d'Espanya, ✉ 08039, ℘ (93) 221 71 43, *Fax (93) 221 44 12*, ≤, 🍽, « En el puerto deportivo » – ▤. E VISA JCB NY a
cerrado domingo noche – **Comida** carta 3450 a 4850.

XX **Senyor Parellada,** Argenteria 37, ✉ 08003, ℘ (93) 310 50 94 – ▤. AE ① E VISA JCB. ✗ NX t
cerrado domingo y festivos – **Comida** carta 3160 a 3590.

XX **7 Portes,** passeig d'Isabel II-14, ✉ 08003, ℘ (93) 319 30 33, *Fax (93) 319 30 46* – ▤ AE ① E VISA. ✗ NX s
Comida carta aprox. 3300.

XX **Tikal,** Rambla de Catalunya 5, ✉ 08007, ℘ (93) 302 22 21 – ▤. AE ① E VISA JCB. ✗ LV e
cerrado sábado mediodía, domingo noche y del 8 al 23 de agosto – **Comida** carta 2870 a 4280.

XX Llevataps, pl. Pau Vila - Palau de Mar, ✉ 08003, ℘ (93) 221 24 27, *Fax (93) 221 24 33* 🍽 – ▤ KY s
Comida - pescados y mariscos -.

X **Can Ramonet,** Maquinista 17, ✉ 08003, ℘ (93) 319 30 64, *Fax (93) 319 70 14* – ▤ AE ① E VISA JCB. ✗ KY e
Comida - pescados y mariscos - carta 3175 a 4500.

X **Pitarra,** Avinyó 56, ✉ 08002, ℘ (93) 301 16 47, *Fax (93) 301 85 62*, « Decoración evocadora con recuerdos del poeta Pitarra » – ▤. AE ① E VISA JCB NY e
cerrado domingo y agosto – **Comida** carta 2400 a 3475.

X **L'Elx al Moll,** Moll d'Espanya-Maremagnun, Local 9, ✉ 08039, ℘ (93) 225 81 17, *Fax (93) 225 81 20*, ≤, 🍽, « En el puerto deportivo » – ▤. AE E VISA NY m
Comida - arroces - carta aprox. 3840.

X **Hostal El Pintor,** Sant Honorat 7, ✉ 08002, ℘ (93) 301 40 65, « Decoración rústica » – ▤. AE ① E VISA. ✗ MX u
Comida carta aprox. 4500.

X **Can Majó,** Almirall Aixada 23, ✉ 08003, ☎ (93) 221 54 55, *Fax (93) 221 54 55,* 🏖 – ▤. AE ⓓ E VISA KY x
cerrado domingo noche y lunes salvo festivos – **Comida** - pescados y mariscos - carta aprox. 3840.

X **Suquet de L'Almirall,** passeig Joan de Borbó 65, ✉ 08003, ☎ (93) 221 62 33, *Fax (93) 221 62 33,* 🏖 – ▤. ⓓ E VISA KY z
cerrado domingo noche, festivos noche y lunes – **Comida** - pescados - carta 3100 a 4700.

X **Can Solé,** Sant Carles 4, ✉ 08003, ☎ (93) 221 50 12, *Fax (93) 221 58 15* – ▤. AE ⓓ E VISA. ✂ KY a
cerrado domingo noche, lunes y 15 días en agosto – **Comida** carta 3250 a 4900.

X **Can Culleretes,** Quintana 5, ✉ 08002, ☎ (93) 317 64 85, *Fax (93) 317 64 85,* « Rest. típico » – ▤. E VISA JCB. ✂ MY c
cerrado domingo noche, lunes y del 1 al 21 de julio – **Comida** carta 2150 a 3200.

X **Los Caracoles,** Escudellers 14, ✉ 08002, ☎ (93) 302 31 85, *Fax (93) 302 07 43,* « Rest. típico. Decoración rústica regional » – ▤. AE ⓓ E VISA JCB. ✂ MY k
Comida carta 3300 a 5150.

Sur Diagonal : Gran Via de les Corts Catalanes, passeig de Gràcia, Balmes, Muntaner, Aragó (planos p. 2 a 6)

Arts ⛵, Marina 19, ✉ 08005, ☎ (93) 221 10 00, *Fax (93) 221 10 70,* ←, 🏖, Ⅰ6, ⛱ – |$| ▤ TV ☎ ♿ 🚗 – 🎤 25/900. AE ⓓ E VISA JCB. ✂ DT r
Newport Room *(cerrado domingo mediodía y agosto)* **Comida** carta aprox. 6100 – ☕ 3100 – **397 hab** 45000, 58 suites.

Rey Juan Carlos I ⛵, av. Diagonal 661, ✉ 08028, ☎ (93) 448 08 08, *Fax (93) 448 06 07,* ← ciudad, 🏖, « Modernas instalaciones. Parque con estanque y ⛱ », Ⅰ6, ⛱, 🌳 – |$| ▤ TV ☎ ♿ 🚗 Ⓟ – 🎤 25/1000. AE ⓓ E VISA JCB. ✂ AT z
Chez Vous *(cerrado domingo)* **Comida** carta 4750 a 6750 - ***Café Polo*** : **Comida** carta aprox. 4650 – ☕ 2300 – **375 hab** 30000/40000, 37 suites.

Ritz, Gran Via de les Corts Catalanes 668, ✉ 08010, ☎ (93) 318 52 00, *Fax (93) 318 01 48,* 🏖 – |$| ▤ TV ☎ – 🎤 25/280. AE ⓓ E VISA JCB. ✂ JV p
Comida carta 5800 a 7600 – ☕ 2450 – **148 hab** 30000/38000, 13 suites.

Claris ⛵, Pau Claris 150, ✉ 08009, ☎ (93) 487 62 62, *Fax (93) 215 79 70,* « Modernas instalaciones con antigüedades. Museo arqueológico », Ⅰ6, ⛱ – |$| ▤ TV ☎ 🚗 – 🎤 25/60. AE ⓓ E VISA JCB HV w
Comida 6000 - ***Beluga*** *(sólo domingo)* **Comida** carta aprox. 8100 – ☕ 2400 – **102 hab** 27300/34100, 18 suites.

G.H. Havana, Gran Via de les Corts Catalanes 647, ✉ 08010, ☎ (93) 412 11 15, *Fax (93) 412 26 11* – |$| ▤ TV ☎ ♿ 🚗 – 🎤 25/250. AE ⓓ E VISA JCB. ✂ rest JV e
Comida carta aprox. 4300 – ☕ 1800 – **141 hab** 20500/22500, 4 suites.

Meliá Barcelona, av. de Sarrià 50, ✉ 08029, ☎ (93) 410 60 60, *Fax (93) 321 51 79,* ← – |$| ▤ TV ☎ 🚗 – 🎤 25/500. AE ⓓ E VISA JCB. ✂ FV n
Comida *(cerrado domingo mediodía)* carta aprox. 5050 – ☕ 2100 – **296 hab** 28500/32750, 4 suites.

Majestic, passeig de Gràcia 70, ✉ 08008, ☎ (93) 488 17 17, *Telex 52211, Fax (93) 488 18 80,* ⛱ – |$| ▤ TV ☎ 🚗 – 🎤 25/400. AE ⓓ E VISA JCB. ✂ HV f
Comida 2800 – ☕ 2000 – **310 hab** 26000/34000, 9 suites.

Fira Palace, av. Rius i Taulet 1, ✉ 08004, ☎ (93) 426 22 23, *Fax (93) 424 86 79,* Ⅰ6, ⛱ – |$| ▤ TV ☎ ♿ 🚗 – 🎤 25/1300. AE ⓓ E VISA JCB. ✂ CT s
Comida 2800 - ***El Mall*** : **Comida** carta 3290 a 4400 – ☕ 1550 – **258 hab** 25000/30000, 18 suites.

Princesa Sofía Inter-Continental, pl. Pius XII-4, ✉ 08028, ☎ (93) 330 71 11, *Telex 51032, Fax (93) 330 76 21,* ←, Ⅰ6, ⛱ – |$| ▤ TV ☎ 🚗 – 🎤 25/1200. AE ⓓ E VISA JCB. ✂ EX x
Comida 3200 – ☕ 2500 – **482 hab** 28000/34000, 21 suites.

Barcelona Hilton, av. Diagonal 589, ✉ 08014, ☎ (93) 495 77 77, *Fax (93) 495 77 00,* 🏖, Ⅰ6 – |$| ▤ TV ☎ ♿ 🚗 – 🎤 25/600. AE ⓓ E VISA JCB FX v
Comida 3750 – ☕ 2400 – **284 hab** 32000/36500, 2 suites.

NH Calderón, Rambla de Catalunya 26, ✉ 08007, ☎ (93) 301 00 00, *Fax (93) 317 31 57,* Ⅰ6, ⛱, ⛱ – |$| ▤ TV ☎ 🚗 – 🎤 25/200. AE ⓓ E VISA JCB. ✂ rest HX t
Comida carta aprox. 4800 – ☕ 2100 – **224 hab** 23500, 29 suites.

Barcelona Plaza H., pl. d'Espanya 6, ✉ 08014, ☎ (93) 426 26 00, *Fax (93) 426 04 00,* Ⅰ6, ⛱ – |$| ▤ TV ☎ ♿ 🚗 – 🎤 25/600. AE ⓓ E VISA. ✂ GY r
Comida 3500 - ***Gourmet Plaza*** : **Comida** carta 4800 a 5800 – ☕ 1700 – **338 hab** 28900/32900, 9 suites.

Barceló Sants, pl. dels Països Catalans (estació Barcelona Sants), ✉ 08014 ✆ (93) 490 95 95, *Fax (93) 490 60 45,* ← - |‡| ▤ TV ☎ ♿ P - 25/1500. AE ⦿ VISA. ✻ FY
Comida 4100 - ▭ 1750 - **364 hab** 22500/25000, 13 suites.

Condes de Barcelona *(Monument i Centre),* passeig de Gràcia 75, ✉ 08008 ✆ (93) 488 11 52, *Telex 51531, Fax (93) 487 14 42* - |‡| ▤ TV ☎ ♿ ⇔ - 25/20 AE ⦿ E VISA JCB. ✻ HV
Comida 2500 - ***Thalassa* : Comida** carta 2600 a 3800 - ▭ 2000 - **180 hab** 26000/2800 2 suites.

G.H. Catalonia, Balmes 142, ✉ 08008, ✆ (93) 415 90 90, *Telex 98718 Fax (93) 415 22 09* - |‡| ▤ TV ☎ ♿ ⇔ - 50/260. AE ⦿ E VISA JCB. ✻ HV
Comida 2700 - ▭ 1500 - **82 hab** 28900/32900, 2 suites - PA 6900.

Avenida Palace, Gran Via de les Corts Catalanes 605, ✉ 08007, ✆ (93) 301 96 00 *Fax (93) 318 12 34* - |‡| ▤ TV ☎ - 25/350. AE ⦿ E VISA JCB. ✻ rest HX
Comida 3500 - ▭ 1700 - **146 hab** 20000/29000, 14 suites - PA 8700.

L'Illa, av. Diagonal 555, ✉ 08029, ✆ (93) 410 33 00, *Fax (93) 410 88 92* - |‡| ▤ TV ♿ - 25/100. AE ⦿ E VISA. ✻ FX
Comida *(cerrado sábado, domingo y agosto)* 2300 - ▭ 1500 - **93 hab** 24000/29500 10 suites.

Gallery H., Rosselló 249, ✉ 08008, ✆ (93) 415 99 11, *Telex 97518, Fax (93) 415 91 84* , - |‡| ▤ TV ☎ ♿ ⇔ - 25/200. AE ⦿ E VISA. ✻ HV
Comida 2550 - ▭ 2500 - **108 hab** 25000/29000, 5 suites.

St. Moritz, Diputació 264, ✉ 08007, ✆ (93) 412 15 00, *Telex 97340 Fax (93) 412 12 36* - |‡| ▤ TV ☎ ♿ ⇔ - 25/200. AE ⦿ E VISA JCB JV
Comida carta 3400 a 4600 - ▭ 2100 - **92 hab** 21400/26800.

Gran Derby sin rest, Loreto 28, ✉ 08029, ✆ (93) 322 20 62, *Fax (93) 419 68 20* - |‡| ▤ TV ☎ ⇔ - 25/100. AE ⦿ E VISA JCB GX
▭ 1950 - **29 hab** 21670/24700, 12 suites.

City Park H., Nicaragua 47, ✉ 08029, ✆ (93) 419 95 00, *Fax (93) 419 71 63* - |‡| ▤ TV ☎ ⇔ - 25/75. AE ⦿ E VISA JCB. ✻ FX
Comida 2500 - ▭ 1600 - **80 hab** 15600/22000 - PA 6600.

NH Podium, Bailén 4, ✉ 08010, ✆ (93) 265 02 02, *Fax (93) 265 05 06,* - |‡| ▤ TV ☎ ♿ ⇔ - 25/240. AE ⦿ E VISA JCB. ✻ rest JV
Comida 2500 - ▭ 1800 - **140 hab** 16500/20000, 5 suites - PA 6800.

Balmes, Mallorca 216, ✉ 08008, ✆ (93) 451 19 14, *Fax (93) 451 00 49,* « Terraza co » - |‡| ▤ TV ☎ ⇔ - 25/30. AE ⦿ E VISA JCB HV
Comida 1800 - ▭ 1700 - **92 hab** 20150/22390, 8 suites.

Derby sin rest. con cafetería, Loreto 21, ✉ 08029, ✆ (93) 322 32 15, *Fax (93) 410 08 6* - |‡| ▤ TV ☎ ⇔ - 25/60. AE ⦿ E VISA JCB FX
▭ 1950 - **107 hab** 19970/22390, 4 suites.

Alexandra, Mallorca 251, ✉ 08008, ✆ (93) 467 71 66, *Telex 81107, Fax (93) 488 02 5* - |‡| ▤ TV ☎ ♿ ⇔ - 25/100. AE ⦿ E VISA JCB. ✻ HV
Comida 2800 - ▭ 2100 - **73 hab** 29000/33000, 2 suites - PA 7700.

NH Master, València 105, ✉ 08011, ✆ (93) 323 62 15, *Fax (93) 323 43 89* - |‡| ▤ TV ☎ ⇔ - 25/100. AE ⦿ VISA. ✻ rest HX
Comida *(cerrado sábado, domingo, vísperas de festivos y festivos)* carta 3650 a 4050 ▭ 1400 - **80 hab** 18900, 1 suite.

Cristal, Diputació 257, ✉ 08007, ✆ (93) 487 87 78, *Telex 54560, Fax (93) 487 90 3* - |‡| ▤ TV ☎ ⇔ - 25/100. AE ⦿ E VISA JCB. ✻ rest HX
Comida 1495 - ▭ 1250 - **148 hab** 14000/21000.

NH Numància, Numància 74, ✉ 08029, ✆ (93) 322 44 51, *Fax (93) 410 76 42* - |‡| ▤ TV ☎ ⇔ - 25/70 FX
140 hab.

NH Sant Angelo sin rest. con cafetería por la noche, Consell de Cent 74, ✉ 08015 ✆ (93) 423 46 47, *Fax (93) 423 88 40* - |‡| ▤ TV ☎ ♿ ⇔ - 25. AE ⦿ E VIS JCB. ✻ GY
▭ 1400 - **50 hab** 18900/19400.

Núñez Urgell, Comte d'Urgell 232, ✉ 08036, ✆ (93) 322 41 53, *Fax (93) 419 01 0* - |‡| ▤ TV ☎ ⇔ - 25/150. AE ⦿ E VISA JCB. ✻ GX
Comida *(cerrado sábado y domingo)* 3500 - ▭ 1650 - **106 hab** 16000/17500, 2 suite - PA 8650.

Guitart Grand Passage, Muntaner 212, ✉ 08036, ✆ (93) 201 03 06 *Fax (93) 201 00 04* - |‡| ▤ TV ☎ - 25/80. AE ⦿ E VISA. ✻ rest GV
Come Prima *(cerrado domingo)* **Comida** carta 3250 a 4550 - ▭ 1300 - **40 suite** 17280/21600.

Expo H. Barcelona, Mallorca 1, ✉ 08014, ☎ (93) 325 12 12, *Fax (93) 325 11 44*, – 25/300. GY m
Comida 1900 – 1200 – **435 hab** 15000/18000 – PA 5000.

Dante sin rest. con cafetería por la noche, Mallorca 181, ✉ 08036, ☎ (93) 323 22 54, *Fax (93) 323 74 72* – – 25/70. HX z
1400 – **81 hab** 16800/22700.

Regente sin rest, Rambla de Catalunya 76, ✉ 08008, ☎ (93) 487 59 89, *Telex 51939*, *Fax (93) 487 32 27*, – – 25/120. HV t
2100 – **79 hab** 21400/26800.

NH Forum, Ecuador 20, ✉ 08029, ☎ (93) 419 36 36, *Fax (93) 419 89 10* – – 25/50. FX t
Comida *(cerrado agosto)* 3500 – 1400 – **47 hab** 18000, 1 suite.

NH Rallye, Travessera de les Corts 150, ✉ 08028, ☎ (93) 339 90 50, *Fax (93) 411 07 90*, – – 25/300. rest
Comida 1950 – 1400 – **105 hab** 14000, 1 suite. EY b

NH Les Corts sin rest. con cafetería por la noche, Travessera de les Corts 292, ✉ 08029, ☎ (93) 322 08 11, *Fax (93) 322 09 08* – – 25/80.
1400 – **80 hab** 14000, 1 suite. FX u

Caledonian sin rest, Gran Via de les Corts Catalanes 574, ✉ 08011, ☎ (93) 453 02 00, *Fax (93) 451 77 03* – . HX w
1100 – **44 hab** 10900/17300.

Aparthotel Acàcia sin rest, Comte d'Urgell 194, ✉ 08036, ☎ (93) 454 07 37, *Fax (93) 451 85 82* – . GX b
950 – **26 apartamentos** 16900/19000.

Onix sin rest, Llançà 30, ✉ 08015, ☎ (93) 426 00 87, *Fax (93) 426 19 81* – – 25/70. GY n
1100 – **80 hab** 12000/15000.

Alfa Aeropuerto, Zona Franca - calle K (entrada principal Mercabarna), ✉ 08040, ☎ (93) 336 25 64, *Fax (93) 335 55 92*, – – 25/180. rest por Pas. de la Zona Franca BT
Comida 2750 - ***Gran Mercat* : Comida** carta aprox. 4375 – 1225 – **98 hab** 15725/19750, 1 suite.

Europark sin rest, Aragó 325, ✉ 08009, ☎ (93) 457 92 05, *Fax (93) 458 99 61* – . JV t
1000 – **66 hab** 12000/18000.

Astoria sin rest, París 203, ✉ 08036, ☎ (93) 209 83 11, *Telex 81129*, *Fax (93) 202 30 08* – – 25/30. HV a
1550 – **114 hab** 17200/20350, 3 suites.

Taber sin rest, Aragó 256, ✉ 08007, ☎ (93) 487 38 87, *Fax (93) 488 13 50* – – 25. HX g
1650 – **91 hab** 19500/24500.

Roma sin rest, av. de Roma 31, ✉ 08029, ☎ (93) 410 66 33, *Telex 98718*, *Fax (93) 410 13 52* – – 25. GX r
950 – **49 hab** 15900/17900.

Abbot sin rest, av. de Roma 23, ✉ 08029, ☎ (93) 430 04 05, *Fax (93) 419 57 41* – – 25/100. GXY e
1250 – **35 hab** 11900/14900, 4 suites.

Century Park sin rest, València 154, ✉ 08011, ☎ (93) 453 44 00, *Fax (93) 453 26 26* – . HX f
47 hab 9950/13400.

Century Glòries sin rest, Padilla 173, ✉ 08013, ☎ (93) 265 08 08, *Fax (93) 245 20 22* – – 25/50. KU e
1300 – **67 hab** 12500/19000.

Paral.lel sin rest, Poeta Cabanyes 7, ✉ 08004, ☎ (93) 329 11 04, *Fax (93) 442 16 56* – . HY b
700 – **64 hab** 9000/13500, 2 suites.

Aparthotel Accés sin rest, Gran Via de les Corts Catalanes 327, ✉ 08014, ☎ (93) 425 51 61, *Fax (93) 426 80 64* – – 25. BT t
925 – **22 apartamentos** 15000/17000.

Antibes sin rest, Diputació 394, ✉ 08013, ☎ (93) 232 62 11, *Fax (93) 265 74 48* – . JVU a
575 – **71 hab** 6500/8500.

L'Alguer sin rest, passatge Pere Rodriguez 20, ✉ 08028, ☎ (93) 334 60 50, *Fax (93) 333 83 65* – . EY a
800 – **33 hab** 7000/10000.

XXXX **La Dama,** av. Diagonal 423, ✉ 08036, ☎ (93) 202 06 86, *Fax (93) 200 72 99,* « En un edificio de estilo modernista » – ▤. AE ⓓ E VISA. ✂ HV a
✿ **Comida** carta 5350 a 7500
Espec. Ensalada de judías verdes y mariscos La Dama. Hígado de pato fresco sobre fondo de manzanas al vinagre de higos. Carro de pastelería de elaboración propia.

XXXX Beltxenea, Mallorca 275, ✉ 08008, ☎ (93) 215 30 24, *Fax (93) 487 00 81,* ⛱, « Casa señorial de principios de siglo » – ▤ HV h

XXX **Casa Calvet,** Casp 48, ✉ 08010, ☎ (93) 412 40 12, *Fax (93) 412 43 36* – ▤. AE ⓓ E VISA. ✂ JVX r
cerrado domingo, festivos y del 15 al 31 de agosto – **Comida** carta 4600 a 5525.

XXX **Jaume de Provença,** Provença 88, ✉ 08029, ☎ (93) 430 00 29, *Fax (93) 439 29 50* – ▤. AE ⓓ E VISA JCB. ✂ GX h
✿ *cerrado domingo noche, lunes, Semana Santa, agosto y 4 días en Navidad* – **Comida** 7000 carta 5250 a 6400
Espec. Huevo mollet en camisa de jamón serrano y espinacas catalana. Poti poti de bacalao con hotalizas confitadas y vinagreta remolacha. Crujiente de manitas de cerdo con foie gras y trufas.

XXX **Windsor,** Còrsega 286, ✉ 08008, ☎ (93) 415 84 83, *Fax (93) 217 42 65* – ▤. AE ⓓ E VISA JCB. ✂ HV b
cerrado domingo y agosto – **Comida** carta 4500 a 5550.

XXX **Oliver y Hardy,** av. Diagonal 593, ✉ 08014, ☎ (93) 419 31 81, *Fax (93) 419 18 99* ⛱ – ▤. AE ⓓ E VISA. ✂ FX r
cerrado sábado mediodía, domingo y Semana Santa – **Comida** carta aprox. 5400.

XXX **Talaia Mar,** Marina 16, ✉ 08005, ☎ (93) 221 90 90, *Fax (93) 221 89 89,* ⇐ – ▤ 🚗 AE ⓓ E VISA JCB DT
Comida carta 4750 a 6800.

XXX **El Tragaluz,** passatge de la Concepció 5-1º, ✉ 08008, ☎ (93) 487 01 96 *Fax (93) 217 06 50,* « Decoración original con techo acristalado » – ▤. AE ⓓ E VISA JCB. ✂ HV u
Comida carta aprox. 4300.

XX **Gargantua i Pantagruel,** Aragó 214, ✉ 08011, ☎ (93) 453 20 20 *Fax (93) 451 39 08* – ▤. AE ⓓ E VISA JCB. ✂ HX x
cerrado domingo noche y Semana Santa – **Comida** - cocina ilerdense - carta 3600 a 5150.

XX Maitetxu, Balmes 55, ✉ 08007, ☎ (93) 323 59 65 – ▤ HX h

XX **Els Pescadors,** pl. Prim 1, ✉ 08005, ☎ (93) 225 20 18, *Fax (93) 225 20 18,* ⛱ – ▤ AE ⓓ E VISA JCB DT e
cerrado Semana Santa – **Comida** carta 3385 a 5400.

XX **Koxkera,** Marquès de Sentmenat 67, ✉ 08029, ☎ (93) 322 35 56, *Fax (93) 322 35 56* – ▤. AE ⓓ E VISA. ✂ FX a
cerrado domingo noche – **Comida** carta aprox. 4650.

XX **El Asador de Aranda,** Londres 94, ✉ 08036, ☎ (93) 414 67 90, *Fax (93) 414 67 90* – ▤. AE ⓓ E VISA. ✂ GV r
cerrado domingo noche y del 15 al 30 de agosto – **Comida** - cordero asado - carta aprox. 3800.

XX **Rías de Galicia,** Lleida 7, ✉ 08004, ☎ (93) 424 81 52, *Fax (93) 426 13 07* – ▤. AE ⓓ E VISA JCB. ✂ HY e
Comida - pescados y mariscos - carta 4800 a 6500.

XX **Sí, Senyor,** Mallorca 199, ✉ 08036, ☎ (93) 453 21 49, *Fax (93) 451 10 02* – ▤. AE ⓓ E VISA. ✂ HX b
cerrado domingo noche – **Comida** carta aprox. 4300.

XX **El Yantar de la Ribera,** Roger de Flor 114, ✉ 08013, ☎ (93) 265 63 09, « Decoración castellana » – ▤. AE ⓓ E VISA. ✂ JV u
cerrado domingo noche – **Comida** - asados - carta 3250 a 3825.

XX **La Provença,** Provença 242, ✉ 08008, ☎ (93) 323 23 67, *Fax (93) 323 57 87* – ▤ AE ⓓ E VISA HV y
Comida carta 2770 a 3270.

XX **Boix de la Cerdanya,** passeig de Gràcia 51, ✉ 08007, ☎ (93) 487 38 20 *Fax (93) 487 97 85* – ▤. AE E VISA. ✂ HV
cerrado domingo y festivos – **Comida** carta 2790 a 3850.

XX **Vinya Rosa-Magí,** av. de Sarrià 17, ✉ 08029, ☎ (93) 430 00 03, *Fax (93) 430 00 4* – ▤. AE ⓓ E VISA GX
cerrado sábado mediodía y domingo – **Comida** carta aprox. 5480.

XX **Gorría,** Diputació 421, ✉ 08013, ☎ (93) 245 11 64, *Fax (93) 232 78 57* – ▤. AE ⓓ E VISA JCB. ✂ JU
cerrado domingo, festivos noche, Semana Santa y agosto – **Comida** - cocina vasco-navarr - carta 4950 a 5750.

XX Sibarit, Aribau 65, ✉ 08011, ☎ (93) 453 93 03 - ▤ HX u

XX **Petit París,** París 196, ✉ 08036, ☎ (93) 218 26 78 - ▤. AE ⓓ E VISA JCB. ✂ HV k
Comida carta 4600 a 6700.

XX **Yashima,** Josep Tarradellas 145, ✉ 08029, ☎ (93) 419 06 97, *Fax (93) 410 80 25* - ▤. AE ⓓ VISA JCB. ✂ GV f
cerrado domingo y festivos - **Comida** - rest. japonés - carta 4750 a 5800.

XX Muffins, València 210, ✉ 08011, ☎ (93) 454 02 21, *Fax (93) 453 91 39* - ▤ HX e

XX **Il Bellini,** Muntaner 101, ✉ 08036, ☎ (93) 454 31 25, *Fax (93) 454 31 25* - ▤. AE ⓓ E VISA. ✂ HX v
cerrado domingo y del 8 al 22 de agosto - **Comida** - cocina italiana - carta 3450 a 4925.

XX **Racó d'en Cesc,** Diputació 201, ✉ 08011, ☎ (93) 453 23 52 - ▤. AE ⓓ E VISA. ✂
cerrado domingo, festivos, Semana Santa y agosto - **Comida** carta 4100 a 5200. HX k

XX **La Llotja,** Aribau 55, ✉ 08011, ☎ (93) 453 89 58, *Fax (93) 453 89 58* - ▤. AE ⓓ E VISA. ✂ HX u
cerrado domingo y agosto - Comida - carnes, pescados a la brasa y bacalaos - carta 2600 a 3775.

XX **La Maison du Languedoc Roussillon,** Pau Claris 77, ✉ 08010, ☎ (93) 301 04 98, *Fax (93) 301 05 65* - ▤. AE ⓓ E VISA JX a
cerrado sábado mediodía, domingo, festivos y agosto - **Comida** - cocina del suroeste francés - carta 4300 a 7600.

XX **Casa Darío,** Consell de Cent 256, ✉ 08011, ☎ (93) 453 31 35, *Fax (93) 451 33 95* - ▤. AE ⓓ E VISA JCB. ✂ HX p
cerrado domingo y agosto - **Comida** carta 3640 a 5950.

XX **Les Ostres,** València 267, ✉ 08007, ☎ (93) 215 30 35, *Fax (93) 487 32 53* - ▤. AE ⓓ E VISA. ✂ HV w
cerrado domingo y del 3 al 24 de agosto - **Comida** - pescados y mariscos - carta 4500 a 5750.

XX **Solera Gallega,** París 176, ✉ 08036, ☎ (93) 322 91 40, *Fax (93) 322 91 40* - ▤. AE ⓓ E VISA JCB. ✂ GHV p
cerrado lunes y del 15 al 31 agosto - **Comida** - pescados y mariscos - carta 4200 a 5400.

XX **El Dento,** Loreto 32, ✉ 08029, ☎ (93) 321 67 56, *Fax (93) 430 83 42* - ▤. AE ⓓ E VISA. ✂ GX g
cerrado festivos noche, Semana Santa y agosto - **Comida** carta 2855 a 4580.

XX **Can Fayos,** Loreto 22, ✉ 08029, ☎ (93) 439 30 22, *Fax (93) 439 30 22* - ▤. AE ⓓ E VISA. ✂ GX g
cerrado domingo - **Comida** carta 3050 a 4550.

XX **El Túnel del Port,** Moll de Gregal 12 (Port Olímpic), ✉ 08005, ☎ (93) 221 03 21, *Fax (93) 221 35 86*, ≤, 😷 - ▤. AE ⓓ E VISA. ✂ DT a
cerrado domingo noche y lunes - **Comida** carta 3400 a 4300.

XX **La Vaquería,** Déu i Mata 141, ✉ 08029, ☎ (93) 419 07 35, *Fax (93) 322 12 03*, « Instalado en una antigua vaquería » - ▤. AE ⓓ E VISA FVX x
cerrado sábado mediodía y domingo - **Comida** carta 3500 a 5100.

X **Tramonti 1980,** av. Diagonal 501, ✉ 08029, ☎ (93) 410 15 35, *Fax (93) 405 04 43* - ▤. AE ⓓ E VISA. ✂ FV s
Comida - cocina italiana - carta 4000 a 5000.

X **Casimiro,** Londres 84, ✉ 08036, ☎ (93) 410 30 93 - ▤. AE ⓓ E VISA. ✂ GV z
cerrado domingo y agosto - **Comida** carta 3400 a 5150.

X **El Celler de Casa Jordi,** Rita Bonnat 3, ✉ 08029, ☎ (93) 430 10 45 - ▤. AE ⓓ E VISA JCB. ✂ GX s
cerrado sábado, domingo y agosto - Comida carta 2350 a 3750.

X **Dolceta 2,** Comte d'Urgell 266, ✉ 08036, ☎ (93) 321 83 51, *Fax (93) 321 83 51* - ▤. AE ⓓ E VISA JCB. ✂ GV m
cerrado domingo y agosto - **Comida** - carnes a la brasa - carta 2660 a 4725.

X **As Vieiras,** Comte Borrell 171, ✉ 08015, ☎ (93) 453 11 25, *Fax (93) 453 11 25* - ▤. ⓓ E VISA. ✂ HX s
cerrado domingo y del 15 al 30 de agosto - **Comida** - pescados y mariscos - carta 3050 a 5100.

X El Portal, Pallars 120, ✉ 08018, ☎ (93) 485 50 02, *Fax (93) 300 55 03*, 😷 - ▤ KV a
Comida - carnes a la brasa -.

X **O'Bierzo,** Vila i Vilà 73, ✉ 08004, ☎ (93) 441 82 04 - ▤. AE E VISA. ✂ JY u
cerrado domingo noche, lunes, Semana Santa y 21 días en agosto - **Comida** carta 3850 a 5325.

X **Nervión,** Còrsega 232, ✉ 08036, ☎ (93) 218 06 27 – ▤. AE E VISA JCB. ✻ HV
cerrado domingo, festivos, Semana Santa y agosto – **Comida** - cocina vasca - carta 3100 5600.

X **Lázaro,** Aribau 146 bis, ✉ 08036, ☎ (93) 218 74 18, *Fax (93) 218 77 47* – ▤. AE VISA. ✻ HV
cerrado domingo, festivos y del 8 al 28 de agosto – **Comida** carta 2750 a 4550.

X La Manduca, Girona 59, ✉ 08009, ☎ (93) 487 99 89 – ▤ JV

X **Asador Izarra,** Sicilia 135, ✉ 08013, ☎ (93) 245 21 03 – ▤. AE ⓓ E VISA. ✻ JV
cerrado domingo y del 1 al 21 de agosto – **Comida** carta 4400 a 6050.

X **Racó de la Vila,** Ciutat de Granada 33, ✉ 08005, ☎ (93) 485 47 72, *Fax (93) 309 14 7*
« Decoración rústica » – ▤. AE ⓓ E VISA. ✻ DT
Comida carta aprox. 3200.

X **La Lubina,** Viladomat 257, ✉ 08029, ☎ (93) 430 03 33 – ▤. AE ⓓ E VISA JCB.
cerrado domingo noche – **Comida** - pescados y mariscos - carta 4100 a 5600. GX

X **Rosamar,** Sepúlveda 159, ✉ 08011, ☎ (93) 453 31 92 – ▤. AE ⓓ E VISA HX
cerrado domingo noche, lunes, Semana Santa y agosto – **Comida** carta 2600 a 3900

X **Chicoa,** Aribau 73, ✉ 08036, ☎ (93) 453 11 23, « Decoración rústica » – ▤. AE E VISA.
cerrado domingo, festivos y 3 semanas en agosto – **Comida** carta 3300 a 4925. HX

X **Da Paolo,** av. de Madrid 63, ✉ 08028, ☎ (93) 490 48 91, *Fax (93) 411 25 90* – ▤. ⓓ E VISA. ✻ EY
cerrado domingo y 15 días en agosto – **Comida** - cocina italiana - carta 2700 a 3950

X **Casa Toni,** Sepúlveda 62, ✉ 08015, ☎ (93) 424 00 68 – ▤. AE ⓓ E VISA. ✻ HY
cerrado sábado (julio-agosto) y Semana Santa – **Comida** carta 2600 a 4200.

X **Casa Juliana,** Casanova 178, ✉ 08036, ☎ (93) 410 10 15 – ▤. AE ⓓ VISA GV
cerrado domingo, lunes noche y agosto – **Comida** carta aprox. 2615.

X **Marisqueiro Panduriño,** Floridablanca 3, ✉ 08015, ☎ (93) 325 70 1
Fax (93) 426 13 07 – ▤. AE ⓓ E VISA. ✻ HY
cerrado martes, Semana Santa y agosto – **Comida** - pescados y mariscos - carta 4000 5300.

X **Elche,** Vila i Vilà 71, ✉ 08004, ☎ (93) 441 30 89, *Fax (93) 329 40 12* – ▤. AE ⓓ VISA. ✻ JY
Comida - arroces - carta 2560 a 3680.

X **Cañota,** Lleida 7, ✉ 08004, ☎ (93) 325 91 71, *Fax (93) 426 13 07* – ▤. VISA. ✻ HY
Comida - carnes a la brasa - carta 2450 a 3850.

X **Pá i Trago,** Parlament 41, ✉ 08015, ☎ (93) 441 13 20, *Fax (93) 441 13 20*, « Res típico » – ▤. AE ⓓ E VISA HY
cerrado lunes y 20 junio-15 julio – **Comida** carta 2600 a 4050.

X **Carles Grill,** Comte d'Urgell 280, ✉ 08036, ☎ (93) 410 43 00 – ▤. AE ⓓ E VISA.
cerrado domingo en agosto – **Comida** - carnes - carta 2200 a 2875. GV

X **Casa Amàlia,** passatge Mercat 4, ✉ 08009, ☎ (93) 458 94 58 – ▤. AE E VISA. ✻ JV
cerrado sábado y domingo en verano, lunes y festivos en invierno y 13 agosto-10 se tiembre – **Comida** carta 2775 a 4300.

X **Da Peppo,** av. de Sarrià 19, ✉ 08029, ☎ (93) 322 51 55 – ▤. AE E VISA. ✻ GX
cerrado domingo en verano, martes en invierno y agosto – **Comida** - cocina italiana - car 2300 a 2900.

Norte Diagonal : Via Augusta, Capità Arenas, ronda General Mitre, passeig de la Bor nova, av. de Pedralbes (planos p. 2 a 6)

Tryp Presidente, av. Diagonal 570, ✉ 08021, ☎ (93) 200 21 11, *Fax (93) 209 51* – ▤ TV ☎ – 25/420. AE ⓓ E VISA. ✻ GV
Comida 2300 – ☕ 1300 – **155 hab** 21000/27000.

Alimara, Berruguete 126, ✉ 08035, ☎ (93) 427 00 00, *Fax (93) 427 92 92* – ▤ ☎ ♿ – 25/470. AE ⓓ E VISA. ✻ rest BS
Comida 2500 – ☕ 1500 – **156 hab** 16500/19000.

Hesperia, Vergós 20, ✉ 08017, ☎ (93) 204 55 51, *Fax (93) 204 43 92* – ▤ TV – 25/150. AE ⓓ E VISA. ✻ EU
Comida 2800 – ☕ 1400 – **134 hab** 19100/23100.

Suite H., Muntaner 505, ✉ 08022, ☎ (93) 212 80 12, *Fax (93) 211 23 17* – ▤ ☎ – 25/90. AE ⓓ E VISA JCB. ✻ FU
Comida 1800 – ☕ 1200 – **77 suites** 20900/22900 – PA 4800.

Balmoral sin rest. con cafetería, Via Augusta 5, ✉ 08006, ☎ (93) 217 87 C
Fax (93) 415 14 21 – ▤ TV ☎ – 25/200. AE ⓓ E VISA. ✻ HV
☕ 1250 – **106 hab** 14300/21450.

Turó de Vilana sin rest, Vilana 7, ✉ 46817, ☎ (93) 434 03 63, *Fax (93) 418 89 03* – ... EU r
1200 – **20 hab** 14500/18200.

NH Cóndor, Via Augusta 127, ✉ 08006, ☎ (93) 209 45 11, *Fax (93) 202 27 13* – ... 25/50. ... GU z
Comida *(cerrado sábado, domingo y agosto)* 2200 – 1300 – **78 hab** 15000, 12 suites.

Arenas sin rest. con cafetería, Capità Arenas 20, ✉ 08034, ☎ (93) 280 03 03, *Fax (93) 280 33 92* – ... 25/50. ... EX r
1500 – **58 hab** 17500/22000, 1 suite.

Park Putxet, Putxet 68, ✉ 08023, ☎ (93) 212 51 58, *Fax (93) 418 58 17* – ... 25/200. ... GU a
Comida 1800 – 950 – **141 hab** 15900/17900.

NH Belagua sin rest. con cafetería por la noche, Via Augusta 89, ✉ 08006, ☎ (93) 237 39 40, *Fax (93) 415 30 62* – ... 25/50. ... GU s
1400 – **72 hab** 18900.

Atenas, av. Meridiana 151, ✉ 08026, ☎ (93) 232 20 11, *Fax (93) 232 09 10*, ... 25/200. ... CS z
Comida 1700 – 1100 – **166 hab** 15900/17900.

Mitre sin rest, Bertràn 9, ✉ 08023, ☎ (93) 212 11 04, *Fax (93) 418 94 81* – ... FU t
1000 – **57 hab** 14300/18300.

Condado sin rest, Aribau 201, ✉ 08021, ☎ (93) 200 23 11, *Fax (93) 200 25 86* – ... GV g
1200 – **88 hab** 13000/14000.

NH Pedralbes sin rest. con cafetería por la noche, Fontcuberta 4, ✉ 08034, ☎ (93) 203 71 12, *Fax (93) 205 70 65* – ... 25. ... EV b
1500 – **30 hab** 16000.

Covadonga sin rest, av. Diagonal 596, ✉ 08021, ☎ (93) 209 55 11, *Fax (93) 209 58 33* – ... GV v
1600 – **85 hab** 16900/21000.

Aragón, Aragó 569 bis, ✉ 08026, ☎ (93) 245 89 05, *Fax (93) 247 09 23* – ... 25/60. ... CS e
Comida 1700 – 950 – **115 hab** 15900/17900 – PA 4350.

Wilson sin rest, av. Diagonal 568, ✉ 08021, ☎ (93) 209 25 11, *Fax (93) 200 83 70* – ... GV a
950 – **47 hab** 12100/15400, 5 suites.

Mikado, passeig de la Bonanova 58, ✉ 08017, ☎ (93) 211 41 66, *Fax (93) 211 42 10* – ... 25. ... EU s
Comida 1950 – 950 – **68 hab** 16900/18900.

Albéniz sin rest, Aragó 591, ✉ 08026, ☎ (93) 265 26 26, *Fax (93) 265 40 07* – ... 25/40. ... CS e
950 – **47 hab** 15900/17900.

Rubens, passeig de la Mare de Déu del Coll 10, ✉ 08023, ☎ (93) 219 12 04, *Fax (93) 219 12 69* – ... 25/35. ... rest BS y
Comida 1700 – 950 – **139 hab** 14900/16900 – PA 4350.

Rekor'd sin rest, Muntaner 352, ✉ 08021, ☎ (93) 200 19 53, *Fax (93) 414 50 84* – ... GU c
15 hab 16000/17000.

Zenit sin rest. con cafetería, Santaló 8, ✉ 08021, ☎ (93) 209 89 11, *Fax (93) 414 59 65* – ... 25. ... GV t
1100 – **61 hab** 11500/17000.

Castellnou, Castellnou 61, ✉ 08017, ☎ (93) 203 05 50, *Fax (93) 205 60 14* – ... EV a
Comida carta aprox. 3450 – 950 – **49 hab** 15900/17900.

Medicis sin rest, Castillejos 340, ✉ 08025, ☎ (93) 450 00 53, *Fax (93) 455 34 81* – ... CS a
850 – **30 hab** 10500/13500.

Abalon sin rest, Travessera de Gràcia 380-384, ✉ 08025, ☎ (93) 450 04 60, *Fax (93) 435 81 23* – ... CS a
700 – **40 hab** 8200/10000.

Aparthotel Bonanova sin rest, Bisbe Sivilla 7, ✉ 08022, ☎ (93) 418 16 61, *Fax (93) 418 44 97* – ... FU e
750 – **21 apartamentos** 12900/14900.

XXXX **Via Veneto,** Ganduxer 10, ✉ 08021, ✆ (93) 200 72 44, *Fax (93) 201 60 95*, « Estilo belle époque » – ▤. AE ◑ E VISA. ✂ FV e
✿ *cerrado sábado mediodía, domingo y del 1 al 20 de agosto* – **Comida** 7500 y carta 5980 a 8810
Espec. Huevos escalfados con hígado de pato fresco y espinacas a la crema. Colita de rape dorada al horno con semilla de sésamo y garbanzos crujientes al vinagre balsámico. Ravioli de plátanos en infusión de frutos rojos y su sorbete.

XXXX **Reno,** Tuset 27, ✉ 08006, ✆ (93) 200 91 29, *Fax (93) 414 41 14* – ▤. AE ◑ E VISA JCB. ✂ GV r
cerrado sábado mediodía y lunes salvo festivos – **Comida** carta aprox. 8000.

XXXX **Neichel,** Beltran i Rózpide 16 bis, ✉ 08034, ✆ (93) 203 84 08, *Fax (93) 205 63 69* – ▤. AE ◑ E VISA. ✂ EX z
✿✿ *cerrado sábado mediodía, domingo, Semana Santa y agosto* – **Comida** 7800 y carta 6900 a 8100
Espec. Gambas de Palamós, alcachofas del país, vinagreta de aceitunas y pesto. Tronco de lenguado y ajo tierno al vinagre de Chardonnay con laurel. Manzana caramelizada con helado a la miel de tomillo.

XXX **Jean Luc Figueras,** Santa Teresa 10, ✉ 08012, ✆ (93) 415 28 77, *Fax (93) 218 92 62*, « Decoración elegante » – ▤. AE E VISA. ✂ HV z
✿ *cerrado sábado mediodía, domingo, Semana Santa y del 12 al 16 de agosto* – **Comida** carta 6100 a 9500
Espec. Ensalada de gambas de Palamós, crema de calabaza, jenjibre y naranja confitada. Dorada sobre su piel, sopita de moluscos y macedonia de frutas. Pastel de chocolate al momento, helado de pan de especies y gelée de cacao.

XXX **Gaig,** passeig de Maragall 402, ✉ 08031, ✆ (93) 429 10 17, *Fax (93) 429 70 02*, 🌳 – ▤. AE ◑ E VISA CS s
✿ *cerrado lunes, festivos noche, Semana Santa y agosto* – **Comida** 8900 carta 5520 a 7280
Espec. Ensalada de gambas con gelatina de tomates. Rodaballo rostit con percebes. Carré de cordero al enebro.

XXX **Botafumeiro,** Gran de Gràcia 81, ✉ 08012, ✆ (93) 218 42 30, *Fax (93) 415 58 48* – ▤. AE ◑ E VISA JCB. ✂ HU v
cerrado 3 semanas en agosto – **Comida** - pescados y mariscos - carta 4900 a 7900.

XX **El Trapío,** Esperanza 25, ✉ 08017, ✆ (93) 211 58 17, *Fax (93) 417 10 37*, 🌳, « Terraza » – ▤. AE ◑ VISA. ✂ EU t
cerrado domingo noche – **Comida** carta aprox. 3800.

XX **La Petite Marmite,** Madrazo 68, ✉ 08006, ✆ (93) 201 48 79, *Fax (93) 202 23 43* – ▤. AE ◑ E VISA. ✂ GU f
cerrado domingo, festivos, Semana Santa y agosto – **Comida** carta 3000 a 4275.

XX **Can Cortada,** av. de l'Estatut de Catalunya, ✉ 08035, ✆ (93) 427 23 15, *Fax (93) 427 02 94*, 🌳, « Masía del siglo XVI » – |$| ▤ P. AE ◑ E VISA JCB. ✂ BS e
Comida carta aprox. 3200.

XX **El Asador de Aranda,** av. del Tibidabo 31, ✉ 08022, ✆ (93) 417 01 15, *Fax (93) 212 24 82*, 🌳, « Antiguo palacete » – AE ◑ E VISA. ✂ BS b
cerrado domingo noche y Semana Santa – **Comida** - cordero asado - carta aprox. 3690.

XX **Paradis Barcelona** con buffet, passeig Manuel Girona 7, ✉ 08034, ✆ (93) 203 76 37, *Fax (93) 203 61 94* – ▤. AE ◑ E VISA. ✂ EVX t
Comida carta aprox. 4000.

XX **Daxa,** Muntaner 472, ✉ 08006, ✆ (93) 201 60 06 – ▤. AE ◑ E VISA. ✂ FU p
cerrado domingo noche y del 9 al 22 de agosto – **Comida** carta 1500 a 3600.

XX **Casa Jordi,** passatge de Marimón 18, ✉ 08021, ✆ (93) 200 11 18 – ▤. AE ◑ E VISA JCB. ✂ GV x
cerrado domingo – **Comida** carta 2840 a 4100.

XX **El Racó d'en Freixa,** Sant Elíes 22, ✉ 08006, ✆ (93) 209 75 59, *Fax (93) 209 79 18* – ▤. AE ◑ E VISA. ✂ GU h
✿ *cerrado festivos noche, Semana Santa y agosto* – **Comida** 6850 carta 5500 a 7500
Espec. Sopa de bacalao con miel y buñuelo de romesco con calamar. Liebre a la Royal (invierno). Caneton a las especies con tatin de berenjena e higos.

XX **Roig Robí,** Sèneca 20, ✉ 08006, ✆ (93) 217 97 38, *Fax (93) 415 78 42*, 🌳, « Terraza-jardín » – ▤. AE ◑ E VISA HV c
cerrado sábado mediodía, domingo y 15 días en agosto – **Comida** carta 4750 a 6450.

XX **Zure Etxea,** Jordi Girona Salgado 10, ✉ 08034, ✆ (93) 203 83 90, *Fax (93) 280 31 46* – ▤. AE ◑ E VISA AT
cerrado sábado mediodía, domingo, festivos y 3 semanas en agosto – **Comida** carta aprox. 6600.

XX **Tram-Tram,** Major de Sarrià 121, ✉ 08017, ℘ (93) 204 85 18, 𝓉 – ▤. AE ⓓ E VISA. ✈ EU d
cerrado sábado mediodía, domingo, del 23 al 30 de diciembre, Semana Sant 2ª y 3ª semanas de agosto – **Comida** carta 4350 a 6500.

XX **St. Rémy,** Iradier 12, ✉ 08017, ℘ (93) 418 75 04, *Fax (93) 434 04 34* – ▤. AE ⓓ E VISA. ✈ EU n
cerrado domingo noche – **Comida** carta 2870 a 3370.

XX **Acontraluz,** Milanesat 19, ✉ 08017, ℘ (93) 203 06 58 – ▤. AE ⓓ E VISA JCB. ✈ EU z
Comida carta 2650 a 4350.

XX **Atlantic,** Lluís Muntadas 8, ✉ 08035, ℘ (93) 418 52 04, *Fax (93) 418 70 44*, ≤ ciudad, 𝓉 – ▤. AE E VISA. ✈ BS r
cerrado domingo y 20 días en agosto – **Comida** carta 3750 a 6500.

X **Tritón,** Alfambra 16, ✉ 08034, ℘ (93) 203 30 85 – ▤ 🚗 Ⓟ. AE VISA AT t
cerrado domingo, festivos, 21 días en Semana Santa y 15 días en agosto – **Comida** carta aprox. 4800.

X **La Xarxa,** pl. Molina 4, ✉ 08006, ℘ (93) 415 41 68 – ▤. AE VISA. ✈ GU v
cerrado domingo noche y agosto – **Comida** - pescados y mariscos - carta aprox. 5475.

X **Vivanda,** Major de Sarrià 134, ✉ 08017, ℘ (93) 205 47 17, *Fax (93) 203 19 18*, 𝓉 – ▤. ⓓ E VISA. ✈ EU a
cerrado domingo y lunes mediodía – **Comida** carta 3075 a 4775.

X **El Vell Sarriá,** Major de Sarrià 93, ✉ 08017, ℘ (93) 204 57 10, *Fax (93) 205 45 41* – ▤. AE ⓓ E VISA JCB EU f
cerrado domingo noche y 15 julio-15 septiembre – **Comida** carta 2550 a 4190.

X **Alberto,** Ganduxer 50, ✉ 08021, ℘ (93) 201 00 09, 𝓉 – ▤. AE ⓓ E VISA. ✈ FV g
cerrado domingo noche y agosto – **Comida** carta 3100 a 4600.

X **La Venta,** pl. Dr. Andreu, ✉ 08035, ℘ (93) 212 64 55, *Fax (93) 212 51 44*, 𝓉, « Antiguo café » – AE ⓓ E VISA. ✈ BS d
cerrado domingo – **Comida** carta 4200 a 4900.

X **Sal i Pebre,** Alfambra 14, ✉ 08034, ℘ (93) 205 36 58, *Fax (93) 205 56 72* – ▤. AE ⓓ E VISA JCB. ✈ AT t
Comida carta aprox. 2625.

X **Medulio,** av. Príncipe de Asturias 6, ✉ 08012, ℘ (93) 217 38 68, *Fax (93) 415 34 36* – ▤. AE ⓓ E VISA JCB GU r
cerrado domingo noche, lunes (mayo-agosto) y del 15 al 31 de agosto – **Comida** carta aprox. 4450.

X **Can Traví Nou,** final c. Jorge Manrique, ✉ 08035, ℘ (93) 428 03 01, *Fax (93) 428 19 17*, 𝓉, « Antigua masía » – Ⓟ. AE ⓓ E VISA JCB. ✈ BS a
cerrado domingo noche – **Comida** carta aprox. 4050.

X **Julivert Meu,** Jordi Girona Salgado 12, ✉ 08034, ℘ (93) 204 11 96, *Fax (93) 205 56 72* – ▤. AE ⓓ E VISA JCB. ✈ AT r
Comida carta aprox. 2625.

X **El Pati Blau,** Jordi Girona Salgado 14, ✉ 08034, ℘ (93) 204 22 15, *Fax (93) 205 56 72* – ▤. AE ⓓ E VISA JCB. ✈ AT r
Comida carta aprox. 2625.

X **Le Quattro Stagioni,** Dr. Roux 37, ✉ 08017, ℘ (93) 205 22 79, *Fax (93) 415 51 97*, 𝓉, « Patio-terraza » – ▤. AE ⓓ E VISA JCB. ✈ FV c
cerrado domingo y lunes mediodía (julio-agosto), domingo noche y lunes (resto del año) y Semana Santa – **Comida** - cocina italiana - carta aprox. 4150.

X **La Taula,** Sant Màrius 8-12, ✉ 08022, ℘ (93) 417 28 48 – ▤. AE ⓓ E VISA JCB. ✈ FU u
cerrado sábado mediodía, domingo, festivos y agosto – **Comida** carta 2300 a 3400.

X **Satoru Miyano,** Ganduxer 18, ✉ 08021, ℘ (93) 414 31 04, *Fax (93) 414 31 78* – ▤. AE ⓓ VISA. ✈ FV e
cerrado domingo, lunes mediodía, festivos y agosto – **Comida** carta 3200 a 5100.

X **A la Menta,** passeig Manuel Girona 50, ✉ 08034, ℘ (93) 204 15 49, « Taberna típica » – ▤. AE ⓓ E VISA. ✈ EV f
cerrado domingo y festivos noche – **Comida** carta 3750 a 4750.

X **L'Encís,** Provença 379, ✉ 08025, ℘ (93) 457 68 74, *Fax (93) 457 68 74* – ▤. AE ⓓ E VISA JCB. ✈ JU e
cerrado domingo y lunes noche en invierno, sábado noche y domingo en verano, Semana Santa y del 1 al 21 de agosto – **Comida** - festivos sólo almuerzo - carta 3300 a 4650.

X **Folquer,** Torrent de L'Olla 3, ✉ 08012, ☎ (93) 217 43 95 – ▤. AE ⓓ E VISA. ✻ HU
cerrado sábado mediodía, domingo y 15 días en agosto – **Comida** carta aprox. 4250.

X **La Yaya Amelia,** Sardenya 364, ✉ 08025, ☎ (93) 456 45 73
▤. AE E VISA JCB. ✻ JU
cerrado domingo, Semana Santa y agosto – **Comida** carta 3275 a 4780.

X **El Vol de Nit,** Anglí 4, ✉ 08017, ☎ (93) 203 91 81 – ▤. AE ⓓ E VISA EU
cerrado domingo y festivos – **Comida** carta 3450 a 4400.

Alrededores

en Esplugues de Llobregat – ✉ *08950 Esplugues de Llobregat :*

XXX **La Masía,** av. Països Catalans 58 ☎ (93) 371 00 09, *Fax (93) 372 84 00*, ☂, « Terraza bajo los pinos » – ▤ Ⓟ. AE ⓓ E VISA JCB. ✻ AT
cerrado domingo noche – **Comida** carta 3675 a 5475.

X **Quirze,** Laureà Miró 202 ☎ (93) 371 10 84, *Fax (93) 371 65 12*, ☂ – ▤ Ⓟ. AE ⓓ E VISA. ✻ AT
cerrado sábado noche, domingo y agosto – **Comida** carta aprox. 4400.

en Sant Just Desvern – ✉ *08960 Sant Just Desvern :*

Sant Just, Frederic Mompou 1 ☎ (93) 473 25 17, *Fax (93) 473 24 50*, ≤, Lδ – |‡| ▤ TV ☎ ⇔ – 🏛 25/450. AE ⓓ E VISA. ✻ AT
Comida 3000 - ***Alambí :*** **Comida** carta 2850 a 4950 – ☕ 1300 – **144 hab** 13900/14900 – 6 suites.

XX **El Mirador de Sant Just,** av. Indústria 12 ☎ (93) 499 03 42, *Fax (93) 499 04 41*, ≤, « Suspendido en la chimenea de una antigua fábrica » – ▤. AE ⓓ E VISA AT
cerrado domingo noche y del 16 al 31 de agosto – **Comida** carta 3300 a 4350.

en Sant Joan Despí – ✉ *08970 Sant Joan Despí :*

Sant Joan sin rest. con cafetería, Josep Trueta 2 ☎ (93) 477 30 03, *Fax (93) 477 33 8..*, Lδ, ⛱ – |‡| ▤ TV ☎ ♿ ⇔ – 🏛 25/90. AE ⓓ E VISA. ✻ AT
☕ 1000 – **128 hab** 11000/13600.

Ver también : **San Cugat del Vallès por ⑦ : 18 km.**

Neumáticos MICHELIN S.A., Sucursal Santa Perpètua de Mogoda - CIM VALLÈS polígono industrial Les Minetes, Nave 11, ✉ 08130 ☎ (93) 560 77 22, Fax (93) 560 17 5..

EL BARCO DE ÁVILA *05600 Ávila* 444 K 13 – *2 515 h. alt. 1 009.*
Madrid 193 – Ávila 81 – Béjar 30 – Plasencia 70 – Salamanca 89.

Manila ⛵, carret. de Plasencia ☎ (920) 34 08 44, *Fax (920) 34 12 91*, ≤ – |‡|, ▤ rest TV ☎ Ⓟ – 🏛 25/35. AE ⓓ E VISA. ✻
Comida 1350 – ☕ 775 – **50 hab** 6500/8850 – PA 3000.

XX **El Casino,** Pasión 2-1° ☎ (920) 34 10 86 – AE ⓓ E VISA. ✻
cerrado miércoles y octubre – **Comida** carta 2900 a 4200.

El BARCO DE VALDEORRAS u **O BARCO** *32300 Orense* 441 E 9 – *10 379 h. alt. 324*
Madrid 439 – Lugo 123 – Orense/Ourense 118 – Ponferrada 52.

Espada, carret. N 120 - Este : 1,5 km ☎ (988) 32 26 86, *Fax (988) 32 27 07* – |‡| ▤ TV ☎ ⇔ Ⓟ
29 hab.

X **San Mauro,** pl. de la Iglesia 11 ☎ (988) 32 01 45 – ▤. AE ⓓ E VISA. ✻
cerrado lunes y 16 junio-15 julio – **Comida** carta 2450 a 4200.

BARLOVENTO *Santa Cruz de Tenerife – ver Canarias (La Palma).*

La BARRANCA (Valle de) *Madrid – ver Navacerrada.*

Los BARRIOS *11370 Cádiz* 446 X 13 – *13 901 h. alt. 23.*
Madrid 666 – Algeciras 10 – Cádiz 127 – Gibraltar 28 – Marbella 77.

Real, av. Pablo Picasso 7 ☎ (956) 62 00 24, *Fax (956) 62 19 68* – |‡| ▤ TV ☎ VISA. ✻
Comida *(cerrado viernes)* 1200 – ☕ 225 – **22 hab** 3400/5400 – PA 2600.

BARRO *33529 Asturias* 441 B 15 - *Playa.*
Madrid 460 - Oviedo 106 - Santander 103.

Miracielos sin rest. con cafetería, playa de Miracielos (98) 540 25 85, *Fax (98) 540 25 82* - E VISA.
650 - **21 hab** 6500/9800.

Quintamar, playa de Barro (98) 540 01 52, *Fax (98) 540 26 39* - AE VISA.
Comida *(fines de semana y abril-septiembre)* 1100 - 500 - **10 hab** 7800/11500 - PA 2700.

Kaype, playa de Barro (98) 540 09 00, *Fax (98) 540 04 18,* - E VISA.
abril-septiembre - **Comida** carta aprox. 2850 - 425 - **48 hab** 6300/9500.

BAYONA o **BAIONA** *36300 Pontevedra* 441 F 3 - *9 690 h.* - *Playa.*
Ver : *Monterreal (murallas★ : ★★).*
Alred. : *Carretera★ de Bayona a La Guardia.*
Madrid 616 - Orense/Ourense 117 - Pontevedra 44 - Vigo 21.

Parador de Bayona, (986) 35 50 00, *Telex 83424, Fax (986) 35 50 76,*
« Reproducción de un típico pazo gallego en el recinto de un castillo feudal al borde del mar », - 25/400. AE E VISA.
Comida 3800 - 1400 - **122 hab** 16000/20000, 2 suites.

Bahía Bayona, av. Santa Marta 13 (986) 38 50 04, *Fax (986) 35 66 45* - - 25/200. AE VISA.
Comida 2450 - 1300 - **89 hab** 10600/13500 - PA 4900.

Bayona sin rest, Conde 36 (986) 35 50 87 - E VISA.
junio-septiembre - 450 - **33 hab** 5100/7500.

Tres Carabelas sin rest, Ventura Misa 61 (986) 35 51 33, *Fax (986) 35 59 21* - AE E VISA.
425 - **15 hab** 6300/8000.

Pinzón sin rest, Elduayen 21 (986) 35 60 46, - AE E VISA.
cerrado enero y febrero - 500 - **18 hab** 6500/9000.

O Moscón, Alférez Barreiro 2 (986) 35 50 08 - AE E VISA.
Comida carta 2150 a 4100.

Mesón El Candil, San Juan 46 (986) 35 74 93 - AE E VISA.
cerrado domingo noche y lunes (invierno) y octubre - **Comida** carta 2800 a 3925.

En haute saison, et surtout dans les stations, il est prudent de retenir à l'avance.

BAZA *18800 Granada* 446 T 21 - *19 997 h. alt. 872.*
Madrid 425 - Granada 105 - Murcia 178.

Venta del Sol, carret. de Murcia (958) 70 03 00, *Fax (958) 70 03 04* - E VISA.
Comida 1100 - 400 - **25 hab** 3400/5400, 10 apartamentos.

Anabel, María de Luna (958) 86 09 98, *Fax (958) 86 09 98* - VISA. rest
Comida 1500 - 600 - **18 hab** 3000/5000.

BECERRIL DE LA SIERRA *28490 Madrid* 444 J 18 - *1 957 h. alt. 1 080.*
Madrid 54 - Segovia 41.

Las Gacelas, San Sebastián 53 (91) 853 80 00, *Fax (91) 853 75 06,* - rest, - 25/100. AE E VISA.
Comida carta aprox. 3000 - 600 - **43 hab** 6000/9000.

Victoria sin rest. y sin , San Sebastián 12 (91) 853 85 61, *Fax (91) 853 86 32* - VISA.
cerrado 20 septiembre-15 octubre - **10 hab** 4800/6000.

El Albero, Orense 11 (91) 853 75 41 - VISA.
Comida carta 2600 a 3800.

BEGUR *Gerona* - *ver Bagur.*

BEIFAR *Asturias* - *ver Pravia.*

BÉJAR *37700 Salamanca* **441** **K 12** – *17 027 h. alt. 938.*

paseo de Cervantes 6 ☎ (923) 40 30 05 Fax (923) 40 30 05.

Madrid 211 – Ávila 105 – Plasencia 63 – Salamanca 72.

Colón *(anexo),* Colón 42 ☎ (923) 40 06 50, *Fax (923) 40 06 50,* – , rest – – 25/600. rest
Comida 1675 – 600 – **69 hab** 6500/9000 – PA 3900.

Argentino sin , travesía Recreo ☎ (923) 40 23 64 – E VISA.
Comida (ver rest. ***Argentino***) – **13 hab** 3500/5200.

Argentino, carret. de Salamanca 93 ☎ (923) 40 26 92, – . E VISA.
Comida carta aprox. 3400.

BELMONTE *16640 Cuenca* **444** **N 21** – *2 601 h. alt. 720.*

Ver : *Antigua Colegiata (Silleria★) - Castillo (artesonados★).*

Alred. : *Villaescusa de Haro (Iglesia parroquial : capilla de la Asunción★) Noreste : 6 km*

Madrid 157 – Albacete 107 – Ciudad Real 142 – Cuenca 101.

Palacio Buenavista Hospedería, José Antonio González 2 ☎ (967) 18 75 80, *Fax (967) 18 75 88,* « Palacio del siglo XVI con artesonados y rejerías originales » – – 25. E VISA. rest
Comida *(cerrado lunes)* 1500 – **22 hab** 4700/7500.

La Muralla, Osa de la Vega 1 ☎ (967) 17 10 45, *Fax (967) 17 10 45* – rest,. VISA.
Comida 1000 – 250 – **7 hab** 1500/3000 – PA 2250.

Los BELONES *30385 Murcia* **445** **T 27.**

Madrid 459 – Alicante/Alacant 102 – Cartagena 20 – Murcia 69.

por la carretera de Portman – ✉ *30385 Los Belones :*

Príncipe Felipe , Sur : 3 km ☎ (968) 33 12 34, *Fax (968) 33 12 35,* ← campo de golf y montañas, , climatizada, – – 25/400. E VISA.
Comida 5500 – **185 hab** 32000/36000, 7 suites.

La Finca, poblado de Atamaría - Sur : 3,5 km ☎ (968) 17 50 00 (ext. 2228), ,
Comida - sólo cena -.

Andale, La Manga Club-Centro de Tenis - Sur : 4 km ☎ (968) 33 12 34, *Fax (968) 13 72 7..*
 –
Comida - rest. mexicano -.

BELLAVISTA *Sevilla – ver Sevilla.*

BELLPUIG D'URGELL *25250 Lérida* **443** **H 33** – *3 706 h. alt. 308.*

Madrid 502 – Barcelona 127 – Lérida/Lleida 33 – Tarragona 86.

Bellpuig, antigua carret. N II ☎ (973) 32 02 50, *Fax (973) 32 22 53* – . E VISA.
Comida 1000 – 300 – **57 hab** 3250/6400.

BELLVER DE CERDAÑA o **BELLVER DE CERDANYA** *25720 Lérida* **443** **E 35** – *1 549 h. alt. 1 061.*

Ver : *Pueblo★.*

pl. de Sant Roc 9 ☎ (973) 51 02 29 (temp).

Madrid 634 – Lérida/Lleida 165 – Seo de Urgel/La Seu d'Urgell 32.

María Antonieta , av. de la Cerdanya ☎ (973) 51 01 25, *Fax (973) 51 01 25,* ←, – . E VISA. rest
Comida *(cerrado del 1 al 24 de diciembre)* 2500 – 700 – **54 hab** 5900/8900 – PA 480.

Bellavista, carret. de Puigcerdà 43 ☎ (973) 51 00 00, *Fax (973) 51 04 18,* ←, , – . E VISA. rest
cerrado noviembre – **Comida** *(cerrado domingo noche en verano)* 1800 – 700 – **50 hab** 4150/6850 – PA 4300.

Cal Rei sin rest, barrio Talló - Suroeste : 1 km ☎ (973) 51 10 96, *Fax (973) 51 10 9.*
– . E VISA
13 hab 9560/11560.

Picot Negre, Camí Reial 1 ☎ (973) 51 11 98 – VISA
cerrado domingo noche, lunes, del 15 al 30 de junio y del 15 al 31 de octubre – **Comida** - sólo almuerzo salvo fines de semana y verano - carta 3000 a 3900.

por la carretera de Alp *y desvío a la derecha en Balltarga - Sureste : 4 km – ✉ 25720 Bellver de Cerdaña :*

X **Mas Martí,** urb. Bades ☏ (973) 51 00 22, « Decoración rústica » – P. *fines de semana, Navidades, Semana Santa y agosto* – **Comida** carta 2600 a 3800.

BEMBRIVE *Pontevedra – ver Vigo.*

BENACAZÓN *41805 Sevilla* 446 **T 11** – *4 753 h. alt. 113.*

Madrid 566 – Huelva 72 – Sevilla 23.

Andalusi Park H., autopista A 49 - salida 6 ☏ (95) 570 56 00, *Fax (95) 570 50 79,* « Edificio de estilo árabe. Jardín », – P – 25/500. AE E VISA. **Comida** 4000 – 1500 – **189 hab** 16700/20900, 11 suites.

BENAHAVÍS *29679 Málaga* 446 **W 14** – *1 405 h. alt. 185.*

Madrid 610 – Algeciras 78 – Málaga 79 – Marbella 17 – Ronda 60.

X **Los Faroles,** Málaga ☏ (95) 285 54 25, – AE E VISA. *cerrado miércoles y 15 febrero-15 marzo* – **Comida** carta 2500 a 3250.

X **La Escalera,** Almendro 4 ☏ (95) 285 52 35, – AE VISA. *cerrado jueves y noviembre* – **Comida** - sólo cena en verano - carta 2250 a 3650.

BENALMÁDENA *29639 Málaga* 446 **W 16** – *25 747 h.*

Madrid 579 – Algeciras 117 – Málaga 24.

La Fonda sin rest, Santo Domingo 7 ☏ (95) 256 83 24, *Fax (95) 256 82 73,* climatizada – AE E VISA. **26 hab** 9500/13700.

XX **Casa Fidel,** Maestra Ayala 1 ☏ (95) 244 91 65, *Fax (95) 256 80 84,* – AE E VISA JCB *cerrado martes, miércoles mediodía y del 1 al 15 de diciembre* – **Comida** carta 2850 a 4500.

BENALMÁDENA COSTA *29630 Málaga* 446 **W 16** – *Playa.*

18 Torrequebrada, carret. de Cádiz, Suroeste : 4 km ☏ (95) 244 27 42 Fax (95) 256 11 29.

av. Antonio Machado 14 ☏ (95) 244 12 95 Fax (95) 244 06 78.

Madrid 558 – Málaga 24 – Marbella 46.

Torrequebrada, carret. de Cádiz - Suroeste : 2 km ☏ (95) 244 60 00, *Fax (95) 244 27 46,* mar, – P – 25/600. AE E VISA. ***Café Royal*** *(sólo cena)* **Comida** carta 4000 a 6100 - ***Pavillón*** *(sólo almuerzo y buffet en verano)* **Comida** carta 4000 a 5600 – **328 hab** 22000/29000, 22 suites.

Tritón, av. Antonio Machado 29 ☏ (95) 244 32 40, *Fax (95) 244 26 49,* « Gran jardín tropical », – P – 25/280. AE E VISA. **Comida** 3600 – 1600 – **373 hab** 16750/21000, 10 suites – PA 7600.

Riviera, av. Antonio Machado 49 ☏ (95) 244 12 40, *Fax (95) 244 22 30,* « Terrazas escalonadas con césped », – P. AE VISA. **Comida** - sólo cena buffet - 3000 – 1600 – **189 hab** 12000/16500.

Alay, av. del Alay 5 ☏ (95) 244 14 40, *Fax (95) 244 63 80,* climatizada, – P – 25/750. AE E VISA JCB. **Comida** 3350 – **246 hab** 11100/18500.

La Roca, playa de Santa Ana ☏ (95) 244 17 40, *Fax (95) 244 32 55,* – AE E VISA. **Comida** 1500 – **154 hab** 9575/15000.

XXX **Mar de Alborán,** av. del Alay 5 ☏ (95) 244 64 27, *Fax (95) 244 63 80,* – AE E VISA. *cerrado domingo noche, lunes y 22 diciembre-22 enero* – **Comida** carta 3400 a 4550.

XX **Chef Alonso,** Dársena de Levante, local 11 - Puerto Marina ☏ (95) 256 13 03, « Terraza con puerto deportivo » – AE E VISA. **Comida** carta 3000 a 4000.

X **O. K. 2,** Terramar Alto - edificio Delta del Sur ☏ (95) 244 28 16, – VISA. *cerrado martes y junio* – **Comida** - asados y carnes a la parrilla - carta aprox. 3550.

X El Varadero, Pueblo Marinero - Puerto Marina ☏ (95) 256 43 27, – **Comida** - pescados y mariscos -.

X **O.K.,** San Francisco 2 ☏ (95) 244 36 96, – E VISA. *cerrado miércoles y 13 enero-27 febrero* – **Comida** carta 1350 a 3450.

X Asador del Camborio, castillo El Bil-Bil ☏ (95) 244 20 67,

BENAMOCARRA *29719 Málaga* **446** **V 17** – *2 744 h. alt. 126.*
Madrid 513 – Almería 182 – Granada 103 – Málaga 42 – Motril 71 – Vélez Málaga 6.

Cerro La Jaula, (95) 250 98 84, sierra y alrededores – .
Comida carta aprox. 2900 – 550 – **10 hab** 4630/6170.

BENAOJÁN *29370 Málaga* **446** **V 14** – *1 593 h. alt. 565.*
Madrid 567 – Algeciras 95 – Cádiz 138 – Marbella 81 – Ronda 22 – Sevilla 135.

por la carretera de Ronda *Sureste : 2 km – ✉ 29370 Benaoján :*

Molino del Santo, barriada Estación (95) 216 71 51, *Fax (95) 216 73 27*, « Instalado en un antiguo molino de aceite », climatizada – rest, .
cerrado diciembre y enero – **Comida** carta aprox. 2700 – 925 – **14 hab** 6900/9700

BENASQUE *22440 Huesca* **443** **E 31** – *1 507 h. alt. 1 138 – Balneario – Deportes de invierno en Cerler : 15.*
Alred. : *Sur : Valle de Benasque★ – Congosto de Ventamillo★ Sur : 16 km.*
San Pedro (974) 55 12 89 Fax (974) 55 12 89.
Madrid 538 – Huesca 148 – Lérida/Lleida 148.

St Antón, carret. de Francia (974) 55 16 11, *Fax (974) 55 16 21*, – rest, .
cerrado del 1 al 15 de mayo y del 1 al 15 de noviembre – **Comida** 1700 - ***Casa Pedro*** : **Comida** carta aprox. 3550 – **34 hab** 6500/13000.

Aragüells sin rest. con cafetería, av. de Los Tilos (974) 55 16 19, *Fax (974) 55 16 6..* – .
cerrado mayo – 700 – **19 hab** 5000/8500.

Ciria, av. de Los Tilos (974) 55 16 12, *Fax (974) 55 16 86* – . rest
Comida 1950 - ***El Fogaril*** : **Comida** carta 3450 a 4750 – 900 – **40 hab** 5700/9600

San Marsial, carret. de Francia (974) 55 16 16, *Fax (974) 55 16 23* – . rest
Comida 1900 – **24 hab** 8500/10800 – PA 3750.

Aneto, carret. Anciles 2 (974) 55 10 61, *Fax (974) 55 15 09*, –
cerrado octubre-20 diciembre – **Comida** 1600 – 800 – **38 hab** 4000/7500 – PA 3200

Avenida, av. de Los Tilos 3 (974) 55 11 26, *Fax (974) 55 15 15* – .
cerrado 13 octubre-3 diciembre – **Comida** 1625 – 675 – **16 hab** 7100/8200 – PA 3520

El Puente II sin rest, San Pedro (974) 55 12 11, *Fax (974) 55 16 84*, – .
700 – **28 hab** 5000/8250.

El Puente con hab, San Pedro (974) 55 12 79, *Fax (974) 55 16 84*, – rest .
Comida carta aprox. 3200 – 700 – **13 hab** 5000/8250.

La Parrilla, carret. de Francia (974) 55 11 34 –
cerrado 25 septiembre-10 octubre – **Comida** carta 2225 a 4500.

por la carretera de Francia *Noreste : 13 km – ✉ 22440 Benasque :*

Llanos del Hospital, camino de la Renclusa (974) 55 20 12, *Fax (974) 55 10 5..* – .
cerrado octubre y noviembre – **Comida** 1600 – **19 hab** 5750/8900.
Ver también : **Cerler** *Sureste : 6 km.*

BENAVENTE *49600 Zamora* **441** **F 12** – *14 410 h. alt. 724.*
Madrid 259 – León 71 – Orense/Ourense 242 – Palencia 108 – Ponferrada 125 – Valladolid 9..

Parador de Benavente, paseo Ramón y Cajal (980) 63 03 00, *Fax (980) 63 03 03*, – – 25/60. .
Comida 3500 – 1300 – **30 hab** 13200/16500 – PA 7055.

Orense, Perú 4 (980) 63 01 56, *Fax (980) 63 47 93* – rest, .
Comida - cocina gallega - carta aprox. 3500 – 500 – **33 hab** 3895/6960.

Avenida, av. General Primo de Rivera 17 (980) 63 10 31, *Fax (980) 63 14 85* – rest
cerrado 24 diciembre-7 enero – **Comida** *(cerrado domingo)* 1200 – 400 – **20 hab** 4000/6500 – PA 2800.

or la carretera de León *Noreste : 2,5 km y desvío a la derecha 0,5 km –* ✉ *49600 Benavente :*

El Ermitaño, ✆ (980) 63 67 95, *Fax (980) 63 22 13,* – ▤. AE ⓓ E VISA. ✂
cerrado lunes salvo festivos – **Comida** carta 2500 a 3800.

n la carretera N VI – ✉ *49600 Benavente :*

Tudanca, Noroeste : 6 km ✆ (980) 63 64 66, *Fax (980) 63 68 19* – ▤ TV ☎ ⇔ P – 25/200. AE ⓓ E VISA. ✂
Comida 1900 – 550 – **32 hab** 7000/8500 – PA 3900.

Arenas, Sureste : 2 km - salida 259 autovía ✆ (980) 63 03 34, *Fax (980) 63 03 34* – TV ☎ ⇔ P. AE ⓓ E VISA. ✂ rest
Comida 1550 – 350 – **37 hab** 4900/6900.

ENDINAT *Baleares – ver Baleares (Mallorca).*

ENETÚSSER *Valencia – ver Valencia.*

Zehn ***Michelin-Abschnittskarten*** *:*

Spanien : Nordwesten 441, ***Norden*** 442, ***Nordosten*** 443,
Zentralspanien 444, ***Zentral- und Ostspanien*** 445,
Süden 446, ***Kanarische Inseln*** 220, 221 und 222.

Portugal 940.

Die auf diesen Karten rot unterstrichenen Orte sind im vorliegenden Führer erwähnt.

Für die gesamte ***Iberische Halbinsel*** *benutzen Sie die* ***Michelin-Karte*** 990 *im Maßstab 1 : 1 000 000, oder der* ***Atlas Michelin Spanien Portugal*** *im Maßstab 1/400 000.*

ENIA *33556 Asturias* 441 **B 15.**
Madrid 524 – Gijón 87 – Oviedo 68 – Santander 122.

Casa Morán con hab, carret. AS 114 ✆ (98) 584 40 06, – VISA. ✂
Comida carta aprox. 2200 – 300 – **12 hab** 2000/4000.

ENICARLÓ *12580 Castellón* 445 **K 31** – *18 460 h. alt. 27 – Playa.*
ℹ *pl. de la Constitución* ✆ *(964) 47 31 80 Fax (964) 47 31 80.*
Madrid 492 – Castellón de la Plana/Castelló de la Plana 69 – Tarragona 116 – Tortosa 55.

Parador de Benicarló , av. del Papa Luna 5 ✆ (964) 47 01 00, *Fax (964) 47 09 34,* – ▤ TV ☎ ♿ P – 25/60. AE ⓓ E VISA. ✂
Comida 3500 – 1300 – **108 hab** 12000/15000 – PA 7055.

Márynton, paseo Marítimo 5 ✆ (964) 47 30 11, *Fax (964) 46 07 20* – ▤ TV ☎ ⇔. E VISA. ✂
Comida *(cerrado octubre)* 2000 – 500 – **26 hab** 4500/7000 – PA 4000.

Rosi sin rest y sin , Dr. Fleming 50 ✆ (964) 46 00 08, *Fax (964) 46 00 08* – ▤ TV ☎ ⇔. AE E VISA. ✂
24 hab 4000/7000.

Sol sin rest, carret. N 340 ✆ (964) 47 13 49 – ⇔ P
abril-septiembre – 600 – **22 hab** 4000/5500.

El Cortijo, av. Méndez Núñez 85 ✆ (964) 47 00 75, *Fax (964) 47 00 75* – ▤. AE ⓓ E VISA. ✂
cerrado lunes y del 1 al 15 de julio – **Comida** - pescados y mariscos - carta 4150 a 5900.

ENICASIM o BENICÀSSIM *12560 Castellón* 445 **L 30** – *6 151 h. – Playa.*
ℹ *Médico Segarra 4 (Ayuntamiento)* ✆ *(964) 30 09 62 Fax (964) 30 01 39.*
Madrid 436 – Castellón de la Plana/Castelló de la Plana 14 – Tarragona 165 – Valencia 88.

Avenida y Eco-Avenida, av. de Castellón 2 ✆ (964) 30 00 47, *Fax (964) 30 00 79,* climatizada – ☎ P. AE VISA. ✂ rest
marzo-octubre – **Comida** 1600 – 600 – **64 hab** 5200 – PA 3000.

Plaza, Cristóbal Colón 3 ✆ (964) 30 00 72 – ▤. AE E VISA. ✂
cerrado martes (salvo vísperas de festivos) y 15 diciembre-15 enero – **Comida** carta 3500 a 4500.

en la zona de la playa :

Intur Bonaire, av. Gimeno Tomás 3 ✆ (964) 39 24 80, *Fax (964) 39 23 79,* « Pequeño pinar », ⛱, - ▤ TV ☎ P. AE ⓓ E VISA JCB. ✻ rest
Comida 2900 - ▭ 1050 - **84 hab** 10400/13000 - PA 5800.

Intur Orange, av. Gimeno Tomás 9 ✆ (964) 39 44 00, *Fax (964) 30 15 4* « rodeada de césped con árboles », - |‡| ▤ TV ☎ P - 25/400. AE ⓓ VISA. ✻ rest
marzo-octubre - **Comida** - sólo buffet - 2825 - ▭ 950 - **415 hab** 9500/11900.

Trinimar sin rest, av. Ferrándiz Salvador 184 ✆ (964) 30 08 50, *Fax (964) 30 08 66,* - |‡| ▤ TV ☎ P. AE E VISA
Semana Santa y junio-septiembre - ▭ 700 - **170 hab** 8300/9300.

Intur Azor, av. Gimeno Tomás 1 ✆ (964) 39 20 00, *Fax (964) 39 23 79,* ≤, « Terraz con flores », - |‡| ▤ TV ☎ P. ⓓ E VISA. ✻ rest
marzo-octubre - **Comida** - sólo buffet - 2950 - ▭ 950 - **87 hab** 9500/11200.

Voramar, paseo Pilar Coloma 1 ✆ (964) 30 01 50, *Fax (964) 30 05 26,* ≤, « Terraza - |‡|, ▤ rest, TV ☎. AE ⓓ E VISA. ✻ rest
marzo-octubre - **Comida** 1800 - ▭ 850 - **59 hab** 5600/9700 - PA 3700.

Vista Alegre, av. de Barcelona 48 ✆ (964) 30 04 00, *Fax (964) 30 04 00,* - |‡ ▤ rest, ☎ P. AE E VISA. ✻ rest
marzo-octubre - **Comida** 1850 - ▭ 550 - **68 hab** 4000/6700.

Bersoca, Gran Avinguda Jaume I-217 ✆ (964) 30 12 58, *Fax (964) 39 41 44,* - |‡| ☎ P. VISA. ✻ rest
cerrado 15 diciembre-15 enero - **Comida** *(cerrado lunes y diciembre)* carta aprox. 210 - ▭ 600 - **48 hab** 4000/5700.

Tramontana sin rest, paseo Marítimo Ferrándiz Salvador 6 ✆ (964) 30 03 0 *Fax (964) 25 21 37,* - |‡| P. AE ⓓ E VISA. ✻
15 marzo-15 octubre - ▭ 500 - **65 hab** 3700/6000.

en el Desierto de las Palmas *Noroeste : 8 km - ✉ 12560 Benicasim :*

Desierto de las Palmas, ✆ (964) 30 09 47, *Fax (964) 39 41 01,* ≤ montaña, valle mar, - P. ⓓ E VISA. ✻
cerrado martes (salvo julio-septiembre) y 20 enero-20 febrero - **Comida** carta apro 4000.

BENIDORM *03500 Alicante* 445 Q 29 - *75 322 h. - Playa.*

Ver : *Promontorio del Castillo* ≤★ AZ.

av. Martínez Alejos 16 ✆ (96) 585 32 24 Fax (96) 585 13 11 y av. del Derramad ✆ (96) 680 67 34 Fax (96) 680 59 14.

Madrid 459 ③ - Alicante/Alacant 44 ③ - Valencia (por la costa) 136 ③

Plano página siguiente

Agir, av. del Mediterráneo 11 ✆ (96) 585 51 62, *Fax (96) 585 89 50,* « Ático con solariu y » - |‡| ▤ TV ☎ - 25/80. AE ⓓ E VISA. ✻ BY
Comida 3100 - ▭ 1250 - **84 hab** 12500/17000, 5 suites - PA 6400.

Cimbel, av. de Europa 1 ✆ (96) 585 21 00, *Fax (96) 586 06 61,* ≤, climatizada - ▤ TV ☎. AE ⓓ E VISA. ✻ BY
Comida 3800 - ▭ 875 - **139 hab** 11850/23675, 1 suite.

Don Pancho, av. del Mediterráneo 39 ✆ (96) 585 29 50, *Fax (96) 586 77 7* climatizada, - |‡| ▤ TV ☎ P - 25/330. AE ⓓ E VISA. ✻ CY
Comida - sólo buffet - 2600 - ▭ 1000 - **252 hab** 14150/17700 - PA 5250.

G.H. Delfín, playa de Poniente - La Cala ✆ (96) 585 34 00, *Fax (96) 585 71 54,* ≤, « Jardín con », - |‡| ▤ TV ☎ P. AE ⓓ E VISA. ✻ rest por
15 marzo-15 noviembre - **Comida** - sólo buffet - 2675 - ▭ 945 - **92 hab** 10915/183 - PA 5350.

Bilbaíno, av. Virgen del Sufragio 1 ✆ (96) 585 08 04, *Fax (96) 585 08 05,* ≤ - |‡| ▤ ☎. E VISA. ✻ BZ
marzo-noviembre - **Comida** 1900 - ▭ 850 - **38 hab** 7000/13000.

Tiffany's, av. del Mediterráneo 51 - edificio Coblanca 3 ✆ (96) 585 44 68 - ▤. AE E VISA. ✻ CY
cerrado 7 enero-7 febrero - **Comida** - sólo cena - carta 3900 a 4600.

I Fratelli, av. Dr. Orts Llorca 21 ✆ (96) 585 39 79, - ▤. AE ⓓ E VISA BY
cerrado noviembre - **Comida** carta 4800 a 6000.

La Lubina, av. de Bilbao 3 ✆ (96) 585 30 85, - ▤. E VISA. ✻ BY
cerrado diciembre y enero - **Comida** carta aprox. 3800.

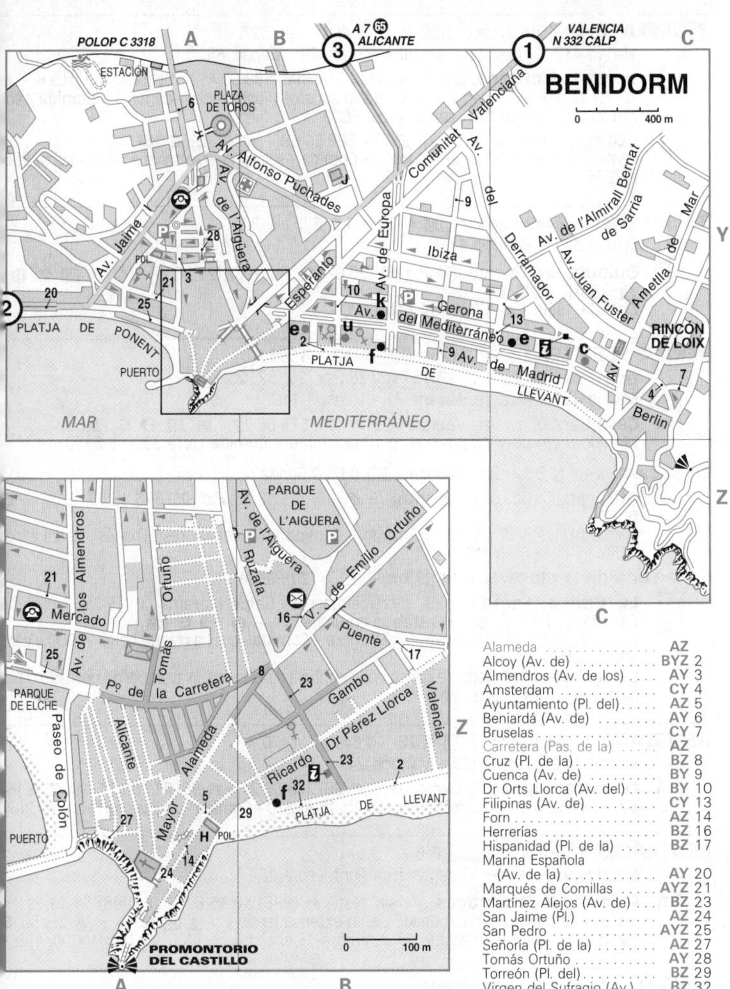

Alameda	AZ	
Alcoy (Av. de)	BYZ	2
Almendros (Av. de los)	AY	3
Amsterdam	CY	4
Ayuntamiento (Pl. del)	AZ	5
Beniardá (Av. de)	AY	6
Bruselas	CY	7
Carretera (Pas. de la)	AZ	
Cruz (Pl. de la)	BZ	8
Cuenca (Av. de)	BY	9
Dr Orts Llorca (Av. del)	BY	10
Filipinas (Av. de)	CY	13
Forn	AZ	14
Herrerías	BZ	16
Hispanidad (Pl. de la)	BZ	17
Marina Española (Av. de la)	AY	20
Marqués de Comillas	AYZ	21
Martínez Alejos (Av. de)	BZ	23
San Jaime (Pl.)	AZ	24
San Pedro	AYZ	25
Señoría (Pl. de la)	AZ	27
Tomás Ortuño	AY	28
Torreón (Pl. del)	BZ	29
Virgen del Sufragio (Av.)	BZ	32

en Cala Finestrat *por ② : 4 km – ✉ 03500 Benidorm :*

X **Casa Modesto,** ☎ (96) 585 86 37,
≤, 🏖 – E VISA. ✂
cerrado 15 enero-1 marzo – **Comida** - pescados y mariscos - carta 2850 a 3300.

BENIEL *30130 Murcia* 445 **R 26 Y 27** – *6 975 h. alt. 29.*
Madrid 412 – Alicante/Alacant 58 – Cartagena 64 – Murcia 16.

al Sureste : *2 km*

X **Angelín,** Vereda del Rollo 55 ☎ (968) 60 11 00, *Fax (96) 530 52 87* – ▤ P. AE ⓞ E VISA. ✂
Comida carta aprox. 2850.

BENIFAYÓ o BENIFAIÓ *46450 Valencia* 445 **O 28** – *11 850 h. alt. 35.*
Madrid 404 – Albacete 170 – Alicante/Alacant 144 – Valencia 20.

XX **La Caseta,** Gracia 5 ☎ (96) 178 22 07 – ▤. AE E VISA. ✂
Comida carta 3300 a 4700.

BENIMANTELL *03516 Alicante* 445 P 29 – *404 h. alt. 527.*

Madrid 437 – Alcoy 32 – Alicante/Alacant 68 – Gandía 85.

Venta la Montaña, carret. de Alcoy 9 ℘ (96) 588 51 41, « Decoración típica » – AE E VISA. – *cerrado lunes (salvo agosto) y una semana en junio* – **Comida** - sólo almuerzo salvo agosto - carta aprox. 3000.

L'Obrer, carret. de Alcoy 27 ℘ (96) 588 50 88 – P. AE E VISA. *cerrado viernes y 23 junio-1 agosto* – **Comida** - sólo almuerzo salvo agosto - carta 205 a 2975.

BENIPARRELL *46469 Valencia* 445 N 28 – *1 366 h. alt. 20.*

Madrid 362 – Valencia 11.

Quiquet, av. Levante 45 ℘ (96) 120 07 50, *Fax (96) 121 26 77* – P 25/70. AE E VISA
Comida 1950 – 600 – **34 hab** 6500.

BENISA o **BENISSA** *03720 Alicante* 445 P 30 – *8 583 h.*

av. País Valencià 1 ℘ (96) 573 22 25 Fax (96) 573 25 37.

Madrid 458 – Alicante/Alacant 71 – Valencia 110.

Casa Cantó, av. País Valencià 223 ℘ (96) 573 06 29 – AE E VISA. *cerrado domingo y 15 noviembre-10 diciembre* – **Comida** carta 3200 a 5150.

en la carretera N 332 *Sur : 4,8 km – 03720 Benisa :*

Al Zaraq, Partida de Benimarraig 79 ℘ (96) 573 16 15, *Fax (96) 573 16 15*, – E VISA
cerrado lunes y 15 febrero-15 marzo – **Comida** *(sólo cena)* - rest. libanés - carta apro 4550.

en la zona de la playa *Sureste : 9 km – 03720 Benisa :*

La Chaca, Fanadix X 5 - cruce carret. Calpe-Moraira ℘ (96) 574 77 06 *Fax (96) 574 77 06*, « Instalado en una villa » – P. E VISA
cerrado lunes y 15 noviembre-15 diciembre – **Comida** - cocina franco-belga - 4900 y cart 4200 a 6050

Espec. Terrina de hígado de ganso con confitura de cebollas. Waterzooi de pescado. Tart casera de fruta fresca con helado.

BENISSANÓ *46181 Valencia* 445 N 28 – *1 643 h. alt. 70.*

Madrid 344 – Teruel 129 – Valencia 24.

Levante, Virgen del Fundamento 15 ℘ (96) 278 07 21, *Fax (96) 279 00 21* – AE E VIS – *cerrado martes no festivos y 15 julio-15 agosto* – **Comida** - paellas - carta aprox. 310

BENTRACES *32890 Orense* 441 F 6.

Madrid 495 – Orense/Ourense 16 – Pontevedra 104.

Palacio de Bentraces sin rest, ℘ (988) 38 33 81, *Fax (988) 38 33 81*, « Elegante pazo señorial rodeado de un extenso jardín » – P – 25/50. E VISA JCB. – *cerrado 15 diciembre-15 enero* – 1000 – **9 hab** 10000/1500

BERA *Navarra – ver Vera de Bidasoa.*

BÉRCHULES *18451 Granada* 446 V 20 – *864 h. alt. 1 350.*

Madrid 507 – Almería 110 – Granada 125 – Lorca 228 – Motril 130 – Úbeda 184.

Los Bérchules, ℘ (958) 85 25 30, *Fax (958) 85 25 30*, – P. AE E VISA.
Comida 1200 – 400 – **13 hab** 3000/5000 – PA 2500.

BERGA *08600 Barcelona* 443 F 35 – *14 324 h. alt. 715.*

carret. C 1411 - Sureste : 1,5 km ℘ (93) 822 15 00 Fax (93) 822 21 07.

Madrid 627 – Barcelona 117 – Lérida/Lleida 158.

Estel sin rest, carret. Sant Fruitós 39 ℘ (93) 821 34 63, *Fax (93) 821 04 15* – E VISA.
550 – **40 hab** 3500/5100.

Sala, passeig de la Pau 27 ℘ (93) 821 11 85, *Fax (93) 822 20 54* – AE E VISA. *cerrado domingo noche y lunes* – **Comida** carta 3100 a 5350.

en la carretera C 1411 *Sureste : 2 km – 08600 Berga :*

L'Esquirol, camping de Berga ℘ (93) 821 12 50, *Fax (93) 822 23 88*, –

BERGARA *Guipúzcoa - ver Vergara.*

BERGONDO *15217 La Coruña* 441 **C 5** - *5 443 h.*
Madrid 582 - La Coruña/A Coruña 21 - Ferrol 30 - Lugo 78 - Santiago de Compostela 63.

en Fiobre *Noreste : 2,5 km - ✉ 15165 Fiobre :*

XX **A Cabana,** carret. de Ferrol ✆ (981) 79 11 53, *Fax (981) 79 14 28,* ≤ ría, 🏠 - Ⓟ. AE Ⓓ E VISA. ✗
cerrado lunes noche en invierno - **Comida** carta aprox. 5100.

BERIAIN *31191 Navarra* 442 **D 25** - *alt. 442.*
Madrid 389 - Logroño 87 - Pamplona/Iruñea 8.

🏠 **Alaiz,** carret. N 121 ✆ (948) 31 01 75, *Fax (948) 31 03 50,* Ƒ6 - |‡|, ▤ rest, TV ☎ 🚗 Ⓟ. AE Ⓓ E VISA. ✗
Comida 1000 - ☕ 350 - **71 hab** 4100/6250.

BERLANGA DE DUERO *42360 Soria* 442 **H 21** - *1 294 h. alt. 922.*
Madrid 206 - Aranda de Duero 85 - Soria 47.

🏨 **Fray Tomás-Casa Vallecas,** Real 16 ✆ (975) 34 31 36, *Fax (975) 34 31 69,* « Hotel instalado en una casa-palacio del siglo XV » - ▤ rest, TV ☎. AE Ⓓ VISA. ✗
Comida carta 2550 a 3650 - ☕ 350 - **14 hab** 4000/7000.

BERMEO *48370 Vizcaya* 442 **B 21** - *18 111 h. - Playa.*
Alred. : *Alto de Sollube★ Suroeste : 5 km.*
ℹ *Askatasun Bidea 2 ✆ (94) 617 91 54 Fax (94) 617 91 59.*
Madrid 432 - Bilbao/Bilbo 33 - San Sebastián/Donostia 98.

🏠 **Txaraka** 🐎 sin rest, Almike Auzoa 5 ✆ (94) 688 55 58, *Fax (94) 688 51 64* - TV ☎ Ⓟ. E VISA. ✗
☕ 800 - **12 hab** 8000/11000.

XX **Iñaki,** Bizkaiko Jaurreria 25 ✆ (94) 688 57 35 - ▤. E VISA. ✗
cerrado lunes - **Comida** carta 4200 a 5300.

X **Jokin,** Eupeme Deuna 13 ✆ (94) 688 40 89, ≤, 🏠 - ▤. AE E VISA. ✗
cerrado domingo noche - **Comida** carta 4100 a 5000.

X **Beitxi,** Eskoikiz 6 ✆ (94) 688 00 06, *Fax (94) 688 58 20* - ▤. AE Ⓓ E VISA
cerrado miércoles - **Comida** carta 1000 a 2500.

X **Aguirre,** Lope Díaz de Haro 5 ✆ (94) 688 08 30, 🏠 - ▤. AE Ⓓ E VISA
cerrado miércoles (en invierno) y febrero - **Comida** carta aprox. 4300.

X Artxanda, Eupeme Deuna 14 ✆ (94) 688 09 30, 🏠, Rest. típico - ▤.

X Almiketxu, Almike Auzoa 8 - Sur : 1,5 km ✆ (94) 688 09 25, 🏠, « Típico caserío vasco » - Ⓟ.

BERRIA (Playa de) *Cantabria - ver Santoña.*

BERRIOPLANO *31195 Navarra* 442 **D 24** - *alt. 450.*
Madrid 391 - Jaca 117 - Logroño 98 - Pamplona/Iruñea 6.

🏨 **NH El Toro,** carret. N 240 ✆ (948) 30 22 11, *Fax (948) 30 20 85,* « Edificio de estilo regional », Ƒ6 - ▤ TV ☎ Ⓟ - 🎤 25/350. AE Ⓓ E VISA. ✗ rest
Comida 2900 - ☕ 1100 - **60 hab** 12000, 5 suites.

BESALÚ *17850 Gerona* 443 **F 38** - *2 099 h.*
Ver : *Puente fortificado★, núcleo antiguo★★, Iglesia de Sant Pere★.*
ℹ *pl. de la Llibertat 2 ✆ (972) 59 12 40 Fax (972) 59 04 11.*
Madrid 743 - Figueras/Figueres 24 - Gerona/Girona 34.

XX **Els Fogons de Can Llaudes,** Prat de Sant Pere 6 ✆ (972) 59 08 58, « Capilla románica del siglo XI » - ▤. E VISA
cerrado martes (salvo festivos) y del 8 al 21 de noviembre - **Comida** carta 3500 a 4975.

X **Cúria Reial** con hab, pl. de la Llibertat 15 ✆ (972) 59 02 63, *Fax (972) 59 02 63,* 🏠, « Instalado en un antiguo convento » - ▤ TV. AE Ⓓ E VISA. ✗
cerrado febrero - **Comida** *(cerrado lunes noche y martes salvo en verano)* carta aprox. 3950 - ☕ 550 - **7 hab** 3000/4200.

X **Pont Vell,** Pont Vell 28 ✆ (972) 59 10 27, ≤, 🏠 - AE Ⓓ E VISA
cerrado lunes noche, martes y del 1 al 15 de enero - **Comida** carta aprox. 3375.

BETANCURIA *Las Palmas – ver Canarias (Fuerteventura).*

BETANZOS *15300 La Coruña* 441 **C 5** *– 11 871 h. alt. 24.*

Ver : *Iglesia de Santa María del Azogue★ – Iglesia de San Francisco★ (sepulcro★).*

Madrid 576 – La Coruña/A Coruña 23 – Ferrol 38 – Lugo 72 – Santiago de Compostela 64.

Casanova, pl. García Hermanos 15 ✆ (981) 77 06 03 – AE E VISA.
cerrado lunes salvo en Semana Santa y verano – **Comida** carta 2750 a 4300.

BETETA *16870 Cuenca* 444 **K 23** *– 387 h. alt. 1 210.*

Ver : *Hoz de Beteta★.*

Madrid 217 – Cuenca 109 – Guadalajara 161.

Los Tilos, Extrarradio ✆ (969) 31 80 97, *Fax (969) 31 82 99*, ← – TV ☎ P. AE E VISA.
Comida carta aprox. 2675 – 475 – **24 hab** 4000/6200.

BETRÉN *Lérida – ver Viella.*

BIAR *03410 Alicante* 445 **Q 27** *– 3 395 h. alt. 650.*

av. de Villena 2 ✆ (96) 581 11 77.

Madrid 370 – Albacete 119 – Alcoy/Alcoi 36 – Alicante/Alacant 50 – Valencia 130.

Vila de Biar, San José 2 ✆ (96) 581 13 04, *Fax (96) 581 13 12*, « Jardín con » – TV ☎ P – 25. AE E VISA. rest
Comida 2500 – 775 – **42 hab** 8200/10000.

Mesón Fuente El Pájaro, Camino de la Virgen ✆ (96) 581 09 02 – AE E VISA.
cerrado lunes, del 10 al 14 de mayo y del 15 al 30 de agosto – **Comida** - sólo cena viernes y sábado en verano - carta 2800 a 4000.

BIASTERI *Álava – ver Laguardia.*

BIEDES *Asturias – ver Santullano.*

BIELSA *22350 Huesca* 443 **E 30** *– 430 h. alt. 1 053.*

Ver : *Parque Nacional de Ordesa y Monte Perdido★★★.*

Madrid 544 – Huesca 154 – Lérida/Lleida 170.

Bielsa, carret. de Ainsa ✆ (974) 50 10 08, *Fax (974) 50 11 13*, ← – TV ☎ P. E VISA.
Navidades y marzo-octubre – **Comida** 1750 – 800 – **60 hab** 4100/5200 – PA 3700.

Valle de Pineta, Baja ✆ (974) 50 10 10, *Fax (974) 50 11 91*, ←, – TV ☎. VISA
cerrado noviembre – **Comida** 1400 – 500 – **26 hab** 4000/5500.

Marboré sin rest. con cafetería, av. Pineta ✆ (974) 50 11 11 – TV. E VISA.
325 – **12 hab** 3500/4500.

en el valle de Pineta *Noroeste : 14 km – ✉ 22350 Bielsa :*

Parador de Bielsa, alt. 1 350 ✆ (974) 50 10 11, *Fax (974) 50 11 88*, ←, « En un magnífico paraje de montaña » – TV ☎ P. AE E VISA JCB. rest
cerrado enero y febrero – **Comida** 3500 – 1300 – **26 hab** 13200/16500 – PA 7055.

BIESCAS *22630 Huesca* 443 **E 29** *– 1 142 h. alt. 860.*

Madrid 458 – Huesca 68 – Jaca 30.

Casa Ruba, Esperanza 18 ✆ (974) 48 50 01, *Fax (974) 48 50 01* – rest, TV ☎. E VISA.
cerrado octubre y noviembre – **Comida** 1800 – 500 – **29 hab** 3600/5300 – PA 3500.

La Rambla, rambla San Pedro 7 ✆ (974) 48 51 77, *Fax (974) 48 51 77*, ← – TV ☎. E VISA.
cerrado noviembre – **Comida** 1450 – 475 – **30 hab** 3850/5700 – PA 2900.

BILBAO o **BILBO** *48000* Ⓟ *Vizcaya* 442 **C 20** – *372 054 h.*

Ver : *Museo Guggenheim Bilbao*★★★ DX – *Museo de Bellas Artes*★ *(sección de arte antiguo*★★*)* DY **M**.

Laukariz, carret de Mungia NE por BI 631 (B) ☏ (94) 674 04 62.

de Bilbao, Sondica, Noreste : 11 km por autovía BI 631 ☏ (94) 486 93 01 – Iberia : Ercilla 20 ✉ 48009 ☏ (94) 471 12 10 DY .

Abando ☏ (94) 423 06 17.

Cía. Trasmediterránea, Colón de Larreategui 30 ✉ 48009 ☏ (94) 423 43 00 Telex 32056 Fax (94) 424 74 59 EY.

pl. Arriaga 1 ✉ 48005 ☏ (94) 416 00 22 Fax (94) 416 81 68 – **R.A.C.V.N.** *Rodríguez Arias 59 bis ✉ 48013 ☏ (94) 442 58 08 Fax (94) 441 27 12.*

Madrid 397 ⑤ – Barcelona 607 ⑤ – La Coruña/A Coruña 622 ⑤ – Lisboa 907 ⑤ – San Sebastián/Donostia 100 ④ – Santander 116 ⑥ – Toulouse 449 ④ – Valencia 606 ⑤ – Zaragoza 305 ⑤

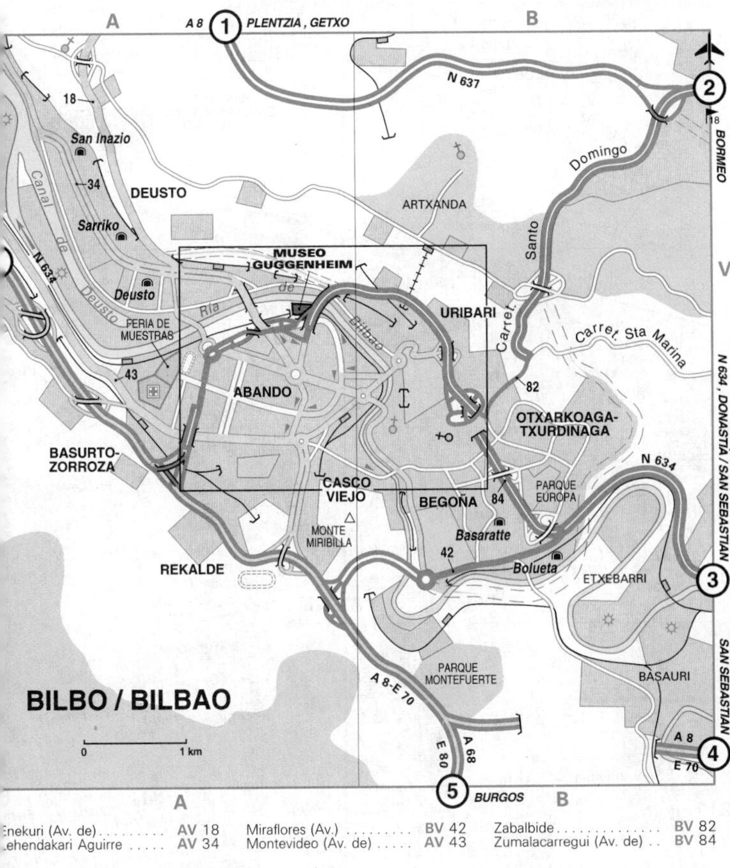

Enekuri (Av. de)	AV 18	Miraflores (Av.)	BV 42	Zabalbide	BV 82
Lehendakari Aguirre	AV 34	Montevideo (Av. de)	AV 43	Zumalacarregui (Av. de)	BV 84

López de Haro, Obispo Orueta 2, ✉ 48009, ☏ (94) 423 55 00, *Telex 34787, Fax (94) 423 45 00* – 25/40. rest EY r
Comida 4000 - ***Náutico*** *(cerrado sábado mediodía, domingo y 15 julio-15 agosto)* **Comida** carta 4700 a 6100 – 1550 – **49 hab** 20850/28000, 4 suites.

Carlton, pl. de Federico Moyúa 2, ✉ 48009, ☏ (94) 416 22 00, *Fax (94) 416 46 28* – 25/200. DY x
Comida 3000 – 1500 – **141 hab** 15200/19200, 7 suites.

BILBO / BILBAO

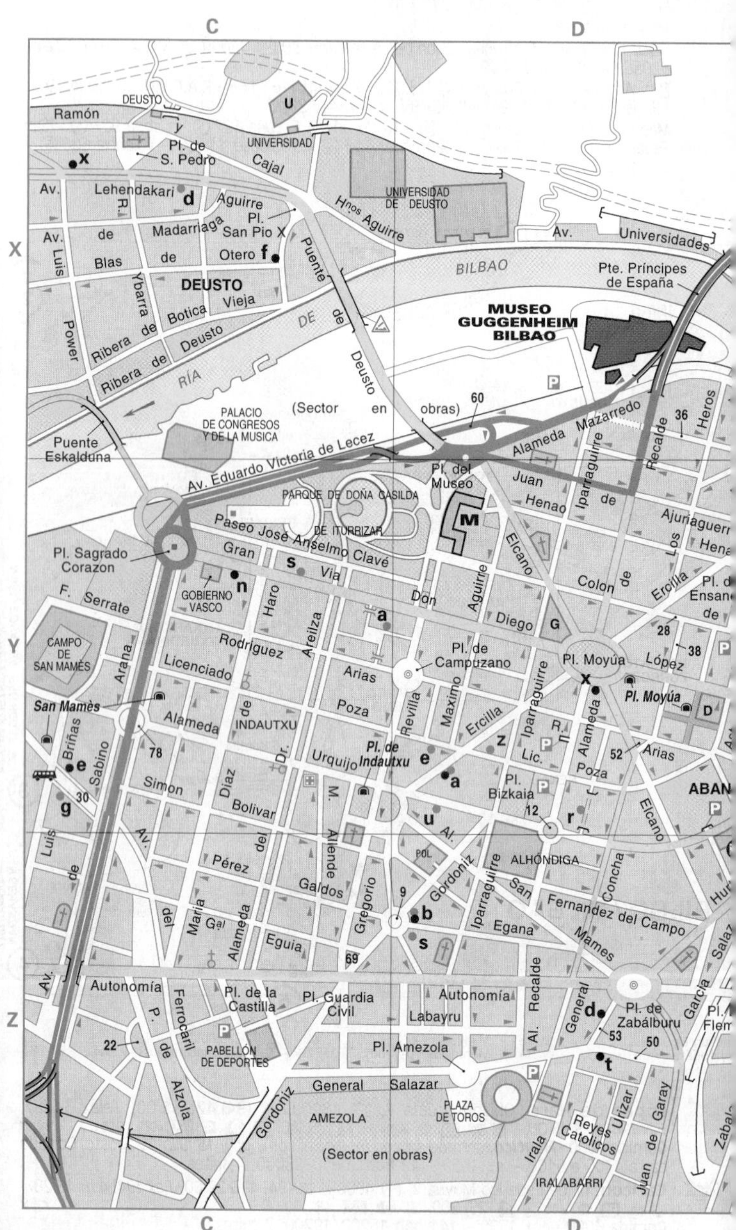

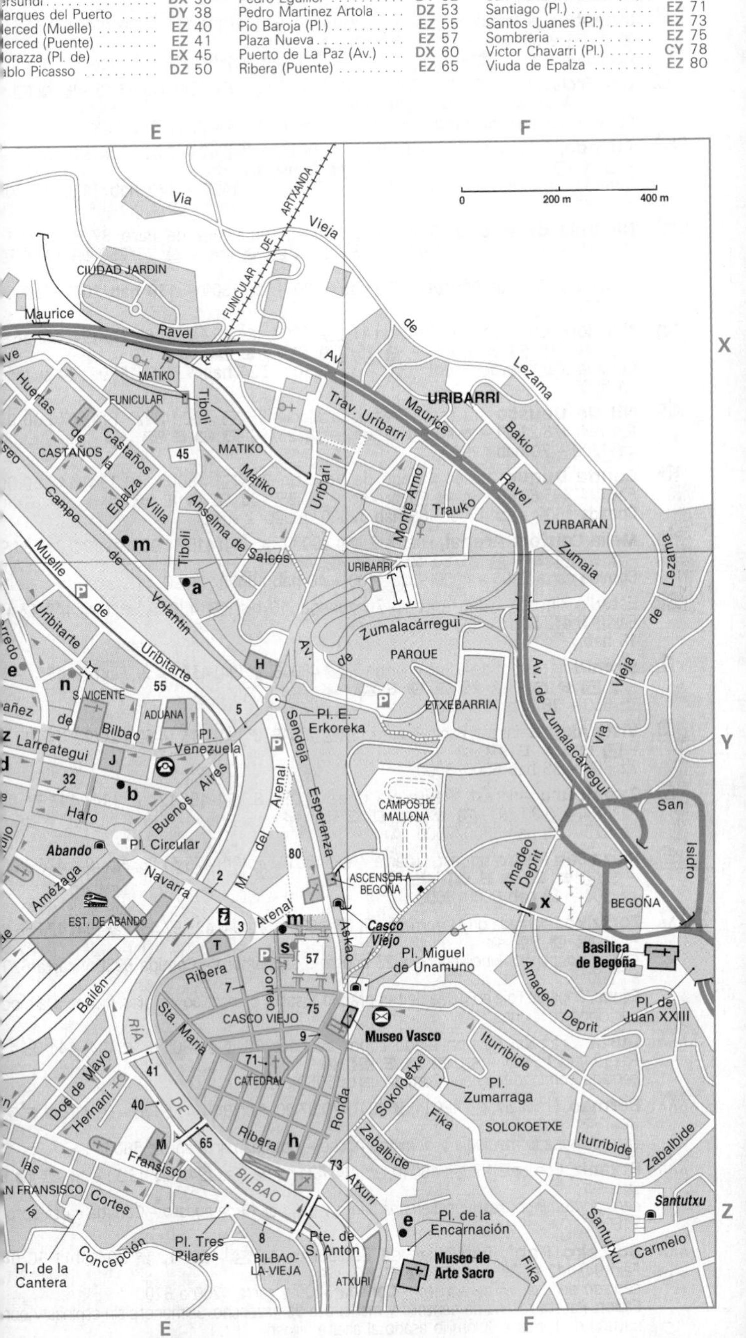

E
F
0
200 m
400 m
X
Y
Z
Via Vieja de Lezama
FUNICULAR DE ARTXANDA
CIUDAD JARDIN
Maurice Ravel
Av. Maurice Ravel
MATIKO
FUNICULAR
Tiboli
Huertas de la Villa
Castaños
CASTAÑOS
Epalza
Campo de Volantin
Muelle de Uribitarte
Anselma de Salces
Matiko
Uribari
Trav. Uríbarri
URIBARRI
Monte Arno
Trauko
Bakio
ZURBARAN
Zumaia
URIBARRI
Av. de Zumalacárregui
PARQUE
ETXEBARRIA
Pl. E. Erkoreka
Sendeja
Esperanza
S. VICENTE
ADUANA
Pl. Venezuela
Larreategui
Buenos Aires
Haro
Abando
Pl. Circular
Amézaga
EST. DE ABANDO
Navarra
M. del Arenal
Arenal
CAMPOS DE MALLONA
ASCENSOR A BEGOÑA
Amadeo Deprit
BEGOÑA
San Isidro
Basilica de Begoña
Casco Viejo
Pl. Miguel de Unamuno
Askao
Ribera
Correo
CASCO VIEJO
Museo Vasco
Sta. Maria
CATEDRAL
Ronda
Bailén
RÍA DE BILBAO
Dos de Mayo
Hernani
Fransisco
AN FRANSISCO
las Cortes
Pl. Tres Pilares
BILBAO-LA-VIEJA
Pte. de S. Anton
ATXURI
Atxuri
Pl. de la Encarnación
Museo de Arte Sacro
Zabalbide
Sokoloetxe
Fika
Pl. Zumarraga
SOLOKOETXE
Iturribide
Pl. de Juan XXIII
Santutxu
Carmelo
Pl. de la Cantera
Concepción

Indautxu, pl. Bombero Etxaniz 2, ✉ 48010, ☎ (94) 421 11 98, *Fax (94) 422 13 31* - 25/400. AE VISA DZ
Comida (ver rest. ***Etxaniz***) - 1700 - **181 hab** 21350/23500, 3 suites.

G.H. Ercilla, Ercilla 37, ✉ 48011, ☎ (94) 470 57 00, *Fax (94) 443 93 35* - - 25/400. AE E VISA JCB DY
Comida (ver rest. ***Bermeo***) - 1525 - **338 hab** 16745/21000, 8 suites.

Abando, Colón de Larreategui 9, ✉ 48001, ☎ (94) 423 62 00, *Fax (94) 424 55 2* - - 25/150. AE E VISA JCB. EY
Comida *(cerrado domingo y festivos)* 2750 - 1400 - **142 hab** 11200/18500, 3 suites.

NH Villa de Bilbao, Gran Vía de Don Diego López de Haro 87, ✉ 48011, ☎ (94) 441 60 00, *Fax (94) 441 65 29* - - 25/250. AE E VISA JCB. CY
Comida 3250 - ***La Pérgola*** : **Comida** 5500 - 1800 - **139 hab** 20000/30000, 3 suites.

Nervión, paseo Campo de Volantín 11, ✉ 48007, ☎ (94) 445 47 00, *Fax (94) 445 56 0* - , rest, - 25/250. AE E VISA. EX
Comida *(cerrado domingo)* 2000 - 1250 - **324 hab** 13200/16500, 24 suites PA 5200.

NH de Deusto sin rest, Francisco Maciá 9, ✉ 48014, ☎ (94) 476 00 06, *Fax (94) 476 21 99* - - 25/90. AE E VISA JCB CX
1200 - **70 hab** 12900.

Conde Duque, paseo Campo de Volantín 22, ✉ 48007, ☎ (94) 445 60 00, *Fax (94) 445 60 66* - - 25/120. AE E VISA. EX
Comida 1600 - 1200 - **65 hab** 12000/18000, 2 suites.

Meliá Confort Arenal, Fueros 2, ✉ 48005, ☎ (94) 415 31 00, *Fax (94) 415 63 9* - - 25/80. AE E VISA. EYZ
Comida carta 3900 a 4900 - 1100 - **40 hab** 15000/19000.

Estadio sin rest, Juan Antonio Zunzunegui 10 bis, ✉ 48013, ☎ (94) 442 42 4, *Fax (94) 442 50 11* - CY
18 hab.

Sirimiri sin rest, pl. de la Encarnación 3, ✉ 48006, ☎ (94) 433 07 59, *Fax (94) 433 08 7* - - 25. AE E VISA. FZ
550 - **28 hab** 7000/9000.

Vista Alegre sin rest, Pablo Picasso 13, ✉ 48012, ☎ (94) 443 14 50, *Fax (94) 443 14 5* - . E VISA. DZ
500 - **35 hab** 6000/8000.

Zabálburu sin rest, Pedro Martínez Artola 8, ✉ 48012, ☎ (94) 443 71 00, *Fax (94) 410 00 73* - . AE E VISA. DZ
425 - **38 hab** 5800/7800.

Plaza San Pedro sin rest, Luzarra 7, ✉ 48014, ☎ (94) 476 31 26, *Fax (94) 476 38 9* - . AE E VISA. CX
500 - **19 hab** 6000/8000.

Zortziko, Alameda de Mazarredo 17, ✉ 48001, ☎ (94) 423 97 43, *Fax (94) 423 56 8* - . AE VISA. EY
cerrado domingo, lunes noche y 23 agosto-5 septiembre - **Comida** 6950 y carta 620 a 7200
Espec. Copa de foie en gelée de tempranillo. Risotto de bacalao y trufas. Pichón a la mod Zor cinco cocciones.

Guria, Gran Vía de Don Diego López de Haro 66, ✉ 48011, ☎ (94) 441 05 4, *Fax (94) 441 85 64* - . AE E VISA. CY
cerrado domingo noche - **Comida** carta 6050 a 8700.

Bermeo, Ercilla 37, ✉ 48011, ☎ (94) 470 57 00, *Fax (94) 443 93 35* - . AE E VIS JCB. DY
cerrado sábado mediodía y domingo noche - **Comida** carta aprox. 5600.

Etxaniz, Gordoniz 15, ✉ 48010, ☎ (94) 421 11 98, *Fax (94) 422 13 31* - . AE E VISA. DZ
cerrado domingo, festivos, Semana Santa y del 1 al 15 de agosto - **Comida** carta apro 5100.

Goizeko Kabi, Particular de Estraunza 4, ✉ 48011, ☎ (94) 441 50 04, *Fax (94) 442 11 29* - . AE E VISA. CDY
cerrado del 1 al 15 de agosto - **Comida** 5200 y carta 4200 a 6200
Espec. Patata rellena de centollo y mahonesa de gazpacho. Salmonete sin espinas y pur natural de tomate. Solomillo asado al aceite virgen.

XXX **Gorrotxa,** Alameda Urquijo 30 (galería), ✉ 48008, ✆ (94) 443 49 37, *Fax (94) 422 05 35* – ▤. AE ⓓ E VISA JCB. ✂ DY r
✿ *cerrado domingo, Semana Santa y 25 agosto-14 septiembre* – **Comida** 5800 y carta 5350 a 7350
Espec. Cornetes de salmón ahumado rellenos de marisco con caviar. Corona de lenguado mariscado con hongos. Costillar de pré-salé al horno con patatas panadera.

XXX Matxinbenta, Ledesma 26, ✉ 48001, ✆ (94) 424 84 95, *Fax (94) 423 84 03* – ▤ EY d

XXX **Casa Vasca,** av. Lehendakari Aguirre 13, ✉ 48014, ✆ (94) 448 39 80, *Fax (94) 476 14 87* – ▤ 🚗. AE ⓓ E VISA CX d
cerrado domingo noche y festivos noche – **Comida** carta 3775 a 4625.

XX **Asador Oteiza,** Licenciado Poza 27, ✉ 48011, ✆ (94) 441 41 33 – ▤. AE ⓓ E VISA. ✂ DY e
cerrado sábado mediodía y domingo – **Comida** carta aprox. 4900.

XX **Víctor,** pl. Nueva 2-1º, ✉ 48005, ✆ (94) 415 16 78, *Fax (94) 415 06 16* – ▤. AE ⓓ E VISA JCB. ✂ EZ s
cerrado domingo (salvo mayo), Semana Santa y 15 julio-15 agosto – **Comida** carta 4700 a 6200.

XX **Guggenheim Bilbao,** av. Abandoibarra 2 ✆ (94) 423 93 33, *Fax (94) 424 25 60*, Decoración moderna – ▤. AE E VISA. ✂ DX
cerrado domingo noche y lunes – **Comida** carta 4100 a 5600.

XX **Begoña,** Virgen de Begoña, ✉ 48006, ✆ (94) 412 72 57 – ▤. AE ⓓ E VISA. ✂ FY x
cerrado domingo (salvo mayo) y 14 julio-14 agosto – **Comida** carta 3800 a 5600.

XX **Guetaria,** Colón de Larreategui 12, ✉ 48001, ✆ (94) 424 39 23, *Fax (94) 423 25 27* – ▤. AE ⓓ E VISA. ✂ EY z
cerrado Semana Santa – **Comida** carta 3700 a 5500.

XX **Asador Jauna,** Juan Antonio Zunzunegui 7, ✉ 48013, ✆ (94) 441 73 81, *Fax (94) 442 31 21* – ▤. AE ⓓ E VISA CY g
cerrado agosto – **Comida** carta 4100 a 5100.

XX **El Asador de Aranda,** Egaña 27, ✉ 48010, ✆ (94) 443 06 64, *Fax (94) 443 06 64* – ▤. AE ⓓ E VISA. ✂ DZ s
cerrado domingo noche y 20 julio-10 agosto – **Comida** - cordero asado - carta 3525 a 4165.

X **Rogelio,** carret. de Basurto a Castrejana 7, ✉ 48002, ✆ (94) 427 30 21, *Fax (94) 427 17 78* – ▤. AE ⓓ E VISA AV n
cerrado domingo y 25 julio-23 agosto – **Comida** carta 3350 a 5500.

X **Serantes,** Licenciado Poza 16, ✉ 48011, ✆ (94) 421 21 29, *Fax (94) 444 59 79* – ▤. AE ⓓ E VISA DY z
cerrado 25 agosto-25 septiembre – **Comida** - pescados y mariscos - carta 4850 a 5900.

X **Serantes II,** Alameda de Urquijo 51, ✉ 48011, ✆ (94) 410 26 99, *Fax (94) 444 59 79* – ▤. AE ⓓ E VISA DY u
cerrado 15 julio-15 agosto – **Comida** - pescados y mariscos - carta 4400 a 6000.

X Ariatza, Somera 1, ✉ 48005, ✆ (94) 415 96 74, *Fax (94) 415 96 74* – ▤ EZ h

X **Albatros,** San Vicente 5, ✉ 48001, ✆ (94) 423 69 00, *Fax (94) 423 69 00* – ▤. AE ⓓ E VISA. ✂ EY n
cerrado domingo y agosto – **Comida** carta 3100 a 4350.

Ver también : **Getxo** *por av. Lehendakari Aguirre* AV *Noroeste : 15 km*
Galdácano *por ③ : 8 km.*

BINÉFAR *22500 Huesca* 443 **G 30** – *8 033 h. alt. 286.*
🛈 *Almacella 87 ✆ (974) 42 81 00 Fax (974) 43 09 50.*
Madrid 488 – Barcelona 214 – Huesca 81 – Lérida/Lleida 39.

🏨 **La Paz,** av. Aragón 30 ✆ (974) 42 86 00, *Fax (974) 43 04 11* – 🛗, ▤ rest, TV ☎ – 🏛 25/550. ⓓ E VISA
Comida *(cerrado domingo noche)* 1500 – ☕ 500 – **58 hab** 3000/5000 – PA 3000.

🏠 **Cantábrico,** Zaragoza 1 ✆ (974) 42 86 50, *Fax (974) 42 86 50* – 🛗, ▤ rest, E VISA. ✂ rest
Comida *(cerrado domingo)* 1350 – ☕ 550 – **30 hab** 2350/4500 – PA 2600.

BINIBONA *Baleares – ver Baleares (Mallorca) : Caimari.*

BINISSALEM *Baleares – ver Baleares (Mallorca).*

BLANES 17300 Gerona 443 G 38 – 25 408 h. – Playa.

Ver : Jardín Botánico Marimurtra★ (≤★), paseo Marítimo★.

pl. Catalunya 21 ✆ (972) 33 03 48 Fax (972) 33 46 86.

Madrid 691 – Barcelona 61 – Gerona/Girona 43.

Can Flores II, Explanada del Port 3 ✆ (972) 33 16 33, Fax (972) 35 22 16, – . E VISA.
Comida - pescados y mariscos - carta 2050 a 5650.

S'Auguer, S'Auguer 2 ✆ (972) 35 14 05, « Decoración rústica » – . VISA.
cerrado lunes y del 1 al 20 de febrero – Comida carta 2750 a 3950.

en la playa de Sabanell – ✉ 17300 Blanes :

Horitzó, passeig Marítim S'Abanell 11 ✆ (972) 33 04 00, Fax (972) 33 78 63, ≤ – . AE E VISA. rest
abril-octubre – **Comida** 2050 – 725 – **122 hab** 6000/10200.

Stella Maris, Vila de Madrid 18 ✆ (972) 33 00 92, Fax (972) 33 57 03, – , rest . AE E VISA. rest
marzo-octubre – **Comida** - sólo buffet - 1250 – 1200 – **90 hab** 5000/720
– PA 2500.

en la carretera de Lloret de Mar Noreste : 2 km – ✉ 17300 Blanes :

El Ventall, ✉ apartado 457, ✆ (972) 33 29 81, Fax (972) 33 29 81, – . E VISA JCB
cerrado martes – **Comida** carta 3600 a 5800.

BOADELLA D'EMPORDÀ 17723 Gerona 443 F 38 – 193 h. alt. 150.

Madrid 766 – Gerona/Girona 49.

El Trull d'en Francesc, Gaietà 1 ✆ (972) 56 90 27 – . AE E VISA
cerrado lunes, martes y febrero – **Comida** carta aprox. 2950.

BOADILLA DEL MONTE 28660 Madrid 444 K 18 – 15 984 h.

18 9 Lomas-Bosque, urb. El Bosque ✆ (91) 616 75 00 – 9 Las Encinas de Boadilla, carre de Boadilla-Pozuelo km 1,4 ✆ (91) 633 11 00.

Madrid 13.

La Cañada, carret. de Madrid - Este : 1,5 km ✆ (91) 633 12 83, Fax (91) 547 04 63, ≤ , – . VISA.
cerrado domingo noche, lunes noche y festivos – **Comida** carta 4400 a 5550.

BOCAIRENTE o **BOCAIRENT** 46880 Valencia 445 P 28 – 4 607 h. alt. 680.

pl. del Ayuntamiento 2 ✆ (96) 290 50 62 Fax (96) 290 50 85.

Madrid 383 – Albacete 134 – Alicante/Alacant 84 – Valencia 93.

L'Estació , Parc de l'Estació ✆ (96) 290 52 11, Fax (96) 290 54 23 – 25
14 hab.

Riberet, av. Sant Blai 16 ✆ (96) 290 53 23
– . AE E VISA.
cerrado domingo noche, lunes y del 15 al 30 de septiembre – **Comida** carta 310 a 3500.

BOCEGUILLAS 40560 Segovia 442 H 19 – 553 h. alt. 957.

Madrid 119 – Burgos 124 – Segovia 73 – Soria 154 – Valladolid 134.

Tres Hermanos, antigua carret. N I ✆ (921) 54 30 40, Fax (921) 54 30 40, – . VISA. rest
Comida 1800 – 400 – **30 hab** 4000/6000.

BOECILLO 47151 Valladolid 442 H 15 – 836 h. alt. 720.

Madrid 179 – Aranda de Duero 85 – Segovia 103 – Valladolid 14.

al Oeste : 2 km

El Yugo de Castilla, paraje de las Guindaleras - Las Bodegas ✆ (983) 55 24 43 Fax (983) 55 20 75, , « En una bodega del siglo XII » – . AE E VISA
Comida - carnes a la brasa y asados - carta aprox. 3600.

OHÍ o BOÍ *25528 Lérida* 443 E 32 – *alt. 1 250 – Balneario en Caldes de Boí.*
Ver : *Valle★★.*
Alred. : *Este : Parque Nacional de Aigües Tortes y Lago San Mauricio★★ – Caldes de Boí★.*
Madrid 575 – Lérida/Lleida 143 – Viella 56.

Fondevila, Única ✆ (973) 69 60 11, *Fax (973) 69 60 11,* ≤ – 🛗 Ⓟ. E VISA. ✻
26 diciembre-Semana Santa y mayo-septiembre – **Comida** 1800 – ☕ 800 – **46 hab** 3500/6000.

La Cabana, carret. de Tahüll ✆ (973) 69 62 13
– ▤. ⓓ E VISA. ✻
cerrado lunes en invierno, mayo-23 junio, octubre y noviembre – **Comida** carta 2000 a 3400.

n Caldes de Boí *Norte : 5 km – ✉ 25528 Caldes de Boí :*

El Manantial 🔇, ✆ (973) 69 62 10, *Fax (973) 69 60 58,* ≤, « Magnífico parque », 🏊 de agua termal, 🏊, 🌳, 🎾 – 🛗 📺 ☎ 🚗 Ⓟ. VISA. ✻ rest
24 junio-septiembre – **Comida** 3375 – ☕ 850 – **118 hab** 11625/18700 – PA 6200.

Caldas 🔇, ✆ (973) 69 62 30, *Fax (973) 69 60 58,* « Magnífico parque », 🏊 de agua termal, 🏊, 🌳, 🎾 – 🚗 Ⓟ. VISA. ✻ rest
24 junio-septiembre – **Comida** 2350 – ☕ 595 – **104 hab** 4495/11275.

OIRO *15930 La Coruña* 441 E 3 – *16 792 h. – Playa.*
Madrid 660 – La Coruña/A Coruña 112 – Pontevedra 57 – Santiago de Compostela 40.

Jopi, Derechos Humanos 6 ✆ (981) 84 44 70, *Fax (981) 84 44 70* – 🛗 📺 ☎ 🚗. AE E VISA. ✻
Comida *(cerrado domingo y 25 diciembre-1 enero)* 1600 – ☕ 600 – **35 hab** 4800/7000.

os BOLICHES *Málaga – ver Fuengirola.*

OLTAÑA *22340 Huesca* 443 E 30 – *777 h. alt. 643.*
🅸 *av. de Ordesa 47* ✆ *(974) 50 20 43 Fax (974) 50 23 02.*
Madrid 473 – Huesca 90 – Lérida/Lleida 143 – Sabiñánigo 72.

Boltaña 🔇, av. de Ordesa 39 ✆ (974) 50 20 00, *Fax (974) 50 22 36* – 🛗 📺 ☎ Ⓟ – 🏛 25/100. AE ⓓ E VISA
cerrado 10 diciembre-10 enero – **Comida** (ver rest. ***El Parador***) – ☕ 600 – **55 hab** 3300/5500.

El Parador, av. de Ordesa 37 ✆ (974) 50 23 31, *Fax (974) 50 22 36* – ▤ Ⓟ. AE ⓓ E VISA. ✻
cerrado 10 diciembre-10 enero – **Comida** carta 2300 a 3200.

OLVIR o BOLVIR DE CERDANYA *17539 Gerona* 443 E 35 – *226 h. alt. 1 145.*
Madrid 657 – Barcelona 172 – Gerona/Girona 156 – Lérida/Lleida 188.

Torre del Remei 🔇, Camí Reial - Noreste : 1 km ✆ (972) 14 01 82, *Fax (972) 14 04 49,* ≤ sierra del Cadí y Pirineos, 🏡, « Elegante palacete rodeado de jardín », 🏊 – 🛗 ▤ 📺 ☎ Ⓟ – 🏛 25/30. AE ⓓ E VISA. ✻ rest
Comida carta 5400 a 6100 – ☕ 2300 – **11 hab** 25000/39000.

Els Esclops, Ciudadella ✆ (972) 89 51 87, ≤ valle de la Cerdanya, Alp y sierra del Cadí – VISA. ✻
cerrado domingo noche, lunes y 24 junio-20 julio – **Comida** carta aprox. 4000.

or la carretera N 260 *Este : 2,5 km – ✉ 17539 Bolvir :*

Chalet del Golf 🔇, Club de Golf ✆ (972) 88 09 62, *Fax (972) 88 09 66,* ≤, 🏊, 🎾, 🏌18 – 🛗 📺 ☎ Ⓟ. AE ⓓ E VISA. ✻ rest
Comida 2900 – ☕ 1350 – **11 hab** 14500/18500, 8 apartamentos.

a BONAIGUA (Puerto de) *Lérida* 443 E 32 – *alt. 1 850 – ✉ 25587 Alto Aneu – Deportes de invierno en Baqueira.*
Madrid 623 – Andorra la Vella 126 – Lérida/Lleida 186.

Cap del Port, carret. C 142 - km 165 ✆ (973) 25 00 82, ≤, « Antiguo refugio de alta montaña » – Ⓟ. E VISA. ✻
cerrado lunes (junio-julio y septiembre-octubre), mayo y noviembre – **Comida** carta 3100 a 4200.

Les Ares, Refugi de la Verge dels Ares ✆ (973) 29 83 09 – E VISA
cerrado martes, mayo y noviembre – **Comida** - carnes a la brasa - carta 2450 a 3200.

a BONANOVA *Baleares – ver Baleares (Mallorca) : Palma.*

BOO DE GUARNIZO *39673 Cantabria* 442 B 18.
Madrid 398 – Santander 17.

Los Ángeles, San Camilo 1 (carret. S 436) ✆ (942) 54 03 39, *Fax (942) 55 82 46* – rest, – 25/80.
Comida carta 2000 a 3400 – 675 – **44 hab** 6000/10800.

LES BORGES DEL CAMP *43350 Tarragona* 443 I 33 – *1 355 h. alt. 247.*
Madrid 527 – Lérida/Lleida 83 – Tarragona 28 – Tortosa 94.

Emilio con hab, av. Sra. de Gener 65 ✆ (977) 81 70 25, *Fax (977) 81 73 85* – res
cerrado 25 diciembre-3 enero y 12 septiembre-4 octubre – **Comida** *(cerrado lunes salv festivos de octubre a junio)* carta 2250 a 3500 – 375 – **12 hab** 2000/4500.

BORJA *50540 Zaragoza* 442 G 25 – *3 859 h. alt. 448.*
pl. de España 1 ✆ (976) 85 20 01 Fax (976) 86 72 15.
Madrid 309 – Logroño 135 – Pamplona/Iruñea 138 – Soria 96 – Zaragoza 64.

La Bóveda del Mercado, pl. del Mercado 4 ✆ (976) 86 82 51, « En una antigu bodega » –
cerrado domingo noche, lunes y del 1 al 20 de febrero – **Comida** carta aprox. 3400.

BORLEÑA *39699 Cantabria* 442 C 18.
Madrid 360 – Bilbao/Bilbo 111 – Burgos 117 – Santander 35.

De Borleña, carret. N 623 ✆ (942) 59 76 22, *Fax (942) 59 76 20* –
Comida (ver rest. ***Mesón de Borleña***) – 350 – **10 hab** 5500/8500.

Mesón de Borleña, carret. N 623 ✆ (942) 59 76 43, *Fax (942) 59 76 20,* –
Comida carta 2550 a 4000.

BORNOS *11640 Cádiz* 446 V 12 – *7 179 h. alt. 169.*
Madrid 575 – Algeciras 118 – Cádiz 74 – Ronda 70 – Sevilla 88.

Bornos, av. San Jerónimo ✆ (956) 71 22 89, –
Comida 1000 – 250 – **20 hab** 2500/5000 – PA 2200.

BOSOST o **BOSSÒST** *25550 Lérida* 443 D 32 – *779 h. alt. 710.*
Ver : *Iglesia de l'Assumpció de Maria*★★.
Eduard Aunós ✆ (973) 64 72 79 (temp).
Madrid 611 – Lérida/Lleida 179 – Viella 16.

Portillón Bossost, Piedad y Agua 33 ✆ (973) 64 70 77, *Fax (973) 64 72 95,* –
22 hab.

Garona, Eduard Aunós 1 ✆ (973) 64 82 46, *Fax (973) 64 70 01,* –
cerrado noviembre – **Comida** 1600 – 675 – **25 hab** 4960/6200 – PA 3300.

Batalla, urb. Sol de la Vall ✆ (973) 64 81 99, *Fax (973) 64 70 02* –
cerrado enero – **Comida** 1400 – 660 – **16 hab** 5700/7800 – PA 3260.

El Portalet con hab, San Jaime 32 ✆ (973) 64 82 00, *Fax (973) 64 82 00* – res
Comida *(cerrado lunes salvo festivos y verano)* carta 3650 a 4400 – 700 – **6 hab** 600(

BOSQUES DE BANYERES (Urbanización) *Tarragona – ver Bañeras.*

BOT *43785 Tarragona* 443 I 31 – *837 h. alt. 290.*
Madrid 474 – Lérida/Lleida 100 – Tarragona 102 – Tortosa 53.

Can Josep, av. Catalunya 34 ✆ (977) 42 82 40 –
cerrado miércoles – **Comida** carta 2100 a 3350.

BREDA *17400 Gerona* 443 G 37 – *3 192 h. alt. 169.*
Madrid 658 – Barcelona 56 – Gerona/Girona 51 – Vic 48.

El Romaní de Breda, Joan XXIII-36 ✆ (972) 87 10 51
–
cerrado domingo noche, jueves no festivos y 20 diciembre-10 enero – **Comida** carta 190 a 2995.

BREÑA ALTA *Santa Cruz de Tenerife – ver Canarias : La Palma (Santa Cruz de Tenerife).*

RIHUEGA *19400 Guadalajara* 444 **J 21** – *3 035 h. alt. 897.*
Madrid 94 – Guadalajara 35 – Soria 149.

XX **Asador El Tolmo,** av. de la Constitución 26 ℘ (949) 28 04 76, *Fax (949) 28 11 30* – ▤. AE E VISA. ✗
Comida carta 2750 a 3700.

RIÑAS *26290 La Rioja* 442 **E 21** – *191 h. alt. 454.*
Madrid 328 – Bilbao/Bilbo 99 – Burgos 96 – Logroño 49 – Vitoria/Gasteiz 43.

Hospedería Señorío de Briñas ⛱ sin rest, travesía de la calle Real 3 ℘ (941) 30 42 24, *Fax (941) 30 43 45*, « Palacete del siglo XVIII » – TV ☎. E VISA
cerrado 13 diciembre-enero – **11 hab** ☕ 8500/12500, 3 suites.

RIVIESCA *09240 Burgos* 442 **E 20** – *5 795 h. alt. 725.*
Madrid 285 – Burgos 42 – Vitoria/Gasteiz 78.

Lagaresma, Santa María Bajera 11 ℘ (947) 59 07 51, *Fax (947) 59 07 51* – |‡|, ▤ rest, TV ☎. AE ⓓ E VISA. ✗ rest
Comida *(cerrado domingo noche)* 1200 – ☕ 550 – **30 hab** 3500/5500 – PA 2950.

X **El Concejo,** pl. Mayor 14 ℘ (947) 59 16 86 – ▤. AE ⓓ E VISA. ✗
Comida carta 3225 a 4100.

RONCHALES *44367 Teruel* 443 **K 25** – *478 h. alt. 1 569.*
Madrid 261 – Teruel 55 – Zaragoza 184.

Suiza ⛱, Fombuena 8 ℘ (978) 70 10 89, *Fax (978) 70 10 89* – 🚗. AE VISA. ✗
Comida 1750 – ☕ 450 – **48 hab** 4500.

ROTO *22370 Huesca* 443 **E 29** – *403 h. alt. 905.*
Madrid 484 – Huesca 94 – Jaca 56.

Latre sin rest, av. de Ordesa 23 ℘ (974) 48 60 53, ≤ – |‡| TV Ⓟ. E VISA. ✗
cerrado 13 diciembre-febrero – ☕ 425 – **34 hab** 3500/5300.

Gabarre sin rest, av. de Ordesa 6 ℘ (974) 48 60 52 – TV. VISA. ✗
☕ 400 – **12 hab** 3500/6000, 2 apartamentos.

ROZAS *10950 Cáceres* 444 **N 9** – *2 307 h. alt. 411.*
Madrid 330 – Cáceres 51 – Castelo Branco 95 – Plasencia 95.

La Posada, pl. de Ovando 1 ℘ (927) 39 50 19 – ▤ rest, TV. ✗
Comida 1200 – ☕ 300 – **12 hab** 2500/5000.

l BRULL *08553 Barcelona* 443 **G 36** – *182 h. alt. 843.*
18 Osona Montanyà, Oeste : 3 km ℘ (93) 884 01 70 Fax (93) 884 04 07.
Madrid 635 – Barcelona 65 – Manresa 51.

X **El Castell,** ℘ (93) 884 00 63, ≤ – ▤ Ⓟ. AE ⓓ E VISA. ✗
cerrado miércoles y septiembre – **Comida** carta 1850 a 3400.

n el Club de Golf *Oeste : 3 km* – ✉ *08553 El Brull :*

XX **L'Estanyol,** ℘ (93) 884 03 54, *Fax (93) 884 04 07*, ≤ campo de golf – ▤ Ⓟ. AE E VISA. ✗
Comida - sólo almuerzo de octubre a junio salvo viernes y sábado - carta 4025 a 5650.

RUNETE *28690 Madrid* 444 **K 18** – *2 505 h.*
Madrid 32 – Ávila 92 – Talavera de la Reina 99.

or la carretera M 501 *Sureste : 2 km* – ✉ *28690 Brunete :*

X **El Vivero,** ℘ (91) 815 92 22 – ▤ Ⓟ. AE ⓓ E VISA. ✗
cerrado jueves y agosto – **Comida** - asados - carta aprox. 2750.

UBIÓN *18412 Granada* 446 **V 19** – *303 h. alt. 1 150.*
Madrid 504 – Almería 151 – Granada 75.

Villa Turística de Bubión ⛱, ℘ (958) 76 31 11, *Fax (958) 76 31 36*, ≤ – ▤ rest, ☎ Ⓟ – 🏛 25/60. AE ⓓ E VISA. ✗ rest
Comida 2500 – ☕ 925 – **43 apartamentos** 9600/12000.

X **Teide,** Carretera 2 ℘ (958) 76 30 37, 🏠, « Decoración típica » – Ⓟ. ⓓ E VISA. ✗
cerrado martes y del 15 al 30 de junio – **Comida** carta 1725 a 2500.

BUEU *36939 Pontevedra* 441 F 3 – *11 506 h. – Playa.*

Madrid 621 – Pontevedra 19 – Vigo 32.

Incamar, Montero Ríos 147 ☎ (986) 32 00 67, *Fax (986) 32 07 84* – |\$|, ▤ rest, TV ☎ AE VISA. ✂
cerrado 22 diciembre-7 enero – **Comida** 1500 – ☕ 500 – **55 hab** 5000/7000.

Playa Agrelo, playa de Agrelo - Noreste : 1,5 km ☎ (986) 32 08 44, *Fax (986) 32 06* – |\$| TV ☎ P. AE ⓓ E VISA. ✂
cerrado diciembre y enero – **Comida** 1500 – ☕ 600 – **52 hab** 5000/8000.

Loureiro con hab, playa de Loureiro - Noreste : 1 km ☎ (986) 32 07 1 *Fax (986) 32 14 98,* ≤ – TV ☎ P. AE ⓓ E VISA. ✂
Comida carta 2500 a 4050 – ☕ 500 – **24 hab** 4815/6420.

BUJARALOZ *50177 Zaragoza* 443 H 29 – *1 074 h. alt. 245.*

Madrid 394 – Lérida/Lleida 83 – Zaragoza 75.

Español con hab, carret. N II ☎ (976) 17 30 43, *Fax (976) 17 31 92* – ▤ rest, P. AE ⓓ E VISA. ✂
Comida carta 1875 a 2700 – ☕ 250 – **18 hab** 1950/3500.

BUNYOLA *Baleares – ver Baleares (Mallorca).*

BUÑO *15111 La Coruña* 441 C 3.

Madrid 644 – Carballo 10 – La Coruña/A Coruña 67 – Santiago de Compostela 72.

Casa Elías, Santa Catalina 13 ☎ (981) 71 10 49, *Fax (981) 71 10 49,* Vivero propio – ▤ AE ⓓ E VISA. ✂
cerrado lunes y del 15 al 30 de octubre – **Comida** - pescados y mariscos - carta 2800 4400.

BURELA *27880 Lugo* 441 B 7.

Madrid 612 – La Coruña/A Coruña 157 – Lugo 108.

Palacio de Cristal, av. Arcadio Pardiñas 154 ☎ (982) 58 58 03, *Fax (982) 58 57 29* |\$| TV ☎ 🚗. AE E VISA. ✂
cerrado 24 diciembre-5 enero – **Comida** 1500 – ☕ 600 – **30 hab** 5000/7000 PA 3600.

Luzern sin rest. con cafetería, av. Arcadio 171 ☎ (982) 58 55 70, *Fax (982) 58 55 70* TV ☎. E VISA
☕ 300 – **19 hab** 3000/5500.

Sargo, Rosalía de Castro 2 ☎ (982) 58 51 38, *Fax (982) 58 51 38* – ▤. AE VISA. ✂
Comida carta 2800 a 4950.

El BURGO *29420 Málaga* 446 V 15 – *2 040 h. alt. 591.*

Madrid 538 – Antequera 80 – Málaga 69 – Marbella 63 – Ronda 26.

Posada del Canónigo sin rest, Mesones 24 ☎ (95) 216 01 85, « Casa del siglo XVIII – ▤. E VISA. ✂
cerrado julio – **12 hab** ☕ 5000/7000.

El BURGO DE OSMA *42300 Soria* 442 H 20 – *5 054 h. alt. 895.*

Ver : *Catedral★ (sepulcro de Pedro de Osma★, museo : documentos antiguos y códice miniados★).*

ℹ *pl. Mayor 9* ☎ *(975) 36 01 16.*

Madrid 183 – Aranda de Duero 56 – Soria 56.

Il Virrey, Mayor 4 ☎ (975) 34 13 11, *Fax (975) 34 08 55,* « Decoración elegante » – |\$ TV ☎ 🚗 – 🏛 25/60. AE ⓓ E VISA. ✂
Comida (ver rest. **Virrey Palafox**) – ☕ 1200 – **52 hab** 8000/12000.

Río Ucero, carret. N 122 ☎ (975) 34 12 78, *Fax (975) 34 12 50* – |\$| ▤ TV ☎ P 🏛 25/180. AE ⓓ E VISA. ✂
Comida 1300 - ***Puente Real*** : **Comida** carta 2200 a 3500 – ☕ 600 – **86 hab** 7000 9000.

Virrey Palafox, Universidad 7 ☎ (975) 34 02 22, *Fax (975) 34 08 55,* « Decoració castellana » – ▤. AE ⓓ E VISA. ✂
cerrado domingo noche y 20 diciembre-6 enero – **Comida** carta aprox. 4000.

BURGOS *09000* **P** **442** E 18 y 19 – *169 111 h. alt. 856.*

Ver : *Catedral★★★ (crucero, coro y Capilla Mayor★★, Girola★, capilla del Condestable★★, capilla de Santa Ana★)* A – *Museo de Burgos★ (arqueta hispanoárabe★, frontal de altar★, sepulcro de Juan de Padilla★)* B **M1** – *Arco de Santa María★* A **B** – *Iglesia de San Nicolás : retablo★* A- *Iglesia de San Esteban★* A.

Alred. : *Real Monasterio de las Huelgas★★ (sala Capitular : pendón★, museo de telas medievales★★) por av. del Monasterio de las Huelgas* A – *Cartuja de Miraflores : iglesia★ (conjunto escultórico de la Capilla Mayor★★★)* B.

pl. Alonso Martínez 7 ✉ 09003 ☎ (947) 20 31 25 Fax (947) 27 65 29 – **R.A.C.E.** *Vitoria 50 ✉ 09004 ☎ (947) 27 40 63 Fax (947) 27 02 84.*

Madrid 239 ② – Bilbao/Bilbo 156 ① – Santander 154 ① – Valladolid 125 ③ – Vitoria/Gasteiz 111 ①

BURGOS

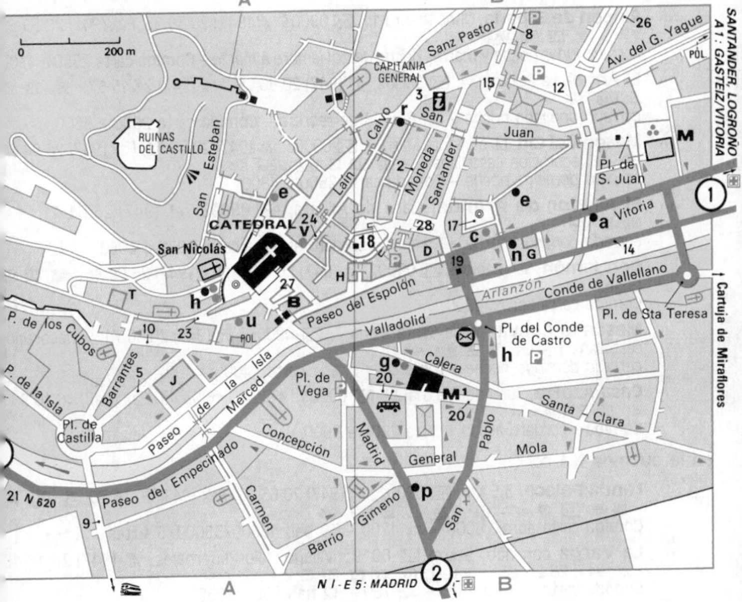

Puerta de Burgos, Vitoria 69, ✉ 09006, ☎ (947) 24 10 00, *Fax (947) 24 07 07,* – 25/500. *VISA.* por ①
Comida *(cerrado domingo)* 2350 – 1275 – **136 hab** 10670/13470, 1 suite.

Almirante Bonifaz, Vitoria 22, ✉ 09004, ☎ (947) 20 69 43, *Fax (947) 20 29 19* – rest, – 25/200. *VISA* JCB. B a
Los Sauces *(cerrado lunes mediodía)* **Comida** carta 3600 a 4300 – 1200 – **79 hab** 9550/17200.

Rice, av. de los Reyes Católicos 30, ✉ 09005, ☎ (947) 22 23 00, *Fax (947) 22 35 50* – rest, . *VISA.* rest por av. de los Reyes Católicos B
Comida carta 2700 a 3800 – 1200 – **50 hab** 10100/14000.

Corona de Castilla, Madrid 15, ✉ 09002, ☎ (947) 26 21 42, *Fax (947) 20 80 42* – rest, – 25/350. *VISA.* B p
Comida 3200 – 1200 – **71 hab** 8700/15200 – PA 6900.

María Luisa sin rest, av. del Cid Campeador 42, ✉ 09005, ☎ (947) 22 80 0
Fax (947) 22 80 80, « Decoración elegante » – 25. AE E VISA
700 – **44 hab** 8500/12350. por av. del Cid Campeador B

Fernán González, Calera 17, ✉ 09002, ☎ (947) 20 94 41, *Telex 3960*
Fax (947) 27 41 21 – – 25/500. AE E VISA JCB.
Comida (ver rest. ***Fernán González***) – 975 – **85 hab** 9200/16100. B

Del Cid, pl. Santa María 8, ✉ 09003, ☎ (947) 20 87 15, *Fax (947) 26 94 60,* – AE E VISA JCB
Comida (ver rest. ***Mesón del Cid***) – 1000 – **28 hab** 16000. A

Cordón sin rest, La Puebla 6, ✉ 09004, ☎ (947) 26 50 00, *Fax (947) 20 02 69* – – 25/70. AE E VISA JCB
900 – **35 hab** 7500/13000. B

Norte y Londres sin rest, pl. de Alonso Martínez 10, ✉ 09003, ☎ (947) 26 41 2
Fax (947) 27 73 75 – . AE E VISA
650 – **50 hab** 6160/9720. B

Casa Ojeda, Vitoria 5, ✉ 09004, ☎ (947) 20 90 52, *Fax (947) 20 70 11,* « Decoració
castellana » – . AE E VISA. B
cerrado domingo noche – **Comida** carta 3975 a 4950.

Fernán González, Calera 19, ✉ 09002, ☎ (947) 20 94 42, *Telex 3960*
Fax (947) 27 41 21 – . AE E VISA. B
Comida carta aprox. 4100.

Rincón de España, Nuño Rasura 11, ✉ 09003, ☎ (947) 20 59 55, *Fax (947) 20 59 5*
– . AE VISA A
cerrado lunes noche y martes noche de noviembre a marzo – **Comida** carta 2650 a 430

El Ángel, La Paloma 24, ✉ 09002, ☎ (947) 20 86 08, *Fax (947) 27 15 57* – . AE
E VISA. A
cerrado domingo noche y del 8 al 28 de febrero – **Comida** carta 2900 a 3600.

Mesón del Cid, pl. de Santa María 8, ✉ 09003, ☎ (947) 20 59 71, *Fax (947) 26 94 6*
, « Decoración castellana » – AE E VISA JCB. A
cerrado domingo noche – **Comida** carta 2800 a 4800.

El Asador de Aranda, Llana de Afuera, ✉ 09003, ☎ (947) 26 81 41,
. E VISA A
cerrado domingo noche – **Comida** – cordero asado – carta 3875 a 4050.

Don Jamón, San Pablo 3, ✉ 09002, ☎ (947) 26 56 61, *Fax (947) 26 00 36* – . AE
E VISA. B
Comida carta aprox. 4600.

Mesón la Cueva, pl. de Santa María 7, ✉ 09003, ☎ (947) 20 86 71, « Decoració
castellana » – AE E VISA. A
cerrado domingo noche y febrero – **Comida** carta 3400 a 4400.

Casa Azofra, Juan de Austria 22, ✉ 09001, ☎ (947) 46 03 43, *Fax (947) 46 10 50*
. AE E VISA. por
Comida - cordero asado - carta 2800 a 3900.

en la autovía N I *por* ② :

Landa Palace, 3,5 Km, ✉ 09001, ☎ (947) 20 63 43, *Fax (947) 26 46 76,*
– – 25. E VISA.
Comida carta aprox. 6000 – 1700 – **39 hab** 19000/35000, 3 suites.

La Varga con hab, 5 km, ✉ 09195 Villagonzalo-Pedernales, ☎ (947) 20 16 4
Fax (947) 26 21 72 – rest, . AE E VISA. rest
Comida carta 2075 a 4875 – 780 – **12 hab** 5300/7850.

Landilla con hab, 4 km, ✉ 09001, ☎ (947) 20 90 03 – rest,
13 hab.

en Villalonquéjar *Noroeste : 7,5 km* – ✉ *09001 Burgos :*

Villalón, ☎ (947) 29 81 29, *Fax (947) 29 83 07* – por P. de la Isla A
Ver también : **Castrillo del Val** *por* ① *: 11 km*
Villagonzalo-Pedernales *por* ③ *: 8 km.*

BURGUETE o AURITZ *31640 Navarra* 442 **D 25 y 26** – *321 h. alt. 960 – Deportes de invierno*
3.
Madrid 439 – Jaca 120 – Pamplona/Iruñea 44 – St-Jean-Pied-de-Port 32.

Loizu, av. Roncesvalles 7 ☎ (948) 76 00 08, *Fax (948) 79 04 44* – . E VISA

cerrado enero y febrero – **Comida** 1800 – 550 – **27 hab** 6000/9000.

URLADA *31600 Navarra* 442 **D 25** – *15 174 h.*

Madrid 391 – Jaca 117 – Logroño 98 – Pamplona/Iruñea 6.

Tryp Burlada sin rest, La Fuente 2 (948) 13 13 00, *Fax (948) 12 23 46* –
53 hab.

URRIANA *12530 Castellón* 445 **M 29** – *25 438 h.*

Madrid 410 – Castellón de la Plana/Castelló de la Plana 11 – Valencia 62.

n la autopista A 7 *Suroeste : 4 km – 12530 Burriana :*

La Plana, (964) 51 25 50, *Fax (964) 51 27 54* – AE VISA. rest
Comida 1600 - ***Rhodas Grill*** : **Comida** carta 2715 a 4595 – 775 – **56 hab** 6300/9500.

n la playa *Sureste : 2,5 km – 12530 Burriana :*

Aloha, av. Mediterráneo 74 (964) 58 50 00, *Fax (964) 58 50 00,* – E VISA.
Comida 2150 – 550 – **30 hab** 5750/8625 – PA 4100.

ABAÑAS *15621 La Coruña* 441 **B 5** – *3 074 h. alt. 79 – Playa.*

Madrid 611 – La Coruña/A Coruña 50 – Ferrol 13 – Santiago de Compostela 87.

Sarga, carret. de La Coruña (981) 43 10 00, *Fax (981) 43 06 78,* – AE E VISA.
Comida *(cerrado enero-marzo y noviembre-diciembre)* 2500 – 600 – **80 hab** 8000/11000.

ABEZÓN DE LA SAL *39500 Cantabria* 442 **C 17** – *6 789 h. alt. 128.*

pl. Ricardo Botín (942) 70 03 32.

Madrid 401 – Burgos 158 – Oviedo 161 – Palencia 191 – Santander 44.

La Villa, pl. de la Bodega (942) 70 17 04
– E VISA.
cerrado lunes y noviembre – **Comida** carta 2900 a 3400.

n la carretera de Luzmela *Sur : 3 km – 39509 Luzmela :*

Venta Santa Lucía, (942) 70 18 36, *Fax (942) 70 10 61,* , « Antigua posada »
– AE E VISA.
cerrado martes y del 1 al 15 de noviembre – **Comida** carta 2900 a 4100.

ABO – *ver a continuación y el nombre propio del cabo.*

ABO DE GATA *04150 Almería* 446 **V 23** – *Playa.*

Madrid 576 – Almería 30.

n La Almadraba de Monteleva *Sureste : 5 km – 04150 Cabo de Gata :*

Las Salinas de Cabo de Gata , Las Salinas (950) 37 01 03, *Fax (950) 37 12 39,*
– AE E VISA.
Morales *(cerrado lunes salvo festivos, Semana Santa, junio-septiembre y Navidades)* **Comida** carta 3000 a 4500 – 800 – **14 hab** 8000/14000.

ABO DE PALOS *30370 Murcia* 445 **T 27.**

Madrid 465 – Alicante/Alacant 108 – Cartagena 26 – Murcia 75.

La Tana, paseo de la Barra 33 (968) 56 30 03, – AE E VISA.
cerrado lunes (salvo julio-agosto) y noviembre – **Comida** carta 2300 a 3150.

ABRA *14940 Córdoba* 446 **T 16** – *20 343 h. alt. 350.*

Madrid 432 – Antequera 66 – Córdoba 75 – Granada 113 – Jaén 99.

Mesón del Vizconde, Martín Belda 16 (957) 52 17 02 – AE E VISA.
cerrado martes y julio – **Comida** - espec. en pescados y mariscos - carta 2700 a 4000.

Olivia, av. Federico García Lorca 10 (957) 52 09 30 – AE E VISA.
cerrado del 9 al 30 de septiembre – **Comida** - sólo almuerzo - carta 2150 a 3075.

La CABRERA *28751 Madrid* 444 J 19 – *1093 h. alt. 1038.*
Madrid 56 – Burgos 191.

Mavi, Generalísimo 8 ✆ (91) 868 80 00, *Fax (91) 868 88 21,* – TV ☎ P. AE ⓓ VISA. rest
Comida 1500 – ☐ 450 – **42 hab** 3600/6000.

CABRERA DE MAR *08349 Barcelona* 443 H 37 – *2909 h. alt. 125.*
Madrid 651 – Barcelona 25 – Mataró 8.

XX **El Racó de Santa Marta,** Josep Doménech 35 ✆ (93) 759 01 98, *Fax (93) 759 20 2*, « Terraza con ≤ » – ▤ P. ⓓ E VISA
cerrado domingo noche, lunes salvo festivos y noviembre – **Comida** carta aprox. 380

CABRILS *08348 Barcelona* 443 H 37 – *3042 h. alt. 147.*
Madrid 650 – Barcelona 24 – Mataró 7.

Cabrils, Emilia Carles 31 ✆ (93) 753 24 56, *Fax (93) 753 02 12,* – TV ☎ P. AE ⓓ E VISA
Comida *(cerrado miércoles y 23 diciembre-enero)* 1200 – ☐ 325 – **19 hab** 3000/500

XX **Hostal de la Plaça** con hab, pl. de l'Església 11 ✆ (93) 753 19 02, *Fax (93) 753 18 6* – ▤ TV ☎. AE ⓓ E VISA.
Comida *(cerrado domingo noche, lunes, del 25 al 31 de enero y 3 semanas en septiembr* carta 3600 a 4300 – ☐ 900 – **10 hab** 7800/9750.

X **Splá,** Emilia Carles 18 ✆ (93) 753 19 06 – ▤. VISA.
cerrado martes, 13 octubre-5 noviembre y 26 diciembre-8 enero – **Comida** carta apro 3900.

CABUEÑES *Asturias – ver Gijón.*

CACABELOS *24540 León* 441 E 9 – *4903 h.*
Madrid 393 – León 116 – Lugo 108 – Ponferrada 14.

Santa María sin rest y sin ☐, Santa María 20-A ✆ (987) 54 95 88, *Fax (987) 54 92 0* – TV ☎. VISA.
cerrado 24 diciembre-9 enero – **19 hab** 3500/5500.

X **Prada a Tope,** Cimadevilla 99 ✆ (987) 54 61 01, *Fax (987) 54 90 56,* , « Rest. típic Conjunto rústico regional » – P. AE ⓓ E VISA JCB.
cerrado lunes noche en invierno – Comida carta 2800 a 3500.

CÁCERES *10000* P 444 N 10 – *84319 h. alt. 439.*
Ver : *El Cáceres Viejo★★★* BYZ : *Plaza de Santa María★, Palacio de los Golfines de Abajo* D.
Alred. : *Virgen de la Montaña ≤★ Este : 3 km* BZ – *Arroyo de la Luz (Iglesia de la Asunción tablas del retablo★) Oeste : 20 km.*
18 *Norba, por ② : 6 km ✆ (927) 23 14 41 Fax (927) 23 14 80.*
pl. Mayor 10 ✉ 10003 ✆ (927) 24 63 47 – **R.A.C.E.** *av. Virgen de Guadalupe 10 1º dch ✉ 10001 ✆ (927) 21 35 19 Fax 927) 21 11 65.*
Madrid 307 ① – Coimbra 292 ③ – Córdoba 325 ② – Salamanca 217 ③ – Sevilla 265 ②

Plano página siguiente

Parador de Cáceres , Ancha 6, ✉ 10003, ✆ (927) 21 17 59, *Fax (927) 21 17 2*, « Instalado en el antiguo palacio de Torreorgaz » – ▤ TV ☎ – 25/30. AE ⓓ E VISA JCB. BZ
Comida 3700 - ***Torreorgaz*** : **Comida** carta 3700 a 4500 – ☐ 1300 – **30 hab** 14000/17500, 1 suite.

Meliá Cáceres , pl. de San Juan 11, ✉ 10003, ✆ (927) 21 58 00, *Fax (927) 21 40 7* « Instalado en el antiguo palacio de Los Marqueses de Oquendo » – ▤ TV ☎ 25/200. AE ⓓ E VISA JCB. BYZ
Comida carta aprox. 6400 – ☐ 1400 – **86 hab** 15750/20300.

Alcántara, av. Virgen de Guadalupe 14, ✉ 10001, ✆ (927) 22 39 00, *Fax (927) 22 39 0* – ▤ TV ☎. AE ⓓ E VISA. AZ
Comida 2500 – ☐ 1000 – **64 hab** 8750/13000, 3 suites – PA 5500.

Iberia sin rest, Pintores 2, ✉ 10003, ✆ (927) 24 76 34, *Fax (927) 24 82 00* – ▤ TV ☎ AE E VISA. BY
☐ 350 – **36 hab** 4000/6000.

CÁCERES

ńérica (Pl. de) . . . . AZ 2
ınor de Dios . . . . BZ 3
ıcha . . . . BZ 4
ıtonio Reyes Huertas . . . . BZ 6
turo Aranguren . . . . AZ 7
ıres . . . . BY 9
ılón . . . . BZ 10
ımpañía (Cuesta de la) . . BY 12
ego María Crehuet . . . . . BZ 14
ıente Nueva . . . . BZ 15
ıbino Muriel . . . . AZ 17
Gen. Primo de Rivera (Av. del) AZ 22
Isabel de Moctezuma (Av.) . AZ 24
José L. Cotallo . . . . AY 25
Juan XXIII . . . . AZ 26
Lope de Vega . . . . BY 28
Marqués (Cuesta del) . . . . BY 30
Mayor (Pl.) . . . . BY
Médico Sorapán . . . . BZ 31
Millán Astray (Av.) . . . . BZ 32
Mono . . . . BY 33
Perreros . . . . BZ 35
Pintores . . . . BY 36
Portugal (Av. de) . . . . AZ 37
Profesor Hdez Pacheco . . . BZ 39
Quijotes (Av. de los) . . . . . . BY 40
Ramón y Cajal (Paseo de) . AY 42
Reyes Católicos . . . . AY 43
San Antón . . . . AZ 47
San Blas (Av. de) . . . . BY 45
San Jorge . . . . AY 49
San Juan (Pl. de) . . . . BZ 51
San Pedro . . . . BZ 53
S. Pedro de Alcántara (Av.) . . . . AZ 54
San Roque . . . . BZ 56
Tiendas . . . . BY 58
Trabajo . . . . AY 59
Viena . . . . AZ 60

XXX **Atrio,** av. de España 30 (pasaje), ✉ 10002, ☎ (927) 24 29 28, *Fax (927) 22 11 11,* « Decoración elegante » – ▤. ⦿ E VISA AZ n
✿ *cerrado domingo noche salvo vísperas de festivos* – **Comida** 4950 y carta 5075 a 6375
Espec. Criadillas de tierra a la importancia con hongos. (febrero-mayo) Cordero merino asado con confitura de escalonias grises. Tartita de queso fresco con armadura de chocolate blanco y helado de miel.

XX **Torre de Sande,** de los Condes 3, ✉ 10003, ☎ (927) 21 11 47, *Fax (927) 21 11 47,* ☂, « Terraza-jardín en un marco histórico » – ▤. AE ⦿ E VISA BZ n
cerrado domingo noche – **Comida** carta 4125 a 5025.

XX Liberty, Moret 7, ✉ 10003, ☎ (927) 21 61 09, *Fax (927) 21 61 09* – ▤ BY r

X **El Figón de Eustaquio,** pl. de San Juan 12, ✉ 10003, ✆ (927) 24 81 94, *Fax (927) 24 81 94,* « Decoración rústica » – ▤. AE ⓓ VISA. ✂ BY
Comida carta 2850 a 4800.

X **Café de Piñuelas,** Publio Hurtado 1, ✉ 10003, ✆ (927) 22 08 25 – ▤. AE ⓓ VISA. ✂ BY
cerrado domingo y lunes noche – **Comida** carta 2800 a 3800.

en la carretera N 630 :

V Centenario, urb. Castellanos - por ③ : 1,5 km, ✉ 10001, ✆ (927) 23 22 00, *Fax (927) 23 22 02,* ⛱, ✂ – |‡| ▤ TV ☎ ⇔ Ⓟ – 🏛 25/450. AE ⓓ E VISA. ✂ rest
Comida 3100 – ☕ 1300 – **129 hab** 12800/16000, 9 suites – PA 6000.

NH Cáceres Golf ☈, Residencial Ceres Golf por ② : 6 km, ✉ 10080 apartado 89, ✆ (927) 23 46 00, *Fax (927) 23 46 12,* ⛱ – |‡| ▤ TV ☎ ♿ Ⓟ – 🏛 25/300. AE ⓓ VISA. ✂
Comida 2500 – ☕ 800 – **103 hab** 12000.

XX **Álvarez,** por ③ : 4 km, ✉ 10080 apartado 292, ✆ (927) 23 06 50, *Fax (927) 23 06 5*
☂ – ▤ Ⓟ. AE ⓓ E VISA. ✂
cerrado domingo noche – **Comida** carta 3050 a 3700.

CADAQUÉS *17488 Gerona* 443 **F 39** – *1 814 h. – Playa.*

Ver : *Emplazamiento★, iglesia de Santa María (retablo barroco★★).*

Alred. : *Cala de Portlligat★ Norte : 2 km.*

ℹ *Cotxe 2 ✆ (972) 25 83 15 Fax (972) 15 94 42.*

Madrid 776 – Figueras/Figueres 31 – Gerona/Girona 69.

Playa Sol sin rest. con cafetería, platja Pianch 3 ✆ (972) 25 81 00, *Fax (972) 25 80 5*, ←, ⛱, ⛺, ✂ – |‡| ▤ TV ☎ ⇔ Ⓟ. AE ⓓ E VISA. ✂
cerrado 7 enero-febrero y del 16 al 26 de noviembre – ☕ 1300 – **50 hab** 11900/1890

S'Aguarda, carret. de Port-Lligat 28 - Norte : 1 km ✆ (972) 25 80 82, *Fax (972) 25 10 5*, ←, ⛱ – |‡| ▤ TV ☎ Ⓟ. AE ⓓ E VISA. ✂
cerrado noviembre – **Comida** *(15 julio-15 septiembre)* 1800 – ☕ 750 – **28 ha** 5600/9350.

Blaumar sin rest, Massa d'Or 21 ✆ (972) 15 90 20, *Fax (972) 15 93 36,* ← – |‡| ▤ TV ☎ ⇔. AE ⓓ E VISA. ✂
cerrado 15 febrero-15 marzo y noviembre – ☕ 1100 – **21 hab** 9900/11800.

X **Es Baluard,** Riba Nemesio Llorens 2 ✆ (972) 25 81 83, *Fax (972) 15 93 45,* « Instalad en un antiguo baluarte » – AE E VISA
10 junio-4 octubre y fines de semana resto del año – **Comida** carta 2750 a 4500.

X **La Galiota,** Narcís Monturiol 9 ✆ (972) 25 81 87 – AE E VISA. ✂
24 junio-septiembre – **Comida** carta 3500 a 5000.

X **Don Quijote,** av. Caridad Seriñana 5 ✆ (972) 25 81 41, ☂, « Terraza cubierta d yedra » – E VISA JCB
cerrado lunes y noviembre – **Comida** carta 2550 a 4500.

CÁDIAR *18440 Granada* 446 **V 20** – *2 018 h. alt. 720.*

Madrid 515 – Almería 105 – Granada 101 – Málaga 156.

en la carretera de Torvizcón *Suroeste : 3,5 km – ✉ 18440 Cádiar :*

Alquería de Morayma ☈, ✆ (958) 34 32 21, *Fax (958) 34 32 21,* ☂, « Conjunt rústico en pleno campo con ← Las Alpujarras y alrededores », ⛱ – ▤ rest, TV ☎ Ⓟ. E VISA. ✂ rest
Comida 1500 – ☕ 350 – **8 hab** 4800/6000, 5 apartamentos – PA 3050.

CÁDIZ *11000* P 446 **W 11** – *157 355 h. – Playa.*

Ver : – *Los paseos marítimos★ : jardines★* AY – *Museo Provincial de Cádiz★ (sarcófago fenicios★, lienzos de Zurbarán★)* BY **M** – *Museo Histórico Municipal : maqueta★* AY **M** – *Museo de la Catedral : colección de orfebrería★* BZ.

⛴ *para Canarias : Cía. Trasmediterránea, Muelle Alfonso XIII, Estación Marítima ✉ 11006 ✆ (956) 22 74 21 Telex 76028 Fax (956) 22 20 38* BYZ.

ℹ *Calderón de la Barca 1 ✉ 11003 ✆ (956) 21 13 13 Fax (956) 22 84 71 y pl. de San Jua de Dios 11 ✉ 11005 ✆ (956) 24 10 01 Fax (956) 24 10 05* – **R.A.C.E.** *Bulgaria 3 (Parqu Empresarial poniente Módulo 3) ✉ 11011 ✆ (956) 25 07 07.*

Madrid 646 ① – Algeciras 124 ① – Córdoba 239 ① – Granada 306 ① – Málaga 262 ① – Sevilla 123 ①

Parador H. Atlántico, av. Duque de Nájera 9, ✉ 11002, ☎ (956) 22 69 05, *Fax (956) 21 45 82*, ≤, ⛱ – |‡| ▤ TV ☎ ♿ 🚗 P – 🏛 25/700. AE ⓓ E VISA. ✗ rest
Comida 3500 – ☕ 1200 – **141 hab** 12000/15000, 8 suites – PA 6970. AY r

Playa Victoria, glorieta Ingeniero La Cierva 4, ✉ 11010, ☎ (956) 27 54 11, *Fax (956) 26 33 00*, ≤, ⛱, 🏖 – |‡| ▤ TV ☎ ♿ 🚗 – 🏛 25/250. AE ⓓ E VISA. ✗
Comida 2500 – ☕ 1300 – **184 hab** 14400/18000, 4 suites. por ①

Meliá la Caleta sin rest. con cafetería, av. Amílcar Barca 47 - playa de la Victoria, ✉ 11009, ☎ (956) 27 94 11, *Fax (956) 25 93 22*, ≤ – |‡| ▤ TV ☎ ♿ 🚗 – 🏛 25/150. AE ⓓ E VISA JCB. ✗ por ①
☕ 1400 – **141 hab** 12500/15900, 2 suites.

Puertatierra sin rest. con cafetería, av. Andalucía 34, ✉ 11008, ☎ (956) 27 21 11, *Fax (956) 25 03 11*, ✗ – |‡| ▤ TV ☎ 🚗 – 🏛 25/200. AE ⓓ E VISA. ✗ por ①
☕ 1200 – **98 hab** 14000/17500.

Regio 2 sin rest, av. Andalucía 79, ✉ 11008, ☎ (956) 25 30 08, *Fax (956) 25 30 09* – |‡| ▤ TV ☎ 🚗 P. AE ⓓ E VISA. ✗ por ①
☕ 525 – **40 hab** 6000/9500.

Francia y París sin rest, pl. de San Francisco 6, ✉ 11004, ☎ (956) 21 23 19, *Fax (956) 22 24 31* – |‡| ▤ TV ☎ BY s
57 hab.

Regio sin rest, av. Ana de Viya 11, ✉ 11009, ☎ (956) 27 93 31, *Fax (956) 27 91 13* – |‡| ▤ TV ☎. AE ⓓ E VISA. ✗ por ①
☕ 550 – **40 hab** 5500/9000.

El Faro, San Félix 15, ✉ 11002, ☎ (956) 21 10 68, *Fax (956) 21 21 88* – ▤ 🚗. AE ⓓ E VISA JCB. ✗ AZ b
Comida carta 3800 a 4600.

1800, paseo Marítimo 3, ✉ 11010, ☎ (956) 26 02 03, 🏖 – ▤. AE ⓓ E VISA. ✗
cerrado lunes y febrero – **Comida** carta aprox. 3700. por ①

X **El Consuelo,** av. Marconi 1, ✉ 11009, ☎ (956) 27 69 62 – ▤. AE ◑ VISA. ✂ por (
cerrado domingo noche – **Comida** carta 2750 a 3850.

X **El Brocal,** av. José León de Carranza 4, ✉ 11011, ☎ (956) 25 77 59, Fax (956) 25 77 5 – ▤. AE ◑ E VISA. ✂ por (
cerrado domingo – **Comida** carta aprox. 3100.

en la playa de Cortadura *Sur : 2 km – ✉ 11011 Cádiz :*

XX **Ventorrillo del Chato,** Via Augusta Julia - carret. N IV ☎ (956) 25 00 2 Fax (956) 25 32 22, « Decoración rústica » – ▤ P. AE ◑ E VISA. ✂
cerrado domingo – **Comida** carta 3950 a 5250.

CAÍDOS (Valle de los) *28209 Madrid* 444 **K 17** – *Zona de peaje.*
Ver : *Lugar★★ – Basílica★★ (cúpula★) – Cruz★.*
Madrid 52 – El Escorial 13 – Segovia 47.
Hoteles y restaurantes ver : **Guadarrama** *Noreste : 8 km,* **San Lorenzo de El Escorial** *Sur : 13 km.*

CAIMARI *Baleares – ver Baleares (Mallorca).*

CALA BLANCA *Baleares – ver Baleares (Menorca) : Ciudadela.*

CALA DE MIJAS *Málaga* 446 **W 15** – ✉ *29649 Mijas Costa – Playa.*
18 18 *La Cala, Norte : 7 km ☎ (95) 266 90 00 Fax (95) 266 90 34.*
Madrid 565 – Algeciras 105 – Fuengirola 7 – Málaga 36 – Marbella 296 21.

al Norte : *7 km*

La Cala ♨, apartado 106, ✉ 29649 Mijas Costa, ☎ (95) 266 90 0 Fax (95) 266 90 39, ⛱, « Edificio de estilo andaluz entre dos campos d golf con ≤ montañas », 🏊, 🏊, 🎾, 18 18 – 🛗 ▤ TV ☎ P – 🏛 45/60. AE VISA. ✂
Comida carta aprox. 3850 – ☕ 2000 – **81 hab** 24000/30000, 5 suites.

CALA DE SAN VICENTE *Baleares – ver Baleares (Mallorca).*

CALA D'OR *Baleares – ver Baleares (Mallorca).*

CALA FIGUERA *Baleares – ver Baleares (Mallorca).*

CALA FINESTRAT *Alicante – ver Benidorm.*

CALA FONDUCO *Baleares – ver Baleares (Menorca) : Mahón.*

CALA FORNELLS *Baleares – ver Baleares (Mallorca) : Paguera.*

CALA MAJOR *Baleares – ver Baleares (Mallorca) : Palma.*

CALA MILLOR *Baleares – ver Baleares (Mallorca) : Son Servera.*

CALA MONTJOI *Gerona – ver Rosas.*

CALA PÍ *Baleares – ver Baleares (Mallorca).*

CALA RAJADA *Baleares – ver Baleares (Mallorca).*

CALA SANT VICENÇ *Baleares – ver Baleares (Mallorca).*

CALA SANTA GALDANA *Baleares – ver Baleares (Menorca) : Ferrerías.*

CALA SAONA o **CALA SAHONA** *Baleares – ver Baleares (Formentera).*

CALA TARIDA (Playa de) *Baleares – ver Baleares (Ibiza) : San José.*

CALA VEDELLA *Baleares – ver Baleares (Ibiza) : San José.*

CALA VINYES *Baleares – ver Baleares (Mallorca) : Magaluf.*

CALABARDINA *Murcia – ver Águilas.*

CALAF *08280 Barcelona* **443** **G 34** *– 3 184 h.*

Madrid 551 – Barcelona 93 – Lérida/Lleida 82 – Manresa 34.

Buffet Català, carret. de Igualada 1 ☎ (93) 869 84 49 – ▤ **P**. E VISA. ⚮
cerrado lunes (salvo 16 julio-16 septiembre) y del 1 al 15 de julio – **Comida** - sólo almuerzo - carta 2550 a 4675.

CALAFELL *43820 Tarragona* **443** **I 34** *– 7 061 h. – Playa.*

Sant Pere 29-31 ☎ (977) 69 29 81 Fax (977) 69 29 81.

Madrid 574 – Barcelona 65 – Tarragona 31.

en la playa :

Kursaal, av. Sant Joan de Déu 119 ☎ (977) 69 23 00, *Fax (977) 69 27 55*, ←, – ▤ ☎. AE ● E VISA. ⚮ rest
Semana Santa-12 octubre – **Comida** 2600 – ☕ 1000 – **39 hab** 5500/11000 – PA 5500.

Roserar, Rafael Casanova 17-23 ☎ (977) 69 03 55, *Fax (977) 69 01 78*, – ▤ rest, ☎ ♿
temp – **Comida** - sólo buffet - – **62 hab.**

Canadá, av. Mossèn Jaume Soler 44 ☎ (977) 69 15 00, *Fax (977) 69 12 55*, – **P**. ⚮
27 mayo-15 septiembre – **Comida** 1550 – ☕ 650 – **100 hab** 6400/8700.

Masia de la Platja, Vilamar 67 ☎ (977) 69 13 41 – ▤. AE ● E VISA
cerrado martes noche, miércoles y 20 diciembre-20 enero – **Comida** - pescados y mariscos - carta 3575 a 5700.

Vell Papiol, Vilamar 30 ☎ (977) 69 13 49 – ▤. E VISA. ⚮
cerrado lunes y martes noche (invierno) y enero – **Comida** - pescados y mariscos - carta 3400 a 6600.

La Mar de Papiol, av. Sant Joan de Déu 56 ☎ (977) 69 17 54, – ▤.

por la carretera C 246 *Sureste : 2 km – ✉ 43820 Calafell :*

La Barca (Ca l'Ardet), urb. Mas Mel ☎ (977) 69 15 59 – ▤. ● E VISA. ⚮
cerrado martes y 20 diciembre-10 enero – **Comida** carta 2900 a 4200.

CALAHONDA *18730 Granada* **446** **V 19** *– Playa.*

Alred. : *Carretera★ de Calahonda a Castell de Ferro.*

Madrid 518 – Almería 100 – Granada 89 – Málaga 121 – Motril 13.

El Ancla con hab, av. de los Gerânios 1 ☎ (958) 62 30 42, *Fax (958) 62 34 27*, – ▤ ☎. AE E VISA. ⚮
Comida carta 2150 a 3450 – ☕ 250 – **26 hab** 3000/6000.

CALAHORRA *26500 La Rioja* **442** **F 24** *– 18 829 h. alt. 350.*

Madrid 320 – Logroño 55 – Soria 94 – Zaragoza 128.

Parador de Calahorra, paseo Mercadal ☎ (941) 13 03 58, *Fax (941) 13 51 39*, – ▤ ☎ **P** – 25/140. AE ● E VISA. ⚮
Comida 3500 – ☕ 1300 – **62 hab** 12000/15000 – PA 7055.

Ciudad de Calahorra, Maestro Falla 1 ☎ (941) 14 74 34, *Fax (941) 14 74 34* – ▤ ☎ – 25/60. AE VISA. ⚮
Comida *(cerrado del 1 al 15 de septiembre)* 1400 – ☕ 475 – **25 hab** 4900/6900.

Chef Nino, Padre Lucas 2 ☎ (941) 13 31 04, *Fax (941) 13 35 16* – ▤ ☎. AE E VISA. ⚮ rest
Comida *(cerrado lunes y diciembre)* 1700 – ☕ 550 – **28 hab** 4225/6640.

La Taberna de la Cuarta Esquina, Cuatro Esquinas 16 ☎ (941) 13 43 55 – ▤. AE ● E VISA. ⚮
cerrado martes (salvo festivos) y del 12 al 31 de julio – **Comida** carta aprox. 3850.

CALAMOCHA *44200 Teruel* 443 J 26 – *4 270 h. alt. 884.*
Madrid 261 – Soria 157 – Teruel 72 – Zaragoza 110.

Lázaro sin rest. con cafetería, carret. N 234 (978) 73 20 70, *Fax (978) 73 20 98* –
36 hab.

Calamocha, carret. N 234 (978) 73 14 12, *Fax (978) 73 21 59* –
Comida 1600 – 450 – **22 hab** 3000/6000 – PA 3600.

Fidalgo, carret. N 234 (978) 73 02 77, *Fax (978) 73 02 77* – rest,
Comida 1600 – 375 – **20 hab** 3500/7500.

CALANDA *44570 Teruel* 443 J 29 – *3 538 h. alt. 466.*
Madrid 362 – Teruel 136 – Zaragoza 123.

Balfagón, carret. N 211 (978) 84 63 12, *Fax (978) 84 63 12* –
Comida *(cerrado domingo noche)* 1400 – 350 – **30 hab** 2800/4700.

CALATAYUD *50300 Zaragoza* 443 H 25 – *18 759 h. alt. 534.*
pl. del Fuerte (976) 88 63 22.
Madrid 235 – Cuenca 295 – Pamplona/Iruñea 205 – Teruel 139 – Tortosa 289 – Zaragoz 87.

Fornos, paseo de las Cortes de Aragón 5 (976) 88 13 00, *Fax (976) 88 31 47* – rest
Comida 1350 – 550 – **46 hab** 4200/6900 – PA 2765.

Bílbilis, Madre Puy 1 (976) 88 39 55 –
Comida carta aprox. 3450.

en la antigua carretera N II *Este : 2 km – 50300 Calatayud :*

Calatayud, salida 237 autovía (976) 88 13 23, *Fax (976) 88 54 38* – rest, – 25/300.
Comida 1570 – 875 – **63 hab** 5280/8920 – PA 3200.

CALDAS DE MALAVELLA o CALDES DE MALAVELLA *17455 Gerona* 443 G 38 – *3 156 h alt. 94 – Balneario.*
Madrid 696 – Barcelona 83 – Gerona/Girona 19.

Balneario Vichy Catalán, av. Dr. Furest 32 (972) 47 00 00, *Fax (972) 47 22 99* « En un parque », – rest, – 25/100.
Comida 3200 – 900 – **82 hab** 9700/17000, 4 suites.

Balneario Prats, pl. Sant Esteve 7 (972) 47 00 51, *Fax (972) 47 22 33*, « Terraza con arbolado », de agua termal – rest, – 25.
Comida 3000 – 1000 – **75 hab** 16170/16500.

CALDAS DE MONTBUY o CALDES DE MONTBUI *08140 Barcelona* 443 H 36 – *11 480 h alt. 180 – Balneario.*
pl. Font del Lleó 20 (93) 865 41 40 Fax (93) 865 34 00.
Madrid 636 – Barcelona 29 – Manresa 57.

Vila de Caldes sin rest. con cafetería, pl. de l'Àngel 5 (93) 865 41 00 *Fax (93) 865 00 95*, Centro termal, « Solarium con y » – 25/50.
1100 – **30 hab** 10500/14700.

Balneario Broquetas, pl. Font del Lleó 1 (93) 865 01 00, *Fax (93) 865 23 12*, « Jardín con arbolado y climatizada », – 25/300. rest
Comida 2250 – 1000 – **82 hab** 6800/10000, 6 suites – PA 4600.

Balneario Termas Victoria, Barcelona 12 (93) 865 01 50, *Fax (93) 865 08 16* – rest
Comida 2700 – 1000 – **89 hab** 10700/13600.

Robert de Nola, passeig del Remei 50 (93) 865 40 47, *Fax (93) 865 40 47* –
cerrado domingo noche, lunes y festivos noche – **Comida** carta 2520 a 3700.

ALDAS DE REYES o **CALDAS DE REIS** *36650 Pontevedra* **441** E 4 – *9 042 h. alt. 22* – *Balneario.*
Madrid 621 – Orense/Ourense 122 – Pontevedra 23 – Santiago de Compostela 34.

Balneario Acuña, Herrería 2 ✆ (986) 54 00 10, *Fax (986) 54 00 10,* « Jardín con arbolado. de agua termal » – . rest
julio-septiembre – **Comida** 2200 – 400 – **21 hab** 6000/8000.

a CALDERA DE BANDAMA *Las Palmas – ver Canarias (Gran Canaria) : Santa Brígida.*

ALDES DE BOÍ *Lérida – ver Bohí.*

ALDETAS o **CALDES D'ESTRAC** *08393 Barcelona* **443** H 37 – *1 451 h.* – *Playa.*
Madrid 661 – Barcelona 35 – Gerona/Girona 62.

Jet, Riera de Caldetes ✆ (93) 791 07 00, *Fax (93) 791 27 54,* – , rest, . AE VISA. rest
marzo-noviembre y Navidades – **Comida** 2200 – 600 – **36 hab** 6000/9000.

Emma, Baixada de l'Estació 5 ✆ (93) 791 13 05, – . AE VISA.
abril-septiembre – **Comida** *(cerrado miércoles salvo julio-agosto)* carta 2400 a 3600.

ALELLA *08370 Barcelona* **443** H 37 – *11 577 h.* – *Playa.*
Sant Jaume 231 ✆ (93) 769 05 59 Fax (93) 769 59 82.
Madrid 683 – Barcelona 48 – Gerona/Girona 49.

Bernat II, av. del Turisme 42 ✆ (93) 766 01 33, *Fax (93) 766 07 16,* , , – – 25/300. AE VISA.
Comida 2200 – 800 – **132 hab** 12000/17000, 5 suites.

Sant Jordi, av. del Turisme 80 ✆ (93) 766 19 19, *Fax (93) 766 05 66,* – . AE VISA.
Comida *(cerrado 10 enero-5 febrero)* 1980 – **49 hab** 8500/12000.

Vila, Sant Josep 66 ✆ (93) 769 02 08, *Fax (93) 766 19 56,* – – 25/160. AE VISA.
Comida 1800 – 750 – **167 hab** 6600/9400 – PA 3675.

Calella Park, Jovara 257 ✆ (93) 769 03 00, *Fax (93) 766 00 88,* – , rest, . AE VISA.
abril-octubre – **Comida** 1500 – 800 – **50 hab** 5875/7725.

Calella sin rest, Anselm Clavé 134 ✆ (93) 769 03 00, *Fax (93) 766 00 88,* – . AE VISA.
mayo-octubre – 800 – **60 hab** 4525/5925.

El Hogar Gallego, Ànimes 73 ✆ (93) 766 20 27 – . AE VISA JCB.
cerrado lunes – **Comida** - pescados y mariscos - carta 4450 a 5450.

ALELLA DE PALAFRUGELL *17210 Gerona* **443** G 39 – *Playa.*
Ver : *Pueblo pesquero★.*
Alred. : *Jardín Botánico del Cap Roig★ : ★★.*
Les Voltes 6 ✆ (972) 61 44 75 (temp).
Madrid 727 – Gerona/Girona 43 – Palafrugell 6 – Palamós 17.

Alga, Costa Blanca 55 ✆ (972) 61 70 80, *Fax (972) 61 51 02,* , , , – . AE VISA. rest
abril-octubre – **Comida** 2900 – ***El Cantir*** *(15 junio-15 septiembre)* **Comida** carta 2600 a 4500 – **54 hab** 11300/14200.

Garbí, av. Costa Daurada 20 ✆ (972) 61 40 40, *Fax (972) 61 58 03,* , « En el centro de un pinar », climatizada, – . AE VISA. rest
26 marzo-octubre – **Comida** 2590 – 975 – **30 hab** 6920/11780 – PA 5180.

Port-Bo, August Pi i Sunyer 6 ✆ (972) 61 49 62, *Fax (972) 61 40 65,* , , – , rest, . VISA. rest
abril-octubre – **Comida** 1870 – 660 – **61 hab** 5500/9900.

Sant Roc, pl. Atlàntic 2 - barri Sant Roc ✆ (972) 61 42 50, *Fax (972) 61 40 68,* « Terraza dominando la costa con » – , rest, . AE VISA. rest
abril-octubre – **Comida** 2940 – 1000 – **48 hab** 10900/13600.

La Torre, passeig de la Torre 28 ✆ (972) 61 46 03, *Fax (972) 61 51 71,* , – . AE VISA.
junio-septiembre – **Comida** 2000 – **28 hab** 6800/13400.

Mediterrani, Francesc Estrabau 40 ✆ (972) 61 45 00, *Fax (972) 61 45 00,* , – . AE VISA. rest
15 mayo-septiembre – **Comida** 2000 – 725 – **38 hab** 6250/12500 – PA 4000.

CALLDETENES *08519 Barcelona* 443 *G 36 – 1 447 h. alt. 489.*

Madrid 673 – Barcelona 72 – Gerona/Girona 64 – Manresa 57 – Vic 4.

XX ✿ **Can Jubany,** acceso carret. C 25 - Este : 1,5 km ☎ (93) 889 10 23, *Fax (93) 830 92 6* – ▤ P. ⓓ E VISA. ✗
cerrado domingo, lunes, del 1 al 15 de enero y del 1 al 15 de septiembre – **Comida** cart 4000 a 6350
Espec. Rostit de espardenyes con espárragos verdes. Merluza al aceite de oliva negras con tomate al tomillo. Canelón de chocolate blanco con helado d avellana.

La CALOBRA o sa CALOBRA *Baleares – ver Baleares (Mallorca).*

CALONGE *17251 Gerona* 443 *G 39 – 5 256 h. alt. 36.*

Madrid 714 – Barcelona 109 – Gerona/Girona 50 – Palamós 5.

X **Can Ramón,** Balmes 21 ☎ (972) 65 00 06, 🏖 – P. AE ⓓ E VISA
cerrado domingo noche (invierno) y 22 diciembre-10 enero – **Comida** carta 2100 3300.

CALONGE *Baleares – ver Baleares (Mallorca).*

CALPE o CALP *03710 Alicante* 445 *Q 30 – 10 962 h. – Playa.*

Alred. : *Peñón de Ifach*★.

⛳ *Ifach, urb. San Jaime, Noreste : 3 km ☎ (96) 649 71 14.*

ℹ *av. Ejércitos Españoles 66 ☎ (96) 583 69 20 Fax (96) 583 69 14 y pl. del Mosqu ☎ (96) 583 85 32 Fax (96) 583 85 31.*

Madrid 464 – Alicante/Alacant 63 – Benidorm 22 – Gandía 48.

X **Casita Suiza,** Jardín 9 - edificio Apolo III ☎ (96) 583 06 06, *Fax (96) 583 06 06* – ▤. A ⓓ E VISA. ✗
cerrado domingo, lunes, 20 junio-10 julio y del 1 al 20 de diciembre – **Comida** *(sólo cen* - cocina suiza - carta 3500 a 4400.

X **La Cambra,** Delfín ☎ (96) 583 06 05 – ▤. AE E VISA
cerrado domingo, del 15 al 31 de mayo y del 1 al 15 de diciembre – **Comida** carta apro 4350.

X **El Bodegón,** Delfín 8 ☎ (96) 583 01 64, « Decoración rústica castellana » – ▤. AE ⓓ E VISA. ✗
cerrado domingo (en invierno) y febrero – **Comida** carta 2450 a 3800.

X **Los Zapatos,** La Santa María 7 ☎ (96) 583 15 07, *Fax (96) 583 15 07* – ▤. AE ⓓ E VISA
cerrado miércoles y 7 enero-3 febrero – **Comida** - sólo cena salvo domingo - carta 405 a 5700.

en la carretera de Moraira *Este : 3,5 km – ✉ 03710 Calpe :*

🏨 **Roca Esmeralda,** Ponent 1 - playa de Levante ☎ (96) 583 61 01 *Fax (96) 583 60 04,* ≤, 🏖, Fö, ⛱, 🏊 – |‡| ▤ TV ☎ ♿ 🚗 – 🔺 25/300. AE ⓓ E VISA. ✗
Comida - sólo buffet - 2500 – **212 hab** ☐ 11760/15540 – PA 4900.

XX **El Pierrot,** edificio Gran Sol 42 - playa de Levante ☎ (96) 583 26 24, *Fax (96) 583 26 24* 🏖 – E VISA. ✗
cerrado martes y del 1 al 15 de diciembre – **Comida** - sólo cena en julio y agosto - cart 4450 a 5400.

en la carretera de Valencia *Norte : 4,5 km – ✉ 03710 Calpe :*

🏠 **Venta La Chata** sin rest, ☎ (96) 583 03 08, *Fax (96) 583 03 08,* « Decoració regional », 🌳, 🎾 – TV ☎ 🚗 P. AE ⓓ E VISA
☐ 400 – **17 hab** 4500/8000.

CALVIÀ *Baleares – ver Baleares (Mallorca).*

CALZADA DE VALDUNCIEL *37797 Salamanca* 441 *I 12 – 653 h. alt. 801.*

Madrid 222 – Ávila 115 – Ciudad Rodrigo 106 – Salamanca 15 – Zamora 52.

X **Joaquín,** carret. N 630 ☎ (923) 31 00 02 – ▤ P. AE VISA. ✗
cerrado lunes noche – **Comida** carta 2300 a 3200.

AMALEÑO *39587 Cantabria* 442 C 15 – *1 192 h.*
Madrid 483 – Oviedo 173 – Santander 126.

El Jisu, carret. de Fuente Dé - Oeste : 0,5 km (942) 73 30 38, *Fax (942) 73 03 15* – . VISA.
Comida 1700 – 600 – **8 hab** 6000/8500.

El Caserío, (942) 73 30 48, *Fax (942) 73 30 48* – . VISA.
marzo-septiembre – **Comida** 1200 – 400 – **17 hab** 5000.

AMARENA *45180 Toledo* 444 M 15 – *1 948 h.*
Madrid 58 – Talavera de la Reina 80 – Toledo 29.

Mesón Gregorio II, Héroes del Alcázar 34 (91) 817 43 72, *Fax (91) 817 40 33* – . VISA.
cerrado miércoles – **Comida** carta 3200 a 4400.

AMARIÑAS *15123 La Coruña* 441 C 2 – *6 930 h. alt. 8 – Playa.*
Madrid 671 – La Coruña/A Coruña 93 – Santiago de Compostela 81.

La Marina con hab, Miguel Feijóo 3 (981) 73 73 14, *Fax (981) 73 60 30* – AE VISA.
cerrado enero-15 febrero – **Comida** *(cerrado martes en invierno)* carta 2500 a 3900 – 325 – **15 hab** 2100/4200.

CAMBADOS *36630 Pontevedra* 441 E 3 – *12 503 h. – Playa.*
Ver : *Plaza de Fefiñanes*★.
Novedades 13 (986) 52 46 78.
Madrid 638 – Pontevedra 34 – Santiago de Compostela 53.

Parador de Cambados, Príncipe 1 (986) 54 22 50, *Fax (986) 54 20 68*, « Conjunto de estilo regional », – – 25/60. AE VISA JCB.
Comida 3500 – 1300 – **63 hab** 12000/15000 – PA 7055.

Casa Rosita, av. de Villagarcía 8 (986) 54 34 77, *Fax (986) 54 28 78*, – rest, . AE VISA.
Comida *(cerrado domingo noche y del 1 al 7 de noviembre)* 2200 – 450 – **29 hab** 4500/6500.

Carisan sin rest, Eduardo Pondal 2 (986) 52 01 08, *Fax (986) 54 24 70* – .
Semana Santa y junio-octubre – 400 – **30 hab** 3540/5900.

Briones sin rest, Da Praia 3 (986) 52 46 77, *Fax (986) 54 24 70*, –
Semana Santa-12 octubre – 375 – **30 hab** 4000/5900.

Ribadomar, Terra Santa 17 (986) 54 36 79 – . AE VISA JCB.
cerrado domingo noche (salvo julio-septiembre) y del 1 al 15 de octubre – **Comida** carta 2500 a 3450.

Posta do Sol, Ribeira de Fefiñans (986) 54 22 85, , « Instalado en un antiguo bar » – AE VISA.
Comida carta aprox. 3800.

en Sisán – *36638 Cambados :*

Pazo Carrasqueira, Carrasqueira 6 - Sureste : 3,5 km (986) 71 00 32, *Fax (986) 71 00 32*, « Edificio de estilo regional », – . AE VISA.
Comida *(cerrado lunes)* carta aprox. 2950 – 800 – **9 hab** 8000/12000.

San Marcos-Salnes, Puente Castrelo - Sureste : 2 km (986) 71 84 62, *Fax (986) 71 05 11*, – , rest, . AE VISA.
marzo-15 diciembre – **Comida** 2000 – **61 hab** 7000/8500.

CAMBRE *La Coruña* 441 C 4 – *15181 Ancéis.*
Madrid 600 – La Coruña/A Coruña 14 – Ferrol 42 – Lugo 86 – Santiago de Compostela 64.

en Ancéis *Suroeste : 2,5 km* – *15181 Ancéis :*

Casa Veiga, Lugar de A Cabana 10 (981) 65 52 63, *Fax (981) 65 52 63*, – VISA JCB
cerrado domingo noche y lunes – **Comida** carta 3200 a 3800.

CAMBRILS

Street	Grid	No.
Camí de la Creu	BX	4
Carme	CZ	6
Conca de Barberà	BX	7
Consolat de Mar	CZ	9
Constitució (Pl. de la)	BZ	10
Corona d'Aragó	AX	12
Creu de la Missió (Pl.)	BZ	13
Drassanes	CZ	14
Eduard Toldrà	BZ	15
Església (Pl.)	CZ	16
Esteve Anguera	CZ	18
Francesc Macià (Passeig)	BY	19
Francesc Pérez Dolç	AXY	21
Frederic Mompou	BZ	22
Galceran Marquet	CZ	24
General Prim	AY	25
Horta de Santa Maria	AZ	27
Joan S. Elcano	BZ	28
Josep Serra i Dalmau	AX	30
Lluís Companys (Passeig)	BY	31
Marianao (Pl.)	AX	33
Miramar (Passeig)	BZ	34
Molí d'Avall	CY	36
Mossèn Batalla	BZ	37
Mossèn Jacint Verdaguer	AY	38
Mossèn Joan Batalla	CZ	39
Nou Cambrils (Av.)	AX	40
Olivos (los)	BX	42
País Basc	BY	43
Pau Casals	BCZ	45
Planas	BZ	46
Pompeu Fabra	AY	48
Pòsit (Pl.)	CZ	49
Ramon Berenguer	AY	51
Ramon Llull	BZ	52
Regueral (Rambla)	CZ	54
Robert Gerard	BZ	55
Roger de Flor	CZ	57
Salvador Gené i Torrents	AX	58
Sant Jordi	BZ	60
Sant Pere	CZ	61
Santa Joaquima de Vedruna	ABY	63
València	BY	64
Verge de Montserrat	ABY	66
Verge del Camí	AY	67
Vidal i Barraquer (Av.)	AY	69

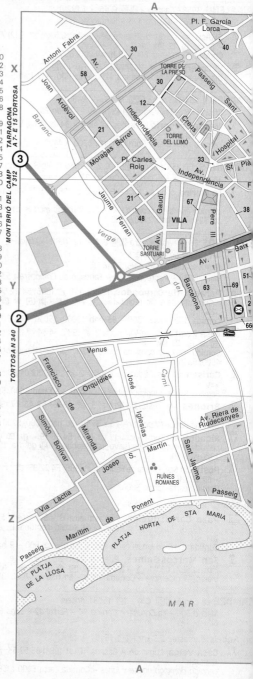

TARRAGONA
PORT AVENTURA
N 340
0
200 m
Camí de Reus
Raval de Gràcia
Av. Adelaida
Camí de Sant Joan
PAVELLÓ POLIESPORTIU
Av. dels Països
Camp de la Salle
POL
Barranc Reguerал
Bertran de Cambrils
Ventura Gassol
Pompeu Fabra
Andalusia
Catalans
Balears
Pl. de la Concòrdia
Monestir de Scala Dei
Monestir de Poblet
Vinyols
Colom
Pl. Aragó
Jaume I
Cristòfol
Rambla
PARC DEL PESCADOR
ALFORJA
Pl. Catalunya
TORRE DEL PORT
CLUB NÀUTIC
Av. de la Diputació
LA MARINA, SALOU
Marítim
PORT
LLOTJA
MEDITERRÀNIA

CAMBRILS *43850 Tarragona* 443 **I 33** – *14 903 h.* – *Playa.*

pl. Creu de la Missió 1 ☎ (977) 36 11 59.

Madrid 554 ③ – Castellón de la Plana/Castelló de la Plana 165 ③ – Tarragona 18 ③

Planos páginas precedentes

en el puerto :

Rovira, av. Diputació 6 ☎ (977) 36 09 00, *Fax (977) 36 09 44,* ←, – ▤ – 25/40. AE ⓓ E VISA. CZ
cerrado 20 diciembre-enero – **Comida** *(cerrado martes salvo 15 junio-15 septiembre)* 245 – 785 – **56 hab** 7200/9800, 2 suites – PA 4830.

Mónica H., Galcerán Marquet 3 ☎ (977) 36 01 16, *Fax (977) 79 36 78,* « Césped con y palmeras » – ▤ – 25/60. AE E VISA. CZ
cerrado 15 diciembre-enero – **Comida** 2000 – 900 – **78 hab** 7700/12000 – PA 420

Port Eugeni, pl. Aragó 49 ☎ (977) 36 52 61, *Fax (977) 36 56 13,* – ▤ – 25/200. AE E VISA. CY
Comida - sólo buffet - 2100 – **105 hab** 10600/13500 – PA 4000.

Princep, pl. de l'Església 2 ☎ (977) 36 11 27, *Fax (977) 36 35 32* – ▤ AE ⓓ E VISA. rest CZ
Can Pessic *(cerrado domingo noche, lunes y 20 diciembre-21 enero)* **Comida** carta 375 a 4450 – 750 – **27 hab** 9200/10300.

Can Solé, Ramón Llull 19 ☎ (977) 36 02 36, *Fax (977) 36 17 68,* – ▤ AE ⓓ E VISA. rest BZ
cerrado 22 diciembre-7 enero – **Comida** *(cerrado domingo noche)* 1950 – 800 – **26 hab** 4000/7000 – PA 4500.

XX **Joan Gatell-Casa Gatell,** passeig Miramar 26 ☎ (977) 36 00 57, *Fax (977) 79 37 44* ←, – ▤. AE ⓓ E VISA. BZ
cerrado domingo noche, lunes, Navidades y enero – **Comida** - pescados y mariscos - 650 carta 5800 a 7350
Espec. Entremeses de Cambrils. Arroz marinera en cazuela. Caldereta de bogavante.

XX **Can Bosch,** Rambla Jaume I-19 ☎ (977) 36 00 19, *Fax (977) 36 38 72* – ▤. AE ⓓ E VISA. BZ
cerrado domingo noche, lunes y 23 diciembre-enero – **Comida** - pescados y mariscos carta 3800 a 5700
Espec. Salteado de verduras de verano con cigalas y calamarcitos. Arroz con bogavante Rape rubio con salsa de mostaza a la antigua.

XX **Can Gatell-Rodolfo,** av. Diputació 3 ☎ (977) 36 01 06, *Fax (977) 36 57 20,* – ▤ AE ⓓ E VISA. CZ
cerrado lunes noche, martes y noviembre – **Comida** - pescados y mariscos - carta 460 a 6150.

XX **Rincón de Diego,** Drassanes 7 ☎ (977) 36 13 07, *Fax (977) 36 59 01* – ▤. AE ⓓ E VISA. CZ
cerrado domingo noche, lunes y 20 diciembre-20 enero – **Comida** - pescados - carta 425 a 5350.

XX **Casa Gallau,** Pescadors 25 ☎ (977) 36 02 61, *Fax (977) 36 08 00,* – ▤. AE ⓓ E VISA CZ
cerrado martes en invierno y 22 diciembre-22 enero – **Comida** - pescados y mariscos carta 3300 a 4400.

XX Bandert, Rambla Jaume I ☎ (977) 36 10 63 – ▤ CZ

XX **Rovira,** passeig Miramar 37 ☎ (977) 36 01 05, *Fax (977) 36 09 41,* – AE ⓓ E VISA. CZ
cerrado miércoles y 20 diciembre-20 enero – **Comida** - pescados y mariscos - carta 300 a 4800.

X **Gami,** Sant Pere 9 ☎ (977) 36 10 49, *Fax (977) 36 10 49,* – ▤. AE ⓓ E VISA.
cerrado miércoles y noviembre – **Comida** carta 3300 a 4150. CZ

X **Acuamar,** Consolat de Mar 66 ☎ (977) 36 00 59, *Fax (977) 36 46 58,* ← – ▤. AE ⓓ E VISA. CZ
cerrado miércoles noche, jueves, 23 diciembre-2 enero y 12 octubre-12 noviembre – **Comida** carta 3350 a 4150.

X **Font Casa Gallot,** Joan S. Elcano 8 ☎ (977) 36 44 57, *Fax (977) 79 15 78,* – ▤ E VISA. BZ
cerrado domingo noche salvo julio-agosto, lunes y 22 diciembre-enero – **Comida** cart 3400 a 4200.

X **Montserrat,** Mestre Miquel Planas 9 ☎ (977) 36 16 40, – ▤. E VISA. CZ
cerrado del 1 al 15 de noviembre y del 15 al 31 de diciembre – **Comida** carta 3075 a 4710.

X **Macarrilla,** Barques 14 ℘ (977) 36 08 14, 令 - ▤. ⓓ E VISA. ✗ CZ w
cerrado martes (salvo verano) y diciembre – **Comida** - pescados y mariscos - carta aprox. 4800.

X **La Torrada,** Drassanes 19 ℘ (977) 79 11 72, 令 - ▤. AE ⓓ E VISA CZ t
cerrado lunes y 21 diciembre-15 febrero – **Comida** carta 3100 a 4600.

n la carretera de Salou *por la costa – ✉ 43850 Cambrils :*

Tropicana, av. Diputació 33 - Este : 1,5 km ℘ (977) 36 01 12, *Fax (977) 36 01 12*, 令, « Césped con 🏊 y palmeras » – |♦|, ▤ rest, TV ☎ P. E VISA. ✗
27 marzo-octubre – **Comida** 1700 – ☕ 675 – **30 hab** 4500/8200 – PA 3460.

XX **Casa Soler,** av. Diputació 197 - Este : 5 km ℘ (977) 38 04 63, *Fax (977) 38 04 63* – ▤ P. AE ⓓ E VISA
Comida carta aprox. 3800.

Noroeste *por ① :*

Mas Gallau, carret. N 340 : 3,5 km ℘ (977) 36 05 88, *Fax (977) 36 05 88*, « Jardín con 🏊 » – |♦| ▤ TV ☎ ♿ 🚗 P – 🏊 25/400. AE ⓓ E VISA. ✗
Comida (ver rest. ***Mas Gallau***) – ☕ 1000 – **38 hab** 12000/14000, 2 suites.

XX **Mas Gallau,** carret. N 340 : 3,5 km ℘ (977) 36 05 88, *Fax (977) 36 05 88*, « Decoración rústica » – ▤ P. AE ⓓ E VISA. ✗
Comida carta 4650 a 5250.

X **Mas de l'Avi,** Frederic Marés - urb. Jardins de Vilafortuny : 5 km ℘ (977) 79 50 09, 令 – AE ⓓ E VISA. ✗
cerrado domingo noche, lunes y enero – **Comida** carta 3100 a 4300.

---

a CAMELLA *Santa Cruz de Tenerife – ver Canarias (Tenerife) : Arona.*

AMPANET *Baleares – ver Baleares (Mallorca).*

AMPELLAS o CAMPELLES *17534 Gerona* 443 **F 36.**
Madrid 695 – Barcelona 124 – Gerona/Girona 107.

n El Baell *Sureste : 8 km – ✉ 17534 Campellas :*

Terralta 🏔, alt. 1 300 ℘ (972) 72 73 50, ≤ valle y montañas, 🏊 – P. E VISA. ✗
Comida 2200 – ☕ 650 – **36 hab** 4500/7500 – PA 4400.

AMPELLO o El CAMPELLO *03560 Alicante* 445 **Q 28** – *11 094 h. – Playa.*
Madrid 431 – Alicante/Alacant 13 – Benidorm 29.

X **La Peña,** San Vicente 12 (zona de la playa) ℘ (96) 563 10 48, *Fax (96) 563 10 48* – ▤. AE ⓓ E VISA. ✗
cerrado domingo noche y lunes – **Comida** - pescados y mariscos - carta 2500 a 4050.

X **Cavia,** San Vicente 43 (zona de la playa) ℘ (96) 563 28 57, *Fax (96) 563 28 57*, 令 – ▤. AE ⓓ E VISA. ✗
cerrado martes y noviembre – **Comida** carta 4000 a 5200.

X **Andra-Mari,** av. Jijona (junto urb. 5 Torres) ℘ (96) 563 34 35 – ▤. AE ⓓ E VISA. ✗
cerrado domingo noche y del 1 al 15 de noviembre – **Comida** - cocina vasca - carta 3250 a 4200.

n la playa Muchavista *Sur : 5 km – ✉ 03560 Campello :*

San Juan, av. Jaime I-110 ℘ (96) 565 23 08, *Fax (96) 565 26 42*, ≤, 令, 🏊 – TV ☎ P. ⓓ E VISA. ✗
abril-septiembre – **Comida** *(cerrado noviembre-diciembre)* 2150 – ☕ 500 – **29 hab** 5200/8425 – PA 4000.

AMPILLOS *29320 Málaga* 446 **U 15** – *7 589 h. alt. 461.*
Madrid 508 – Antequera 33 – Marbella 138 – Osuna 49.

X **Mesón Los Chopos** con hab, carret. N 342 - Oeste : 1,5 km ℘ (95) 272 27 70, *Fax (95) 272 21 26* – ▤ TV ☎ P – 🏊 25/60. AE ⓓ E VISA. ✗
Comida carta 2100 a 4050 – ☕ 700 – **11 hab** 3200/6000.

CAMPO DEL HOSPITAL *15359 La Coruña* 441 B 6.
Madrid 586 – La Coruña/A Coruña 95 – Lugo 82 – Ortigueira 15.

Villa de Cedeira, ✆ (981) 49 91 45, *Fax (981) 44 52 59* – ▤ rest, TV ☎ P. E
Comida 800 – ☕ 400 – **50 hab** 3000/6000.

CAMPRODÓN *17867 Gerona* 443 F 37 – *2 188 h. alt. 950.*
Ver : *Pont Nou★ – Iglesia románica del Monasterio de Sant Pere★.*
Camprodón, Bac de San Antoni ✆ *(972) 13 01 25 Fax (972) 13 01 25.*
pl. d'Espanya 1 ✆ *(972) 74 00 10 Fax (972) 13 03 24.*
Madrid 699 – Barcelona 127 – Gerona/Girona 80.

Maristany, av. Maristany 20 ✆ (972) 13 00 78, *Fax (972) 74 07 78*, ←, « Jardín c... » – ▤, ▤ rest, TV ☎ P. VISA.
Comida *(cerrado miércoles)* 2000 – ☕ 1000 – **10 hab** 10000/12000.

Edelweiss sin rest, carret de Sant Joan 28 ✆ (972) 74 06 14, *Fax (972) 74 06 05*, « Ambiente acogedor » – ▤ TV ☎ P – 25/50. E VISA
21 hab ☕ 9800/13800.

Güell sin rest, pl. d'Espanya 8 ✆ (972) 74 00 11, *Fax (972) 74 11 12* – ▤ TV ☎.
E VISA.
cerrado 15 días en junio y 15 días en noviembre – ☕ 800 – **39 hab** 5000/8200.

Sayola, Josep Morer 4 ✆ (972) 74 01 42 –
Comida *(cerrado octubre)* 1800 – **30 hab** ☕ 4000/6000.

CAN AMAT (Urbanización) *Barcelona – ver Martorell.*

CAN PASTILLA *Baleares – ver Baleares (Mallorca) : Palma.*

CAN PICAFORT *Baleares – ver Baleares (Mallorca).*

CANARIAS (Islas)★★★

220, 221, 222 – 1 637 641 h.

● *El archipiélago canario se extiende sobre una superficie de 7.273 km². Está formado por nueve islas y cuatro islotes agrupados en dos provincias : Las Palmas (Gran Canaria, Fuerteventura, Lanzarote) y Santa Cruz de Tenerife (Tenerife, La Palma, La Gomera, El Hierro).*

● *O arquipélago das Canárias, com uma superficie de 7.273 km², é composto de nove ilhas e quatro ilhotas. Está dividido em duas províncias : Las Palmas (Grande Canária, Fuerteventura, Lanzarote) e Santa Cruz de Tenerife (Tenerife, La Palma, La Gomera, El Hierro).*

● *L'archipel des Canaries qui s'étend sur une superficie de 7.273 km², se compose de neuf îles et de quatre îlots. Il est divisé en deux provinces : Las Palmas (Grande Canarie, Fuerteventura, Lanzarote) et Santa Cruz de Tenerife (Tenerife, La Palma, La Gomera, El Hierro).*

● *L'arcipelago delle Canarie, che si estende su una superficie di 7.273 Kmq, è composto da nove isole e quattro isolotti. E' diviso in due province: Las Palmas (Gran Canaria, Fuerteventura, Lanzarote) e Santa Cruz di Tenerife (Tenerife, La Palma, La Gomera, El Hierro).*

● *Die Kanarische Inselgruppe hat eine Fläche von 7.273 km². Sie besteht aus neu großen Inseln und vier kleineren Inseln. Die Inseln sind in zwei Provinzen geteilt: Las Palmas (mit Gran Canaria, Fuerteventura, Lanzarote) und Santa Cruz de Tenerife (mit Teneriffa, La Palma, La Gomera, El Hiero).*

● *The Canaries consist of 9 islands and 4 islets, covering a total of 7.273 km². They are divided into 2 provinces: Las Palmas (Gran Canaria, Fuerteventura and Lanzarote) and Santa Cruz de Tenerife (Tenerife, La Palma, La Gomera, El Hierro).*

CANARIAS (Islas) ★★★ 220, 221, 222 – 1 637 641 h.

✈ ver : Las Palmas de Gran Canaria, Fuerteventura, Lanzarote, El Médano, Santa Cruz de Tenerife, El Hierro, La Palma.

⛴ para Canarias ver : Cádiz. En Canarias ver : Las Palmas de Gran Canaria, Puerto del Rosario, Arrecife, Los Cristianos, Santa Cruz de Tenerife, San Sebastián de la Gomera, Valverde, Santa Cruz de la Palma.

GRAN CANARIA

Agaete *35480 – 4 777 h. alt. 43.*

Ver : *Valle de Agaete★.*
Alred. : *Los Berrazales★ Sureste : 7 km.*
Las Palmas de Gran Canaria 34.

Arguineguín *35120.*

Las Palmas de Gran Canaria 63.

en la playa de Patalavaca *Noroeste : 2 km – ✉ 35120 Arguineguín :*

Steigenberger La Canaria 🌿, carret. C 812 ☏ (928) 15 04 00, *Fax (928) 15 10 03*, ≤ mar, Lö, ⛱ climatizada, ⛰, 🪑, 🎾 – 🛗 ▤ 📺 ☎ Ⓟ – 🏛 25/150. AE ⓓ E VISA. ✂
Coquillage *(sólo cena, cerrado domingo y lunes)* **Comida** carta aprox. 7100 - ***Cristal*** *(sólo cena buffet)* **Comida** carta aprox. 4400 – ☕ 2200 – **227 hab** 32000/64000, 17 suites.

Artenara *35350 – 1 057 h. alt. 1 219.*

Ver : *Ermita de la Cuevita ≤★ – Mesón de la Silla ≤★.*
Alred. : *Carretera de Las Palmas ≤★ del pueblo troglodita de Juncalillo – Pinar de Tamadaba★★ (≤★★) Noroeste : 12 km.*
Las Palmas de Gran Canaria 48.

Arucas *35400 – 25 986 h.*

Ver : *Montaña de Arucas ≤★.*
Alred. : *Cenobio de Valerón★ Noroeste : 11 km.*
Las Palmas de Gran Canaria 17.

en la montaña de Arucas *Norte : 2,5 – ✉ 35400 Arucas :*

X **Mesón de la Montaña,** ☏ (928) 60 14 75, *Fax (928) 60 54 42* – ▤ Ⓟ. AE ⓓ E VISA. ✂
Comida carta 2800 a 3700.

Cruz de Tejeda *35328 – 2 361 h. alt. 1 450.*

Ver : *Paraje★★.*
Alred. : *Pozo de las Nieves★★★ ※★★★ Sureste : 10 km.*
Las Palmas de Gran Canaria 42.

Gáldar *35460 – 20 370 h. alt. 124.*

Ver : *Cueva con pinturas murales★.*
Las Palmas de Gran Canaria 26.

Maspalomas *35100 – Playa.*

Ver : *Playa★.*
Alred. : *Norte : Barranco de Fataga★★ – San Bartolomé de Tirajana (paraje★) Norte : 23 km por Fataga.*
⛳18 Maspalomas, av. Touroperador Neckerman ☏ (928) 76 25 81 Fax (928) 76 82 45.
ℹ av. de España (centro comercial Yumbo) ☏ (928) 77 15 50 Fax (928) 76 78 48.
Las Palmas de Gran Canaria 50.

Plano página siguiente

XX La Aquarela, av. de Neckerman ☏ (928) 14 15 33 — A e

XX **Amaiur,** av. de Neckerman 42 ☏ (928) 76 44 14 – ▤ Ⓟ. AE ⓓ E VISA. ✂ — A d
cerrado domingo – **Comida** - cocina vasca - carta 3250 a 4200.

X **Mallorca,** Alcalde Santos González 11 - San Fernando ☏ (928) 77 05 16, 🏠 – ▤. E VISA. ✂ — AB b
Comida - cocina mallorquina - carta 2150 a 4000.

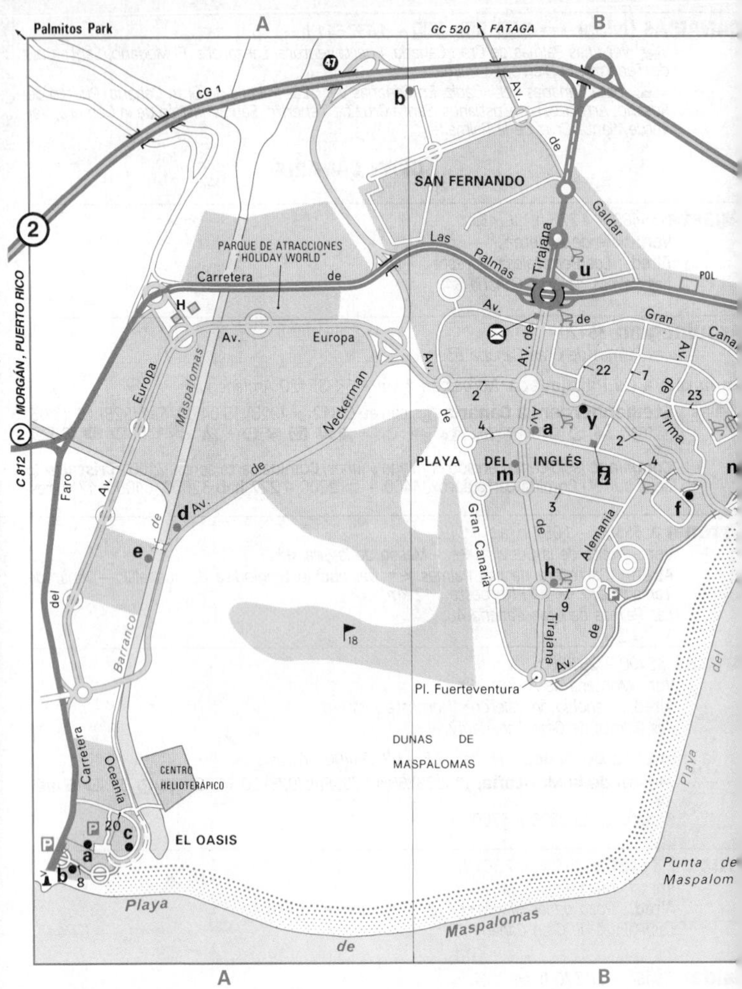

junto al faro – ✉ *35106 Maspalomas Oeste :*

Maspalomas Oasis 🔇, ☎ (928) 14 14 48, *Fax (928) 14 11 92*, ≤, 🏡, « Jardín y gra palmeral », 🏋, 🏊 climatizada, 🎾
🛗 ▤ 📺 ☎ – 🏛 *25/150* A
Comida Grill Le Jardin, Oasis, Foresta – **323 hab**, 19 suites.

Palm Beach 🔇, ☎ (928) 14 08 06, *Fax (928) 14 18 08*, ≤, 🏡, « Amplia terraza co 🏊 climatizada. Jardín con palmeras », 🏋, 🎾 – 🛗 ▤ 📺 ☎ 🅟 – 🏛 25/150. AE ⓓ VISA. ✂ rest A
cerrado por obras julio-agosto – **Comida** 5800 – **Orangerie** *(sólo cena, cerrado jueves domingo)* **Comida** carta 6400 a 7200 – **347 hab** ☕ 23900/41500.

Ifa-Faro Maspalomas 🔇, ☎ (928) 14 22 14, *Fax (928) 14 19 40*, ≤, 🏡 🏊 climatizada – 🛗 ▤ 📺 ☎ – 🏛 25/60. AE ⓓ E VISA. ✂ A
Guatiboa *(sólo cena, cerrado mayo-junio)* **Comida** carta 4700 a 6200 ***El Jardín*** *(sólo almuerzo)* **Comida** carta 2600 a 3700 – **183 hab** ☕ 21600/3300 5 suites.

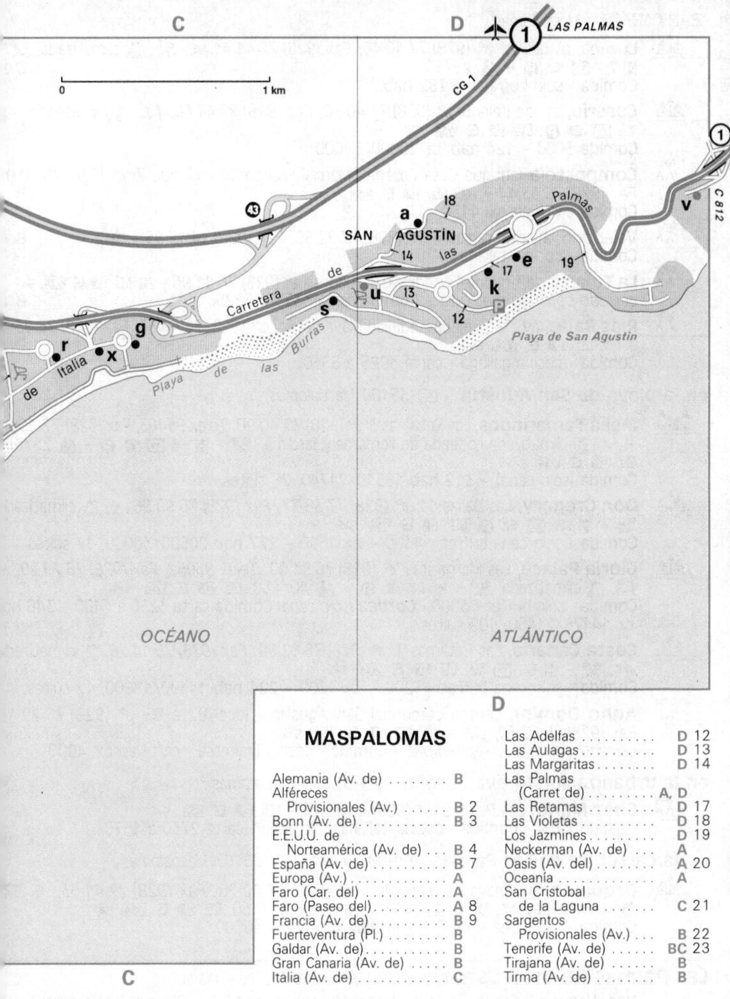

n la playa del Inglés – ✉ *35100 Maspalomas* :

Ifa-H. Dunamar, ☎ (928) 77 28 00, *Fax (928) 77 34 65*, ≤, 🌴, 🏃, 🏊 climatizada – 🛗 ▤ 📺 ☎. AE ⓓ E VISA. ✖ B n
Comida 3500 – **269 hab** ☕ 16100/26800 – PA 7000.

Neptuno, av. Alféreces Provisionales 29 ☎ (928) 77 38 48, *Telex 96239*, *Fax (928) 76 69 65*, 🏊 climatizada – 🛗 ▤ 📺 ☎ Ⓟ – 🎤 25/80 B y
171 hab.

Parque Tropical, av. de Italia 1 ☎ (928) 77 40 12, *Fax (928) 76 81 37*, ≤, 🌴, « Edificio de estilo regional. Jardín tropical », 🏊 climatizada, 🎾 – 🛗 📺 ☎. AE ⓓ E VISA. ✖ C x
Comida - sólo cena buffet - 3000 – ☕ 1500 – **235 hab** 16000/32000.

Apolo, av. de Estados Unidos 28 ☎ (928) 76 00 58, *Fax (928) 76 39 18*, ≤, 🏊 climatizada, 🎾
🛗 ▤ 📺 ☎. AE ⓓ E VISA. ✖ B f
Comida - sólo cena buffet - 4000 – ☕ 1000 – **115 hab** 12000/21000.

Lucana, pl. del Sol ☎ (928) 77 40 40, *Fax (928) 77 41 41*, ←, climatizada,
25/100 C
Comida - sólo buffet - - **182 hab.**

Caserío, av. de Italia 8 ☎ (928) 77 40 50, *Fax (928) 77 41 50*, climatizada –
AE VISA. C
Comida 3000 – **124 hab** 20000/32000.

Compostela (antigua Casa Gallega), Marcial Franco 14 - bloque 7 ☎ (928) 76 20 9
Fax (928) 76 33 44 – AE VISA B
Comida carta aprox. 4150.

Valentino, av. de Francia 4 ☎ (928) 77 22 50, *Fax (928) 14 15 95* – B
Comida - cocina italiana -.

La Toja, av. de Tirajana 17 - edificio Barbados II ☎ (928) 76 11 96 – AE VISA.
cerrado domingo mediodía – **Comida** carta 3350 a 5525. B

Rías Bajas, av. de Tirajana - edificio Playa del Sol ☎ (928) 76 40 33, *Fax (928) 76 85 4*
– AE VISA. B
Comida - cocina gallega - carta 3925 a 5350.

en la playa de San Agustín – ✉ *35100 Maspalomas :*

Meliá Tamarindos, Las Retamas 3 ☎ (928) 77 40 90, *Telex 95463, Fax (928) 77 40 9*
←, « climatizada rodeada de terrazas y jardín », – 25/35
AE VISA. D
Comida (sólo cena) – **312 hab** 16510/21740, 25 suites.

Don Gregory, Las Dalias 11 ☎ (928) 77 38 77, *Fax (928) 76 99 96*, ←, climatizad
– AE VISA. C
Comida - sólo cena buffet - 4300 – 1500 – **227 hab** 20500/30000, 17 suites.

Gloria Palace, Las Margaritas ☎ (928) 76 83 00, *Telex 96052, Fax (928) 76 79 29*,
, climatizada, – 40/450. AE VISA. D
Comida - sólo buffet - 3000 - ***Gorbea*** *(sólo cena)* **Comida** carta 3250 a 4400 – **346 ha**
14475/21450, 102 suites.

Costa Canaria, Las Retamas 1 ☎ (928) 76 02 00, *Fax (928) 76 14 26*, climatizad
, – AE VISA. D
Comida - sólo cena buffet - 3200 – 1700 – **224 hab** 14500/18900, 12 suites.

Anno Domini, centro comercial San Agustín - local 82 a 85 ☎ (928) 76 29 1
Fax (928) 76 08 60, – AE VISA. D
cerrado domingo y septiembre – **Comida** - cocina francesa - carta aprox. 4000.

en la urbanización Nueva Europa – ✉ *35100 Maspalomas :*

Chez Mario, Los Pinos 9 ☎ (928) 76 18 17 – AE VISA. D
cerrado junio – **Comida** - cocina italiana, sólo cena - carta 2730 a 4570.

en la carretera de Las Palmas *Noreste : 7 km* – ✉ *35107 Maspalomas :*

Orquídea, playa de Tarajalillo ☎ (928) 77 40 25, *Fax (928) 77 41 63*, ←,
climatizada, , – , rest, – 25/150. AE VISA.
Comida - sólo cena - 1200 – **255 hab** 23000/36000.

Las Palmas de Gran Canaria *35000 P – 360 483 h. – Playa.*

Ver : *Vegueta-Triana★ (Casa de Colón★, Museo Canario★)* CZ – *Playa de las Canteras★* B\
– *Paseo Cornisa ★* AT.

18 Las Palmas, Bandama por ② : 14 km ☎ (928) 35 10 50 Fax (928) 35 01 10.

de Gran Canaria por ① : 30 km ☎ (928) 57 90 00 – Iberia : (Hotel Meliá Confort Iber
Alcalde Ramírez Betencourt 8 ✉ 35003 ☎ (928) 37 08 77 aeropuerto ☎ (928) 57 95
– Aviaco : aeropuerto ☎ 57 46 72.

para la Península, Tenerife y La Palma : Cía. Trasmediterránea, pl. Mr. Jolly - Mue
León y Castillo ✉ 35008 ☎ 902 45 46 45 Fax (928) 47 41 21 AS.

Parque Santa Catalina ✉ 35007 ☎ (928) 22 09 47 Fax (928) 22 98 20 – **R.A.C.E.** *Le*
y Castillo 281 ✉ 35005 ☎ (928) 23 34 17 Fax (928) 24 06 72.

Planos páginas siguientes

Santa Catalina, León y Castillo 227, ✉ 35005, ☎ (928) 24 30 40, *Telex 960*
Fax (928) 24 27 64, , « Edificio de estilo regional en un parque con palmeras
climatizada, – – 25/600. AE VISA. AT
Comida 3500 – 1800 – **187 hab** 18360/22950, 19 suites – PA 7600.

Meliá Las Palmas, Gomera 6, ✉ 35008, ☎ (928) 26 80 50, *Fax (928) 26 84 11*,
climatizada – – 25/350. AE VISA JCB. CV
Comida carta 4700 a 6300 – 1500 – **266 hab** 15300/20500, 46 suites.

LAS PALMAS
DE GRAN CANARIA

ifonso XII . . . . AU 2
nsite (Av.) . . . . AT 4
ornisa (Paseo) . . . . AT 12
octor Marañón . . . . AU 14
on Benito (Plaza de) . . . . AU 17
ernando Guanarteme . . . . AS 20
Ingeniero Léon
  y Castillo (Pl.) . . . . AU 28
Juan Rejón . . . . AS 36
Juan XXIII (Av.) . . . . AT 37
La Naval . . . . AS
León y Castillo . . . . AT 40
Lugo (Paseo de) . . . . AT 44
Luis Correa Medina . . . . . . AU 46
M. González Martín . . . . . . AT 49
Marítima del Sur (Av.) . . . . AU 52
Mata (Carret. de) . . . . AU 53
Ortiz de Zàrate . . . . AT 59
Pérez Muñoz . . . . AS 63
Pino Apolinario . . . . AU 65
Pío XII . . . . AT 66
San José (Paseo) . . . . AU 76
Secretario Padilla . . . . AT 80
Simancas . . . . AT 81
Tecen . . . . AS 83
Tomás Morales
  (Paseo) . . . . ATU 85
Zaragoza . . . . AU 90

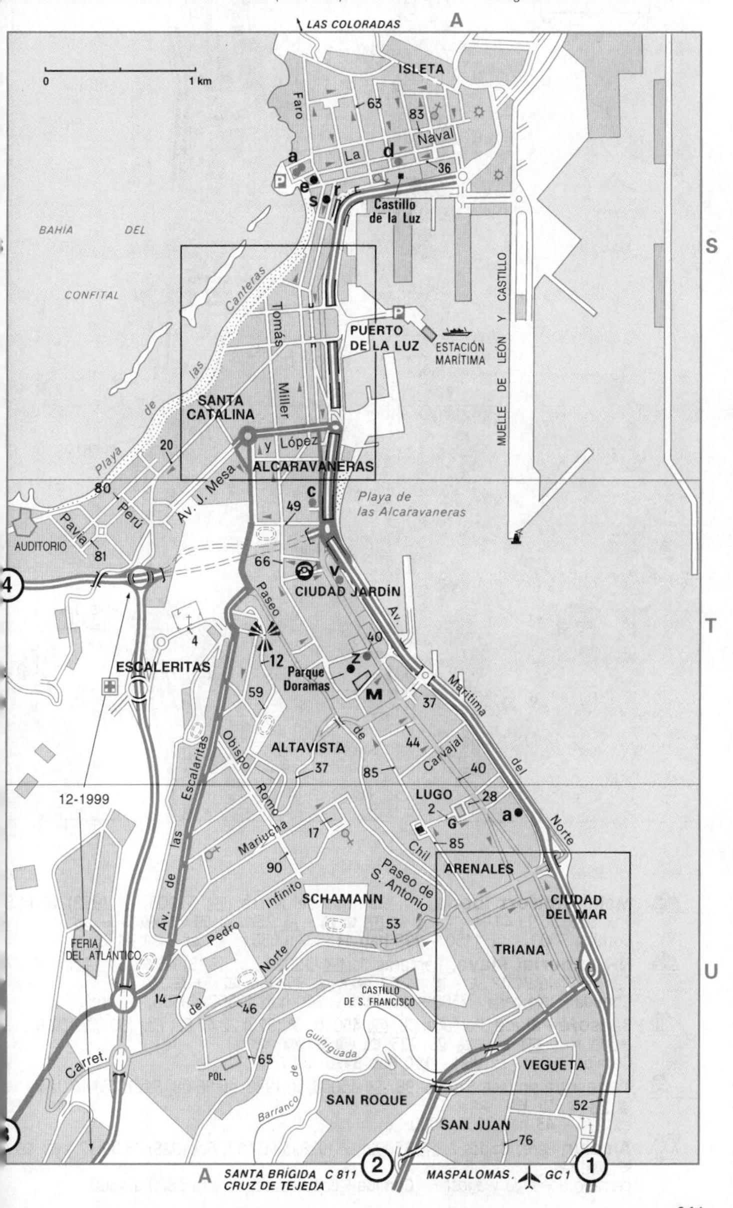

PUERTO DE LA LUZ

Albareda CV
Alfredo L. Jones . . . . CV 3
Bernardo de la Torre . . . . . BX 7
Concepción Arenal . . . . BX 9
Eduardo Benot . . . . CV 18
España (Plaza de) . . . . BX 19
Galicia . . . . CX 21
General Vives . . . . CVX 25
Grau Bassas . . . . BV 27
José María Durán . . . . . . BCX 30
Los Martínez de Escobar . CX 43
Luis Morote CV
Menéndez y Pelayo . . . . . CX 55
Rafael Almeida . . . . BX 67
Ripoche . . . . CV 71
Sagasta . . . . CV 72
29 de Abril . . . . CVX 91

Meliá Confort Iberia, av. Marítima del Norte, ✉ 35003, ☎ (928) 36 11 3
Fax (928) 36 13 44, ←, 🏊 - |♦| ▤ TV ☎ P - 🧑‍🏫 25/160. AE ◑ VISA JCB. 🐕 AU
Comida 3000 - ☕ 1150 - **298 hab** 13650/16650, 3 suites - PA 7150.

NH Imperial Playa, Ferreras 1, ✉ 35008, ☎ (928) 46 88 54, *Telex 9534*
Fax (928) 46 94 42, ← - |♦| ▤ TV ☎ - 🧑‍🏫 25/250. AE ◑ E VISA. 🐕 AS
Comida - sólo cena - 2500 - ☕ 1400 - **140 hab** 12500/19300, 2 suites.

Sansofé Palace, Portugal 68, ✉ 35010, ☎ (928) 22 42 82, *Fax (928) 27 07 84,* ←
|♦|, ▤ rest, TV ☎ - 🧑‍🏫 25/225. AE ◑ E VISA. 🐕 BX
Comida 2500 - ☕ 950 - **110 hab** 8975/11675.

Tenesoya sin rest, Sagasta 98, ✉ 35008, ☎ (928) 46 96 08, *Fax (928) 46 02 79,* ←
|♦| TV ☎. AE VISA. 🐕 AS
☕ 275 - **43 hab** 7000/8000.

XXX **Amaiur,** Pérez Galdós 2, ✉ 35002, ☎ (928) 37 07 17, *Fax (928) 36 89 37* - ▤. AE
E VISA. 🐕 BY
cerrado domingo y agosto - **Comida** - cocina vasca - carta 3800 a 4500.

VEGUETA, TRIANA

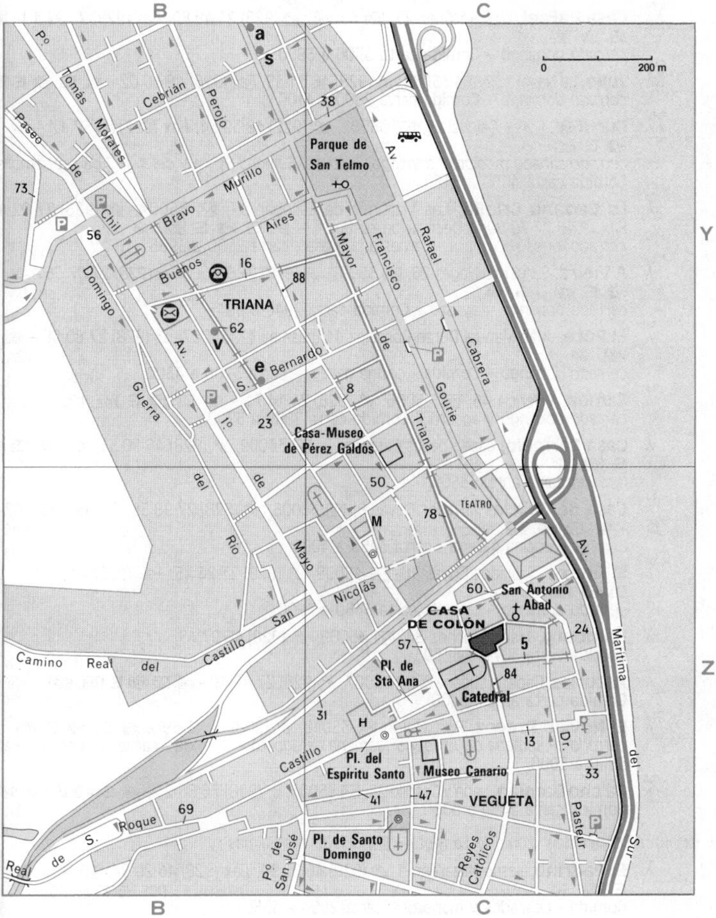

XX **Rías Bajas,** Simón Bolívar 3, ✉ 35007, ☎ (928) 27 13 16, *Fax (928) 26 28 88* – ▤. AE ⓓ E VISA. ✗ CVX n
Comida carta 4150 a 5650.

XX La Casita, León y Castillo 227, ✉ 35005, ☎ (928) 23 46 99, *Fax (928) 46 32 89* – ▤ AT z

XX Churchill, León y Castillo 274, ✉ 35005, ☎ (928) 24 91 92, *Fax (928) 29 34 08*, 🏠 – Ⓟ AT v

XX **Anthuriun,** Pi y Margall 10, ✉ 35006, ☎ (928) 24 49 08 – ▤. AE ⓓ E VISA. ✗ CX a
cerrado sábado mediodía, domingo y 20 días en agosto – **Comida** carta 3350 a 4150.

XX Chacalote, Proa 3 - barrio pesquero de San Cristóbal, ✉ 35016, ☎ (928) 31 21 40, « Imitación del interior de un barco » – ▤ – **Comida** - pescados y mariscos. por ①

La Sama, Marina 87 - barrio marinero de San Cristóbal, ✉ 35016, ☎ (928) 32 14 2 *Fax (928) 31 71 92,* ⩽ mar, - AE ⓓ E VISA. por
Comida - pescados y mariscos - carta 3025 a 3875.

El Cid Casa Pablo, Tomás Miller 73, ✉ 35007, ☎ (928) 26 81 58, *Fax (928) 27 57 5* - ▤. AE ⓓ E VISA. BV
cerrado agosto – **Comida** carta 3300 a 4000.

Casa Rafael, Luis Antúnez 25, ✉ 35006, ☎ (928) 24 49 89, *Fax (928) 22 92 10* – AE ⓓ VISA. AT
cerrado domingo – **Comida** carta 3300 a 3900.

Julio, La Naval 132, ✉ 35008, ☎ (928) 46 01 39, *Fax (928) 46 60 02* – ▤. AE ⓓ E V
cerrado domingo – **Comida** carta 2800 a 4100. AS

Gurufer, Pérez Galdós 23, ✉ 35002, ☎ (922) 38 39 54, *Fax (922) 36 57 17* – ▤. ⓓ E VISA. BY
cerrado sábado mediodía, domingo, festivos, Semana Santa y del 1 al 7 de septiembre
Comida carta 4350 a 5150.

La Cabaña Criolla, Los Martínez de Escobar 37, ✉ 35007, ☎ (928) 27 02 1 *Fax (928) 27 70 90,* « Decoración rústica » – ▤. AE ⓓ E VISA. BX
cerrado lunes – **Comida** - carnes a la brasa - carta 2990 a 3985.

A'Vieira, Sargento Llagas 26, ✉ 35007, ☎ (928) 27 99 56, *Fax (928) 27 07 56* – ▤. ⓓ E VISA JCB. BV
cerrado domingo y agosto – **Comida** carta 2940 a 3845.

El Pote, Juan Manuel Durán González 41 (pasaje), ✉ 35007, ☎ (928) 27 80 58 – ▤. VISA. BX
cerrado domingo – **Comida** - cocina gallega - carta 3200 a 4300.

Samoa, Valencia 46, ✉ 35006, ☎ (928) 24 14 71 – ▤. AE ⓓ E VISA. CX
cerrado domingo y agosto – **Comida** carta 2900 a 3700.

Casa Carmelo, paseo de las Canteras 2, ✉ 35009, ☎ (928) 46 90 56, ⩽ – ▤. AE E VISA. AS
Comida carta aprox. 3500.

Casa de Galicia, Salvador Cuyás 8, ✉ 35008, ☎ (928) 27 98 55, *Fax (928) 22 92* – ▤. AE ⓓ VISA. CV
Comida - cocina gallega - carta 3450 a 4000.

El Anexo, Salvador Cuyás 10, ✉ 35008, ☎ (928) 27 26 45, *Fax (928) 22 92 10* – AE ⓓ VISA. CV
cerrado domingo – **Comida** carta 3350 a 3900.

Hamburg, Mary Sánchez 54, ✉ 35009, ☎ (928) 46 97 45 AS
Comida carta 3075 a 3450.

Asturias, Capitán Lucena 6, ✉ 35007, ☎ (928) 27 42 19 – ▤. AE ⓓ E VISA. BV
Comida carta aprox. 5400.

El Novillo Precoz, Portugal 9, ✉ 35010, ☎ (928) 22 16 59 – ▤. AE ⓓ E VISA.
cerrado 3ª semana de junio y 3ª semana de agosto – **Comida** - carnes a la brasa - ca 3000 a 5000. BX

Ca'cho Damián, León y Castillo 26, ✉ 35003, ☎ (928) 36 53 23 – ▤. AE ⓓ E VISA.
Comida carta 2450 a 3350. BY

en Las Coloradas *zona de La Isleta –* ✉ *35009 Las Palmas :*

El Padrino, Jesús Nazareno 1 ☎ (928) 46 20 94, *Fax (928) 46 20 94,* – ▤. AE E VISA. por Pérez Muñoz AS
Comida - pescados y mariscos - carta 2900 a 3350.

Pitango, María Dolorosa 2 ☎ (928) 46 64 94, – ▤. AE ⓓ E V por Pérez Muñoz AS
cerrado lunes y martes – **Comida** - carnes a la brasa - carta 2600 a 3050.

Santa Brígida *35300 – 12 224 h. alt. 426.*

Alred. : *Mirador de Bandama*★★ *Este : 7 km.*

18 *Bandama, Este : 7 km* ☎ *(928) 35 10 50 Fax (928) 35 01 00.*
Las Palmas de Gran Canaria 15.

en Las Meleguinas *Norte : 2 km –* ✉ *35300 Santa Brígida :*

Las Grutas de Artiles, ☎ (928) 64 05 75, *Fax (928) 64 12 50,* , « Instalado en u gruta », – ⓟ. AE ⓓ E VISA.
Comida carta 2450 a 3600.

en Monte Lentiscal *Noreste : 4 km – ✉ 35310 Monte Lentiscal :*

Santa Brígida *(Hotel escuela)*, Real de Coello 2 ✆ (928) 35 55 11, *Fax (928) 35 57 01*, – – 25/150. AE VISA.
Comida 3250 – 1200 – **41 hab** 11450/17120 – PA 6870.

en El Madroñal *Suroeste : 4,5 km – ✉ 35308 El Madroñal :*

X **Martell,** ✆ (928) 64 12 83, Interesante bodega, « Decoración rústica regional » – AE VISA.
cerrado septiembre – **Comida** carta 3300 a 4300.

en la Caldera de Bandama *Este : 7 km – ✉ 35300 Santa Brígida :*

Golf Bandama, ✆ (928) 35 33 54, *Fax (928) 35 12 90*, ≤ campo de golf, mar y montaña, , climatizada, – P. AE VISA.
Comida 3500 – **38 hab** 18500/31400.

Tafira Alta *35017 – alt. 375.*

Ver : *Jardín Canario*★.
Las Palmas de Gran Canaria 8.

X **La Masía de Canarias,** Murillo 36 ✆ (928) 35 01 20, *Fax (928) 35 01 20*, – AE VISA JCB.
Comida carta aprox. 4850.

X Jardín Canario, Plan de Loreto - carret. de Las Palmas 1 km ✆ (928) 35 16 45, *Fax (928) 64 12 50*, ≤, « Dominando el Jardín Botánico » – P.

Telde *35200 – 77 640 h. alt. 130.*

Alred. : *Gruta de Cuatro Puertas*★ *Sur : 6 km.*
Las Palmas de Gran Canaria 20.

Teror *35330 – 10 341 h. alt. 445.*

Alred. : *Mirador de Zamora*★ ≤★ *Oeste : 7 km por carretera de Valleseco.*
Las Palmas de Gran Canaria 21.

Vega de San Mateo *35320 – 6 110 h.*

Las Palmas de Gran Canaria 23.

XX **La Veguetilla,** carret. de Las Palmas ✆ (928) 66 07 64, *Fax (928) 66 07 64*, – P. AE VISA.
cerrado martes y agosto – **Comida** carta 2850 a 4600.

FUERTEVENTURA (Las Palmas)

Betancuria *35637 – 550 h. alt. 395.*

Ver : *Pueblo*★.
Puerto del Rosario 29.

XX **Casa Santa María,** pl. Santa María ✆ (928) 87 82 82, *Fax (928) 87 80 34*, , « Armonioso conjunto rural con bodega típica, artesanía local y bonito jardín » – VISA.
Comida *(sólo almuerzo salvo viernes y sábado)* carta aprox. 4500.

Corralejo *35560 – Playa.*

Ver : *Puerto y Playas* ★.
Puerto del Rosario 38.

Dunapark sin rest. con cafetería, av. Generalísimo Franco ✆ (928) 53 52 51, *Fax (928) 53 54 91*, , climatizada, – . AE VISA.
79 hab 10000/12000.

Costa Calma – ✉ *35628 Pájara – Playa.*

Puerto del Rosario 70.

Taro Beach H., urb. Cañada del Río ✆ (928) 54 70 76, *Fax (928) 54 70 98*, ≤, climatizada – rest, P
Comida - sólo cena buffet - – **247 apartamentos.**

Mónica Beach H., urb. Cañada del Río ✆ (928) 54 72 14, *Fax (928) 54 73 18*, ≤, , climatizada, – rest, P
Comida - sólo cena buffet - – **226 apartamentos.**

Playa Barca – ✉ *35628 Pájara – Playa.*
Puerto del Rosario 47.

Sol Élite Gorriones, *(928) 54 70 25, Fax (928) 54 70 00*, ≤, « Amplia terraz con climatizada », – , rest, . VISA.
Comida - sólo cena buffet - 1800 – 1000 – **431 hab** 12900/20200.

Puerto del Rosario *35600 – 16 883 h. – Playa.*
de Fuerteventura, Sur : 6 km (928) 86 05 00 – Iberia : 23 de Mayo 1 (928) 86 05 00.
para Lanzarote, Gran Canaria y Tenerife : Cía Trasmediterránea, León y Castillo 5 (928) 85 08 77 Fax (928) 85 24 08.
av. 1º de Mayo 37 (928) 85 14 00 Fax (928) 85 16 95.

Marquesina Puerto, Pizarro 62 (928) 53 00 30
VISA.
cerrado domingo – **Comida** carta aprox. 3500.

en Playa Blanca *Sur : 3,5 km – ✉ 35610 Puerto del Rosario :*

Parador de Fuerteventura, *(928) 85 11 50, Fax (928) 85 11 58*, ≤, – 25/40. VISA.
Comida 3500 – 1200 – **50 hab** 9200/11500 – PA 6970.

LANZAROTE (Las Palmas)

Arrecife *35500 – 33 398 h. – Playa.*
Alred. : *Fundación César Manrique★ Norte : 7 km – Teguise (castillo de Santa Bárbara ★ Norte : 11 km – Tiagua (Museo Agrícola El Patio★) Noroeste : 13 km – Guatiza (Jardín d Cactus★) Noreste : 15 km – La Geria★★ (de Mozaga a Yaiza) Noroeste : 17 km - Cueva d los Verdes★★★ Noreste : 27 km por Guatiza – Jameos del Agua★ Noreste : 29 km po Guatiza - Mirador del Río★★ (★★) Noroeste : 33 km por Guatiza.*
de Lanzarote, Oeste : 6 km (928) 81 14 50 – Iberia : av. Rafael González Negr 2 (928) 81 53 75.
para Gran Canaria, Tenerife, La Palma y la Península : Cía. Trasmediterránea, Jos Antonio 90 (928) 81 11 88 Telex 95336 Fax (928) 81 23 63.
Parque Municipal (928) 81 18 60 Fax (928) 81 18 60 – **R.A.C.E.** *Blas Cabrera Topha 17-1º (928) 80 68 81 Fax (928) 80 65 86.*

Lancelot, av. Mancomunidad 9 (928) 80 50 99, *Fax (928) 80 50 39*, ≤, – rest, – 25/100. VISA.
Comida 1550 – **110 hab** 7000/8700.

Miramar sin rest, Coll 2 (928) 80 15 22, *Fax (928) 80 15 33* –
90 hab.

por la carretera del puerto de Naos *Noreste : 2 km – ✉ 35500 Arrecife :*

Castillo de San José, (928) 81 23 21, *Fax (928) 81 23 21*, ≤ puerto y mar, « Fortalez del siglo XVII. Museo de Arte Contemporáneo » – .

Costa Teguise *35509 – Playa.*
Costa Teguise, urb. Costa Teguise (928) 59 05 12 Fax (928) 59 04 90.
Arrecife 7.

Gran Meliá Salinas, playa de Las Cucharas (928) 59 00 40, *Fax (928) 59 12 3* ≤, , « Profusión de plantas. Terraza con climatizada », – – 25/275. VISA.
Atlántida *(sólo buffet)* **Comida** 4800 - ***La Graciosa*** *(sólo cena, cerrado domingo y lune* **Comida** carta aprox. 5800 – **308 hab** 32000/38000, 2 suites.

Occidental Teguise Playa, playa El Jablillo (928) 59 06 54, *Telex 9639 Fax (928) 59 09 79*, ≤, climatizada, – – 25/325. VISA.
Comida - sólo cena bufett - 3150 – 1025 – **303 hab** 13900/17300, 11 suites.

La Jordana, Los Geranios - Local 10 y 11 (928) 59 03 28, – . VISA.
cerrado domingo y septiembre – **Comida** carta 2525 a 4350.

Neptuno, Península del Jablillo (928) 59 03 78 – . VISA.
cerrado domingo y 15 junio-15 julio – **Comida** carta 2650 a 3350.

l Suroeste : *2 km*

Occidental Oasis, av. del Mar (928) 59 04 10, *Fax (928) 59 07 91*, climatizada, - - 25/550. VISA.
Comida - sólo cena bufett - 3150 - **360 hab** 16000/19000, 12 suites.

laría *35520 - 2 626 h. alt. 270.*
Alred. : *Mirador Sur : 5 km - Fundación César Manrique★ Norte : 7 km.*
Arrecife 29.

Casa'l Cura, Nueva 1 (928) 83 55 56, *Fax (928) 81 60 16* - . VISA.
Comida - sólo almuerzo - carta aprox. 3700.

lontañas del Fuego - *Zona de peaje.*
Ver : *Parque Nacional de Timanfaya★★★.*
Arrecife 31.

El Diablo, Parque Nacional de Timanfaya, 35560 Tinajo, (928) 84 00 57, *Fax (928) 84 00 57*, montañas volcánicas y mar -
Comida - sólo almuerzo -.

laya Blanca - *35570 Yaiza - Playa.*
Alred. : *Punta del Papagayo★ ★ Sur : 5 km.*
Arrecife 38.

Playa Dorada, costa de Papagayo (928) 51 71 20, *Fax (928) 51 74 32*, climatizada, - - 25/250. VISA.
Comida - sólo cena buffet - 2500 - **258 hab** 10700/16700, 8 suites.

Lanzarote Princess, costa de Papagayo (928) 51 71 08, *Telex 96455*, *Fax (928) 51 70 11*, « Terraza con climatizada », - - 25/200. VISA.
Comida 1800 - **375 hab** 9000/13500, 32 suites.

Casa Pedro, av. Marítima (928) 51 70 22, - Comida - pescados -.

Casa Salvador, av. Marítima 13 (928) 51 70 25, Comida - pescados y mariscos -.

uerto del Carmen *35510 - Playa.*
Arrecife 15.

Fariones Playa sin rest, Acatife 2 - urb. Playa Blanca (928) 51 01 75, *Fax (928) 51 02 02*, climatizada, - - 25/150. VISA.
1800 - **231 apartamentos** 20000.

Los Fariones, Roque del Oeste 1 - urb. Playa Blanca (928) 51 01 75, *Fax (928) 51 02 02*, « Terraza y jardín tropical con mar », climatizada, , - , rest, - 25/75. VISA.
Comida 3500 - 1800 - **248 hab** 12500/17500, 6 suites - PA 7000.

La Cañada, General Prim 3 (928) 51 04 15, *Fax (928) 51 21 08*, - . VISA.
Comida carta aprox. 3750.

n la playa de Los Pocillos *Este : 3 km - 35519 Los Pocillos :*

Riu Palace Lanzarote, Suiza 6 (928) 51 24 14, *Fax (928) 51 35 98*, climatizada, - - 25/100. VISA.
Comida - sólo cena - 3500 - **253 hab** 16500/25000, 22 suites.

La Geria, (928) 51 04 41, *Fax (928) 51 19 19*, climatizada, , - . VISA.
Comida 3500 - 1400 - **242 hab** 11500/16600.

n la urbanización Matagorda *Este : 4,5 km - 35510 Matagorda :*

C. Colón, centro comercial Matagorda 47 (928) 80 56 49, *Fax (928) 51 25 54* - VISA.
Comida carta aprox. 6175.

Yaiza *35570 – 5 125 h. alt. 192.*
Alred. : *La Geria★★ (de Yaiza a Mozaga) Noreste : 17 km – Salinas de Janubio★ Suroeste 6 km – El Golfo★★ Noroeste : 8 km. – Arrecife 22.*

La Era, Barranco 3 ℘ (928) 83 00 16, *Fax (928) 83 03 68,* « Instalado en una casa de campo del siglo XVII » – P. AE ⓓ E VISA. ⋙
Comida carta aprox. 2650.

TENERIFE

Arona *38640 – 41 636 h. alt. 610.*
Alred. : *Mirador de la Centinela★ Sureste : 11 km.*
Santa Cruz de Tenerife 72.

en La Camella *Sur : 4,5 km – ✉ 38627 La Camella :*

Mesón Las Rejas, carret. General del Sur 1 ℘ (922) 72 08 94 – ▤. AE E VISA. ⋙
cerrado domingo y junio – **Comida** - espec. en carnes y asados - carta aprox. 3275.

Candelaria *38530 – 10 655 h. – Playa.*
Santa Cruz de Tenerife 27.

G.H. Punta del Rey, av. Generalísimo 165 - playa de Las Caletillas ℘ (922) 50 18 9 *Telex 91584, Fax (922) 50 00 91,* ⩽, « Jardines con climatizada al borde del mar », – ▤ ☎ – 25/200. AE ⓓ E VISA JCB. ⋙
Comida - sólo buffet - 1800 – 850 – **422 hab** 8900/10900 – PA 3600.

Sobre El Archete, Lomo de Aroba 2 - cruce autopista ℘ (922) 50 01 1 *Fax (922) 50 03 54* – ▤ P. E VISA. ⋙
cerrado domingo noche, lunes y del 14 al 31 de agosto – **Comida** carta 3425 a 407

Las Cañadas del Teide – *alt. 2 200 – 1.*
Ver : *Parque Nacional del Teide★★★.*
Alred. : *Pico del Teide★★★ Norte : 4 km, teleférico y 45 min. a pie – Boca de Tauce★ Suroeste : 7 km.*
Excurs. : *Ascenso por La Orotava★. – Santa Cruz de Tenerife 67.*

Parador de Las Cañadas del Teide, alt. 2 200, ✉ 38380 apartado 15 La Orotava, ℘ (922) 38 64 15, *Fax (922) 38 23 52,* ⩽ valle y Teide, « En un paraje volcánico », – TV ☎ P. AE ⓓ E VISA. ⋙
Comida 3500 – 1300 – **37 hab** 12400/15500.

Los Cristianos *38650 – Playa.*
Cia. Trasmediterránea, Muelle de los Cristianos ℘ (922) 79 61 78 Fax (922) 79 61 7
Santa Cruz de Tenerife 75.

Arona G.H., av. Marítima ℘ (922) 75 06 78, *Fax (922) 75 02 43,* ⩽, , climatizada – ▤ TV ☎ – 25/250. AE ⓓ E VISA. ⋙
Comida - sólo cena buffet - 3000 - ***La Palapa*** *(sólo almuerzo)* **Comida** carta aprox. 35 – **399 hab** 25800/30800, 2 suites.

Paradise Park, urb. Oasis del Sur ℘ (922) 79 47 62, *Telex 91196, Fax (922) 79 48 5* , climatizada – ▤ TV P – 25/60. AE ⓓ VISA. ⋙
Comida 2050 - ***Strelitzia*** : **Comida** carta aprox. 4750 – **271 hab** 12200/16400, suites, 112 apartamentos.

Oasis Moreque, av. Penetración ℘ (922) 79 03 66, *Fax (922) 79 22 60,* climatizada, , – , ▤ rest, P. AE E VISA. ⋙
Comida - sólo buffet - 2000 – 1200 – **172 hab** 9200/13500 – PA 4200.

La Cava, El Cabezo ℘ (922) 79 04 93, *Fax (922) 79 13 16,* , « Decoración rústica » – AE ⓓ E VISA. ⋙
junio-agosto – **Comida** *(cerrado domingo)* - sólo cena - carta aprox. 3215.

Güimar *38500 – 14 345 h. alt. 290.*
Alred. : *Mirador de Don Martín★ Sur : 4 km.*
Santa Cruz de Tenerife 36.

Icod de los Vinos *38430 – 21 329 h.*
Ver : *Pueblo★ - Drago milenario★.*
Alred. : *Valle de El Palmar★★ Oeste : 20 km – San Juan del Reparo (carretera de Garachico ⩽★) Suroeste : 6 km. – Santa Cruz de Tenerife 60.*

La Laguna *38200 – 117 718 h. alt. 550.*

Ver : *Iglesia de la Concepción★.*

Alred. : *Monte de las Mercedes★★ (Mirador del Pico del Inglés★★, Mirador de Cruz del Carmen★) Noreste : 11 km – Mirador del Pico de las Flores ✳★★ Suroeste : 15 km – Pinar de La Esperanza★ Suroeste : 20 km – Puerto de El Bailadero★ Noreste : 20 km – Taganana★ (carretera ≤★★ de El Bailadero) Noreste : 24 km.*

Obispo Rey Redondo 1 ✉ 38201 ☎ (922) 60 11 06 Fax (922) 60 11 02.

Santa Cruz de Tenerife 9.

Nivaria sin rest, pl. del Adelantado 11, ✉ 38201, ☎ (922) 26 42 98, *Fax (922) 25 96 34* – |‡| TV ☎ – 25/65. AE ⓓ E VISA. ✈
500 – **73 apartamentos** 7700/9900.

La Hoya del Camello, carret. General del Norte 128, ✉ 38293, ☎ (922) 26 20 54, *Fax (922) 26 51 05* – Ⓟ. AE E VISA. ✈
cerrado domingo noche y 15 días en agosto – **Comida** carta aprox. 3025.

Casa Maquila, callejón Maquila 4, ✉ 38202, ☎ (922) 25 70 20 – AE E VISA. ✈
cerrado martes y agosto – **Comida** carta aprox. 2150.

Masca .

Ver : *Paisaje★.*

Santa Cruz de Tenerife 90.

El Médano *38612 – Playa.*

✈ *Tenerife-Sur, Oeste : 8 km ☎ (922) 75 90 00.*

Santa Cruz de Tenerife 62.

Atlantic Playa Suite H. , av. Europa 2 ☎ (922) 17 62 52, *Fax (922) 17 61 14*, , – |‡| ☎ Ⓟ – 25/100
Comida (sólo buffet) – **88 hab**, 67 suites.

Médano, La Playa 2 ☎ (922) 17 70 00, *Fax (922) 17 60 48*, ≤ – |‡| ☎. AE E VISA. ✈
Comida 1300 – **90 hab** 6000/8000 – PA 2600.

Avencio, Chasna 6 ☎ (922) 17 60 79 – .

La Orotava *38300 – 34 871 h. alt. 390.*

Ver : *Calle de San Francisco★ – Emplazamiento★.*

Alred. : *Mirador Humboldt★★★ Noreste : 3 km – Sur : Valle de La Orotava★★★.*

La Carrera 2 ☎ (922) 32 30 41 Fax (922) 33 45 12.

Santa Cruz de Tenerife 36.

Playa de las Américas *38660 – Playa.*

Alred. : *Adeje (Barranco del Infierno★, 2 km a pie) Norte : 7 km.*

9 18 *Sur, urb. El Guincho, Sureste : 15 km ☎ (922) 73 10 70.*

av. Rafael Puig (City Center) ☎ (922) 79 76 68.

Santa Cruz de Tenerife 75.

G.H. Bahía del Duque , playa del Duque, ✉ 38670 Adeje, ☎ (922) 74 69 00, *Fax (922) 74 69 25*, ≤, , « Imitando unas villas de época en acogedora armonía con vegetación subtropical en torno a varias », , climatizada, , – |‡| TV ☎ Ⓟ – 25/1000. AE ⓓ E VISA. ✈
El Duque *(cerrado domingo y julio)* **Comida** carta 4450 a 5850 - ***La Brasserie*** *(cerrado martes y mayo)* **Comida** carta 4050 a 4950 - ***La Trattoria*** *(cerrado lunes y junio)* **Comida** carta 3700 a 4750 – **324 hab** 37950/40950, 38 suites.

Jardines de Nivaria , París (playa de Fañabé) ☎ (922) 71 33 33, *Fax (922) 71 33 40*, ≤, , « Bonita zona ajardinada con climatizada frente al mar » – |‡| TV ☎ – 25/400. AE ⓓ E VISA. ✈
Comida 4000 – **250 hab** 21500/27000, 19 suites.

Tenerife Princess, av. Antonio Domínguez Alfonso ☎ (922) 79 27 51, *Fax (922) 79 10 39*, climatizada, – |‡| ☎ Ⓟ – 25/80
Comida (sólo buffet) – **384 hab.**

Jardín Tropical, Gran Bretaña ☎ (922) 74 60 00, *Fax (922) 74 60 60*, ≤, , « Profusión de plantas y jardines subtropicales en un armonioso conjunto », , climatizada – |‡| TV ☎ Ⓟ – 25/150. AE ⓓ E VISA. ✈
Comida (ver también rest. ***El Patio***) - ***Las Mimosas*** *(sólo buffet)* **Comida** 4000 – **421 hab** 21000/32000.

Gala, av. Litoral ☎ (922) 79 45 13, *Fax (922) 79 64 65* – |‡| TV ☎ – 25/200. AE ⓓ E VISA. ✈ – **Comida** - sólo buffet - 2100 – **315 hab** 14750/20000.

Torviscas Playa, urb. Torviscas ✆ (922) 71 23 00, *Fax (922) 71 31 55,* ≤, climatizada, – ☎ ℗ – 25/300. AE ⓓ E VISA. ✠
Comida - sólo buffet - 2000 – **466 hab** 16000/23000, 4 suites.

Bitácora, av. Antonio Domínguez Alfonso 1 ✆ (922) 79 15 40, *Fax (922) 79 66 77,* climatizada, – ☎. AE ⓓ E VISA. ✠
Comida - sólo buffet - 2200 – **314 hab** ☐ 11300/16600 – PA 4400.

La Siesta, Rafael Puig 15 ✆ (922) 79 23 00, *Telex 91119, Fax (922) 79 22 20,* climatizada, – 25/700. AE ⓓ E VISA. ✠
Comida - sólo buffet - 2700 – ☐ 1200 – **280 hab** 13000/16000 – PA 5900.

Park H. Troya, ✆ (922) 79 01 00, *Fax (922) 79 45 72,* climatizada, – ☎ ℗. AE ⓓ VISA. ✠ – **Comida** - sólo buffet - 2525 – **318 hab** ☐ 8500/13125.

El Patio - *Hotel Jardín Tropical*, Gran Bretaña ✆ (922) 74 60 00, *Fax (922) 74 60 60*
« Jardín de invierno » – ▤. AE ⓓ E VISA. ✠
Comida - sólo cena - carta 4900 a 6250.

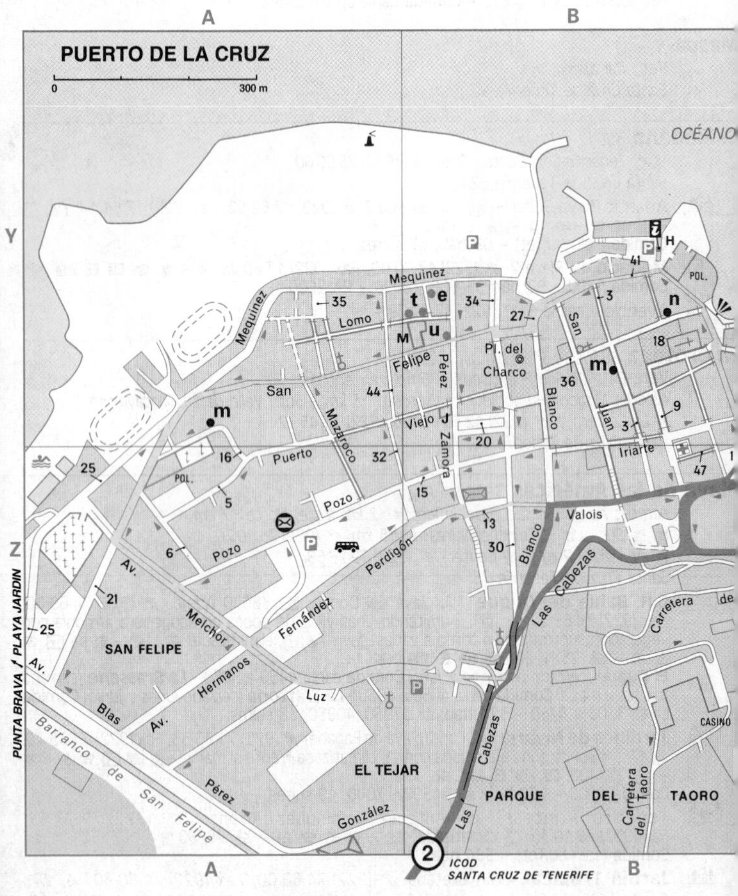

Aguilar y Quesada . . . . CY 2
Agustín de Bethencourt . . . . BY 3
Agustín Espinoza . . . . AZ 5
Álvarez Rixo . . . . AZ 6
Casino . . . . CY 8
Cólogan . . . . BY 9
Constitución (Plaza de la) . . . . BZ 12
Cupido . . . . BZ 13
Doctor Ingrand . . . . BZ 15
Doctor Madán . . . . AYZ 16
Enrique Talg . . . . CZ 1
Iglesia (Pl. de la) . . . . BY 1
José Arroyo . . . . BY 2
José del Campo Llarena (Avenida) . . . . AZ 2
Luis Pavaggi (Paseo) . . . . . AZ 2

Puero de la Cruz *38400 – 39 549 h. – Playa.*

Ver : *Pueblo★ – Paseo Marítimo★ (Lago Martiánez★)* BZ.

Alred. : *Playa Jardín★ por av. Blas Pérez González* AZ *– Jardín de aclimatación de La Orotava★ por ① : 1,5 km – Mirador Humboldt★★★, La Orotava★ por ①.*

pl. de Europa ☎ (922) 38 60 00 Fax (922) 38 47 69.

Santa Cruz de Tenerife 36 ①

Botánico, Richard J. Yeoward ☎ (922) 38 14 00, *Fax (922) 38 15 04*, <, « Jardines tropicales », climatizada, – – 25/220. AE VISA. DZ h

Comida - sólo cena - 5500 – **273 hab** 35300/56000, 9 suites.

Semiramis, Leopoldo Cólogan Zulueta 12 - urb. La Paz ☎ (922) 37 32 00, *Telex 92160, Fax (922) 37 31 93*, < mar, climatizada, – – 25/1000. AE VISA. DY k

Comida *(cerrado miércoles)* carta aprox. 3900 – **284 hab** 25000/30000, 3 suites.

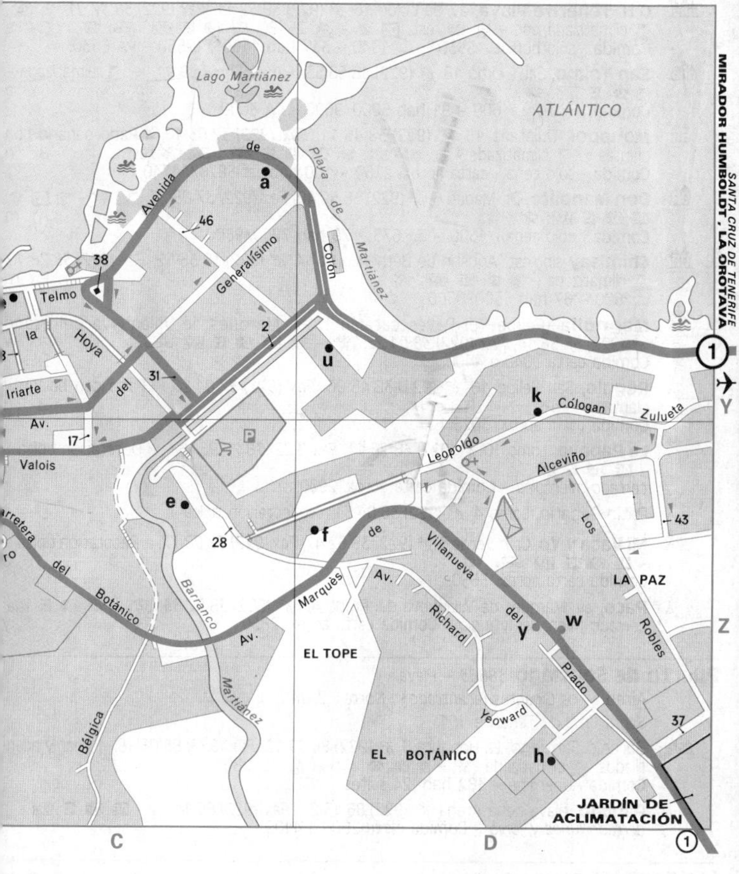

Puerto Palace, Doctor Cobiella (carret. de Las Arenas) ☎ (922) 37 24 60, *Fax (922) 37 35 23,* ≤, ⛱, ✕ - 🛗 ▤ TV ☎ ⛟ - 🎤 25/100. AE ⊙ E VISA. ✂
Comida 2100 - **290 hab** ☕ 12095/16840. por ②

San Felipe, av. de Colón 22 - playa Martiánez ☎ (922) 38 33 11, *Fax (922) 37 37 18,* ≤, ⛱, ⛱, ✕ - 🛗 ▤ TV ☎ P - 🎤 25/200. AE ⊙ E VISA. ✂ DY u
Comida - sólo cena - 2600 - **256 hab** ☕ 15400/24120, 4 suites.

Meliá Puerto de la Cruz, av. Marqués de Villanueva del Prado ☎ (922) 38 40 11, *Fax (922) 38 65 59,* ≤, ⛱ climatizada, ✕ - 🛗 ▤ TV ☎ - 🎤 25/700. AE ⊙ E VISA JCB. ✂ DZ f
Comida 2625 - ☕ 1050 - **300 hab** 11350/17850.

El Tope sin rest, Calzada de Martiánez 2 ☎ (922) 38 50 52, *Fax (922) 38 00 03,* ≤, ⛱ climatizada, ✕ - 🛗 TV ☎ P - 🎤 25/250. AE ⊙ E VISA. ✂ CZ e
☕ 1890 - **217 hab** 12505/14075.

Atalaya G. H. ⛺, parque del Taoro ☎ (922) 38 44 51, *Telex 92380, Fax (922) 38 70 46,* ≤, « Jardín con ⛱ climatizada », ✕ - 🛗 ▤ TV ☎ P. AE ⊙ E VISA JCB. ✂
Comida 2750 - ☕ 1250 - **183 hab** 11300/14200 - PA 5100.
por carret. del Taoro BZ

G.H. Tenerife Playa, av. de Colón 16 ☎ (922) 38 32 11, *Fax (922) 38 37 91,* ≤, ⛱, ⛱ climatizada, - 🛗, ▤ rest, TV ☎ - 🎤 25/80. AE ⊙ E VISA JCB. ✂ CY a
Comida - sólo buffet - 3530 - ☕ 1340 - **337 hab** 11665/17550 - PA 6530.

San Telmo, San Telmo 18 ☎ (922) 38 58 53, *Fax (922) 38 59 91,* ≤, ⛱ climatizada - 🛗 ☎. E VISA. ✂ CY e
Comida 1500 - ☕ 600 - **91 hab** 5000/9000 - PA 3000.

Monopol, Quintana 15 ☎ (922) 38 46 11, *Fax (922) 37 03 10,* « Patio canario con plantas », ⛱ climatizada - 🛗, ▤ rest, ☎. AE ⊙ E VISA JCB. ✂ rest BY n
Comida - sólo cena - carta aprox. 2750 - **100 hab** ☕ 5870/11740.

Don Manolito, Dr. Madán 6 ☎ (922) 38 50 40, *Fax (922) 37 08 77,* ⛱, - 🛗 TV ☎. AE ⊙ E VISA. ✂ AY m
Comida - sólo cena - 1600 - ☕ 675 - **79 hab** 7250/9800.

Chimisay sin rest, Agustín de Bethencourt 14 ☎ (922) 38 35 52, *Fax (922) 38 28 40,* ⛱ climatizada - 🛗 ☎. AE VISA. ✂ BY m
☕ 600 - **67 hab** 6300/8500.

Magnolia (Felipe "El Payés catalán"), av. Marqués de Villanueva del Prado ☎ (922) 38 56 14, *Fax (922) 38 01 27,* ⛱ - ▤. AE ⊙ E VISA JCB DZ w
Comida carta 3040 a 4400.

Régulo, San Felipe 16 ☎ (922) 38 45 06, *Fax (922) 37 04 20,* « Patio con balcón y plantas » - ✂ BY u
Comida carta aprox. 3025.

La Papaya, Lomo 10 ☎ (922) 38 28 11, *Fax (922) 38 77 96,* ⛱, « Decoración típica » - AE ⊙ E VISA BY t
cerrado miércoles - **Comida** carta aprox. 2900.

Patio Canario, Lomo 4 ☎ (922) 38 04 51, « Decoración típica » BY t

Mi Vaca y Yo, Cruz Verde 3 ☎ (922) 38 52 47, *Fax (922) 37 08 77,* « Decoración típica » - AE ⊙ E VISA JCB. ✂ BY e
Comida carta aprox. 3650.

Paco, av. Marqués de Villanueva del Prado 40 ☎ (922) 38 52 53, ⛱ - AE ⊙ E VISA
cerrado miércoles y junio - **Comida** carta aprox. 2850. DZ y

Puerto de Santiago *38683 - Playa.*

Alred. : *Los Gigantes (acantilado★) Norte : 2 km.*

Santa Cruz de Tenerife 101.

Barceló Santiago, La Hondura 8 ☎ (922) 86 09 12, *Fax (922) 86 08 18,* ≤ mar y acantilados, ⛱ climatizada, ✕ - 🛗 ▤ ☎ ⛟ - 🎤 25/280
Comida Aubergine - **382 hab**, 24 suites.

Pancho, playa de la Arena ☎ (922) 86 13 23, *Fax (922) 86 14 74* - AE ⊙ E VISA
cerrado lunes y junio - **Comida** carta 2900 a 4100.

Los Realejos *38410 - 29481 h.*

Santa Cruz de Tenerife 45.

Las Chozas, carret. del Jardín - Noreste : 1,5 km ☎ (922) 34 20 54, « Decoración rústica » - AE E VISA
cerrado domingo y junio - **Comida** - sólo cena - carta aprox. 2855.

San Andrés 38120 – *Playa.*

Santa Cruz de Tenerife 8.

El Rubí, Dique 19 ℘ (922) 54 94 05 – AE ⓓ E VISA
Comida - pescados y mariscos - carta 2000 a 3100.

Ramón, Dique 23 ℘ (922) 54 93 08 – AE ⓓ E VISA
Comida - pescados y mariscos - carta 2000 a 3100.

San Isidro 38611.

Santa Cruz de Tenerife 61.

Ucanca sin rest y sin ☕, av. de Santa Cruz 183-2º ℘ (922) 39 07 76, *Fax (922) 39 07 63* – ☎
22 hab.

El Jable, Bentejui 9 ℘ (922) 39 06 98, « Rest. típico » – ▤. AE ⓓ E VISA.
cerrado domingo, lunes mediodía, 15 días en junio y 15 días en octubre – **Comida** carta 2325 a 3500.

Santa Cruz de Tenerife 38000 P – *202 674 h.*

Ver : *Dique del puerto ≤★* DX – *Parque Municipal García Sanabria★* BCX – *Museo de la Naturaleza y el Hombre★* CY – *Parque Marítimo César Manrique★* CZ.

18 Tenerife, por ② : 16 km ℘ (922) 63 66 07.

Tenerife - Norte por ② : 13 km ℘ (922) 63 59 99, y Tenerife-Sur por ② : 62 km ℘ (922) 75 90 00 – Iberia : av. de Anaga 23 ✉ 38001 ℘ (922) 28 33 11 BZ.

para La Palma, Gran Canaria, Lanzarote, Fuerteventura, Gomera y la Península : Cía Trasmediterránea, Muelle Ribera, Est. Marít. ✉ 38001 ℘ (922) 28 78 50 Fax (922) 28 61 06.

pl. de España ✉ 38002 ℘ (922) 24 84 61 Fax (922) 66 21 69 – **R.A.C.E.** *av. Anaga (edificio Bahía Club) ✉ 38001 ℘ (922) 59 73 21 Fax (922) 59 71 01.*

Planos páginas siguientes

Mencey, av. Dr. José Naveiras 38, ✉ 38004, ℘ (922) 27 67 00, *Fax (922) 28 00 17*, climatizada, – ▤ TV ☎ – 25/290. AE ⓓ E VISA JCB. — CX k
Comida 4000 – ☕ 2200 – **269 hab** 19500/24000, 24 suites – PA 9500.

Contemporáneo, rambla General Franco 116, ✉ 38001, ℘ (922) 27 15 71, *Fax (922) 27 12 23* – ▤ TV ☎ – 25/200. AE ⓓ E VISA. — CX e
Comida *(cerrado domingo)* 2000 – ☕ 800 – **124 hab** 8900/13100, 2 suites – PA 4080.

Príncipe Paz sin rest, Valentín Sanz 33, ✉ 38002, ℘ (922) 24 99 55, *Fax (922) 28 10 65* – ▤ TV ☎ – 25/50. AE ⓓ E VISA. — CY a
80 hab ☕ 11000/13300.

Colón Rambla sin rest, Viera y Clavijo 49, ✉ 38004, ℘ (922) 27 25 50, *Fax (922) 27 27 16*, – ▤ TV ☎. AE E VISA. — BX a
☕ 775 – **40 hab** 9400/13000.

Atlántico sin rest, Castillo 12, ✉ 38002, ℘ (922) 24 63 75, *Fax (922) 24 63 78* – TV ☎ — CY b
60 hab.

Taburiente sin rest, Doctor José Naveiras 24-A, ✉ 38001, ℘ (922) 27 60 00, *Fax (922) 27 05 62*, – TV ☎ – 25/200. AE E VISA. — CX r
114 hab ☕ 8500/9900, 2 suites.

Océano sin rest, Castillo 6, ✉ 38002, ℘ (922) 27 08 00, *Fax (922) 24 63 78* – TV ☎ — DY e
28 hab.

Tanausú sin rest, Padre Anchieta 8, ✉ 38005, ℘ (922) 21 70 00, *Fax (922) 21 60 29* – TV ☎. AE ⓓ E VISA. — CY t
☕ 525 – **18 hab** 4100/6600.

El Coto de Antonio, General Goded 13, ✉ 38006, ℘ (922) 27 21 05, *Fax (922) 29 09 22* – ▤. AE ⓓ E VISA JCB. — AY x
cerrado domingo y 20 días en agosto – **Comida** carta 2650 a 5800.

Mesón Los Monjes, La Marina 7, ✉ 38002, ℘ (922) 24 65 76 – ▤. AE ⓓ E VISA. — DY s
cerrado domingo – **Comida** carta aprox. 4300.

Ainara, La Luna 10, ✉ 38002, ℘ (922) 27 76 60 – ▤. AE E VISA. — CY n
cerrado domingo y Semana Santa – **Comida** carta 3400 a 4300.

Los Troncos, General Goded 17, ✉ 38006, ℘ (922) 28 41 52 – ▤. AE E VISA. — AY z
cerrado domingo noche, miércoles y 15 agosto-15 septiembre – **Comida** carta 2400 a 3600.

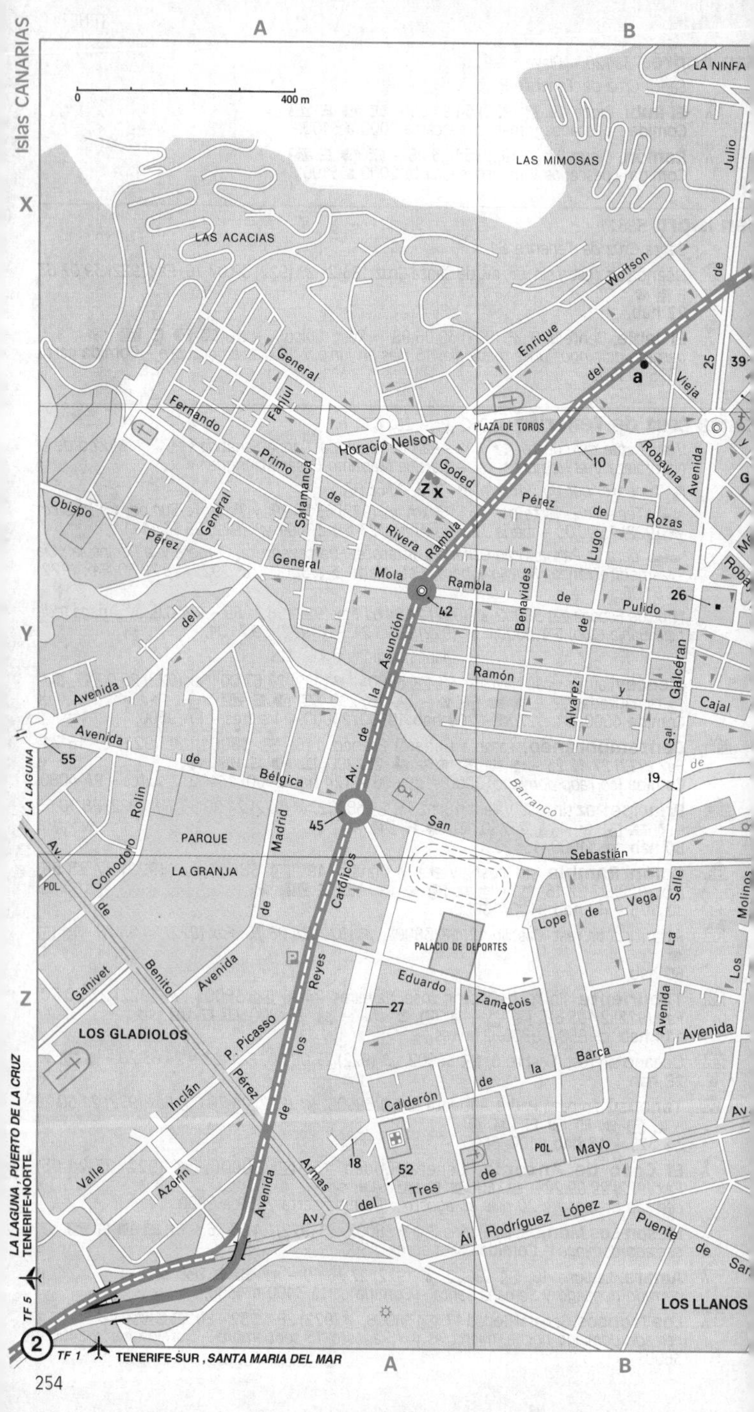
A
B
X
Y
Z
0
400 m
LA NINFA
LAS MIMOSAS
Julio
LAS ACACIAS
Enrique
Wolfson
del
Vieja
de
25
39
a
General
Fernando
Fanjul
Primo
Horacio Nelson
PLAZA DE TOROS
Goded
Z X
10
Robayna
Avenida
Obispo
Pérez
General
Salamanca
de
Rivera
Rambla
Pérez
de
Rozas
Lugo
General
Mola
Rambla
Benavides
de
Pulido
26
42
del
Asunción
la
de
Ramón
y
Alvarez
Galcerán
Cajal
Avenida
Avenida
de
Av.
55
LA LAGUNA
Bélgica
Barranco
de
Gal
19
Rolín
Madrid
45
San
PARQUE
LA GRANJA
Sebastián
Comodoro
Católicos
POL
Av.
de
de
Lope
de
Vega
La
Salle
Molinos
PALACIO DE DEPORTES
Benito
Avenida
Reyes
Eduardo
Zamacois
Los
Ganivet
27
Avenida
Avenida
LOS GLADIOLOS
P. Picasso
los
Barca
la
de
Inclán
Pérez
de
Calderón
Av.
Valle
Azorín
18
52
POL.
Mayo
de
Armas
Avenida
Tres
del
Av.
Ál
Rodríguez
López
Puente
de
San
LOS LLANOS
LA LAGUNA, PUERTO DE LA CRUZ
TENERIFE-NORTE
TF 5
2
TF 1
TENERIFE-SUR, SANTA MARIA DEL MAR

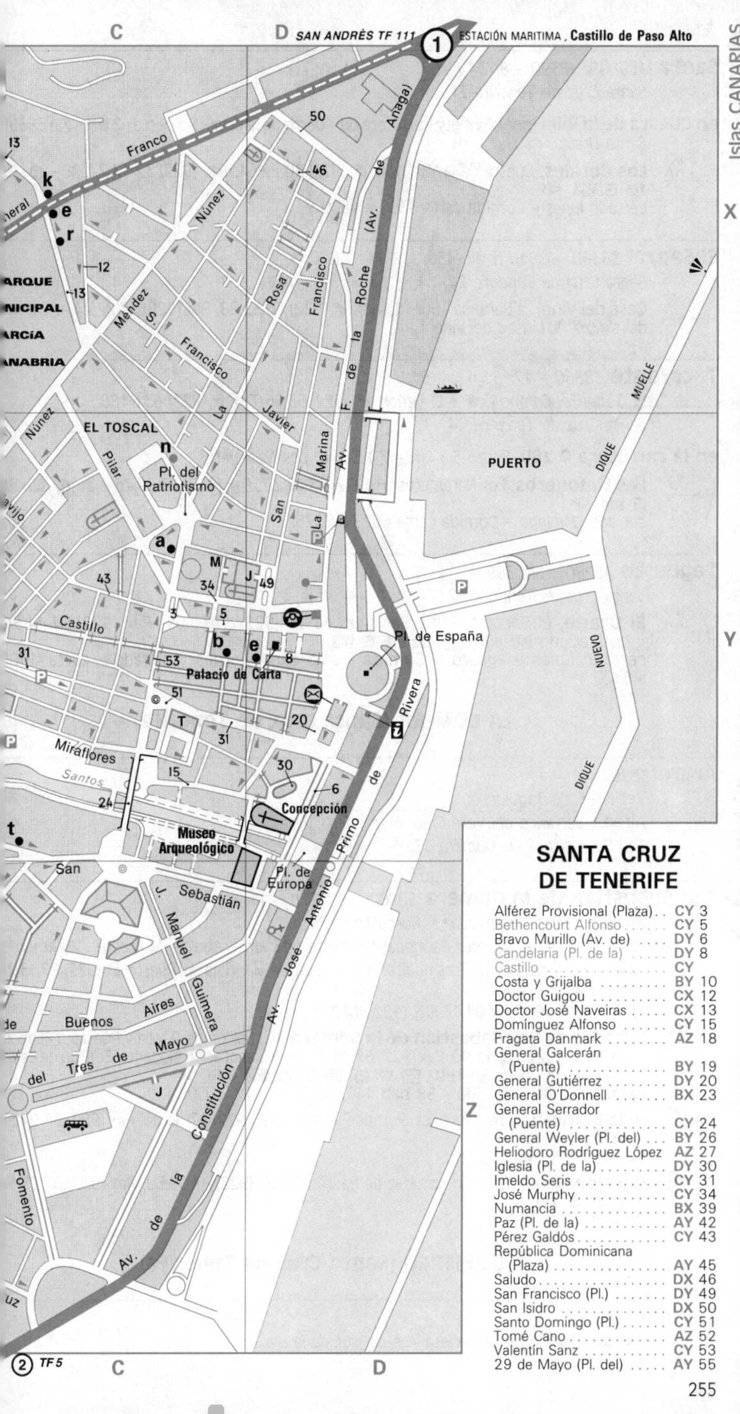

SANTA CRUZ DE TENERIFE

Alférez Provisional (Plaza)	CY	3
Bethencourt Alfonso	CY	5
Bravo Murillo (Av. de)	DY	6
Candelaria (Pl. de la)	DY	8
Castillo	CY	
Costa y Grijalba	BY	10
Doctor Guigou	CX	12
Doctor José Naveiras	CX	13
Domínguez Alfonso	CY	15
Fragata Danmark	AZ	18
General Galcerán (Puente)	BY	19
General Gutiérrez	DY	20
General O'Donnell	BX	23
General Serrador (Puente)	CY	24
General Weyler (Pl. del)	BY	26
Heliodoro Rodríguez López	AZ	27
Iglesia (Pl. de la)	DY	30
Imeldo Seris	CY	31
José Murphy	CY	34
Numancia	BX	39
Paz (Pl. de la)	AY	42
Pérez Galdós	CY	43
República Dominicana (Plaza)	AY	45
Saludo	DX	46
San Francisco (Pl.)	DY	49
San Isidro	DX	50
Santo Domingo (Pl.)	CY	51
Tomé Cano	AZ	52
Valentín Sanz	CY	53
29 de Mayo (Pl. del)	AY	55

Santa Úrsula *38390 – 8 734 h.*
Santa Cruz de Tenerife 27.

en Cuesta de la Villa *por la antigua carretera del Puerto de la Cruz - Suroeste : 2 km – ✉ 3839(Santa Úrsula :*

XX **Los Corales,** Cuesta de la Villa 130 ☎ (922) 30 22 61, *Fax (922) 32 17 27,* ≤ – P. AE ⓓ E VISA. ✻
cerrado lunes – **Comida** carta 3300 a 4500.

El Sauzal *38360 – 6 610 h. alt. 450.*
Santa Cruz de Tenerife 24.

X Casa del Vino, La Baranda - Sur : 1,5 km ☎ (922) 56 33 88, *Fax (922) 57 27 44,* « Casona del siglo XVII. Museo del vino ».

Tacoronte *38350 – 17 161 h. alt. 510.*
18 Tenerife, Campo Golf 1 El Peñón ☎ (922) 63 66 07 Fax (922) 63 64 80.
Santa Cruz de Tenerife 24.

en la carretera C 280 *Este : 3,5 km – ✉ 38340 Los Naranjeros :*

XX **Los Limoneros,** Los Naranjeros ☎ (922) 63 66 37, *Fax (922) 63 69 76* – ▤ P. AE ⓓ E VISA. ✻
cerrado domingo – **Comida** carta 6025 a 7325.

Tegueste *38280 – alt. 399.*
Santa Cruz de Tenerife 17.

XX **El Drago,** El Socorro - urb. San Gonzalo ☎ (922) 54 30 01, *Fax (922) 54 44 54* « Decoración rústica » – P. AE ⓓ E VISA
cerrado lunes y agosto – **Comida** - sólo cena viernes y sábado - carta 4000 a 6300.

LA GOMERA (Santa Cruz de Tenerife)

Arure *38892.*
Ver : *≤★ de Taguluche.*
Alred. : *Barranco del Valle Gran Rey★★ Sur : 7 km.*
San Sebastián de la Gomera 43.

San Sebastián de la Gomera *38800 – 6 337 h. – Playa.*
Alred. : *Valle de Hermigua★★ Noroeste : 17 km.*
Excurs. : *Parque Nacional Garajonay★★ Oeste : 15 km – Agulo★ Noroeste : 26 km.*
para Tenerife : Cía Trasmediterránea : Estación Marítima del Puerto ☎ (922) 87 13 24 Fax (922) 87 13 24.
Real 4 ☎ (922) 14 01 47 Fax (922) 14 01 51.

Parador de San Sebastián de la Gomera ⛰, Balcón de la Villa y Puerto, ✉ apartado 21, ☎ (922) 87 11 00, *Fax (922) 87 11 16,* ≤, « Decoración elegante. Edificio de estilo regional », ⛱, 🌳 – ▤ rest, TV ☎ P. AE ⓓ E VISA JCB. ✻
Comida 3500 – ☕ 1300 – **58 hab** 14000/17500 – PA 7050.

Villa Gomera sin rest y sin ☕, Ruiz de Padrón 68 ☎ (922) 87 00 20, *Fax (922) 87 02 35* – ☎. ✻
16 hab 3500/4800.

Garajonay sin rest y sin ☕, Ruiz de Padrón 17 ☎ (922) 87 05 50, *Fax (922) 87 05 50* – ⇅ ☎. E VISA. ✻
29 hab 4560/5700.

EL HIERRO (Santa Cruz de Tenerife)

Sabinosa *38912.*
Alred. : *Camino de La Dehesa ≤★ del sur de la isla.*
Valverde 43.

Valverde *38900 – 3 526 h.*
Alred. : *Oeste : 8 km El Golfo★★ (Mirador de la Peña ≤★★).*
Excurs. : *El Pinar (bosque★) Suroeste : 20 km.*
✈ *de El Hierro, Este : 10 km ✆ (922) 55 37 00 – Iberia : ✆ (922) 55 08 78.*
⛴ *para Tenerife, Gran Canaria, Fuerteventura, Lanzarote y la Península : Cía Trasmediterránea : Puerto de la Estaca 3 ✆ (922) 55 01 29 Fax (922) 55 01 29.*
ℹ *Licenciado Bueno 3 ✆ (922) 55 03 02 Fax (922) 55 10 52.*

en Las Playas *Suroeste : 20 km – ✉ 38900 Valverde :*

Parador de El Hierro ⛰, ✆ (922) 55 80 36, *Fax (922) 55 80 86,* ≤, 🏊 – ▤ rest, 📺 ☎ Ⓟ. AE ⓓ E VISA. ✗
Comida 3500 – ☕ 1300 – **47 hab** 12800/16000.

LA PALMA (Santa Cruz de Tenerife)

Barlovento *38726 – 2 557 h.*
Santa Cruz de la Palma 41.

La Palma Romántica ⛰, Las Llanadas ✆ (922) 18 62 21, *Fax (922) 18 64 00,* ≤, 🏋, 🏊, 🏊, 🎾 – Ⓟ. E. ✗ rest
Comida 2100 – **41 hab** ☕ 11500/16000.

Breña Alta *38710 – 5 101 h. alt. 350.*
Santa Cruz de la Palma 10.

en la carretera TF 812 *Norte : 2,5 km – ✉ 38710 Breña Alta :*

Las Tres Chimeneas, Buenavista de Arriba 82 ✆ (922) 42 94 70 – Ⓟ.

Los Llanos de Aridane *38760 – 15 522 h. alt. 350.*
Alred. : *El Time★★ ※★★ Oeste : 12 km – Parque Nacional de la Caldera de Taburiente★★★ (La Cumbrecita y El Lomo de las Chozas ※★★★) Noreste : 20 km – Fuencaliente (paisaje★) Sureste : 23 km – Volcán de San Antonio★ Sureste : 25 km – Volcán Teneguía★.*
Santa Cruz de la Palma 37.

Valle Aridane sin rest, glorieta Castillo Olivares ✆ (922) 46 26 00, *Fax (922) 40 10 19* – 🛗 📺 ☎. AE ⓓ E VISA. ✗
☕ 550 – **42 hab** 4800/5900.

Edén sin rest, pl. de España 1 ✆ (922) 46 01 04, *Fax (922) 46 01 83* – VISA. ✗
☕ 600 – **20 hab** 3000/4400.

San Petronio, Pino de Santiago 40 ✆ (922) 46 24 03, *Fax (922) 46 24 03,* ≤, 🏞 – ▤ Ⓟ. E VISA. ✗
cerrado domingo, lunes, 1 mes en primavera y 1 mes en otoño – **Comida** - cocina italiana - carta aprox. 2850.

Puerto Naos *38760.*
Santa Cruz de la Palma 40.

Sol Élite La Palma ⛰, Punta del Pozo 24 ✆ (922) 40 80 00, *Fax (922) 40 80 14,* ≤, 🏋, 🏊 climatizada, 🏖, 🎾 – 🛗 ▤ 📺 ☎ Ⓟ – 🏛 25/100. AE ⓓ E VISA. ✗
Comida - sólo cena - 1650 - ***El Time*** *(cerrado domingo)* **Comida** carta 2350 a 4200 – **304 hab** ☕ 11000/13610, 4 suites.

Santa Cruz de la Palma *38700 – 17 069 h. – Playa.*
Ver : *Iglesia de El Salvador (artesonados★).*
Alred. : *Mirador de la Concepción ≤★ Suroeste : 9 km – Parque Nacional de la Caldera de Taburiente★★★ (La Cumbrecita y El Lomo de las Chozas ※★★★) Oeste : 33 km – Noroeste : La Galga (barranco★), Los Tilos★, Roque de los Muchachos★★★ (※★★★) (36 km).*
✈ *de la Palma, Suroeste : 8 km ✆ (922) 42 61 00 – Iberia : Apurón 1 ✆ (922) 42 61 00.*
⛴ *para Tenerife, Gran Canaria, Fuerteventura, Lanzarote y la Península : Cía. Trasmediterránea : av. Pérez de Brito 2 ✆ (922) 41 11 21 Fax (922) 41 39 53.*
ℹ *O'Daly 22 (Casa Salasar) ✆ (922) 41 21 06 Fax (922) 42 00 30.*

Parador de Santa Cruz de la Palma sin rest, av. Marítima 34 ✆ (922) 41 23 40, *Fax (922) 41 18 56,* « Decoración regional » – 🛗 📺 ☎. AE ⓓ E VISA JCB. ✗
☕ 1100 – **32 hab** 7200/9000.

Marítimo av. Marítima 75 ✆ (922) 42 02 22, *Fax (922) 41 43 02* – 🛗, ▤ rest, 📺 ☎
69 hab.

en la playa de Los Cancajos *Sureste : 4,5 km – ✉ 38712 Los Cancajos :*

Hacienda San Jorge, pl. de Los Cancajos 22 ✆ (922) 18 10 66, *Fax (922) 43 45 28*, « Jardín con », – , rest, – 25/120. AE E VISA.
Comida - sólo cena - 2000 – 1000 – **155 apartamentos** 12100.

CANDANCHÚ *22889 Huesca* 443 **D 28** – *alt. 1 560 – Deportes de invierno : 25.*
Alred. : *Puerto de Somport★★ ★★ Norte : 2 km.*
Madrid 513 – Huesca 123 – Oloron-Ste-Marie 55 – Pamplona/Iruñea 143.

Tobazo , ✆ (974) 37 31 25, *Fax (974) 37 31 25*, alta montaña – . E VISA. rest
diciembre-3 mayo y 15 julio-15 septiembre – **Comida** 1650 – 575 – **52 hab** 6000/9550

CANDÁS *33430 Asturias* 441 **B 12** – *Playa.*
Bernardo Alfageme ✆ (98) 588 48 88 (temp).
Madrid 477 – Avilés 17 – Gijón 14 – Oviedo 42.

Marsol, Astilleros ✆ (98) 587 01 00, *Fax (98) 587 15 62*, – . AE E VISA.
Comida - sólo buffet - 1400 – 750 – **87 hab** 10400/13000.

La Parra sin rest, Tenderina 4 ✆ (98) 587 20 04, *Fax (98) 587 04 96* – . AE VISA.
cerrado noviembre – 500 – **18 hab** 7000/9000.

en la carretera AS 239 *Sureste : 2 km – ✉ 33491 Perlora :*

Piedra, ✆ (98) 587 09 15, *Fax (98) 587 09 15* – , rest, . E VISA.
Comida 1400 – 500 – **82 hab** 7500/11000.

CANDELARIA *Santa Cruz de Tenerife – ver Canarias (Tenerife).*

CANDELARIO *37710 Salamanca* 441 **K 12** – *1 094 h. alt. 1 126.*
Ver : *Pueblo típico★.*
Madrid 217 – Ávila 108 – Béjar 5 – Plasencia 61 – Salamanca 74.

Artesa , Mayor 57 ✆ (923) 41 31 11, *Fax (923) 41 30 87*, Artesanía local – E VISA.
Comida *(sólo fines de semana de octubre-mayo)* 1250 – 450 – **9 hab** 3500/6500 – PA 2500.

CANDELEDA *05480 Ávila* 442 **L 14** – *5 539 h. alt. 428.*
Madrid 163 – Ávila 93 – Plasencia 100 – Talavera de la Reina 64.

Los Castañuelos, Ramón y Cajal 77 ✆ (920) 38 06 84, *Fax (920) 38 21 13* – AE E VISA.
Comida 1850 – 650 – **14 hab** 4500/5600 – PA 4350.

CANELAS (Playa de) *Pontevedra – ver Portonovo.*

CANFRANC-ESTACIÓN *22880 Huesca* 443 **D 28** – *610 h.*
pl. Ayuntamiento 1 ✆ (974) 37 31 41.
Madrid 504 – Huesca 114 – Pamplona/Iruñea 134.

Villa de Canfranc, Fernando el Católico 17 ✆ (974) 37 20 12, *Fax (974) 37 20 12*, – . E VISA.
4 diciembre-11 abril y 15 junio-septiembre – **Comida** 1200 – 400 – **52 hab** 3400/6000 – PA 2380.

Villa Anayet, pl. José Antonio 8 ✆ (974) 37 31 46, *Fax (974) 37 33 91*, , – . AE VISA.
2 diciembre-15 abril y julio-20 septiembre – **Comida** 1125 – 395 – **67 hab** 2875/4950 – PA 2245.

Ara sin rest, pl. del Ayuntamiento 1 ✆ (974) 37 30 28, – .
Navidades-Semana Santa y julio-agosto – 475 – **30 hab** 2300/4650.

en la carretera N 330 *Norte : 2,5 km – ✉ 22880 Canfranc-Estación :*

Santa Cristina ⑤, ℘ (974) 37 33 00, *Fax (974) 37 33 10* – |‡| 📺 ☎ – 🏛 25/50. AE ⓓ E VISA. ⚒ rest
cerrado 16 octubre-noviembre – **Comida** 1715 – ☕ 725 – **58 hab** 7050/9400.
Ver también : **Astún (Valle de)** *Norte : 12,5 km*
Candanchú *Norte : 9 km.*

CANGAS DE MORRAZO *36940 Pontevedra* 441 **F 3** – *21 729 h. – Playa.*
Alred. : *Hío (crucero★) Noroeste : 7 km.*
Madrid 629 – Pontevedra 33 – Vigo 24.

Las Vegas sin rest, av. Pontevedra ℘ (986) 30 43 00, *Fax (986) 30 49 58,* ⩽, ⛱ – ☎ Ⓟ. AE E VISA. ⚒
☕ 400 – **29 hab** 4500/7500, 4 suites.

Casa Simón, barrio de Balea ℘ (986) 30 00 16, *Fax (986) 30 20 00* – ▤ Ⓟ. AE ⓓ E VISA JCB. ⚒
cerrado lunes y 2ª quincena de octubre – **Comida** - pescados y mariscos - carta aprox. 4500.

en la carretera de Bueu por la costa *Oeste : 2 km – ✉ 36940 Cangas de Morrazo :*

Don Hotel ⑤, Tobal Darbo ℘ (986) 30 44 00, *Fax (986) 30 44 00,* ⛱, 🌳 – ▤ rest, 📺 ☎ Ⓟ – 🏛 25/250. AE E VISA. ⚒
Comida 1300 – ☕ 450 – **40 hab** 7200/10110, 8 suites.

CANGAS DE ONÍS *33550 Asturias* 441 **B 14** – *6 484 h. alt. 63.*
Alred. : *Desfiladero de los Beyos★★★ Sur : 18 km.*
ℹ *av. de Covadonga (jardines del Ayuntamiento)* ℘ *(98) 584 80 05.*
Madrid 419 – Oviedo 74 – Palencia 193 – Santander 147.

Los Lagos, jardines del Ayuntamiento ℘ (98) 584 92 77, *Fax (98) 584 84 05* – |‡| 📺 ☎ – 🏛 25. AE ⓓ E VISA. ⚒
Comida (ver rest. Los Arcos) – ☕ 500 – **45 hab** 8000/10000.

Puente Romano sin rest, Puente Romano ℘ (98) 584 93 39, *Fax (98) 594 72 84* – 📺 ☎. E VISA. ⚒
☕ 600 – **27 hab** 8000/9000.

Los Robles sin rest. y sin ☕, San Pelayo 8 ℘ (98) 594 70 52, *Fax (98) 594 71 65* – |‡| 📺 ☎. VISA. ⚒
18 hab 8000/9000, 5 apartamentos.

Favila, Calzada de Ponga 16 ℘ (98) 594 71 56, *Fax (98) 594 73 76* – |‡| 📺 ☎. AE ⓓ E VISA. ⚒
cerrado diciembre – **Comida** *(cerrado viernes)* 1500 – ☕ 350 – **33 hab** 6500/8500 – PA 3000.

Los Arcos, av. de Covadonga ℘ (98) 584 92 77, *Fax (98) 584 84 05* – ▤.

en la carretera de Arriondas – ✉ *33550 Cangas de Onís :*

Parador de Cangas de Onís ⑤, Villanueva - Noroeste : 3 km ℘ (98) 584 94 02, *Fax (98) 584 95 20,* Restos arqueológicos, « En el antiguo Monasterio de San Pedro de Villanueva junto al río Sella y al pie de los picos de Europa » – |‡| ▤ 📺 ☎ Ⓟ – 🏛 25/400
64 hab.

El Capitán, Vega de Los Caseros - Noroeste : 2,5 km ℘ (98) 584 83 57, *Fax (98) 594 71 14* – |‡|, ▤ rest, 📺 ☎ Ⓟ. AE ⓓ E VISA. ⚒
abril-octubre – **Comida** 1500 – ☕ 500 – **28 hab** 8000/10000 – PA 3000.

en la carretera de Covadonga *Este : 2,5 km – ✉ 33550 Cangas de Onís :*

Los Acebos sin rest, ℘ (98) 594 00 42, *Fax (98) 584 91 53* – 📺 ☎ Ⓟ. AE ⓓ E VISA
14 hab ☕ 5000/7000.

La Cabaña, ℘ (98) 594 00 84 – ▤ Ⓟ. AE ⓓ E VISA. ⚒
cerrado jueves y febrero – **Comida** carta 2600 a 3700.

CANGAS DEL NARCEA *33800 Asturias* 441 **C 10** – *19 083 h. alt. 376.*
Madrid 493 – Luarca 83 – Ponferrada 113 – Oviedo 100.

El Molinón sin rest, Uría 36 ℘ (98) 581 29 52, *Fax (98) 581 29 53* – ▤ 📺 ☎. AE ⓓ E VISA. ⚒
☕ 500 – **16 hab** 4500/7500.

CANIDO *36390 Pontevedra* 441 F 3.
Madrid 612 – Orense/Ourense 108 – Vigo 10.

XX **Cíes y Resid. Estay** con hab, playa de Canido 191 ☎ (986) 49 01 01, *Fax (986) 49 08 75* – ▤ rest, TV ☎. AE E VISA. ✗
cerrado 23 diciembre-4 enero – **Comida** *(cerrado domingo noche y lunes)* carta 3300 a 4600 – ☐ 400 – **26 hab** 6000/8000.

CANILLO *Andorra – ver Andorra (Principado de).*

CANTAVIEJA *44140 Teruel* 443 K 28 – *737 h. alt. 1200.*
Madrid 392 – Teruel 91.

Balfagón, av. del Maestrazgo 20 ☎ (964) 18 50 76, *Fax (964) 18 50 76,* ≤ – TV ☎ P. AE O E VISA. ✗
cerrado del 10 al 30 de noviembre – **Comida** *(cerrado domingo noche y lunes mediodía salvo festivos y verano)* 1500 – ☐ 700 – **38 hab** 4000/6000 – PA 3150.

CANTERAS *30394 Murcia* 445 T 27.
Madrid 465 – Alicante/Alacant 112 – Cartagena 8 – Lorca 68 – Murcia 66.

X **Sacromonte,** Cooperativa Alcalde Cartagena ☎ (968) 53 53 28 – ▤. O E VISA. ✗
cerrado lunes salvo festivos y vísperas – **Comida** carta aprox. 3100.

CANYAMEL *Baleares – ver Baleares (Mallorca) : Capdepera.*

CANYELLES PETITES (Playa de) *Gerona – ver Rosas.*

Las CAÑADAS DEL TEIDE *Santa Cruz de Tenerife – ver Canarias (Tenerife).*

CAÑAMARES *16890 Cuenca* 444 K 23 – *622 h. alt. 883.*
Alred. : *Convento de San Miguel de las Victorias (emplazamiento★).*
Madrid 191 – Cuenca 52 – Sacedón 72 – Teruel 181.

Río Escabas, carret. de Cuenca ☎ (969) 31 04 52, *Fax (969) 31 03 76* – TV ☎ ⇔ P. E VISA. ✗ rest
Comida 1700 – ☐ 350 – **25 hab** 4000/8000.

CAÑAMERO *10136 Cáceres* 444 N 13 – *1901 h. alt. 611.*
Madrid 265 – Cáceres 113 – Mérida 114.

Ruiz ♨, Pablo García Garrido 2 ☎ (927) 15 70 75, *Fax (927) 36 93 02* – ▤ TV ☎. VISA. ✗
Comida 2500 – ☐ 400 – **27 hab** 3500/6000.

CAÑICOSA *40163 Segovia* 442 I 18 – *alt. 1156.*
Madrid 114 – Aranda de Duero 79 – Segovia 35 – Valladolid 106.

XX **Codex Calixtinus,** Caces 6 ☎ (921) 50 42 06, *Fax (921) 50 42 06,* « Ambiente acogedor en un marco rústico » – AE O E VISA
cerrado lunes – **Comida** carta aprox. 4200.

La CAÑIZA o A CAÑIZA *36880 Pontevedra* 441 F 5 – *7387 h.*
Madrid 548 – Orense/Ourense 49 – Pontevedra 76 – Vigo 57.

O'Pozo, carret. N 120 - Este : 1 km ☎ (986) 65 10 50, *Fax (986) 65 15 98,* ⛱ – TV ☎ P. AE E VISA. ✗
Comida 1800 – ☐ 450 – **20 hab** 3500/6000 – PA 4000.

X **Reveca,** Progreso 15 ☎ (986) 65 13 88
P. VISA. ✗
cerrado lunes – **Comida** carta 2800 a 4000.

CAPDEPERA *Baleares – ver Baleares (Mallorca).*

Si vous cherchez un hôtel tranquille,
consultez d'abord les cartes de l'introduction
ou repérez dans le texte les établissements indiqués avec le signe ♨ ou ♨.

CAPELLADES *08786 Barcelona* 443 H 35 – *5 027 h. alt. 317.*
Madrid 574 – Barcelona 75 – Lérida/Lleida 105 – Manresa 39.

Tall de Conill con hab, pl. Àngel Guimerà 11 ☎ (93) 801 01 30, *Fax (93) 801 04 04* – rest, . AE E VISA.
cerrado del 2 al 9 de enero y del 1 al 16 de julio – **Comida** *(cerrado domingo noche y lunes)* carta 3700 a 5100 – 650 – **10 hab** 4000/6500.

CAPILEIRA *18413 Granada* 446 V 19 – *576 h. alt. 1 561.*
Madrid 505 – Granada 76 – Motril 51.

Finca Los Llanos, carret. de Sierra Nevada ☎ (958) 76 30 71, *Fax (958) 76 32 06*, – . AE E VISA.
Comida 1200 – 500 – **15 apartamentos** 7000/10000 – PA 2800.

Mesón Poqueira, Dr. Castilla 1 ☎ (958) 76 30 48, *Fax (958) 76 30 48*, – AE E VISA.
Comida *(cerrado lunes no festivos en invierno)* 1500 – 300 – **17 hab** 2000/4000.

CARANCEJA *Cantabria – ver Quijas.*

CARAVACA DE LA CRUZ *30400 Murcia* 445 R 24 – *21 238 h. alt. 650.*
De las Monjas 17 ☎ (968) 70 24 24 Fax (968) 70 09 52.
Madrid 386 – Albacete 139 – Lorca 60 – Murcia 70.

Central Caravaca, Gran Vía 18 ☎ (968) 70 70 55, *Fax (968) 70 73 69* – . VISA.
Comida 1200 – 350 – **30 hab** 6000/9500.

Cañota, Gran Vía 41 ☎ (968) 70 88 44 – .
Comida - sólo almuerzo - carta aprox. 2500.

CARBALLINO o CARBALLIÑO *32500 Orense* 441 E 5 – *11 017 h. alt. 397 – Balneario.*
Madrid 528 – Orense/Ourense 29 – Pontevedra 76 – Santiago de Compostela 86.

Arenteiro sin rest, Alameda 19 ☎ (988) 27 05 50, *Fax (988) 27 31 56* – . AE E VISA.
500 – **45 hab** 4000/5800.

Noroeste sin rest y sin , travesía Cerca 2 ☎ (988) 27 09 70 – . VISA.
15 hab 3500.

CARBALLO *15100 La Coruña* 441 C 3 – *24 898 h. alt. 106.*
Madrid 636 – La Coruña/A Coruña 35 – Santiago de Compostela 45.

Moncarsol sin rest, av. Finisterre 9 ☎ (981) 70 24 11, *Fax (981) 70 25 18* – – 25/75. E VISA.
600 – **32 hab** 4000/9000.

Chochi, Perú 9 ☎ (981) 70 23 11 – . AE VISA.
cerrado domingo – **Comida** - sólo almuerzo salvo fines de semana - carta aprox. 3800.

CARCAGENTE o CARCAIXENT *46740 Valencia* 445 O 28 – *20 062 h. alt. 21.*
Madrid 381 – Gandía 39 – Valencia 45 – Játiva/Xàtiva 18.

en la carretera C 3320 *Suroeste : 3 km – ✉ 46740 Carcagente :*

Masía de la Calzada, Partida de la Marjal 259 ☎ (96) 243 04 33, , « Decoración rústica » – . AE E VISA.
cerrado domingo noche – **Comida** carta aprox. 4500.

CARCHUNA *18730 Granada* 446 V 19 – *Playa.*
Madrid 506 – Almería 98 – Granada 82.

por la carretera N 340 *Este : 2 km – ✉ 18730 Carchuna :*

Perla de Andalucía, urb. Perla de Andalucía ☎ (958) 62 42 42, *Fax (958) 62 43 62*, , – – **57 hab.**

CARDEDEU *08440 Barcelona* 443 H 37 – *9 074 h. alt. 193.*
Madrid 648 – Barcelona 35 – Gerona/Girona 68 – Manresa 77.

Racó del Santcrist, Teresa Oller 35 ☎ (93) 846 10 43 – . AE E VISA JCB.
cerrado domingo noche, lunes y del 11 al 24 de enero – **Comida** - pescados y mariscos - carta 3500 a 5000.

CARDONA *08261 Barcelona* 443 G 35 – *6 402 h. alt. 750.*
Ver : *Colegiata2 (cripta★) – Castillo★.*
av. Rastrillo (93) 869 27 98.
Madrid 596 – Lérida/Lleida 127 – Manresa 32.

Parador de Cardona, (93) 869 12 75, *Fax (93) 869 16 36*, valle y montaña « Instalado en un castillo medieval », – – 25/80.
Comida 3500 – 1300 – **54 hab** 14000/17500 – PA 7055.

La CARLOTA *14100 Córdoba* 446 S 15 – *8 843 h. alt. 213.*
Madrid 428 – Córdoba 30 – Granada 193 – Sevilla 108.

en la antigua carretera N IV *Noreste : 2 km – 14100 La Carlota :*

El Pilar, (957) 30 01 67, *Fax (957) 30 06 19*, – – 25/700
Comida (ver rest. ***El Pilar***) – 550 – **85 hab** 6000/8000.

El Pilar, (957) 30 01 67, *Fax (957) 30 06 19* –
Comida carta 2300 a 3500.

CARMONA *41410 Sevilla* 446 T 13 – *23 516 h. alt. 248.*
Ver : *Ciudad Vieja★.*
Arco de la Puerta de Sevilla (95) 419 09 55 Fax (95) 419 00 80.
Madrid 503 – Córdoba 105 – Sevilla 33.

Parador de Carmona, (95) 414 10 10, *Telex 72992, Fax (95) 414 17 12*, vega del Corbones, « Conjunto de estilo mudéjar », – – 25/250.
Comida 3700 – 1300 – **63 hab** 14800/18500.

Casa de Carmona, pl. de Lasso 1 (95) 419 10 00, *Fax (95) 419 01 89*, « Instalado en un palacio del siglo XVI. Mobiliario de gran estilo » – – 25/70. rest
Comida 6000 – **29 hab** 21000/27000, 1 suite.

San Pedro sin rest, San Pedro 3 (95) 419 00 87 –
375 – **14 hab** 6000/8000.

San Fernando, Sacramento 3 (95) 414 35 56 –
cerrado domingo noche, lunes y agosto – **Comida** carta 3700 a 4600.

El Ancla, Bonifacio IV-8 (95) 414 38 04 –
cerrado miércoles y del 15 al 30 de septiembre – **Comida** carta 3100 a 4000.

La Almazara, Santa Ana 31 (95) 419 00 76, *Fax (95) 414 36 50* –
Comida carta 3050 a 3800.

CARMONA *39554 Cantabria* 442 C 16.
Madrid 408 – Oviedo 162 – Santander 69.

Venta de Carmona con hab, barrio del Palacio (942) 72 80 57, *Fax (942) 72 80 57*, « Instalado en un palacete » –
cerrado 15 enero-15 marzo – **Comida** carta 2125 a 2875 – 400 – **8 hab** 7000.

La CAROLINA *23200 Jaén* 446 R 19 – *14 759 h. alt. 205.*
Madrid 267 – Córdoba 131 – Jaén 66 – Úbeda 50.

NH La Perdiz, carret. N IV (953) 66 03 00, *Fax (953) 68 13 62*, « Conjunto de estilo rústico », – – 25/400. rest
Comida 3500 – 1100 – **86 hab** 10500/11000.

La Gran Parada sin rest y sin , av. Vilches 9 (953) 66 02 75, *Fax (953) 66 00 52* –
18 hab 2800/3800.

junto a la autovía N IV *Noreste : 4 km – 23200 La Carolina :*

Orellana Perdiz, Navas de Tolosa (953) 66 06 00, *Fax (953) 66 18 30*, – – 25/350.
Comida 2100 – 500 – **28 hab** 5500/7800.

CARRASCOSA DEL CAMPO *16830 Cuenca* 444 L 21 – *143 h. alt. 898.*
Madrid 105 – Cuenca 57 – Guadalajara 128 – Toledo 126.

El Prado sin rest, (969) 12 41 32, *Fax (969) 12 43 86* –
350 – **20 hab** 4000/6000.

CARRIL *36610 Pontevedra* 441 E 3.

Madrid 636 – Pontevedra 29 – Santiago de Compostela 38.

XX **Loliña,** pl. del Muelle ✆ (986) 50 12 81, « Decoración rústica regional » – AE E VISA.
cerrado domingo noche, lunes y noviembre – **Comida** - pescados y mariscos - carta 3800 a 5100
Espec. Rape Loliña. Habas con bogavante. Arroz Loliña.

X **Casa Bóveda,** La Marina 2 ✆ (986) 51 12 04 – ▤.
cerrado domingo noche (invierno) y 23 diciembre-23 enero – **Comida** - pescados y mariscos - carta 3600 a 4600.

CARRIÓN DE LOS CONDES *34120 Palencia* 442 E 16 – *2 534 h. alt. 830.*

Ver : *Monasterio de San Zoilo (claustro★).*
Alred. : *Villalcazar de Sirga (iglesia de Santa María La Blanca : portada sur★, sepulcros góticos★) Sureste : 7 km. – Madrid 282 – Burgos 82 – Palencia 39.*

Real Monasterio de San Zoilo, Obispo Souto ✆ (979) 88 00 50, *Fax (979) 88 10 90*, « Integrado en el antiguo Real Monasterio Benedictino » – ▤ rest, ☎ – 25/500. AE VISA.
Comida 2425 - ***Las Vigas* :** **Comida** carta 3200 a 4225 – 500 – **37 hab** 5900/8900.

X **La Corte** con hab. y sin, Santa María 36 ✆ (979) 88 01 38, *Fax (979) 88 01 38* – VISA.
– *cerrado Navidades* – **Comida** *(cerrado sábado)* carta 2100 a 3400 – **19 hab** 4000/6000.

CARTAGENA *30200 Murcia* 445 T 27 – *173 061 h.*

pl. Bastarreche (Puertas de San José) ✉ 30202 ✆ (968) 50 64 83.
Madrid 444 ① – Alicante/Alacant 110 ① – Almería 240 ① – Lorca 83 ① – Murcia 49 ①

CARTAGENA

Almirante Bastarreche (Pl.)	B	3
América (Av. de)	B	4
Cuatro Santos	A	
Duque	B	6
Isaac Peral	A	7
Jacinto Benavente	B	9
Juan Fernández	A	10
Juan Muñoz Delgado	B	12
Mayor	A	
Menéndez y Pelayo	A	13
Parque	A	15
Puerta de Murcia	A	16
Ronda	A	18
San Fernando	A	
San Francisco (Pl.)	A	19
Santa Florentina	A	
Serreta	A	22
Universidad (Pl. de la)	B	24

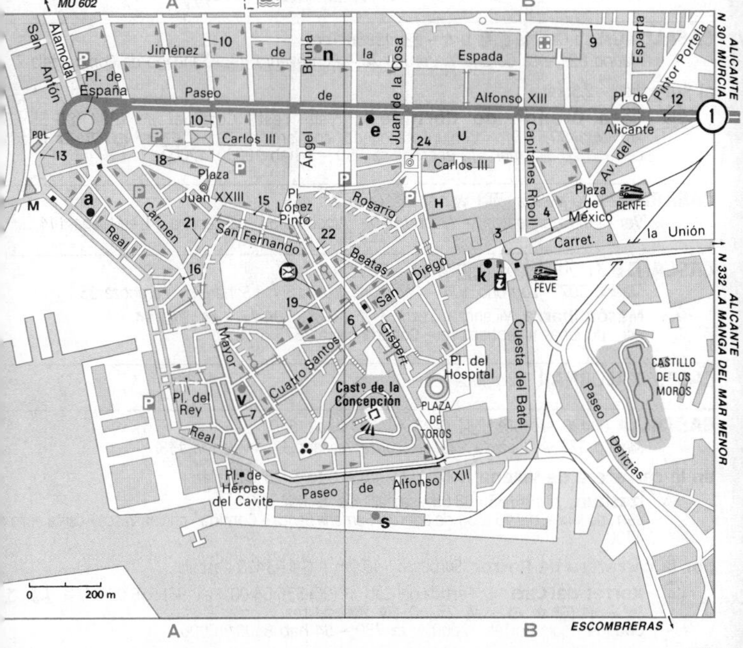

Cartagonova sin rest, Marcos Redondo 3, ✉ 30201, ✆ (968) 50 42 00
Fax (968) 50 59 66 – 25/35. AE E VISA. A
1100 – **100 hab** 12000/18000.

Alfonso XIII sin rest. con cafetería, paseo Alfonso XIII-40, ✉ 30203, ✆ (968) 52 00 00
Fax (968) 50 05 02 – 25/350. AE E VISA B
1100 – **217 hab** 8000/11550.

Los Habaneros, San Diego 60, ✉ 30202, ✆ (968) 50 52 50, *Fax (968) 50 91 04* –
AE E VISA. B
Comida (ver rest. ***Los Habaneros***) – 700 – **62 hab** 5700/7400.

Emilio Marín, Cartagena de Indias 15, ✉ 30203, ✆ (968) 50 00 15, *Fax (968) 50 00 1*
– AE VISA. A
cerrado domingo y agosto – **Comida** carta 3300 a 4250.

Mare Nostrum, paseo de Alfonso XII, ✉ 30201, ✆ (968) 52 21 31, *Fax (968) 12 41 03*
AE E VISA B
Comida carta 2950 a 4550.

Los Habaneros, San Diego 60, ✉ 30202, ✆ (968) 50 52 50, *Fax (968) 50 91 04* –
AE E VISA. B
Comida carta 2800 a 4300.

Tino's, Escorial 13, ✉ 30202, ✆ (968) 12 10 65 – AE E VISA. A
Comida carta 2475 a 3250.

en la carretera de La Palma *Norte : 6 km – ✉ 30300 Barrio de Peral :*

Los Sauces, ✆ (968) 53 07 58, *Fax (968) 53 07 58*, « En pleno campo con agradabl
terraza » – AE E VISA.
cerrado sábado y domingo mediodía en julio-agosto y domingo noche resto del año
Comida carta aprox. 4100.

CARVAJAL *Málaga – ver Fuengirola.*

CASALARREINA *26230 La Rioja* 442 **E 21** – *862 h. alt. 499.*
Madrid 319 – Bilbao/Bilbo 100 – Burgos 88 – Logroño 48 – Vitoria/Gasteiz 54.

La Vieja Bodega, Calvo Sotelo 17 ✆ (941) 32 42 54, *Fax (941) 32 42 54*, « Decoració
rústica » – E VISA JCB
cerrado 25 enero-15 febrero – **Comida** carta 3000 a 3500.

CASALONGA *La Coruña* 441 **D 4** – ✉ *15886 Teo.*
Madrid 621 – La Coruña/A Coruña 78 – Pontevedra 49 – Santiago de Compostela 7.

al Sureste : *2,5 km*

Casa Grande de Cornide sin rest, Cornide ✆ (981) 80 55 99
Fax (981) 80 57 51, « Conjunto acogedor con jardín y » – AE E VISA
cerrado 20 diciembre-10 enero – 950 – **7 hab** 10000/12000.

CASARES *29690 Málaga* 446 **W 14** – *3 309 h. alt. 435.*
Ver : *Emplazamiento★. – Madrid 640 – Algeciras 56 – Estepona 24 – Málaga 111.*

CASCANTE *31520 Navarra* 442 **G 24** – *3 312 h.*
Madrid 307 – Logroño 104 – Pamplona/Iruñea 94 – Soria 81 – Zaragoza 85.

Mesón Ibarra, Vicente y Tutor 3 ✆ (948) 85 04 77 – VISA.
cerrado lunes y septiembre – **Comida** carta 2575 a 3850.

CASES D'ALCANAR *Tarragona – ver Alcanar.*

CASTALLA *03420 Alicante* 445 **Q 27** – *7 205 h. alt. 630.*
Madrid 376 – Albacete 129 – Alicante/Alacant 37 – Valencia 138.

en la carretera de Villena *Norte : 2,5 km* – ✉ *03420 Castalla :*

Izaskun, ✆ (96) 656 08 08 – AE E VISA.
cerrado lunes, del 15 al 31 de enero y Semana Santa – **Comida** - cocina vasca - carta aprox
4500.

por la carretera de Petrer *Suroeste : 10 km* – ✉ *03420 Castalla :*

Xorret del Catí, Partida del Catí ✆ (96) 556 04 00, *Fax (96) 556 04 01*,
– 25/50. VISA. rest
Comida - sólo buffet - 2000 – 750 – **54 hab** 8500/10000.

ASTEJÓN *31590 Navarra* 442 **F 24 y 25** – *3 114 h. alt. 273.*
Madrid 324 – Logroño 83 – Pamplona/Iruñea 85 – Soria 97 – Tudela 18.

n la carretera N 232 *Sur : 5,5 km – ✉ 31590 Castejón :*

Villa de Castejón, ✆ (948) 84 20 12, *Fax (948) 84 20 14,* ≤, – ▤ TV ☎ P – 25/500
90 hab.

ASTEJÓN DE SOS *22466 Huesca* 443 **E 31** – *466 h.*
Madrid 524 – Huesca 134 – Lérida/Lleida 134.

Pirineos, El Real 38 ✆ (974) 55 32 51, *Fax (974) 55 33 69* – TV ☎. E VISA.
Comida *(cerrado domingo noche)* 1800 – ☕ 750 – **37 hab** 4000/7500 – PA 3750.

Plaza, pl. del Pilar 2 ✆ (974) 55 30 50, *Fax (974) 55 30 50* – TV. E VISA.
Comida - sólo cena en Semana Santa y verano - 1600 – ☕ 460 – **9 hab** 4000/5400.

Sositana, Valle Sositana 2 ✆ (974) 55 30 94 – E VISA.
Comida 1500 – ☕ 400 – **14 hab** 5000.

S CASTELL *Baleares – ver Menorca.*

ASTELL D'ARO *Gerona – ver Castillo de Aro.*

ASTELL DE FERRO *18740 Granada* 446 **V 19** – *Playa.*
Alred. : *Carretera★ de Castell de Ferro a Calahonda.*
Madrid 528 – Almería 90 – Granada 99 – Málaga 131.

Ibérico, carret. N 340 ✆ (958) 65 60 80, – TV ☎ P. AE E VISA. rest
Comida 1300 – ☕ 300 – **16 hab** 3000/6000.

ASTELLAR DE NUCH o CASTELLAR DE N'HUG *08696 Barcelona* 443 **F 36** – *162 h. alt. 1 395. – Madrid 666 – Manresa 89 – Ripoll 39.*

Les Fonts, Suroeste : 3 km ✆ (93) 825 70 89, *Fax (93) 825 70 89,* ≤, – TV ☎ P. AE E VISA. rest
cerrado noviembre – **Comida** 2100 – ☕ 675 – **25 hab** 4800/9600 – PA 4200.

ASTELLAR DEL VALLÉS *08211 Barcelona* 443 **H 36** – *13 481 h.*
Madrid 625 – Barcelona 28 – Sabadell 8.

or la carretera de Terrassa *Suroeste : 5 km – ✉ 08211 Castellar del Vallés :*

Can Font, ✆ (93) 714 53 77, *Fax (93) 714 53 77,* « Decoración rústica catalana », – ▤ P.

ASTELLAR DE LA FRONTERA *11350 Cádiz* 446 **X 13** – *2 299 h. alt. 257.*
Madrid 698 – Algeciras 27 – Cádiz 150 – Gibraltar 27.

l Sureste : *8 km*

La Almoraima, ✆ (956) 69 30 02, *Fax (956) 69 32 14,* « Antigua casa-convento en un gran parque », – ▤ TV ☎ P. AE VISA. rest
Comida 3000 – ☕ 750 – **17 hab** 8000/13000 – PA 6000.

ASTELLBISBAL *08755 Barcelona* 443 **H 35** – *4 969 h. alt. 132.*
Madrid 605 – Barcelona 27 – Manresa 40 – Tarragona 84.

n la carretera de Martorell a Terrassa C 243 *Oeste : 9 km – ✉ 08755 Castellbisbal :*

Ca l'Esteve, ✆ (93) 775 56 90, *Fax (93) 774 18 23,* – ▤ P. AE E VISA.
cerrado lunes noche, martes y 18 agosto-5 septiembre – **Comida** carta 2770 a 5015.

ASTELLCIUTAT *Lérida – ver Seo de Urgel.*

ASTELLDEFELS *08860 Barcelona* 443 **I 35** – *33 023 h. – Playa.*
pl. de la Iglesia 1 ✆ (93) 665 11 50 Fax (93) 665 77 14.
Madrid 615 – Barcelona 24 – Tarragona 72.

Cal Mingo, pl. Pau Casals 2 (prev. trasl. a Viladecans) ✆ (93) 664 49 62, *Fax (93) 664 56 26* – ▤. AE E VISA.
cerrado domingo noche – **Comida** carta aprox. 4250.

en el barrio de la playa :

Rancho Park H., passeig de la Marina 212 (93) 665 19 00, *Fax (93) 636 08 32*, - - 70/500
104 hab.

Mediterráneo, passeig Marítim 294 (93) 665 21 00, *Fax (93) 665 22 50*, - - 25/200. AE E VISA. rest
Comida carta aprox. 4350 - 1200 - **47 hab** 10200/14500.

Luna, passeig de la Marina 155 (93) 665 21 50, *Fax (93) 665 22 12*, - - 25/150. AE E VISA. rest
Comida 2750 - 1000 - **29 hab** 10000/14000, 1 suite.

Playafels, playa Ribera de San Pedro 1-9 (93) 665 12 50, *Fax (93) 664 10 01*, -
34 hab.

Neptuno, av. dels Banys 45 (93) 664 43 63, *Fax (93) 665 22 12*, - E VISA
Comida *(cerrado lunes)* 1400 - 700 - **16 hab** 7500/8500.

La Canasta, passeig Marítim 197 (93) 665 68 57, *Fax (93) 636 02 88*, - . E VISA.
Comida carta 4675 a 5950.

Náutic, passeig Marítim 374 (93) 665 01 74, *Fax (93) 665 23 54*, « Decoració marinera » - . AE E VISA JCB.
Comida - pescados y mariscos - carta 3200 a 5700.

Pepperone, av. dels Banys 39 (93) 665 03 66, *Fax (93) 865 44 58*, - .

Mar Blanc, Ribera de Sant Pere 17 (93) 636 00 75, *Fax (93) 636 00 75*, - E VISA.
cerrado domingo noche y lunes (salvo 24 junio-septiembre) y del 1 al 20 de octubre
Comida carta 3000 a 4575.

en la carretera C 246 *Suroeste : 2,5 km – 08860 Castelldefels :*

Las Botas, av. Constitución 326 (93) 665 18 24, *Fax (93) 665 18 24*, « Decoración típica » - . AE E.
cerrado domingo noche (octubre-junio) – **Comida** carta 3315 a 4250.

en Torre Barona *Oeste : 2,5 km – 08860 Castelldefels :*

G.H. Rey Don Jaime, av del Hotel 22 (93) 665 13 00, *Fax (93) 665 18 01*, - - 25/170. AE E VISA JCB rest
Comida 3500 – **235 hab** 14000/18000, 5 suites.

CASTELLFOLLIT DE LA ROCA *17856 Gerona* 443 F 37 – *1 029 h. alt. 296.*
Ver : *Emplazamiento★.*
Madrid 682 – Barcelona 143 – Figueras/Figueres 44 – Gerona/Girona 46 – Vic 64.

CASTELLÓ DE AMPURIAS o CASTELLÓ D'EMPÚRIES *17486 Gerona* 443 F 39 – *3 645 alt. 17.*
Ver : *Iglesia de Santa María★ (retablo★, portada★★).*
pl. dels Homes 1 (972) 15 62 33.
Madrid 753 – Figueras/Figueres 8 – Gerona/Girona 46.

Canet, pl. Joc de la Pilota 2 (972) 25 03 40, *Fax (972) 25 06 07*, - , rest - 60. E VISA JCB. rest
cerrado 5 noviembre-5 diciembre – **Comida** *(cerrado lunes salvo verano)* 1500 – **28 ha** 5000/7500.

Allioli, carret. Figueras-Rosas - urb. Castellnou (972) 25 03 20, *Fax (972) 25 03 0* « Decoración rústica catalana » - . AE E VISA. rest
cerrado 21 diciembre-19 febrero – **Comida** 1875 – 550 – **43 hab** 7500/12500 – P. 3500.

Emporium, Santa Clara 31 (972) 25 05 93, *Fax (972) 25 06 61*, - rest, . E VISA.
cerrado octubre – **Comida** *(cerrado sábado salvo verano)* 1350 – 625 – **43 ha** 4000/7000 – PA 2825.
Ver también : **Ampuriabrava** *Sureste : 4 km*
Rosas *Noreste : 10 km.*

Le Guide change, changez de guide Michelin tous les ans.

CASTELLÓN DE LA PLANA o **CASTELLÓ DE LA PLANA** *12000* P 445 M 29 – *138 489 h. alt. 28.*

Mediterráneo, urb. la Coma, Norte : 3,5 km por ① ℘ (964) 32 12 27 – *Costa de Azahar, Noreste : 6 km* B *℘ (964) 28 09 79 Fax (964) 28 09 79.*

pl. María Agustina 5 ✉ 12003 ℘ (964) 22 10 00 Fax (964) 22 77 03 – **R.A.C.E.** *Pintor Orient 3 ✉ 12001 ℘ (964) 25 38 06.*

Madrid 426 ② – Tarragona 183 ① – Teruel 148 ③ – Tortosa 122 ① – Valencia 75 ②

Intur Castellón, Herrero 20, ✉ 12002, ℘ (964) 22 50 00, *Fax (964) 23 26 06,* – – 25/220. A n
Comida 2800 – 1100 – **118 hab** 14000/17500, 5 suites.

NH Mindoro, Moyano 4, ✉ 12002, ℘ (964) 22 23 00, *Fax (964) 23 31 54,* – – 25/300. A a
Comida 1900 – 1200 – **93 hab** 11000/15000, 12 suites – PA 5000.

Jaime I, ronda Mijares 67, ✉ 12002, ℘ (964) 25 03 00, *Fax (964) 20 37 79* – – 25/200. A b
Comida *(cerrado domingo noche)* 2100 – 975 – **89 hab** 9100/11500 – PA 4970.

Doña Lola, Lucena 3, ✉ 12006, ℘ (964) 21 40 11, *Fax (964) 25 22 35* – – 25/100 – **36 hab.** A c

Real sin rest y sin , pl. del Real 2, ✉ 12001, ℘ (964) 21 19 44, *Fax (964) 21 19 44* – . A s
36 hab 4600/6950.

Zaymar sin rest, Historiador Viciana 6, ✉ 12006, ℘ (964) 25 43 81, *Fax (964) 21 79 90* – – **27 hab.** A h

CASTELLÓ DE LA PLANA

CASTELLÓN DE LA PLANA

Arrufat Alonso . . . . . A 2
Barrachina . . . . . A 3
Benasal . . . . . A 4
Buenavista (Pas. de) . . . . . B 7
Burriana (Av.) . . . . . A 8
Canarias . . . . . B 9
Cardenal Costa (Av.) . . . . . A 13
Carmen (Pl. del.) . . . . . B 14
Churruca . . . . . B 18
Doctor Clará (Av.) . . . . . A 23
Enmedio . . . . . A
Espronceda (Av.) . . . . . A 24
Guitarrista Tárrega . . . . . A 28
Joaquín Costa . . . . . A 29
Maestro Ripollés . . . . . A 30
Mar (Av. del) . . . . . A 31
María Augustina (Plaza) . . . . . A 32
Morella (Pas.) . . . . . A 33
Oeste (Parque del) . . . . . A 34
Orfebres Santalínea . . . . . A 35
País Valencià (Pl.) . . . . . A 36
Rafalafena . . . . . A 38
Sanahuja . . . . . A 39
Sebastián Elcano . . . . . B 40
Tarragona . . . . . A 42
Teodoro Llorens . . . . . A 44
Trevalladors del Mar . . . . . B 45
Vinatea (Ronda) . . . . . A 48
Zaragoza . . . . . A 49

XX Peñalen, Fola 11, ✉ 12002, ☎ (964) 23 41 31 – ▤ A

XX **Delmónico,** pl. Cometa Halley 7, ✉ 12005, ☎ (964) 26 00 44, *Fax (964) 26 00 44* – ▤ AE ⓓ E VISA. ✗ A
cerrado domingo noche, miércoles, del 24 al 26 de diciembre, Semana Santa y 15 agosto-5 septiembre – **Comida** carta 3950 a 6000.

X **Arro, pes,** Benárabe 5, ✉ 12005, ☎ (964) 23 76 58, *Fax (964) 23 54 49* – ▤. AE ⓓ E VISA. ✗ A
cerrado lunes y agosto – **Comida** carta 2900 a 3900.

X **Mesón Navarro II,** Amadeo I-8, ✉ 12001, ☎ (964) 25 09 66, *Fax (964) 25 09 66* – ▤ AE E VISA. ✗ A
cerrado domingo (junio-septiembre), domingo noche y lunes (resto del año) y agosto – **Comida** carta aprox. 3350.

X **Eleazar,** Ximénez 14, ✉ 12001, ☎ (964) 23 48 61 – ▤. E VISA. ✗ A
cerrado domingo (junio-septiembre), domingo noche y lunes (resto del año) y agosto – **Comida** carta 2750 a 3150.

en el puerto (Grau) *Este : 5 km* – ✉ *12100 El Grau :*

Turcosa, Treballadors de la Mar 1 ☎ (964) 28 36 00, *Fax (964) 28 47 37*, ← – |‡| ▤ TV ☎ – 🏛 25/200. AE ⓓ E VISA. ✗ rest B
Comida 2100 – ☕ 950 – **70 hab** 9975/12300 – PA 4700.

XX **Rafael,** Churruca 28 ☎ (964) 28 21 85 – ▤. AE ⓓ E VISA. ✗ B
cerrado domingo, festivos, Navidades y del 15 al 30 de septiembre – **Comida** - pescados y mariscos - carta aprox. 7000.

XX **Brisamar,** paseo Buenavista 26 ☎ (964) 28 36 64, *Fax (964) 28 03 36*, 🌂 – ▤. AE ⓓ E VISA. ✗ B
cerrado martes y octubre – **Comida** carta aprox. 3500.

XX **Club Náutico,** Escollera Poniente ☎ (964) 28 24 33, *Fax (964) 28 24 33*, ←, 🌂 – ▤ Ⓟ. AE ⓓ E VISA. ✗ B
cerrado domingo noche y festivos noche salvo julio y agosto – **Comida** carta 3850 a 5400.

X **Tasca del Puerto,** av. del Puerto 13 ☎ (964) 28 44 81, *Fax (964) 28 50 33*, 🌂 – ▤ AE ⓓ E VISA. ✗ B
cerrado domingo noche, lunes salvo festivos y vísperas en invierno, domingo en verano, del 21 al 31 de enero y del 20 al 30 de noviembre – **Comida** carta 418 a 4750.

X **Casa Falomir,** paseo Buenavista 25 ☎ (964) 28 22 80 – ▤. ⓓ E VISA. ✗ B
cerrado domingo noche, lunes y Navidades – **Comida** - pescados y mariscos - carta 269 a 5450.

CASTELLVELL *Tarragona* – *ver Reus.*

CASTIELLO DE JACA *22710 Huesca* 443 **E 28** – *139 h. alt. 921.*
Madrid 488 – Huesca 98 – Jaca 7.

El Mesón, carret. de Francia 4 ☎ (974) 35 00 45, *Fax (974) 35 00 06*, ← – TV ☎. E VISA. ✗
Comida *(cerrado domingo noche)* 1500 – ☕ 500 – **25 hab** 3600/6000.

CASTILLEJA DE LA CUESTA *41950 Sevilla* 446 **T 11** – *15 205 h. alt. 104.*
Madrid 541 – Huelva 82 – Sevilla 5.

Hacienda San Ygnacio, Real 194 ☎ (95) 416 04 30, *Fax (95) 416 14 37*, 🌂 « Instalado en una antigua hacienda », 🏊, 🌳 – ▤ TV ☎ Ⓟ – 🏛 25/200. AE ⓓ E VISA JCB. ✗ rest
Almazara *(cerrado lunes y agosto)* **Comida** carta 2250 a 2850 – ☕ 1000 – **16 hab** 14000/19000.

CASTILLO DE ARO o CASTELL D'ARO *17249 Gerona* 443 **G 39** – *4 785 h.*
Madrid 711 – Barcelona 100 – Gerona/Girona 35.

XX **Joan Piqué,** barri de Crota 3 ☎ (972) 81 79 25, *Fax (972) 82 55 50*, 🌂, « Masía del siglo XIV » – ▤ Ⓟ. AE ⓓ E VISA. ✗
cerrado domingo noche y lunes (salvo verano), y octubre-15 marzo – **Comida** carta 570 a 6200.

CASTILLO DE LA DUQUESA *Málaga* – *ver Manilva.*

ASTRIL *18816 Granada* 446 S 21 – *3 074 h. alt. 959.*
Madrid 423 – Jaén 154 – Úbeda 100.

La Fuente, carret. de Pozo Alcón (958) 72 00 30 – rest, AE VISA.
Comida 1200 – 300 – **38 hab** 2500/4200 – PA 2500.

ASTRILLO DE DUERO *47318 Valladolid* 442 H 17 – *225 h. alt. 816.*
Madrid 203 – Aranda de Duero 34 – Burgos 111 – Palencia 119 – Segovia 76 – Valladolid 74.

n la carretera N 122 *Noroeste : 6 km – 47318 Castrillo de Duero :*

El Empecinado con hab, (983) 88 07 93, *Fax (983) 88 06 29*, , Vinoteca – AE E VISA JCB.
Comida carta 3300 a 4500 – 350 – **6 hab** 4000/5650.

ASTRILLO DEL VAL *09193 Burgos* 442 F 19 – *1 612 h. alt. 939.*
Madrid 243 – Burgos 11 – Logroño 114 – Vitoria/Gasteiz 116.

n la carretera N 120 *Noreste : 3 km – 09193 Castrillo del Val :*

Camino de Santiago , urb. Los Tomillares (947) 42 12 93, *Fax (947) 42 10 77* – – 400. E VISA JCB
Comida (ver rest. ***Los Braseros***) – 500 – **40 hab** 5400/8200.

Los Braseros, urb. Los Tomillares (947) 42 12 01, *Fax (947) 42 10 77* – . E VISA JCB.
cerrado martes – **Comida** carta aprox. 3300.

*Un conseil **Michelin** :*
pour réussir vos voyages, préparez-les à l'avance.
*Les **cartes** et **guides Michelin** vous donnent toutes indications utiles sur : itinéraires, visite des curiosités, logement, prix, etc.*

ASTRILLO DE LOS POLVAZARES *24718 León* 441 E 11 – *alt. 907.*
Madrid 339 – León 48 – Ponferrada 61 – Zamora 132.

Cuca la Vaina , Jardín (987) 69 10 78, *Fax (987) 69 10 78* – E VISA. rest
cerrado del 7 al 31 de enero – **Comida** *(cerrado lunes salvo agosto)* - sólo cena salvo (julio-septiembre) y fines de semana resto del año - 2200 – **7 hab** 6000/8000.

ASTRO URDIALES *39700 Cantabria* 442 B 20 – *13 575 h.* – *Playa.*
av. de la Constitución 1 *(942) 87 13 37.*
Madrid 430 – Bilbao/Bilbo 34 – Santander 73.

La Sota sin rest, La Correría 1 (942) 87 11 88, *Fax (942) 87 12 84* –
19 hab.

Mesón El Segoviano, La Correría 19 (942) 86 18 59, .

Mesón Marinero, La Correría 23 (942) 86 00 05, – .
Comida carta 3825 a 5200.

El Abra, Ardigales 48 (942) 87 04 74 – . E VISA.
cerrado miércoles y 22 diciembre-enero – **Comida** carta 3050 a 4050.

n la playa :

Las Rocas, av. de la Playa (942) 86 04 00, *Fax (942) 86 13 82*, – , rest, – 25/150. AE E VISA. rest
Comida *(cerrado Navidades)* 2650 – 750 – **60 hab** 8000/14000 – PA 5300.

Miramar, av. de la Playa 1 (942) 86 02 00, *Fax (942) 87 09 42*, – . AE E VISA.
15 marzo-octubre – **Comida** 2250 – 650 – **34 hab** 6800/8500.

ASTROJERIZ *09110 Burgos* 442 F 17 – *904 h. alt. 808.*
Madrid 249 – Burgos 43 – Palencia 48 – Valladolid 99.

La Posada, Landelino Tardajos 5 (947) 37 86 10, *Fax (947) 37 86 11* – . E VISA.
Comida (ver rest. ***El Mesón***) – 500 – **21 hab** 4200/7300.

El Mesón con hab, Cordón 1 (947) 37 74 00 – E VISA.
Comida carta 1900 a 2900 – 500 – **7 hab** 2900/4800.

CASTROPOL *33760 Asturias* 441 B 8 – *4913 h. – Playa.*
Madrid 589 – La Coruña/A Coruña 173 – Lugo 88 – Oviedo 154.

Peña-Mar, carret. N 640 ✆ (98) 563 51 49, *Fax (98) 563 54 98* – |‡| TV ☎ P. AE E VISA.
Comida (ver rest. ***Peña-Mar***) – ☕ 600 – **24 hab** 9000/10000.

Casa Vicente con hab, carret. N 640 ✆ (98) 563 50 51, *Fax (98) 563 53 62*, ≤ –
P. AE ⊕ E VISA. ✂
cerrado octubre – **Comida** *(cerrado martes)* carta aprox. 4400 – ☕ 450 – **14 ha**
3000/6000.

Peña-Mar, carret. N 640 ✆ (98) 563 50 06, *Fax (98) 563 54 98*, ≤ – P. AE E VISA.
cerrado jueves (salvo Semana Santa y verano) y noviembre – **Comida** carta 3600 a 55C

CASTROVERDE DE CAMPOS *49110 Zamora* 441 G 14 – *468 h. alt. 707.*
Madrid 261 – Benavente 34 – León 90 – Palencia 77 – Valladolid 69 – Zamora 69.

Mesón del Labrador, Doctor Corral 27 ✆ (980) 66 46 53, *Fax (980) 66 46 53* –
AE E VISA. ✂
Comida carta 2400 a 4200.

CATARROJA *46470 Valencia* 445 N 28 – *20157 h. alt. 16.*
Madrid 359 – Valencia 8.

Gurugú, Sant Pere 21 ✆ (96) 126 00 47 – ▤. AE E VISA. ✂
cerrado domingo, festivos, Semana Santa y agosto – **Comida** - sólo almuerzo salvo sábac
- carta aprox. 3600.

La CAVA *Tarragona – ver Deltebre.*

CAZALLA DE LA SIERRA *41370 Sevilla* 446 S 12 – *5016 h. alt. 590.*
Madrid 493 – Aracena 83 – Écija 102 – Sevilla 95.

Posada del Moro ⛰, paseo del Moro ✆ (95) 488 48 58, *Fax (95) 488 48 58*,
– ▤ TV. AE ⊕ VISA. ✂
Comida 2800 – ☕ 500 – **15 hab** 5000/8000.

CAZORLA *23470 Jaén* 446 S 20 – *8885 h. alt. 790.*
Alred. : *Sierra de Cazorla★★ (Hornos : emplazamiento★ carretera del pantano ≤★★)*
Carretera de acceso al Parador★ (≤★★) Sureste : 25 km.
Juan Domingo 2 ✆ (953) 72 01 15 Fax (953) 71 00 68.
Madrid 363 – Jaén 101 – Úbeda 46.

Villa Turística de Cazorla ⛰, Ladera de San Isicio ✆ (953) 71 01 0
Fax (953) 71 01 52, ≤, ☂, ⛱ – ▤ TV ☎ P – 🏊 25. AE ⊕ E VISA. ✂
Comida 1450 – ☕ 550 – **32 apartamentos** 6500/10200.

Don Diego sin rest, Hilario Marco 163 ✆ (953) 72 05 31, *Fax (953) 72 05 45* – ▤
☎ 🚗 P. AE ⊕ E VISA
☕ 600 – **23 hab** 3600/5400.

Peña de los Halcones sin rest, travesía Camino de la Iruela ✆ (953) 72 02 1
Fax (953) 72 13 35, ≤ – |‡| ▤ TV ☎
24 hab.

Andalucía sin rest, Martínez Falero 42 ✆ (953) 72 12 68 – ☎ 🚗. AE E VISA
☕ 500 – **11 hab** 3400/4700.

Parque sin rest, Hilario Marco 62 ✆ (953) 72 18 06, *Fax (953) 72 18 06* – TV ☎
E VISA. ✂
☕ 475 – **8 hab** 3400/5200.

Guadalquivir sin rest, Nueva 6 ✆ (953) 72 02 68, *Fax (953) 72 02 68* – 🚗. E VISA.
☕ 490 – **14 hab** 3850/5700.

La Sarga, pl. del Mercado ✆ (953) 72 15 07, ☂
▤. AE ⊕ E VISA. ✂
cerrado martes y septiembre – **Comida** carta 2650 a 4200.

en la Sierra de Cazorla – ✉ *23470 Cazorla :*

Parador de Cazorla ⛰, Lugar Sacejo - Este : 26 km - alt. 1 400 ✆ (953) 72 70 7
Fax (953) 72 70 77, ≤ montañas, « En plena sierra de Cazorla », ⛱, ☂ – TV ☎ P.
⊕ E VISA. ✂
cerrado Navidades y enero – **Comida** 3200 – ☕ 1200 – **33 hab** 12000/15000 – PA 646

Noguera de la Sierpe ⛰, carret. del Tranco - Noreste : 30 km ✆ (953) 71 30 2
Fax (953) 71 31 09, ⛱ – ▤ rest, TV ☎ P. E VISA
Comida carta aprox. 4700 – **42 hab** ☕ 7000/9500.

San Fernando ⑤, carret. del Trando - Noroeste : 36 km, ✉ 23478 Coto Ríos, ℘ (953) 71 30 45, *Fax (953) 71 30 45*, ←, ⛱ - ▤ rest, 📺 ☎ 🅿. ⓓ E VISA. ✗
Comida 1500 - **26 hab** ☕ 4815/9630.

Mirasierra ⑤, carret. del Tranco - Noreste : 36,3 km ℘ (953) 71 30 44, *Fax (953) 71 30 44*, ⛱ - ▤ rest, 🅿. E VISA. ✗
Comida 1450 - ☕ 300 - **19 hab** 3900/5200.

ECEDA *33582 Asturias* 441 B 13.
Madrid 493 - Gijón 55 - Oviedo 37 - Santander 154.

n la carretera N 634 *Sureste : 2 km - ✉ 33582 Ceceda :*

La Cueva de Narciso, ℘ (98) 570 41 37, *Fax (98) 570 42 02* - 📺 ☎ 🚗 🅿. AE E VISA
Comida 1500 - ☕ 500 - **30 hab** 5000/6000 - PA 3500.

EDEIRA *15350 La Coruña* 441 B 5 - *7 450 h. - Playa.*
Madrid 659 - La Coruña/A Coruña 106 - Ferrol 37.

XX **Avenida** con hab, Cuatro Caminos 66 ℘ (981) 48 09 98, *Fax (981) 48 08 08* - ▤ rest, 📺 ☎. AE ⓓ E VISA. ✗
Comida carta 2400 a 4200 - ☕ 600 - **11 hab** 5000/8000.

ÉE *15270 La Coruña* 441 D 2 - *6 921 h. - Playa.*
Madrid 710 - La Coruña/A Coruña 97 - Santiago de Compostela 89.

La Marina, av. Fernando Blanco 26 ℘ (981) 74 67 52, *Fax (981) 74 65 11* - 🛗 📺 ☎. AE E VISA. ✗
Comida 1400 - ☕ 275 - **29 hab** 4500/6000.

ELANOVA *32800 Orense* 441 F 6 - *5 902 h. alt. 519.*
Ver : *Monasterio (claustro★★).*
Alred. : *Santa Comba de Bande (iglesia★) Sur : 26 km.*
Madrid 488 - Orense/Ourense 26 - Vigo 99.

Betanzos, Celso Emilio Ferreiro 7 ℘ (988) 45 10 36, *Fax (988) 45 10 11* - 🛗, ▤ rest, 📺 ☎. AE ⓓ E VISA. ✗
Comida carta aprox. 2500 - ☕ 300 - **33 hab** 3000/4500.

or la carretera C 531 *Sureste : 3 km - ✉ 32817 Sampaio :*

Pazo Hospedería A Fábrica ⑤ sin rest, ℘ (988) 43 20 92, *Fax (988) 43 20 92*, « En un antiguo pazo », 🌳 - 📺 ☎ 🅿. VISA. ✗
☕ 600 - **6 hab** 6000/7500, 1 suite.

ELLERS *Lérida - ver Sellés.*

ENAJO *Murcia* 445 Q 24 - ✉ *30440 Moratalla.*
Madrid 333 - Albacete 88 - Lorca 102 - Murcia 115.

Cenajo ⑤, ℘ (968) 72 10 11, *Fax (968) 72 06 45*, ←, « En un bonito paraje junto al embalse », ⛱, 🏊, 🌳, 🎾 - ▤ 📺 ☎ 🅿 - 🏛 25/150. AE ⓓ E VISA. ✗ rest
Comida 1980 - **77 hab** 6795/11450 - PA 5025.

ENES DE LA VEGA *18190 Granada* 446 U 19 - *2 384 h. alt. 741.*
Madrid 439 - Granada 7.

XXX **Ruta del Veleta,** carret. de Sierra Nevada 136 ℘ (958) 48 61 34, *Fax (958) 48 62 93*, « Decoración típica » - ▤ 🅿. AE ⓓ E VISA JCB. ✗
Comida carta 3900 a 4950.

a CENIA o La SÉNIA *43560 Tarragona* 443 K 30 - *4 862 h. alt. 368.*
Madrid 526 - Castellón de la Plana/Castelló de la Plana 104 - Tarragona 105 - Tortosa 35.

X **El Trull,** Sant Miquel 14 ℘ (977) 71 33 02, « Decoración rústica » - E VISA. ✗
cerrado lunes noche (salvo verano), del 1 al 15 de enero y del 1 al 15 de septiembre - **Comida** - carnes - carta 2450 a 4300.

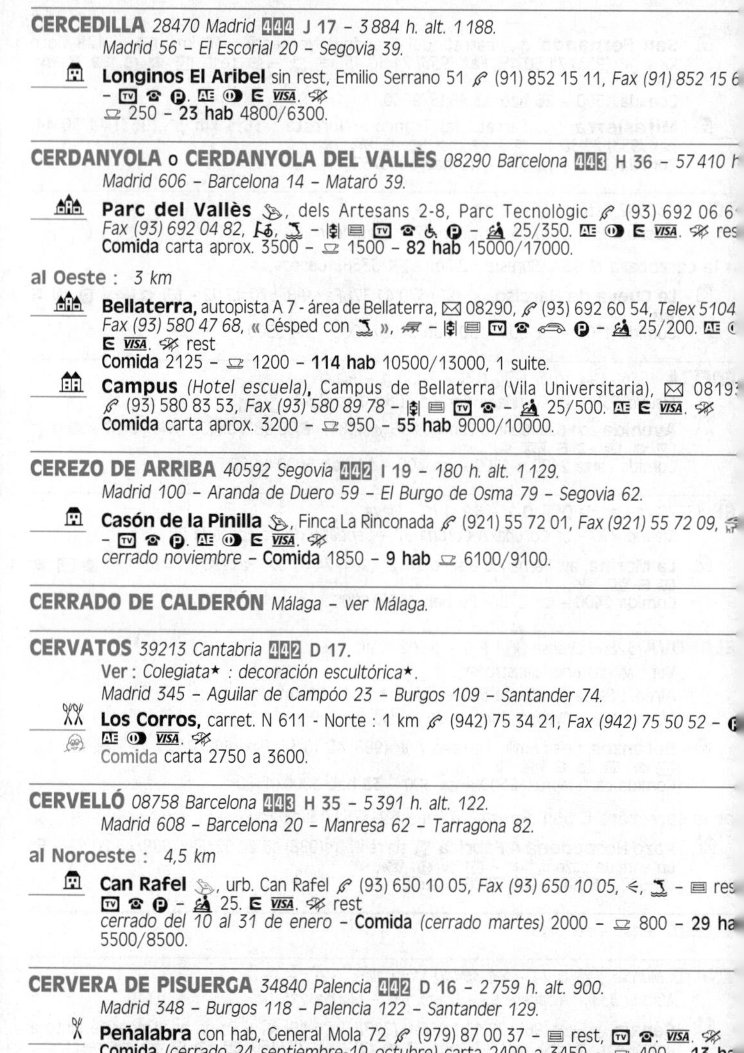

CERCEDILLA *28470 Madrid* 444 J 17 – *3 884 h. alt. 1 188.*
Madrid 56 – El Escorial 20 – Segovia 39.

Longinos El Aribel sin rest, Emilio Serrano 51 ☎ (91) 852 15 11, *Fax (91) 852 15 6* – TV ☎ P. AE O E VISA.
250 – **23 hab** 4800/6300.

CERDANYOLA o **CERDANYOLA DEL VALLÈS** *08290 Barcelona* 443 H 36 – *57 410 h*
Madrid 606 – Barcelona 14 – Mataró 39.

Parc del Vallès, dels Artesans 2-8, Parc Tecnològic ☎ (93) 692 06 6 *Fax (93) 692 04 82*, – TV ☎ P – 25/350. AE O E VISA. rest
Comida carta aprox. 3500 – 1500 – **82 hab** 15000/17000.

al Oeste : *3 km*

Bellaterra, autopista A 7 - área de Bellaterra, ✉ 08290, ☎ (93) 692 60 54, *Telex 5104* *Fax (93) 580 47 68*, « Césped con », – TV ☎ P – 25/200. AE E VISA. rest
Comida 2125 – 1200 – **114 hab** 10500/13000, 1 suite.

Campus *(Hotel escuela)*, Campus de Bellaterra (Vila Universitaria), ✉ 0819 ☎ (93) 580 83 53, *Fax (93) 580 89 78* – TV ☎ – 25/500. AE E VISA.
Comida carta aprox. 3200 – 950 – **55 hab** 9000/10000.

CEREZO DE ARRIBA *40592 Segovia* 442 I 19 – *180 h. alt. 1 129.*
Madrid 100 – Aranda de Duero 59 – El Burgo de Osma 79 – Segovia 62.

Casón de la Pinilla, Finca La Rinconada ☎ (921) 55 72 01, *Fax (921) 55 72 09*, – TV ☎ P. AE O E VISA.
cerrado noviembre – **Comida** 1850 – **9 hab** 6100/9100.

CERRADO DE CALDERÓN *Málaga – ver Málaga.*

CERVATOS *39213 Cantabria* 442 D 17.
Ver : *Colegiata★ : decoración escultórica★.*
Madrid 345 – Aguilar de Campóo 23 – Burgos 109 – Santander 74.

Los Corros, carret. N 611 - Norte : 1 km ☎ (942) 75 34 21, *Fax (942) 75 50 52* – AE O VISA.
Comida carta 2750 a 3600.

CERVELLÓ *08758 Barcelona* 443 H 35 – *5 391 h. alt. 122.*
Madrid 608 – Barcelona 20 – Manresa 62 – Tarragona 82.

al Noroeste : *4,5 km*

Can Rafel, urb. Can Rafel ☎ (93) 650 10 05, *Fax (93) 650 10 05*, ←, – res TV ☎ P – 25. E VISA. rest
cerrado del 10 al 31 de enero – **Comida** *(cerrado martes)* 2000 – 800 – **29 ha** 5500/8500.

CERVERA DE PISUERGA *34840 Palencia* 442 D 16 – *2 759 h. alt. 900.*
Madrid 348 – Burgos 118 – Palencia 122 – Santander 129.

Peñalabra con hab, General Mola 72 ☎ (979) 87 00 37 – rest, TV ☎. VISA.
Comida *(cerrado 24 septiembre-10 octubre)* carta 2400 a 3450 – 400 – **13 ha** 1800/4600.

en la carretera de Resoba *Noroeste : 2,5 km* – ✉ *34840 Cervera de Pisuerga* :

Parador de Cervera de Pisuerga, ☎ (979) 87 00 75, *Fax (979) 87 01 0* « Magnífica situación con ← montañas y pantano de Ruesga » – TV ☎ P 25/100. AE O VISA. rest
Comida 3200 – 1300 – **80 hab** 12000/15000 – PA 6545.

CERVO *27888 Lugo* 441 A 7 – *13 129 h. alt. 69.*
Madrid 611 – La Coruña/A Coruña 162 – Lugo 105.

en la carretera C 642 *Noroeste : 5 km* – ✉ *27888 Cervo* :

O Castelo con hab, ☎ (982) 59 44 02, *Fax (982) 59 44 76*, ← – TV ☎ P. AE O VIS
Comida carta 2850 a 4300 – 500 – **22 hab** 5000/8000.

ESTONA o ZESTOA *20740 Guipúzcoa* 442 C 23 – *3 294 h. alt. 72 – Balneario.*
Madrid 432 – Bilbao/Bilbo 75 – Pamplona/Iruñea 102 – San Sebastián/Donostia 34.

Arocena, paseo San Juan 12 ℘ (943) 14 70 40, *Fax (943) 14 79 78,* ≤, Fb, ⛱, ✈, ✂ – |♦| TV ☎ P. AE ⓓ E VISA. ✂ rest
cerrado 15 diciembre-15 enero – **Comida** 2500 – ☕ 800 – **109 hab** 6200/10400.

CEUTA *51700* 959 ⑤ y ⑩ 990 ㉞ – *73 208 h. – Playa.*
Ver : *Monte Hacho★ : Ermita de San Antonio* ≤★★.
para Algeciras : Cía. Trasmediterránea, Muelle Cañonero Dato 6 ℘ (956) 50 94 39 Telex 78080 Fax (956) 50 95 30 Z.
Alcalde J. Victori Goñalons ✉ 51001 ℘ (956) 51 00 51 Fax (956) 51 51 98 – **R.A.C.E.** *Beatriz de Silva 12-1º E ℘ (956) 51 27 22 Fax (956) 51 78 31.*

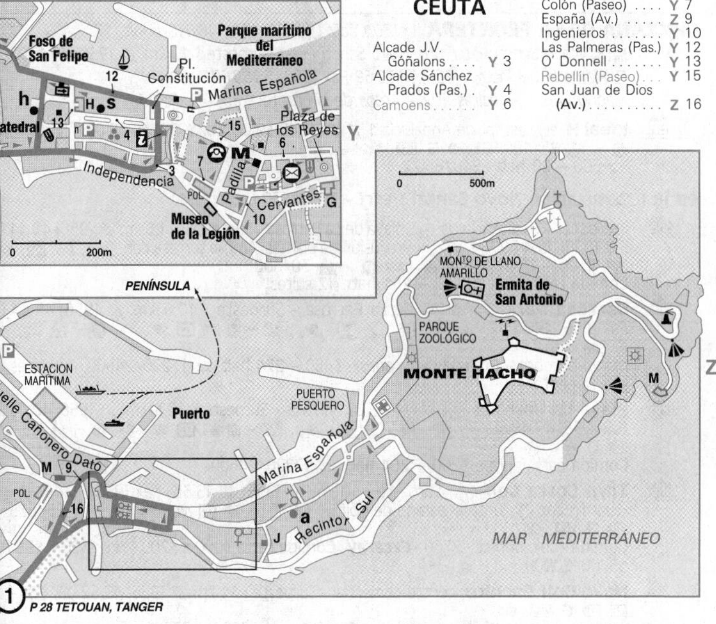

La Muralla, pl. Virgen de África 15, ✉ 51701, ℘ (956) 51 49 40, *Fax (956) 51 49 47,* ≤, « Instalado parcialmente en la antigua muralla », ⛱, ✈ – |♦| ▤ TV ☎ P – 🏛 25/150. AE ⓓ E VISA JCB. ✂ Y h
Comida 3200 – ☕ 1200 – **106 hab** 13200/16500.

Meliá Confort Ceuta, paseo Alcalde Sánchez Prados 3, ✉ 51001, ℘ (956) 51 12 00, *Fax (956) 51 15 01,* Fb, ⛱ – |♦| ▤ TV ☎ 🚗 – 🏛 25/300. AE ⓓ E VISA. ✂ Y s
Comida 2800 – ☕ 990 – **121 hab** 11600/13900, 1 suite.

CHANTADA *27500 Lugo* 441 E 6 – *9 754 h.*
Alred. : *Osera : Monasterio de Santa María la Real★ (sala Capitular★) Suroeste : 15 km.*
Madrid 534 – Lugo 55 – Orense/Ourense 42 – Santiago de Compostela 90.

Mogay, Antonio Lorenzana 3 ℘ (982) 44 08 47, *Fax (982) 44 08 47* – |♦| TV ☎ 🚗 – 🏛 25/300. AE ⓓ E VISA. ✂
Comida 2000 – ☕ 500 – **29 hab** 4000/6000.

en la carretera de Lugo *Norte : 1,5 km – ✉ 27500 Chantada :*

Las Delicias, Basán Grande 6 ℘ (982) 44 10 04, *Fax (982) 44 17 01* – TV ☎ P. VISA. ✂
Comida 1500 – ☕ 500 – **20 hab** 3000/4800.

CHAPELA *36320 Pontevedra* **441** **F 3.**
Madrid 608 – Pontevedra 27 – Redondela 7 – Vigo 7.

XX **El Canario,** av. de Vigo 194 ℘ (986) 45 00 03, *Fax (986) 45 40 13* – ▤. AE ⓓ VISA.
cerrado domingo noche – **Comida** carta aprox. 2800.

CHAPINERÍA *28694 Madrid* **444** **K 17** – *907 h. alt. 680.*
Madrid 52 – Ávila 79 – Talavera de la Reina 117.

XX **El Chapín de la Reina,** carret. de Colmenar 2 ℘ (91) 865 25 24, ☂, « Casona rural
✿ – ▤ Ⓟ. AE ⓓ E VISA.
cerrado martes y del 1 al 22 de septiembre – **Comida** - sólo almuerzo salvo viernes y sába
- 4500 y carta aprox. 4300
Espec. Brandada de bacalao sobre puré de orejones y vinagreta de tomate. Chipirones oreja de cerdo parrilla con cebolla confitada y garbanzos fritos. Pastel de morcilla, terne y foie gras sobre menestra de verduras.

CHICLANA DE LA FRONTERA *11130 Cádiz* **446** **W 11** – *46 610 h. alt. 17.*
18 9 *Novo Sancti Petri, urb. Novo Sancti Petri, Suroeste : 10 km ℘ (956) 49 40 05.*
Alameda del Río ℘ (956) 53 59 69 Fax (956) 53 59 69.
Madrid 646 – Algeciras 102 – Arcos de la Frontera 60 – Cádiz 24.

Ideal H. sin rest, pl. de Andalucía 1 ℘ (956) 40 39 06, *Fax (956) 40 39 06* – ▤ TV
Ⓟ – 25/100. AE ⓓ E VISA.
500 – **20 hab** 6800/8500.

en la urbanización Novo Sancti Petri – ✉ *11130 La Barrosa :*

Iberostar Royal Andalus, playa de La Barrosa - Suroeste : 11,5 km ℘ (956) 49 41 C
Fax (956) 49 44 90, ←, ☂, « Profusión de plantas. Amplia terraza con », ,
, 18 9 – ▤ TV ☎ Ⓟ – 30/300
Comida (sólo cena buffet) – **251 hab**, 12 suites.

Barrosa Park, playa de La Barrosa - Suroeste : 10,5 km ℘ (956) 49 64 0
Fax (956) 49 63 47, ←, ☂, , , , , – ▤ TV ☎ Ⓟ – 25/5C
E VISA.
marzo-octubre – **Comida** carta aprox. 3450 – **274 hab** 17220/24600, 16 suites,
apartamentos.

Playa La Barrosa, playa de La Barrosa - Suroeste : 10,5 km ℘ (956) 49 48 2
Fax (956) 49 48 60, ←, ☂, , , , , – ▤ TV ☎ Ⓟ – 25/25
ⓓ E VISA.
Comida carta aprox. 3200 – **264 hab** 17220/24600.

Tryp Costa Golf, Suroeste : 10 km ℘ (956) 49 45 35, *Fax (956) 49 46 26*,
« Jardín con junto al campo de golf », , – ▤ TV ☎ Ⓟ – 25/325.
ⓓ E VISA.
Comida - sólo bufett - 2700 - ***Ezcaray*** **: Comida** carta 3000 a 3700 – 1600 – **195 h**
16700/20900.

X **Novo Golf Cachito,** centro comercial - Suroeste : 11 km ℘ (956) 49 52 49, ☂ –
AE ⓓ E VISA.
cerrado del 1 al 15 de noviembre – **Comida** carta 2500 a 3750.

CHINCHÓN *28370 Madrid* **444** **L 19** – *3 994 h. alt. 753.*
Ver : *Plaza Mayor* ★★.
Madrid 52 – Aranjuez 26 – Cuenca 131.

Parador de Chinchón, av. Generalísimo 1 ℘ (91) 894 08 36, *Fax (91) 894 09 C*
« Instalado en un convento del siglo XVII con jardín », – ▤ TV ☎ – 25/1C
AE ⓓ E VISA JCB.
Comida 3500 – 1300 – **36 hab** 14000/17500, 2 suites – PA 7055.

XX **Café de la Iberia,** pl. Mayor 17 ℘ (91) 894 09 98, *Fax (91) 894 08 47*, ☂, « Antig
café. Balcón con ← » – ▤. AE E VISA.
cerrado miércoles noche y del 1 al 15 de septiembre – **Comida** carta 3300 a 4250.

XX **La Balconada,** pl. Mayor ℘ (91) 894 13 03, *Fax (91) 894 13 03*, « Decoración castellar
Balcón con ← » – ▤. AE ⓓ E VISA.
cerrado miércoles – **Comida** carta 3500 a 4500.

por la carretera de Titulcia *Oeste : 3 km* – ✉ *28370 Chinchón :*

Nuevo Chinchón, urb. Nuevo Chinchón ℘ (91) 894 05 44, *Fax (91) 893 51 28*,
– ▤ TV ☎ Ⓟ – 25. AE E VISA.
Comida 2450 – 600 – **18 hab** 7000/9000.

IIPIONA *11550 Cádiz* 446 **V 10** *– 14 455 h. – Playa.*

Madrid 614 – Cádiz 54 – Jerez de la Frontera 32 – Sevilla 106.

Cruz del Mar, av. de Sanlúcar 1 ℘ (956) 37 11 00, *Fax (956) 37 13 64,* ≤, « Patio con ☐ » – |‡|, ☐ hab, TV ☎. AE ① E VISA JCB. ✻ rest
Comida 2000 – ☐ 1100 – **85 hab** 8650/12900, 14 apartamentos – PA 4350.

Al Sur de Chipiona, av. de Sevilla 101 ℘ (956) 37 03 00, *Fax (956) 37 08 59,* ☐ – |‡|, ☐ rest, TV ☎ ☐ – ☐ 25/700. AE ① E VISA. ✻ rest
Comida 3150 – ☐ 760 – **67 hab** 7875/10500 – PA 6300.

Brasilia, av. del Faro 12 ℘ (956) 37 10 54, *Fax (956) 37 10 54,* ☐ – |‡| ☐ TV ☎ ☐. AE ① E VISA. ✻
Comida - sólo cena - 2300 – ☐ 690 – **44 hab** 7475/9980.

La Española, Isaac Peral 4 ℘ (956) 37 37 71, *Fax (956) 37 21 44* – |‡| ☐ TV ☎ ☐. AE ① E VISA. ✻
Comida 1600 – ☐ 200 – **24 hab** 4000/7000.

Chipiona, Dr. Gómez Ulla 19 ℘ (956) 37 02 00, *Fax (956) 37 29 49* – |‡|, ☐ hab, TV ☎ P. AE ① E VISA. ✻ rest
marzo-octubre – **Comida** 1900 – ☐ 400 – **40 hab** 4600/7000.

Las Galias sin rest y sin ☐, av. de Sevilla 65 ℘ (956) 37 09 10, *Fax (956) 37 09 10* – ☐ TV. VISA. ✻
10 hab 5000/6500.

IIVA *46370 Valencia* 445 **N 27** *– 7 562 h. alt. 240.*

18 *El Bosque, Sureste : 12 km ℘ (96) 180 41 12.*

Madrid 318 – Valencia 30.

la autovía N III *Este : 10 km – ☒ 46370 Chiva :*

Motel La Carreta, salida 334 ℘ (96) 180 54 00, *Fax (96) 180 51 65,* ☐, ☐, ☐ – ☐ TV ☎ P – ☐ 25/250. AE ① E VISA. ✻ rest
Comida 1650 – **80 hab** ☐ 7225/9475.

IULILLA *46167 Valencia* 445 **N 27** *– 675 h. alt. 400 – Balneario.*

Madrid 306 – Cuenca 306 – Requena 43 – Teruel 131 – Valencia 62.

Sureste : *4,5 km*

Balneario de Chulilla ☐, Baños de Chulilla ℘ (96) 165 70 13, *Fax (96) 165 70 31,* Servicios terapéuticos, ☐, ☐ de agua termal, ☐ – |‡| ☎ P. VISA. ✻
cerrado 22 diciembre-12 febrero – **Comida** 1800 – ☐ 700 – **67 hab** 4750/7350 – PA 3865.

ÉRVANA o ZIERBENA *48508 Vizcaya* 442 **B 20**.

Madrid 410 – Bilbao/Bilbo 21 – Santander 80.

Lazcano, El Puerto ℘ (94) 636 50 32, ≤, Vivero propio – P. ✻
Comida - pescados y mariscos - carta 4000 a 4900.

NTRUÉNIGO *31592 Navarra* 442 **F 24** *– 5 080 h. alt. 391.*

Madrid 308 – Pamplona/Iruñea 87 – Soria 82 – Zaragoza 99.

Alhama, carret. N 113 - km 95 ℘ (948) 81 27 74, *Fax (948) 81 28 07* – ☐ TV ☎ ☐ P. VISA. ✻
Comida 1300 – ☐ 650 – **36 hab** 3925/5500.

Maher con hab, Ribera 19 ℘ (948) 81 11 50, *Fax (948) 81 27 76* – ☐ TV ☎ ☐. AE ① E VISA. ✻ rest
cerrado 20 diciembre-20 enero – **Comida** *(cerrado domingo noche y lunes)* 6500 carta 3900 a 4900 – **14 hab** ☐ 7200/9000
Espec. Pisto con tempura de verduras y langostinos. Rape con tallarines de sepia y mango con ravioli de centollo. Panaché de cordero lechal en jugo de colmenillas.

ORDIA o ZIORDIA *31809 Navarra* 442 **D 23** *– 378 h. alt. 552.*

Madrid 396 – Pamplona/Iruñea 55 – San Sebastián/Donostia 76 – Vitoria/Gasteiz 41.

Iturrimurri, autovía N I ℘ (948) 56 30 12, *Fax (948) 56 25 63,* ≤ – |‡|, ☐ rest, TV ☎ P – ☐ 25/60. AE ① E VISA. ✻ rest
Comida *(cerrado domingo noche)* 1850 – ☐ 750 – **29 hab** 10000/14000.

UDAD DE LA IMAGEN *Madrid – ver Pozuelo de Alarcón.*

CIUDAD REAL *13000* **P** *444* **P 18** *– 60 138 h. alt. 635.*

Alarcos 21 ✉ 13001 ☎ (926) 21 20 03 Fax (926) 21 03 67 **– R.A.C.E.** *General Aguil*
13-2° C ✉ 13001 ☎ (926) 22 92 77 Fax (926) 22 92 77.

Madrid 204 ② – Albacete 212 ② – Badajoz 324 ④ – Córdoba 196 ④ – Jaén 176 ③
Toledo 121 ①

CIUDAD REAL

Alarcos . . . . . Z
Alcántara . . . . . Z 2
Antonio Blázquez . . . . . Z 3
Azucena . . . . . YZ 5
Bernardo Mulleras . . . . . Z 6
Caballeros . . . . . YZ 8
Calatrava . . . . . YZ
Camarín . . . . . YZ 10
Cañas . . . . . YZ 12
Cardenal Monescillo . . . . . Z 13
Corazón de María . . . . . YZ 15
Cruz . . . . . Z 16
Elisa Cendreros . . . . . Y 18
General Aguilera . . . . . Z 21
General Rey . . . . . Z 23
Infantes . . . . . Y 24
Inmaculada Concepción . . . . . Y 26
Lanza . . . . . Z 27
Lirio . . . . . YZ
Mayor (Plaza) . . . . . Z
Norte . . . . . Y
Olivo . . . . . Z
Ramón y Cajal . . . . . Z
Refugio . . . . . YZ
Reyes . . . . . YZ
Rosa . . . . . Y
Sancho Rey (Cam.) . . . . . Y
Tinte . . . . . Z
Vázquez . . . . . Z

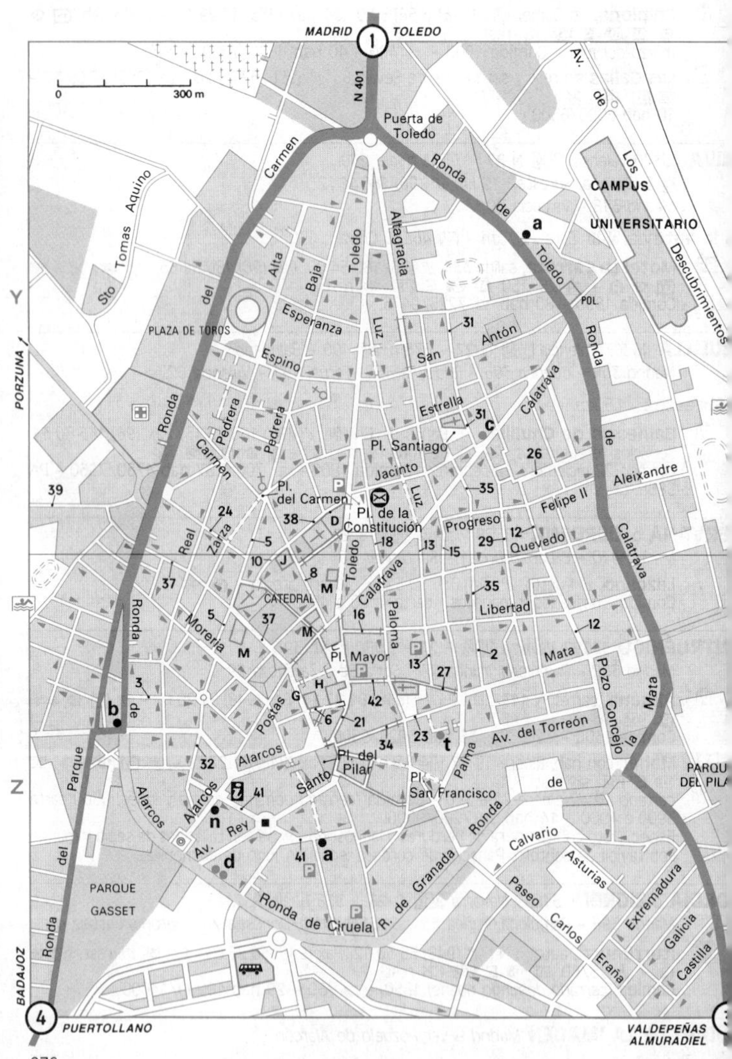

Doña Carlota, Ronda de Toledo 21, ✉ 13003, ☎ (926) 23 16 10, *Fax (926) 23 16 10* - 🛗 ▤ TV ☎ 🚗 P - 🏨 25/600. AE ⓓ E VISA. ✗ Y a
Comida 1600 - **145 hab** ☕ 6000/8000, 16 apartamentos.

NH Ciudad Real, Alarcos 25, ✉ 13001, ☎ (926) 21 70 10, *Fax (926) 21 71 31* - 🛗 ▤ TV ☎ 🚗 - 🏨 25/300. AE ⓓ E VISA. ✗ rest Z n
Comida *(cerrado domingo noche)* 2000 - ☕ 800 - **91 hab** 12000 - PA 4800.

Santa Cecilia, Tinte 3, ✉ 13001, ☎ (926) 22 85 45, *Fax (926) 22 86 18* - 🛗 ▤ TV ☎ 🚗 - 🏨 25/75. AE ⓓ E VISA. ✗ Z a
Comida 2200 - ***El Real*** **: Comida** carta 3500 a 4500 - ☕ 900 - **70 hab** 8000/9200.

Paraíso, Ronda del Parque, ✉ 13002, ☎ (926) 21 06 06, *Fax (926) 21 06 06,* ☂, ✱ - 🛗 ▤ TV ☎ 🚗 - 🏨 25/700. AE ⓓ E VISA. ✗ por ④
Comida 1500 - ☕ 500 - **40 hab** 7000/9000, 3 suites.

Tryp Almanzor, Bernardo Balbuena 14, ✉ 13002, ☎ (926) 21 43 03, *Fax (926) 21 34 84* - 🛗 ▤ TV ☎ P - 🏨 25/300. AE ⓓ E VISA. ✗ rest Z b
Comida 1500 - ☕ 600 - **71 hab** 5000/6500 - PA 3000.

Miami Park, Ronda de Ciruela 36, ✉ 13004, ☎ (926) 22 20 43, *Fax (926) 25 21 57* - ▤. AE ⓓ E VISA. ✗ Z d
cerrado domingo noche - **Comida** carta 4200 a 5200.

Gran Mesón, Ronda de Ciruela 34, ✉ 13004, ☎ (926) 22 72 39, *Fax (926) 25 18 10* - ▤. AE E VISA. ✗ Z d
cerrado domingo noche - **Comida** carta 3800 a 4400.

El Perejil, Calatrava 39, ✉ 13003, ☎ (926) 22 36 75 - ▤. AE ⓓ E VISA. ✗ Y c
cerrado domingo y del 1 al 15 de agosto - **Comida** carta 3200 a 4300.

San Huberto, pasaje General Rey 8, ✉ 13001, ☎ (926) 25 22 54 - ▤. AE ⓓ E VISA. ✗ Z t
cerrado domingo noche, lunes y del 1 al 15 de agosto - **Comida** - asados - carta 3400 a 4200.

UDAD RODRIGO *37500 Salamanca 441 K 10 - 14 973 h. alt. 650.*

Ver : *Catedral★ (altar★, portada de la Virgen★, claustro★) - Plaza Mayor★.*
ℹ *pl. de las Amayuelas 5 ☎ (923) 46 05 61.*
Madrid 294 - Cáceres 160 - Castelo Branco 164 - Plasencia 131 - Salamanca 89.

Parador de Ciudad Rodrigo ♨, pl. del Castillo 1 ☎ (923) 46 01 50, *Fax (923) 46 04 04,* « En un castillo feudal del siglo XV », ✱ - ▤ TV ☎ P - 🏨 25/40. AE ⓓ E VISA JCB. ✗
Comida 3200 - ☕ 1200 - **27 hab** 12000/15000 - PA 6460.

Conde Rodrigo I, pl. de San Salvador 9 ☎ (923) 46 14 04, *Fax (923) 46 14 08* - 🛗, ▤ rest, TV ☎. ⓓ E VISA. ✗ hab
Comida 1550 - ☕ 500 - **35 hab** 6000/7000 - PA 3250.

Lima, paseo de la Estación 48 (carret. de Lumbrales) ☎ (923) 48 18 19, *Fax (923) 48 21 81* - 🛗 TV ☎. ⓓ E VISA. ✗ rest
cerrado del 15 al 30 de diciembre - **Comida** 1200 - ☕ 500 - **40 hab** 5000/6700.

Cruce, av. Portugal 4 ☎ (923) 46 04 50, *Fax (923) 46 04 58* - 🛗, ▤ rest, TV ☎ P. AE E VISA. ✗ rest
Comida 1400 - ☕ 575 - **39 hab** 4000/5950.

La Brasa, av. Salamanca 32 ☎ (923) 46 07 93 - ▤. AE ⓓ E VISA JCB
cerrado lunes y noviembre - **Comida** - carnes - carta 3200 a 4500.

la carretera de Conejera *Suroeste : 3 km - ✉ 37500 Ciudad Rodrigo :*

Conde Rodrigo II ♨, Huerta de las Viñas ☎ (923) 48 04 48, *Fax (923) 46 14 08,* « En pleno campo », 🏊, ✱, ✗ - ▤ TV ☎ P - 🏨 25/600. ⓓ E VISA. ✗
Comida 1550 - ☕ 500 - **40 hab** 6500/7500 - PA 3250.

UDADELA o CIUTADELLA *Baleares - ver Baleares (Menorca) : Ciudadela.*

OCA *40480 Segovia 442 I 16 - 1 995 h. alt. 789.*

Ver : *Castillo★★.*
Madrid 137 - Segovia 50 - Valladolid 62.

COCENTAINA *03820 Alicante* 445 P 28 – *10 567 h. alt. 445.*
Madrid 397 – Alicante/Alacant 63 – Valencia 104.

Odón, av. del País Valencià 145 ☎ (96) 559 12 12, *Fax (96) 559 23 99* – |‡| ▤ TV ☎ – 🏛 25/200. ⊕ E VISA
Comida *(cerrado viernes noche, sábado noche, domingo y del 15 al 31 de agosto)* 18 – ☕ 800 – **59 hab** 8000/14000 – PA 4200.

Nou Hostalet sin rest, av. Xàtiva 4 ☎ (96) 559 27 03, *Fax (96) 650 10 95* – |‡| ▤ ☎. E VISA
☕ 800 – **22 hab** 4700/8500.

L'escaleta, av. del País Valencià 119 ☎ (96) 559 21 00, *Fax (96) 650 06 89* – ▤. AE E VISA JCB. ✂
cerrado domingo noche, lunes, jueves noche, Semana Santa y del 15 al 31 de agost
Comida carta 3400 a 4650.

La Montaña, Gustavo Pascual 1 y 3 ☎ (96) 559 08 32, *Fax (96) 650 03 82* – ▤. AE VISA. ✂
cerrado domingo, del 15 al 28 de febrero y del 15 al 31 de agosto – **Comida** carta 32 a 4650.

El Laurel, Juan María Carbonell 3 ☎ (96) 559 17 38 – ▤. AE E VISA
cerrado domingo noche, lunes, martes noche, y miércoles noche – **Comida** carta 280 3500.

Montcabrer, Pujada Estació del Nord 205 ☎ (96) 559 13 59, *Fax (96) 559 17 45*, 🏠, ✂ – ▤ P.

COFIÑAL *24857 León* 441 C 14.
Madrid 465 – Gijón 109 – León 74 – Oviedo – 85.

Tropezón, ☎ (987) 73 10 53, *Fax (987) 73 12 80* – TV P. VISA. ✂
Comida 900 – ☕ 300 – **10 hab** 2500/5000 – PA 2000.

COFRENTES *46625 Valencia* 445 O 26 – *815 h. alt. 437 – Balneario.*
Madrid 316 – Albacete 93 – Alicante/Alacant 141 – Valencia 106.

en la carretera de Casas Ibáñez *Oeste : 4 km – ✉ 46625 Cofrentes :*

Balneario Hervideros de Cofrentes ♨, ☎ (96) 189 40 25, *Fax (96) 189 40*
« En un parque », 🏊, ✂ – |‡| ▤ TV ☎ P – 🏛 25/100. AE ⊕ VISA. ✂
cerrado enero – **Comida** 1800 – ☕ 550 – **144 hab** 6000/10000.

COÍN *29100 Málaga* 446 W 15 – *14 731 h. alt. 209.*
Madrid 561 – Algeciras 108 – Antequera 81 – Málaga 35 – Marbella 27.

en la carretera de Monda *Suroeste : 3 km – ✉ 29100 Coín :*

Santa Fé ♨ con hab, ☎ (95) 245 29 16, *Fax (95) 245 38 43*, 🏠, « Casa rústica en campo », 🏊 – P. ⊕ E VISA. ✂
Comida *(cerrado martes)* carta 2650 a 3650 – **5 hab** ☕ 7500/8500.

COIRÓS *15316 La Coruña* 441 C 5 – *1 576 h. alt. 219.*
Madrid 579 – Betanzos 8 – La Coruña/A Coruña 32 – Ferrol 46 – Lugo 67 – Santiago Compostela 72.

La Penela, carret. N VI ☎ (981) 79 63 72, ←, 🏠
P. AE E VISA. ✂
Comida - sólo almuerzo - carta 2400 a 3000.

COLERA *17469 Gerona* 443 E 39 – *450 h. alt. 10 – Playa.*
Alred. : *carretera de Portbou★★.*
ℹ *Labrum 34 ☎ (972) 38 90 50 Fax (972) 38 92 83.*
Madrid 756 – Banyuls-sur-Mer 22 – Gerona/Girona 67.

en la carretera de Llansá *Sur : 3 km – ✉ 17469 Colera :*

Garbet, ☎ (972) 38 90 02, ←, 🏠 – E VISA
marzo-15 octubre – **Comida** carta 2775 a 6000.

COLINDRES *39750 Cantabria* 442 B 19 – *5 536 h. – Playa.*
Madrid 423 – Bilbao/Bilbo 62 – Santander 45.

Montecarlo, Ramón Pelayo 9 ☎ (942) 65 01 63, *Fax (942) 65 00 75* – ▤ rest, TV E VISA
cerrado del 15 al 30 de septiembre – **Comida** 1100 – ☕ 600 – **19 hab** 4950/6250

COLL D'EN RABASSA *Baleares – ver Baleares (Mallorca) : Palma.*

LLADO MEDIANO *28450 Madrid* 444 **J 17** *– 2 386 h. alt. 1 030.*
Madrid 40 – Segovia 51.

Martín, Real 84 ☎ (91) 859 85 07, *Fax (91) 859 85 07,* – AE E VISA.
cerrado del 1 al 15 de octubre – **Comida** carta 2650 a 3500.

LLADO VILLALBA *28400 Madrid* 444 **K 18** *– 26 267 h. alt. 917.*
Madrid 37 – Ávila 69 – El Escorial 18 – Segovia 50.

la carretera de Moralzarzal *Noreste : 2 km – ✉ 28400 Collado Villalba :*

Pasarela, ☎ (91) 851 24 08, *Fax (91) 851 24 99,* ≤, – P. AE E VISA.
cerrado domingo noche y lunes – **Comida** carta 3475 a 5175.

el barrio de la estación *Suroeste : 2 km – ✉ 28400 Collado Villalba :*

Galaico, antigua carret. de La Coruña 45 ☎ (91) 851 03 04, *Fax (91) 851 30 03,* ≤ – P – 25/150. E VISA.
***Agarimo* : Comida** carta 2850 a 3875 – **50 hab** 7225/9500, 2 suites.

Santa Bárbara sin rest, Goya 1 ☎ (91) 851 44 09, *Fax (91) 851 46 89* – VISA.
500 – **32 hab** 5000/6500.

Pour les grands voyages d'affaires ou de tourisme,
Guide Rouge MICHELIN : EUROPE.

LLSUSPINA *08519 Barcelona* 443 **G 36** *– 214 h. alt. 961.*
Madrid 627 – Barcelona 64 – Manresa 36.

Can Xarina, Major 30 ☎ (93) 830 05 77, « Casa del siglo XVI. Decoración rústica » – E VISA.
cerrado domingo noche, lunes, última semana de junio, 1ª semana de julio y del15 al 30 de noviembre – **Comida** carta aprox. 3800.

or la carretera N 141 C *Noreste : 5 km – ✉ 08519 Collsuspina :*

Floriac, ☎ (93) 887 09 91, *Fax (93) 830 08 04,* « Casa de campo del siglo XVI » – P. AE E VISA.
cerrado domingo noche, lunes noche y martes (salvo vísperas y festivos), 15 días en febrero y 15 días en julio – **Comida** carta aprox. 2600.

LMENAR VIEJO *28770 Madrid* 444 **J y K 18** *– 39 699 h. alt. 883.*
Madrid 32.

El Asador de Colmenar, carret. de Miraflores - km 33 ☎ (91) 845 03 26, « Decoración castellana » – P.
Comida carta 3850 a 5300.

Santi Mostacilla, Zurbarán 2 (carret. de Miraflores) ☎ (91) 845 60 37 – AE E VISA.
cerrado lunes y del 7 al 25 de septiembre – **Comida** carta 3500 a 5500.

OLOMBRES *33590 Asturias* 441 **B 16** *– alt. 110 – Playa.*
Madrid 436 – Gijón 122 – Oviedo 132 – Santander 79.

n la carretera N 634 *– ✉ 33590 Colombres :*

San Ángel, Noroeste : 2 km ☎ (98) 541 20 00, *Fax (98) 541 20 73,* ≤, – P. AE E VISA.
abril-diciembre – **Comida** *(cerrado diciembre)* 2800 – 875 – **77 hab** 8800/12000.

Casa Junco, Noroeste : 1,5 km ☎ (98) 541 22 43, *Fax (98) 541 23 55,* – P. E VISA.
Comida 1300 – 700 – **24 hab** 4000/7000.

OLÒNIA DE SANT JORDI *Baleares – ver Baleares (Mallorca).*

as COLORADAS *Las Palmas – ver Canarias (Gran Canaria) : Las Palmas de Gran Canaria.*

COLUNGA *33320 Asturias* 441 **B 14** – *4916 h. alt. 21.*
Madrid 517 – Gijón 43 – Oviedo 60 – Santander 37.

en la carretera N 632 *Este : 3 km – ✉ 33320 Colunga :*

Los Caspios sin rest, La Isla ✆ (98) 585 20 98, *Fax (98) 585 20 97*, « C... solariega », – . AE VISA.
860 – **7 hab** 10700/16050.

La COMA I La PEDRA *25284 Lérida* 443 **F 34** – *225 h. alt. 1004.*
Madrid 610 – Berga 37 – Font Romeu-Odeillo Vía 102 – Lérida/Lleida 151.

Fonts del Cardener , carret. de Tuixent - Norte : 1 km ✆ (973) 49 23 77, <, – . E VISA.
cerrado 3 últimas semanas de mayo y 3 últimas semanas de noviembre – **Comida** 1... – 700 – **13 hab** 4500/6500, 4 apartamentos.

COMARRUGA o **COMA-RUGA** *43880 Tarragona* 443 **I 34** – *Playa.*
pl. Germán Trillas ✆ (977) 68 00 10 Fax (977) 68 36 54.
Madrid 567 – Barcelona 81 – Tarragona 24.

G.H. Europe, vía Palfuriana 107 ✆ (977) 68 42 00, *Fax (977) 68 27 70*, <, climatizada, – – 25/150. AE E VISA.
Semana Santa-octubre – **Comida** - sólo buffet - 3000 – 1500 – **142 hab** 14625/195... 6 suites, 4 apartamentos – PA 7500.

Casa Martí, Vilafranca 8 ✆ (977) 68 01 11, *Fax (977) 68 22 77*, <, – , rest,
temp – **Comida** - sólo buffet - – **138 hab.**

Gallo Negro, Santiago Rusiñol 10 ✆ (977) 68 03 05, *Fax (977) 68 07 01*, – rest, – 25/50. AE E VISA. rest
abril-octubre – **Comida** 1625 – 550 – **44 hab** 6250/7750 – PA 3230.

Joila, av. Generalitat 24 ✆ (977) 68 08 27, *Fax (977) 68 21 49* – . AE E V...
cerrado martes noche, miércoles y 24 diciembre-24 enero – **Comida** carta 3400 a 42...

Casa Víctor, passeig Marítim 23 ✆ (977) 68 14 73, <, – . E VISA.
cerrado lunes noche, martes y 10 diciembre-enero – **Comida** - sólo almuerzo de domin... a jueves salvo en verano - carta aprox. 4700.

COMBARRO *36993 Pontevedra* 441 **E 3** – *Playa.*
Ver : *Pueblo pesquero★ - Hórreos★*
Madrid 610 – Pontevedra 6 – Santiago de Compostela 63 – Vigo 29.

Stella Maris sin rest, carret. de La Toja ✆ (986) 77 03 66, *Fax (986) 77 12 04*, < – . VISA.
500 – **27 hab** 5500/8000.

COMILLAS *39520 Cantabria* 442 **B 17** – *2461 h.* – *Playa.*
Ver : *Pueblo pintoresco★.*
Aldea 6 ✆ (942) 72 07 68.
Madrid 412 – Burgos 169 – Oviedo 152 – Santander 49.

Comillas, paseo de Solatorre 1 ✆ (942) 72 23 00, *Fax (942) 72 23 39*, – , re... . AE E VISA JCB. rest
Comida 1800 – **30 hab** 9700/13800, 27 apartamentos.

El Capricho de Gaudí, barrio de Sobrellano ✆ (942) 72 03 65, *Fax (942) 72 08 4...*
« Palacete original del arquitecto Gaudí » – . AE E VISA JCB.
cerrado domingo noche, lunes (salvo verano) y enero – **Comida** carta 3400 a 4500.

Gurea, Ignacio Fernández de Castro 11 ✆ (942) 72 24 46, – AE E V... JCB.
cerrado lunes (noviembre-abril) y 25 enero-15 febrero – **Comida** carta 3000 a 3500.

en Trasvía *Oeste : 2 km – ✉ 39528 Trasvía :*

Dunas de Oyambre sin rest, barrio La Cotera ✆ (942) 72 24 0... *Fax (942) 72 24 01*, < – . E VISA.
Semana Santa-15 septiembre – 600 – **21 hab** 8000/10000.

CONDADO DE SAN JORGE *Gerona* – *ver Playa de Aro.*

ONGOSTO *24398 León* 441 **E 10** – *1 948 h.*

Madrid 381 – León 101 – Ponferrada 12.

en el santuario *Noreste : 2 km –* ✉ *24398 Congosto :*

Virgen de la Peña ⛰, ☎ (987) 46 70 20, *Fax (987) 46 71 02,* ≤ valle, pantano y montañas, 🏊, 🎾 – 📺 ☎ 🅿. AE ⓓ E VISA. ✗
Comida (ver rest. ***Virgen de la Peña***) – ☕ 550 – **44 hab** 6100/8600.

Virgen de la Peña, ☎ (987) 46 71 02, *Fax (987) 46 71 02,* 🌳, « Terraza con ≤ valle, pantano y montañas », 🏊, 🎾 – 🅿. AE ⓓ E VISA. ✗
cerrado lunes y 15 diciembre-15 enero – **Comida** carta 2800 a 3500.

ONIL DE LA FRONTERA *11140 Cádiz* 446 **X 11** – *15 524 h. – Playa.*

Carretera 1 ☎ *(956) 44 05 01.*

Madrid 657 – Algeciras 87 – Cádiz 40 – Sevilla 149.

La Gaviota, pl. Nuestra Señora de las Virtudes ☎ (956) 44 08 36, *Fax (956) 44 09 80* – 📺 🚗. AE ⓓ E VISA
cerrado noviembre – **Comida** *(cerrado martes)* - sólo cena - 1990 – ☕ 350 – **15 apartamentos** 8500/10500.

Tres Jotas sin rest, prolongación San Sebastián 24 ☎ (956) 44 04 50, *Fax (956) 44 04 50* – 🛗 📺 ☎ 🚗. AE ⓓ E VISA. ✗
☕ 375 – **36 hab** 5145/7875.

Noroeste :

Flamenco ⛰, urb. Fuente del Gallo : 3 km ☎ (956) 44 07 11, *Fax (956) 44 05 42,* ≤, 🌳, 🏊, 🏖, 🌲, 🎾 – 🛗 ❄ 📺 ☎ 🅿. AE ⓓ E VISA. ✗
cerrado 7 enero-7 febrero – **Comida** carta aprox. 3400 – ☕ 950 – **114 hab** 9900/14900, 6 apartamentos.

Diufain ⛰ sin rest, carret. Fuente del Gallo : 1 km ☎ (956) 44 25 51, *Fax (956) 44 30 30* – 📺 🅿. ✗
15 marzo-octubre – ☕ 300 – **11 hab** 4500/6500.

ONSTANTINA *41450 Sevilla* 446 **S 13** – *7 519 h. alt. 556.*

Madrid 494 – Aracena 121 – Écija 82 – Sevilla 94.

San Blas ⛰ sin rest, Miraflores 22 ☎ (95) 588 00 77, *Fax (95) 588 19 00,* 🏊 – ❄ 📺 ☎ 🅿. E VISA. ✗
☕ 500 – **15 hab** 7000/9000.

Cambio de Tercio, Virgen del Robledo 53 ☎ (95) 588 10 80 – ❄. ⓓ E VISA. ✗
cerrado martes – **Comida** carta 2350 a 3100.

ORCONTE *39294 Cantabria* 442 **C 18** – *alt. 936 – Balneario.*

Madrid 331 – Bilbao/Bilbo 117 – Burgos 94 – Vitoria/Gasteiz 154.

G.H. Balneario de Corconte ⛰, ☎ (947) 15 42 81, *Fax (947) 15 42 33,* ≤, Servicios terapéuticos, « Junto al embalse del Ebro », 🏋 – 🛗 🅿. AE E VISA. ✗ rest
cerrado enero y febrero – **Comida** 2650 – ☕ 600 – **76 hab** 6200/8100 – PA 5000.

CÓRDOBA *14000* P 446 **S 15** – *310 488 h. alt. 124.*

Ver : *Mezquita-Catedral★★★ (mihrab★★★, Capilla Real★, sillería★★, púlpitos★★)* BZ – *Judería★★* ABZ – *Palacio de Viana★★* BY – *Museo arqueológico★ (cervatillo★)* BZ **M2** – *Alcázar★ (mosaicos★, sarcófago romano★, jardines★)* AZ – *Iglesias Fernandinas★ (Santa Marina de Aguas Santas* BY, *San Miguel* BY, *San Lorenzo por calle San Pablo* BY*)* – *Torre de la Calahorra : maqueta★* BZ.

Alred. : *Medina Azahara★ Oeste : 6 km* X – *Las Ermitas : vistas★ 13 km* V.

18 *Córdoba, Norte : 9 km por av. del Brillante* (V) ☎ *(957) 35 02 08.*

Torrijos 10 ✉ *14003* ☎ *(957) 47 12 35 Fax (957) 49 17 78 y pl. Judá Leví* ✉ *14003* ☎ *(957) 20 05 22 Fax (957) 20 02 77* – **R.A.C.E.** ☎ *900 20 00 93.*

Madrid 407 ② – Badajoz 278 ① – Granada 166 ③ – Málaga 175 ④ – Sevilla 143 ④

Planos páginas siguientes

Meliá Córdoba, jardines de la Victoria, ✉ 14004, ☎ (957) 29 80 66, *Fax (957) 29 81 47,* 🏊 – 🛗 ❄ 📺 ☎ – 🏛 25/500. AE ⓓ E VISA JCB. ✗ AZ p
Comida 3000 – ☕ 1225 – **142 hab** 13500/16900, 5 suites.

NH Amistad Córdoba ⛰, pl. de Maimónides 3, ✉ 14004, ☎ (957) 42 03 35, *Fax (957) 42 03 65,* 🌳, « Junto a la muralla árabe. Patio mudéjar » – 🛗 ❄ 📺 ☎ 🚗 – 🏛 25/50. AE ⓓ E VISA JCB. ✗ AZ v
Comida carta aprox. 4500 – ☕ 1400 – **69 hab** 13500/16500.

CÓRDOBA

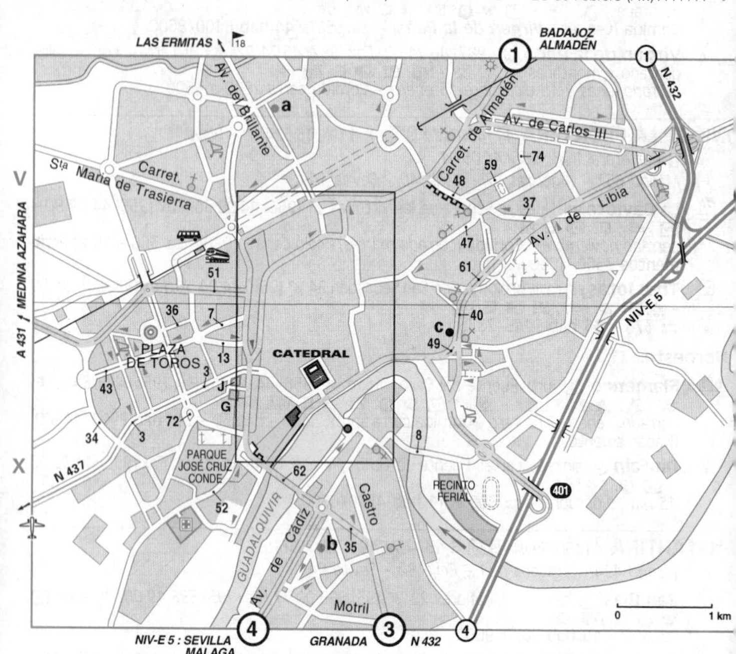

Alfaros, Alfaros 18, ✉ 14001, ☎ (957) 49 19 20, *Fax (957) 49 22 10,* - 25/300. AE ⓓ E VISA JCB. BY
Comida 2000 - ***Alarifes* : Comida** carta 3250 a 4800 – 1200 – **131 hab** 14000/1750 2 suites.

Hesperia Córdoba, av. de la Confederación, ✉ 14009, ☎ (957) 42 10 4. *Fax (957) 29 99 97,* - 25/150. AE ⓓ E VISA JC BZ
Comida 2600 – 1100 – **108 hab** 13950/16950, 2 suites – PA 5350.

El Conquistador sin rest, Magistral González Francés 15, ✉ 14003, ☎ (957) 48 11 0 *Fax (957) 47 46 77* – - 25/100. AE ⓓ E VISA JCB. BZ
1500 – **101 hab** 15000/19000.

Tryp Gran Capitán, av. de América 5, ✉ 14008, ☎ (957) 47 02 5 *Fax (957) 47 46 43,* - - 25/300. AE ⓓ E VISA. AY
Comida 2750 – 1000 – **97 hab** 14280/17850, 3 suites.

Sol Inn Gallos sin rest. con cafetería, av. Medina Azahara 7, ✉ 14005, ☎ (957) 23 55 0 *Fax (957) 23 16 36,* - . AE ⓓ E VISA JCB. AY
950 – **115 hab** 8925/11100.

Maimónides sin rest, Torrijos 4, ✉ 14003, ☎ (957) 47 15 00, *Fax (957) 48 38 03* – . AE ⓓ E VISA JCB ABZ
1250 – **82 hab** 15000/17000.

El Califa sin rest. con cafetería, Lope de Hoces 14, ✉ 14003, ☎ (957) 29 94 0 *Fax (957) 29 57 16* – - 25/70. AE ⓓ E VISA JCB AYZ
64 hab 9630/12950, 2 suites.

Averroes, Campo Madre de Dios 38, ✉ 14002, ☎ (957) 43 59 78, *Fax (957) 43 59 8* – - 25/250. AE ⓓ E VISA. X
Comida 1400 – 800 – **52 hab** 7500/12100 – PA 3600.

CÓRDOBA

mador de los Ríos ABZ 4
ngel Saavedra BZ 6
anco Belmonte BZ 10
Buen Pastor AZ 12
Capitulares BY 14
Cardenal González BZ 15
Deanes AZ 17
Conde de Gondomar AY 20
Cruz Conde ABY
Diario de Córdoba BY 31
Enrique Redel BY 32
Lineros BZ 38
M. González Francés BZ 46
Torrijos ABZ 68

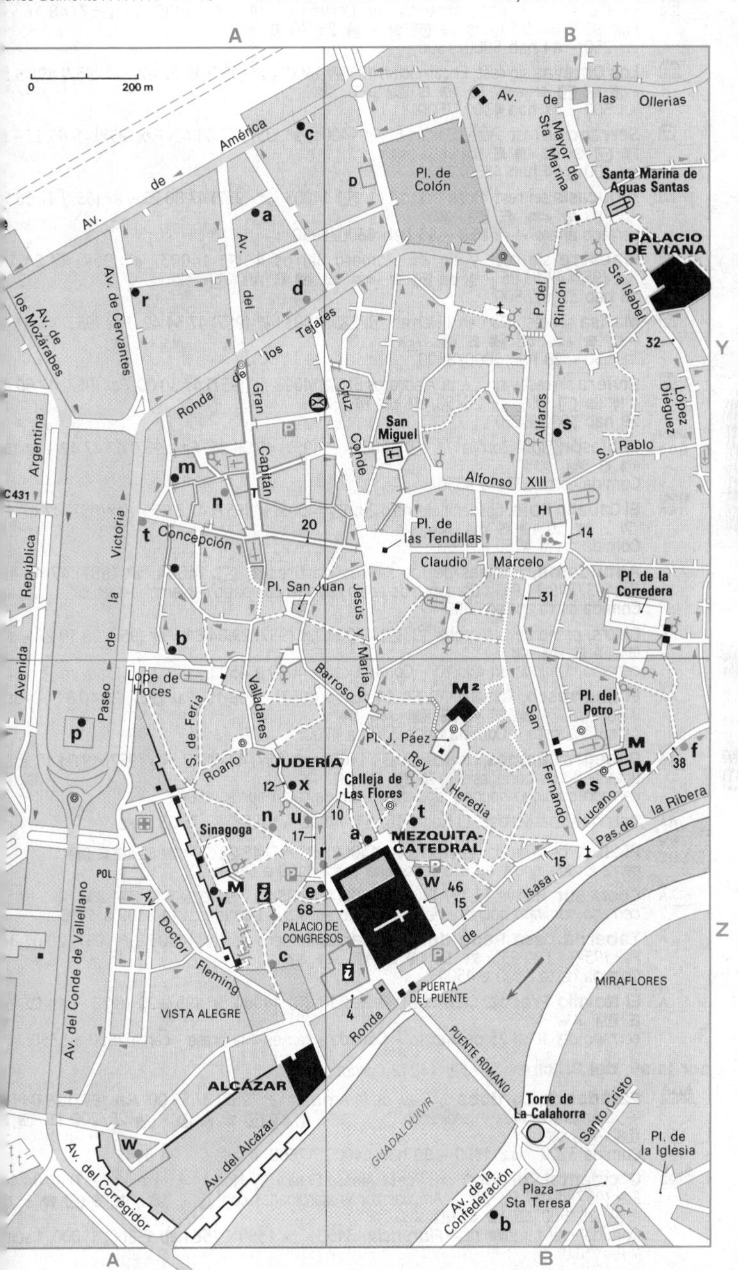

Selu sin rest, Eduardo Dato 7, ✉ 14003, ☎ (957) 47 65 00, *Fax (957) 47 83 76* – AE VISA JCB AY
885 – **105 hab** 7735/11300.

Cisne sin rest. con cafetería, av. Cervantes 14, ✉ 14008, ☎ (957) 48 16 7 *Fax (957) 49 05 13* – 25/70. E VISA AY
250 – **44 hab** 5000/7500.

Los Omeyas sin rest, Encarnación 17, ✉ 14003, ☎ (957) 49 22 67, *Fax (957) 49 16* – AE E VISA JCB. BZ
500 – **27 hab** 4300/7500.

Serrano sin rest, Pérez Galdós 6, ✉ 14001, ☎ (957) 47 01 42, *Fax (957) 48 65 13* – AE E VISA JCB. AY
400 – **64 hab** 4530/7830.

Albucasis sin rest, Buen Pastor 11, ✉ 14003, ☎ (957) 47 86 25, *Fax (957) 47 86* – E VISA. AZ
cerrado enero – 850 – **15 hab** 6600/9950.

Maestre sin rest y sin , Romero Barros 4, ✉ 14003, ☎ (957) 47 24 1 *Fax (957) 47 53 95* – AE E VISA JCB. BZ
26 hab 3900/6500.

Marisa sin rest, Cardenal Herrero 6, ✉ 14003, ☎ (957) 47 31 42, *Fax (957) 47 41* – AE E VISA JCB BZ
550 – **28 hab** 5000/8500.

Riviera sin rest y sin , pl. Aladreros 5, ✉ 14008, ☎ (957) 47 30 00, *Fax (957) 47 60* – 25/50. AE VISA. AY
29 hab 3900/6800.

El Blasón, José Zorrilla 11, ✉ 14008, ☎ (957) 48 06 25, *Fax (957) 47 47 42* – E VISA. AY
Comida carta 3350 a 4550.

El Caballo Rojo, Cardenal Herrero 28, ✉ 14003, ☎ (957) 47 53 75, *Fax (957) 47 47 4* – AE E VISA JCB. ABZ
Comida carta 4150 a 4700.

Almudaina, jardines de los Santos Mártires 1, ✉ 14004, ☎ (957) 47 43 4 *Fax (957) 48 34 94,* « Conjunto de estilo regional con patio cubierto » – AZ
Comida carta aprox. 5050.

Ciro's, paseo de la Victoria 19, ✉ 14004, ☎ (957) 29 04 64, *Fax (957) 29 30 22* – AE E VISA. AY
cerrado domingo en agosto – **Comida** carta 4000 a 4500.

El Churrasco, Romero 16, ✉ 14003, ☎ (957) 29 08 19, *Fax (957) 29 40 81,* « Pat y bodega » – AE E VISA JCB. AZ
cerrado agosto – **Comida** carta 3100 a 4700.

Bodegas Campos, Lineros 32, ✉ 14002, ☎ (957) 47 41 42, *Fax (957) 49 03 18,* « E unas antiguas bodegas » – AE VISA. BZ
cerrado domingo noche y agosto – **Comida** carta aprox. 4800.

Astoria-Casa Matías, El Nogal 16, ✉ 14006, ☎ (957) 27 76 53 – V

Pic-Nic, ronda de los Tejares 16, ✉ 14008, ☎ (957) 48 22 33 – AE E VISA AY
cerrado domingo y agosto – **Comida** carta 4100 a 5100.

Costa Sur, Huelva 17, ✉ 14013, ☎ (957) 29 03 74 – AE E VISA JCB. X
cerrado domingo noche y del 1 al 15 de agosto – **Comida** carta 3100 a 3800.

Taberna Casa Pepe de la Judería, Romero 1, ✉ 14003, ☎ (957) 20 07 4 *Fax (957) 42 20 63* – AE E VISA JCB. AZ
Comida carta 3500 a 4500.

El Novillo Precoz, Caballerizas Reales 10, ✉ 14004, ☎ (957) 20 18 28 – AE E VISA JCB. AZ
cerrado del 10 al 25 de agosto – **Comida** - carnes a la brasa - carta 2500 a 3350.

por la av. del Brillante V – ✉ *14012 Córdoba :*

Parador de Córdoba , av. de la Arruzafa ☎ (957) 27 59 00, *Fax (957) 28 04 0* , « Amplia terraza y jardín con » – 25/200. AE VISA JCB.
Comida 3200 – 1300 – **90 hab** 14000/17500, 4 suites – PA 6545.

Occidental Córdoba , Poeta Alonso Bonilla 7 - Norte : 4,5 km ☎ (957) 40 04 4 *Fax (957) 40 04 39,* , « Amplias zonas ajardinadas con » – 25/500. AE E VISA JCB.
Comida - ver también rest. ***Florencia*** - 3100 – 1350 – **156 hab** 13200/15000, 1 suit – PA 7550.

Las Adelfas ⑤, av. de la Arruzafa - Norte : 3,5 km ☎ (957) 27 74 20, *Fax (957) 27 27 94*, ⛱, ⛱, 🎾 - |♦| ▤ TV ☎ 🚗 P - 🏛 25/300. ⓓ E VISA JCB. ✗
Comida 2500 - ☕ 1150 - **99 hab** 9000/11000.

Abetos del Maestre Escuela ⑤, prolongación av. San José de Calasanz - Norte : 6 km ☎ (957) 28 21 05, *Fax (957) 28 21 75*, « Terraza con palmeras », ⛱, 🌳, 🎾 - |♦| ▤ TV ☎ P - 🏛 25/80. AE ⓓ E VISA. ✗ rest
Comida 2000 - ☕ 650 - **36 hab** 8900/11500 - PA 4200.

Florencia, Poeta Alonso Bonilla 7 - Norte : 4,5 km ☎ (957) 40 04 40, *Fax (957) 40 04 39* - ▤ P. AE ⓓ E VISA JCB. ✗
15 septiembre-15 junio - **Comida** carta 3700 a 4200.

RIA *10800 Cáceres* 444 **M 10** - *11 260 h. alt. 263.*
Ver : *Catedral★.*
Madrid 321 - Cáceres 69 - Salamanca 174.

RINTO (Playa de) *Valencia - ver Sagunto.*

RNELLÀ DE TERRI *17844 Gerona* 443 **F 38** - *1 785 h. alt. 96.*
Madrid 709 - Figueras/Figueres 41 - Gerona/Girona 15.

Can Xapes, Mossèn Jacinto Verdaguer 5 ☎ (972) 59 40 22 - ▤. AE ⓓ E VISA. ✗
cerrado lunes, festivos y del 1 al 20 de agosto - **Comida** carta aprox. 4500.

RNELLANA *33850 Asturias* 441 **B 11** - *alt. 50.*
Madrid 473 - Oviedo 38.

La Fuente, carret. N 634 ☎ (98) 583 40 42, *Fax (98) 583 40 02*, ⛱, 🌳 - TV 🚗 P. AE E VISA. ✗ rest
Comida 1200 - ☕ 500 - **16 hab** 4000/6000 - PA 2800.

RNISA CANTÁBRICA ★★ *Vizcaya y Guipúzcoa* 442 **B 22.**

RRALEJO *Las Palmas - ver Canarias (Fuerteventura).*

RRÓ D'AMUNT *Barcelona - ver Granollers.*

RTADURA (Playa de) *Cádiz - ver Cádiz.*

RTEGANA *21230 Huelva* 446 **S 9** - *5 225 h. alt. 690.*
Madrid 490 - Aracena 30 - Huelva 114 - Serpa 77 - Sevilla 120 - Zafra 92.

r la carretera de El Repilado a La Corte *Noreste : 9,5 km* - ✉ *21230 Cortegana :*

La Posada de Cortegana ⑤, ☎ (959) 50 33 01, *Fax (959) 50 33 02*, « Cabañas típicas de madera en un entorno natural », ⛱ - ▤ TV ☎ P. ✗ rest
Comida 1500 - ☕ 500 - **40 hab** 6500/8000 - PA 2975.

CORUÑA o A CORUÑA *15000* P 441 **B 4** - *252 694 h.* - *Playa.*
Ver : *Avenida de la Marina★* ABY.
Alred. : *Cambre (Iglesia de Santa María★) 11 km por ②.*
18 *La Coruña, por ② : 7 km ☎ (981) 28 52 00 Fax (981) 28 03 32.*
✈ *de La Coruña-Alvedro por ② : 10 km ☎ (981) 18 72 00 Fax (981) 18 72 39 - Iberia : Teresa Herrera 1 ☎ (981) 22 58 56, y Aviaco : aeropuerto Alvedro ☎ (981) 18 72 61.*
🚗 *☎ (981) 23 82 76.*
ℹ *Dársena de la Marina ✉ 15001 ☎ (981) 22 18 22* - **R.A.C.E.** *pl. de Pontevedra 12-1º E ✉ 15003 ☎ (981) 22 18 30 Fax (981) 22 03 22.*
Madrid 603 ② - Bilbao/Bilbo 622 ② - Porto 305 ② - Sevilla 950 ② - Vigo 156 ②

Plano página siguiente

Tryp María Pita, av. Pedro Barrié de la Maza 1, ✉ 15003, ☎ (981) 20 50 00, *Fax (981) 20 55 65*, ≤ playa, mar y ciudad - |♦| ▤ TV ☎ 🚗 - 🏛 25/400. AE ⓓ E VISA. ✗
Trueiro : **Comida** carta 3700 a 4600 - ☕ 1300 - **164 hab** 14800/18500, 17 suites. AY a

Finisterre, paseo del Parrote 20, ✉ 15001, ☎ (981) 20 54 00, *Telex 86086*, *Fax (981) 20 84 62*, « Magnífica situación con ≤ », 🏋, ⛱ climatizada, 🎾 - |♦|, ▤ rest, TV ☎ P - 🏛 25/600. AE ⓓ E VISA. ✗ rest BZ n
Comida 4000 - ☕ 1500 - **117 hab** 16750/20350, 10 suites - PA 8075.

A CORUÑA
LA CORUÑA

Street	Grid	No.
Alcade Alfonso Molina (Avenida del)	X	2
Arteijo (Av. de)	VX	3
Buenos Aires (Av. de)	V	4
Cantón Grande	AZ	7
Cantón Pequeño	AZ	8
Circunvalación (Carret. de)	V	9
Compostela	AZ	13
Damas	BY	14
Ejército (Av. del)	X	15
Ferrol	AZ	18
Finisterre (Av. de)	AZ	19
Gómez Zamalloa	AZ	20
Gran Canaria (Av. de)	V	22
Herrerías	BY	23
Juan Canalejo	AY	24
Juana de Vega (Av.)	AZ	26
Maestranza	BY	27
María Pita (Pl. de)	BY	28
Marqués de Figueroa	X	31
Padre Feijóo	AZ	32
Payo Gómez	AZ	36
Picavia	AZ	37
Pontevedra (Pl. de)	AZ	40
Puente del Pasaje (Carret. del)	X	41
Real	AY	
Riego del Aqua	BY	42
Rubine (Av. de)	AZ	45
San Agustín	BY	46
San Agustín (Cuesta de)	BY	47
San Andrés	AYZ	
Sánchez Bregua	AZ	50
Santa María	BY	51
Santa Catalina	AZ	52
Teresa Herrera	AZ	55
Torre	V	56

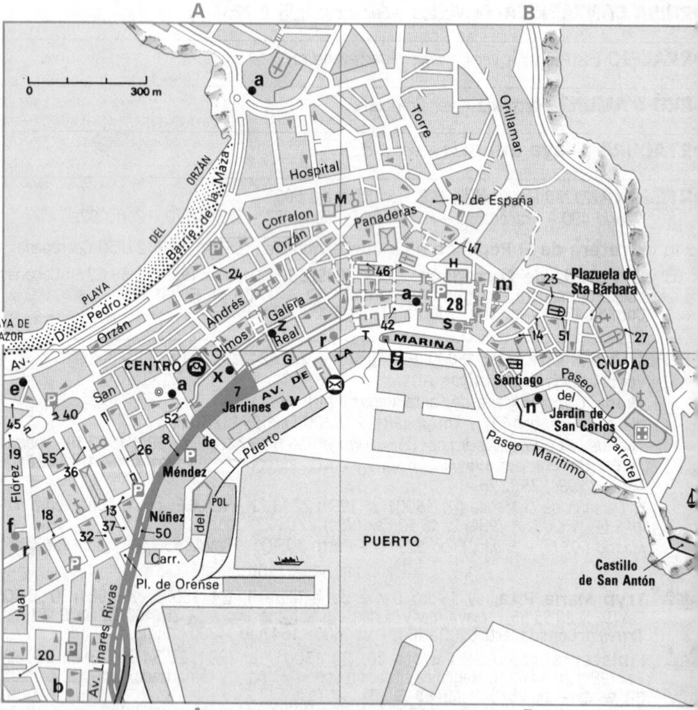

Meliá Confort Coruña sin rest, Ramón y Cajal 53, ✉ 15006, ☎ (981) 24 27 11, *Fax (981) 23 67 28*, – 25/175. AE VISA. X c
1300 – **175 hab** 15850/19360, 6 suites.

Riazor sin rest. con cafetería, av. Pedro Barrié de la Maza 29, ✉ 15004, ☎ (981) 25 34 00, *Fax (981) 25 34 04*, ← – 25/200. AE VISA. AZ e
900 – **175 hab** 11700/14600.

NH Atlántico sin rest. con cafetería, jardines de Méndez Núñez, ✉ 15006, ☎ (981) 22 65 00, *Telex 86034*, *Fax (981) 20 10 71* – 25/100. AE VISA JCB. AZ v
1500 – **198 hab** 15000/19000, 1 suite.

Ciudad de La Coruña, Adormideras, ✉ 15002, ☎ (981) 21 11 00, *Fax (981) 22 46 10*, ←, rest, – 25/160. AE VISA. V a
Comida 2750 – 950 – **122 hab** 10500/12600, 9 suites.

Avenida sin rest. con cafetería, av. Alfonso Molina 30, ✉ 15008, ☎ (981) 24 94 66, *Fax (981) 24 94 66* – – 25/30. VISA. X r
650 – **71 hab** 6500/11000.

Almirante sin rest, paseo de Ronda 54, ✉ 15011, ☎ (981) 25 96 00, *Fax (981) 25 96 08* – AE VISA V f
400 – **20 hab** 4500/6000.

Mar del Plata sin rest. con cafetería, paseo de Ronda 58, ✉ 15011, ☎ (981) 25 79 62, *Fax (981) 25 79 99*, ← – VISA. V f
525 – **27 hab** 6000.

La Provinciana sin rest y sin , Nueva 9-2º, ✉ 15003, ☎ (981) 22 04 00, *Fax (981) 22 04 40* – AZ x
19 hab 4400/6400.

Alborán sin rest y sin , Riego de Agua 14, ✉ 15001, ☎ (981) 22 25 62, *Fax (981) 22 25 62* – BY a
30 hab 3800/6000.

Santa Catalina sin rest y sin , travesía Santa Catalina 1, ✉ 15003, ☎ (981) 22 67 04, *Fax (981) 22 85 09* – VISA. AZ a
32 hab 3800/6000.

Mara sin rest y sin , Galera 49, ✉ 15001, ☎ (981) 22 18 02, *Fax (981) 22 18 02* – VISA. AY z
19 hab 4800/5800.

Pardo, Novoa Santos 15, ✉ 15006, ☎ (981) 28 00 21, *Fax (981) 29 61 56* – AE VISA. X c
cerrado domingo y del 15 al 30 de junio – **Comida** carta 4550 a 5150
Espec. Vieiras en salsa de cebolla y jamón. Rape con verduritas y ajada gallega. Milhojas de mousse de plátano con coulis de naranja y frutas.

A la Brasa, Juan Florez 38, ✉ 15004, ☎ (981) 27 07 27, *Fax (981) 26 54 57* – AE VISA. AZ f
cerrado Navidades – **Comida** carta 3215 a 4145.

Coral, callejón de la Estacada 9, ✉ 15001, ☎ (981) 20 05 69, *Fax (981) 22 91 04* – AE VISA JCB. AY r
cerrado domingo salvo 15 julio-15 septiembre – **Comida** carta 3500 a 4200.

La Penela, pl. de María Pita 12, ✉ 15001, ☎ (981) 20 92 00 – AE VISA. BY s
cerrado domingo – **Comida** carta 2900 a 3800.

La Viña, av. del Pasaje 123, ✉ 15006, ☎ (981) 28 08 54, *Fax (981) 28 93 52* – AE VISA. X x
cerrado domingo y enero – **Comida** - pescados y mariscos - carta 2900 a 4200.

Eume, Río Monelos 44, ✉ 15006, ☎ (981) 13 67 08, *Fax (981) 13 67 08* – AE VISA. X c
cerrado domingo noche – **Comida** carta aprox. 4200.

El Manjar, Alfredo Vicenti 29, ✉ 15004, ☎ (981) 25 18 85, « Decoración estilo 1930 » – AE VISA JCB. V r
cerrado domingo noche – **Comida** carta 3500 a 5400.

Alba, av. del Pasaje 63, ✉ 15006, ☎ (981) 28 33 87, *Fax (981) 28 52 20*, ← bahía y playa de Santa Cristina – X v
cerrado domingo noche, lunes y del 15 al 31 de agosto – **Comida** carta 3000 a 3450.

La lebolina, Capitán Troncoso 18, ✉ 15001, ☎ (981) 20 50 44 – VISA. BY m
cerrado domingo – **Comida** carta aprox. 3800.

O Alpendre, Emilia Pardo Bazán 21, ✉ 15005, ☎ (981) 23 72 83 – AE ◐ E VISA. AZ
cerrado domingo – **Comida** carta aprox. 4150.

Manolito, Fernández Latorre 116, ✉ 15006, ☎ (981) 23 01 02, *Fax (981) 15 39 93* – AE ◐ E VISA. X
cerrado domingo noche – **Comida** carta aprox. 4100.

Mundo, Cabo Santiago Gómez 8, ✉ 15004, ☎ (981) 14 08 84 – AE E VISA. AZ
cerrado domingo – **Comida** carta aprox. 2850.

Manolito, Ramón y Cajal 45, ✉ 15006, ☎ (981) 28 20 62, *Fax (981) 15 39 93* – ◐ E VISA. X
cerrado domingo noche – **Comida** carta aprox. 4100.

en Culleredo *Sureste : 5 km – ✉ 15174 Culleredo :*

Crunia, av. Fonteculler 58 ☎ (981) 65 00 88, *Fax (981) 65 00 89,* – TV – 25/200. AE E VISA. X
Comida 2500 – 700 – **27 hab** 10500/13500.

en Perillo *Sureste : 6 km – ✉ 15172 Perillo :*

Rías Altas, av. de las Américas 57 ☎ (981) 63 53 00, *Fax (981) 63 61 09,* bal – TV – 25/80. AE ◐ E VISA. X
Comida 2900 – 975 – **103 hab** 11600/14500.

El Madrileño, av. de las Américas 17 ☎ (981) 63 50 78, *Fax (981) 63 50 78,* – AE ◐ E VISA. X
cerrado 15 días en octubre – **Comida** carta 3200 a 4200.

Orlinda, carret. de Santa Cruz 73 ☎ (981) 63 50 72, – VISA. X
cerrado domingo noche y lunes noche (salvo agosto) y Navidades – **Comida** carta apr 4600.

COSGAYA *39539 Cantabria* 442 **C 15** – *86 h. alt. 530.*
Madrid 413 – Palencia 187 – Santander 129.

Del Oso, ☎ (942) 73 30 18, *Fax (942) 73 30 36,* – TV. ◐ E VISA.
cerrado 7 enero-15 febrero – **Comida** 2000 – 600 – **51 hab** 7000/9000.

COSLADA *28820 Madrid* 444 **L 20** – *73 844 h. alt. 621.*
Madrid 13 – Guadalajara 43.

La Ciaboga, av. Plantío 5 ☎ (91) 673 59 18 – AE ◐ E VISA.
cerrado domingo y agosto – **Comida** carta aprox. 4750.

en el barrio de la estación *Noreste : 4,5 km – ✉ 28820 Coslada :*

La Fragata, av. San Pablo 14 ☎ (91) 673 38 02 – AE ◐ E VISA.
cerrado domingo y agosto – **Comida** carta aprox. 4300.

Neumáticos MICHELIN S.A., Sucursal av. José Gárate 7 y 9, ✉ 288 ☎ (91) 671 80 11, Fax (91) 671 91 14

COSTA – *ver a continuación y nombre propio de la costa (Costa Calma, ver Canarias).*

COSTA BLANCA *Alicante y Murcia* 445 **P 29-30, Q 29-30.**
Ver : *Recorrido*★.

COSTA BRAVA *Gerona* 443 **E 39, F 39, G 38 y 39.**
Ver : *Recorrido*★★★.

COSTA CALMA *Las Palmas – ver Canarias (Fuerteventura).*

COSTA DE CANTABRIA 442 **B 16 al 20.**
Ver : *Recorrido*★.

COSTA DE LA LUZ *Huelva y Cádiz* 446 **U 7 al 10, V 10, W 10-11, X 11 al 13.**

COSTA DE LOS PINOS *Baleares – ver Baleares (Mallorca) : Son Servera.*

COSTA DEL AZAHAR *Castellón y Valencia* 445 **K 29 al 32 P 29 al 32.**

A COSTA DEL MONTSENY 08470 Barcelona 443 G 37.
Madrid 639 – Barcelona 54 – Gerona/Girona 65 – Vic 62.

De la Costa, ☎ (93) 847 50 50, ≤ sierra del Montseny – VISA. ✻
cerrado jueves y septiembre – Comida carta aprox. 3900.

OSTA DEL SOL *Málaga, Granada y Almería* 446 V 16 al 22, W 14 al 16.
Ver : *Recorrido*★.

OSTA DORADA *Tarragona y Barcelona* 443 H 32 al 38 J 32 al 38.

OSTA TEGUISE *Las Palmas – ver Canarias (Lanzarote).*

OSTA VASCA *Guipúzcoa y Vizcaya* 442 B 21 al 24, C 21 al 24.
Ver : *Recorrido*★★.

OSTA VERDE *Asturias* 441 B 8 al 15.
Ver : *Recorrido*★★★.

OVADONGA *33589 Asturias* 441 B 14 – *alt. 260.*
Ver : *Emplazamiento*★★ – *Museo (corona*★*).*
Alred. : *Mirador de la Reina* ≤★★ *Sureste : 8 km – Lagos de Enol y de la Ercina*★ *Sureste : 12,5 km.*
pl. la Basílica ☎ *(98) 584 60 35.*
Madrid 429 – Oviedo 84 – Palencia 203 – Santander 157.

Pelayo ⑤, ☎ (98) 584 60 61, *Fax (98) 584 60 54*, ≤ – |♦| TV ☎ P – 25/150. AE ① E VISA JCB. ✻
cerrado 15 diciembre-enero – **Comida** 2000 – ☐ 800 – **43 hab** 8000/14000 – PA 4000.

Auseva sin rest, El Repelao ☎ (98) 584 60 23, *Fax (98) 584 61 07* – TV ☎. AE E VISA. ✻
marzo-10 noviembre – ☐ 700 – **12 hab** 7000/8800.

Peñalba, La Riera ☎ (98) 584 61 00, *Fax (98) 584 61 00* – P. AE ① E VISA. ✻
Comida carta aprox. 2100 – ☐ 600 – **8 hab** 7000.

Hospedería del Peregrino, ☎ (98) 584 60 47, *Fax (98) 584 60 51* – P. AE E VISA. ✻
cerrado 25 enero-28 febrero – **Comida** carta 3300 a 4150.

OVALEDA *42157 Soria* 442 G 21 – *2 079 h. alt. 1 214.*
Madrid 233 – Burgos 96 – Soria 50.

Pinares de Urbión, Numancia 4 ☎ (975) 37 05 33, *Fax (975) 37 05 33*, Lá, ☐ – |♦| TV ☎ – 25/105. AE E VISA. ✻
cerrado 12 diciembre-enero – **Comida** 1500 – ☐ 700 – **56 hab** 5500/9500.

OVARRUBIAS *09346 Burgos* 442 F 19 – *629 h. alt. 840.*
Ver : *Colegiata*★ *- Museo (tríptico*★*).*
Excurs. : *Quintanilla de las Viñas : Iglesia*★ *Noreste : 24 km.*
Madrid 228 – Burgos 39 – Palencia 94 – Soria 117.

Arlanza ⑤, Mayor 11 ☎ (947) 40 64 41, *Fax (947) 40 63 59*, « Estilo castellano » – |♦| ☎. AE ① E VISA. ✻ rest
marzo-noviembre – **Comida** *(cerrado domingo noche)* 1850 – ☐ 650 – **40 hab** 5800/9600 – PA 3740.

De Galo, Monseñor Vargas 10 ☎ (947) 40 63 93, « En una antigua cuadra » – ▤. AE E VISA. ✻
cerrado miércoles y febrero – Comida - sólo almuerzo de lunes a jueves del 15 diciembre-15 marzo - carta 2400 a 3300.

OVAS *27868 Lugo* 441 B 7.
Madrid 604 – La Coruña/A Coruña 117 – Lugo 90 – Vivero/Viveiro 2.

Las Sirenas, carret. C 642 - Norte : 1 km ☎ (982) 56 02 00, *Fax (982) 55 12 67* – TV ☎ P. AE ① VISA. ✻
Comida 1900 – ☐ 800 – **30 hab** 10000/12000, 36 apartamentos.

Dolusa sin rest, av. Pérez Labarza 14 ☎ (982) 56 08 66 – |♦| TV ☎. VISA. ✻
☐ 300 – **15 hab** 4000/6000.

Los CRISTIANOS *Santa Cruz de Tenerife – ver Canarias (Tenerife).*

EL CRUCERO *Asturias – ver Tineo.*

CRUZ DE TEJEDA *Las Palmas – ver Canarias (Gran Canaria).*

CUACOS DE YUSTE *10430 Cáceres* 444 **L 12** – *930 h. alt. 520.*
Madrid 223 – Ávila 153 – Cáceres 130 – Plasencia 45.

Moregón, av. de la Constitución 77 ✆ (927) 17 21 81, *Fax (927) 17 22 68* –
16 hab.

CUBELLAS o CUBELLES *08880 Barcelona* 443 **I 35** – *3 137 h. – Playa.*
passeig Narcís Bardají 12 ✆ (93) 895 25 00.
Madrid 584 – Barcelona 54 – Lérida/Lleida 127 – Tarragona 41.

Llicorella con hab, San Antonio 101 (carret. C 246) ✆ (93) 895 00 4 *Fax (93) 895 24 17*, « Jardín con esculturas contemporáneas », – hab, – 25/50. AE E VISA JCB. rest
Comida *(cerrado domingo noche y lunes salvo 15 julio-15 septiembre)* carta 4600 a 53 – 1100 – **15 hab** 10000/13000.

CUDILLERO *33150 Asturias* 441 **B 11** – *6 538 h.*
Ver : *Muelle* : ≤★.
Alred. : *Ermita del Espiritu Santo (≤★) Este : 7 km – Cabo Vidio★★ (≤★★) Noroeste : 14 k*
Madrid 505 – Gijón 54 – Luarca 53 – Oviedo 61.

La Casona de Pío, Riofrío 3 ✆ (98) 559 15 12, *Fax (98) 559 15 19*, « Instalado una antigua fábrica de salazones » – E VISA.
Comida 2500 – 800 – **11 hab** 6500/9000.

al Oeste :

Mariño con hab, Concha de Artedo : 5 km, ✉ 33155 Concha de Arted ✆ (98) 559 11 88, *Fax (98) 559 01 86*, ≤, – AE E VISA.
cerrado febrero – **Comida** carta 3750 a 5000 – 500 – **12 hab** 4000/7000.

Casa Fernando 2 con hab, El Rellayo - carret. N 632 : 4 km, ✉ 33155 El Rellay ✆ (98) 559 02 92, *Fax (98) 559 13 82* – AE E VISA.
cerrado 20 diciembre-20 enero – **Comida** carta 2800 a 4600 – 500 – **8 hab** 6000/85

CUÉLLAR *40200 Segovia* 442 **I 16** – *9 071 h. alt. 857.*
Madrid 147 – Aranda de Duero 67 – Salamanca 138 – Segovia 60 – Valladolid 50.

San Francisco, San Francisco 25 ✆ (921) 14 00 09, *Fax (921) 14 32 43*, – re AE E VISA. rest
Comida 1175 – 350 – **28 hab** 4010/6690 – PA 2700.

en la carretera CL 601 *Sur : 3,5 km – ✉ 40200 Cuéllar :*

Florida, ✆ (921) 14 02 75, – VISA.
cerrado martes noche (salvo agosto) y 15 días en noviembre – **Comida** carta 2950 a 41

CUENCA *16000* P 444 **L 23** – *46 047 h. alt. 923.*
Ver : *Emplazamiento★★ – Ciudad Antigua★★ Y : Catedral (portada de la sala capitular Museo Diocesano★ : díptico bizantino★* **M1)** *– Casas Colgadas★ : Museo de Arte Abstrac Español★★ - Museo de Cuenca★* **M2** *– Plaza de las Angustias★* **15** *– Puente de San Pal* ≤★ **68.**
Alred. : *Hoz del Huécar : ≤★ Y – Las Torcas★ 20 km por ① – Ciudad Encantada★ Noroest 25 km Y.*
Villar de Olalla por ② : 10,5 km ✆ (969) 26 71 98.
pl. Mayor 1 ✉ 16001 ✆ (969) 23 21 19 Fax (969) 23 53 56 – **R.A.C.E.** *Teniente Gonzá 2 ✆ (969) 21 14 95 Fax (969) 21 14 95.*
Madrid 164 ③ – Albacete 145 ① – Toledo 185 ③ – Valencia 209 ① – Zaragoza 336

Plano página siguiente

Parador de Cuenca, paseo del Huécar, ✉ 16001, ✆ (969) 23 23 2 *Fax (969) 23 25 34*, « Antiguo convento junto a la Hoz del Huécar con ≤ », – – 25/150. AE E VISA JCB. Y
Comida 3700 – 1300 – **61 hab** 14000/17500, 2 suites.

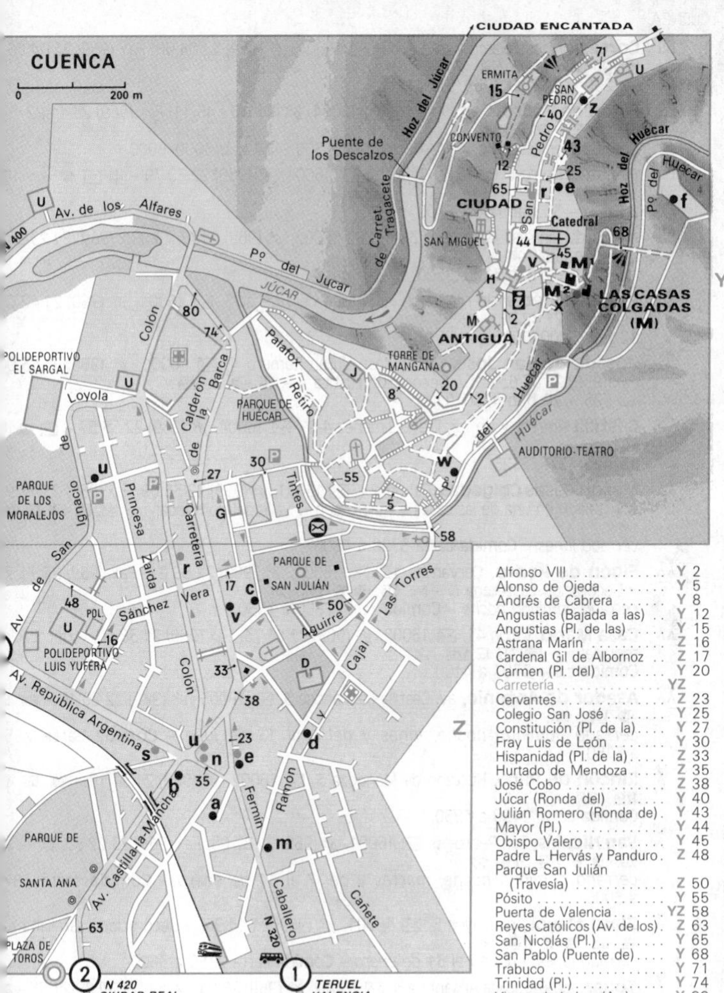

NH Ciudad de Cuenca, Ronda de San José 1, ✉ 16004, ☎ (969) 23 05 02, *Fax (969) 23 05 03* – |‡| ▤ TV ☎ ♿ 🅿 – 25/300. AE ① E VISA. ✂ por ①
Comida *(cerrado domingo noche)* 2000 – ☕ 1000 – **74 hab** 10500/12000.

Torremangana, San Ignacio de Loyola 9, ✉ 16002, ☎ (969) 22 33 51, *Fax (969) 22 96 71* – |‡| ▤ TV ☎ – 25/500. AE ① E VISA. ✂ rest Y u
La Cocina **: Comida** carta 3300 a 3745 – ☕ 1250 – **120 hab** 10300/14400.

Leonor de Aquitania sin rest, San Pedro 60, ✉ 16001, ☎ (969) 23 10 00, *Fax (969) 23 10 04*, ≤ – |‡| TV ☎ – 25/100. AE ① E VISA JCB. ✂ Y z
☕ 875 – **49 hab** 7950/10900.

Alfonso VIII, parque San Julián 3, ✉ 16002, ☎ (969) 21 25 12, *Fax (969) 21 43 25* – |‡|, ▤ rest, TV ☎ – 60/500. AE VISA. ✂ rest Z c
Comida 2200 – ☕ 800 – **44 hab** 7900/13000, 4 suites, 6 apartamentos.

Francabel sin rest, av. Castilla-La Mancha 7, ✉ 16003, ☎ (969) 22 62 22, *Fax (969) 22 62 22* – |‡| TV ☎. E VISA JCB. ✂ Z b
☕ 500 – **30 hab** 4000/6000.

Cortés sin rest, Ramón y Cajal 49, ✉ 16004, ✆ (969) 22 04 00, *Fax (969) 22 04 06* Z
250 – **44 hab** 3200/5200.

Figón de Pedro, Cervantes 13, ✉ 16004, ✆ (969) 22 45 11, *Fax (969) 23 11 92* – Z
Comida (ver rest. ***Figón de Pedro***) – 500 – **28 hab** 4000/6000.

Arévalo sin rest, Ramón y Cajal 29, ✉ 16001, ✆ (969) 22 39 79 – Z
440 – **35 hab** 4100/6100.

Avenida sin rest, Carretería 39-1º, ✉ 16002, ✆ (969) 21 43 43, *Fax (969) 21 23 35* Z
300 – **32 hab** 3200/5500.

Posada Huécar sin rest y sin, paseo del Huécar 5, ✉ 16001, ✆ (969) 21 42 0
Fax (969) 21 42 01 – Y
12 hab 3000/5000.

Posada de San José sin rest, Julián Romero 4, ✉ 16001, ✆ (969) 21 13 0
Fax (969) 23 03 65, «Decoración rústica» – Y
525 – **29 hab** 4700/9100.

Castilla sin rest y sin, Diego Jiménez 4-1º, ✉ 16004, ✆ (969) 22 53 57 – Z
15 hab 3775/5525.

Mesón Casas Colgadas, Canónigos, ✉ 16001, ✆ (969) 22 35 09, *Fax (969) 23 11 9*
«Instalado en una de las casas colgadas con valle del río Huécar» – Y
cerrado lunes – **Comida** carta 3700 a 4800.

Figón de Pedro, Cervantes 13, ✉ 16004, ✆ (969) 22 68 21, *Fax (969) 23 11 9*
«Decoración castellana» – Z
cerrado domingo noche – **Comida** carta 2850 a 3550.

Casa Marlo, Colón 41, ✉ 16002, ✆ (969) 21 11 73, *Fax (969) 21 38 60*, «Decoració regional» – Z
Comida carta 3700 a 4100.

Asador de Antonio, av. Castilla-La Mancha 3, ✉ 16003, ✆ (969) 22 20 10 – Z
cerrado domingo noche, lunes y del 1 al 15 de julio – **Comida** carta 25 a 3750.

Rincón de Paco, Hurtado de Mendoza 3, ✉ 16002, ✆ (969) 21 34 18 – Z
Comida carta 2450 a 3850.

San Nicolás, San Pedro 15, ✉ 16001, ✆ (969) 21 22 05, *Fax (969) 23 22 88*, – Y
cerrado domingo noche, martes y del 7 al 31 de enero – **Comida** carta 38 a 5000.

Plaza Mayor, pl. Mayor 5, ✉ 16001, ✆ (969) 21 14 96, «Decoración castellana» Y
cerrado lunes y del 15 al 31 de enero – **Comida** carta 2750 a 3600.

Togar, av. República Argentina 3, ✉ 16002, ✆ (969) 22 01 62, *Fax (969) 22 21 55* – Z
Comida carta 2300 a 2900.

por la carretera de Palomera Y : *6 km al Noreste y desvío a la izquierda por carretera Buenache 1,2 km – ✉ 16001 Cuenca :*

Cueva del Fraile, ✆ (969) 21 15 71, *Fax (969) 25 60 47*, «Edificio del siglo X Decoración castellana», – – 25/200.
cerrado 10 enero-25 febrero – **Comida** 2300 – 850 – **59 hab** 9900/10500, 1 sui

Esta guía no indica todos los hoteles y restaurantes,
ni siquiera todos los buenos hoteles y restaurantes de España y Portugal.

Como intentamos prestar un servicio a todos los turistas,
citamos establecimientos de todo tipo. Nuestra selección recoge
solamente algunos de cada categoría.

ESTA DE LA VILLA *Santa Cruz de Tenerife – ver Canarias (Tenerife) : Santa Úrsula.*

UEVA *– ver el nombre propio de la cueva.*

ULLERA *46400 Valencia* 445 O 25 *– 19 984 h. – Playa.*

del Riu 38 ☎ (96) 172 09 74 Fax (96) 172 66 89 pl. Constitución ☎ (96) 173 15 86.
Madrid 388 – Alicante/Alacant 136 – Valencia 40.

Carabela II, av. País Valencià 41 ☎ (96) 172 40 70, *Fax (96) 172 40 70* – . AE E VISA JCB. rest
Comida *(cerrado domingo)* 1850 – 500 – **15 hab** 4600/6700.

La Reina, av. País Valencià 59 ☎ (96) 172 05 63, *Fax (96) 172 05 63* – . E VISA.
Comida 1650 – 500 – **10 hab** 3600/5600 – PA 3300.

L'Entrecôte, pl. de Mongrell 4 ☎ (96) 172 04 19 – . AE E VISA JCB
15 marzo-15 diciembre y fines de semana resto del año – **Comida** - sólo cena salvo sábado y domingo - carta 2950 a 4550.

ULLEREDO *La Coruña – ver La Coruña.*

UNIT *43881 Tarragona* 443 I 34 *– 2 427 h. – Playa.*
Madrid 580 – Barcelona 58 – Tarragona 37.

L'Avi Pau, av. Barcelona 160 ☎ (977) 67 48 61, *Fax (977) 67 48 61* – . AE E VISA.
cerrado martes (julio-agosto), lunes noche y martes resto del año – **Comida** carta 3400 a 5600.

UZCURRITA DE RÍO TIRÓN *26214 La Rioja* 442 E 21 *– 466 h. alt. 519.*
Madrid 321 – Burgos 78 – Logroño 54 – Vitoria/Gasteiz 58.

El Botero con hab, San Sebastián 83 ☎ (941) 30 15 00, *Fax (941) 30 15 34* – rest, . VISA.
Comida carta 2050 a 3050 – 550 – **12 hab** 3700/4700.

AIMIEL *13250 Ciudad Real* 444 O 19 *– 16 214 h. alt. 625.*
Madrid 172 – Ciudad Real 31 – Toledo 122 – Valdepeñas 51.

Las Tablas, Virgen de las Cruces 5 ☎ (926) 85 21 07, *Fax (926) 85 21 89,* – – 25/100. AE E VISA.
Comida carta 2500 a 3500 – 350 – **33 hab** 4750/7500.

n la carretera N 430 *Suroeste : 3,5 km – 13250 Daimiel :*

Nueva Tierrallana, ☎ (926) 85 27 63, *Fax (926) 85 27 63* – . AE E VISA.
Comida 1000 – 250 – **32 hab** 2500/4500.

ANCHARINEA o DANTXARINEA *31712 Navarra* 442 C 25.
Madrid 475 – Bayonne 29 – Pamplona/Iruñea 80.

Menta, carret. de Francia ☎ (948) 59 90 20, *Fax (948) 59 90 20* – . AE VISA.
Comida carta 3200 a 5000.

ARNIUS *17722 Gerona* 443 E 38 *– 506 h. alt. 193.*
Madrid 759 – Gerona/Girona 52.

Darnius , carret. de Massanet ☎ (972) 53 51 17 – . E VISA. rest
cerrado enero-febrero – **Comida** *(cerrado jueves)* 1100 – 450 – **10 hab** 3500/4000.

AROCA *50360 Zaragoza* 443 I 25 *– 2 630 h. alt. 797.*
Ver : Murallas★ – Colegiata de Santa María (retablos★, capilla de los Corporales★, Museo Parroquial★).
Madrid 269 – Soria 135 – Teruel 96 – Zaragoza 85.

EBA *Guipúzcoa – ver Deva.*

EIÀ *Baleares – ver Baleares (Mallorca) : Deyá.*

DELTEBRE *43580 Tarragona* 443 J 32 – *10 121 h. alt. 26.*
Ver : *Parque Natural del Delta del Ebro*★★.
Madrid 541 – Amposta 15 – Castellón de la Plana/Castelló de la Plana 130 – Tarragor 77 – Tortosa 23.

en La Cava – ✉ *43580 Deltebre :*

Delta H., av. del Canal ☎ (977) 48 00 46, *Fax (977) 48 06 63, « En los arrozales d Delta »* – ▤ TV ☎ ♿ P – 🏊 25/60. E VISA. ✂
Comida 1500 – ☕ 500 – **24 hab** 6600/11200.

Can Casanova, av. del Canal ☎ (977) 48 11 94 – ▤ P. AE ⊙ E VISA JCB. ✂
cerrado jueves salvo festivos – **Comida** carta aprox. 3700.

DENA *36967 Pontevedra* 441 E 3.
Madrid 620 – Pontevedra 21 – Santiago de Compostela 65.

Ría Mar sin rest, ☎ (986) 74 41 11, *Fax (986) 74 44 01* – ⇕ ☎ P
temp – **65 hab.**

DENIA *03700 Alicante* 445 P 30 – *25 157 h. – Playa.*
⛴ *para Baleares : Cía Flebasa, Estación Marítima ☎ (96) 578 40 11 Fax (96) 578 76 C*
ℹ *pl. del Oculista Büigues 9 ☎ (96) 642 23 67 Fax (96) 578 09 57.*
Madrid 447 – Alicante/Alacant 92 – Valencia 99.

Costa Blanca, Pintor Llorens 3 ☎ (96) 578 03 36, *Fax (96) 578 30 27* – ⇕ ▤ TV P. AE ⊙ E VISA. ✂
Comida *(cerrado domingo)* 1800 – ☕ 500 – **53 hab** 3600/7500.

Romano con hab, av. del Cid 3 (subida al castillo) ☎ (96) 642 17 89, *Fax (96) 642 29 5* – ▤ TV ☎. AE E VISA. ✂
cerrado 16 noviembre-4 diciembre – **Comida** *(cerrado jueves salvo julio-agosto)* carta 365 a 5550 – ☕ 700 – **7 hab** 18000.

Bitibau, San Vicente del Mar 5 ☎ (96) 642 25 74, *Fax (96) 578 46 31, « Decoració original »* – ▤. AE ⊙ E VISA
cerrado domingo (salvo julio-agosto) y 3 semanas en febrero – **Comida** - sólo cena - car 4450 a 6100.

El Asador del Puerto, pl. del Raset 10 ☎ (96) 642 34 82, *Fax (96) 642 44 79,* ▤. E VISA. ✂
cerrado miércoles salvo mayo-septiembre – **Comida** carta 3125 a 3950.

El Raset, Bellavista 7 ☎ (96) 578 50 40, *Fax (96) 642 44 79,* – ▤. AE ⊙ E VISA.
cerrado martes salvo mayo-septiembre – **Comida** carta 3025 a 3950.

Drassanes, Port 15 ☎ (96) 578 11 18 – ▤. AE E VISA. ✂
cerrado lunes y noviembre – **Comida** carta 2850 a 3200.

Ticino, Bellavista 3 ☎ (96) 578 91 03, *Fax (96) 642 44 79,* – ▤. AE E VISA. ✂
cerrado miércoles salvo mayo-septiembre – **Comida** - cocina italiana - carta 1840 a 216

La Barqueta, Bellavista 10 ☎ (96) 642 16 26, *Fax (96) 642 44 79,* – ▤. AE E VIS ✂
cerrado jueves salvo mayo-septiembre – **Comida** carta 2550 a 3245.

en la carretera de Las Rotas – ✉ *03700 Denia :*

Mesón Troya, Sureste : 1 km ☎ (96) 578 14 31, – ▤**Comida** - pescados, marisc y arroz abanda -.

El Trampoli, playa - Sureste : 4 km ☎ (96) 578 12 96, – ▤. E VISA. ✂
cerrado 15 enero-15 febrero – **Comida** - pescados, mariscos y arroz abanda - carta aprc 6000.

en la carretera de Las Marinas – ✉ *03700 Denia :*

Rosa, Congre 3 - Noroeste.: 2 km ☎ (96) 578 15 73, *Fax (96) 642 47 74,* – ▤ hab, TV ☎ P. AE E VISA. ✂
15 marzo-octubre – **Comida** 2000 – ☕ 800 – **39 hab** 9000/11900.

Los Ángeles, Noroeste : 5 km ☎ (96) 578 04 58, *Fax (96) 642 09 06,* – ▤ TV ☎ P. ⊙ E VISA JCB. ✂
cerrado diciembre – **Comida** 2000 – ☕ 1000 – **60 hab** 8500/13000.

El Poblet, urb. El Poblet - Noroeste : 3 km ☎ (96) 578 41 79, *Fax (96) 578 56 91,* – ▤. AE ⊙ E VISA. ✂
cerrado lunes salvo julio y agosto – **Comida** carta 4350 a 5600.

Paquebote, playa Almadrava - Noroeste : 9 km ☎ (96) 647 42 70, – P. AE VISA. ✂
abril-octubre – **Comida** *(cerrado lunes)* carta 2625 a 3950.

DERIO *48160 Vizcaya* 442 **C 21** – *4904 h. alt. 25.*
Madrid 408 – Bilbao/Bilbo 9 – San Sebastián/Donostia 108.

Andrea, Larrauri 1-C (edificio Arteaga Centrum) (94) 454 42 38, *Fax (94) 454 43 30* – , rest, – 25/400. . rest
Comida 2000 – 1000 – **76 hab** 9800/12300 – PA 5000.

en la autovía BI 631 *Norte : 3 km – 48160 Derio :*

Txakoli Artebakarra, salida Artebakarra-Laukariz autovía (94) 454 12 92, *Fax (94) 454 01 16,* – .
cerrado lunes noche, martes, 20 días en febrero y 20 días en agosto – **Comida** carta aprox. 5600.

A DERRASA o A DERRASA *32792 Orense* 441 **F 6.**
Madrid 509 – Pontevedra 110 – Orense/Ourense 10.

Roupeiro, Roupeiro (carret C 536) (988) 38 00 38, « Decoración rústica » – .
cerrado domingo y septiembre – **Comida** carta 2700 a 3400.

DESFILADERO – *ver el nombre propio del desfiladero.*

DESIERTO DE LAS PALMAS *Castellón – ver Benicasim.*

DEVA o DEBA *20820 Guipúzcoa* 442 **C 22** – *5000 h. – Playa.*
Alred. : *Carretera en cornisa★ de Deva a Lequeitio ≤ ★.*
Madrid 459 – Bilbao/Bilbo 66 – San Sebastián/Donostia 41.

Urgain, Arenal 5 (943) 19 11 01 – .
cerrado martes noche salvo en verano – **Comida** carta 4700 a 5900.

DEYÁ *Baleares – ver Baleares (Mallorca).*

DON BENITO *06400 Badajoz* 444 **P 12** – *28601 h. alt. 279.*
Madrid 311 – Badajoz 113 – Mérida 49.

Vegas Altas, av. Badajoz (carret. C 520) (924) 81 00 05, *Fax (924) 81 10 13,* – – 25/1000. .
Comida 1700 – 775 – **77 hab** 9260/11130, 3 suites.

en la carretera de Villanueva *Este : 2,5 km – 06400 Don Benito :*

Veracruz, av. Vegas Altas 105 (924) 80 13 62, *Fax (924) 80 38 51* – .
.
Comida 1100 – 265 – **53 hab** 3300/4900.

en la carretera de Medellín *Oeste : 3 km – 06400 Don Benito :*

Alejandro, (924) 80 17 10 – .
Comida carta 2900 a 5500.

DONAMARÍA *31750 Navarra* 442 **C 25** – *344 h. alt. 175.*
Madrid 481 – Biarritz 61 – Pamplona/Iruñea 57 – San Sebastián/Donostia 59.

Donamaria'ko Benta con hab, barrio de la Venta - Oeste : 1 km (948) 45 07 08, *Fax (948) 45 07 08,* , « Decoración rústica en una venta del siglo XIX » – .
.
Comida *(cerrado domingo noche y lunes)* carta 2650 a 3400 – 500 – **5 hab** 7000.

DONOSTIA *Guipúzcoa – ver San Sebastián.*

DOS HERMANAS *41700 Sevilla* 446 **U 12** – *77997 h. alt. 42.*
Madrid 547 – Cádiz 108 – Huelva 111 – Sevilla 22.

La Motilla sin rest. con cafetería, carret. N IV - Oeste : 1 km (95) 566 68 16, *Fax (95) 566 68 88,* – – 25/250. .
1300 – **101 hab** 17280/21600.

La Gamba, Marbella 4 (95) 472 65 59 – .
cerrado domingo – **Comida** - pescados y mariscos - carta aprox. 5100.

DOSBARRIOS *45311 Toledo* 444 **M 19** – *1 941 h. alt. 710.*

Madrid 72 – Alcázar de San Juan 78 – Aranjuez 25 – Toledo 62.

XX **Los Arcos** con hab, autovía N IV - km 70 ✆ (925) 12 21 29, *Fax (925) 12 21 29* – ▤ TV ☎ P. E VISA. ✻
Comida carta 2950 a 3500 – ☕ 300 – **16 hab** 5750/9500.

DRACH (Cuevas del) *Baleares – ver Baleares (Mallorca).*

LA DUQUESA (Puerto de) *Málaga – ver Manilva.*

DURANGO *48200 Vizcaya* 442 **C 22** – *22 492 h. alt. 119.*

Madrid 425 – Bilbao/Bilbo 32 – San Sebastián/Donostia 71 – Vitoria/Gasteiz 40.

G.H. Durango, Gasteiz Bidea 2 ✆ (94) 621 75 80, *Fax (94) 621 75 94,* – ▤ TV ☎ ♿ – 🏛 25/400. AE ⓓ E VISA. ✻
Comida *(cerrado domingo noche)* 2800 – ☕ 1200 – **66 hab** 15600/19500 3 suites.

Kurutziaga, Kurutziaga 52 ✆ (94) 620 08 64, *Fax (94) 620 14 09,* – ▤ rest, TV ☎ P. ⓓ E VISA. ✻ rest
cerrado Navidades – **Comida** *(cerrado domingo noche)* 2150 – ☕ 700 – **18 hab** 8115/13875.

DÚRCAL *18650 Granada* 446 **V 19** – *5 822 h. alt. 830.*

Madrid 460 – Almería 149 – Granada 30 – Málaga 129.

Mariami sin rest. con cafetería, Comandante Lázaro 82 ✆ (958) 78 04 09 *Fax (958) 78 04 09* – TV ☎. AE ⓓ E VISA
☕ 500 – **10 hab** 5000/6000, 5 apartamentos.

ÉCIJA *41400 Sevilla* 446 **T 14** – *35 727 h. alt. 101.*

Ver : *Iglesia de Santiago★ (retablo★) - Iglesia de San Juan (torre★).*

Cánovas del Castillo (Palacio de Benamejí) ✆ (95) 590 29 33 Fax (95) 590 29 19.

Madrid 458 – Antequera 86 – Cádiz 188 – Córdoba 51 – Granada 183 – Jerez de la Frontera 155 – Ronda 141 – Sevilla 92.

Ciudad del Sol *(Casa Pirula),* av. Miguel de Cervantes 52 ✆ (95) 483 03 00 *Fax (95) 483 58 79* – ▤ TV ☎ P – 🏛 25/40. AE ⓓ E VISA JCB ✻ rest
Comida 1100 – **30 hab** ☕ 4000/7000.

junto a la autovía N IV *Noreste : 3 km* – ✉ *41400 Écija :*

Astigi, salida 450 ✆ (95) 483 01 62, *Fax (95) 483 57 01* – ▤ TV ☎ P. AE ⓓ E VISA ✻
Comida 2500 – ☕ 500 – **18 hab** 7000/7500.

EGÜÉS *31486 Navarra* 442 **D 25** – *1 267 h. alt. 491.*

Madrid 395 – Pamplona/Iruñea 10.

X **Egüés,** carret. de Aoiz ✆ (948) 33 00 81, *Fax (948) 33 00 63,* , « Decoración rústica » – ▤ P. AE ⓓ E VISA. ✻
cerrado lunes, Navidad, Semana Santa y del 15 al 23 de julio – **Comida** - asados a la brasa - carta 3500 a 5400.

EIBAR *20600 Guipúzcoa* 442 **C 22** – *32 108 h. alt. 120.*

Madrid 439 – Bilbao/Bilbo 46 – Pamplona/Iruñea 117 – San Sebastián/Donostia 54.

Arrate sin rest, Ego Gain 5 ✆ (943) 20 72 42, *Fax (943) 70 00 74* – ▤ TV ☎ – 🏛 25/8 AE ⓓ E VISA JCB
☕ 750 – **86 hab** 6600/11200.

X **Eskarne,** Arragüeta 4 ✆ (943) 12 16 50 – ▤. AE ⓓ E VISA
cerrado domingo noche, lunes noche, martes noche y agosto – **Comida** carta 3400 a 4700.

Wenn Sie an ein Hotel im Ausland schreiben,
fügen Sie Ihrem Brief einen internationalen Antwortschein bei,
(im Postamt erhältlich).

VISSA *Baleares – ver Baleares (Ibiza).*

EJIDO *04700 Almería* 446 **V 21** – *41 700 h. alt. 140.*

Almerimar, Sur : 10 km ✆ (950) 49 74 54 Fax (950) 49 72 33.

Madrid 586 – Almería 32 – Granada 157 – Málaga 189.

Ejidohotel, av. Oasis - carret. N 340 A ✆ (950) 48 64 14, *Fax (950) 48 64 16,* – 25/100. AE E VISA.
Comida 1700 – 700 – **86 hab** 5500/9800.

La Pampa, pl. de la Onu 2 ✆ (950) 48 25 25 – AE E VISA.
cerrado domingo y agosto – **Comida** - carnes - carta 3700 a 4200.

Almerimar *Sur : 10 km – ✉ 04700 El Ejido :*

Meliá Almerimar ✆ (950) 49 70 07, *Fax (950) 49 71 45,* – 25/900. AE E VISA JCB.
marzo-octubre – **Comida** 2100 – 1150 – **275 hab** 11000/16500, 3 suites – PA 4280.

Golf H. Almerimar ✆ (950) 49 70 50, *Fax (950) 49 70 19,* – 25/300
147 hab, 2 suites.

El Segoviano, puerto deportivo Dársena 2 - edificio La Estrella ✆ (950) 49 75 44, – AE E VISA.
cerrado lunes – **Comida** carta 3300 a 4400.

Náutico Almerimar, puerto deportivo ✆ (950) 49 71 62, *Fax (950) 49 71 62,* – AE E VISA.
Comida carta 3250 a 4400.

*Unsere **Hotel-, Reiseführer** und **Straßenkarten** ergänzen sich. Benutzen Sie sie zusammen.*

LCHE o **ELX** *03200 Alicante* 445 **R 27** – *187 596 h. alt. 90.*

Ver : *El Palmeral★★* ZY - *Huerto del Cura★★* Z- *Parque Municipal★* Y.

passeig de l'Estació ✉ 03202 ✆ (96) 545 38 31 Fax (96) 545 78 94.

Madrid 406 ③ – Alicante/Alacant 24 ① – Murcia 57 ②

Plano página siguiente

Huerto del Cura *(Parador colaborador)*, Porta de la Morera 14, ✉ 03203, ✆ (96) 545 80 40, *Fax (96) 542 19 10,* « Pabellones rodeados de jardines en un palmeral », – 25/300. AE E VISA. Z c
Els Capellans : **Comida** carta 3050 a 4700 – 1500 – **82 hab** 12800/17000, 4 suites.

Candilejas sin rest y sin , Dr. Ferrán 19, ✉ 03201, ✆ (96) 546 65 12, *Fax (96) 546 66 52* – VISA. X r
cerrado del 15 al 31 de agosto – **24 hab** 5250.

Mesón El Granaino, Josep Maria Buch 40, ✉ 03201, ✆ (96) 666 40 80, *Fax (96) 666 40 80,* « Mesón típico » – AE E VISA. Y e
Comida carta 3250 a 4150.

Enrique, Empedrat 10, ✉ 03203, ✆ (96) 545 15 77 – E VISA JCB. Z h
Comida carta aprox. 3150.

la carretera de Alicante *por ①*

La Magrana, Partida Altabix 41 - 3 km, ✉ 03291, ✆ (96) 545 82 16, – E VISA.
cerrado domingo noche y lunes – **Comida** carta 3350 a 4550.

La Masía de Chencho, 4 km, ✉ 03200, ✆ (96) 545 97 47, « Antigua casa de campo » –

or la carretera de El Altet X *Sureste : 4,5 km – ✉ 03195 El Altet :*

La Finca, Partida de Perleta 1-7 ✆ (96) 545 60 07, *Fax (96) 545 60 07,* « Casa de campo con terraza ajardinada » – AE E VISA.
cerrado domingo noche y 20 días en enero – **Comida** carta 4500 a 6000.

or la carret. de La Alcúdia X *Sur : 2 km – ✉ 03290 Elche :*

Alcúdia, carret. Dolores ✆ (96) 545 44 42, *Fax (96) 542 16 06* – E VISA.
cerrado domingo y del 8 al 25 de agosto – **Comida** - carnes a la brasa - carta 3250 a 3950.

ELX
ELCHE

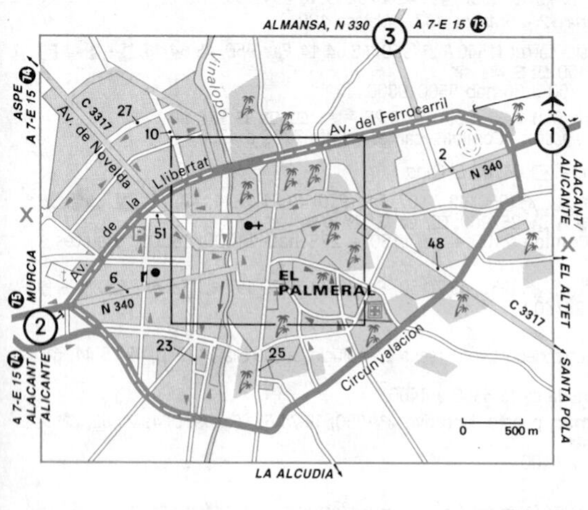

ALMANSA, N 330
A 7-E 15
ASPE
MURCIA
ALACANT/ALICANTE
EL ALTET
SANTA POLA
LA ALCUDIA
Av. del Ferrocarril
Av. de Novelda
de la Llibertat
EL PALMERAL
Circunvalación
Vinalopó
N 340
C 3317
500 m

DA *03600 Alicante* 445 Q 27 – *54 010 h. alt. 395.*
Madrid 381 – Albacete 134 – Alicante/Alacant 37 – Murcia 80.

Elda sin rest, av. Chapí 4 ☎ (96) 538 05 56, *Fax (96) 538 16 37* – ▤ TV ☎ 🚗. AE ⓪ E VISA. ✂
☕ 800 – **37 hab** 5500/8700.

Fayago, Colón 19 ☎ (96) 538 10 13 – ▤. AE ⓪ E VISA. ✂
cerrado domingo noche, lunes noche y del 10 al 23 de agosto – **Comida** carta 2950 a 3800.

LIZONDO *31700 Navarra* 442 2495 – *alt. 196.*
Madrid 450 – Bayonne 53 – Pamplona/Iruñea 49 – St-Jean-Pied-de-Port 31.

Baztán, carret. de Pamplona - Suroeste : 1,5 km ☎ (948) 58 00 50, *Fax (948) 45 23 23,* ←, ⛱, 🏊 – |‡|, ▤ rest, TV ☎ P. E VISA. ✂ rest
marzo-noviembre – **Comida** 2450 – ☕ 900 – **84 hab** 8750/10950 – PA 4900.

Saskaitz sin rest, María Azpilikueta 10 ☎ (948) 58 04 88, *Fax (948) 58 06 15* – TV ☎. AE ⓪ E VISA JCB. ✂
☕ 600 – **24 hab** 5000/9000.

Santxotena, Pedro Axular ☎ (948) 58 02 97, *Fax (948) 58 02 97* – ▤. E VISA
cerrado lunes, 15 días en septiembre y Navidades – **Comida** carta 3300 a 4600.

Galarza, Santiago 1 ☎ (948) 58 01 01 – P. ⓪ E VISA. ✂
cerrado martes (salvo agosto) y 25 septiembre-12 octubre – **Comida** carta 2400 a 3000.

LORRIO *48230 Vizcaya* 442 C 22 – *7 309 h. alt. 182.*
Madrid 395 – Bilbao/Bilbo 40 – San Sebastián/Donostia 73 – Vitoria/Gasteiz 46.

Villa de Elorrio 🐌, barrio San Agustín-carret. de Durango 1 km ☎ (94) 623 15 55, *Fax (94) 623 16 63* – |‡|, ▤ rest, TV ☎ P – 🎭 25/75. AE ⓪ E VISA. ✂
cerrado del 24 al 31 de diciembre – **Comida** 1450 – ☕ 900 – **19 hab** 8500/14000.

LX *Alicante – ver Elche.*

MPURIABRAVA *Gerona – ver Ampuriabrava.*

NCAMP *Andorra – ver Andorra (Principado de).*

RRENTERIA *Guipúzcoa – ver Rentería.*

a ESCALA o **L'ESCALA** *17130 Gerona* 443 F 39 – *5 142 h. – Playa.*
Ver : *Villa turística★.*
Alred. : *Ampurias★★ (ruinas griegas y romanas) - Emplazamiento★★ Norte : 2 km.*
pl. de Les Escoles 1 ☎ (972) 77 06 03 Fax (972) 77 33 85.
Madrid 748 – Barcelona 135 – Gerona/Girona 41.

Nieves-Mar, passeig Marítim 8 ☎ (972) 77 03 00, *Fax (972) 77 36 05,* ← mar, 🏊, 🎾 – |‡|, ▤ rest, TV ☎ P – 🎭 25/70. AE ⓪ E VISA. ✂ rest
15 marzo-octubre – **Comida** 2900 – ☕ 875 – **80 hab** 5350/9850.

Voramar, passeig Lluís Albert 2 ☎ (972) 77 01 08, *Fax (972) 77 03 77,* ←, ⛱, 🏊 – |‡| TV ☎. AE ⓪ E VISA
cerrado 15 diciembre-15 enero – **Comida** 2315 – ☕ 660 – **36 hab** 4375/8750 – PA 4520.

El Roser, Iglesia 7 ☎ (972) 77 02 19, *Fax (972) 77 45 29* – |‡|, ▤ rest, TV ☎ P. AE ⓪ E VISA. ✂ rest
Comida 1300 – ☕ 550 – **25 hab** 3400/4900 – PA 2950.

Els Pescadors, Port d'en Perris 5 ☎ (972) 77 07 28, *Fax (972) 77 07 28,* ← – ▤. AE ⓪ E VISA. ✂
cerrado domingo noche (diciembre-marzo) y noviembre – **Comida** carta 2875 a 4300.

Miryam con hab, ronda del Padró 4 ☎ (972) 77 02 87, *Fax (972) 77 22 02* – ▤ rest, TV ☎ P. E VISA
cerrado 9 diciembre-24 enero – **Comida** *(cerrado domingo noche salvo julio-agosto)* carta 4250 a 7550 – ☕ 760 – **14 hab** 6250.

XX **El Roser 2,** passeig Lluís Albert 1 ☎ (972) 77 11 02, *Fax (972) 77 45 29*, ←, 🏞 – ▤
AE ⓓ E VISA. 🐕
cerrado febrero – **Comida** carta 4300 a 6150.

X **L'Avi Freu,** passeig Lluís Albert 7 ☎ (972) 77 12 41, ←, 🏞 – ▤. AE ⓓ
E VISA
cerrado martes y noviembre – **Comida** carta 2450 a 5900.

en Port Escala *Este : 2 km* – ✉ *17130 La Escala* :

XX **Cafè Navili,** Romeu de Corbera ☎ (972) 77 12 01, *Fax (972) 77 15 66* – ▤
E VISA
cerrado lunes y noviembre-diciembre – **Comida** carta 3100 a 4500.

X **La Clota,** port esportiu ☎ (972) 77 08 27, *Fax (972) 77 29 05*, 🏞 – ▤. AE ⓓ
VISA JCB
15 marzo-15 octubre – **Comida** carta 2975 a 4800.

en Sant Martí d'Empúries *Noroeste : 2 km* – ✉ *17130 La Escala* :

X Mesón del Conde, pl. Iglesia 4 ☎ (972) 77 03 06, *Fax (972) 10 32 35* – ▤.

en la carretera de Figueras *Oeste : 2 km* – ✉ *17130 La Escala* :

XX **El Molí de L'Escala,** Camp dels Pilans - Camí de les Corts ☎ (972) 77 47 2
Fax (972) 77 47 25, 🏞, « Masía con molino del siglo XVI » – Ⓟ. AE ⓓ
VISA. 🐕
cerrado miércoles – **Comida** carta 3500 a 4500.

ESCALANTE *39795 Cantabria* 442 B 19 – *711 h. alt. 7.*
Madrid 479 – Bilbao/Bilbo 82 – Santander 42.

🏠 **Las Solanas de Escalante** 🐌 sin rest, San Juan ☎ (942) 67 78 10, *Fax (942) 67 78 2*
– TV ☎. AE VISA. 🐕
marzo-noviembre – ☕ 400 – **12 hab** 5000/7000.

XXX ✿ **San Román de Escalante** 🐌 con hab, carret. de Castillo 1,5 km ☎ (942) 67 77 2
Fax (942) 67 76 43, ←, « Elegante decoración en una casona montañes
del siglo XVII. Ermita románica », 🌳 – ▤ TV ☎ Ⓟ. AE ⓓ VIS
🐕 rest
cerrado 21 diciembre-20 enero – **Comida** *(cerrado domingo noche y lunes salvo en fe
tivos, Semana Santa y verano)* carta 4800 a 6000 – ☕ 1250 – **10 hab** 16000/2000
Espec. Almejas de Escalante en salsa verde con setas. Cabracho con manzana verde
almendras. Café con texturas y matices.

Les ESCALDES ENGORDANY *Andorra – ver Andorra (Principado de).*

ESCUNHAU *Lérida – ver Viella.*

ESPASANTE *15339 La Coruña* 441 A 6.
Madrid 615 – La Coruña/A Coruña 107 – Lugo 104 – Vivero/Viveiro 28.

X **Planeta,** puerto - Norte : 1km ☎ (981) 40 83 66, ←, Vivero propio – AE ⓓ
VISA. 🐕
cerrado lunes noche – **Comida** - pescados y mariscos - carta 3100 a 4800.

La ESPINA *33891 Asturias* 441 B 10 y 11 – *alt. 660.*
Madrid 494 – Oviedo 59.

🏠 **Casa Aurelio,** El Cruce 2 ☎ (98) 583 70 10, *Fax (98) 583 73 73* – TV ☎ 🚗. AE ⓓ
E VISA. 🐕
Comida *(cerrado domingo)* carta aprox. 4000 – ☕ 500 – **14 hab** 4000
5500.

El ESPINAR *40400 Segovia* 442 J 17 – *5 101 h. alt. 1 260.*
Madrid 62 – Ávila 41 – Segovia 30.

🏠 **La Típica,** pl. de España 11 ☎ (921) 18 10 87 – ▤ rest,. AE E VISA. 🐕
cerrado 15 días en octubre – **Comida** 1950 – ☕ 375 – **23 hab** 3900/5800.

🏠 **Casa Marino,** Marqués de Perales 11 ☎ (921) 18 23 39 – ▤ rest, TV. AE
VISA. 🐕
cerrado del 15 al 30 de septiembre – **Comida** *(cerrado domingo noche y lunes noche c
octubre a junio)* carta aprox. 4525 – ☕ 500 – **17 hab** 4500/5000.

PLUGA DE FRANCOLÍ o L'ESPLUGA DE FRANCOLÍ *43440 Tarragona* 443 H 33 - *3 602 h. alt. 414.*

Madrid 521 - Barcelona 123 - Lérida/Lleida 63 - Tarragona 39.

Hostal del Senglar, pl. Montserrat Canals (977) 87 01 21, *Fax (977) 87 10 12*, « Jardín. Rest. típico », - , rest, - 25/150. AE E VISA.
Comida 2100 - 575 - **40 hab** 4000/6700 - PA 4000.

L'Ocell Francolí, passeig Cañellas 2-3 (977) 87 12 16, *Fax (977) 87 12 16* - rest, . E VISA. rest
Comida *(cerrado domingo noche)* 1300 - 600 - **7 hab** 3500/5100 - PA 3100.

SPLUGUES DE LLOBREGAT *Barcelona - ver Barcelona : Alrededores.*

SPONELLÀ *17832 Gerona* 443 F 38 - *383 h.*

Madrid 739 - Figueras/Figueres 19 - Gerona/Girona 30.

Can Roca, av. Carlos de Fortuny 1 (972) 59 70 12, - . AE E VISA.
cerrado martes, 15 días en marzo y del 15 al 30 de septiembre - Comida carta 1900 a 3100.

SPOT *25597 Lérida* 443 E 33 - *239 h. alt. 1 340 - Deportes de invierno en Super Espot : 4.*

Alred. : *Oeste : Parque Nacional de Aigües Tortes★★.*

Prat del Guarda 4 (973) 62 40 36 Fax (973) 62 40 36.

Madrid 619 - Lérida/Lleida 166.

SQUEDAS *22810 Huesca* 443 F 28 - *147 h. alt. 509.*

Alred. : *Castillo de Loarre★★ (★★) Noroeste : 19 km.*

Madrid 404 - Huesca 14 - Pamplona/Iruñea 150.

Venta del Sotón, carret. A 132 (974) 27 02 41, *Fax (974) 27 01 61*, « Interior rústico » - . AE E VISA.
cerrado domingo noche, lunes y febrero - **Comida** carta 3600 a 5250.

'ESTANYOL (Playa de) *Baleares - ver Baleares (Ibiza) : San Antonio de Portmany.*

STARTIT o L'ESTARTIT *17258 Gerona* 443 F 39 - *Playa.*

Excurs. : *Islas Medes★★ (en barco).*

passeig Marítim 47-50 (972) 75 19 10 Fax (972) 75 17 49.

Madrid 745 - Figueras/Figueres 39 - Gerona/Girona 36.

Bell Aire, Església 39 (972) 75 13 02, *Fax (972) 75 19 58*, - . AE E VISA JCB.
Semana Santa-6 octubre - **Comida** 1400 - 530 - **76 hab** 5400/8700 - PA 3300.

Miramar, av. de Roma 21 (972) 75 06 28, *Fax (972) 75 05 00*, , , - . E VISA.
mayo-15 octubre - **Comida** 1600 - 600 - **64 hab** 6900/12800.

La Masía, carret. de Torroella - Oeste : 1km (972) 75 11 78, *Fax (972) 75 18 90*, , , - , rest, . AE E VISA. rest
abril-octubre - **Comida** 1375 - 650 - **77 hab** 4820/8340 - PA 2780.

La Gaviota, passeig Marítim 92 (972) 75 20 19, *Fax (972) 75 20 19*, - . E VISA.
cerrado lunes noche y martes noche (salvo verano) y 15 noviembre-15 diciembre - **Comida** carta 3450 a 4900.

STELLA o LIZARRA *31200 Navarra* 442 D 23 - *13 569 h. alt. 430.*

Ver : *Palacio de los Reyes de Navarra★ - Iglesia San Pedro de la Rúa : (portada★, claustro★) - Iglesia de San Miguel : (fachada★, altorrelieves★★).*

Alred. : *Monasterio de Irache★ (iglesia★) Suroeste : 3 km - Monasterio de Iranzu (garganta★) Norte : 10 km.*

Excurs. : *carretera del Puerto de Lizarraga★★ (mirador★), carretera del Puerto de Urbasa★★.*

San Nicolás 1 (948) 55 40 11 Fax (948) 55 40 11.

Madrid 380 - Logroño 48 - Pamplona/Iruñea 45 - Vitoria/Gasteiz 70.

Yerri, av. Yerri 35 ✆ (948) 54 60 34, *Fax (948) 55 80 51* – rest,
24 hab.

Navarra, Gustavo de Maeztu 16 (Los Llanos) ✆ (948) 55 10 69, *Fax (948) 55 47 5*
« Villa rodeada de jardín decorada en estilo navarro-medieval » – .
VISA.
cerrado domingo noche, lunes y Navidades – **Comida** carta 3500
4650.

Richard, av. de Yerri 10 ✆ (948) 55 13 16, *Fax (948) 55 13 16* – . AE
VISA.
cerrado lunes y 1ª quincena de septiembre – **Comida** carta 3725 a 5450.

en la carretera de Logroño *Suroeste : 3 km – ✉ 31240 Ayegui :*

Irache, ✆ (948) 55 11 50, *Fax (948) 55 47 54,* – – 25/20
AE E VISA. rest
Comida *(cerrado domingo noche)* 2000 – 900 – **31 hab** 9000/1550
20 apartamentos.

ESTELLENCHS o **ESTELLENCS** *Baleares – ver Baleares (Mallorca).*

ESTEPONA *29680 Málaga* 446 **W 14** – *36 307 h. – Playa.*

El Paraíso, Noreste : 13 km por N 340 ✆ (95) 288 38 46.

av. San Lorenzo 1 ✆ (95) 280 20 02 Fax (95) 279 21 81.

Madrid 640 – Algeciras 51 – Málaga 85.

Robbies, Jubrique 11 ✆ (95) 280 21 21 – . E VISA.
cerrado lunes, febrero y del 1 al 16 de diciembre – **Comida** - sólo cena - cart
aprox. 6000.

El Rocío, carret. de Málaga - Noreste : 2 km, ✉ 29680, ✆ (95) 280 00 46, –
AE E VISA.
cerrado noviembre – **Comida** carta 2600 a 3300.

en el puerto deportivo – ✉ *29680 Estepona :*

El Cenachero, ✆ (95) 280 14 42, – AE VISA
cerrado martes y noviembre – **Comida** carta 2700 a 4000.

por la autovía de Málaga :

Las Dunas , urb. La Boladilla Baja - Noreste : 7,5 km, ✉ 29689, ✆ (95) 279 43 4
Fax (95) 279 48 25, , , Servicios terapéuticos, « Jardín con climatizad
frente al mar », , – . AE E VIS
JCB.
Comida carta 7200 a 9300 – 2800 – **73 hab** 39000/45000, 33 suites.

Occidental Costa del Sol , Noreste : 7,5 km y desvío 1 km ✆ (95) 279 30 0
Fax (95) 280 26 52, , , , , , , – – 25/220. AE
E VISA.
abril-octubre – **Comida** 2500 – 1700 – **143 hab** 19600/25600, 27 apartamentos
PA 5500.

El Paraíso , urb. El Paraíso - Noreste : 11,5 km y desvío 1,5 km
✉ 29680, ✆ (95) 288 30 00, *Fax (95) 288 20 19,* mar y montaña, Servicio
terapéuticos, , , , , – – 25/120. AE
VISA.
Comida 4300 - ***La Pirámide*** *(sólo cena)* **Comida** carta aprox. 4320 – 1730 – **184 ha**
17380/27000, 4 suites.

Atalaya Park , Noreste : 12,5 km y desvío 1 km, ✉ 29688, ✆ (95) 288 90 0
Fax (95) 288 90 22, , , « Extenso jardín con arbolado », ,
, , , – – 25/600. AE E VISA JCB
rest
Comida 3200 - ***Don Quijote*** *(sólo cena, cerrado domingo y lunes)* **Comida** cart
4025 a 5055 - ***La Torre*** *(sólo buffet)* **Comida** 2500 – **416 hab** 23200/3360
32 suites.

La Alcaria de Ramos, urb. El Paraíso - Noreste : 11,5 km y desvío 1,5 km, ✉ 2968
✆ (95) 288 61 78, – E VISA.
cerrado domingo – **Comida** - sólo cena - carta aprox. 2900.

Playa Bella, urb. Playa Bella - Noreste : 7 km ✆ (95) 280 16 45 – .
VISA.
cerrado miércoles y 10 enero-10 febrero – **Comida** carta 2600 a 3100.

ESTERRI DE ANEU o ESTERRI D'ÀNEU *25580 Lérida* 443 E 33 – *446 h. alt. 957.*

Ver : *Vall d'Àneu★★.*

Alred. : *Iglesia de Sant Joan d'Isil★ Noroeste : 9 km.*

Major 6 (973) 62 60 05 Fax (973) 62 60 05.

Madrid 624 – Lérida/Lleida 168 – Seo de Urgel/La Seu d'Urgell 84.

Esterri Park H., Major 69 (973) 62 63 88, *Fax (973) 62 62 79*, – rest, P. AE E VISA. *cerrado 13 octubre-26 diciembre* – **Comida** 1500 – **24 hab** 6100/9200.

Els Puis, av. Dr. Morelló 13 (973) 62 61 60, *Fax (973) 62 63 62*, ≤ – . AE E VISA. *cerrado mayo y noviembre* – **Comida** *(cerrado lunes)* 1600 – 600 – **7 hab** 4000/5000 – PA 3200.

La ESTRADA o A ESTRADA *36680 Pontevedra* 441 D 4 – *21 947 h.*

Madrid 599 – Orense/Ourense 100 – Pontevedra 44 – Santiago de Compostela 28.

Milano, av. de Pontevedra - Oeste : 1 km (986) 57 35 35, *Fax (986) 57 35 10*, , – P – 25/200. AE E VISA. rest **Comida** 1600 – 500 – **41 hab** 4850/7875.

Nixon, av. de Puenteareas 14 (986) 57 02 61, *Fax (986) 57 02 61* – . AE E VISA *cerrado lunes y 2ª quincena de noviembre* – **Comida** carta 2800 a 3950.

EUGUI o EUGI *31638 Navarra* 442 D 25 – *alt. 620.*

Madrid 422 – Pamplona/Iruñea 27 – St-Jean-Pied-de-Port 63.

Quinto Real, carret. N 138 (948) 30 40 44, *Fax (948) 30 40 44*, ≤ – P **18 hab.**

EZCARAY *26280 La Rioja* 442 F 20 – *1 704 h. alt. 813 – Deportes de invierno en Valdezcaray* 11.

Madrid 316 – Burgos 73 – Logroño 61 – Vitoria/Gasteiz 80.

Echaurren, Héroes del Alcázar 2 (941) 35 40 47, *Fax (941) 42 71 33* – , rest, . AE E VISA. rest *cerrado noviembre* – **Comida** *(cerrado domingo noche y lunes en invierno)* carta 2600 a 4500 – 650 – **25 hab** 4350/7650, 1 suite, 6 apartamentos.

Iguareña, Lamberto F. Muñoz 14 (941) 35 41 44, *Fax (941) 35 41 44* – , rest, . AE E VISA. **Comida** 1500 – 500 – **25 hab** 4000/6750.

El Rincón del Vino, av. Jesús Nazareno 2 (941) 35 43 75, *Fax (941) 42 72 68*, , Exposición y venta de vinos y productos típicos de La Rioja, « Rústico regional » – P. AE E VISA. *cerrado miércoles salvo en agosto* – **Comida** carta 2300 a 3875.

FANALS (Playa de) *Gerona - ver Lloret de Mar.*

FELANITX *Baleares - ver Baleares (Mallorca).*

FELECHOSA *33688 Asturias* 442 C 13.
Madrid 467 - Gijón 86 - Mieres 37 - Oviedo 56.

Casa El Rápido, carret. General 6 ✆ (98) 548 70 51, *Fax (98) 548 75 42* - TV. VISA.
Comida *(cerrado lunes)* 1000 - ☕ 400 - **9 hab** 3000/6000 - PA 2000.

LA FELGUERA *33930 Asturias* 441 C 13.
Madrid 448 - Gijón 40 - Mieres 14 - Oviedo 22.

Siglo XXI, Baldomero Alonso 15 ✆ (98) 569 17 20 - ▤. AE E VISA.
cerrado domingo - **Comida** carta 3300 a 5050.

El Carbayu, Jesús Alonso Braga 8 ✆ (98) 567 33 22
- ▤. E VISA.
cerrado domingo - **Comida** carta 3200 a 4000.

FENE *15500 La Coruña* 441 B 5 - *14 759 h. alt. 30.*
Madrid 609 - La Coruña/A Coruña 58 - Ferrol 6 - Santiago de Compostela 94.

Perlío, av. de las Pías 31-33 ✆ (981) 34 20 11, *Fax (981) 34 20 59* - TV ☎. E VISA JCB.
Comida (ver rest. ***Perlío***) - **29 hab** ☕ 3000/5500.

Perlío, av. de las Pías 31-33 ✆ (981) 34 20 11, *Fax (981) 34 20 59* - E VISA.
cerrado domingo noche - **Comida** carta 2500 a 3300.

por la carretera N 651 *Sur : 3 km y desvío a San Marcos 1 km* - ✉ 1550*9*
Magalofes :

Muiño do Vento, Magalofes ✆ (981) 34 09 21, *Fax (981) 34 09 21* - ▤ P. AE ⓓ E VISA.
cerrado domingo noche, lunes y del 1 al 20 de septiembre - **Comida** carta 3500 a 3800.

FERRERÍAS o FERRERIES *Baleares - ver Baleares (Menorca).*

FERROL *15400 La Coruña* 441 B 4 - *85 132 h. - Playa.*
Magdalena 12 ✉ 15402 ✆ (981) 31 11 79.
Madrid 608 - La Coruña/A Coruña 61 - Gijón 321 - Oviedo 306 - Santiago de Compostela 103.

Parador de Ferrol, Almirante Fernández Martín, ✉ 15401, ✆ (981) 35 67 20, *Fax (981) 35 67 21,* « Edificio de estilo regional » - ▤ rest, TV ☎ - 25/100. AE ⓓ E VISA JCB.
Comida 3200 - ☕ 1200 - **38 hab** 12000/15000 - PA 6460.

El Suizo sin rest, Dolores 67, ✉ 15402, ✆ (981) 30 04 00, *Fax (981) 30 03 06* - ▤ TV ☎. AE ⓓ E VISA.
☕ 1000 - **34 hab** 8250/11000.

Almirante, María 2, ✉ 15402, ✆ (981) 32 53 11, *Fax (981) 32 84 49* - TV ☎ - 25/200. AE VISA.
Gavia : **Comida** carta 3400 a 5100 - ☕ 1000 - **117 hab** 5700/11500.

Valencia sin rest, av. de Catabois 390, ✉ 15405, ☎ (981) 37 03 12, *Fax (981) 31 89 01* – TV ☎ 🚗. AE ⓓ E VISA. ✻
☕ 600 – **29 hab** 6500.

Almendra sin rest, Almendra 4, ✉ 15402, ☎ (981) 35 81 90, *Fax (981) 35 81 92* – TV 🚗. ✻
☕ 500 – **40 hab** 5800.

Ryal sin rest, Galiano 43, ✉ 15402, ☎ (981) 35 07 99, *Fax (981) 35 38 94* – |♦| TV. AE ⓓ VISA. ✻
☕ 365 – **40 hab** 3640/5780.

O'Parrulo, av. de Catabois 401, ✉ 15405, ☎ (981) 31 86 53, *Fax (981) 32 35 31* – ▤ P. AE ⓓ E VISA. ✻
cerrado domingo, miércoles noche, 24 diciembre-7 enero y del 1 al 15 de agosto – **Comida** carta 3100 a 4700.

O'Xantar, Real 182, ✉ 15401, ☎ (981) 35 51 18 – ▤. AE ⓓ E VISA JCB. ✻
cerrado domingo noche – **Comida** carta aprox. 5000.

Moncho, Dolores 44, ✉ 15402, ☎ (981) 35 39 94 – AE ⓓ E VISA. ✻
cerrado domingo salvo (julio-septiembre) y 25 septiembre-10 octubre – **Comida** carta 2675 a 4100.

Pataquiña, Dolores 35, ✉ 15402, ☎ (981) 35 23 11 – E VISA. ✻
cerrado domingo noche (octubre-julio) – **Comida** carta 3100 a 4550.

Casa Rivera, Galiano 57, ✉ 15402, ☎ (981) 35 07 59, *Fax (981) 35 08 88* – AE ⓓ E VISA. ✻
cerrado domingo noche y festivos noche – **Comida** carta aprox. 2900.

FIGUERAS *33794 Asturias* 441 B 8.
Madrid 593 – Lugo 92 – Oviedo 150.

Palacete Peñalba 🐎, El Cotarelo ☎ (98) 563 61 25, *Fax (98) 563 62 47,* « Palacete de estilo modernista », 🌳 – TV ☎ P. AE E VISA. ✻
Comida (ver rest. ***Peñalba***) – ☕ 700 – **13 hab** 8000/10500.

Peñalba, av. Trenor - puerto ☎ (98) 563 61 66, *Fax (98) 563 62 47,* ≤ – AE E VISA. ✻
Comida carta 4200 a 5800.

FIGUERAS o FIGUERES *17600 Gerona* 443 F 38 – *35 301 h. alt. 30.*
Ver : *Teatre-Museu Dalí*★★ BY – *Torre Galatea*★ BY – *Museo de Juguetes (Museu de Joguets*★*)* BZ.
⛳18 *Torremirona, Navata por ④ : 9,5 km ☎ (972) 55 37 37.*
ℹ *pl. del Sol ☎ (972) 50 31 55 Fax (972) 67 31 66.*
Madrid 744 ③ – Gerona/Girona 37 ③ – Perpignan 58 ①

President, ronda Firal 33 ☎ (972) 50 17 00, *Fax (972) 50 19 97* – |♦| ▤ TV ☎ 🚗 P. AE ⓓ E VISA BZ a
Comida 2000 – ☕ 650 – **76 hab** 5000/8000.

Duràn, Lasauca 5 ☎ (972) 50 12 50, *Fax (972) 50 26 09* – |♦| ▤ TV ☎ 🚗 P – 🎤 25/80. AE ⓓ E VISA BZ c
Comida (ver rest. ***Duràn***) – ☕ 850 – **65 hab** 6100/8900.

Travé, carret. de Olot ☎ (972) 50 05 91, *Fax (972) 67 14 83,* 🏊 – |♦| ▤ TV ☎ 🚗 P – 🎤 25/150. AE ⓓ VISA. ✻ rest AZ b
Comida 1800 – ☕ 600 – **72 hab** 4500/8500 – PA 3600.

Pirineos, ronda Barcelona 1 ☎ (972) 50 03 12, *Fax (972) 50 07 66* – |♦|, ▤ rest, TV ☎ 🚗. AE ⓓ E VISA BZ e
Comida *(cerrado lunes)* 1800 – ☕ 800 – **56 hab** 5500/6600.

Ronda, ronda Barcelona 104 ☎ (972) 50 39 11, *Fax (972) 50 16 82* – |♦|, ▤ rest, TV ☎ 🚗 P. AE E VISA. ✻ por ③
Comida 1450 – ☕ 650 – **47 hab** 3570/6090.

Los Ángeles sin rest, Barceloneta 10 ☎ (972) 51 06 61, *Fax (972) 51 07 00* – ▤ TV ☎ 🚗. AE ⓓ E VISA. ✻ BY f
40 hab ☕ 4525/6790.

Duràn, Lasauca 5 ☎ (972) 50 12 50, *Fax (972) 50 26 09,* « Decoración típica ampurdanesa » – ▤ 🚗 P. AE ⓓ E VISA BZ c
Comida carta 3350 a 4575.

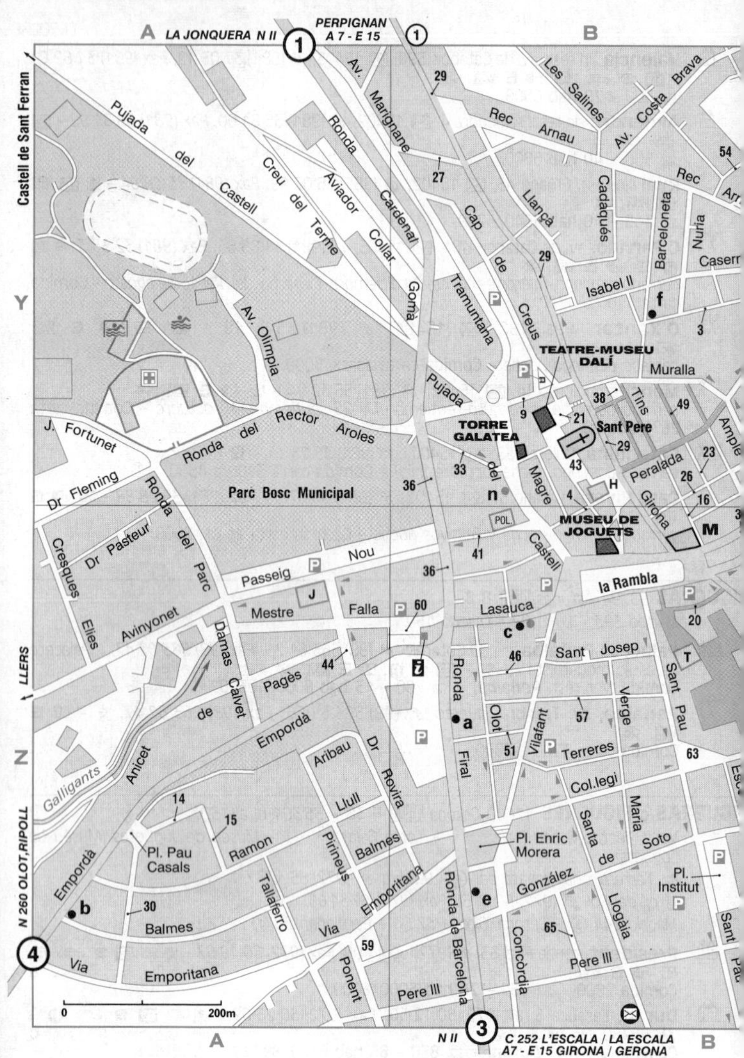

XX **Viarnés,** Pujada del Castell 23 ✆ (972) 50 07 91 – ▤. AE ⓓ E VISA BY
cerrado domingo noche, lunes (salvo festivos y agosto), del 1 al 15 de junio y del 15
30 de noviembre – **Comida** carta 3150 a 3450.

en la carretera N II *(antigua carretera de Francia) por* ① – ✉ *17600 Figueras :*

Empordà, Norte : 1,5 km ✆ (972) 50 05 62, *Fax (972) 50 93 58,* – ▤ TV ☎
Ⓟ. AE ⓓ E VISA. ✗ rest
Comida 4900 y carta 5590 a 6840 – ☐ 1100 – **39 hab** 7200/11400, 3 suites
Espec. Foie gras de rape al jenjibre. Calamares rellenos de marisco al perfume de caca
Liebre a la Royal con puré de remolacha (temp.).

Bon Retorn, Sur : 2,5 km ✆ (972) 50 46 23, *Fax (972) 67 39 79,* – ▤ TV ☎
Ⓟ. ⓓ E VISA. ✗ rest
Comida *(cerrado lunes mediodía y febrero)* 2250 – ☐ 800 – **50 hab** 5500/8800.

FIGUERES
FIGUERAS

Barceloneta Carrerany	BY 3
Besalú	BY 4
Blanch	CZ 6
Caamaño	BCZ 7
Canigó	BY 9
Clerch i Nicolau	CZ 13
Compositor Juncà	AZ 14
Dalmau de Creixell	AZ 15
Enginyers	BYZ 16
Era d'en Sans	BY 18
Forn Nou	BZ 20
Gala i S. Dalí (Pl.)	BY 21
Germanes Massanet	BY 23
Joan Maragall	BY 26
Joncols	BY 27
Jonquera	BY 29
Josep de Masdevall	AZ 30
Llers	BY 33
Monjos (Calçada del)	CYZ 35
Mossèn Cinto Verdaguer (Ronda)	BYZ 36
Monturiol	BZ 37
Patates (Pl. de les)	BY 38
Pella i Forges	CY 40
Pep Ventura	BZ 41
Pius XII (Pl.)	BY 43
Poeta Marquina	AZ 44
Rosa	BZ 46
Sant Cristòfol	CZ 47
Sant Domènec	BY 49
Sant Esteve	BZ 51
Sant Francesc de Paula	CY 52
Sant Pere de Roda	BY 54
Sant Rafael	BCY 55
Sant Vicenç	BZ 57
Sibil.la de Fortià (Pl.)	AZ 59
Sol (Plaça del)	AZ 60
Sol d'Isern	CY 61
Triangular (Pl.) (A. Clavé)	BZ 63
Vicenç Dauner	BZ 65

en la carretera de Olot *por* ④ :

Torremirona ⚘, 9,5 km, ✉ 17744 Navata, ✆ (972) 56 67 00, *Fax (972) 56 67 67*, « Junto al golf con ‹ montañas y alrededores », 🏊, 18 – ▤ TV ☎ ♿ P – 🏋 25/90. AE ◑ E VISA. ✂
Comida 2950 – ☕ 1500 – **49 hab** 19000/25750.

Mas Pau ⚘ con hab, 5 km, ✉ 17742 Avinyonet de Puigventós, ✆ (972) 54 61 54, *Fax (972) 54 63 26*, « Antigua masía con jardín y 🏊 » – ▤ hab, TV ☎ P. AE ◑ E VISA
cerrado 8 enero-15 marzo – **Comida** *(cerrado lunes mediodía de julio-15 septiembre, domingos noche y lunes resto del año)* 4500 y carta 4800 a 6150 – ☕ 1200 – **6 hab** 11700/13000, 1 suite
Espec. Sopa fria de pescado de Rosas en gelée (verano). Bistec ruso de bonito al vino tinto con aros de cebolla. Lomo de conejo con pies de cerdo crujientes y caracoles.

Ses FIGUERETES (Playa de) *Baleares – ver Baleares (Ibiza) : Ibiza.*

FINCA LA BOBADILLA *Granada – ver Loja.*

FINISTERRE o FISTERRA *15155 La Coruña* 441 D 2 – *4964 h. – Playa.*

Alred. : *Cabo★ ≤★ Sur : 3,5 km, carretera★ a Corcubión (pueblo★) Noreste : 13 km.*
Madrid 733 – La Coruña/A Coruña 115 – Santiago de Compostela 131.

Finisterre, Federico Ávila 8 ☎ (981) 74 00 00, *Fax (981) 74 00 54* – TV ☎ . AE E VISA.
Comida 1500 – 500 – **48 hab** 4000/6000.

O'Centolo, Bajada del Puerto ☎ (981) 74 04 52, *Fax (981) 74 06 82,* – AE ⓞ E VISA
JCB.
cerrado 15 noviembre-15 diciembre – **Comida** - pescados y mariscos - carta 2200 a 3750

FIOBRE *La Coruña – ver Bergondo.*

FISCAL *22373 Huesca* 443 E 29 – *249 h. alt. 768.*
Madrid 534 – Huesca 144 – Lérida/Lleida 160.

Río Ara, carret. de Ordesa ☎ (974) 50 30 20, *Fax (974) 50 30 20,* ≤ – P
27 hab.

FISTERRA *La Coruña – ver Finisterre.*

FITERO *31593 Navarra* 442 F 24 – *2109 h. alt. 223 – Balneario.*
Madrid 308 – Pamplona/Iruñea 93 – Soria 82 – Zaragoza 105.

en Baños de Fitero *Oeste : 4 km – ✉ 31593 Fitero :*

Balneario Gustavo Adolfo Bécquer , Extramuros ☎ (948) 77 61 00
Fax (948) 77 62 25, de agua termal, , – , rest, TV P. VISA. rest
marzo-15 diciembre – **Comida** 2250 – 1100 – **190 hab** 5100/7750.

Virrey Palafox , Extramuros ☎ (948) 77 62 75, *Fax (948) 77 62 25,* de agu
termal, , – , rest, TV P. VISA. rest
marzo-15 diciembre – **Comida** 2250 – 1100 – **63 hab** 5100/7750.

FOMBELLIDA *39213 Cantabria* 442 D 17.
Madrid 338 – Aguilar de Campóo 24 – Burgos 105 – Santander 80.

Fombellida, carret. N 611 ☎ (942) 75 33 63, « Decoración rústica » – P. AE ⓞ E
VISA.
cerrado domingo noche y festivos noche – **Comida** carta 2900 a 3700.

FONTANILLES *17257 Gerona* 443 F 39 – *90 h.*
Madrid 740 – Figueras/Figueres 44 – Gerona/Girona 38.

Can Bech, Major 12 ☎ (972) 75 93 17, *Fax (972) 76 00 16,* « Antigua masía » – P
E VISA. – *cerrado 10 diciembre-10 enero* – **Comida** *(sólo fines de semana salvo junio-septiembre)* carta 3575 a 4300.

FONTSCALDES *43813 Tarragona* 443 I 33.
Madrid 540 – Barcelona 100 – Lérida/Lleida 76 – Tarragona 26.

en la carretera N 240 *Norte : 3 km – ✉ 43813 Fontscaldes :*

Les Espelmes, ☎ (977) 60 10 42, *Fax (977) 60 15 12,* ≤, – P. AE ⓞ E VISA
JCB. – *cerrado miércoles y 14 junio-25 julio* – **Comida** carta 2675 a 3850.

FORCALL *12310 Castellón* 445 K 29 – *569 h. alt. 680.*
Madrid 423 – Castellón de la Plana/Castelló de la Plana 110 – Teruel 122.

Palau dels Osset, pl. Mayor 16 ☎ (964) 17 75 24, *Fax (964) 17 75 56,* « En un palacio del siglo XVI » – TV ☎ . E VISA.
Comida *(cerrado lunes y martes)* 1650 – 700 – **20 hab** 6000/8000.

Aguilar sin rest y sin , av. III Centenario 1 ☎ (964) 17 11 06, *Fax (964) 17 11 06* – TV P
15 hab 2000/3400.

Mesón de la Vila, pl. Mayor 8 ☎ (964) 17 11 25, « Decoración rústica » – . AE E VISA
cerrado domingo noche y 15 octubre-15 noviembre – **Comida** carta 2250 a 2900.

FORMENTERA *Baleares – ver Baleares.*

ORMENTOR (Cabo de) *Baleares - ver Baleares (Mallorca).*

I FORMIGAL *Huesca - ver Sallent de Gállego.*

ORNELLS *Baleares - ver Baleares (Menorca).*

ORNELLS DE LA SELVA *17458 Gerona* 443 G 38 - *1 160 h. alt. 102.*

Madrid 693 - Barcelona 91 - Gerona/Girona 8 - San Feliú de Guixols/Sant Feliu de Guíxols 37.

Mas Busquets, perllongació carrer Guilleries ☎ (972) 47 67 53, — ▤ Ⓟ. AE Ⓓ E VISA
cerrado domingo mediodía (agosto) y domingo noche (septiembre-mayo) - **Comida** carta 2100 a 3075.

ORTUNA *30630 Murcia* 445 R 26 - *6 081 h. alt. 240 - Balneario.*

Madrid 388 - Albacete 141 - Alicante/Alacant 96 - Murcia 25.

n Baños de Fortuna *Noreste : 3 km - ✉ 30630 Fortuna :*

Victoria , ☎ (968) 68 50 11, *Fax (968) 68 50 87,* de agua termal, , - , ▤ rest, TV Ⓟ - 25/200. AE VISA.
cerrado enero - **Comida** 2250 - 380 - **51 hab** 5665/8750, 1 suite.

Balneario , ☎ (968) 68 50 11, *Fax (968) 68 50 87,* de agua termal, , - ▤ TV Ⓟ - 25/200. AE VISA.
Comida 2360 - 540 - **58 hab** 5155/8750.

España , ☎ (968) 68 50 11, *Fax (968) 68 50 87,* de agua termal, , - , ▤ rest, TV Ⓟ - 25/200. AE VISA.
cerrado 20 diciembre-15 febrero - **Comida** 1505 - 320 - **54 hab** 3085/3865.

ORUA *48393 Vizcaya* 442 BC 21 - *962 h. alt. 28.*

Madrid 430 - Bilbao/Bilbo 37 - San Sebastián/Donostia 85 - Vitoria/Gasteiz 70.

Baserri Maitea, barrio de Atxondoa - Noroeste : 1,5 km ☎ (94) 625 34 08, *Fax (94) 625 57 88,* « Caserío del siglo XVIII » - Ⓟ. AE E VISA.
cerrado domingo noche y 15 días en Navidades - **Comida** - sólo almuerzo salvo viernes y sábado de noviembre-abril - carta 4500 a 5050.

Torre Barri, Torre Barri 4 ☎ (94) 625 25 07, - ▤. AE E VISA.
cerrado miércoles y del 15 al 30 de septiembre - **Comida** carta 3150 a 4500.

a FOSCA *Gerona - ver Palamós.*

OZ *27780 Lugo* 441 B 8 - *9 446 h.*

Alred. : *Iglesia de San Martín de Mondoñedo (capiteles★) Sur : 2,5 km.*

av. de Lugo 1 ☎ (982) 14 06 75 Fax (982) 14 06 75.

Madrid 598 - La Coruña/A Coruña 145 - Lugo 94 - Oviedo 194.

RAGA *22520 Huesca* 443 H 31 - *11 591 h. alt. 118.*

Madrid 436 - Huesca 108 - Lérida/Lleida 27 - Tarragona 119.

Casanova, av. de Madrid 54 ☎ (974) 47 19 90, *Fax (974) 45 37 88,* - ▤ TV ☎ Ⓟ - 25/200. AE Ⓓ E VISA JCB. - **Comida** 1500 - 900 - **89 hab** 7000/10700.

a FRANCA *33590 Asturias* 441 B 16 - *Playa.*

Madrid 438 - Gijón 114 - Oviedo 124 - Santander 81.

Mirador de la Franca , playa - Oeste : 1,2 km ☎ (98) 541 21 45, *Fax (98) 541 21 53,* ≤, - TV ☎ Ⓟ. AE Ⓓ E VISA. rest
marzo-octubre - **Comida** 2500 - 1000 - **61 hab** 10000/12000.

REGENAL DE LA SIERRA *06340 Badajoz* 444 R 10 - *5 436 h. alt. 579.*

Madrid 445 - Aracena 55 - Badajoz 97 - Jerez de los Caballeros 22 - Monesterio 43.

Cristina, El Puerto ☎ (924) 70 00 40, *Fax (924) 70 10 33,* - ▤ TV ☎ Ⓟ - 25/400. AE Ⓓ VISA.
Comida *(cerrado lunes)* carta aprox. 3750 - 400 - **39 hab** 6000/7500.

Fregenal, Orihuela Grande 2 ☎ (924) 72 01 27, *Fax (924) 72 01 26* - ▤ TV ☎. AE E VISA.
Comida 1100 - 400 - **14 hab** 3500/5000.

FRIGILIANA *29788 Málaga* 446 *V 18 – 2125 h. alt. 311.*
Madrid 555 – Granada 126 – Málaga 58.

Las Chinas sin rest y sin ☕, pl. Amparo Guerrero 14 ☏ (95) 253 30 73, ← – TV.
9 hab 3000/5000.

FRÓMISTA *34440 Palencia* 442 *F 16 – 1013 h. alt. 780.*
Ver : *Iglesia de San Martín★★.*
paseo Central ☏ (979) 81 01 80 (Semana Santa-12 octubre).
Madrid 257 – Burgos 78 – Palencia 31 – Santander 170.

San Martín, pl. San Martín 7 ☏ (979) 81 00 00, *Fax (979) 81 00 00,* ← – TV ☎ P. VISA.
cerrado del 15 al 30 de enero – **Comida** *(cerrado miércoles de octubre-abril)* 1200 – ☕ 55 – **12 hab** 5000/5500.

Hostería de los Palmeros, pl. San Telmo 4 ☏ (979) 81 00 67 – ▤. AE VISA.
cerrado martes salvo en Semana Santa, verano y Navidades – **Comida** carta 3500 4650.

FUENCARRAL *Madrid – ver Madrid.*

FUENGIROLA *29640 Málaga* 446 *W 16 – 43 048 h. – Playa.*
av. Jesús Santos Rein 6 ☏ (95) 246 74 57 Fax (95) 246 51 00.
Madrid 575 ① – Algeciras 104 ② – Málaga 29 ①

Las Pirámides, Miguel Márquez ☏ (95) 247 06 00, *Fax (95) 258 32 97,* ←, – TV ☎ – 25/400. AE E VISA.
Comida - sólo cena buffet - 2600 – **316 hab** ☕ 16500/21945.

Florida, paseo Marítimo ☏ (95) 247 61 00, *Fax (95) 258 15 29,* ←, climatizada – ▤ rest, TV ☎. AE E VISA.
Comida 2500 – ☕ 1000 – **116 hab** 7300/11500 – PA 5100.

Italia sin rest, de la Cruz 1 ☏ (95) 247 41 93 – ▤ TV ☎. z
☕ 350 – **40 hab** 4060/7050.

Agur sin rest, Tostón 2 ☏ (95) 247 66 66, *Fax (95) 266 40 66* – TV ☎. E VISA. q
☕ 400 – **40 hab** 3500/6900.

Portofino, paseo Marítimo 29 ☏ (95) 247 06 43, *Fax (95) 247 06 43,* – ▤. AE E VISA c
cerrado lunes, del 1 al 15 de julio y del 1 al 15 de diciembre – **Comida** - sólo cena en verano - carta 2805 a 3800.

Monopol, Palangreros 7 ☏ (95) 247 44 48, *Fax (95) 247 44 48,* « Decoración neo-rústica » – AE E VISA. r
cerrado domingo y 15 julio-agosto – **Comida** - sólo cena - carta 2950 a 4150.

Tomate, Troncón 19 ☏ (95) 246 35 59, a
Comida - sólo cena -.

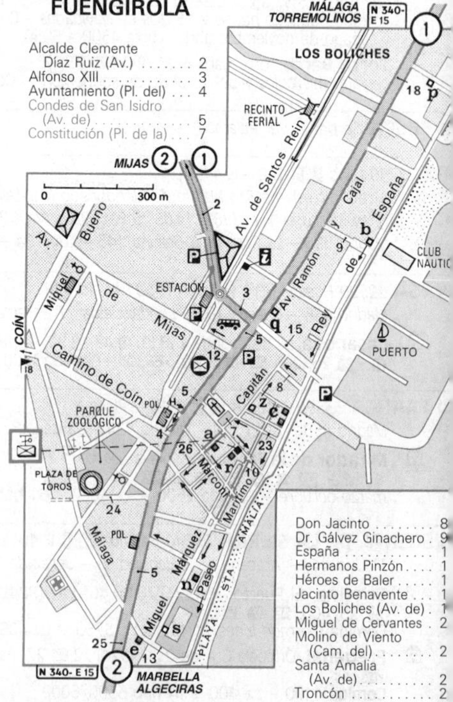

XX **Old Swiss House,** Marina Nacional 28 ☎ (95) 247 26 06, *Fax (95) 247 26 06* – ▤. AE E VISA. ✂ n
cerrado martes – **Comida** carta 2950 a 4150.

X **La Gaviota,** paseo Marítimo 29 ☎ (95) 247 36 37, ☂ – ⓓ E VISA. ✂ c
cerrado miércoles y 15 diciembre-15 enero – **Comida** - sólo cena julio-agosto - carta 2650 a 4050.

X **Taberna del Pescador,** Héroes de Baler 4 ☎ (95) 247 41 67 – ▤. AE ⓓ E VISA. ✂
Comida - pescados y mariscos - carta 3400 a 3900. e

Los Boliches – ✉ *29640 Fuengirola :*

Ángela, paseo Marítimo ☎ (95) 247 52 00, *Fax (95) 246 30 38,* ≤, climatizada, ✂ – ▤ TV ☎. AE ⓓ E VISA. ✂ p
Comida - sólo cena buffet - 4055 – ☕ 1730 – **261 hab** 10425/16210.

Carvajal *por ① : 4 km* – ✉ *29640 Fuengirola :*

XX **El Balandro,** paseo Marítimo ☎ (95) 266 11 29, ≤, ☂ – ▤ 🚗. AE ⓓ E VISA. ✂
cerrado domingo y 15 noviembre-15 diciembre – **Comida** - espec. en carnes y asados - carta aprox. 4800.

or la carretera de Coín *Noroeste : 5 km* – ✉ *29640 Fuengirola :*

Byblos Andaluz , urb. Mijas Golf ☎ (95) 246 02 50, *Fax (95) 247 67 83,* ≤ campo de golf y montañas, ☂, Servicios de talasoterapia, « Elegante conjunto de estilo andaluz situado entre dos campos de golf », , , , , ✂, 18 18 – ▤ TV ☎ Ⓟ – 20/170. AE ⓓ E VISA JCB. ✂ rest
Comida 6000 – ***Le Nailhac*** *(cerrado miércoles y enero)* **Comida** carta 7000 a 8200
El Andaluz : **Comida** carta 4700 a 5650 – ☕ 2350 – **108 hab** 34000/40100, 36 suites.

UENLABRADA *28940 Madrid* 444 **L 18** – *144 069 h. alt. 664.*
Madrid 20 – Aranjuez 37 – El Escorial 59 – Toledo 56.

Avenida de España, av. de España 18 ☎ (91) 606 22 11, *Fax (91) 606 41 29* – ▤ TV ☎ 🚗 Ⓟ – 40/500. AE E VISA. ✂
Comida *(cerrado agosto)* 1500 – ☕ 800 – **80 hab** 7500/12000 – PA 3700.

n la carretera de Pinto *Sureste : 3 km* – ✉ *28941 Fuenlabrada :*

Ciudad de Fuenlabrada, polígono industrial La Cantueña ☎ (91) 642 17 00, *Fax (91) 642 09 57* – ▤ TV ☎ 🚗 Ⓟ – 25/200. VISA. ✂
Comida *(cerrado agosto)* 1200 – ☕ 610 – **70 hab** 5900/8250 – PA 2440.

UENMAYOR *26360 La Rioja* 442 **E 22** – *2 075 h. alt. 433.*
Madrid 346 – Logroño 13 – Vitoria/Gasteiz 77.

XX **Chuchi,** carret. de Vitoria 2 ☎ (941) 45 04 22, *Fax (941) 45 06 68* – ▤. AE ⓓ E VISA. ✂
cerrado miércoles noche y del 1 al 18 de septiembre – **Comida** carta 3500 a 4000.

UENSALIDA *45510 Toledo* 444 **L 17** – *6 971 h. alt. 593.*
Madrid 69 – San Martín de Valdeiglesias 61 – Talavera de la Reina 61 – Toledo 31.

Fuensalida, Colón 6 ☎ (925) 78 58 38 – ▤ TV ☎. AE ⓓ VISA. ✂
Comida 1000 – ☕ 250 – **32 hab** 3700/6200.

UENTE DÉ *Cantabria* 442 **C 15** – *alt. 1 070* – ✉ *39588 Espinama* – *1.*
Ver : *Paraje★★.*
Alred. : *Mirador del Cable ✳★★ estación superior del teleférico.*
Madrid 424 – Palencia 198 – Potes 25 – Santander 140.

Parador de Fuente Dé , alt. 1 005 ☎ (942) 73 66 51, *Fax (942) 73 66 54,* « Magnífica situación al pie de los Picos de Europa ≤ valle y montaña » – TV ☎ Ⓟ. AE ⓓ VISA JCB. ✂
10 marzo-10 noviembre – **Comida** 3200 – ☕ 1200 – **78 hab** 10800/13500 – PA 7600.

Rebeco , alt. 1 005 ☎ (942) 73 66 00, *Fax (942) 73 66 00,* ☂, « Magnífica situación al pie de los picos de Europa ≤ valle y montaña » – TV ☎ Ⓟ. AE E VISA. ✂
Comida 1700 – ☕ 600 – **30 hab** 6000/8000 – PA 3900.

UENTE DE PIEDRA *29520 Málaga* 446 **U 15** – *1 969 h.*
Madrid 544 – Antequera 23 – Córdoba 137 – Granada 120 – Sevilla 141.

X **La Laguna** con hab, antigua carret. N 334 ☎ (95) 273 52 92 – ▤ TV Ⓟ. E VISA. ✂
Comida carta 1500 a 2650 – ☕ 350 – **9 hab** 4500/6000.

FUENTE EN SEGURES *12160 Castellón* 445 K 29 – *alt. 821 – Balneario.*
Madrid 502 – Castellón de la Plana/Castelló de la Plana 79 – Tortosa 126.

Los Pinos, (964) 43 13 11, – VISA.
15 junio-septiembre – **Comida** 1100 – 300 – **48 hab** 3000/6000.

Fuente En Segures, av. Dr. Puigvert (964) 43 10 00, *Fax (964) 43 12 64* – AE VISA.
junio-septiembre – **Comida** 1250 – 750 – **78 hab** 3355/5980 – PA 2215.

FUENTEHERIDOS *21292 Huelva* 446 S 10 – *639 h. alt. 717.*
Madrid 492 – Aracena 10 – Huelva 122 – Serpa 98 – Zafra 91.

Villa Turística de Fuenteheridos, carret. N 433 - Norte : 1 km (959) 12 52 (
Fax (959) 12 51 99, – – 25/150. AE VISA. rest
Comida *(cerrado lunes)* 1600 – 600 – **41 apartamentos** 7500/10000.

La Capellanía, carret. N 433 - Noreste : 1 km (959) 12 50 34, – AE
VISA.
Comida carta aprox. 4000.

FUENTERRABÍA o **HONDARRIBIA** *20280 Guipúzcoa* 442 B 24 – *13 974 h. – Playa.*
Ver : *Ciudad Vieja*★.
Alred. : *Ermita de San Marcial (≤★★) Este : 9 km - Cabo Higuer★ (≤★) Norte : 4 km Trayecto★★ de Fuenterrabía a Pasajes de San Juan por el Jaizkíbel : capilla de Nuestra Señora de Guadalupe ≤★ – Hostal del Jaizkíbel ≤★★, descenso a Pasajes de San Juan ≤ – Pasai Donibane★.*
de Fuenterrabía 902 40 05 00 – Iberia y Aviaco : ver San Sebastián.
Javier Ugarte 6 (943) 64 54 58 Fax (943) 64 54 66.
Madrid 512 ① – Pamplona/Iruñea 95 ① – St-Jean-de-Luz 18 ① – San Sebastián/Donos 23 ①

Plano página siguiente

Parador de Hondarribia sin rest, pl. de Armas 14 (943) 64 55 0
Fax (943) 64 21 53, « Instalado en un castillo medieval » – – 25/70.
E VISA JCB AY
1300 – **36 hab** 15200/19000.

Río Bidasoa, Nafarroa Beherea (943) 64 54 08, *Fax (943) 64 51 70*, « Jardín c
» – – 25/150. AE E VISA. hab BZ
Comida *(cerrado domingo noche y lunes salvo mayo-septiembre y 15 diciembre-15 ener* 2000 – 950 – **37 hab** 12800/16000 – PA 4600.

Obispo sin rest, pl. del Obispo (943) 64 54 00, *Fax (943) 64 23 86*, « Palacio d siglo XIV » – AE E VISA AZ
1100 – **17 hab** 13000/16500.

Pampinot sin rest, Mayor 5 (943) 64 06 00, *Fax (943) 64 51 28*, « Casa señor del siglo XVI » – AE E VISA AZ
cerrado noviembre – 1200 – **8 hab** 10000/16000.

Jauregui sin rest. con cafetería, Zuloaga 5 (943) 64 14 00, *Fax (943) 64 44 04* – – 25/50. AE E VISA. AX
950 – **42 hab** 10925/14525, 11 apartamentos.

San Nicolás sin rest, pl. de Armas 6 (943) 64 42 78 – AE E VISA.
650 – **12 hab** 6320/7900. AZ

Ramón Roteta, Irún (943) 64 16 93, *Fax (943) 64 58 63*, – AE
E VISA BY
cerrado domingo noche y martes (salvo en verano) – **Comida** carta 5300 a 6475
Espec. Ensalada marinera. Lomo de rape con salsa de percebes. Mousse de chocolate blan con galletas cortadas.

Sebastián, Mayor 11 (943) 64 01 67, *Fax (943) 64 46 04* – AE E VISA AZ
cerrado domingo noche, lunes y noviembre – **Comida** carta 5000 a 5800.

Arraunlari, paseo Butrón 3 (943) 64 15 81, – AE E VISA. AX
cerrado domingo noche, lunes y 10 diciembre-10 enero – **Comida** carta 2950 a 4700

Zeria, San Pedro 23 (943) 64 27 80, *Fax (943) 64 12 14*, , « Decoración rústica – AE E VISA JCB. AX
cerrado domingo noche y jueves (salvo en verano) – **Comida** - pescados y mariscos - car 3750 a 4800.

Alameda, Alameda 1 (943) 64 27 89, – AE E VISA. AZ
cerrado domingo noche, martes, del 1 al 7 de junio, octubre y Navidades – **Comida** 550 y carta 3500 a 5000
Espec. Arroz cremoso con verduras y foie caliente. Crema fría de puerros con raviolis d txangurro. Rape al horno sobre fondo de cigalas.

HONDARRIBIA FUENTERRABÍA

*Recorra los países de **Europa** con los **mapas Michelin** de la serie roja (nº 980 a 991).*

FUENTESPALDA *44587 Teruel* 443 J 30 – *420 h. alt. 712.*

Madrid 446 – Alcañiz 26 – Lérida/Lleida 116 – Teruel 182 – Tortosa 43 – Zaragoza 13

por la carretera de Valderrobres *Noreste : 6,3 km y desvío a la izquierda : 5,3 km – ✉ 4458 Valderrobres :*

La Torre del Visco (es necesario reservar), apartado 15 ☎ (978) 76 90 15 *Fax (978) 76 90 16,* ←, « Marco rústico acogedor en pleno campo » – P. VISA. *cerrado del 7 al 23 de enero –* **Comida** 6000 – **10 hab** 16000, 4 suites.

FUERTEVENTURA *Las Palmas – ver Canarias.*

GALAROZA *21291 Huelva* 446 S 9 – *1 538 h. alt. 556.*

Madrid 485 – Aracena 15 – Huelva 113 – Serpa 89 – Zafra 82.

Galaroza Sierra, carret. N 433 - Oeste : 0,5 km ☎ (959) 12 32 37, *Fax (959) 12 32 36* – rest, TV ☎ P. E VISA.
Comida 1500 – 500 – **22 hab** 5000/7500, 4 apartamentos – PA 3300.

GALDÁCANO o **GALDAKAO** *48960 Vizcaya* 442 C 21 – *28 885 h.*

Madrid 403 – Bilbao/Bilbo 8 – San Sebastián/Donostia 91 – Vitoria/Gasteiz 68.

Andra Mari, barrio Elexalde 22 ☎ (94) 456 00 05, *Fax (94) 456 27 31,* ← montañas, « Decoración regional » – P. AE E VISA JCB.
cerrado domingo, Semana Santa y agosto – **Comida** 5000 y carta 4750 a 5500
Espec. Terrina de foie y melocotón con sorbete de manzana verde. Lomo de bacalao a la plancha sobre gelatina caliente de garbanzos. Salmonete sobre escalibada de chipirón y caldo de percebes.

Aretxondo, barrio Elexalde 20 ☎ (94) 456 76 71, *Fax (94) 456 76 72,* ←, « Caserío con plantas » – P. AE E VISA.
cerrado lunes, noches de martes a jueves, de lunes a viernes en Semana Santa, del 1 al 15 de enero y del 1 al 15 de agosto – **Comida** 5000 y carta 4400 a 5600
Espec. Ensalada de bacalao con crema de anchoas y aceitunas. Lomo de merluza confitado al aroma de salvia sobre crema de almejas. Crocante de manitas de cerdo mechados con foie al vino y mermelada de tomate al cardamomo.

GALVE DE SORBE *19275 Guadalajara* 444 I 20 – *147 h. alt. 1 364.*

Madrid 160 – Aranda de Duero 75 – Guadalajara 96.

Nuestra Señora del Pinar, Los Talleres ☎ (949) 30 30 29 – P. E VISA.
Comida 1200 – 300 – **15 hab** 2500/4000 – PA 2400.

GANDESA *43780 Tarragona* 443 I 31 – *2 591 h. alt. 368.*

av. Catalunya (estació d'autobusos) ☎ (977) 42 06 14 Fax (977) 42 03 95.

Madrid 459 – Lérida/Lleida 92 – Tarragona 87 – Tortosa 40.

Piqué, Via Catalunya 68 ☎ (977) 42 00 68, *Fax (977) 42 03 29* – rest, ☎ P. E VISA.
Comida 1300 – 400 – **48 hab** 2200/4400.

GANDÍA *46700 Valencia* 445 P 29 – *52 000 h. – Playa.*

Marqués de Campo ☎ (96) 287 77 88 Fax (96) 287 77 88.

Madrid 416 – Albacete 170 – Alicante/Alacant 109 – Valencia 68.

Plano página siguiente

Borgia, República Argentina 5 ☎ (96) 287 81 09, *Fax (96) 287 80 31* – TV ☎ 25/150. AE E VISA. rest
Comida 2500 – 600 – **72 hab** 6100/9000.

Los Naranjos sin rest, av. Pío XI-57 ☎ (96) 287 31 43, *Fax (96) 287 31 44* – ☎. E VISA
475 – **35 hab** 3425/5950.

L'Ullal, Benicanena 12 ☎ (96) 287 73 82 – AE E VISA.
cerrado domingo y del 1 al 15 de mayo – **Comida** carta 3050 a 4400.

en el puerto (Grau) *Noreste : 3 km - ver plano – ✉ 46730 Grau de Gandía :*

La Alberca sin rest, Cullera 8 ☎ (96) 284 51 63, *Fax (96) 284 51 63* – TV ☎. E VISA Z
450 – **17 hab** 3800/6200.

Rincón de Ávila, Príncep 5 ☎ (96) 284 49 54 – AE E VISA. Z
cerrado domingo noche y del 1 al 15 de junio – **Comida** - espec. en carnes - carta 2850 a 4100.

GANDÍA
PLATJA I GRAU

rmada Espanyola .... X 3
aladre (Pl. del) .... X 4
ibeles .... Y 6
Ciutat Ducal (Pl.) .... X 7
Daoiz i Velarde .... Z 9
Formentera .... X 10
Gavina (La) .... Z 12
Joan XXIII .... Z 13
Legazpi .... XY 15
Mare de Déu Blanqueta .... Z 16
Mare de Déu del Carme .... Z 18
Mediterrània (Pl.) .... Z 19
Menorca .... X 21
Oltra .... Z 22
Orient (Pl. d') .... Z 24
Venecia (Ronda de) .... Z 25
Vicent Calderón .... X 27

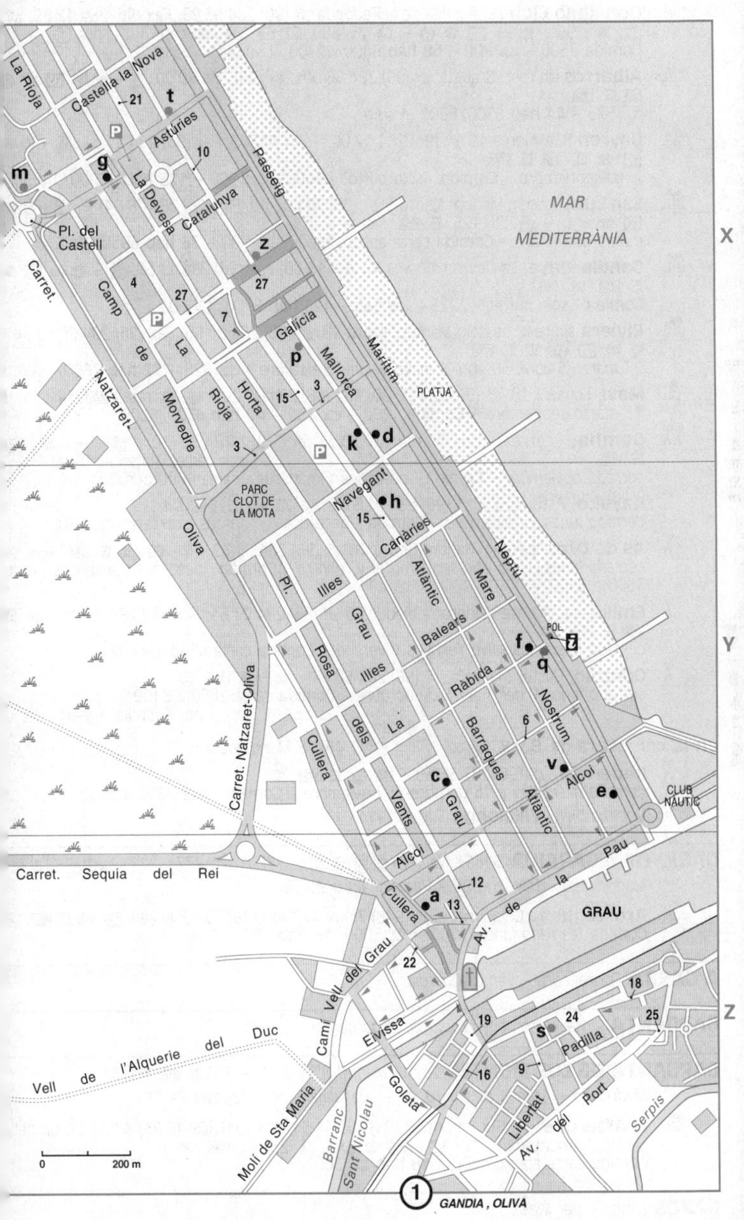

en la zona de la playa *Noreste : 4 km - ver plano –* ✉ *46730 Grau de Gandía :*

Bayren I, passeig Marítim Neptú 62 ✆ (96) 284 03 00, *Telex 61549, Fax (96) 284 06 53*, « Terraza con ≤ », ⛱, 🎾 – |‡| ▤ TV ☎ P – 🏛 25/600. AE ◑ VISA. ✻ X
Comida 3200 - ***La Goleta*** **: Comida** carta aprox. 4700 – ☕ 1000 – **161 hab** 12500/16000, 11 suites.

Don Ximo Club H., Partida de la Redonda ✆ (96) 284 53 93, *Fax (96) 284 12 69*, ⛱, ⛱, 🎾 – |‡| ▤ TV ☎ P – 🏛 25/500. AE ◑ VISA. ✻ rest por ①
Comida 2500 – ☕ 800 – **68 hab** 8400/12100, 2 suites.

Albatros sin rest, Grau 11 ✆ (96) 284 56 00, *Fax (96) 284 50 00*, ⛱ – |‡| ▤ TV ☎ P AE E VISA. ✻ Y
☕ 575 – **44 hab** 6500/8600, 1 suite.

Bayren II, Mallorca 19 ✆ (96) 284 07 00, *Telex 61549, Fax (96) 284 51 67*, ⛱ – |‡| ▤ TV ☎. AE ◑ E VISA. ✻ X
junio-septiembre – **Comida** - sólo buffet - 3000 – ☕ 900 – **125 hab** 11000/14000.

San Luis, passeig Marítim Neptú 5 ✆ (96) 284 08 00, *Fax (96) 284 08 04*, ≤, ⛱ – |‡| ▤ TV ☎ 🚗 – 🏛 25/125. E VISA. ✻ rest Y
marzo-noviembre – **Comida** carta aprox. 2900 – ☕ 500 – **76 hab** 6850/9985.

Gandía Playa, La Devesa 17 ✆ (96) 284 13 00, *Fax (96) 284 13 50*, ⛱ – |‡| ▤ TV ☎ E VISA. ✻ rest X
Comida - sólo buffet - 2225 – ☕ 585 – **126 hab** 8700/10000.

Riviera sin rest, passeig Marítim Neptú 28 ✆ (96) 284 00 66, *Fax (96) 284 00 62*, ≤ |‡| ▤ TV P. AE E VISA Y
27 marzo-5 abril, 30 abril-3 mayo y junio-3 octubre – ☕ 625 – **72 hab** 7600/9900.

Mavi, Legazpi 18 ✆ (96) 284 00 20, *Fax (96) 284 00 20* – |‡|, ▤ rest,. VISA. ✻ Y
15 marzo-septiembre – **Comida** 1200 – ☕ 350 – **40 hab** 4500/5000.

Gamba, carret. de Natzaret-Oliva ✆ (96) 284 13 10, ⛱ – ▤ P E VISA por carret. Natzaret-Oliva X
cerrado noviembre – **Comida** - pescados y mariscos - carta 6000 a 7000.

Kayuko, Asturias 23 ✆ (96) 284 01 37 – ▤. AE ◑ E VISA. ✻ X
cerrado lunes y noviembre – **Comida** - pescados y mariscos - carta aprox. 6500.

As de Oros, passeig Marítim Neptú 26 ✆ (96) 284 02 39 – ▤. AE ◑ E VISA JCB. ✻
cerrado lunes (salvo julio-septiembre) y febrero – **Comida** - pescados y mariscos - carta 3300 a 6500. Y

Emilio, av. Vicente Calderón - bloque F5 ✆ (96) 284 07 61, *Fax (96) 284 15 21* – ▤. AE ◑ E VISA. ✻ X
cerrado miércoles salvo festivos y verano – **Comida** carta 3550 a 4900.

Gonzalo, Castella la Vella ✆ (96) 284 58 68 – ▤. ◑ VISA. ✻
cerrado lunes y del 1 al 15 de octubre – **Comida** carta 2650 a 3100.
por Castella la Vella X

en la carretera de Barx *Oeste : 7 km –* ✉ *46728 Marxuquera :*

Imperio II, ✆ (96) 287 56 60 – ▤ P. E VISA. ✻
cerrado miércoles y 15 octubre-15 noviembre – **Comida** carta 2600 a 3500.
Ver también : **Villalonga** *Sur : 11 km.*

GARAYOA o **GARAIOA** *31692 Navarra* 442 D 26 – *137 h. alt. 777.*
Madrid 438 – Bayonne 98 – Pamplona/Iruñea 55.

Arostegui 🐴, Chiquirrín 13 ✆ (948) 76 40 44, *Fax (948) 76 40 44*, ≤ – TV. ◑ E VISA. ✻
Comida *(cerrado lunes)* 1700 – ☕ 500 – **18 hab** 3200/7000.

A GARDA *Pontevedra – ver La Guardia.*

GARGANTA – *ver el nombre propio de la garganta.*

GARGANTA DE LOS MONTES *28749 Madrid* 444 J 18 – *303 h. alt. 1 135.*
Madrid 73 – Aranda de Duero 96 – Guadalajara 74 – Segovia 71.

El Albergue 🐴, Sur : 1 km ✆ (91) 869 41 31, *Fax (91) 869 46 93*, ⛱, « En un bello paraje de montaña », ⛱, 🎾 – TV ☎ P – 🏛 25/80. VISA. ✻
Comida carta aprox. 3900 – **18 hab** ☕ 5000/7000.

GARÓS *Lérida – ver Viella.*

ARRAY *42162 Soria* 442 G 22 - *295 h. alt. 1015.*
Madrid 235 - Burgos 149 - Logroño 99 - Soria 6 - Tudela 97.

Goyo Garray sin rest y sin ☕, Garrejo 7 ✆ (975) 25 21 11, *Fax (975) 25 21 11* - TV ☎ P
15 hab.

a GARRIGA *08530 Barcelona* 443 G 36 - *9453 h. alt. 258 - Balneario.*
Madrid 650 - Barcelona 37 - Gerona/Girona 84.

Termes La Garriga, Banys 23 ✆ (93) 871 70 86, *Fax (93) 871 78 87,* Servicios terapéuticos, « Jardín con piscina de agua termal », Fo, piscina - ascensor ▤ TV ☎ garaje. AE VISA. ✂
Comida 4100 - ☕ 1500 - **21 hab** 15400/23900, 1 suite.

Balneario Blancafort ⛰, Banys 59 ✆ (93) 871 46 00, *Fax (93) 871 57 50,* piscina de agua termal, jardín, ✂ - ascensor, ▤ rest, TV ☎ P - 25/50. ◑ E VISA. ✂
Comida 3200 - ☕ 900 - **56 hab** 12500/16500.

Catalonia, carret. de L'Ametlla 68 ✆ (93) 871 56 54, terraza - ▤ P. AE ◑ E VISA. ✂
cerrado miércoles noche - **Comida** carta aprox. 3725.

ARRUCHA *04630 Almería* 446 U 24 - *4295 h. alt. 24 - Playa.*
Madrid 536 - Almería 100 - Murcia 140.

Cervantes sin rest, Colón 3 ✆ (950) 46 02 52, *Fax (950) 13 20 46* - TV. AE E VISA. ✂
Semana Santa-septiembre - **19 hab** ☕ 4775/6925.

El Almejero, Explanada del Puerto ✆ (950) 46 04 05, terraza - ▤. AE ◑ E VISA. ✂
cerrado lunes - **Comida** - pescados y mariscos - carta aprox. 3500.

ASTEIZ *Álava - ver Vitoria.*

AVÀ *08850 Barcelona* 443 I 36 - *35167 h. - Playa.*
Madrid 620 - Barcelona 18 - Tarragona 77.

n la carretera C 246 *Sur : 4 km - ✉ 08850 Gavà :*

La Pineda, ✆ (93) 633 04 42, *Fax (93) 633 04 42,* terraza - ▤ P. AE E VISA
Comida carta 3480 a 4000.

n la zona de la playa *Sur : 5 km - ✉ 08850 Gavà :*

Les Marines, Calafell ✆ (93) 633 18 60, *Fax (93) 633 18 31,* terraza, « En un pinar » - ▤ P. AE ◑ E VISA - *cerrado domingo noche y lunes salvo festivos* - **Comida** carta 4675 a 5900.

AVILANES *05460 Ávila* 444 L 15 - *744 h. alt. 677.*
Madrid 122 - Arenas de San Pedro 26 - Ávila 102 - Talavera de la Reina 60 - Toledo 24.

Mirador del Tiétar ⛰, Risquillo 22 ✆ (920) 38 48 67, ≤, piscina - ▤ rest, garaje P. VISA. ✂
Comida 1900 - ☕ 400 - **40 hab** 5000/6500.

ÈNOVA *Baleares - ver Baleares (Mallorca) : Palma.*

ER *17539 Gerona* 443 E 35 - *270 h. alt. 1434.*
Madrid 634 - Ax-les-Thermes 58 - Andorra la Vieja/Andorra la Vella 56 - Gerona/Girona 153 - Puigcerdà 11 - Seo de Urgel/La Seu d'Urgell 38.

El Rebost de Ger, pl. Major 2 ✆ (972) 14 70 55, *Fax (972) 14 70 55,* « Decoración rústica » - ▤. AE ◑ E VISA. ✂
cerrado martes y del 15 al 30 de junio - **Comida** *(es necesario reservar)* carta 3000 a 3900.

ERNIKA-LUMO *Vizcaya - ver Guernica y Luno.*

ERONA o GIRONA *17000* P 443 G 38 - *70409 h. alt. 70.*
Ver : *Ciudad antigua (Força Vella)★★ - Catedral★ (nave★★, retablo mayor★, Tesoro★★ : Beatus★★, Tapiz de la Creación★★★, Claustro★)* BY - *Museu d'Art★★ : Viga de Cruilles★★, retablo de Púbol★, retablo de Sant Miquel de Cruilles★★* BY **M1** - *Colegiata de Sant Feliu : Sarcófagos★, Sarcófago con cacería de leones★* BY **R** - *Monasterio de Sant Pere de Galligants★ : Museo Arqueológico (sepulcro de las Estaciones★)* BY - *Baños Árabes★* BY **S**.
Alred. : *Púbol (Casa-Museu Castell Gala Dalí★) E por C 255.*
18 *Girona, Sant Julià de Ramis, Norte : 4 km ✆ (972) 17 16 41 Fax (972) 17 16 82.*
Rambla de la Llibertat 1 ✉ 17004 ✆ (972) 22 65 75 Fax (972) 22 66 12 - **R.A.C.C.** carret. *de Barcelona 22 ✉ 17002 ✆ (972) 22 36 62 Fax (972) 22 15 57.*
Madrid 708 ② - Barcelona 97 ② - Manresa 134 ② - Mataró 77 ② - Perpignan 91 ① - Sabadell 95 ②

GIRONA
GERONA

Álvarez de Castro . . . . AZ 2
Argenteria . . . . BY 3
Ballesteríes . . . . BY 4
Bellaire . . . . BY 6
Berenguer Garnicer . . . . . . AY 7
Bonastruc de Porta . . . . AY 9
Carme . . . . BZ 10
Ciutadans . . . . BZ 12
Cúndaro . . . . BY 13
Devesa (Pg. de la) . . . . AY 14
Eduard Marquína (Pl. de) . . . . AZ 15
General Fournàs . . . . BY 16
General Peralta (Pg. del) . . . . BZ 17
Joaquim Vayreda . . . . AY 18
Juli Garreta . . . . AZ 19
Llibertat (Rambla de la) . . . BZ 23
Nou . . . . AZ
Nou del Teatre . . . . BZ 27
Oliva i Prat . . . . BY 26
Palafrugell . . . . BY 28
Pedreres (Pujada de les) . . . . BZ 29
Ramon Folch (Av.) . . . . AY 3
Rei Ferran el Catòlic . . . . . BY 3
Rei Martí (Pujada del) . . . . . BY 3
Reina Isabel la Católica . . . BZ 3
Reina Joana (Pg. de la) . . . BY 3
Santa Clara . . . . ABYZ
Sant Cristòfol . . . . BY 3
Sant Daniel . . . . BY 4
Sant Domènec (Pl. de) . . . . BY 4
Sant Feliu (Pujada de) . . . . BY 4
Sant Francesc (Av. de) . . . . AZ 4
Sant Pere (Pl. de) . . . . BY 4
Santa Eugénia . . . . AZ 4
Ultònia . . . . AZ 5

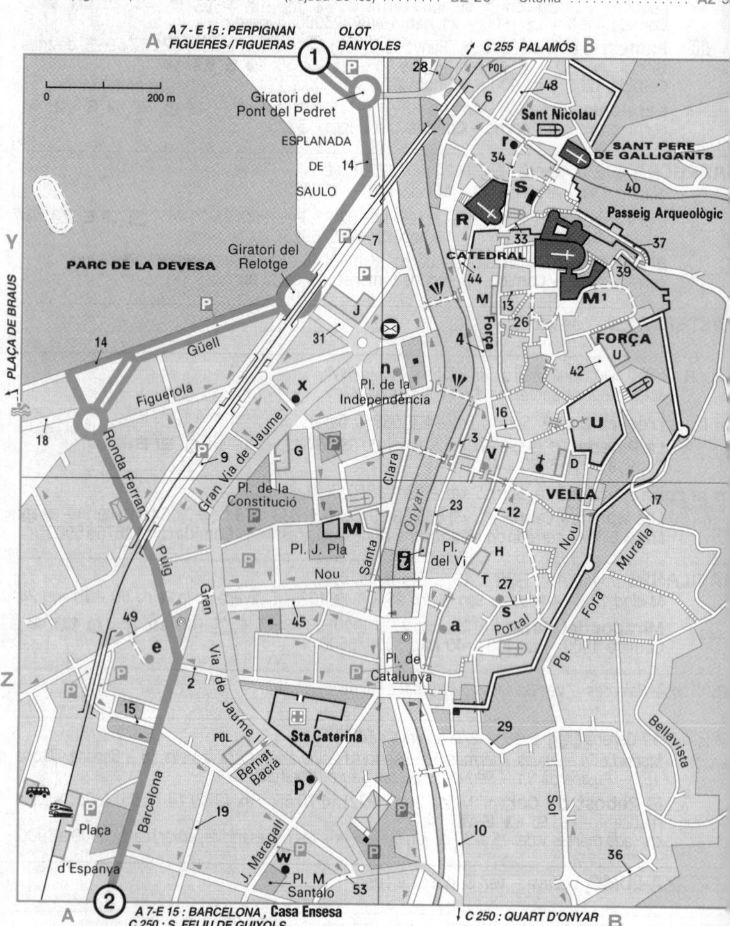

Carlemany, pl. Miquel Santaló 1, ✉ 17002, ☏ (972) 21 12 12, *Fax (972) 21 49 94* –
rest AZ
Comida 2500 - ***El Pati Verd*** *(cerrado domingo en agosto y domingo noch resto año)* **Comida** carta 3550 a 5250 - 1200 - **87 hab** 13500/1550
3 suites.

Meliá Confort Girona, Barcelona 112, ✉ 17003, ☏ (972) 40 05 0
Fax (972) 24 32 33 – 25/500. rest por
Comida 1600 – 1180 – **113 hab** 10950/13800, 1 suite.

Costabella, av. de Francia 61, ✉ 17007, ☎ (972) 20 25 24, *Fax (972) 20 22 03* – ▤ ☎ ♿ – 🅿 – 25/30. AE ⓓ E VISA JCB por ①
Comida *(cerrado domingo y 20 diciembre-10 enero)* - sólo cena - 1500 – ☕ 975 – **44 hab** 9500/12900, 2 suites.

Ultonia sin rest, Gran Via de Jaume I-22, ✉ 17001, ☎ (972) 20 38 50, *Fax (972) 20 33 34* – ▤ TV ☎ – 25/40. AE ⓓ E VISA AY x
☕ 975 – **45 hab** 12000/15000.

Condal sin rest y sin ☕, Joan Maragall 10, ✉ 17002, ☎ (972) 20 44 62, *Fax (972) 20 44 62* – TV ☎. AE E VISA JCB AZ p
38 hab 3050/5950.

XXX **Albereda,** Albereda 7, ✉ 17004, ☎ (972) 22 60 02, *Fax (972) 22 60 02* – ▤. AE ⓓ E VISA. ✻ BZ a
cerrado lunes noche, festivos, 15 días en agosto y Navidades – **Comida** carta aprox. 4450.

XX **Mar Plaça,** pl. Independència 3, ✉ 17001, ☎ (972) 20 59 62 – ▤. AE E VISA JCB. ✻ BY n
cerrado domingo noche, lunes noche y del 15 al 25 de enero – **Comida** carta 3400 a 6000.

X **Cal Ros,** Cort Reial 9, ✉ 17004, ☎ (972) 21 73 79 – ▤. E VISA. ✻ BY v
cerrado domingo noche y lunes – **Comida** carta aprox. 4100.

X **Edelweiss,** Santa Eugenia 7 (passatge Ensesa), ✉ 17001, ☎ (972) 20 18 97, *Fax (972) 20 18 97* – ▤. AE ⓓ E VISA. ✻ AZ e
cerrado domingo y del 15 al 30 de agosto – **Comida** carta 2390 a 3700.

X **La Penyora,** Nou del Teatre 3, ✉ 17004, ☎ (972) 21 89 48 – ▤. VISA BZ s
cerrado martes – **Comida** carta 2870 a 3250.

al Noroeste *por ① y desvío a la izquierda 2 km :*

XXX ✿ **El Celler de Can Roca,** carret. Taialà 40, ✉ 17007, ☎ (972) 22 21 57, *Fax (972) 22 21 57* – ▤ 🅿. AE ⓓ E VISA. ✻
cerrado domingo, lunes, Navidades y del 1 al 15 de julio – **Comida** 5500 y carta 3750 a 5300
Espec. Vieiras con alcachofas, miel y jenjibre. Bacalao con jugo de pasas y aceite de piñones. Nuestra crema catalana con crujiente de manzana y jugo.

al Noreste *por la carretera C 255 : 3 km* BY – ✉ *17007 Gerona :*

X **Llegendes,** Riera Can Camaret 3 (Pont Major) ☎ (972) 22 07 09 – ▤. VISA. ✻
cerrado domingo y agosto – **Comida** carta aprox. 4200.

en la carretera N II *por ② : 5 km* – ✉ *17458 Fornells de la Selva :*

Fornells Park, ☎ (972) 47 61 25, *Fax (972) 47 65 79,* « Pinar », ⛱, – ▤ TV ☎ ♿ 🅿 – 25/150. AE ⓓ E VISA. ✻ rest
Comida 2550 – ☕ 1000 – **50 hab** 7500/10800, 3 suites – PA 4900.

en la carretera del aeropuerto *por ② :*

Novotel Girona, por A 7 salida 8 : 12 km, ✉ 17457 Riudellots de la Selva, ☎ (972) 47 71 00, *Fax (972) 47 72 96,* ⛱, – ▤ TV ☎ ♿ 🅿 – 25/225. AE ⓓ E VISA
Comida 1750 – ☕ 1445 – **79 hab** 11000/13000, 2 suites.

Vilobí Park, por A 7 salida 8 : 13 km, ✉ 17185 Vilobí D'Onyar, ☎ (972) 47 31 86, *Fax (972) 47 34 63* – ▤ TV ☎ 🅿 – 25/200. AE ⓓ E VISA JCB. ✻ rest
Comida - sólo cena - 1800 – ☕ 800 – **32 hab** 8000/10000.

GERRA *Cantabria – ver San Vicente de la Barquera.*

GETAFE *28900 Madrid* 444 **L 18** – *139 500 h. alt. 623.*
Madrid 13 – Aranjuez 38 – Toledo 56.

Carlos III, Velasco 7, ✉ 28901, ☎ (91) 683 13 92, *Fax (91) 683 18 03* – ▤ TV ☎. AE E VISA. ✻
Comida 1500 – ☕ 475 – **44 hab** 6200/7800 – PA 3200.

en la autovía N 401 *Suroeste : 3 km* – ✉ *28905 Getafe :*

XX **Don Pepín,** ☎ (91) 681 71 87, *Fax (91) 683 20 89* – ▤ 🅿. AE ⓓ E VISA. ✻
Comida - sólo almuerzo salvo viernes y sábado - carta 2950 a 4000.

en la autovía N IV *Sureste : 5,5 km – ✉ 28906 Getafe :*

Motel Los Ángeles, ✆ (91) 683 94 00, *Fax (91) 684 00 99*, – 25/600. AE E VISA. Comida 2900 – 1100 – **118 hab** 11000, 3 suites.

GETARIA *Guipúzcoa – ver Guetaria.*

GETXO *48990 Vizcaya* 442 B 22 – *79 517 h. alt. 51.*

Neguri, Noroeste : 2 km ✆ (94) 491 02 00 Fax (94) 460 56 11.

en Algorta : playa de Ereaga ✆ (94) 491 08 00 Fax (94) 491 12 99.

Madrid 407 – Bilbao/Bilbo 13 – San Sebastián/Donostia 113.

en Santa María de Getxo (Getxoko Andramari) – *✉ 48990 Getxo :*

Cubita, carret. de la Galea 30 ✆ (94) 491 17 00, *Fax (94) 460 21 12*, ←, Adosado al molin de Aixerrota. Galería de arte – AE E VISA JCB. *cerrado miércoles y agosto* – **Comida** carta 4400 a 5000.

en Algorta – *✉ 48990 Getxo :*

Los Tamarises, playa de Ereaga ✆ (94) 491 00 05, *Fax (94) 491 13 10*, ← – – 40/150. AE E VISA. **Comida** (ver rest. ***Los Tamarises***) – 900 – **42 hab** 11000/17000.

Igeretxe Agustín, playa de Ereaga ✆ (94) 491 00 09, *Fax (94) 460 85 99*, ←, Servicic terapéuticos – – 25/300 **21 hab**, 1 suite.

Los Tamarises, playa de Ereaga ✆ (94) 491 05 44, *Fax (94) 491 13 10*, ←, – AE E VISA. **Comida** carta 4600 a 6500.

en Neguri – *✉ 48990 Getxo :*

Los Chopos, av. Los Chopos 2 ✆ (94) 491 22 55, *Fax (94) 491 28 02*, « Antigua vil señorial », – AE E VISA. **Comida** carta aprox. 4950 – 1500 – **32 hab** 9500/14000.

Neguri sin rest, av. de Algorta 14 ✆ (94) 491 05 09, *Fax (94) 491 19 43*, « Antigua vil señorial » – AE E VISA. 900 – **10 hab** 8000/10000.

en Las Arenas (Areeta) – *✉ 48990 Getxo :*

El Chalet, Manuel Smith 12 ✆ (94) 463 89 84, *Fax (94) 464 99 15*, – AE E VIS *cerrado domingo noche, lunes y Semana Santa* – **Comida** carta 3750 a 6850.

GETXOKO ANDRAMARI *Vizcaya – ver Getxo (Santa María de Getxo).*

GIBRALTAR 446 X 13 y 14 – *28 339 h.*

Ver : *Peñón* : ≤★★.

✈ *de Gibraltar, Norte : 2,7 km ☏ (9567) 730 26 – G.B. Airways y B. Airways, Cloister Building Irish Town ☏ (9567) 792 00 – Pegasus E. Air and Sea Services LTD. CTHE Tower Marina Bay – Iberia 2 A Main Street, Unit G 10-ed. I.C.C. ☏ (9567) 776 66.*

ℹ *158 Main Street ☏ (9567) 749 82* – **R.A.C.E.** *18B, Halifax Road P.O. Box 385 ☏ (9567) 790 05.*

Madrid 673 – Cádiz 144 – Málaga 127.

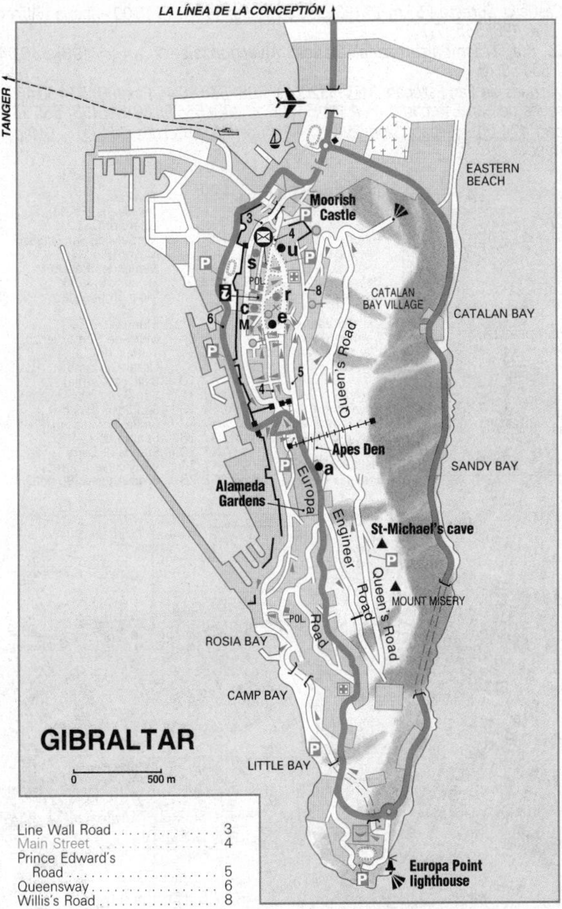

GIBRALTAR

Line Wall Road 3
Main Street 4
Prince Edward's Road 5
Queensway 6
Willis's Road 8

The Rock, 3 Europa Road ☏ (9567) 730 00, *Fax (9567) 735 13,* ≤ puerto, estrecho y costa española, « Terraza y jardín con flores », – rest
Comida 4000 – **104 hab** 26500. a

The Eliott, 2 Governor's Parade ☏ (9567) 705 00, *Fax (9567) 702 43,* – 25/150
118 hab, 2 suites. e

Continental sin rest. con cafetería, Enginer Lane (esquina Main Street) ☏ (9567) 769 00, *Fax (9567) 417 02* –
18 hab 10700/14000. u

Strings, 4 Cornwall's Parade ℘ (9567) 788 00, *Fax (9567) 788 00* – ▤

Bunters, 1 College Lane ℘ (9567) 704 82, *Fax (9567) 726 69* – ▤. AE ⓓ E VISA. ✕
cerrado agosto – **Comida** carta 4420 a 5060.

El Patio, 54 Irish Town ℘ (9567) 708 22, *Fax (9567) 747 16* – ▤. AE E VISA. ✕
cerrado domingo – **Comida** - espec. en pescados - carta 3900 a 4800.

GIJÓN *33200 Asturias* 441 **B 13** – *260 267 h.* – *Playa.*

Castiello, Sureste : 5 km ℘ (98) 536 63 13 Fax (98) 513 18 00 – *Iberia : Alfredo Truán 8* AZ *℘ (98) 535 17 90.*

Cia. Trasmediterránea, Claudio Alvargonzález 2 AX *℘ (98) 535 04 00 Fax (98) 534 58 70.*

Marqués de San Esteban 1 ✉ 33206 ℘ (98) 534 60 46 Fax (98) 534 60 46 – **R.A.C.E.** *Marqués de San Esteban 1-1º A ✉ 33206 ℘ (98) 535 53 60 Fax (98) 535 53 60.*

Madrid 474 ③ – Bilbao/Bilbo 296 ① – La Coruña/A Coruña 341 ③ – Oviedo 29 ③ – Santander 193 ①

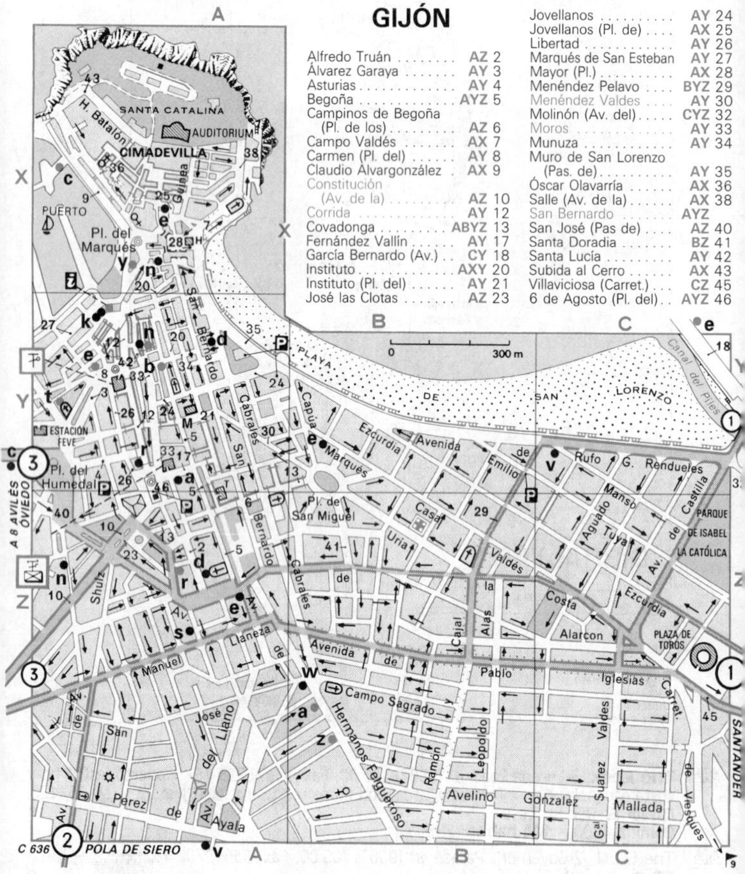

Parador de Gijón, parque de Isabel la Católica, ✉ 33203, ℘ (98) 537 05 11, *Fax (98) 537 02 33, « Junto al parque »* – ▤ TV ☎ P. AE ⓓ E VISA. ✕ por av. del Molinón CY
Comida 3500 – ☕ 1300 – **40 hab** 15200/19000 – PA 7055.

Hernán Cortés sin rest, Fernández Vallín 5, ✉ 33205, ℘ (98) 534 60 00, *Fax (98) 535 56 45* – ▯ ▤ TV ☎ ⇔ – 🔔 25/40. AE ⓓ E VISA. ✂ AY a
☕ 700 – **41 hab** 12800/16000, 15 suites.

Begoña Park, urb. El Rinconín, ✉ 33203, ℘ (98) 513 39 09, *Fax (98) 513 16 02* – ▯ ▤ TV ☎ ⇔ – 🔔 25/900. AE ⓓ E VISA. ✂ por ①
Comida 1650 – ☕ 1250 – **98 hab** 13140/16400.

Príncipe de Asturias sin rest, Manso 2, ✉ 33203, ℘ (98) 536 71 11, *Fax (98) 533 47 41*, ≤ – ▯ TV ☎ – 🔔 25/180. AE ⓓ E VISA. ✂ CY v
☕ 1500 – **64 hab** 13800/17000, 16 suites.

Alcomar sin rest. con cafetería, Cabrales 24, ✉ 33201, ℘ (98) 535 70 11, *Fax (98) 534 67 42*, ≤ – ▯ TV ☎ – 🔔 25/100. AE ⓓ E VISA. ✂ AY d
☕ 750 – **45 hab** 11000/13300.

Begoña, av. de la Costa 44, ✉ 33205, ℘ (98) 514 72 11, *Fax (98) 539 82 22* – ▯, ▤ rest, TV ☎ ⇔ – 🔔 25/300. AE ⓓ E VISA JCB. ✂ AZ e
Comida 1650 – ☕ 750 – **250 hab** 8960/11380, 11 suites – PA 4050.

Don Manuel, Marqués de San Esteban 5, ✉ 33206, ℘ (98) 517 13 13, *Fax (98) 517 12 38* – ▯, ▤ rest, TV ☎. AE ⓓ E VISA. ✂ rest AY k
Comida 1900 - ***Casa Pachín*:** Comida carta aprox. 4500 – ☕ 850 – **50 hab** 13500/16500.

San Miguel sin rest. con cafetería, Marqués de Casa Valdés 8, ✉ 33202, ℘ (98) 534 00 25, *Fax (98) 534 00 37* – ▯ TV ☎. AE ⓓ E BY e
☕ 400 – **45 hab** 8500/12500.

Agüera sin rest, Hermanos Felgueroso 28, ✉ 33205, ℘ (98) 514 05 00, *Fax (98) 538 68 61* – ▯ TV ☎. AE ⓓ E VISA. ✂ BZ w
☕ 950 – **35 hab** 9850/13000.

Pasaje sin rest. con cafetería, Marqués de San Esteban 3, ✉ 33206, ℘ (98) 534 24 00, *Fax (98) 534 25 51*, ≤ – ▯ TV ☎ – 🔔 25/40. AE ⓓ E VISA. ✂ AY k
☕ 750 – **29 hab** 8400/13000.

Pathos sin rest. con cafetería, Contracay 5, ✉ 33201, ℘ (98) 535 25 46, *Fax (98) 535 64 84* – ▯ TV ☎. AE ⓓ E VISA. ✂ AX n
☕ 700 – **53 hab** 7500/10000, 3 suites.

La Casona de Jovellanos, pl. de Jovellanos 1, ✉ 33201, ℘ (98) 534 12 64, *Fax (98) 535 61 51*, « Antiguo edificio rehabilitado » – TV ☎. AE ⓓ E VISA AX e
Comida 1200 – ☕ 600 – **13 hab** 5500/6500, 1 apartamento – PA 2600.

Miramar sin rest y sin ☕, Santa Lucía 9, ✉ 33206, ℘ (98) 535 10 08, *Fax (98) 534 09 32* – ▯ TV ☎. AE ⓓ E VISA AY n
23 hab 8500/10500.

Bahía sin rest y sin ☕, av. del LLano 44 ℘ (98) 516 37 00, *Fax (98) 516 37 00* – ▯ TV ☎ ⇔. E VISA. ✂ AZ v
35 hab 5500/8000.

Avenida sin rest y sin ☕, Robustiana Armiño 4, ✉ 33207, ℘ (98) 535 28 43, *Fax (98) 535 28 44* – TV ☎. E VISA. ✂ AY c
38 hab 4000/7500.

Castilla sin rest, Corrida 50, ✉ 33206, ℘ (98) 534 62 00, *Fax (98) 534 63 64* – ▯ TV ☎. AE E VISA. ✂ AY r
☕ 400 – **45 hab** 6750/8750.

Plaza sin rest y sin ☕, Decano Prendes Pando 2, ✉ 33207, ℘ (98) 534 65 62 – TV. VISA. ✂ AZ n
20 hab 4700/5900.

El Puerto, Claudio Alvargonzález (edificio puerto deportivo), ✉ 33201, ℘ (98) 534 90 96, *Fax (98) 534 90 96*, ≤, 🍽 – ▤. AE ⓓ E VISA. ✂ AX c
cerrado domingo noche y Semana Santa – **Comida** carta 5200 a 6750.

El Retiro, Begoña 28, ✉ 33206, ℘ (98) 535 00 30, *Fax (98) 535 13 37* – ▤. AE ⓓ E VISA. ✂ AY b
Comida carta 2600 a 4700.

La Zamorana, Hermanos Felgueroso 38, ✉ 33209, ℘ (98) 538 06 32, *Fax (98) 514 90 70* – ▤. AE ⓓ E VISA. ✂ BZ a
cerrado lunes y 15 octubre-14 noviembre – **Comida** carta 3550 a 4550.

Bella Vista, av. García Bernardo 8 (El Piles), ✉ 33203, ℘ (98) 536 73 77, *Fax (98) 536 29 36*, ≤, 🍽, Vivero propio – ▤ Ⓟ. AE ⓓ VISA. ✂ CY e
cerrado lunes salvo julio-agosto – **Comida** - pescados y mariscos - carta 4000 a 4995.

Casa Víctor, Carmen 11, ✉ 33206, ℘ (98) 534 83 10, *Fax (98) 532 27 49* – ▤. AE ⓓ E VISA. ✂ AY t
cerrado domingo y noviembre – **Comida** carta 3900 a 5300.

V. Crespo, Periodista Adeflor 3 ℘ (98) 534 75 34 – ▤. AE ⓓ E VISA AZ r
cerrado domingo noche, lunes y Semana Santa – **Comida** carta aprox. 5200.

X **El Sueve,** Domingo García de la Fuente 12, ✉ 33205, ☎ (98) 514 57 03 – ▤. AE ◑ E VISA. ✻ AZ
cerrado domingo, miércoles noche, 3 semanas en mayo y 3 semanas en noviembre – **Comida** - carnes a la brasa - carta 3100 a 3975.

X **La Marmita,** Begoña 20, ✉ 33206, ☎ (98) 535 49 41, *Fax (98) 535 49 68,* ⛱ – AE ◑ E VISA. ✻ AY
cerrado domingo y marzo – **Comida** carta 3350 a 4000.

X **Casa Justo,** Hermanos Felgueroso 50, ✉ 33209, ☎ (98) 538 63 57, *Fax (98) 538 63 5*
« Sidrería típica » – ▤. AE ◑ E VISA. ✻ BZ
cerrado jueves (salvo festivos vísperas, y agosto) 3 semanas en mayo y 2 semanas en noviembre – **Comida** carta aprox. 5100.

X **Calixto,** Trinidad 6, ✉ 33201, ☎ (98) 535 98 09 – ▤. AE ◑ E VISA. ✻ AX
cerrado lunes y octubre – **Comida** carta 3300 a 4000.

X **El Candil,** Numa Guilhou 1 ☎ (98) 535 30 38 – ▤. AE ◑ E VISA. ✻ AY
cerrado domingo y Navidades – **Comida** carta aprox. 3950.

X **Tino,** Alfredo Truán 9, ✉ 33205, ☎ (98) 534 13 87 – AE ◑ E VISA. ✻ AZ
cerrado jueves y 20 junio-15 julio – **Comida** carta 2825 a 4950.

en Somió *por ① – ✉ 33203 Gijón :*

XXX **Las Delicias,** barrio Fuejo - 4 km ☎ (98) 536 02 27, *Fax (98) 513 00 95,* ⛱ – ▤ P. AE ◑ E VISA JCB. ✻
cerrado martes (salvo festivos y vísperas) y agosto – **Comida** carta 4700 a 7400.

XX **La Pondala,** av. Dioniso Cifuentes 27 - 3 km ☎ (98) 536 11 60, *Fax (98) 536 60 88,* ⛱ – AE ◑ E VISA. ✻
cerrado jueves y noviembre – **Comida** carta 4550 a 6450.

en La Providencia *Noreste : 5 km por av. García Bernardo* CY *– ✉ 33203 Gijón :*

XX **Los Hórreos,** ☎ (98) 537 43 10, *Fax (98) 537 43 10* – P. AE ◑ E VISA. ✻
cerrado domingo noche, lunes y del 8 al 23 de enero – **Comida** carta 3900 a 5000.

en Cabueñes *por ① : 5 km – ✉ 33394 Cabueñes :*

X **El Llagar de Cabueñes,** carret. N 632 ☎ (98) 513 36 31, *Fax (98) 513 25 64,* ⛱
« Rest. típico en un antiguo lagar » – P. AE ◑ E VISA. ✻
cerrado del 13 al 30 de octubre – **Comida** - carnes - carta 3700 a 5075.

Ver también : **Prendes** *por ③ : 10 km.*

GINES *41960 Sevilla* 446 T 11 – *6 354 h. alt. 122.*
Madrid 537 – Aracena 94 – Huelva 84 – Sevilla 8.

X **El Barco,** carret. N 431 ☎ (95) 471 71 08 – ▤ P. ◑ E VISA. ✻
cerrado lunes – **Comida** - pescados y mariscos - carta aprox. 4000.

GIRONA *Gerona – ver Gerona.*

GOIÁN *Pontevedra – ver Goyán.*

GOIURIA *Vizcaya – ver Iurreta.*

La GOLA (Playa de) *Gerona – ver Torroella de Montgrí.*

La GOMERA *Santa Cruz de Tenerife – ver Canarias.*

GORGUJA *Gerona – ver Llivia.*

GOYÁN o GOIÁN *36750 Pontevedra* 441 G 3.
Madrid 610 – Orense/Ourense 106 – Pontevedra 63 – Viana do Castelo 63 – Vigo 44.

X **Asensio** con hab, Tollo 2 (carret. C 550) ☎ (986) 62 01 52, *Fax (986) 60 01 52* – P. E VISA. ✻
cerrado 15 días en septiembre – **Comida** *(cerrado domingo noche y miércoles noche)* carta aprox. 3400 – ☕ 375 – **4 hab** 5000/6500.

l GRADO *22390 Huesca* 443 **F 30** – *589 h.*

Ver : *Torreciudad* ≤★★ *Noreste : 5 km.*

Madrid 460 – Huesca 70 – Lérida/Lleida 86.

X **Tres Caminos** con hab, barrio del Cinca 17 - carret. de Barbastro ✆ (974) 30 40 52, *Fax (974) 30 41 22*, ≤ – ▤ rest, P. E VISA. ✂
Comida carta 2190 a 3225 – ☕ 425 – **27 hab** 1800/3600.

X **Bodega del Somontano,** barrio del Cinca 11 - carret. de Barbastro ✆ (974) 30 40 30 – ▤ P. AE E VISA
cerrado martes (salvo agosto-septiembre) – **Comida** carta 2700 a 3650.

n la carretera C 139 *Sureste : 2 km* – ✉ *22390 El Grado :*

Hostería El Tozal ≫, ✆ (974) 30 40 00, *Fax (974) 30 42 55*, ≤, ⛱, ⛱ – |♦| ▤ TV ☎ P. AE ⓓ E VISA. ✂
Comida 2000 – **33 hab** ☕ 7300/10800.

GRADO *33820 Asturias* 441 **B 11** – *12 048 h. alt. 47.*

Madrid 461 – Oviedo 26.

XX **Palper,** San Pelayo 44 ✆ (98) 575 00 39, *Fax (98) 575 03 65* – ▤ P. AE ⓓ E VISA. ✂
Comida carta 3850 a 4850.

GRANADA

18000 🅿 **446** **U 19** – *287 864 h. alt. 682 – Deportes de invierno en Sierra Nevada : 17 2.*

Madrid 430 ① – Málaga 127 ④ – Murcia 286 ② – Sevilla 261 ④ – Valencia 541 ①.

OFICINAS DE TURISMO

pl. de Mariana Pineda 10, ✉ 18009, ✆ (958) 22 66 88, Fax (958) 22 89 16 y Mariana Pineda, ✉ 18009, ✆ (958) 22 59 90, Fax (958) 22 39 27 – **R.A.C.E.** *Camino de Ronda 92, ✉ 18004, ✆ (958) 26 21 50, Fax (958) 26 11 16.*

INFORMACIONES PRÁCTICAS

18 *Granada, av. Corsarios (Las Gabias) por ③ : 8 km ✆ (958) 58 44 36.*

✈ *de Granada por ④ : 17 km ✆ (958) 24 52 23 – Iberia : pl. Isabel la Católica 2, ✉ 18009, ✆ (958) 22 75 92.*

CURIOSIDADES

Ver : *Emplazamiento★★ – Alhambra★★★* CDY *(Bosque★, Puerta de la Justicia★) – Palacios Nazaries★★★ : oratorio Mexuar ≤★, Salón de Embajadores ≤★★, jardines y torres★★ – Palacio de Carlos V★ : Museo Hispano-musulmán (jarrón azul★), Museo de Bellas Artes (Cardo y zanahorias★ de Sánchez Cotán) – Alcazaba★ (≤★★) – Generalife★★* DX *– Capilla Real★★ (reja★, sepulcros★★★, retablo★, Museo : colección de obras de arte★★) – Catedral★* CX *(Capilla Mayor★, portada norte de la Capilla Real★) – Cartuja★ : sacristía★★* AX *– Iglesia de San Juan de Dios★* AX *– Monasterio de San Jerónimo★ (retablo★)* AX *– Albaicín★ : terraza de la iglesia de San Nicolás (≤★★★) – Baños árabes★* CX *– Museo Arqueológico (portada plateresca★)* CX **M.**

Excurs. : *Sierra Nevada (pico de Veleta★★) Sureste : 46 km* T.

en la ciudad :

Saray, paseo de Enrique Tierno Galván 4, ✉ 18006, ✆ (958) 13 00 09
Fax (958) 12 91 61, ≤, – – 25/250. AE E VISA
JCB.
Comida 2500 – 1300 – **202 hab** 15500/19500, 11 suites. T n

Granada Center, av. Fuentenueva, ✉ 18002, ✆ (958) 20 50 00, *Fax (958) 28 96 9*
– – 25/200. AE E VISA.
Comida 3750 – 1350 – **171 hab** 16400/20500, 1 suite. T

G.H. Luna de Granada, pl. Manuel Cano 2, ✉ 18004, ✆ (958) 20 10 00
Fax (958) 28 40 52, – – 25/390. AE E VIS
JCB.
Comida 3500 – 1300 – **245 hab** 12000/17500, 8 suites – PA 7000. T

Carmen, Acera del Darro 62, ✉ 18005, ✆ (958) 25 83 00, *Fax (958) 25 64 62*, –
– 25/250. AE E VISA JCB. rest
Comida 3500 – 1500 – **278 hab** 11000/18000, 5 suites. BZ

Meliá Granada, Ángel Ganivet 7, ✉ 18009, ✆ (958) 22 74 00, *Fax (958) 22 74 03*
– 25/250. AE E VISA JCB.
Comida 3500 – 1300 – **197 hab** 15750/19700. BZ

Corona de Granada, Pedro Antonio de Alarcón 10, ✉ 18005, ✆ (958) 52 12 50
Fax (958) 52 12 78, – – 25/160. AE E VISA. rest
Comida 1850 – 1050 – **93 hab** 10500/15700, 2 suites. AZ

Tryp Albayzín, Carrera del Genil 48, ✉ 18005, ✆ (958) 22 00 02, *Fax (958) 22 01 8*
– – 25/150. AE E VISA JCB.
Comida carta aprox. 5300 – 1100 – **108 hab** 13800/18200. BZ

Princesa Ana, av. de la Constitución 37, ✉ 18014, ✆ (958) 28 74 47, *Fax (958) 27 39 54*
« Decoración elegante » – . AE E VISA.
Comida 3500 – 1300 – **59 hab** 12000/17500, 2 suites – PA 7000. S

San Antón, San Antón, ✉ 18005, ✆ (958) 52 01 00, *Fax (958) 52 19 82*, –
– 25/400. AE E VISA JCB.
Comida 2500 – 1200 – **161 hab** 11500/17500, 28 suites – PA 5270. T

Cóndor, av. de la Constitución 6, ✉ 18012, ✆ (958) 28 37 11, *Fax (958) 28 38 50* –
– 25/50. AE E VISA.
Comida 1600 – 1000 – **104 hab** 10350/15000. S

Triunfo Granada, pl. del Triunfo 19, ✉ 18010, ✆ (958) 20 74 44, *Fax (958) 27 90 1*
– – 25/150. AE E VISA.
Comida 3860 - ***Puerta Elvira*** : **Comida** carta 3200 a 4300 – 1250 – **37 hab**
11300/17000. AX

Rallye, paseo de Ronda 107, ✉ 18003, ✆ (958) 27 28 00, *Fax (958) 27 28 62* –
– 25/200. AE E VISA.
Comida 2750 – 1300 – **79 hab** 13200/16200. T

Dauro II sin rest. con cafetería, Navas 5, ✉ 18009, ✆ (958) 22 15 81, *Fax (958) 22 27 3*
– – 25/80. AE E VISA JCB.
900 – **48 hab** 8150/11750. BZ

Dauro sin rest, Acera del Darro 19, ✉ 18005, ✆ (958) 22 21 57, *Fax (958) 22 85 19* –
. AE E VISA JCB.
900 – **36 hab** 8150/11750. BZ

Reino de Granada sin rest, Recogidas 53, ✉ 18005, ✆ (958) 26 58 78
Fax (958) 26 36 42 – . AE E VISA
600 – **37 hab** 7800/11800. AZ

Anacapri sin rest, Joaquín Costa 7, ✉ 18010, ✆ (958) 22 74 77, *Fax (958) 22 89 09*
– . AE E VISA JCB.
800 – **52 hab** 10000/14000. BY

NH Inglaterra sin rest, Cettie Meriem 4, ✉ 18010, ✆ (958) 22 15 58,
Fax (958) 22 71 00 – – 25/40. AE E VISA JCB.
1200 – **36 hab** 12500/14500. BY

Gran Vía Granada, Gran Vía de Colón 25, ✉ 18001, ✆ (958) 28 54 64,
Fax (958) 28 55 91 – . AE E VISA.
Comida 1650 – 850 – **85 hab** 7250/10900. BX

Reina Cristina, Tablas 4, ✉ 18002, ✆ (958) 25 32 11, *Fax (958) 25 57 28* –
. AE E VISA JCB
Comida 1400 – 900 – **40 hab** 7700/11500 – PA 2900. AY

GRANADA

ncha de Capuchinos	S 2	Casillas del Prats	T 19	Obispo Hurtado	T 49
ndaluces (Av. de)	S 5	Cervantes (Av. de)	T 20	Picón (Carril del)	T 52
ndalucía (Av. de)	S 6	Constitución (Av. de la)	S 22	Pintor Rodríguez Acosta	T 54
ntigua carretera de Malaga	S 8	Doctor Olóriz (Av. del)	S 24	Real de la Cartuja	S 56
mba (Pas. de la)	T 10	Eugenia (Emperatriz)	T 27	Sacromonte (Camino del)	T 59
rdenal Parrado	S 14	Fuente Nueva	T 31	San Isidro (Pl. de)	S 62
rtuja (Pas. de)	S 18	Genil (Ribera del)	T 34	Severo Ochoa	S 70
		Martínez de la Rosa	T 41	Sierra Nevada (Carretera de la)	T 71
		Méndez Nuñez (Av.)	T 43	Solarillo de Gracia	T 74
		Murcia (Av. de)	S 45	Violón (Pas. del)	T 81

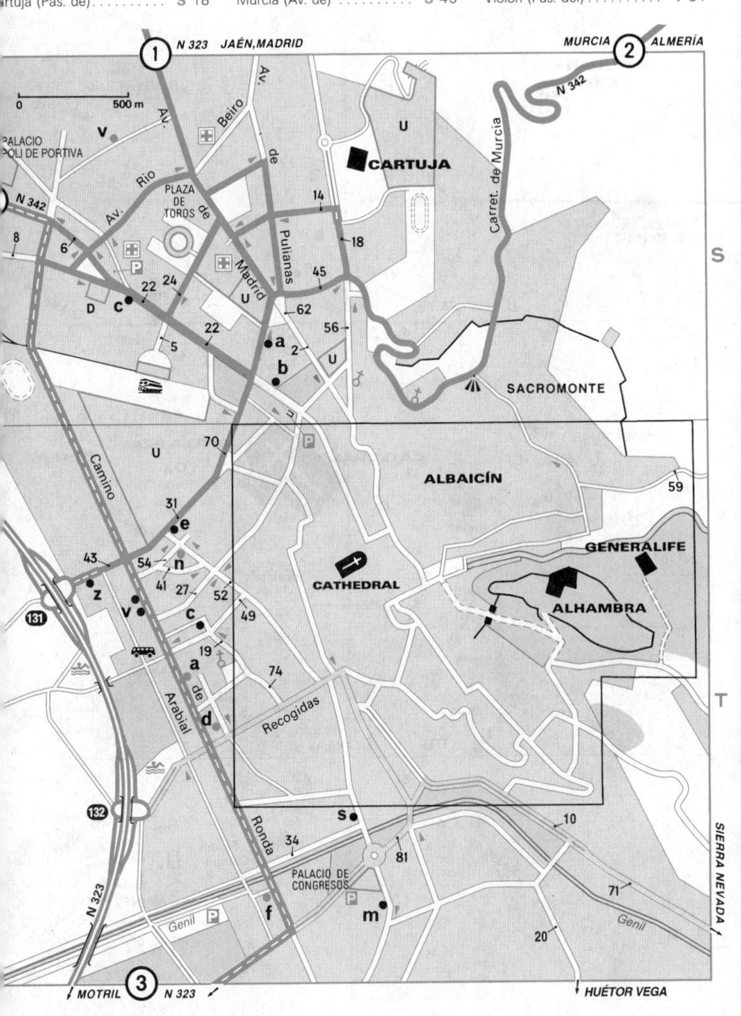

Juan Miguel sin rest. con cafetería, Acera del Darro 24, ✉ 18005, ☎ (958) 52 11 11, *Fax (958) 25 89 16* – AE VISA JCB. BZ e
☕ 900 – **66 hab** 9500/12000.

Navas, Navas 24, ✉ 18009, ☎ (958) 22 59 59, *Fax (958) 22 75 23* – AE VISA JCB. rest BY a
Comida - sólo buffet - 1450 – ☕ 700 – **43 hab** 7350/10850 – PA 3060.

Luna Arabial y Luna de Granada II sin rest, Arabial 83, ✉ 18004, ☎ (958) 27 66 00, *Fax (958) 27 47 59*, – AE VISA JCB. T z
☕ 1200 – **25 hab** 8500/12000, 95 apartamentos.

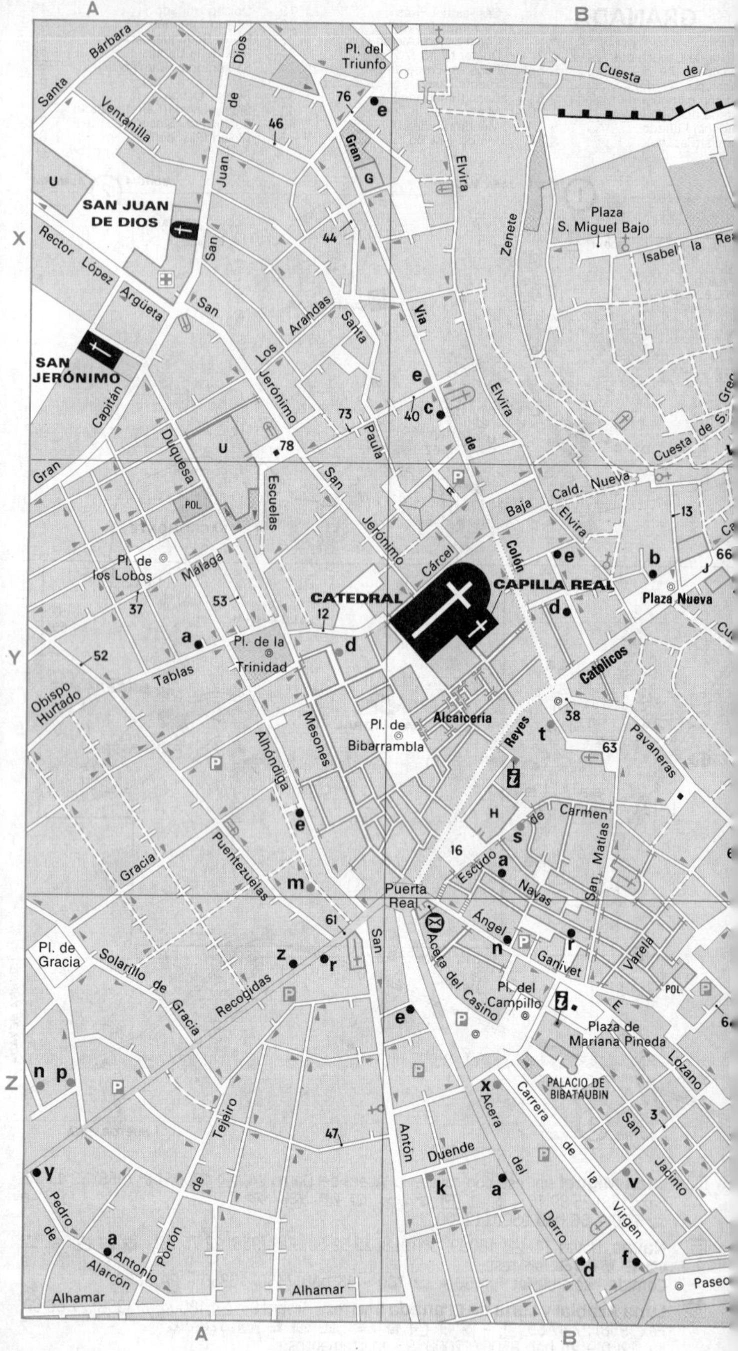
A
B
X
Y
Z
SAN JUAN DE DIOS
SAN JERÓNIMO
CATEDRAL
CAPILLA REAL
Alcaicería
Plaza Nueva
Pl. del Triunfo
Plaza S. Miguel Bajo
Pl. de los Lobos
Pl. de la Trinidad
Pl. de Bibarrambla
Puerta Real
Pl. de Gracia
Pl. del Campillo
Plaza de Mariana Pineda
PALACIO DE BIBATAUBIN
Cuesta de
Santa Bárbara
Ventanilla
San Juan de Dios
Gran Vía
Elvira
Zenete
Isabel la Real
Rector López Argüeta
San Jerónimo
Los Arandas
Santa Paula
Capitán
Duquesa
Escuelas
Gran Capitán
Cuesta de S. Gregorio
Cald. Nueva
Baja
Cárcel
Colón
Reyes Católicos
Málaga
Tablas
Obispo Hurtado
Mesones
Alhóndiga
Puentezuelas
Gracia
Pavaneras
Carmen
San Matías
Escudo
Navas
Ángel
Ganivet
Varela
E. Lozano
Acera del Casino
Solarillo de Gracia
Recogidas
San Antón
Duende
Acera del Darro
Carrera de la Virgen
San Jacinto
Tejeiro
Portón
Pedro Antonio de Alarcón
Alhamar
Paseo
POL
U
G
H
P

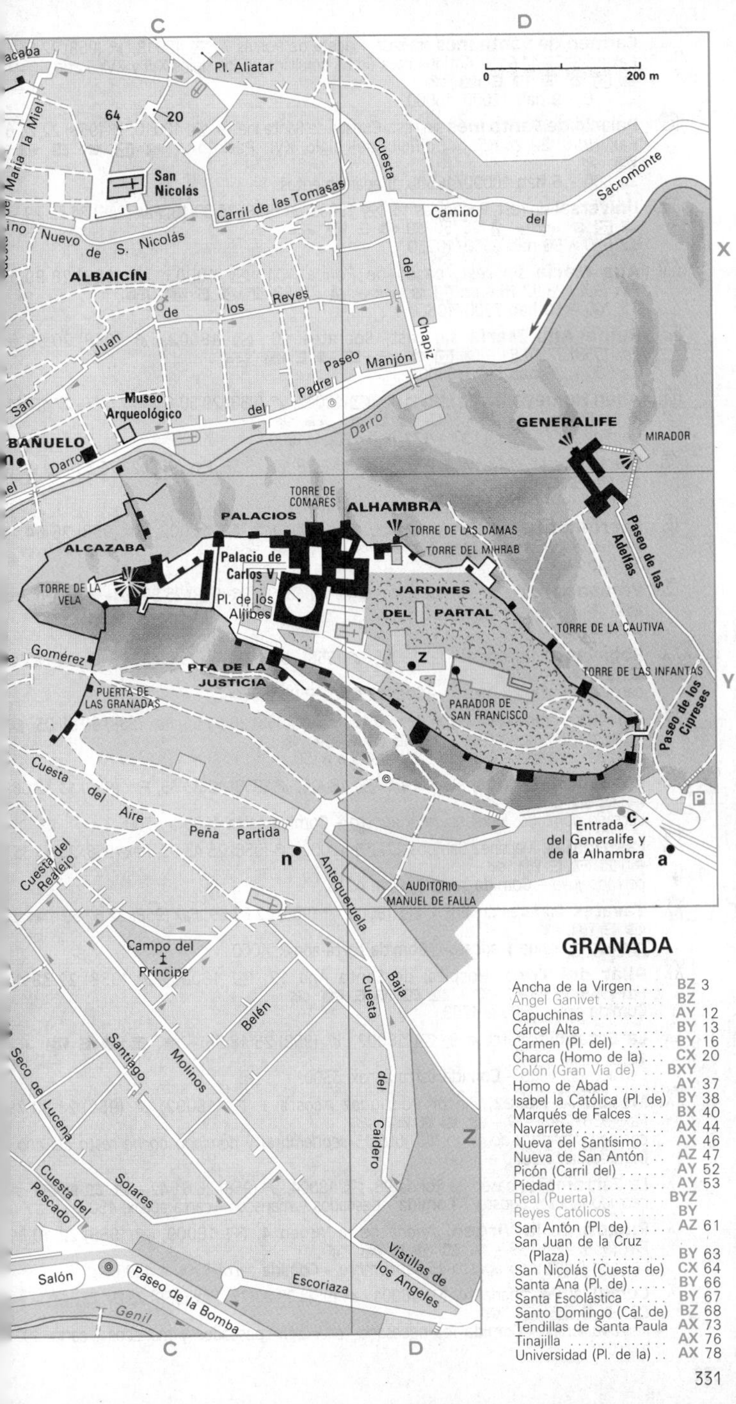
C
D
Pl. Aliatar
0
200 m
64
20
San Nicolás
Cuesta
Sacromonte
Carril de las Tomasas
Camino
del
Nuevo de S. Nicolás
ALBAICÍN
de los Reyes
del
Juan
Chapiz
Paseo
Manjón
Padre
del
San
Museo Arqueológico
BAÑUELO
Darro
Darro
GENERALIFE
MIRADOR
X
TORRE DE COMARES
ALHAMBRA
PALACIOS
TORRE DE LAS DAMAS
TORRE DEL MIHRAB
Paseo de las Adelfas
ALCAZABA
Palacio de Carlos V
TORRE DE LA VELA
Pl. de los Aljibes
JARDINES DEL PARTAL
TORRE DE LA CAUTIVA
Gomérez
PTA DE LA JUSTICIA
Z
TORRE DE LAS INFANTAS
Y
PUERTA DE LAS GRANADAS
PARADOR DE SAN FRANCISCO
Paseo de los Cipreses
Cuesta del Aire
Peña Partida
Entrada del Generalife y de la Alhambra
c
a
n
Cuesta del Realejo
Antequeruela
AUDITORIO MANUEL DE FALLA
Campo del Príncipe
Cuesta
Baja
Belén
Santiago
Molinos
Seco de Lucena
del
Caldero
Z
Cuesta del Pescado
Solares
Vistillas de los Angeles
Salón
Paseo de la Bomba
Escoriaza
Genil
C
D
GRANADA
Ancha de la Virgen .... BZ 3
Ángel Ganivet .... BZ
Capuchinas .... AY 12
Cárcel Alta .... BY 13
Carmen (Pl. del) ..... BY 16
Charca (Homo de la)... CX 20
Colón (Gran Vía de) ... BXY
Homo de Abad .... AY 37
Isabel la Católica (Pl. de) BY 38
Marqués de Falces .... BX 40
Navarrete .... AX 44
Nueva del Santísimo .. AX 46
Nueva de San Antón .. AZ 47
Picón (Carril del) ..... AY 52
Piedad .... AY 53
Real (Puerta) .... BYZ
Reyes Católicos ...... BY
San Antón (Pl. de)..... AZ 61
San Juan de la Cruz (Plaza) .... BY 63
San Nicolás (Cuesta de) CX 64
Santa Ana (Pl. de) ..... BY 66
Santa Escolástica ..... BY 67
Santo Domingo (Cal. de) BZ 68
Tendillas de Santa Paula AX 73
Tinajilla .... AX 76
Universidad (Pl. de la) .. AX 78

Carmen de Santa Inés sin rest, Placeta de Porras 7, ✉ 18018, ☎ (958) 22 63 8 *Fax (958) 22 44 04*, « Antigua casa árabe ampliada en los siglos XVI y XVII. Patio », ☎. AE ⓓ E VISA. BX
☕ 800 – **9 hab** 12000/15000.

Palacio de Santa Inés sin rest, Cuesta de Santa Inés 9, ✉ 18010, ☎ (958) 22 23 6 *Fax (958) 22 24 65*, « Edificio del siglo XVI. Patio » – ☎. AE ⓓ VISA. CX
☕ 800 – **6 hab** 10000/16500, 5 apartamentos.

Universal sin rest, Recogidas 16, ✉ 18002, ☎ (958) 26 00 16, *Fax (958) 26 32 29* – ☎ – 25/50. AE ⓓ E VISA JCB AZ
☕ 550 – **56 hab** 6500/10250.

Ana María sin rest, paseo de Ronda 101, ✉ 18003, ☎ (958) 28 99 1 *Fax (958) 28 92 15* – ☎ – 25/80. AE ⓓ E VISA JCB T
☕ 700 – **30 hab** 7200/10600.

Reina Ana María sin rest, Sócrates 10, ✉ 18002, ☎ (958) 20 98 6 *Fax (958) 27 10 81* – ☎. AE ⓓ E VISA JCB T
☕ 600 – **25 hab** 5600/8800.

Aben Humeya, av. de Madrid 10, ✉ 18012, ☎ (958) 29 50 61, *Fax (958) 27 10 84* ☎ – 25/75. AE ⓓ E VISA JCB. S
Comida 2000 – ☕ 1100 – **171 hab** 7700/11000.

Maciá sin rest, pl. Nueva 4, ✉ 18010, ☎ (958) 22 75 36, *Fax (958) 22 75 33* – ☎. AE ⓓ E VISA. BY
☕ 680 – **44 hab** 5250/8400.

Sacromonte sin rest y sin ☕, pl. del Lino 1, ✉ 18002, ☎ (958) 26 64 1 *Fax (958) 26 67 07* – ☎. AE E VISA. AY
33 hab 4500/7000.

Verona sin rest y sin ☕, Recogidas 9-1º, ✉ 18005, ☎ (958) 25 55 07 – VISA. AZ
11 hab 3000/4500.

Bogavante, Duende 15, ✉ 18005, ☎ (958) 25 91 12, *Fax (958) 26 76 53* – AE E VISA. BZ
cerrado domingo y agosto – **Comida** carta 3500 a 5500.

Galatino, Gran Vía de Colón 29, ✉ 18001, ☎ (958) 20 83 55, *Fax (958) 80 08 03*, « Decoración moderna » – AE ⓓ E VISA. BX
cerrado domingo – **Comida** carta 3800 a 4750.

Los Santanderinos, Albahaca 1, ✉ 18006, ☎ (958) 12 83 35, *Fax (958) 13 32 06* AE ⓓ E VISA. T
cerrado domingo, lunes noche y agosto – **Comida** carta 4500 a 5700.

Las Tinajas, Martínez Campos 17, ✉ 18002, ☎ (958) 25 43 93, *Fax (958) 25 53 35* AE ⓓ E VISA. AZ
cerrado julio – **Comida** carta 3400 a 4275.

Tavares, Carrera del Genil 4, ✉ 18005, ☎ (958) 22 67 69, *Fax (958) 22 67 69* – ⓓ E VISA. BZ
cerrado domingo y agosto – **Comida** carta aprox. 4000.

Pilar del Toro, Hospital de Santa Ana 12, ✉ 18009, ☎ (958) 22 38 4 *Fax (958) 22 26 71*, – AE ⓓ E VISA. BY
Comida carta 2900 a 3750.

La Estancia, Párraga 9, ✉ 18002, ☎ (958) 25 18 36 – AE ⓓ E VISA JCB AY r
cerrado domingo – **Comida** carta aprox. 3300.

Mesón A. Pérez, Pintor Rodríguez Acosta 1, ✉ 18002, ☎ (958) 28 80 7 *Fax (958) 28 80 79* – AE E VISA. T
cerrado sábado y domingo (15 julio-15 septiembre) y domingo noche resto del año **Comida** carta 2800 a 3400.

La Zarzamora, paseo de Ronda 98, ✉ 18004, ☎ (958) 26 61 42 – AE E VISA. T
cerrado lunes y agosto – **Comida** - pescados y mariscos - carta aprox. 4500.

Rincón de la Virgen, Ancha de la Virgen 4, ✉ 18009, ☎ (958) 22 10 3 *Fax (958) 22 10 39* – AE ⓓ E VISA. BZ
cerrado lunes y 15 agosto-15 septiembre – **Comida** carta 3200 a 4290.

Cunini, pl. Pescadería 14, ✉ 18001, ☎ (958) 25 07 77, *Fax (958) 25 07 77*, – AE ⓓ E VISA JCB. AY
cerrado lunes – **Comida** *(es necesario reservar)* - pescados y mariscos - carta 307 a 4300.

Real Asador de Castilla, Escudo del Carmen 17, ✉ 18009, ✆ (958) 22 29 10, *Fax (958) 22 29 10* – ▤. AE E VISA. ✻ BY s
cerrado lunes y agosto – **Comida** - espec. en carnes - carta 4000 a 4800.

Mariquilla, Lope de Vega 2, ✉ 18002, ✆ (958) 52 16 32 – ▤. AE ⓓ VISA. ✻ AZ n
cerrado domingo noche, lunes y 12 julio-3 septiembre – **Comida** carta 2900 a 3525.

Granero de Abrantes, pl. Poeta Luis Rosales, ✉ 18009, ✆ (958) 22 89 79, *Fax (958) 22 93 09*, ☂ – ▤. AE ⓓ E VISA. ✻ BY t
Comida carta 3150 a 4600.

China, Pedro Antonio de Alarcón 23, ✉ 18004, ✆ (958) 25 02 00, *Fax (958) 25 02 00* – ▤. AE ⓓ E VISA JCB. ✻ T d
Comida - rest. chino - carta 2250 a 3550.

Mucho Gusto, El Guerra 30, ✉ 18014, ✆ (958) 16 08 29, ☂ – Ⓟ. AE ⓓ E VISA. ✻ S v
cerrado domingo noche, lunes y agosto – **Comida** carta 2500 a 3850.

n La Alhambra :

Alhambra Palace, Peña Partida 2, ✉ 18009, ✆ (958) 22 14 68, *Fax (958) 22 64 04*, « Edificio de estilo árabe con ⇐ Granada y Sierra Nevada » – |♦| ▤ TV ☎ – 🏛 25/120. AE ⓓ E VISA JCB. ✻ rest CY n
Comida 4400 – ☕ 1300 – **122 hab** 16000/21500, 13 suites – PA 8585.

Parador de Granada ⛰, Alhambra, ✉ 18009, ✆ (958) 22 14 40, *Fax (958) 22 22 64*, ☂, « Instalado en el antiguo convento de San Francisco (siglo XV). Jardín » – ▤ TV ☎. ♿ Ⓟ – 🏛 25/30. AE ⓓ E VISA JCB. ✻ DY
Comida 3700 – ☕ 1600 – **34 hab** 26400/33000, 2 suites.

Guadalupe, av. de los Alixares, ✉ 18009, ✆ (958) 22 34 24, *Fax (958) 22 37 98* – |♦| ▤ TV ☎. AE ⓓ E VISA JCB. ✻ rest DY a
Comida 1800 – ☕ 900 – **58 hab** 7500/11500.

América ⛰, Real de la Alhambra 53, ✉ 18009, ✆ (958) 22 74 71, *Fax (958) 22 74 70*, ☂ – ▤ hab, ☎. AE ⓓ E VISA. ✻ DY z
marzo-9 noviembre – **Comida** *(cerrado domingo)* 2350 – ☕ 950 – **12 hab** 11500/12500, 1 suite – PA 4800.

Jardines Alberto, av. de los Alixares, ✉ 18009, ✆ (958) 22 48 18, *Fax (958) 22 48 18*, ☂ – ▤. AE E VISA JCB. ✻ DY c
cerrado domingo noche – **Comida** carta aprox. 4200.

n la carretera de Madrid *por ① : 3 km – ✉ 18014 Granada :*

Camping Motel Sierra Nevada, av. de Madrid 107 ✆ (958) 15 00 62, *Fax (958) 15 09 54*, ☂, 🏊, 🎾 – ▤ rest, TV ☎ Ⓟ. AE ⓓ E VISA. ✻
marzo-octubre – **Comida** 910 – **15 hab** ☕ 5050/6313, 8 apartamentos.

n la antigua carretera de Málaga S *Noroeste : 4 km – ✉ 18015 Granada :*

Camino de Granada, urb. Fatinafar (La Chana) ✆ (958) 28 62 00, *Fax (958) 28 04 00*, ☂, 🏊, 🎾 – |♦| ▤ TV ☎ 🚗 Ⓟ – 🏛 25/900
69 hab.

n la carretera de Málaga *por ④ : 5 km – ✉ 18015 Granada :*

Sol Inn Alcano, ✆ (958) 28 30 50, *Fax (958) 29 14 29*, ☂, « Amplio patio con césped y 🏊 », 🎾 – ▤ TV ☎ Ⓟ. AE ⓓ E VISA. ✻ rest
Comida 2000 – ☕ 980 – **100 hab** 9200/11500.

Ver también : **Cenes de la Vega** *por carretera de la Sierra Nevada* T *Este : 7 km*
Huétor Vega *por av. de Cervantes* T *Sureste : 4 km*
Sierra Nevada *por carretera de la Sierra Nevada* T *Sureste : 32 km.*

RAN CANARIA *Las Palmas – ver Canarias.*

RANDAS DE SALIME *33730 Asturias* 441 *C 9 – 1 330 h. alt. 562.*
Madrid 548 – Cangas 88 – Luarca 104 – Oviedo 142.

n la carretera AS 13 *Noreste : 5,5 km – ✉ 33730 Grandas de Salime :*

Las Grandas ⛰, Vistalegre ✆ (98) 562 72 98, *Fax (98) 562 73 19*, Junto a un embalse – TV ☎ Ⓟ. VISA. ✻
Comida 1500 – ☕ 500 – **15 hab** 6000/7500.

La GRANJA o SAN ILDEFONSO *40100 Segovia 442 J 17 – 4 949 h. alt. 1 192.*
Ver : *Palacio de La Granja de San Ildefonso★★ (Museo de Tapices★★) – Jardines★★ (surtidores★★).*
Madrid 74 – Segovia 11.

Las Fuentes sin rest, Padre Claret 6 (921) 47 10 24, *Fax (921) 47 17 41,* – VISA.
950 – **9 hab** 10350/13225.

Roma, Guardas 2 (921) 47 07 52, – E VISA.
cerrado 2 noviembre-15 diciembre – **Comida** *(cerrado martes)* 1500 – 400 – **16 hab** 4400/8000.

Reina 14, Reina 14 (921) 47 05 48, – AE E VISA JCB.
cerrado lunes salvo festivos – **Comida** - sólo almuerzo salvo viernes y sábado en invierno - carta 3400 a 4300.

Dólar, Valenciana 1 (921) 47 02 69, *Fax (921) 47 02 69* – AE E VISA.
cerrado miércoles y noviembre – **Comida** carta aprox. 3500.

en Pradera de Navalhorno *carretera del puerto de Navacerrada - Sur : 2,5 km – 40109 Valsain :*

Mesón de Miguel, (921) 47 19 29, – E VISA.
cerrado miércoles, 15 días en febrero y 15 días en septiembre – **Comida** - sólo almuerzo en otoño e invierno - carta aprox. 3100.

El Torreón con hab, (921) 47 09 04, *Fax (921) 47 09 04,* – AE VISA
Comida *(cerrado martes)* carta aprox. 3700 – **6 hab** 4000/6000.

en Valsain *carretera del puerto de Navacerrada - Sur : 3 km – 40109 Valsain :*

Hilaria, (921) 47 02 92, *Fax (921) 47 18 93,* – AE E VISA.
cerrado lunes (salvo agosto), 10 días en junio y noviembre – **Comida** carta 3000 a 3600.

GRANOLLERS *08400 Barcelona 443 H 36 – 52 062 h. alt. 148.*
Madrid 641 – Barcelona 28 – Gerona/Girona 75 – Manresa 70.

Ciutat de Granollers , Turó Bruguet 2 - carret de Mataró (93) 879 62 20, *Fax (93) 879 58 46,* – – 30/800. AE VISA JCB
Comida 2260 - ***City :*** **Comida** carta 4500 a 5500 – 1100 – **111 hab** 10160/12700.

Granollers, av. Francesc Macià 300 (93) 879 51 00, *Fax (93) 879 42 55,* – – 25/250. AE E VISA JCB. rest
Comida 1900 - ***Xeflis :*** **Comida** carta 2850 a 3800 – 975 – **72 hab** 9000/11000.

Iris, av. Sant Esteve 92 (93) 879 29 29, *Fax (93) 879 20 06* – 25/40. AE E VISA JCB
Comida *(cerrado domingo)* 1600 – 700 – **56 hab** 7300/9500.

Europa con hab, Anselm Clavé 1 (93) 870 03 12, *Fax (93) 870 79 01* – AE E VISA JCB. rest
Comida carta 2750 a 3800 – **7 hab** 9500 a 13000.

El Trabuc, carret. de Masnou (93) 870 86 57, *Fax (93) 879 57 46,* « Antigua casa de campo » – AE E VISA JCB.
cerrado domingo noche y del 15 al 31 de agosto – **Comida** carta 3575 a 4700.

L'Antic Casino, pl. de la Font Verda (93) 870 43 45, *Fax (93) 870 43 49* – E VISA.
cerrado domingo – **Comida** carta 2800 a 4500.

La Taverna d'en Grivé, Josep María Segarra 98 - carret. de Sant Celoni (93) 849 57 83, *Fax (93) 840 13 12* – AE E VISA JCB.
cerrado domingo noche, lunes y del 9 al 24 de agosto – **Comida** carta 4000 a 5200.

Layon, pl. de la Caserna 2 (93) 879 40 82 – E VISA.
cerrado martes (salvo festivos) y del 1 al 15 de septiembre – **Comida** carta 2575 a 3175.

Les Arcades, Girona 29 (93) 879 40 96, *Fax (93) 870 91 56* – E VISA JCB.
cerrado martes y del 1 al 15 de julio – **Comida** carta 2300 a 3300.

L'Asador, Mare de Déu de Núria 22 (93) 879 24 58 – AE E VISA.
cerrado lunes (salvo festivos) y agosto – **Comida** carta 2625 a 3625.

en Vilanova del Vallès *por la carretera de El Masnou – 08410 Vilanova del Vallès :*

Alfa Vallès , Sur : 4,5 km (93) 845 60 50, *Fax (93) 845 60 61,* – – 25/200. AE E VISA. rest
Comida 1950 - ***El Turó verd :*** **Comida** carta 3150 a 4650 – 1100 – **100 hab** 12000/15000, 2 suites.

XX **El Bon Caliu,** Verge de Núria 26 - Sur : 6 km ☎ (93) 845 60 68, *Fax (93) 845 60 68* – ▤. AE E VISA. ✻
cerrado domingo, lunes noche, Semana Santa y del 1 al 15 de agosto – **Comida** carta 2625 a 4975.

en Corró d'Amunt *por la carretera de Cànoves - Norte : 8,5 km – ✉ 08520 Les Franqueses del Vallès :*

XX **Tasta Olletes,** ☎ (93) 871 01 51, *Fax (93) 871 01 51* – ▤ P. ◑ E VISA. ✻
cerrado martes salvo festivos – **Comida** carta 3600 a 5000.

GRAUS *22430 Huesca* 443 **F 31** – *3 267 h. alt. 468.*
Madrid 475 – Huesca 85 – Lérida/Lleida 85.

Lleida, glorieta Joaquín Costa ☎ (974) 54 09 25, *Fax (974) 54 07 54* – ▤ TV ☎ 🚗 P. AE VISA. ✻ rest
Comida 1650 – ☕ 585 – **27 hab** 4000/6550 – PA 3350.

GRAZALEMA *11610 Cádiz* 446 **V 13** – *2 325 h. alt. 823.*
Ver : *Pueblo blanco*★.
Madrid 567 – Cádiz 136 – Ronda 27 – Sevilla 135.

Villa Turística de Grazalema ⛰, El Olivar ☎ (956) 13 21 36, *Fax (956) 13 22 13*, ≤, ⛱ – ▤ TV ☎ ♿ P – 🏛 25/70. E VISA. ✻
Comida 1970 – ☕ 525 – **24 hab** 5215/8470, 38 apartamentos.

Casa de las Piedras, Las Piedras 32 ☎ (956) 13 20 14 – ◑ E VISA. ✻
Comida *(cerrado del 23 al 30 de junio)* 1000 – ☕ 225 – **16 hab** 3600/4900.

X **Cádiz el Chico,** pl. de España 8 ☎ (956) 13 20 27 – ▤. VISA. ✻
Comida carta 2250 a 3350.

GREDOS *05132 Ávila* 442 **K 14.**
Ver : *Sierra*★★ *- Emplazamiento del Parador*★★.
Alred. : *Carretera del puerto del Pico*★ *(≤★) Sureste : 18 km.*
Madrid 169 – Ávila 63 – Béjar 71.

Parador de Gredos ⛰, alt. 1 650 ☎ (920) 34 80 48, *Fax (920) 34 82 05*, ≤ sierra de Gredos – |‡| TV ☎ 🚗 P – 🏛 25/100. AE ◑ E VISA. ✻
Comida 3500 – ☕ 1300 – **74 hab** 10800/13500, 2 suites – PA 7055.

GRIÑÓN *28971 Madrid* 444 **L 18** – *2 332 h. alt. 670.*
Madrid 30 – Aranjuez 36 – Toledo 47.

X **El Mesón de Griñón,** General Primo de Rivera 9 ☎ (91) 814 01 13, *Fax (91) 814 01 13*, 🏖 – ▤ P. AE ◑ E VISA JCB. ✻
cerrado lunes y julio – **Comida** carta 3800 a 5700.

X **El Lechal,** carret. de Navalcarnero - Oeste : 1 km ☎ (91) 814 01 62, 🏖 – ▤ P. AE E VISA. ✻
cerrado jueves y agosto – **Comida** carta 2900 a 4800.

El GROVE u O GROVE *36980 Pontevedra* 441 **E 3** – *10 367 h. – Playa.*
ℹ *pl. del Corgo ☎ (986) 73 14 15 Fax (986) 73 13 58.*
Madrid 635 – Pontevedra 31 – Santiago de Compostela 71.

Maruxia sin rest, Luis Casais 14 ☎ (986) 73 27 95, *Fax (986) 73 05 07* – |‡| TV ☎. AE VISA. ✻
☕ 500 – **40 hab** 5100/7800.

Serantes sin rest. con cafetería, Castelao 40 ☎ (986) 73 22 04, *Fax (986) 73 23 91* – |‡| TV ☎. AE ◑ E VISA. ✻
15 marzo-15 noviembre – ☕ 550 – **32 hab** 5500/7000.

Amandi, Castelao 94 ☎ (986) 73 19 42, *Fax (986) 73 16 43*, ⛱ – |‡| TV ☎ 🚗. E VISA. ✻
cerrado noviembre – **Comida** (ver rest. ***O'Piorno***) – ☕ 700 – **25 hab** 7500/9800.

El Molusco, Castelao 206 - puente de La Toja ☎ (986) 73 07 61, *Fax (986) 73 29 84* – |‡| TV ☎. AE ◑ E VISA. ✻
cerrado diciembre-enero – **Comida** *(cerrado domingo noche salvo julio-septiembre)* 2600 – ☕ 500 – **35 hab** 6000/8000 – PA 5525.

El Crisol, Hospital 10 ☎ (986) 73 00 29 – ▤. E VISA. ✻
cerrado lunes en invierno – **Comida** carta aprox. 3800.

La Posada del Mar, Castelao 202 ☎ (986) 73 01 06, *Fax (986) 73 01 06* – ▤ Ⓟ. AE ⓓ E VISA. ✻
cerrado domingo noche (salvo agosto) y 20 diciembre-enero – **Comida** carta 3350 a 4050.

Dorna, Castelao 150 ☎ (986) 73 18 42, *Fax (986) 73 32 17* – ▤. AE ⓓ E VISA
cerrado 15 octubre-15 noviembre – **Comida** carta 3200 a 4050.

Beiramar, av. Beiramar 30 ☎ (986) 73 10 81 – ▤. AE ⓓ VISA. ✻
cerrado lunes (salvo verano) y noviembre – **Comida** - pescados y mariscos - carta 3000 a 3850.

Finisterre, pl. del Corgo 2 ☎ (986) 73 07 48
– AE E VISA. ✻
cerrado febrero – **Comida** - pescados y mariscos - carta aprox. 3500.

O'Piorno, av. Castelao 151 ☎ (986) 73 04 94, *Fax (986) 73 16 43* – E VISA. ✻
cerrado noviembre – **Comida** - pescados y mariscos - carta aprox. 3500.

El Combatiente, pl. del Corgo 10 ☎ (986) 73 07 41, ☂ – AE E VISA. ✻
cerrado noviembre – **Comida** - pescados y mariscos - carta 2550 a 4400.

en la carretera de Pontevedra *Sur : 3 km* – ✉ *36980 El Grove* :

Touris sin rest, Ardia 175 ☎ (986) 73 02 51, *Fax (986) 73 20 00*, ←, ⛱, ✻ – |‡| TV ☎ Ⓟ. AE ⓓ E VISA. ✻
marzo-diciembre – ☕ 950 – **48 hab** 8500/12000.

en San Vicente del Mar – ✉ *36989 San Vicente del Mar* :

Mar Atlántico ⛵, Sur : 8,5 km ☎ (986) 73 80 61, *Fax (986) 73 82 99*, « Jardín co ⛱ » – |‡| TV ☎ Ⓟ. AE ⓓ E VISA. ✻
abril-20 octubre – **Comida** 2300 – ☕ 1000 – **34 hab** 9800/10000.

El Pirata, urb. San Vicente do Mar - praia Farruco, Suroeste : 9 km ☎ (986) 73 80 52 ☂ – AE E VISA. ✻
Semana Santa-octubre – **Comida** carta aprox. 4350.

Para viajar com rapidez, utilize os seguintes ***mapas da Michelin*** *designados por "Grandes Estradas" :*

970 *Europa,* ***976*** *República Checa – República Eslovaca,*
980 *Grécia,* ***984*** *Alemanha,* ***985*** *Escandinávia-Finlândia,*
986 *Grã Bretanha-Irlanda,* ***987*** *Alemanha-Aústria-Benelux,*
988 *Itália,* ***989*** *França,* ***990*** *Espanha-Portugal,* ***991*** *Jugoslávia.*

GUADALAJARA *19000* Ⓟ 444 K 20 – *67 847 h. alt. 679.*

Ver : *Palacio del Infantado★ (fachada★, patio★)* AY.

ℹ *pl. de los Caídos 6* ✉ *19001* ☎ *(949) 21 16 26 Fax (949) 21 16 26* – **R.A.C.E** ☎ *900 20 00 93.*

Madrid 55 ② – Aranda de Duero 159 ② – Calatayud 179 ① – Cuenca 156 ① – Teru 245 ①

Plano página siguiente

Meliá Confort Guadalajara, autovía N II - salida 55, ✉ 1900 ☎ (949) 20 93 00, *Fax (949) 22 64 10* – |‡| ▤ TV ☎ Ⓟ – 🎭 25/650. AE ⓓ VISA. ✻ por ① BZ
Comida carta 4300 a 5300 – ☕ 1300 – **159 hab** 10500/13000.

Pax ⛵, av. de Venezuela, ✉ 19005, ☎ (949) 22 18 00, *Fax (949) 22 69 55*, ←, ☂, – |‡| ▤ TV ☎ Ⓟ – 🎭 25/400. AE ⓓ E VISA. ✻ por Zaragoza BY
Comida 2500 – ☕ 1000 – **61 hab** 8400/10500 – PA 5100.

Alcarria, Toledo 39, ✉ 19002, ☎ (949) 25 33 00, *Fax (949) 25 34 07* – |‡| ▤ TV – 🎭 25/300. AE ⓓ E VISA JCB. ✻ rest BZ
Comida 1300 – ☕ 700 – **53 hab** 7800/11800.

Infante sin rest, San Juan de Dios 14, ✉ 19001, ☎ (949) 22 35 55, *Fax (949) 22 35* – |‡| TV ☎ 🚗. AE ⓓ E VISA. ✻ AY
☕ 450 – **35 hab** 4680/6000.

GUADALAJARA

ıarfáñez de Minaya .... AY 3
cipreste de Hita .... BY 4
rabal Agua .... BZ 6
iación Militar Española . AY 7
ırcelona (Av. de) .... BY 9
ırrionuevo .... AZ 10
ıjanaque (Pl. de) .... BY 12
ıidos G. Civil
(Pl. de los) .... AY 13
ılderón (Cuesta) .... BY 15
p. Boixerau Rivera ..... BZ 16
p. Diego Urbina .... BZ 18
Carmen .... BY 19
Dávalos (Pl. de) .... AY 21
Doctor Fleming .... BZ 22
Doctor Mayoral .... AY 24
Dr. Benito Hernando ..... BY 25
Dr. Ramón Atienza ...... AY 27
Enrique Benito Chávarri .. BY 28
Enrique Fluiters Aguado .. AZ 30
Fernando Beladiez
(Calle, Plaza) .... BY 31
Gen. Moscardó Guzmán .. AY 33
Hermanos Fernández
Galiano .... AY 34
Jazmín .... AZ 36
Juan Diges Antón .... AZ 37
Matadero (Cuesta del) ... AZ 39
Mayor .... BY
Miguel de Cervantes ..... AY 40
Miguel Fluiters .... AY 42
Padre Tabernero .... BZ 43
Pedro Pascual .... BY 45
Salazaras .... BY 46
San Antonio (Ronda de) .. AY 48
San Esteban .... BY 49
San Sebastián .... BY 51
Santo Domingo (Pl. de) .. BZ 52
Santo Domingo (Travesía). BY 54
Vega del Pozo .... BY 55
Vizcontesa de Jorbalán ... BY 57
Zaragoza .... BY 58

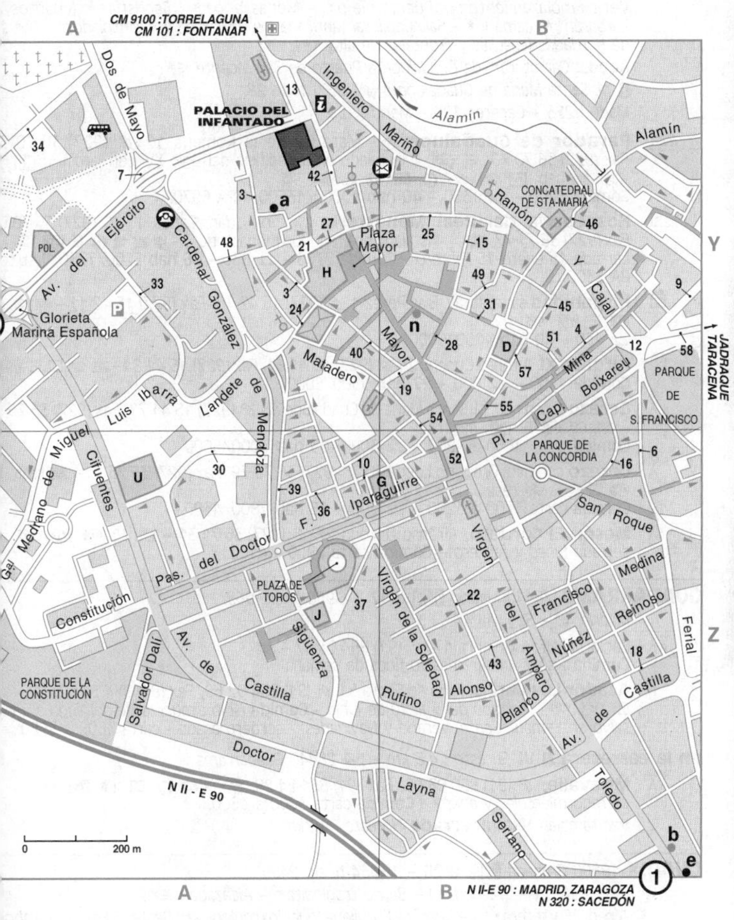

XX **Amparito Roca,** Toledo 19, ✉ 19002, ☎ (949) 21 46 39, – ▤. AE VISA. BZ b
cerrado domingo y del 15 al 31 de agosto – **Comida** carta 3900 a 4900.

XX **Miguel Ángel,** Alfonso López de Haro 4, ✉ 19001, ☎ (949) 21 22 51, *Fax (949) 21 25 63*, « Decoración castellana » – ▤. AE E VISA. BY n
Comida carta 3600 a 4500.

X **Los Faroles,** autovía N II - km 51, ✉ 19004, ☎ (949) 20 23 32, , « Decoración castellana » – ▤ P. AE ⓘ E VISA. por ②
cerrado agosto – **Comida** carta 3900 a 4000.

GUADALEST *03517 Alicante* 445 **P 29** – *165 h. alt. 995.*

Ver : *Situación* ★.

Madrid 441 – Alcoy/Alcoi 36 – Alicante/Alacant 65 – Valencia 145.

Xorta, carret. de Callosa d'En Sarrià ☎ (96) 588 51 87, ≤, 🏊 – P. AE ⓓ E VISA.
cerrado 15 mayo-15 junio – **Comida** - sólo cena de julio a septiembre - carta aprox. 300

Nou Salat, carret. de Callosa d'En Sarrià ☎ (96) 588 50 19, ≤, 🍴 – ▤ P. AE ⓓ
VISA. ✻ – *cerrado miércoles, noches de lunes, martes y jueves en invierno, 15 ener 5 febrero y del 1 al 10 de julio* – **Comida** carta 3450 a 4150.

GUADALUPE *10140 Cáceres* 444 **N 14** – *2 447 h. alt. 640.*

Ver : *Emplazamiento★ - Pueblo viejo★ – Monasterio★★ : Sacristía★★ (cuadros Zurbarán★★) camarín★ – Sala Capitular (antifonarios y libros de horas miniados★) – Mus de bordados (casullas y frontales de altar★★).*

Alred. : *Carretera★ de Guadalupe a Puerto de San Vicente* ≤★.

ℹ *pl. Santa María de Guadalupe 1 ☎ (927) 15 41 28.*

Madrid 225 – Cáceres 129 – Mérida 129.

Parador de Guadalupe 🐦, Marqués de la Romana 12 ☎ (927) 36 70 7
Fax (927) 36 70 76, ≤, 🍴, « Instalado en un edificio del siglo XVI con jardín », 🏊,
– 🛗, ▤ hab, TV ☎ 🚗 P. AE ⓓ E VISA. ✻
Comida 3200 – ☕ 1300 – **40 hab** 10800/13500 – PA 6970.

Hospedería del Real Monasterio 🐦, pl. Juan Carlos I ☎ (927) 36 70 0
Fax (927) 36 71 77, 🍴, « Instalado en el antiguo monasterio » – 🛗 ▤ ☎ P. E VISA. ✻
cerrado 15 enero-15 febrero – **Comida** 2700 – ☕ 850 – **46 hab** 5200/7750, 1 suite PA 5300.

Hispanidad sin rest, av. Blas Pérez 1 ☎ (927) 15 42 10, *Fax (927) 15 42 11* – ▤ ☎
ⓓ E VISA. ✻
☕ 450 – **40 hab** 4000/6000.

Alfonso XI, Alfonso Onceno 21 ☎ (927) 15 41 84, *Fax (927) 15 41 84* – ▤ ☎. AE E VISA
Comida 1100 – ☕ 400 – **27 hab** 3500/5000.

Cerezo II con hab, pl. Santa María de Guadalupe 33 ☎ (927) 15 41 77, *Fax (927) 36 75*
– ▤. AE ⓓ E VISA. ✻ rest
Comida carta 1650 a 2900 – ☕ 300 – **13 hab** 3000/5000.

Cerezo con hab, Gregorio López 20 ☎ (927) 36 73 79, *Fax (927) 36 75 31* – ▤ rest,.
ⓓ E VISA. ✻ rest
Comida carta 1700 a 3200 – ☕ 300 – **15 hab** 2800/4300.

Mesón El Cordero, Alfonso Onceno 27 ☎ (927) 36 71 31 – ▤. AE ⓓ VISA. ✻
cerrado lunes y febrero – **Comida** carta 2900 a 4100.

GUADARRAMA *28440 Madrid* 444 **J 17** – *6 950 h. alt. 965.*

Madrid 48 – Segovia 43.

Laciana, Alfonso Senra 17 ☎ (91) 854 03 37 – ▤
Comida - sólo almuerzo salvo fines de semana -.

Asador Los Caños, Alfonso Senra 51 ☎ (91) 854 02 69, *Fax (91) 854 31 32*, 🍴 –
AE VISA. ✻ – *cerrado del 5 al 20 de junio* – **Comida** *(sólo almuerzo de domingo a juev salvo en Semana Santa, verano y Navidades)* - cordero asado - carta 3600 a 3750.

en la carretera N VI *Sureste : 4,5 km – ✉ 28440 Guadarrama :*

Miravalle, ☎ (91) 850 03 00, *Fax (91) 851 24 28*, 🍴 – ▤ P. AE ⓓ VISA. ✻
cerrado miércoles y enero – **Comida** carta 3000 a 3500.

Ver también : **Navacerrada** *Noreste : 12 km.*

GUADIX *18500 Granada* 446 **U 20** – *19 634 h. alt. 949.*

Ver : *Catedral★ (fachada★) – Barrio troglodita★ – Alcazaba :* ≤★.

Alred. : *Carretera★★ de Guadix a Purullena (pueblo troglodita★) Oeste : 5 km – La Calaho (castillo : patio★★) Sureste : 17 km.*

ℹ *av. Mariana Pineda ☎ (958) 66 26 65.*

Madrid 436 – Almería 112 – Granada 57 – Murcia 226 – Úbeda 119.

Comercio, Mira de Amezcua 3 ☎ (958) 66 05 00, *Fax (958) 66 50 72* – ▤ TV ☎.
ⓓ E VISA
Comida 1800 – ☕ 400 – **24 hab** 5500/7500.

Carmen sin rest, av. Mariana Pineda 61 ☎ (958) 66 15 00, *Fax (958) 66 01 79* – 🛗
TV ☎ ♿ 🚗. AE ⓓ E VISA. ✻
☕ 425 – **38 hab** 3300/5500.

en la carretera de Murcia *Noreste : 2,5 km – ✉ 18500 Guadix :*

Cuevas Pedro Antonio de Alarcón, barriada San Torcuato ☎ (958) 66 49 86, *Fax (958) 66 17 21,* « Instalado en unas cuevas típicas », – rest, ☎ P. E VISA. rest
Comida 1100 – 700 – **19 apartamentos** 6500/8100.

GUARDAMAR 46711 *Valencia* 445 P 29 – *51 h. alt. 11.*

Madrid 422 – Gandía 6 – Valencia 70.

Arnadí, Molí 14 ☎ (96) 281 90 57, « Terraza-jardín » – . AE E VISA.
cerrado domingo noche, lunes, del 4 al 16 de abril y del 2 al 20 de noviembre – **Comida** - sólo cena en verano - carta 3025 a 3800.

GUARDAMAR DEL SEGURA 03140 *Alicante* 445 R 28 – *7 513 h. – Playa.*

pl. de la Constitución 7 ☎ (96) 572 72 92 Fax (96) 572 72 92.
Madrid 442 – Alicante/Alacant 36 – Cartagena 74 – Murcia 52.

Meridional, av. de la Libertad 64 - urb. Las Dunas, Sur : 1 km ☎ (96) 572 83 40, *Fax (96) 572 83 06,* ← – ☎ P. AE E VISA.
Comida 1925 – **52 hab** 12000/14500.

Guardamar, av. Puerto Rico 11 ☎ (96) 572 96 50, *Fax (96) 572 95 30,* ←, – ☎. AE E VISA.
Comida 1600 – 800 – **52 hab** 6900/11700.

Mediterráneo, av. Cartagena 26 ☎ (96) 572 94 07, *Fax (96) 572 94 07* – ☎ . AE E VISA.
Comida 1500 – 450 – **30 hab** 4000/7000.

Eden-Mar sin rest, Mediterráneo 19 ☎ (96) 572 92 13, *Fax (96) 572 92 13* – ☎. AE VISA.
abril-octubre – 450 – **25 hab** 3950/5800.

Chez Víctor 2, av. de Perú 1 - urb. Las Dunas ☎ (96) 527 82 18, ←, – AE E VISA. – *cerrado martes y 15 enero-15 febrero* – **Comida** carta aprox. 3700.

La GUARDIA o A GARDA 36780 *Pontevedra* 441 G 3 – *9 727 h. alt. 40 – Playa.*

Alred. : *Monte de Santa Tecla★ (←★★) Sur : 3 km.*
Madrid 628 – Orense/Ourense 129 – Pontevedra 72 – Porto 148 – Vigo 53.

Convento de San Benito sin rest, pl. de San Benito ☎ (986) 61 11 66, *Fax (986) 61 15 17,* ←, « Antiguo convento » – ☎. AE E VISA.
575 – **24 hab** 5700/8700.

Eli-Mar sin rest, Vicente Sobrino 12 ☎ (986) 61 30 00, *Fax (986) 61 11 56* – ☎. AE E VISA.
Semana Santa y julio-septiembre – 400 – **18 hab** 3200/6200, 2 apartamentos.

Bruselas sin rest, Orense 7 ☎ (986) 61 11 21, *Fax (986) 61 11 21* – .
300 – **37 hab** 3600/5140.

Bitadorna, Calvo sotelo 30 ☎ (986) 61 19 70 – . AE VISA.
cerrado domingo noche y lunes noche (salvo julio y agosto) – **Comida** carta 3550 a 4400.

Anduriña, Calvo Sotelo 58 ☎ (986) 61 11 08, *Fax (986) 61 11 56,* ←, – . AE E VISA.
Comida - pescados y mariscos - carta 3400 a 3525.

Marusía, av. del Puerto 29 ☎ (986) 61 38 09 – AE VISA.
cerrado martes (salvo festivos y julio-septiembre) y 20 diciembre-20 enero – **Comida** - pescados y mariscos - carta 2300 a 3350.

GUERNICA Y LUNO o GERNIKA-LUMO 48300 *Vizcaya* 442 C 21 – *15 999 h. alt. 10.*

Alred. : *Norte : Carretera de Bermeo ←★, Ría de Guernica★ – Balcón de Vizcaya ←★★ Sureste : 18 km.*
Artekale 8 ☎ (94) 625 58 92 Fax (94) 625 75 42.
Madrid 429 – Bilbao/Bilbo 36 – San Sebastián/Donostia 84 – Vitoria/Gasteiz 69.

Gernika sin rest, Carlos Gangoiti 17 ☎ (94) 625 03 50, *Fax (94) 625 58 74* – ☎ P – 25. AE E VISA.
cerrado 22 diciembre-4 enero – 700 – **23 hab** 6200/9200.

Zallo Barri, Juan Calzada 79 ☎ (94) 625 18 00, *Fax (94) 625 18 00* – . AE E VISA.
cerrado domingo noche, martes y miércoles – **Comida** carta 3900 a 4300.

Boliña con hab, Barrenkalle 3 ☎ (94) 625 03 00, *Fax (94) 625 03 00* – rest, ☎. E VISA.
Comida carta aprox. 4200 – 600 – **16 hab** 5000/7000.

GUETARIA o **GETARIA** *20808 Guipúzcoa* 442 C 23 – *2 348 h.*

Alred. : *Carretera en cornisa** de Guetaria a Zarauz.*

Parque Aldamar 2 ☏ (943) 14 09 57 (temp).

Madrid 487 – Bilbao/Bilbo 77 – Pamplona/Iruñea 107 – San Sebastián/Donosti 26.

Elkano, Herrerieta 2 ☏ (943) 14 06 14, – ▤. AE ⓓ E VISA JCB. ✂
cerrado domingo noche (noviembre-marzo), del 1 al 15 de febrero y del 1 al 15 d noviembre – **Comida** - pescados y mariscos - carta 3600 a 5300.

Kaia Kaipe, General Arnao 10 ☏ (943) 14 05 00, *Fax (943) 14 01 21,* ≤ puerto pesque y mar, – ▤. AE ⓓ E VISA. ✂
cerrado del 1 al 15 de marzo y del 13 al 30 de octubre – **Comida** - pescados y marisco - carta 4550 a 6500.

Iribar, Nagusia 38 ☏ (943) 14 04 06 – ▤. AE ⓓ E VISA. ✂
cerrado jueves (salvo en verano), 15 días en octubre y 15 días en abril Comida - pescados y mariscos - carta 2950 a 4200.

Talai-Pe, Puerto Viejo ☏ (943) 14 06 13, *Fax (943) 86 11 63,* ≤, « Decoración rústic marinera » – AE ⓓ E VISA JCB. ✂
cerrado domingo noche, lunes (salvo en verano), Navidades y del 15 al 30 de septiemb – **Comida** - pescados y mariscos - carta 4100 a 5750.

GUIJUELO *37770 Salamanca* 441 K 12 – *4 755 h. alt. 1 010.*

Madrid 206 – Ávila 99 – Plasencia 83 – Salamanca 49.

Torres sin rest. con cafetería, San Marcos 3 ☏ (923) 58 14 51, *Fax (923) 58 00 17* – TV ☎. AE ⓓ E VISA. ✂
500 – **37 hab** 5000/8000.

Manila, Filiberto Villalobos 41 ☏ (923) 58 17 02 – ▤. VISA. ✂
Comida carta 2900 a 4100.

GUILLENA *41210 Sevilla* 446 T 11 – *7 715 h. alt. 23.*

Madrid 545 – Aracena 71 – Huelva 108 – Sevilla 21.

en la carretera de Burguillos *Noreste : 5 km – ✉ 41210 Guillena :*

Cortijo Águila Real , ☏ (95) 578 50 06, *Fax (95) 578 43 30,* ≤, , « Elegan cortijo andaluz con amplio jardín y » – ▤ TV ☎ Ⓟ – 25/30. AE ⓓ VISA. ✂
Comida 3500 – 1500 – **8 hab** 18000, 3 suites.

en Torre de la Reina *Sureste : 7,5 km – ✉ 41210 Guillena :*

Cortijo Torre de la Reina , paseo de la Alameda ☏ (95) 578 01 3 *Fax (95) 578 01 22,* « Ambiente elegante en una antigua residencia nobiliar con jardín y » – ▤ TV ☎ Ⓟ – 25/700. AE ⓓ E VISA. ✂ rest
Comida 3200 – 1200 – **6 hab** 17000/19000, 5 suites – PA 7000.

GÜIMAR *Santa Cruz de Tenerife – ver Canarias (Tenerife).*

GUISSONA *25210 Lérida* 443 G 33 – *2 594 h. alt. 490.*

Madrid 526 – Barcelona 114 – Lérida/Lleida 67 – La Seo de Urgel/La Seu d'Urgell 91 Tarragona 98.

Cal Mines, Santa Margarida 6 ☏ (973) 55 06 12 – ▤. E VISA
cerrado domingo noche, lunes y julio – **Comida** carta 2500 a 3700.

HARÍA *Las Palmas – ver Canarias (Lanzarote).*

HARO *26200 La Rioja* 442 E 21 – *8 939 h. alt. 479.*

Alred. : *Balcón de La Rioja ※★ Este : 26 km.*

pl. Monseñor Florentino Rodríguez ☏ (941) 30 33 66 Fax (941) 30 33 66.

Madrid 330 – Burgos 87 – Logroño 49 – Vitoria/Gasteiz 43.

Los Agustinos, San Agustín 2 ☏ (941) 31 13 08, *Fax (941) 30 31 48,* « Instala en un convento del siglo XIV » – ▤ TV ☎ – 25/200. AE ⓓ VISA. ✂ rest
Comida *(cerrado domingo)* 2800 – 1100 – **60 hab** 8900/12900, 2 suites PA 5700.

XX **Beethoven II,** Santo Tomás 3 ☎ (941) 31 13 63, *Fax (941) 31 11 81* – ▤. E VISA. ⚔
Comida carta 3050 a 3850.

X **Mesón Atamauri,** pl. Juan García Gato 1 ☎ (941) 30 32 20 – ▤. AE ⦿ E VISA. ⚔
cerrado miércoles (salvo agosto) y Navidades – **Comida** carta 3450 a 4250.

X **Terete,** Lucrecia Arana 17 ☎ (941) 31 00 23, *Fax (941) 31 03 93*, « Rest. típico con bodega » – ▤. VISA
cerrado domingo noche, lunes, del 1 al 15 de julio y del 15 al 31 de octubre – **Comida** - cordero asado - carta 1700 a 3100.

en la carretera N 124 *Sureste : 1 km – ✉ 26200 Haro :*

Iturrimurri, carret. de circunvalación ☎ (941) 31 12 13, *Fax (941) 31 17 21*, ⩽, ⛱ – |‡| ▤ TV ☎ P – 🏊 25/100. AE ⦿ E VISA. ⚔ rest
- ***Siglo XXI*** : **Comida** carta 3400 a 4700 – ☕ 1050 – **52 hab** 8500/11200.

HECHO *22720 Huesca* 443 **D 27** – *alt. 833.*
Madrid 497 – Huesca 102 – Jaca 49 – Pamplona/Iruñea 122.

Lo Foratón sin ☕, urb. Cruz Alta ☎ (974) 37 52 47 – |‡| ☎. AE E VISA. ⚔
Comida (ver rest. ***Lo Foratón***) – **28 hab** 5000/7000, 1 suite.

X **Gaby-Casa Blasquico** con hab, pl. Palacio 1 ☎ (974) 37 50 07, ⛱ – TV. E VISA. ⚔
cerrado del 1 al 15 de septiembre – **Comida** carta aprox. 4000 – ☕ 500 – **4 hab** 6000.

X **Lo Foratón** con hab, urb. Cruz Alta ☎ (974) 37 52 47 – AE E VISA. ⚔
Comida carta aprox. 2550 – ☕ 400 – **10 hab** 3500/5000.

en la carretera de Selva de Oza *Norte : 7 km – ✉ 22720 Hecho :*

Usón 🐎, ☎ (974) 37 53 58, *Fax (974) 37 53 58*, ⩽ valle y montañas – P. VISA. ⚔
cerrado enero-15 marzo – **Comida** *(fines de semana, julio y agosto)* 1600 – ☕ 550 – **14 hab** 4000/5500.

HELLÍN *02400 Albacete* 444 **Q 24** – *23 540 h. alt. 566.*
Madrid 306 – Albacete 59 – Murcia 84 – Valencia 186.

Reina Victoria, Coullaut Valera 3 ☎ (967) 30 02 50, *Fax (967) 30 02 50* – |‡| ▤ TV ☎ 🚗. AE ⦿ E VISA. ⚔
Comida 1600 – ☕ 350 – **24 hab** 6500/11000, 1 suite – PA 3000.

Hellín, carret. de Murcia 31 ☎ (967) 30 06 01, *Fax (967) 30 28 89* – ▤ rest, TV ☎ P. AE ⦿ E VISA. ⚔
- ***D'on Manuel*** : **Comida** carta aprox. 3000 – ☕ 350 – **19 hab** 3600/6000.

X **Emilio** con hab, carret. de Jaén 23 ☎ (967) 30 15 80, *Fax (967) 30 47 75* – ▤ TV ☎ P. AE ⦿ E VISA. ⚔
Comida carta 3100 a 3950 – ☕ 600 – **15 hab** 6300/8400, 3 apartamentos.

HERNANI *20120 Guipúzcoa* 442 **C 24** – *18 524 h.*
Madrid 452 – Biarritz 56 – Bilbao/Bilbo 103 – San Sebastián/Donostia 8 – Vitoria/Gasteiz 102 – Pamplona/Iruñea 72.

en la carretera de Goizueta *Sureste : 5 km – ✉ 20120 Hernani :*

XX **Fagollaga,** barrio Fagollaga ☎ (943) 55 00 31, *Fax (943) 33 18 01*, ⛱ – ▤ P. AE ⦿ E VISA. ⚔
cerrado domingo noche y lunes – **Comida** carta 4000 a 4850.

La HERRADURA *18697 Granada* 446 **V 18** – *Playa.*
Alred. : *Oeste : Carretera★ de La Herradura a Nerja ⩽★★.*
Madrid 523 – Almería 138 – Granada 93 – Málaga 66.

Tryp Los Fenicios, paseo Andrés Segovia ☎ (958) 82 79 00, *Fax (958) 82 79 10*, ⩽, ⛱, ⛱ – |‡| ▤ TV ☎ 🚗. AE ⦿ E VISA JCB. ⚔
Comida 2000 – ☕ 1100 – **43 hab** 12750/16000.

HERRERA DEL DUQUE *06670 Badajoz* 444 O 14 – *4 116 h. alt. 471.*
Madrid 231 – Cáceres 171 – Plasencia 193.

El Torreón, av. Juan Carlos I-2 ☎ (924) 64 20 42, *Fax (924) 64 21 07* – ▤ TV ☎ ♿ P E VISA. ✗
Comida 2550 – ☕ 400 – **28 hab** 2500/4500.

HERREROS *42145 Soria* 442 G 21 – *alt. 1 118.*
Madrid 250 – Burgos 121 – Logroño 128 – Soria 24.

Casa del Cura ⛰, Estación ☎ (975) 27 04 64, « Ambiente acogedor en una casa rura con jardín y ⩽ montañas » – ☎. ✗
Comida - sólo cena - carta aprox. 4150 – ☕ 800 – **12 hab** 5000/9800.

El HIERRO *Santa Cruz de Tenerife – ver Canarias.*

LA HINOJOSA *16750 Cuenca* 444 M 22 – *352 h.*
Madrid 147 – Alarcón 44 – Albacete 107 – Cuenca 57 – Toledo 165.

Los Rosales con hab, carret. Madrid-Valencia 14 ☎ (967) 19 44 02 – ▤ TV ☎. AE E VISA. ✗ hab
Comida carta 1400 a 1950 – ☕ 600 – **8 hab** 3210/6420.

Neste guia
um mesmo símbolo, impresso a preto *ou a vermelho,*
ou a mesma palavra com carácteres
de tamanhos diferentes não têm o mesmo significado.
Leia atentamente as páginas de introdução.

HONDARRIBIA *Guipúzcoa – ver Fuenterrabía.*

HONRUBIA DE LA CUESTA *40541 Segovia* 442 H 18 – *107 h. alt. 1 001.*
Madrid 143 – Aranda de Duero 18 – Segovia 97.

en El Miliario *Sur : 4 km – ✉ 40541 Honrubia de la Cuesta :*

Mesón Las Campanas con hab, antigua carret. N I ☎ (921) 53 43 65, « Decoración rústica regional » – ☎ P. AE E VISA. ✗
Comida carta aprox. 3500 – ☕ 350 – **7 hab** 5000.

HORNA *Burgos – ver Villarcayo.*

S'HORTA *Baleares – ver Baleares (Mallorca).*

HORTA DE SANT JOAN *43596 Tarragona* 443 J 30 – *1 314 h. alt. 542.*
Madrid 468 – Alcañiz 61 – Lérida/Lleida 107 – Teruel 217 – Tortosa 36 – Zaragoz 136.

Miralles, av. de la Generalitat 19 ☎ (977) 43 55 55, *Fax (977) 43 51 14* – |‡|, ▤ res ♿ P. AE ⓓ E VISA. ✗
Comida carta aprox. 2900 – ☕ 500 – **42 hab** 4500.

HORTIGÜELA *09640 Burgos* 442 F 19 – *115 h. alt. 941.*
Madrid 211 – Burgos 42 – Palencia 113 – Soria 103.

Virgen de las Naves, San Roque ☎ (947) 38 41 96, *Fax (947) 38 41 98,* Fö – |‡ ▤ rest, TV ☎. AE E VISA. ✗
10 marzo-10 diciembre – **Comida** 1500 – ☕ 600 – **27 hab** 4850/7935.

HOSPITALET DEL INFANTE o L'HOSPITALET DEL INFANT *43890 Tarragona* 44 J 32 – *2 690 h.* – *Playa.*
ℹ Alamanda 2 ☎ (977) 82 33 28 Fax (977) 82 39 41.
Madrid 579 – Castellón de la Plana/Castelló de la Plana 151 – Tarragona 37 – Tortosa 5

Pino Alto ⛰, urb. Pino Alto - Noreste : 1 km, ✉ 43892 Miami Platja, ☎ (977) 81 10 0 *Fax (977) 81 09 07*, « Terraza », Fö, ⛱, 🏊, 🌴, 🎾, ✗ – |‡| ▤ TV ☎ 🚗 – 🏔 25/14 AE ⓓ E VISA. ✗
26 marzo-23 octubre – **Comida** 2400 – **137 hab** ☕ 11775/17400.

Meridiano Mar, passeig Marítim 31 ☎ (977) 82 39 27, *Fax (977) 82 39 74*, – AE VISA.
Comida - sólo buffet - 1500 – **87 hab** 9375/10875 – PA 3000.

Tívoli sin rest, Les Barques 14 ☎ (977) 82 02 11, *Fax (977) 82 02 41*, – AE E VISA.
40 hab 12000/17400.

L'Olla, Via Augusta 58 ☎ (977) 82 04 38 – . E VISA JCB.
cerrado domingo noche (julio-agosto), domingo, lunes y martes (resto del año) y 23 diciembre-7 enero – **Comida** carta aprox. 3500.

Mar Blava, port esportiu ☎ (977) 82 02 06, *Fax (977) 82 39 41* – . AE E VISA.
cerrado lunes y 22 diciembre-enero – **Comida** carta 3000 a 4025.

en la playa de L'Almadrava *Suroeste : 10 km – ✉ 43890 Hospitalet del Infante :*

Llorca, ☎ (977) 82 31 09, *Fax (977) 82 31 09*, – . AE E VISA.
abril-octubre – **Comida** 1650 – 675 – **15 hab** 4800/7300.

HOSTALETS DE BAS o Els HOSTALETS D'EN BAS *17177 Gerona* 443 F 37.

Madrid 711 – Gerona/Girona 47 – Olot 10 – Vic 44.

L'Hostalet, Vic 18 ☎ (972) 69 00 06 – . AE VISA.
cerrado domingo noche y martes (salvo festivos) y julio – **Comida** carta 2050 a 3100.

HOYO DE MANZANARES *28240 Madrid* 444 K 18 – *3 472 h. alt. 1 001.*

Madrid 40 – El Escorial 28 – Segovia 76.

El Vagón de Beni, San Macario 6 ☎ (91) 856 68 12, « Vagón de ambiente acogedor en un armónico conjunto imitando una estación de época » – . AE E VISA JCB.
cerrado domingo noche y lunes – **Comida** carta 4900 a 6050.

HOYOS *10850 Cáceres* 444 L 9 – *959 h. alt. 510.*

Madrid 305 – Alcántara 73 – Cáceres 106 – Salamanca 150.

Il Cigno, av. de Extremadura 4 ☎ (927) 51 44 13 – . E VISA.
cerrado lunes, del 15 al 30 de junio y del 15 al 30 de septiembre – **Comida** - sólo almuerzo salvo sábado, julio y agosto - carta 3125 a 4250.

HOYOS DEL ESPINO *05634 Ávila* 442 K 14 – *332 h.*

Alred. : *Laguna Grande★ (≤★) Sur : 12 km.*

Madrid 174 – Ávila 68 – Plasencia 107 – Salamanca 130 – Talavera de la Reina 87.

El Milano Real, Toleo ☎ (920) 34 91 08, *Fax (920) 34 91 56*, ≤ sierra de Gredos, « Ambiente acogedor » – – 25. AE E VISA.
cerrado del 9 al 28 de noviembre – **Comida** carta 2950 a 4250 – 1400 – **14 hab** 7500/8500.

Mira de Gredos con hab, ☎ (920) 34 90 23, ≤ sierra de Gredos – . VISA.
cerrado octubre – **Comida** *(cerrado jueves)* carta 2900 a 4200 – 450 – **16 hab** 4000/6000.

HOZNAYO *39716 Cantabria* 442 B 18.

Madrid 399 – Bilbao/Bilbo 86 – Burgos 156 – Santander 21.

Adelma, carret. N 634 ☎ (942) 52 40 96, *Fax (942) 52 43 72*, ≤ – , rest, . AE E VISA.
Comida carta aprox. 3350 – 500 – **36 hab** 6000/7500.

Los Pasiegos, carret. N 634 ☎ (942) 52 50 90, *Fax (942) 52 51 14* – , rest, . VISA. rest
Comida 1300 – 450 – **44 hab** 5000/8000 – PA 2800.

HUARTE *31620 Navarra* 442 D 25 – *2 828 h. alt. 441.*

Madrid 402 – Pamplona/Iruñea 7.

Iriguibel, carret. C 135 ☎ (948) 33 14 14, *Fax (948) 33 00 69* – . AE E VISA.
cerrado noches de lunes a viernes – **Comida** carta aprox. 4650.

HUELVA *21000* **P** **446** **U 9** – *144 579 h. alt. 56.*

Bellavista, carret. de Aljaraque km 6 ☎ (959) 31 90 17 Fax (959) 31 90 25.

av. de Alemania 12 ✉ 21001 ☎ (959) 25 74 03 Fax (959) 25 74 03

R.A.C.E. *☎ 900 20 00 93.*

Madrid 629 ② – Badajoz 248 ② – Faro 105 ① – Mérida 282 ② – Sevilla 92 ②

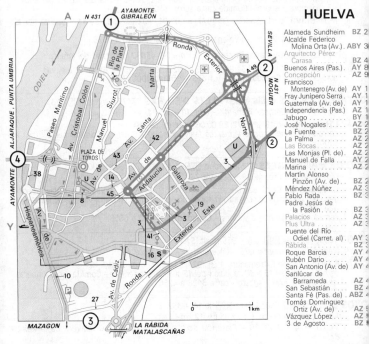

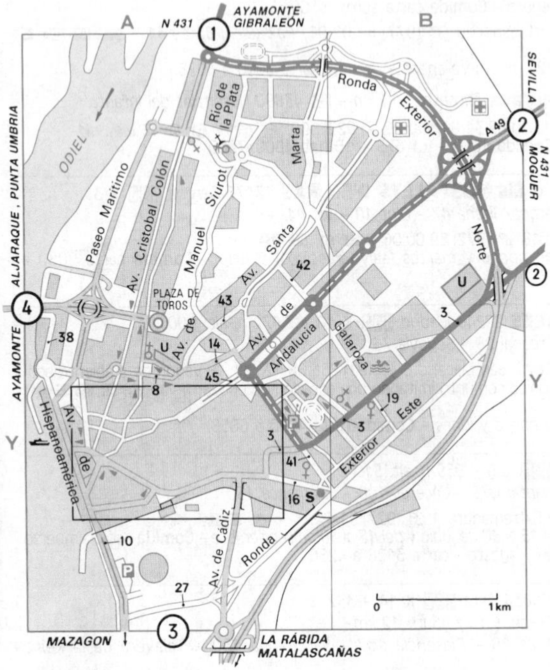

HUELVA

Alameda Sundheim BZ 2
Alcalde Federico Molina Orta (Av.) ABY 3
Arquitecto Pérez Carasa BZ 4
Buenos Aires (Pas.) AY 8
Concepción AZ 9
Francisco Montenegro (Av. de) AY 1
Fray Junípero Serra AY 1
Guatemala (Av. de) AY 1
Independencia (Pas.) AZ 1
Jabugo BY 1
José Nogales AZ 2
La Fuente BZ 2
La Palma AZ 2
Las Bocas AZ 2
Las Monjas (Pl. de) AZ 2
Manuel de Falla AY 2
Marina AZ 2
Martín Alonso Pinzón (Av. de) BZ 2
Méndez Núñez AZ 3
Pablo Rada BZ 3
Padre Jesús de la Pasión BZ 3
Palacios AZ 3
Plus Ultra AZ 3
Puente del Río Odiel (Carret. al) AY 3
Rábida BZ 3
Roque Barcia AY 4
Rubén Darío AY 4
San Antonio (Av. de) AY 4
Sanlúcar de Barrameda AZ 4
San Sebastián BZ 4
Santa Fé (Pas. de) ABZ 4
Tomás Domínguez Ortiz (Av. de) AZ 5
Vázquez López AZ 5
3 de Agosto BZ 5

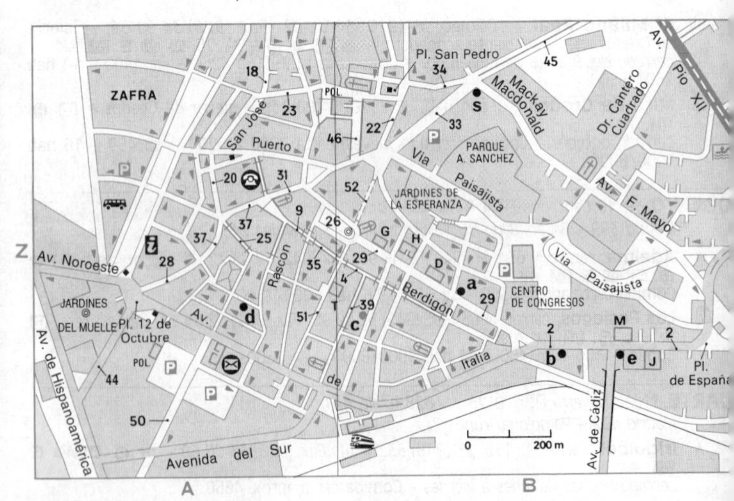

NH Luz Huelva sin rest, Alameda Sundheim 26, ✉ 21003, ☏ (959) 25 00 11, *Telex 75527, Fax (959) 25 81 10* – ▮ ▤ TV ☎ 🚗 – 🏢 25/100. AE ⓓ E VISA. ✗ BZ e
☕ 1300 – **102 hab** 11400/17000, 5 suites.

Monte Conquero sin rest. con cafetería, Pablo Rada 10, ✉ 21003, ☏ (959) 28 55 00, *Fax (959) 28 39 12* – ▮ ▤ TV ☎ ♿ 🚗 – 🏢 25/120. AE ⓓ E VISA BZ s
☕ 950 – **168 hab** 8800/13000.

Tartessos, av. Martín Alonso Pinzón 13, ✉ 21003, ☏ (959) 28 27 11, *Fax (959) 25 06 17* – ▮ ▤ TV ☎ – 🏢 25/70. AE ⓓ E VISA. ✗ BZ a
Comida 2500 - ***El Estero*** *(cerrado domingo)* **Comida** carta 3150 a 4500 – ☕ 850 – **106 hab** 8000/12000, 4 suites.

Los Condes sin rest. con cafetería, Alameda Sundheim 14, ✉ 21003, ☏ (959) 28 24 00, *Fax (959) 28 50 41* – ▮ ▤ TV ☎ 🚗. AE ⓓ E VISA. ✗ BZ b
☕ 400 – **53 hab** 4200/7500.

Costa de la Luz sin rest y sin ☕, José María Amo 8, ✉ 21001, ☏ (959) 25 64 22, *Fax (959) 25 64 22* – ▮ TV ☎. VISA. ✗ AZ d
35 hab 4000/7000.

Las Meigas, av. Guatemala 44, ✉ 21003, ☏ (959) 27 19 58, *Fax (959) 27 19 77* – ▤. AE ⓓ E VISA. ✗ AY s
cerrado domingo en verano – **Comida** carta aprox. 4750.

La Marmita, Miguel Redondo 12, ✉ 21003, ☏ (959) 26 22 16 – ▤ BZ c
Comida - espec. en carnes a la brasa -.

HUESCA *22000* P 443 F 28 – *50 085 h. alt. 466.*

Ver : *Catedral★ (retablo de Damián Forment★★)* A – *Museo Arqueológico Provincial★ (colección de primitivos aragoneses★)* **M1** – *Iglesia de San Pedro el Viejo★ (claustro★)* B.

Excurs. : *Castillo de Loarre★★ ※★★ Noroeste : 32 km por ③.*

ℹ *General Lasheras 5 ✉ 22003 ☏ (974) 22 57 78 Fax (974) 22 57 78 y pl. de la Catedral 1 ✉ 22002 ☏ (974) 29 21 00 (ext. 141)* – **R.A.C.E.** ☏ *900 20 00 93.*

Madrid 392 ② – Lérida/Lleida 123 ① – Pamplona/Iruñea 164 ③ – Pau 211 ③ – Zaragoza 72 ②

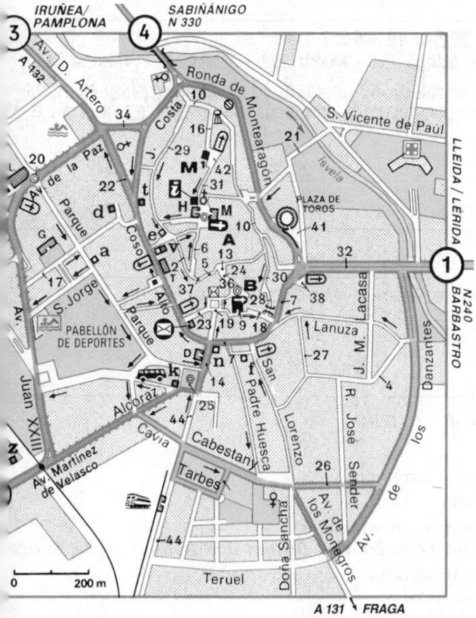

HUESCA

Ainsa	2
Ángel de la Guarda	3
Ballesteros	4
Castilla	5
Cortes (Las)	6
Cosó Alto	
Coso Bajo	7
Cuatro Reyes	9
Desengaño	10
Fueros de Aragón (Pl. de los)	13
Galicia (Porches de)	14
General Alsina (Av. del)	16
General Lasheras	17
Goya	18
López Allue (Pl. de)	19
Luis Buñuel (Pl.)	20
Misericordia (Ronda)	21
Monreal (Av.)	22
Moyá	23
Mozárabes (Trav.)	24
Navarra (Pl. de)	25
Obispo Pintado	26
Olmo	27
Palma	28
Pedro IV	29
Peligros	30
Quinto Sertorio	31
Ramón y Cajal (Pas. de)	32
San Juan Bosco	34
San Pedro (Pl. de)	36
San Salvador	37
Santo Domingo (Pl. de)	38
Tarbes	40
Unidad Nacional (Pl. de la)	41
Universidad (Pl. de la)	42
Zaragoza	44

Pedro I de Aragón, Parque 34, ✉ 22003, ✆ (974) 22 03 00, *Telex 58626*
Fax (974) 22 00 94, – 25/500. AE VISA. rest
Comida 3100 – 1500 – **131 hab** 12450/18175, 2 suites.

Sancho Abarca, pl. de Lizana 13, ✉ 22002, ✆ (974) 22 06 50, *Fax (974) 22 51 69*
– 40/250. AE E VISA
Comida (ver rest. ***Caserío Aragonés***) – 690 – **35 hab** 6900/12900.

San Marcos sin rest, San Orencio 10, ✉ 22001, ✆ (974) 22 29 31, *Fax (974) 22 29 3*
– . AE E VISA
400 – **29 hab** 3400/5775.

Lizana sin rest y sin , pl. de Lizana 6, ✉ 22002, ✆ (974) 22 07 76, *Fax (974) 22 07 7*
– . AE E VISA.
34 hab 2700/6800.

Rugaca sin rest, Porches de Galicia 1, ✉ 22002, ✆ (974) 22 64 49, *Fax (974) 23 08 0*
– . E VISA
500 – **24 hab** 4000/7000.

Las Torres, María Auxiliadora 3, ✉ 22003, ✆ (974) 22 82 13, *Fax (974) 22 88 79* –
AE E VISA.
cerrado domingo y 15 días en Semana Santa – **Comida** carta aprox. 4300.

Lillas Pastia, pl. de Navarra 4, ✉ 22002, ✆ (974) 21 16 91, *Fax (974) 21 16 91,*
« En el antiguo casino » – . AE E VISA
cerrado domingo noche, martes y 24 octubre-20 noviembre – **Comida** carta 380
a 4900
Espec. Ensalada de cogollos braseados con cochinillo y queso de Sieso. Roda
ballo salvaje con concassé de hongos. Sopa de manzana con helado d
cardamomo.

Caserío Aragonés, pl. de Lizana 13, ✉ 22002, ✆ (974) 22 06 50, *Fax (974) 22 51 6*
– . AE E VISA.
cerrado domingo – **Comida** carta 3100 a 3940.

El Molinero, San Orencio 10, ✉ 22001, ✆ (974) 23 07 31, *Fax (974) 23 07 3*
–

La Campana, Coso Alto 78, ✉ 22003, ✆ (974) 22 95 00 – . AE E VI
JCB.
cerrado domingo noche y del 15 al 31 de agosto – **Comida** carta 2950
3900.

Parrilla Gombar, av. Martínez de Velasco 34, ✉ 22004, ✆ (974) 21 22 70 – .
VISA.
cerrado sábado y del 16 al 31 de agosto – **Comida** carta 2625 a 3950.

HUÉTOR VEGA *18198 Granada* 446 **U 19** – *6 658 h. alt. 685.*
Madrid 436 – Granada 6 – Málaga 133 – Murcia 292 – Sevilla 267 – Valencia 547.

Villa Sur sin rest, av. Andalucía 57 ✆ (958) 30 22 83, *Fax (958) 30 22 83,*
« Villa de ambiente acogedor decorada con elegancia », – . E VI
JCB.
5 hab 5400/7800.

IBARRA *Guipúzcoa – ver Tolosa.*

IBIZA *Baleares – ver Baleares.*

ICOD DE LOS VINOS *Santa Cruz de Tenerife – ver Canarias (Tenerife).*

A ILESUELA DEL CID *44142 Teruel* 443 **K 29** – *484 h. alt. 1 227.*
Madrid 415 – Morella 37 – Teruel 113.

Casa Amada, Fuentenueva 10 ✆ (964) 44 33 73, *Fax (964) 44 33 73* – AE E VISA. ⚹
Comida 1625 – ☕ 400 – **21 hab** 2600/3900.

ORRE *Vizcaya – ver Yurre.*

UALADA *08700 Barcelona* 443 **H 34** – *32 422 h. alt. 315.*
Madrid 562 – Barcelona 67 – Lérida/Lleida 93 – Tarragona 93.

América, antigua carret. N II ✆ (93) 803 10 00, *Fax (93) 805 00 78,* – ▤ TV ☎ P – 25/400. AE O E VISA. ⚹
cerrado del 1 al 15 de agosto y Navidades – **Comida** *(cerrado domingo noche)* 2200 – ☕ 850 – **52 hab** 5000/10000 – PA 4400.

El Jardí de Granja Plá, Rambla de Sant Isidre 12 ✆ (93) 803 18 64, *Fax (93) 805 03 13* – ▤. AE O E VISA – *cerrado domingo noche, lunes, del 1 al 7 de febrero y del 2 al 17 de agosto* – **Comida** carta 3275 a 4750.

El Mirall, passeig Verdaguer 6 ✆ (93) 804 25 02 – ▤. AE O E VISA
cerrado domingo, miércoles noche y del 1 al 15 de septiembre – **Comida** carta 3750 a 4900.

When in a hurry use the ***Michelin Main Road Maps:***
970 ***Europe,*** 974 ***Poland,*** 976 ***Czech Republic-Slovak Republic,*** 980 ***Greece,*** 984 ***Germany,*** 985 ***Scandinavia-Finland,*** 986 ***Great Britain and Ireland,*** 987 ***Germany-Austria-Benelux,*** 988 ***Italy,*** 989 ***France,*** 990 ***Spain-Portugal*** *and* 991 ***Yugoslavia.***

LESCAS *45200 Toledo* 444 **L 18** – *7 942 h. alt. 588.*
Madrid 36 – Aranjuez 31 – Ávila 144 – Toledo 34.

El Bohío, av. Castilla-La Mancha 81 ✆ (925) 51 11 26, *Fax (925) 51 11 26,* « Decoración castellana » – ▤. AE O E VISA JCB. ⚹
cerrado domingo y agosto – **Comida** carta 5000 a 6350
Espec. Ravioli de huevo con gambas marinadas y morros de ternera. Salteado de cabeza de cordero con bogavante. Canelones de chocolate con helado de limón y gelatina de albahaca.

LETAS o ses ILLETES *Baleares – ver Baleares (Mallorca).*

ILLOT *Baleares – ver Baleares (Mallorca).*

CA *Baleares – ver Baleares (Mallorca).*

CLES *Andorra – ver Andorra (Principado de) : Soldeu.*

GLÉS (Playa del) *Las Palmas – ver Canarias (Gran Canaria) : Maspalomas.*

IRUELA *23476 Jaén* 446 **S 21** – *2 186 h. alt. 932.*
Ver : *Carretera de los miradores* ≤★★.
Madrid 365 – Jaén 103 – Úbeda 48.

Sierra de Cazorla ♨, carret. de la Sierra - Noreste : 1 km ✆ (953) 72 00 15, *Fax (953) 72 00 17,* ≤, – ▤ TV ☎ P. AE O E VISA. ⚹ rest
Comida 1200 – ☕ 700 – **50 hab** 5000/7600, 2 suites.

ÚN *20300 Guipúzcoa* 442 **B y C 24** – *53 861 h. alt. 20.*
Alred. : *Ermita de San Marcial* ★★ *Este : 3 km.*
Juan de la Cruz 2 ✉ 20302 ✆ (943) 64 92 00.
Madrid 509 ② – Bayonne 34 ① – Pamplona/Iruñea 90 ① – San Sebastián/Donostia 20 ②

IRÚN

Aldapeta	BZ	4
Alondegia	AZ	6
Arbesko Errota	CZ	7
Argentinar Errepublika	BY	9
Artaleku	ABZ	10
Bartolomé de Urdinso	AY	12
Beraketa	BYZ	13
Colon (Ibilbidea)	ABY	
Cipriano Larrañaga	AY	15
Eguzkitzaldea	BCZ	16
Erlaitz	CZ	18
Eskoleta	CYZ	19
Fermín Calbetón	BZ	21
Francisco de Gainza	BY	22
Jenaro Etxeandia (Pl.)	BZ	24
Jenerala Bergaretxe	CY	25
Jose Joaquin Tadeo Murgia	CY	27
Juan Arana	AZ	28
Juan Thalamas Labandibar	CZ	30
Junkal (Pl.)	CZ	31
Lapitze	AZ	33
Larretxipi	CZ	34
Lekaenea	AY	36
Letxunborro (Hiribidea)	AY	37
Lope de Irigoien	AY	39
Lucas de Berroa	AY	40
Luis de Uranzu	AY	41
Luis Mariano	BZ	42
Oiartzun	AY	43
Pikoketa	BZ	45
Policarpo Baltzola	BY	46
Prudencia Arbide	BZ	48
Salis (Hiribidea)	CY	49
San Juan Harria (Pl.)	BZ	51
Uztapide Bertsolariak	CZ	52
Vicente Lafitte	BY	54
Zabaltza (Pl.)	BY	55
Zubiaurre	AY	57

HONDARRIBIA / FUENTERRABÍA
A
2
N I, A 8, DONOSTIA / SAN SEBASTIÁN ERRENTERIA / RENTERIA
Zubi Muxu Plazatxoa
37
Pinudi
Hondarribia
Donostia
36
39
43
40
12
41
Y
Anaka
57
Colon Ibilbidea
a
Geltokiko
Aduana
28
Hiribidea
Gipuzkoa
10
Jose
Egino
6
Z
Balezaleen
Aduana
Hiribidea
Olaker
Elizatxo
Arturo
Campion
33
A
OIARTZUN

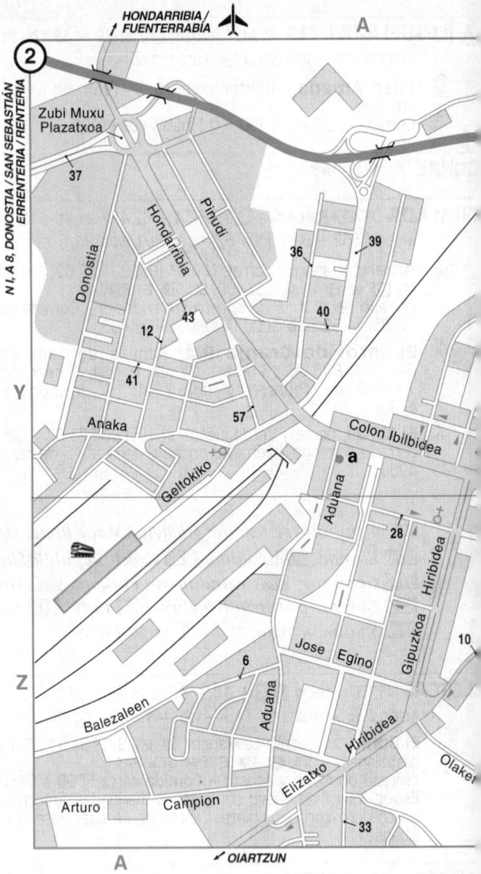

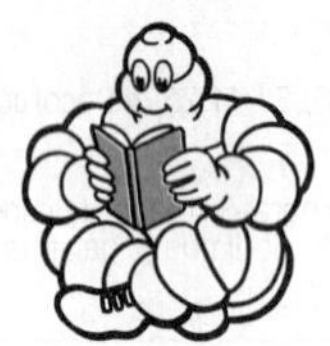

Lizaso sin rest y sin ☕, Aduana 5, ✉ 20302, ☎ (943) 61 16 00 – ☎. ✗ AY
20 hab 4000/5450.

Mertxe, Francisco de Gainza 9 - barrio Beraun, ✉ 20302, ☎ (943) 62 46 82, ☂ – AE E VISA JCB BY
cerrado domingo noche, miércoles y 22 diciembre-3 enero – **Comida** carta 5000 a 600

Larretxipi, Larretxipi 5, ✉ 20304, ☎ (943) 63 26 59 – AE ⊙ E VISA. ✗ CZ
cerrado domingo noche, martes, 2ª quincena de marzo y 2ª quincena de noviembre
Comida carta 3150 a 4100.

al Oeste *por* ② :

Tryp Urdanibia, carret. N I : 3 km, ✉ 20305, ☎ (943) 63 04 40, *Fax (943) 63 04*
– ⎈ ▤ TV ☎ P – 25/500. AE ⊙ E VISA. ✗ rest
Comida 1950 – ☕ 1000 – **115 hab** 11600/14700.

Jaizubía, Poblado vasco de Urdanibia : 4 km, ✉ 20305, ☎ (943) 61 80 66 – AE ⊙
VISA JCB
cerrado lunes y febrero – **Comida** carta 4700 a 7000.

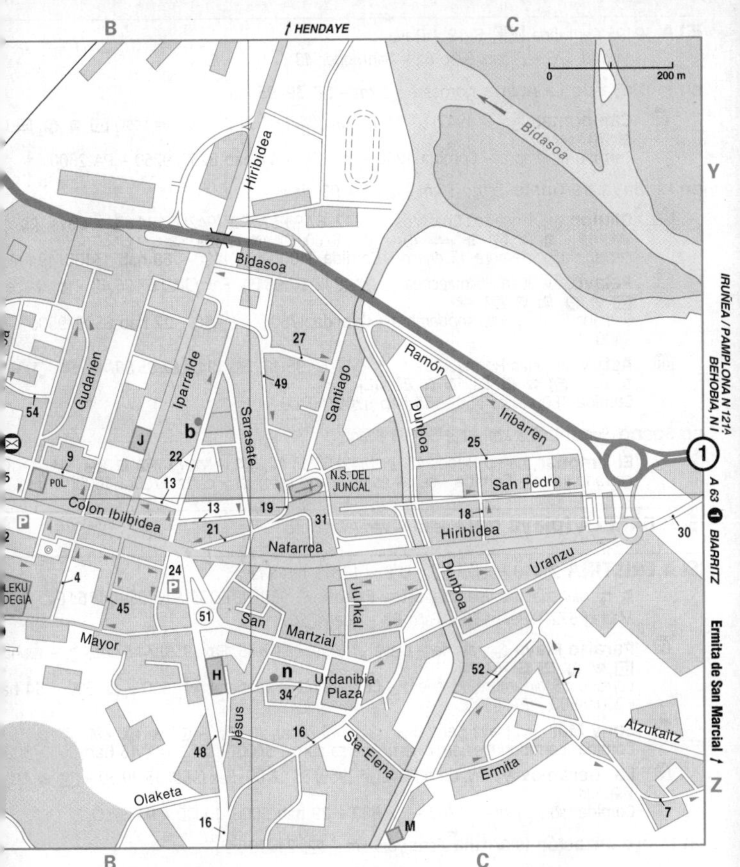

La guida cambia, cambiate la guida ogni anno.

ÑEA *Navarra – ver Pamplona.*

URITA *31730 Navarra* 442 **C 25.**

Madrid 448 – Bayonne 57 – Pamplona/Iruñea 53 – St-Jean-Pied-de-Port 40.

Olari, Pedro María Hualde ✆ (948) 45 22 54 – ▤. VISA.
cerrado lunes (salvo agosto) y última semana de junio – **Comida** carta 2300 a 3350.

ABA *31417 Navarra* 442 **D 27** *– 551 h. alt. 813.*

Alred. : *Oeste : Valle del Roncal★ – Sureste : Carretera★ del Roncal a Ansó.*

Madrid 467 – Huesca 129 – Pamplona/Iruñea 97.

Isaba, Bormapea 51 ✆ (948) 89 30 00, *Fax (948) 89 30 30,* ← – 35/60
50 hab.

Lola, Mendigacha 17 ✆ (948) 89 30 12, *Fax (948) 89 30 12* – TV. AE E VISA.
cerrado noviembre – **Comida** 1700 – ☕ 500 – **22 hab** 4000/6500.

LA *– ver a continuación y el nombre propio de la isla.*

ISLA *39195 Cantabria* 442 B 19 - *Playa.*
Madrid 426 - Bilbao/Bilbo 81 - Santander 48.

en la playa de La Arena *Noroeste : 2 km - ✉ 39195 Isla :*

Campomar ⑤, ✆ (942) 67 94 32, *Fax (942) 67 94 28* - |‡|, ▤ rest, TV ☎ P. AE ⓞ E VISA. ✻
cerrado diciembre - **Comida** 1250 - ⊐ 500 - **41 hab** 8250/9250 - PA 2600.

en la playa de Quejo *Este : 3 km - ✉ 39195 Isla :*

Olimpo ⑤, Finca Los Cuarezos ✆ (942) 67 93 32, *Fax (942) 67 94 63,* ≤ playa, Ⓛ, ⑤, ✻ - |‡| ▤ TV ☎ ⇔ P - 25/60. AE ⓞ E VISA. ✻
cerrado 15 diciembre-15 enero - **Comida** 3100 - ⊐ 1100 - **68 hab** 13100/19400.

Pelayo, av. Juan Hormaechea 22 ✆ (942) 67 96 01, *Fax (942) 67 96 42* - |‡|, ▤ rest, TV ☎ P. AE E VISA. ✻
Semana Santa y julio-septiembre - **Comida** 1750 - ⊐ 350 - **27 hab** 6500/9500 - PA 3400.

Astuy, av. Juan Hormaechea 1 ✆ (942) 67 95 40, *Fax (942) 67 95 88,* ≤, 🏖, ⑤ - ▤ rest, TV ☎ P. AE ⓞ E VISA JCB. ✻
Comida 1800 - ⊐ 550 - **53 hab** 8200/10700.

en Soano *Sureste : 3,5 km - ✉ 39196 Soano :*

X **El Limonar,** barrio Riegos 13 ✆ (942) 63 13 12, 🏖 - ▤ P. ⓞ E VISA. ✻
cerrado lunes - **Comida** - cenas es necesario reservar - carta 3700 a 4600.

ISLA CANELA (playa de) *Huelva - ver Ayamonte.*

ISLA CRISTINA *21410 Huelva* 446 U 8 - *16 575 h. - Playa.*
⛳18 ⛳9 *Islantilla, urb. Islantilla, Este : 6,5 km ✆ (959) 48 60 39 Fax (959) 48 61 04.*
Madrid 672 - Beja 138 - Faro 69 - Huelva 56.

Paraíso Playa ⑤, av. de la playa ✆ (959) 33 02 35, *Fax (959) 34 37 45,* ⑤ - ▤ hab, TV ☎ P. AE E VISA. ✻
cerrado 15 diciembre-15 enero - **Comida** *(junio-septiembre)* 1600 - ⊐ 500 - **34 hab** 6000/8500 - PA 3300.

Sol y Mar ⑤, playa Central ✆ (959) 33 20 50, ≤, 🏖 - TV ☎ P. VISA. ✻
Comida *(cerrado lunes en invierno)* carta aprox. 3400 - ⊐ 300 - **16 hab** 6000/8000.

Los Geranios ⑤, av. de la Playa ✆ (959) 33 18 00, *Fax (959) 33 19 50* - TV ☎. AE VISA. ✻
Comida *(sólo clientes)* 1700 - ⊐ 500 - **29 hab** 6000/10000 - PA 3700.

en la urbanización Islantilla *Este : 6,5 km - ✉ 21410 :*

Confortel Islantilla, ✆ (959) 48 60 17, *Fax (959) 48 60 70,* ≤, Ⓛ, ⑤, ✻ - |‡| ▤ TV ☎ ♿ ⇔ - 25/120. AE ⓞ VISA. ✻
cerrado 10 diciembre-26 enero - - ***Manhattan*** *(sólo buffet)* **Comida** 2750 - ***El Fogón de la Antilla*** *(cerrado domingo)* **Comida** carta aprox. 4500 - ⊐ 1300 - **328 hab** 16000/22000, 16 suites.

ISLANTILLA (Urbanización) *Huelva - ver Isla Cristina.*

ISLARES *39798 Cantabria* 442 B 20 - *Playa.*
Madrid 437 - Bilbao/Bilbo 41 - Santander 80.

X El Langostero ⑤ con hab, playa de Arenillas ✆ (942) 87 12 12, *Fax (942) 86 22 12,* - TV ☎ P
10 hab.

IURRETA *48215 Vizcaya* 442 C 22 - *4 874 h. alt. 114.*
Madrid 390 - Bilbao 32 - San Sebastian/Donostia 74 - Vitoria/Gasteiz 42.

en Goiuria *Noroeste : 2,5 km - ✉ 48215 Iurreta :*

X **Goiuria,** ✆ (94) 681 08 86, *Fax (94) 681 08 86,* ≤ pueblo, valle del Duranguesado y montañas - P. AE ⓞ E VISA JCB. ✻
cerrado domingo noche, martes noche y agosto - **Comida** carta 3700 a 5200.

X **Ikuspegi,** Goiuria 12 ✆ (94) 681 10 82, ≤ pueblo, valle del Duranguesado y montañas - P. AE ⓞ E VISA. ✻
cerrado lunes y septiembre - **Comida** carta 2800 a 4000.

CA *22700 Huesca* 443 **E 28** – *14 426 h. alt. 820.*

Ver : *Catedral★ (capiteles historiados★) - Museo Diocesano (frescos★)* Y.

Alred. : *Monasterio de San Juan de la Peña★★ : paraje★★ – Claustro★ (capiteles★★) Suroeste : 21 km por ③.*

av. Regimiento de Galicia 2 ✆ (974) 36 00 98 Fax (974) 35 51 65.

Madrid 481 ② – Huesca 91 ② – Oloron-Ste-Marie 87 ① – Pamplona/Iruñea 111 ③

JACA

gón	Y 2	Castillo	Y 9	Ramón y Cajal	Z 25
o	Y 3	Catedral (Pl. de la)	Y 10	Ripa	Y 27
cós (Pl.)	Y 5	Cervantes	Z 13	San Nicolás	Y 28
mbras	Z 6	Correos	Z 14	San Pedro (Pl.)	Y 30
mpoy I	Z 8	Cortes de Aragón (Pl.)	Z 16	Sancho Ramírez	Z 31
		Gil Bergés	Z 18	Santa Orosia	Y 32
		Puerta Nueva	Z 24	Valle de Ansó	Y 34

Aparthotel Oroel, av. de Francia 37 ✆ (974) 36 24 11, *Fax (974) 36 38 04,* 🏊, 🎾 – 🛗, ▤ rest, 📺 ☎ 🚗. AE ⓓ E VISA. 🚫 Y a
cerrado octubre – **Comida** 2350 – ☕ 900 – **124 hab** 9800/12300 – PA 4750.

Gran Hotel, paseo de la Constitución 1 ✆ (974) 36 09 00, *Fax (974) 36 40 61*, – rest, TV ☎. AE ⓓ E VISA. ✗ Z
cerrado noviembre – **Comida** 2350 – ☕ 800 – **164 hab** 8900/11200, 1 suite PA 4750.

Conde Aznar, paseo de la Constitución 3 ✆ (974) 36 10 50, *Fax (974) 36 07 9* rest, TV ☎. AE E VISA Z
Comida - ver también rest. ***La Cocina Aragonesa*** - 2200 – ☕ 600 – **24 hab** 650 8500.

Canfranc, av. Oroel 23 ✆ (974) 36 31 32, *Fax (974) 36 49 79*, – TV ☎ P. AE E VISA. ✗ rest Z
Comida 1650 – ☕ 625 – **20 hab** 7650/9900.

Mur, Santa Orosia 1 ✆ (974) 36 01 00, *Fax (974) 35 57 55* – TV ☎. AE ⓓ VISA. ✗ Y
Comida 1600 – **68 hab** ☕ 4800/8000.

Ramiro I, Carmen 23 ✆ (974) 36 13 67, *Fax (974) 36 13 61* – TV ☎. VISA. ✗ Z
cerrado noviembre – **Comida** 1500 – ☕ 475 – **28 hab** 4500/8000.

Ciudad de Jaca sin rest, Siete de Febrero 8 ✆ (974) 36 43 11, *Fax (974) 36 43 9* TV ☎. ✗ Z
diciembre-abril y julio-septiembre – ☕ 450 – **18 hab** 4000/5500.

A Boira sin rest, Valle de Ansó 3 ✆ (974) 36 38 48, *Fax (974) 35 52 76* – TV VISA. ✗ Y
☕ 500 – **30 hab** 3700/7000.

La Cocina Aragonesa, Cervantes 5 ✆ (974) 36 10 50, *Fax (974) 36 07* « Decoración regional » – AE E VISA. ✗ Z
cerrado miércoles salvo en invierno – **Comida** carta 4050 a 5600.

El Parador, Ferrenal 16 ✆ (974) 35 57 28 Z

El Rancho Grande, del Arco 2 ✆ (974) 36 01 72, « Decoración rústica – Y

Gastón, av. Primer Viernes de Mayo 14-1º ✆ (974) 36 17 19 – AE VISA. ✗ Y
cerrado miércoles y del 15 al 31 de octubre – **Comida** carta aprox. 3750.

José, av. Domingo Miral 4 ✆ (974) 36 11 12, *Fax (974) 36 11 12* – AE VISA. ✗ Z
cerrado lunes (salvo julio-agosto) y noviembre – **Comida** carta 2850 a 4150.

JADRAQUE *19240 Guadalajara* 444 J 21 – *1 184 h. alt. 832.*

Madrid 103 – Guadalajara 48 – Soria 114.

El Castillo con hab, carret. de Soria ✆ (949) 89 02 54, *Fax (949) 89 02 54* – rest, AE ⓓ E VISA. ✗
Comida carta aprox. 3400 – ☕ 250 – **19 hab** 2400/4400.

Cuatro Caminos con hab, Cuatro Caminos 10 ✆ (949) 89 00 21 – rest, TV. VISA. ✗
Comida carta 2700 a 4700 – ☕ 350 – **8 hab** 3000/6000.

JAÉN *23000* P 446 S 18 – *107 413 h. alt. 574.*

Ver : *Paisaje de olivares★★ (desde la Alameda de Calvo Sotelo) Museo provincia (colecciones arqueológicas★)* AY**M** *– Catedral (sillería★, museo★)* AZ**E** *– Capilla de S Andrés (capilla de la Inmaculada★★)* AYZ**B**.

Alred. : *Castillo de Santa Catalina (carretera★ ※★) Oeste : 4,5 km* AZ.

i *Arquitecto Bergés 1 ✉ 23007 ✆ (953) 22 27 37 Fax (953) 22 27 37 Maestra ✉ 23002 ✆ (953) 21 91 16 Fax (953) 23 60 32* – **R.A.C.E.** *Arquitecto Berges 1 (ba ✉ 23007 ✆ (953) 25 38 15 Fax (953) 25 38 15.*

Madrid 336 ① – Almería 232 ② – Córdoba 107 ③ – Granada 94 ② – Linares 51 ① – Úbe 57 ②

Plano página siguiente

Condestable Iranzo, paseo de la Estación 32, ✉ 23008, ✆ (953) 22 28 0 *Fax (953) 26 38 07* – TV ☎ – 30/250 BY
159 hab.

Xauen sin rest, pl. Deán Mazas 3, ✉ 23001, ✆ (953) 24 07 89, *Fax (953) 19 03 12* – TV ☎. E VISA BZ
☕ 350 – **35 hab** 5200/7000.

JAÉN

arves Bajos .... BZ 2
mos .... AZ 3
èreces Provisionales .... AY 4
nendros Aguilar ...... AZ 5
dalucía
Av. de) .... AY 6
quitecto Bergés .... AY 7
allas
Pl. de Las)........ ABY 8
nabé Soriano .... BZ 9
ca de la Piñera
Pl.)........ BZ 10
nstitución
Pl. de la) .... BZ 12
Civera Espartería ...... AZ 13
rcito Español
Av. del) .... AY 14
ación
Paseo de la) .... BYZ 15
anada
Avenida de) .... BZ 16
dre Soledad
Torres Acosta .... ABZ 18
drid (Av. de) .... BYZ 19
estra .... AZ 20
rtínez Molina .... AZ 21
rced Alta........ AZ 22
añoz Garnica .... BZ 24
ispo Estúñiga .... AY 25
y Alhamar .... AY 26
z Jiménez
(Av. de) .... BY 27
n Andrés .... AY 28
n Clemente .... AZ 29
n Francisco (Pl.)........ AZ 31
nta María (Pl.) .... AZ 32
nda de los Huertos ..... AZ 33
cente Montuno .... BZ 34
gen de la Cabeza ...... BY 35
gen de la Capilla .... BZ 36

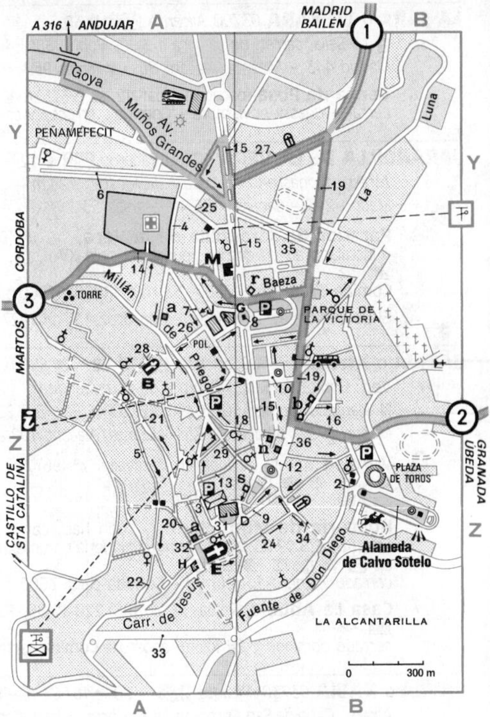

Europa sin rest y sin ☕, pl. Belén 1, ✉ 23001, ✆ (953) 22 27 00, *Fax (953) 22 26 92* – 🛗 ▤ 📺 ☎ 🚗. AE ⓓ E VISA BZ b
37 hab 5455/8345.

Reyes Católicos sin rest, av. de Granada 1-6º, ✉ 23001, ✆ (953) 22 22 50, *Fax (953) 22 22 50* – 🛗 ▤ 📺 BZ b
☕ 350 – **28 hab** 4000/6000.

Casa Vicente, Francisco Martín Mora 1, ✉ 23002, ✆ (953) 23 28 16 – ▤. AE ⓓ E VISA AZ a
cerrado domingo noche y agosto – **Comida** carta aprox. 3700.

La Alacena, Puerta del Sol 4, ✉ 23007, ✆ (953) 26 62 14, *Fax (953) 26 62 14* – ▤. AE E VISA. ✗ AY a
cerrado domingo noche y lunes en invierno, domingo (verano) y del 15 al 31 de agosto **Comida** carta aprox. 4200.

Mesón Río Chico, Nueva 12, ✉ 23001, ✆ (953) 24 08 02 – ▤. E VISA. ✗ BZ n
cerrado lunes y agosto – **Comida** carta 2300 a 3800.

Mesón Nuyra, pasaje Nuyra, ✉ 23001, ✆ (953) 24 07 63 – ▤. AE ⓓ E VISA. ✗ BZ n
cerrado domingo noche – **Comida** - sólo almuerzo en agosto - carta 3250 a 4450.

Oeste AZ : *4,5 km*

Parador de Jaén ⛰, ✉ 23001, ✆ (953) 23 00 00, *Fax (953) 23 09 30*, « Instalado en un castillo con ≤ Jaén, olivares y montañas », 🏊 – 🛗 ▤ 📺 ☎ Ⓟ – 🏫 25/60. AE ⓓ E VISA. ✗
Comida 3500 – ☕ 1300 – **45 hab** 14000/17500.

n la carretera N 323 *por ② : 7,3 km*

Mistral, ✉ 23170 La Guardia de Jaén, ✆ (953) 32 21 04, *Fax (953) 32 21 00*, 🏊 – ▤ 📺 ☎ Ⓟ. AE ⓓ E VISA. ✗
Comida 1500 – ☕ 500 – **16 hab** 5600/7000.

LA JARA o **LA XARA** *03700 Alicante* **445 P 30.**

La Sella, carret. de La Jara a Jesús Pobre, Sur : 4 km (96) 645 42 52.
Madrid 443 – Alicante/Alacant 88 – Valencia 95.

Venta de Posa, partida Fredat 12 (96) 578 46 72 – . AE E VISA.
cerrado lunes y noviembre – **Comida** - arroces y carnes - carta 2100 a 2500.

JARANDILLA DE LA VERA *10450 Cáceres* **444 L 12** – *3 022 h. alt. 660.*

Alred. : *Monasterio de Yuste★ Suroeste : 12 km.*
Madrid 213 – Cáceres 132 – Plasencia 53.

Parador de Jarandilla de la Vera , (927) 56 01 17, *Fax (927) 56 00*
« Instalado en un castillo feudal del siglo XV », , , – . AE
VISA.
Comida 3700 – 1300 – **53 hab** 14000/17500.

El Labrador, av. Dª Soledad Vega Ortiz 133 (927) 56 07 91 – .

JÁTIVA o **XÀTIVA** *46800 Valencia* **445 P 28** – *24 586 h. alt. 110.*

Ver : *Ermita de Sant Feliu (pila de agua bendita★).*
Alameda Jaume I-50 (96) 227 33 46 Fax (96) 228 22 21.
Madrid 379 – Albacete 132 – Alicante/Alacant 108 – Valencia 59.

Vernisa sin rest, Académico Maravall 1 (96) 227 10 11, *Fax (96) 228 13 65* –
. AE E VISA
600 – **39 hab** 7500/9900.

Hostería de Mont Sant con hab, carret. del Castillo (96) 227 50
Fax (96) 228 19 05, , « Antigua alquería en un extenso paraje verde », , ,
. AE E VISA
cerrado 7 enero-12 febrero – **Comida** carta 3600 a 5100 – **7 hab** 13500/1700

Casa La Abuela, Reina 17 (96) 228 10 85, *Fax (96) 228 17 09* – . AE
VISA.
cerrado domingo y 26 julio-8 agosto – **Comida** carta 2750 a 3150.

JÁVEA o **XÀBIA** *03730 Alicante* **445 P 30** – *16 603 h.* – *Playa.*

Alred. : *Cabo de San Antonio★ (≤★) Norte : 5 km – Cabo de la Nao★ (≤★) Sureste : 10 k*
Jávea, carret. de Benitachel 4,5 km (96) 579 25 84 Fax (96) 646 05 54.
en el puerto : pl. Almirante Bastarreche 11 (96) 579 07 36 Fax (96) 579 60 57 y p
la carret. del Cabo de la Nao : av. del Plà 136 (96) 646 06 05.
Madrid 457 – Alicante/Alacant 87 – Valencia 109.

Villa Mediterránea , León 5 (carret. de Jesús Pobre) (96) 579 52
Fax (96) 579 45 81, ≤ Jávea y mar, , « Jardín con terrazas escalonadas », , ,
– . AE E VISA. rest
Comida 3600 – **7 hab** 28500/31500 – PA 7200.

en el puerto *Este : 1,5 km – 03730 Jávea :*

Jávea, Pío X-5 (96) 579 54 61, *Fax (96) 579 54 63* – . E VISA.
Comida *(cerrado domingo)* - sólo cena - 1950 – 500 – **24 hab** 5000/8500.

Miramar sin rest y sin , pl. Almirante Bastarreche 12 (96) 579 01
Fax (96) 579 01 00 – . AE E VISA
cerrado 22 diciembre-2 enero – **26 hab** 5000/9000.

Oligarum, Las Barcas 9 (96) 646 17 14, *Fax (96) 579 11 30*, – . E VISA.
cerrado miércoles y jueves mediodía (salvo julio-agosto) y 15 enero-1 marzo – **Comi**
- sólo cena en verano - carta 4360 a 5200.

al Sureste *por la carretera del Cabo de la Nao – 03730 Jávea :*

Parador de Jávea , playa del Arenal 2 - 4 km (96) 579 02 00, *Fax (96) 579 03*
≤, , « Jardín con césped y palmeras », , – – 25/200. AE
E VISA JCB.
Comida 3500 – 1300 – **65 hab** 15600/19500 – PA 7055.

El Rodat , 5,5 km (96) 647 07 10, *Fax (96) 647 15 50*, , , climatizada,
– – 25/100. AE E VISA.
Comida 1500 – **17 apartamentos** 16000/19500 – PA 3000.

Solymar sin rest, av. del Mediterráneo 83 - 3,5 km (96) 646 19 19, *Fax (96) 646 19*
– . AE E VISA.
850 – **38 hab** 8000/11300.

XXX **El Negresco,** Plà 55 - 3 km ✆ (96) 646 05 52, *Fax (96) 646 05 52* – ▤. AE ⓓ E VISA JCB. ✻
cerrado martes de octubre a junio, 15 días en febrero y 15 días en noviembre – **Comida** - sólo cena salvo sábado y domingo de octubre a mayo - carta 3400 a 5000.

XX **Gota de Mar,** Cap Martí 531 - 5,5 km ✆ (96) 577 16 48, *Fax (96) 577 16 48,* ☂, ⛱ – ⓟ. AE ⓓ E VISA. ✻
cerrado miércoles y 18 noviembre-16 diciembre – **Comida** - sólo cena salvo domingo de octubre a mayo - carta aprox. 4800.

XX **L'Escut,** carret. Portixol 124 - 6,5 km ✆ (96) 577 05 07, ☂ – ⓟ. ⓓ E VISA
cerrado martes (salvo julio-septiembre) y 10 enero-10 febrero – **Comida** - sólo cena - carta 3400 a 4100.

X **Chez Ángel,** Comerciales Jávea Park - 3 km ✆ (96) 579 27 23 – ▤. AE E VISA. ✻
cerrado martes y 15 febrero-15 marzo – **Comida** carta 3175 a 4325.

n el camino Cabanes *Sur : 7 km – ✉ 03730 Jávea :*

X **La Rústica,** Partida Adsubia 64 ✆ (96) 577 08 55, *Fax (96) 577 08 55,* ☂ – ⓟ. AE ⓓ E VISA. ✻
cerrado lunes y enero-10 febrero – **Comida** carta 3700 a 5300.

AVIER *31411 Navarra* 442 **E 26** – *132 h. alt. 475.*
Madrid 411 – Jaca 68 – Pamplona/Iruñea 51.

🏨 **Xabier** ⛪, pl. del Santo ✆ (948) 88 40 06, *Fax (948) 88 40 78* – |♦|, ▤ rest, TV ☎. AE ⓓ E VISA. ✻
15 febrero-22 diciembre – **Comida** 1950 – ☕ 800 – **46 hab** 5500/8100.

X **El Mesón** ⛪ con hab, Explanada ✆ (948) 88 40 35, *Fax (948) 88 42 26* – ▤ rest, TV ☎. AE E VISA. ✻
marzo-15 diciembre – **Comida** carta 2650 a 3700 – ☕ 600 – **8 hab** 4500/6200.

EREZ DE LA FRONTERA *11400 Cádiz* 446 **V 11** – *184 364 h. alt. 55.*
Ver : *Bodegas*★ AZ – *Museo de relojes "La Atalaya"*★★ AY – *Real Escuela Andaluza de Arte Ecuestre*★ *(exhibición*★★*)* BY.
⛳18 *Montecastillo, por ② : 11,3 km ✆ (956) 15 12 00 Fax (956) 15 12 09.*
✈ *de Jerez, por la carretera N IV ① : 11 km ✆ (956) 15 00 83 – Aviaco, aeropuerto ✆ (956) 15 00 10.*
ℹ *Larga 39 ✆ (956) 33 11 50 Fax (956) 33 17 31.*
Madrid 613 ② – Antequera 176 ② – Cádiz 35 ③ – Écija 155 ② – Ronda 116 ② – Sevilla 90 ①

Plano página siguiente

🏨 **Jerez,** av. Alcalde Álvaro Domecq 35, ✉ 11405, ✆ (956) 30 06 00, *Fax (956) 30 50 01,* ☂, ⛱, 🌳, 🎾 – |♦| ▤ TV ☎ ♿ ⓟ – 🏛 25/350. AE ⓓ E VISA. ✻
Comida 3500 – ☕ 1500 – **116 hab** 15120/18900, 5 suites.

🏨 **Royal Sherry Park,** av. Alcalde Álvaro Domecq 11 bis, ✉ 11405, ✆ (956) 30 30 11, *Fax (956) 31 13 00,* ☂, « Jardín con ⛱ » – |♦| ▤ TV ☎ ⓟ – 🏛 25/280. AE ⓓ E VISA. ✻ BY a
Comida 3200 - ***El Ábaco*** **: Comida** carta 3350 a 4900 – ☕ 1250 – **170 hab** 14600/18250, 3 suites – PA 6500.

🏨 **NH Avenida Jerez,** av. Alcalde Álvaro Domecq 10, ✉ 11405, ✆ (956) 34 74 11, *Fax (956) 33 72 96* – |♦| ▤ TV ☎ – 🏛 25/50. AE ⓓ E VISA JCB. ✻ BY c
Comida 2500 – ☕ 1300 – **95 hab** 12000/14000.

🏨 **Guadalete,** av. Duque de Abrantes 50, ✉ 11407, ✆ (956) 18 22 88, *Fax (956) 18 22 93,* ⛱ – |♦| ▤ TV ☎ ⓟ. AE ⓓ E VISA. ✻ por av. Duque de Abrantes BY
Comida 3500 – ☕ 1200 – **124 hab** 24300/28000, 1 suite.

🏨 **Doña Blanca** sin rest, Bodegas 11, ✉ 11402, ✆ (956) 34 87 61, *Fax (956) 34 85 86* – |♦| ▤ TV ☎ 🚗. AE ⓓ E VISA. ✻ BZ b
☕ 800 – **30 hab** 15000/20000.

🏨 **Serit** sin rest, Higueras 7, ✉ 11402, ✆ (956) 34 07 00, *Fax (956) 34 07 16* – |♦| ▤ TV ☎ 🚗. AE ⓓ E VISA BZ a
☕ 500 – **29 hab** 6000/8000.

🏨 **El Coloso** sin rest y sin ☕, Pedro Alonso 13, ✉ 11402, ✆ (956) 34 90 08, *Fax (956) 34 90 08* – |♦| ▤ TV ☎. ⓓ E VISA BZ c
28 hab 4100/6600.

JEREZ DE LA FRONTERA

Algarve . . . . BZ 2
Angustias (Pl. de las) . . . . BZ 5
Arenal (Pl. del) . . . . BZ 8
Armas . . . . ABZ 10
Arroyo (Calzada del) . . . . . AZ 12
Asunción (Pl.) . . . . BZ 13
Beato Juan Grande . . . . . . BY 15
Cabezas . . . . AYZ 18
Conde de Bayona . . . . BZ 21
Consistorio . . . . BZ 23
Cordobeses . . . . AY 26
Cristina (Alameda) . . . . BY 28
Cruces . . . . AZ 30
Doña Blanca . . . . BZ 31
Duque de Abrantes (Av.) . . . . BY 32
Eguilaz . . . . BYZ 33
Encarnación (Pl. de la) . . . AZ 35
Gaspar Fernández . . . . BYZ 40
José Luis Díez . . . . AZ 42
Lancería . . . . BZ 45
Larga . . . . BZ 47
Letrados . . . . ABZ 50
Luis de Isasy . . . . AYZ 52
Manuel María González . . . . AZ
Monti (Pl.) . . . . BZ
Nuño de Cañas . . . . BY
Pedro Alonso . . . . BZ
Peones (Pl.) . . . . AZ
Plateros . . . . BZ
Pozuelo . . . . ABZ
Rafael Rivero (Pl.) . . . . BY
San Agustín . . . . BZ
San Fernando . . . . AZ
San Lucas (Pl.) . . . . AYZ
Tornería . . . . BY
Vieja (Alameda) . . . . AZ

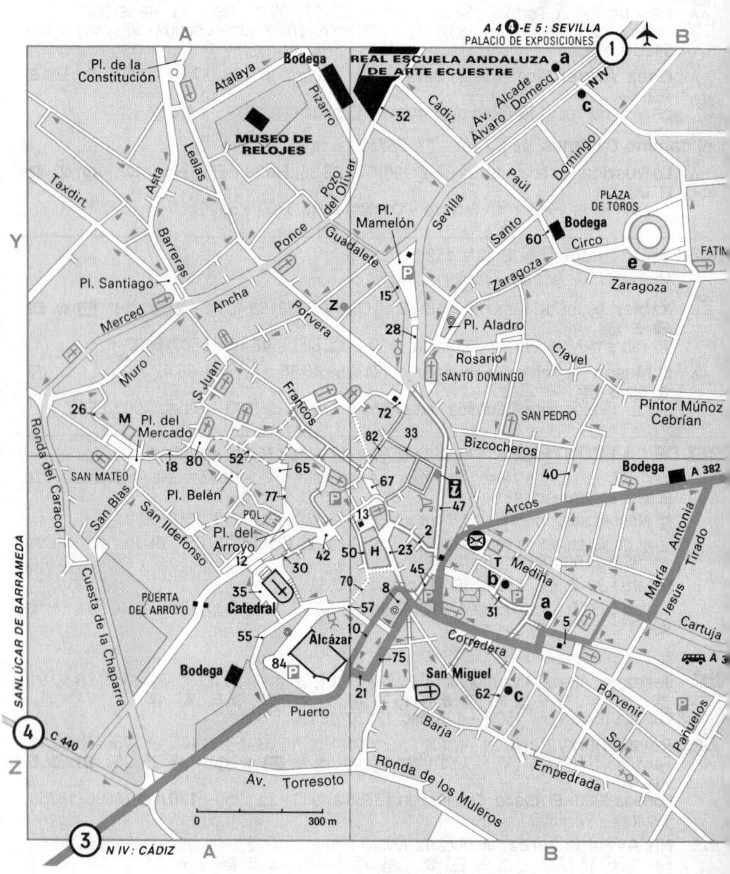

XX **Tendido 6,** Circo 10, ✉ 11405, ✆ (956) 34 48 35, *Fax (956) 33 03 74,* « Patio andaluz – ▤. AE ⓓ E VISA. ✂ BY
cerrado domingo – **Comida** carta aprox. 3150.

X **Gaitán,** Gaitán 3, ✉ 11403, ✆ (956) 34 58 59, *Fax (956) 34 58 59,* « Decoración regional » – ▤. AE ⓓ E VISA. ✂ AY
cerrado domingo (verano) y domingo noche resto año – **Comida** carta 3025 a 6450

en la carretera N 342 *por ② – ✉ 11406 Jerez de la Frontera :*

Montecastillo ⛰, 9,8 km y desvío a la derecha 1,5 km, ✉ apartado 38, ✆ (956) 15 12 00, *Fax (956) 15 12 09,* ≤, ⛱, ⛱, 18 – |‡| ▤ TV ☎ P – ⛺ 25/200. ⓓ E VISA. ✂ rest
Comida 4100 – ☕ 1600 – **119 hab** 28500/36000, 2 suites.

La Cueva Park, 10,5 km, ✉ apartado 536, ☎ (956) 18 91 20, *Fax (956) 18 91 21*, – ▤ TV ☎ ⓟ – 25/400. AE ⓓ E VISA.
Comida (ver rest. ***Mesón La Cueva***) – 1200 – **56 hab** 12000/16000, 2 suites.

Mesón La Cueva, 10,5 km, ✉ apartado 536, ☎ (956) 18 90 20, *Fax (956) 18 90 20*, – ▤ ⓟ. AE ⓓ E VISA.
Comida carta 2800 a 3650.

la carretera de Sanlúcar de Barrameda *por ④ : 6 km – ✉ 11408 Jerez de la Frontera :*

Venta Antonio, ✉ apartado 618, ☎ (956) 14 05 35, *Fax (956) 14 05 35*, – ▤ ⓟ. AE ⓓ VISA.
Comida - pescados y mariscos - carta aprox. 4300.

JEREZ DE LOS CABALLEROS *06380 Badajoz* 444 R 9 – *10 295 h. alt. 507.*
Madrid 444 – Badajoz 75 – Mérida 103 – Zafra 40.

Los Templarios, carret. de Villanueva ☎ (924) 73 16 36, *Fax (924) 75 03 38*, ≤ dehesa extremeña, – ▤ TV ☎ ⓟ – 25/150. AE ⓓ E VISA.
Comida 1400 – 800 – **46 hab** 4100/6900, 3 suites – PA 2800.

Oasis, El Campo 18 ☎ (924) 73 12 44, *Fax (924) 73 14 53* – ▤ TV ☎. AE ⓓ E VISA JCB.
Comida 1200 – 200 – **30 hab** 3500/5500.

La JONQUERA *Gerona – ver La Junquera.*

JUBIA o XUBIA *15570 La Coruña* 441 B 5 – *Playa.*
Madrid 601 – La Coruña/A Coruña 64 – Ferrol 8 – Lugo 97.

Casa Tomás, carret. LC 115 ☎ (981) 38 02 40, ≤ – ⓟ. AE ⓓ VISA
cerrado domingo noche – **Comida** - pescados y mariscos - carta aprox. 4450.

La JUNQUERA o La JONQUERA *17700 Gerona* 443 E 38 – *2 639 h. alt. 112.*
autopista. A7 - área servicio Porta Catalana ☎ (972) 55 43 54 Fax (972) 55 45 80.
Madrid 762 – Figueras/Figueres 21 – Gerona/Girona 55 – Perpignan 36.

en la autopista A 7 *Sur : 2 km – ✉ 17700 La Junquera :*

Porta Catalana, ☎ (972) 55 46 40, *Fax (972) 55 52 75* – ▤ TV ☎ ⓟ. AE ⓓ E VISA. rest
Comida 1500 – 950 – **81 hab** 8500/12000 – PA 3500.

LEXAA *Álava – ver Quejana.*

LABACOLLA *15820 La Coruña* 441 D 4.
de Santiago de Compostela ☎ (981) 54 75 00.
Madrid 628 – La Coruña/A Coruña 77 – Lugo 97 – Santiago de Compostela 11.

Ruta Jacobea, carret. N 634 ☎ (981) 88 82 11, *Fax (981) 89 70 80* – ▤ TV ☎ ⓟ – 25/50. AE ⓓ E VISA.
Comida (ver rest. ***Ruta Jacobea***) – 800 – **20 hab** 10000/12500.

Garcas, carret. N 634 ☎ (981) 88 82 25, *Fax (981) 88 83 17* – TV ☎ ⓟ. AE ⓓ E VISA.
Comida 1600 – 350 – **69 hab** 3750/6750.

San Paio, La Fábrica ☎ (981) 88 82 05, *Fax (981) 88 82 21* – ▤ rest, TV ☎ ⓟ. AE ⓓ E VISA. rest
Comida 1500 – 600 – **45 hab** 3700/5900.

Ruta Jacobea, carret. N 634 ☎ (981) 88 82 11, *Fax (981) 88 84 94* – ▤ ⓟ. AE ⓓ E VISA.
Comida carta 3250 a 4100.

LABRA *33556 Asturias* 441 B 14.
Madrid 511 – Oviedo 61 – Santander 137.

Mirador Montañas de Covadonga, ☎ (98) 594 01 96, *Fax (98) 584 80 33*, ≤ – TV ☎ ⓟ.
Comida 1500 – 500 – **14 hab** 10000 – PA 3500.

LAGUARDIA o **BIASTERI** *01300 Álava* 442 E 22 – *1 545 h. alt. 635.*

Ver : *Parroquia de Santa María de los Reyes (portada★).*

Sancho Abarca ✆ (941) 60 08 45 Fax (941) 60 08 45.

Madrid 348 – Logroño 17 – Vitoria/Gasteiz 66.

Castillo El Collado, paseo El Collado 1 ✆ (941) 12 12 00, *Fax (941) 60 08* « Decoración elegante en una casa señorial adosada a las antiguas murallas » – AE VISA JCB.
cerrado 24 diciembre-2 enero – **Comida** 2500 – 950 – **8 hab** 1000 12000.

Posada Mayor de Migueloa con hab, Mayor de Migueloa 20 ✆ (941) 12 11 *Fax (941) 12 10 22,* « Palacio del siglo XVII con bodega típica » – AE rest
cerrado 21 diciembre-21 enero – **Comida** carta aprox. 4900 – 950 – **8 h** 11000/14000.

Marixa con hab, Sancho Abarca 8 ✆ (941) 60 01 65, *Fax (941) 60 08 78,* ← – re AE VISA
cerrado Navidades – **Comida** carta 3800 a 4300 – 800 – **10 hab** 465 6500.

La LAGUNA *Santa Cruz de Tenerife – ver Canarias (Tenerife).*

LALÍN *36500 Pontevedra* 441 E 5 – *19 777 h. alt. 552.*

Madrid 563 – Chantada 37 – Lugo 72 – Orense/Ourense 62 – Pontevedra 74 – Santia de Compostela 49.

Os Arcos, Dr. D. Wenceslao Calvo Garra 6 ✆ (986) 78 08 99 – AE VISA.
cerrado lunes – **Comida** carta 2950 a 4900.

LANCIEGO *01308 Álava* 442 E 22 – *581 h. alt. 545.*

Madrid 358 – Bilbao/Bilbo 116 – Burgos 128 – Logroño 17 – Vitoria/Gasteiz 48.

Larrain, Mayor 13 ✆ (941) 12 82 26, *Fax (941) 12 82 51* – JCB.
cerrado enero – **Comida** 1700 – 600 – **10 hab** 4500/6750.

LANJARÓN *18420 Granada* 446 V 19 – *3 954 h. alt. 720 – Balneario.*

Alred. : *Las Alpujarras★.*

Madrid 475 – Almería 157 – Granada 46 – Málaga 140.

Miramar, av. de las Alpujarras 10 ✆ (958) 77 01 61, *Fax (958) 77 01 61,* –
temp – **57 hab**, 2 suites.

Nuevo Palas, av. de las Alpujarras 24 ✆ (958) 77 00 86, *Fax (958) 77 01 11,* – , rest, VISA. rest
cerrado enero-25 febrero – **Comida** 2200 – 400 – **28 hab** 5000/600 2 suites.

Paraíso, av. de las Alpujarras 18 ✆ (958) 77 00 12, *Fax (958) 77 09 27* – , rest, VISA. rest
abril-diciembre – **Comida** 2000 – 450 – **49 hab** 3800/7000.

Castillo Alcadima , General Rodrigo 3 ✆ (958) 77 08 09, *Fax (958) 77 08 09,* montaña, , – rest, AE VISA. rest
cerrado 7 enero-1 febrero – **Comida** 1500 – 750 – **27 apartament** 5500.

La LANZADA (Playa de) *Pontevedra – ver Noalla.*

LANZAROTE *Las Palmas – ver Canarias.*

LARACHA *15145 La Coruña* 441 C 4 – *10 119 h. alt. 167.*

Madrid 622 – Betanzos 43 – La Coruña/A Coruña 29 – Carballo 12 – Santiago de Co postela 57.

en la carretera C 552 *Oeste : 2 km – ✉ 15145 Laracha :*

Cerqueiro con hab, San Román ✆ (981) 60 66 68 – rest,
14 hab.

AREDO *39770 Cantabria* 442 **B 19** – *13 019 h. alt. 5 – Playa.*

Alameda de Miramar ☎ (942) 61 10 96 Fax (942) 61 10 96.
Madrid 427 – Bilbao/Bilbo 58 – Burgos 184 – Santander 49.

Ramona sin rest y sin ☕, Alameda José Antonio 4 ☎ (942) 60 71 89 – TV ☎. VISA
cerrado 15 diciembre-15 enero – **16 hab** 5500/7500.

El Marinero, Zamanillo 6 ☎ (942) 60 60 08, *Fax (942) 61 25 54* – ▤. AE ⓓ E VISA.
Comida carta 3900 a 4850.

Casa Felipe, travesía Comandante Villar 5 ☎ (942) 60 32 12 – ▤. AE E VISA.
cerrado lunes y del 15 al 31 de octubre – **Comida** carta 3700 a 5100.

n el barrio de la playa :

El Ancla, González Gallego 10 ☎ (942) 60 55 00, *Fax (942) 61 16 02*, – ▤ rest, TV ☎ – 25/50. AE ⓓ E VISA.
Comida *(15 junio-15 septiembre)* 2450 – ☕ 800 – **25 hab** 8800/12200 – PA 5700.

Camarote, av. Victoria ☎ (942) 60 67 07 – ▤. AE ⓓ E VISA.
cerrado domingo noche – **Comida** carta 3500 a 5000.

n la antigua carretera de Bilbao *Sur : 1 km – ✉ 39770 Laredo :*

Miramar, alto de Laredo ☎ (942) 61 03 67, *Fax (942) 61 16 92*, ≤ Laredo y bahía, – TV ☎ P. AE ⓓ E VISA.
Comida 2500 – ☕ 525 – **45 hab** 8950/11950.

AROLES *18494 Granada* 446 **U 20** – *alt. 1 010.*
Madrid 481 – Almería 84 – Granada 99 – Lorca 202 – Motril 104 – Úbeda 158.

Refugio de Nevada, carret. de Mairena ☎ (958) 76 03 20, *Fax (958) 76 03 04*, ≤ sierra de Gádor y alrededores, , « Conjunto de estilo regional » – TV ☎ P. E VISA.
cerrado 15 enero-15 febrero – **Comida** 1800 – ☕ 650 – **12 hab** 7000/8750.

ASARTE *20160 Guipúzcoa* 442 **C 23** – *18 165 h. alt. 42.*
Madrid 491 – Bilbao/Bilbo 98 – San Sebastián/Donostia 9 – Tolosa 22.

Txartel sin rest y sin ☕, antigua carret. N I ☎ (943) 36 23 40, *Fax (943) 36 48 04* – TV ☎ P. AE ⓓ E VISA.
70 hab 7000/9500.

Ibiltze sin rest, Antxota 3-4 ☎ (943) 36 56 44, *Fax (943) 36 67 46* – TV ☎. AE ⓓ E VISA.
☕ 500 – **36 hab** 6000/12000.

Martín Berasategui, Loidi 4 ☎ (943) 36 64 71, *Fax (943) 36 61 07*, ≤, – ▤ P. AE ⓓ E VISA.
cerrado sábado mediodía, domingo noche, lunes y 13 diciembre-13 enero – **Comida** 8000 y carta 5450 a 6650
Espec. Infusión de tomate natural con bacalao y crema montada de patata. Lubina asada con jugo de habas, vainas, cebolletas y tallarines de chipirón. Pichón asado sobre pasta fresca de queso, verduras y aceite de olivas negras.

Txartel Txoko, antigua carret. N I ☎ (943) 37 01 92 – ▤ P.

ASTRES *33330 Asturias* 441 **B 14** – *1 312 h. alt. 21 – Playa.*
Madrid 497 – Gijón 46 – Oviedo 62.

Palacio de Vallados, Pedro Villarta ☎ (98) 585 04 44, *Fax (98) 585 05 17*, ≤ – TV ☎ P. AE ⓓ E VISA JCB.
25 marzo-18 octubre – **Comida** 2140 – ☕ 642 – **29 hab** 8000/10000 – PA 4600.

Eutimio, San Antonio ☎ (98) 585 00 12, *Fax (98) 585 00 12* – TV ☎. AE ⓓ E VISA.
cerrado Navidades – **Comida** (ver rest. ***Eutimio***) – ☕ 600 – **11 hab** 7000/9000.

Eutimio, San Antonio ☎ (98) 585 00 12, *Fax (98) 585 00 12*, ≤ – AE ⓓ E VISA.
cerrado lunes (salvo festivos) y Navidades – **Comida** - pescados y mariscos - carta aprox. 4900.

AUDIO *Álava – ver Llodio.*

AUJAR DE ANDARAX *04470 Almería* 446 **V 21** – *1 780 h. alt. 921.*
Madrid 497 – Almería 70 – Granada 115 – Málaga 191.

Almirez, carret. de Berja - Oeste : 1 km ☎ (950) 51 35 14, *Fax (950) 51 35 61* – TV ☎ P. ⓓ E VISA. rest
Comida 1400 – ☕ 450 – **20 hab** 3000/5000 – PA 2800.

LEGANÉS *28910 Madrid* 444 **L 18** – *171 907 h. alt. 667.*
Madrid 15 – Aranjuez 41 – Segovia 104.

Sol Inn Leganés sin rest, av. Universidad 7 ✆ (91) 689 61 61, *Fax (91) 693 69 09* – ▤ 📺 ☎ ♿ 🚗 – 🎪 25/350. AE ⓓ VISA. ✻
☕ 900 – **78 hab** 9350/12250.

LEGUTIANO *Álava – ver Villarreal de Álava.*

LEINTZ-GATZAGA *Guipúzcoa – ver Salinas de Leniz.*

LEIZA o **LEITZA** *31880 Navarra* 442 **C 24** – *3 123 h. alt. 450.*
Madrid 446 – Pamplona/Iruñea 51 – San Sebastián/Donostia 47.

Arakindegia, Elbarren 42 ✆ (948) 51 00 52
– ▤. E VISA. ✻
cerrado domingo noche, Navidades y Semana Santa – **Comida** carta 2500 a 3700.

en el alto de Leiza *Noreste : 5 km* – ✉ *31880 Leiza :*

Basa Kabi con hab, ✆ (948) 51 01 25, *Fax (948) 61 09 65*, ≼, 🏊 – ▤ rest, ☎
E VISA. ✻
cerrado febrero – **Comida** *(cerrado miércoles)* carta 3100 a 3600 – ☕ 600 – **18 h**
3750/6500.

LEKEITIO *Vizcaya – ver Lequeitio.*

Wenn Sie ein ruhiges Hotel suchen,
benutzen Sie zuerst die Karte in der Einleitung
oder wählen Sie im Text ein Hotel mit dem Zeichen bzw. .

LEÓN *24000* P 441 **E 13** – *147 625 h. alt. 822.*
Ver : *Catedral★★★* B *(vidrieras★★★, trascoro★, Descendimiento★, claustro★)* – S
Isidoro★ B*(Panteón Real★★ : capiteles★ y frescos★★ - Tesoro★★ : Cáliz de Doña Urraca*
Arqueta de los marfiles★) – *Antiguo Convento de San Marcos★ (fachada★★, Museo*
León★, Cristo de Carrizo★★★, sacristía★) A.
Excurs. : *San Miguel de la Escalada★ (pórtico exterior★, iglesia★) 28 km por* ② – *Cuev*
de Valporquero★★ Norte : 47 km B.
ℹ *pl. de Regla 3* ✉ *24003* ✆ *(987) 23 70 82 Fax (987) 27 33 91* – **R.A.C.E.** *Gonzalo de Ta*
4 (bajo comercial) ✉ *24008* ✆ *(987) 24 71 22 Fax (987) 24 71 22.*
Madrid 327 ③ – *Burgos 192* ② – *La Coruña/A Coruña 325* ④ – *Salamanca 197* ④
Valladolid 139 ② – *Vigo 367* ④

Plano página siguiente

Parador H. San Marcos, pl. de San Marcos 7, ✉ 24001, ✆ (987) 23 73 0
Fax (987) 23 34 58, « Lujosa instalación en un convento del siglo XVI », 🌳 – |♦|, ▤ re
📺 ☎ 🅟 – 🎪 25/500. AE ⓓ E VISA JCB. ✻ A
Comida 3800 – ☕ 1400 – **185 hab** 17200/21500, 15 suites – PA 8075.

Alfonso V, Padre Isla 1, ✉ 24002, ✆ (987) 22 09 00, *Fax (987) 22 12 44*, « Decoraci
moderna » – |♦| ▤ 📺 ☎. AE ⓓ E VISA. ✻ B
Comida 2850 – ☕ 1300 – **57 hab** 11350/16850, 5 suites – PA 5950.

Conde Luna, av. de la Independencia 7, ✉ 24003, ✆ (987) 20 66 00, *Fax (987) 21 27*
– |♦|, ▤ rest, 📺 ☎ 🚗 – 🎪 45/270. AE ⓓ VISA. ✻ B
Mesón del Conde Luna **: Comida** carta 2925 a 3700 – ☕ 1175 – **151 hab** 9975/147
3 suites.

Quindós, av. José Antonio 24, ✉ 24002, ✆ (987) 23 62 00, *Fax (987) 24 22 0*
« Decoración moderna » – |♦|, ▤ rest, 📺 ☎. AE ⓓ E VISA. ✻ A
Comida *(cerrado domingo)* - ver también rest. ***Formela*** - 2190 – ☕ 795 – **96 h**
7765/10900.

Riosol sin rest. con cafetería, av. de Palencia 3, ✉ 24009, ✆ (987) 21 66 5
Fax (987) 21 69 97 – |♦| 📺 ☎ – 🎪 25/300. AE ⓓ E VISA JCB. ✻ A
☕ 875 – **137 hab** 8500/12500.

París, Generalísimo Franco 18, ✉ 24003, ✆ (987) 23 86 00, *Fax (987) 27 15 72* – |♦|
☎ – 🎪 25/200. AE ⓓ E VISA. ✻ B
Comida 1200 – ☕ 425 – **32 hab** 5600/9000 – PA 2800.

LEÓN

calde Miguel Castaño . . . B 2
mirante Martín-Granizo
(Av. del) . . . . A 3
quitecto Ramón
Cañas del Rio . . . . B 4
lvo Sotelo (Pl. de) . . . . . . A 5
ño Badillo . . . . B 8
polón (Pl. de) . . . . B 12
cultad
(Paseo de la) . . . . A 15
Generalísimo Franco . . . . . . B 16
General Sanjurjo (Av.) . . . . A 17
Guzmán el Bueno
(Glorieta de) . . . . A 23
Independencia . . . . B 25
Jorge de Montemayor . . . . . B 26
Mariano Andrés (Av. de) . . . B 28
Murias de Paredes . . . . B 30
Ordoño II . . . . A
Padre Isla (Av. del) . . . . . . AB
Palomera . . . . B 31
Papalaguinda (Paseo de) . . . A 33
Puerta Obispo . . . . B 38
Quevedo (Av. de) . . . . A 40
Ramiro Valbuena . . . . A 45
Rúa . . . . B
Sáez de Miera (Paseo de) . . A 47
San Francisco
(Paseo) . . . . B 48
San Isidoro (Pl. de) . . . . . . B 50
San Marcelo (Pl.) . . . . B 52
San Marcos (Pl. de) . . . . . . A 55
Santo Domingo (Pl. de) . . . B 58
Santo Martino (Pl. de) . . . . B 61

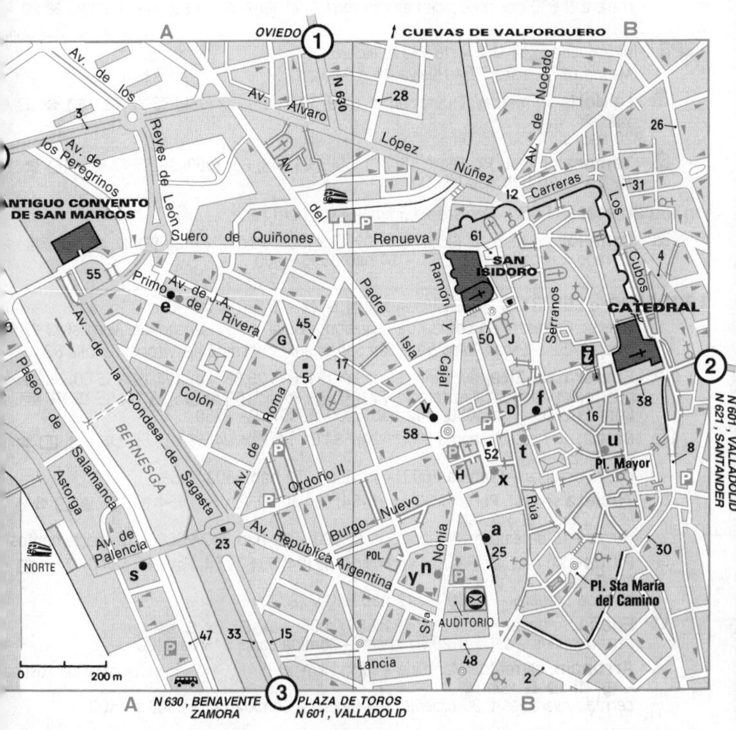

XXX **Formela,** av. José Antonio 24, ✉ 24002, ☎ (987) 22 45 34, *Fax (987) 24 22 01*, « Decoración moderna » – ▤. AE ① E VISA. ✂ — A e
cerrado domingo – **Comida** carta 3450 a 4250.

XXX **Bitácora,** García I-8, ✉ 24006, ☎ (987) 21 27 58, « Decoración interior de un barco » – ▤. AE ① E VISA. ✂ — B y
cerrado domingo – **Comida** - pescados y mariscos - carta aprox. 3900.

XX **Adonías,** Santa Nonia 16, ✉ 24003, ☎ (987) 20 67 68, *Fax (987) 25 26 76* – ▤. AE ① E VISA JCB. ✂ — B n
cerrado domingo – **Comida** carta 3600 a 4750.

XX **Vivaldi,** Platerías 4, ✉ 24003, ☎ (987) 26 07 60, *Fax (987) 26 00 94* – ▤. ① E VISA. ✂ — B u
cerrado domingo en verano, domingo noche y lunes resto del año y del 1 al 15 de julio – **Comida** carta 4250 a 5300.

XX **Bodega Regia,** General Mola 9, ✉ 24003, ☎ (987) 21 31 73, *Fax (987) 21 30 31*, 🏨, « Decoración moderna » – ▤. AE ① E VISA. ✂ — B t
cerrado domingo, 2ª quincena de febrero y 1ª quincena de septiembre – **Comida** carta aprox. 4400.

XX **Casa Pozo,** pl. San Marcelo 15, ✉ 24003, ☎ (987) 22 30 39, *Fax (987) 23 71 03* – ▤. AE ① E VISA. ✂ — B x
cerrado domingo en verano y domingo noche resto del año – **Comida** carta 3130 a 4050.

en la carretera N 630 *por ① : 4 km – ✉ 24008 León :*

Cortes de León, ✆ (987) 27 24 22, *Fax (987) 27 00 30*, ←, ⛱, ⚘ – ⇅ ▤ 📺 ⛟ 🅟 – 🎪 25/1000. AE ◑ E VISA. ✂
Comida 2000 – ☕ 900 – **118 hab** 10000/15000, 4 suites – PA 4500.
Ver también : **San Andrés del Rabanedo** *por ④ : 4 km*
Villabalter *por av. de los Peregrinos : 6 km* A

Neumáticos MICHELIN S.A., Sucursal calle V-Pasarela de Trobajo del Cercedo, c rretera N 630 por paseo de Papalaguinda A ✆ (987) 25 93 50, Fax (987) 25 98 20

LEPE *21440 Huelva* 446 **U 8** – *16 562 h. alt. 28.*
Madrid 657 – Faro 72 – Huelva 41 – Sevilla 121.

La Noria sin rest, av. Diputación ✆ (959) 38 31 93, *Fax (959) 38 22 82* – 📺 ☎. AE ◑ VISA. ✂
20 hab ☕ 4000/7500.

Tamara sin rest, Río Segre 19 ✆ (959) 38 35 48, *Fax (959) 38 35 48* – ▤ 📺 ☎. V
☕ 250 – **20 hab** 3500/5000.

en la carretera N 431 *Noreste : 1,5 km – ✉ 21440 Lepe :*

Camelot sin rest, ✆ (959) 38 07 02, *Fax (959) 38 07 02* – ▤ 📺 ☎. AE ◑ VISA. ✂
cerrado Navidades – ☕ 350 – **14 hab** 3500/6000.

LEQUEITIO o **LEKEITIO** *48280 Vizcaya* 442 **B 22** – *6 780 h. alt. 10.*
Alred. : *Carretera en cornisa de Lequeitio a Deva* ←★ – *Elanchove*★ *Noroeste : 17 k*
Madrid 452 – Bilbao/Bilbo 59 – San Sebastián/Donostia 61 – Vitoria/Gasteiz 82.

Emperatriz Zita, av. Santa Elena ✆ (94) 684 26 55, *Fax (94) 624 35 00*, ← playa puerto, Servicios de talasoterapia, 🏋, 🏊 – ⇅, ▤ rest, 📺 ☎ 🅟 – 🎪 25/55. AE ◑ VISA.
Comida 2000 – ☕ 1000 – **42 hab** 6000/9000 – PA 4250.

Beitia, av. Pascual Abaroa 25 ✆ (94) 684 01 11, *Fax (94) 684 21 65*, ⛱ – ⇅ 📺 ☎. ◑ E VISA. ✂
marzo-octubre – **Comida** 2600 – ☕ 850 – **30 hab** 5600/7980.

Zubieta sin rest, Portal de Atea ✆ (94) 684 30 30, *Fax (94) 684 10 99* – ⇅ 📺 ☎ ♿ – 🎪 25/30. E VISA. ✂
cerrado 15 diciembre-15 febrero – ☕ 900 – **12 hab** 7000/9000, 12 apartamentos.

Piñupe sin rest, av. Pascual Abaroa 10 ✆ (94) 684 29 84, *Fax (94) 684 07 72* – 📺 AE E VISA
cerrado octubre – ☕ 600 – **12 hab** 6400/7800.

Egaña, Antiguako Ama 2 ✆ (94) 684 01 03 – ▤. AE ◑ E VISA
cerrado lunes y del 1 al 28 de enero – **Comida** carta 3150 a 4100.

Arropain, carret. de Marquina - Sur : 1 km ✆ (94) 684 03 13, « Decoración rústica – 🅟. AE ◑ E VISA. ✂
cerrado miércoles y 20 diciembre-20 enero – **Comida** carta 3300 a 4100.

LÉRIDA o **LLEIDA** *25000* P 443 **H 31** – *119 380 h. alt. 151.*
Ver : *La Seu Vella*★★ *- Situación*★ *- Iglesia*★★ *(capiteles*★*), claustro*★ *(capitele campanario*★★*)* Y – *Iglesia de Sant Llorenç*★ Z.
⛳ *Raimat, por ⑤ : 9 km ✆ (973) 73 75 39.*
ℹ *av. de Madrid 36 ✉ 25002 ✆ (973) 27 09 97 Fax (973) 27 09 49* – **R.A.C.C.** *av. del Seg 6 ✉ 25007 ✆ (973) 24 12 45 Fax (973) 23 08 25.*
Madrid 470 ④ – Barcelona 169 ③ – Huesca 123 ⑤ – Pamplona/Iruñea 314 ⑤ – Perpign 340 ⑤ – Tarbes 276 ① – Tarragona 97 ② – Toulouse 323 ① – Valencia 350 ③ – Zarago 150 ④

Plano página siguiente

NH Pirineos, Gran Passeig de Ronda 63, ✉ 25006, ✆ (973) 27 31 9 *Fax (973) 26 20 43* – ⇅ ▤ 📺 ☎ ⛟ – 🎪 25/180. AE ◑ E VISA. ✂ rest Y
Comida 3550 – ☕ 1300 – **92 hab** 12000/13000.

Sansi Park H. y Camparan Suites H., av. Alcalde Porqueres 4, ✉ 2500 ✆ (973) 24 40 00, *Fax (973) 24 31 38* – ⇅ ▤ 📺 ☎ ⛟ – 🎪 25/400. AE ◑ E V JCB. ✂ rest Y
Comida 1750 - ***La LLosa*** *(cocina regional, cerrado domingo)* **Comida** carta 2800 a 44 – ☕ 875 – **120 hab** 8400/9950, 70 apartamentos

Real sin rest, av. de Blondel 22, ✉ 25002, ✆ (973) 23 94 05, *Fax (973) 23 94 07* – ▤ 📺 ☎ – 🎪 25/40. AE ◑ E VISA Z
☕ 590 – **41 hab** 5200/8000.

LLEIDA
LÉRIDA

lmadi Vell . . . . Z 3
sbe Messeguer . . . . YZ 5
anyeret . . . . YZ 8
arme . . . . Y 9
atedral (Pl.) . . . . Z 10
omtes d'Urgell . . . . Y 12
xèrcit (Av.) . . . . Z 14

Exèrcit (Pl.) . . . . Z 15
Francesc Macià . . . . Y 16
Gov. Montcada . . . . Z 18
Magdalena . . . . Y 24
Major . . . . Z
Margali . . . . Y 25
Missions (Pl.) . . . . Y 26
Mossèn Jacint Verdaguer (Pl.) . . . . Y 27
Paeria (Pl.) . . . . Z 29
Pallars . . . . Y 30
Ramon Berenguer IV (Pl.) . . Y 32

República del Paraguai . . . . Z 33
Ricard Vinyes (Pl.) . . . . Y 34
Sal (Pl.) . . . . Y 36
Sant Andreu . . . . YZ 38
Sant Antoni . . . . Z
Sant Crist . . . . Z 39
Sant Joan . . . . YZ 42
Sant Josep (Pl.) . . . . Z 43
Sant Llorenç (Pl.) . . . . Z 45
Sant Martí (Ronda) . . . . Y 46
Saragossa . . . . YZ 49
Vallcalent . . . . Y 55

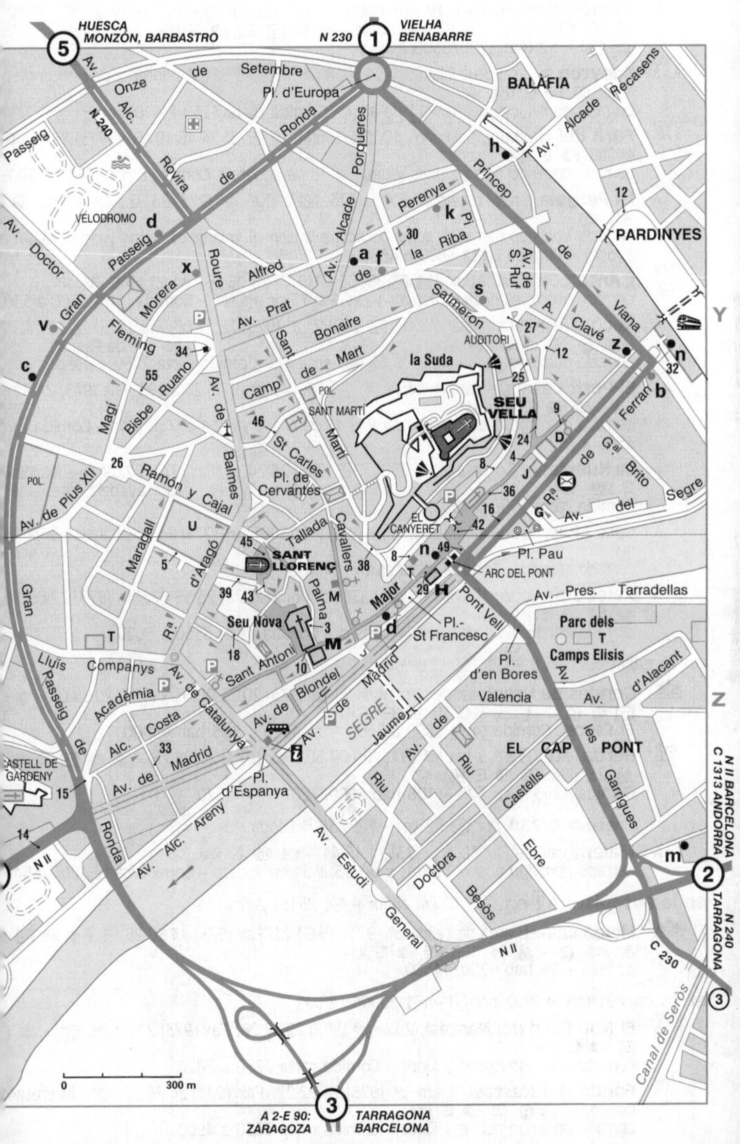

Tryp Segrià sin rest, Il passeig de Ronda 23, ✉ 25004, ☎ (973) 23 89 8 *Fax (973) 23 36 07* – AE E VISA JCB. Y
840 – **49 hab** 6800/8500.

Transit sin rest. con cafetería, pl. Berenguer IV (estación RENFE), ✉ 2500 ☎ (973) 23 00 08, *Fax (973) 22 27 85* – 25/200. AE E VISA Y
500 – **51 hab** 6100/7100.

Principal sin rest, pl. Paeria 7, ✉ 25007, ☎ (973) 23 08 00, *Fax (973) 23 08 03* – AE E VISA Z
600 – **52 hab** 3900/6200.

Ramón Berenguer IV sin rest, pl. de Ramón Berenguer IV-2, ✉ 2500 ☎ (973) 23 73 45, *Fax (973) 23 95 41* – AE E VISA Y
450 – **52 hab** 3700/5300.

Sheyton, av. Prat de la Riba 39, ✉ 25008, ☎ (973) 23 81 97, « Interior de estilo inglés – AE E VISA. Y
cerrado domingo y del 1 al 11 de abril – **Comida** carta 3250 a 4100.

Forn del Nastasi, Salmerón 10, ✉ 25004, ☎ (973) 23 45 10, *Fax (973) 23 45 10* AE E VISA Y
cerrado domingo noche, lunes y del 1 al 15 de agosto – **Comida** carta 3650 a 5200.

La Pérgola, Gran Passeig de Ronda 123, ✉ 25006, ☎ (973) 23 82 37 – AE VISA. Y
cerrado domingo (verano), domingo noche (invierno), miércoles noche y del 15 al 23 agosto – **Comida** carta 3800 a 4650.

L'Antull, Cristóbal de Boleda 1, ✉ 25006, ☎ (973) 26 96 36 – AE E VISA. Y
cerrado miércoles noche, festivos y del 1 al 15 de agosto – **Comida** carta 3600 a 530

Racó d'Anna, Camí Mariola 48, ✉ 25192, ☎ (973) 26 19 00, *Fax (973) 26 19 43,* – AE E VISA. por av. de Pius XII YZ
cerrado domingo noche, lunes y 15 días en julio – **Comida** carta 2750 a 4350.

El Petit Català, Alfred Perenya 64, ✉ 25004, ☎ (973) 23 07 95, *Fax (973) 24 52* – AE E VISA. Y
cerrado domingo noche, lunes, del 8 al 15 de enero y del 1 al 7 de julio – **Comida** car 3500 a 4900.

La Huerta, av. Tortosa 9, ✉ 25005, ☎ (973) 24 24 13, *Fax (973) 22 09 76* – AE E VISA. por av. del Segre Y
Comida carta 2950 a 4000.

Casa Lluís, pl. de Ramón Berenguer IV-8, ✉ 25007, ☎ (973) 24 00 26 – E VIS Y
cerrado sábado – **Comida** carta aprox. 4400.

Xalet Suís, Alcalde Rovira Roure 9, ✉ 25006, ☎ (973) 23 55 67, *Fax (973) 22 09 76* AE E VISA. Y
cerrado del 15 al 31 de enero y agosto – **Comida** carta 3350 a 5020.

en la carretera N II – ✉ *25001 Lleida :*

Condes de Urgel, av. de Barcelona 21 ☎ (973) 20 23 00, *Fax (973) 20 24 04* – 25/300. AE E VISA. Z
El Sauce : **Comida** carta 3600 a 5000 – 1025 – **105 hab** 13000.

Ilerda, por ② : 1,5 km ☎ (973) 20 07 50, *Fax (973) 20 08 78* – 25/300. AE E VISA.
Comida 1250 – 525 – **106 hab** 5000/7500 – PA 2570.

en la carretera C 230 *por ③ : 2 km* – ✉ *25001 Lérida :*

Malena, av. de Flix 30 ☎ (973) 21 15 41 – E VISA.
cerrado domingo noche, martes y del 15 al 31 de agosto – **Comida** carta 4200 a 540

en la autopista A2 *por ③ : 10 km al Sur* – ✉ *25161 Alfés :*

Lleida sin rest, área de Lleida ☎ (973) 13 60 23, *Fax (973) 13 60 25,* – 25/100. AE E VISA
975 – **75 hab** 9200/11500.

en la carretera N 240 *por ⑤* – ✉ *25001 Lleida :*

El Nou Forn del Nastasi, 2 km ☎ (973) 22 37 28, *Fax (973) 22 37 28,* – AE E VISA
cerrado domingo noche y lunes – **Comida** carta 3750 a 5820.

Fonda del Nastasi, 3 km ☎ (973) 24 92 22, *Fax (973) 24 76 92,* , Interesant bodega – AE E VISA
cerrado domingo noche y lunes – **Comida** carta 3350 a 4900.

RMA *09340 Burgos* 442 F 18 – *2 417 h. alt. 844.*

Ver : *Plaza Mayor*★.

Lerma, autovía N I, Sur : 8 km ✆ (947) 17 12 14 Fax (947) 17 12 16.

Audiencia 6 ✆ (947) 17 01 43.

Madrid 206 – Burgos 37 – Palencia 72.

Alisa, antigua carret. N I - salida 203 autovía ✆ (947) 17 02 50, *Fax (947) 17 11 60* – rest, TV ☎ P – 25/300. AE E VISA.
Comida 1800 – 900 – **36 hab** 6500/9000.

Docar sin rest, Santa Teresa de Jesús 18 ✆ (947) 17 10 73, *Fax (947) 17 10 73* – TV. AE E VISA
400 – **15 hab** 3900/5800.

Lis 2, antigua carret. N I ✆ (947) 17 01 25 – . AE E VISA.
Comida carta aprox. 4350.

S *25540 Lérida* 443 D 32 – *648 h. alt. 630.*

pl. de l'Ajuntament 1 ✆ (973) 64 73 03 Fax (973) 64 83 82.

Madrid 616 – Bagnères-de-Luchon 23 – Lérida/Lleida 184.

Talabart, Baños 1 ✆ (973) 64 80 11 – P. AE E VISA
cerrado noviembre – **Comida** 1800 – 550 – **24 hab** 3500/5500 – PA 4100.

Nos guides hôteliers, nos guides touristiques et nos cartes routières sont complémentaires. Utilisez-les ensemble.

SACA o LESAKA *31770 Navarra* 442 C 24 – *2 687 h. alt. 77.*

Madrid 482 – Biarritz 41 – Pamplona/Iruñea 71 – San Sebastián/Donostia 39.

Casino, pl. Vieja 23 ✆ (948) 63 71 52, – AE VISA.
cerrado lunes noche salvo festivos o vísperas – **Comida** carta 2850 a 3700.

VANTE (Playa de) *Valencia – ver Valencia.*

YRE (Monasterio de) *31410 Navarra* 442 E 26 – *alt. 750.*

Ver : ★★ – *Monasterio*★ *(iglesia*★★ *: cripta*★★, *interior*★, *portada oeste*★*).*

Alred. : *Hoz de Lumbier*★, *Oeste : 14 km, Hoz de Arbayún*★ *(mirador : ≤★★) Norte : 31 km.*

Madrid 419 – Jaca 68 – Pamplona/Iruñea 51.

Hospedería , ✆ (948) 88 41 00, *Fax (948) 88 41 37* – rest, ☎ P. AE E VISA.
cerrado 11 diciembre-febrero – **Comida** 1550 – 700 – **29 hab** 4500/8800.

BRILLA *30892 Murcia* 445 S 25 – *3 735 h. alt. 167.*

Madrid 411 – Cartagena 59 – Lorca 46 – Murcia 29.

n la autovía N 340 *Noreste : 5 km – ✉ 30892 Librilla :*

Entre-Sierras, ✆ (968) 65 91 10, *Fax (968) 65 91 10* – TV ☎ P. AE E VISA.
rest
Comida 1050 – 300 – **60 hab** 4700/7400, 2 suites.

ÉDENA *31487 Navarra* 442 E 26 – *282 h. alt. 450.*

Madrid 402 – Jaca 71 – Pamplona/Iruñea 40 – Tafalla 49 – Zaragoza 144.

Latorre, carret. N 240 ✆ (948) 87 06 10, *Fax (948) 87 11 11*, ≤, , – , rest, TV ☎ P – 25/200. AE VISA.
Comida 1800 – 700 – **40 hab** 4000/6000.

LLA o L'ILLA *43414 Tarragona* 443 H 33.

Madrid 533 – Barcelona 107 – Lérida/Lleida 69 – Tarragona 33.

Les Fonts de Lilla, carret. N 240 - Noreste : 1,8 km ✆ (977) 86 03 03, *Fax (977) 86 03 03*, ≤, « Decoración rústica » – P. AE E VISA.
cerrado domingo noche, lunes y del 1 al 15 de junio – **Comida** - carnes - carta 2200 a 3400.

LINARES *23700 Jaén* 446 **R 19** – *58417 h. alt. 418.*
Madrid 297 – Ciudad Real 154 – Córdoba 122 – Jaén 51 – Úbeda 27 – Valdepeñas

Sol Inn Aníbal, Cid Campeador 11 ✆ (953) 65 04 00, *Fax (953) 65 22 04* – – 30/600. AE VISA.
Comida carta aprox. 4000 – 600 – **126 hab** 7200/10000.

Victoria sin rest y sin , Cervantes 7 ✆ (953) 69 25 00, *Fax (953) 69 25 04* –
TV . AE VISA
56 hab 5000/7000.

La LÍNEA DE LA CONCEPCIÓN *11300 Cádiz* 446 **X 13 y 14** – *58646 h. – Playa.*
av. 20 de Abril ✆ (956) 76 99 50 Fax (956) 76 72 64.
Madrid 673 – Algeciras 20 – Cádiz 144 – Málaga 127.

Almadraba, Los Caireles 2 ✆ (956) 17 55 66, *Fax (956) 17 15 63,* – TV
AE VISA. rest
Comida 1200 – 550 – **84 hab** 7260/11450 – PA 2700.

LIZARRA *Navarra – ver Estella.*

LLADÓ *17745 Gerona* 443 **F 38** – *481 h.*
Madrid 757 – Figueras/Figueres 13 – Gerona/Girona 50.

Can Kiku, pl. Major 1 ✆ (972) 56 51 04 – . VISA.
cerrado lunes y 24 didiembre 10 enero – **Comida** carta 3500 a 4000.

LLAFRANC *17211 Gerona* 443 **G 39** – *Playa.*
Alred. : *Faro de San Sebastián★ (✻★) Este : 2 km.*
Madrid 726 – Gerona/Girona 42 – Palafrugell 5 – Palamós 16.

Llevant, Francesc de Blanes 5 ✆ (972) 30 03 66, *Fax (972) 30 03 45,* –
– 25. AE VISA. rest
cerrado 15 días en noviembre – **Comida** *(cerrado domingo noche de Navidades a Sema*
Santa) 2450 – 1150 – **24 hab** 12000/14200.

Terramar sin rest. con cafetería, passeig de Cipsela 1 ✆ (972) 30 02 0
Fax (972) 30 06 26, ← – TV . AE VISA.
Semana Santa-1 de octubre – 1100 – **56 hab** 10000/14500.

Casamar , Nero 3 ✆ (972) 30 01 04, *Fax (972) 61 06 51,* , « Terraza con ← »
TV . AE VISA. rest
Semana Santa-15 octubre – **Comida** 1625 – 625 – **20 hab** 6900/10550.

L'Espasa, Fra Bernat Boil 14 ✆ (972) 61 50 32, – VISA
Comida carta 2050 a 3300.

LLAGOSTERA *17240 Gerona* 443 **G 38** – *5381 h.*
Madrid 699 – Barcelona 86 – Gerona/Girona 20.

en la carretera de Sant Feliu de Guíxols *Este : 5 km – ✉ 17240 Llagostera :*

Els Tinars, ✆ (972) 83 06 26, *Fax (972) 83 12 77,* , « Decoración rústica » –
AE VISA
cerrado martes (octubre-mayo) y 18 enero-11 febrero – **Comida** carta 3575 a 5155

LLANARS *17869 Gerona* 443 **F 37** – *388 h. alt. 1080.*
Madrid 701 – Barcelona 129 – Gerona/Girona 82.

Grèvol , carret. de Camprodón ✆ (972) 74 10 13, *Fax (972) 74 10 87,* ←, « Chalet
montaña decorado con elegancia », – TV – 25/60. AE VISA.
Comida 3850 – 1375 – **36 hab** 14900/16000 – PA 7500.

LLÁNAVES DE LA REINA *24912 León* 441 **C 15.**
Madrid 373 – León 118 – Oviedo 133 – Santander 147.

San Glorio , carret. N 621 ✆ (987) 74 04 18, *Fax (987) 74 04 61* – TV .
VISA.
Comida carta aprox. 2900 – 700 – **26 hab** 4800/6950.

LLANÇÀ *Gerona – ver Llansá.*

ANES *33500 Asturias* 441 **B 15** – *13 382 h. – Playa.*

La Cuesta, Sureste : 3 km (98) 541 70 84 Fax (98) 541 70 84.

Alfonso IX (edificio La Torre) (98) 540 01 64 Fax (98) 540 19 99.

Madrid 453 – Gijón 103 – Oviedo 113 – Santander 96.

Don Paco, Posada Herrera 1 (98) 540 01 50, *Fax (98) 540 26 81* – AE E VISA JCB.
junio-septiembre – **Comida** 2650 – 875 – **42 hab** 7800/10800.

G.H. Paraíso sin rest, Pidal 2 (98) 540 19 71, *Fax (98) 540 25 90* – AE E VISA.
marzo-septiembre – 700 – **22 hab** 8720/10900.

Montemar sin rest. con cafetería, Genaro Riestra 8 (98) 540 01 00, *Fax (98) 540 26 81*, AE E VISA JCB.
875 – **41 hab** 7800/10800.

Miraolas, paseo de San Antón 14 (98) 540 08 28, *Fax (98) 540 27 74*, E VISA.
cerrado febrero – **Comida** *(cerrado lunes salvo verano)* 1500 – 600 – **37 hab** 8500/11000.

Las Rocas sin rest, Marqués de Canillejas 3 (98) 540 24 31, *Fax (98) 540 24 34* – VISA.
abril-12 octubre – 650 – **33 hab** 6500/11000.

Sablon's, playa del Sablón 1 (98) 540 19 87, *Fax (98) 540 19 88*, AE E VISA.
marzo-noviembre – **Comida** (ver rest. ***Sablon's***) – 500 – **21 hab** 5500/8500, 5 apartamentos.

Peñablanca sin rest, Pidal 1 (98) 540 01 66, *Fax (98) 540 14 45* – AE E VISA
15 junio-15 septiembre – 500 – **31 hab** 4000/9000.

Sablon's, playa del Sablón 1 (98) 540 00 62, *Fax (98) 540 19 88*, – E VISA.
15 marzo-octubre – **Comida** carta 2550 a 3850.

n la playa de Toró *Oeste : 1 km – 33500 Llanes :*

Mirador de Toró, (98) 540 08 82, *Fax (98) 540 08 82*, – E VISA.
Comida carta aprox. 4000.

n Pancar *Suroeste : 1,5 km – 33509 Pancar :*

El Jornu con hab y sin , Cuetu Molin (98) 540 16 15, *Fax (98) 540 16 15*, – E VISA.
cerrado noviembre – **Comida** *(cerrado domingo noche y lunes salvo julio-agosto)* carta 3150 a 3600 – **4 apartamentos** 12000/15000.

n La Arquera – *33500 Llanes :*

La Arquera sin rest, Sur : 2 km (98) 540 24 24, *Fax (98) 540 01 75*, « Antigua casona con mobiliario de estilo » – E VISA.
800 – **13 hab** 8800/11000.

Las Brisas, Sur : 2 km (98) 540 17 26, *Fax (98) 540 13 82*, AE E VISA.
Comida 1900 – **60 hab** 8800/14300.

Prau Riu con hab, carret. de Parres - Sur : 2,5 km (98) 540 11 54, *Fax (98) 540 11 54*, AE E VISA.
Comida carta 2175 a 3825 – **6 hab** 5600/7000.

n La Pereda *Sur : 4 km – 33509 La Pereda :*

La Posada de Babel con hab, (98) 540 25 25, *Fax (98) 540 26 22*, « Amplia zona de césped con árboles » – AE E VISA.
cerrado 7 enero-5 febrero – **Comida** *(viernes y sábado de 15 octubre-15 marzo y resto del año cerrado lunes)* - sólo cena - carta aprox. 3400 – 850 – **11 hab** 8800/11000.

LANO DE BRUJAS *30161 Murcia* 445 **R 26.**

Madrid 408 – Alicante/Alacant 90 – Cartagena 63 – Lorca 78 – Murcia 4.

Almudi, Mayor 114 (968) 87 01 21, – AE E VISA.
Comida carta aprox. 2900.

OS LLANOS DE ARIDANE *Santa Cruz de Tenerife – ver Canarias (La Palma).*

LLANSÁ o **LLANÇÀ** *17490 Gerona* 443 **E 39** – *3 500 h.* – *Playa.*

Alred. : Port de Llançà ★.

av. de Europa 37 ☎ (972) 38 08 55 Fax (972) 38 12 58.

Madrid 767 – Banyuls 31 – Gerona/Girona 60.

Beri, La Creu 17 ☎ (972) 38 01 98, *Fax (972) 12 13 12,* – rest, . AE VISA JCB
abril-octubre – **Comida** 1200 – 500 – **60 hab** 3500/5500.

Carbonell, Mayor 19 ☎ (972) 38 02 09, *Fax (972) 38 02 09* – TV . AE E VISA.
Semana Santa y junio-septiembre – **Comida** 1800 – 350 – **34 hab** 3500/6000.

en la carretera de Port-Bou *Norte : 1 km* – *17490 Llançà :*

Gri-Mar, ☎ (972) 38 01 67, *Fax (972) 38 12 00,* ←, – TV ☎ – AE E VISA
marzo-septiembre – **Comida** *(cerrado lunes)* 2500 – 750 – **39 hab** 7000/9950.

en el puerto *Noreste : 1,5 km* – *17490 Llançà :*

Berna, passeig Marítim 13 ☎ (972) 38 01 50, *Fax (972) 12 15 09,* ←,
temp – **38 hab.**

La Goleta, Pintor Terruella 22 ☎ (972) 38 01 25, *Fax (972) 12 06 86* – rest,
☎ . AE E VISA.
cerrado noviembre – **Comida** 1850 – 650 – **30 hab** 7000/8000 – PA 3950.

El Vaixell, Canigó 18 ☎ (972) 38 02 95 – . AE E VISA.
sólo almuerzo salvo viernes y sábado de octubre a marzo – **Comida** carta 3275 a 41

La Vela, Pintor Martínez Lozano 3 ☎ (972) 38 04 75 – . AE E VISA JCB
cerrado lunes (invierno) y 15 octubre-15 noviembre – **Comida** carta 3250 a 4300.

Can Quim, Verge del Carme 5 ☎ (972) 38 05 37 – . AE E VISA
cerrado miércoles y noviembre – **Comida** carta 3500 a 4400.

La Brasa, pl. Catalunya 6 ☎ (972) 38 02 02, – . AE E VISA
cerrado martes (salvo 15 junio-15 septiembre) y 15 diciembre-febrero – **Comida** ca
3150 a 3550.

LLEIDA – *ver Lérida.*

LLESP *25526 Lérida* 443 **E 32.**

Madrid 537 – Bagnéres de Luchón 78 – Lérida/Lleida 130 – Viella/Vielha 45.

Villa María, carret. de Caldes de Boí ☎ (973) 69 10 29, – . E VISA.
*cerrado lunes (salvo festivos, julio y agosto) del 25 al 30 de junio y del 12 al 23 de se
tiembre* – **Comida** carta 2350 a 3100.

LLESSUI *25567 Lérida* 443 **E 33** – *alt. 1 400.*

Ver : Valle de Llessui★★.

Madrid 603 – Lérida/Lleida 150 – Seo de Urgel/La Seu d'Urgell 66.

en Altrón *Este : 7,5 km* – *25560 Sort :*

Vall d'Assua , carret. de Llessui ☎ (973) 62 17 38, ← – rest, .
cerrado noviembre – **Comida** 2000 – 550 – **11 hab** 4400.

LLIVIA *17527 Gerona* 443 **E 35** – *901 h. alt. 1 224.*

Ver : Museo Municipal (farmacia★).

Forns ☎ (972) 89 63 13.

Madrid 658 – Gerona/Girona 156 – Puigcerdà 6.

Llivia , av. de Catalunya ☎ (972) 14 60 00, *Fax (972) 14 60 00,* ←, –
TV ☎ – 25/150. AE E VISA. rest
cerrado noviembre – **Comida** 2350 – **63 hab** 7200/13000, 12 apartamentos.

L'Esquirol , av. de Catalunya ☎ (972) 89 63 03, *Fax (972) 89 63 03,* ← – TV ☎
E VISA.
Comida *(cerrado noviembre)* 1700 – **20 hab** 6000/8900 – PA 3400.

Can Ventura, pl. Major 1 ☎ (972) 89 61 78, *Fax (972) 89 61 78,* « Decoración rústi
en un edificio del siglo XVIII » – E VISA.
cerrado lunes, martes, del 15 al 30 de junio y 10 días en octubre – **Comida** carta 32
a 4200.

La Ginesta *(Can Jesús),* av. de Catalunya ☎ (972) 89 62 87, *Fax (972) 14 63 59* – AE
E VISA.
cerrado lunes y del 1 al 15 de julio – **Comida** carta 2600 a 3850.

Gorguja *Noreste : 2 km – ✉ 17527 Llivia :*

X **La Formatgeria de Llivia,** Pla de Ro ☎ (972) 14 62 79, ≤, « En una antigua fábrica de quesos » – Ⓟ. VISA
cerrado miércoles, jueves y del 15 al 30 de junio – **Comida** carta 2200 a 3300.

ODIO o LAUDIO *01400 Álava* 442 **C 21** – *20 251 h. alt. 130.*
Madrid 385 – Bilbao/Bilbo 21 – Burgos 142 – Vitoria/Gasteiz 49.

X **Martina,** Zubiaur 1 ☎ (94) 672 22 68 – ▤. AE ⓓ E VISA. ✻
Comida carta 3900 a 5100.

Areta *Este : 3 km – ✉ 01400 Llodio :*

XXX **Palacio de Anuncibai,** ✉ apartado 106, ☎ (94) 672 61 88, *Fax (94) 672 61 79* – ▤ Ⓟ. AE ⓓ E VISA JCB. ✻
cerrado Semana Santa y del 3 al 23 de agosto – **Comida** carta 3700 a 4800.

ORET DE MAR *17310 Gerona* 443 **G 38** – *22 504 h. – Playa.*
i pl. de la Vila 1 ☎ (972) 36 47 35 Fax (972) 36 77 50 y Estación de Autobuses ☎ (972) 36 57 88 Fax (972) 37 13 95.
Madrid 695 ② – Barcelona 67 ② – Gerona/Girona 39 ②

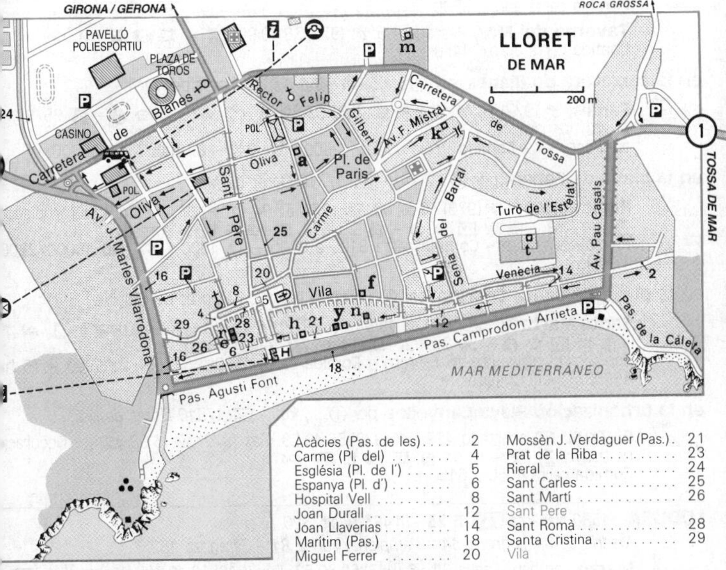

Roger de Flor ⊗, Turó de l'Estelat, ✉ apartado 66, ☎ (972) 36 48 00, *Fax (972) 37 16 37,* ☂, « Grandes terrazas con ≤ », ⛱, ⛳, ✻ – ▤ rest, TV ☎ ⇔ Ⓟ – ⛺ 25/120. AE ⓓ E VISA. ✻ t
abril-octubre – **Comida** 4100 – ☕ 1900 – **87 hab** 10500/20000, 6 suites – PA 8500.

G.H. Monterrey, carret. de Tossa de Mar ☎ (972) 36 40 50, *Fax (972) 36 35 12,* ☂, Servicios de talasoterapia, « Amplio jardín », ⛱, ⛱, ✻ – |‡| ▤ TV ☎ ♿ Ⓟ – ⛺ 25/425. AE ⓓ E VISA. ✻ m
abril-octubre – **Comida** - sólo buffet - 2750 – ☕ 1100 – **223 hab** 13000/18000.

Marsol, passeig Mossèn J. Verdaguer 7 ☎ (972) 36 57 54, *Fax (972) 37 22 05,* ⛱, ⛱ – |‡| ▤ TV ☎ – ⛺ 25/75. AE ⓓ E VISA. ✻ rest h
Comida 1500 - ***Els Dofins :*** **Comida** carta 2550 a 3450 – **100 hab** ☕ 10000/13000 – PA 3000.

Vila del Mar, de la Vila 55 ☎ (972) 36 50 08, *Fax (972) 37 11 68*, Fö, 🏊 - |‡| ▤ ☎ ♿ 🚗. AE ⓓ E VISA. ✂
cerrado enero - **Comida** 4200 - **36 hab** ☕ 10835/19070.

Mercedes, av. F. Mistral 32 ☎ (972) 36 43 12, *Fax (972) 36 49 53*, 🍽, 🏊 climatiza - |‡| ▤ 📺 ☎ 🚗. AE ⓓ E VISA. ✂
abril-octubre - **Comida** 1500 - **88 hab** ☕ 6850/10500.

Excelsior, passeig Mossèn J. Verdaguer 16 ☎ (972) 36 61 76, *Fax (972) 37 16 54* - ▤ rest, 📺. AE ⓓ E VISA. ✂ rest
abril-octubre - **Comida** (ver también rest. ***Les Petxines***) 1850 - ☕ 625 - **45 h** 5820/11225.

Santa Ana sin rest, Sénia del Rabic 26 ☎ (972) 37 32 66, *Fax (972) 37 32 66* - VISA. ✂
junio-septiembre - **48 hab** ☕ 6500.

Les Petxines H. Excelsior, passeig Mossèn J. Verdaguer 16 ☎ (972) 36 41 3 *Fax (972) 37 16 54* - ▤. AE ⓓ E VISA. ✂
cerrado lunes y 18 noviembre-18 marzo - **Comida** carta 3600 a 4900
Espec. Rissotto de Jabugo con chocos en su tinta. Lluerna con patatas en all i oli y cebol confitadas. Copita de yogurt, pepino, zanahoria y torta de naranja.

Can Bolet, Sant Mateu 6 ☎ (972) 37 12 37 - ▤. ⓓ E VISA. ✂
cerrado domingo noche y lunes salvo abril-15 noviembre - **Comida** carta aprox. 420

Can Tarradas, pl. d'Espanya 7 ☎ (972) 36 97 95, *Fax (972) 37 06 02*, 🍽 - ▤. AE E VISA. ✂
Comida carta aprox. 3800.

Taverna del Mar, Pescadors 5 ☎ (972) 36 40 90, 🍽 - AE ⓓ E VISA. ✂
Comida carta aprox. 4450.

en la carretera de Blanes *por ② : 1,5 km - ✉ 17310 Lloret de Mar :*

Fanals, ☎ (972) 36 41 12, *Fax (972) 37 03 29*, 🏊, 🏊, 🌳 - |‡| ☎ Ⓟ - 🏛 25/80. E VISA. ✂ rest
abril-octubre - **Comida** - sólo buffet - 2300 - ☕ 840 - **82 hab** 7500/10700.

en la playa de Fanals *por ② : 2 km - ✉ 17310 Lloret de Mar :*

Rigat Park 🐴, ☎ (972) 36 52 00, *Fax (972) 37 04 11*, <, 🍽, « Parque con arbolado 🏊, 🌳, 🎾 - |‡| ▤ 📺 ☎ Ⓟ - 🏛 25/650. AE ⓓ E VISA. ✂ rest
marzo-noviembre - **Comida** carta 5100 a 8200 - ☕ 1800 - **87 hab** 18000/2200 17 suites.

en la playa de Santa Cristina *por ② : 3 km - ✉ 17310 Lloret de Mar :*

Santa Marta 🐴, ☎ (972) 36 49 04, *Fax (972) 36 92 80*, <, « Gran pinar », 🏊, 🌳, - |‡| ▤ 📺 ☎ Ⓟ - 🏛 25/120. AE ⓓ E VISA JCB. ✂ rest
cerrado 15 diciembre-15 febrero - **Comida** carta 4300 a 5775 - ☕ 1900 - **76 h** 19950/35700, 2 suites.

en la urbanización Playa Canyelles *por ① : 3 km - ✉ 17310 Lloret de Mar :*

El Trull, ✉ apartado 429, ☎ (972) 36 49 28, *Fax (972) 37 13 08*, 🍽, « Decoraci rústica », 🏊, 🎾 - |‡| ▤ Ⓟ. AE ⓓ E VISA. ✂
Comida carta 4050 a 6150.

LODOSA *31580 Navarra* **442 E 23** - *4 483 h. alt. 320.*
Madrid 334 - Logroño 34 - Pamplona/Iruñea 81 - Zaragoza 152.

Marzo con hab, Ancha 24 ☎ (948) 69 30 52, *Fax (948) 69 40 38* - |‡|, ▤ rest, 📺 E VISA. ✂
Comida carta aprox. 2900 - ☕ 550 - **14 hab** 3000/6000.

LOGROÑO *26000* **P** *La Rioja* **442 E 22** - *128 331 h. alt. 384.*
Excurs. : *Valle del Iregua★ (contrafuertes de la sierra de Cameros★) 50 km por ③.*
paseo del Príncipe de Vergara (Espolón) ✉ 26071 ☎ (941) 26 06 65 Fax (941) 25 60 - R.A.C.E. Huesca 3 bajo ✉ 26002 ☎ (941) 24 82 91 Fax (941) 24 83 06.
Madrid 331 ③ - Burgos 144 ④ - Pamplona/Iruñea 92 ① - Vitoria/Gasteiz 93 ④ - Zarago 175 ③

Plano página siguiente

NH Herencia Rioja, Marqués de Murrieta 14, ✉ 26005, ☎ (941) 21 02 2 *Fax (941) 21 02 06* - |‡| ▤ 📺 ☎ 🚗 - 🏛 25/120. AE ⓓ E VISA JCB. ✂ A
Comida *(cerrado domingo)* 3000 - ☕ 1200 - **81 hab** 8800/14600, 2 suit - PA 7200.

LOGROÑO

- érez Provisional (Pl. del) . . . A 2
- tonomía
- (Av. de la) . . . B 3
- etón de los Herreros . . . A 4
- pitán Gaona . . . B 5
- rmen (Muro del) . . . B 6
- rvantes (Muro de) . . . B 7
- mandancia . . . A 8
- niel Trevijano . . . A 9
- pósitos . . . A 10
- Doce Ligero de Artillería (Av. del) . . . B 12
- Duquesa de la Victoria . . . B 13
- España (Av. de) . . . B 14
- Fausto Elhuyar . . . A 15
- Francisco de la Mata (Muro) . . . B 16
- Ingenieros Pino y Amorena . . . B 19
- Juan XXIII (Av. de) . . . B 22
- Marqués de Murrieta . . . A 23
- Marqués de San Nicolás . . . AB 25
- Mercado (Pl. del) . . . B 26
- Miguel Villanueva . . . A 27
- Navarra (Av. de) . . . B 28
- Navarra (Carret. de) . . . B 29
- Once de Junio . . . A 30
- Pío XII (Av. de) . . . B 31
- Portales . . . AB 32
- Portugal (Av. de) . . . A 33
- Rioja (Av. de la) . . . A 34
- Rodríguez Paterna . . . B 35
- Sagasta . . . A 36
- Teniente Coronel Santos Ascarza . . . B 40
- Tricio . . . B 41
- Viana (Av. de) . . . B 42

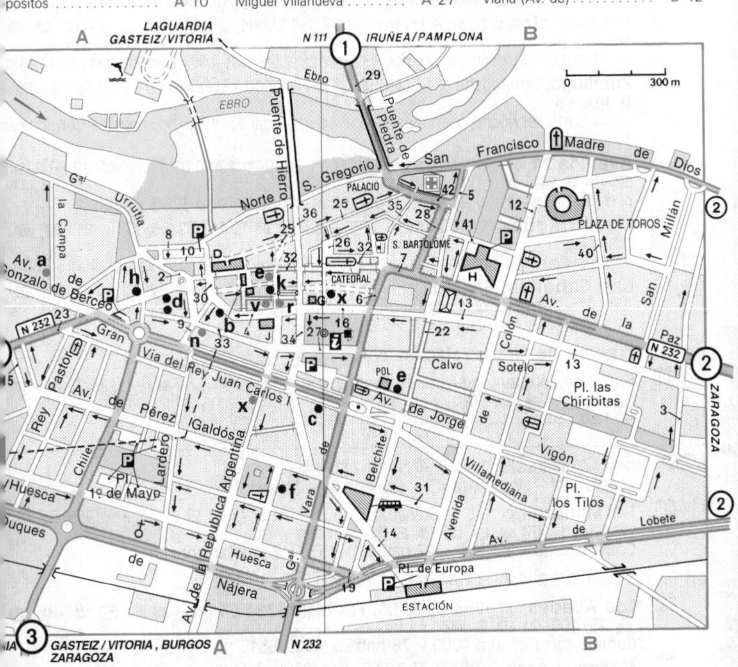

Carlton Rioja, Gran Vía del Rey Juan Carlos I-5, ✉ 26002, ☎ (941) 24 21 00, *Fax (941) 24 35 02* – ☎ – 25/150. AE E VISA JCB. rest A c
Comida *(cerrado domingo)* carta aprox. 4400 – 1200 – **116 hab** 10000/16000, 4 suites.

Meliá Confort Los Bracos sin rest. con cafetería, Bretón de los Herreros 29, ✉ 26001, ☎ (941) 22 66 08, *Fax (941) 22 67 54* – ☎ – 25/60. AE E VISA. A b
1100 – **72 hab** 13500/16500.

Ciudad de Logroño sin rest, Menéndez Pelayo 7, ✉ 26002, ☎ (941) 25 02 44, *Fax (941) 25 43 90* – ☎ – 25/70. AE E VISA. A f
1000 – **95 hab** 9600/12000.

Murrieta sin rest. con cafetería, av. Marqués de Murrieta 1, ✉ 26005, ☎ (941) 22 41 50, *Fax (941) 22 32 13* – ☎. AE E VISA. A d
900 – **113 hab** 8000/10000.

Condes de Haro sin rest, Saturnino Ulargui 6, ✉ 26001, ☎ (941) 20 85 00, *Fax (941) 20 87 96* – ☎. AE E VISA A d
600 – **44 hab** 9500/11800.

Marqués de Vallejo sin rest, Marqués de Vallejo 8, ✉ 26001, ☎ (941) 24 83 33, *Fax (941) 24 02 88* – ☎. AE E VISA B x
600 – **30 hab** 6500/9500.

Niza sin rest y sin , Capitán Gallarza 13, ✉ 26001, ☎ (941) 20 60 44 – ☎. VISA. A k
16 hab 5000/7000.

Isasa sin rest y sin ☕, Doctores Castroviejo 13-1º, ✉ 26003, ☎ (941) 25 65 9 *Fax (941) 25 65 99* – 30 hab 4700/7500. B

El Asador de Aranda, República Argentina 8, ✉ 26002, ☎ (941) 20 81 2 *Fax (941) 20 81 25, « Decoración castellana »* – AE VISA JCB. A *cerrado domingo noche* – **Comida** - cordero asado y carnes - carta aprox. 3800.

Cachetero, Laurel 3, ✉ 26001, ☎ (941) 22 84 63, *Fax (941) 22 84 63* – VISA. A *cerrado domingo, miércoles noche y del 1 al 15 de agosto* – **Comida** carta 3600 a 53

Los Gabrieles, Bretón de los Herreros 8, ✉ 26001, ☎ (941) 22 00 43 – AE VISA. A *cerrado domingo noche, miércoles, 23 diciembre-7 enero y julio* – **Comida** carta 3000 a 38

Zubillaga, San Agustín 3, ✉ 26001, ☎ (941) 22 00 76, *Fax (941) 22 00 76* – AE E VISA. A *cerrado martes noche, miércoles (salvo festivos) y del 1 al 15 de noviembre* – **Comida** ca 3000 a 4300.

Avenida 21, av. de Portugal 21, ✉ 26001, ☎ (941) 22 86 02, *Fax (941) 22 86 02* – AE E VISA. A *cerrado domingo y 9 agosto-1 septiembre* – **Comida** carta 3200 a 4000.

Mesón Egües, La Campa 3, ✉ 26005, ☎ (941) 22 86 03 – AE VISA. A *cerrado domingo, Semana Santa y Navidad* – **Comida** - asados - carta 2400 a 3600.

Las Cubanas, San Agustín 17, ✉ 26001, ☎ (941) 22 00 50 – AE VISA. – *cerrado domingo, 15 julio-2 agosto y 15 septiembre-2 octubre* – **Comida** - s almuerzo salvo viernes - carta 2600 a 3300. A

en la carretera de circunvalación *por ① : 4 km – ✉ 26006 Logroño :*

Soto Galo, polígono industrial de Cantabria ☎ (941) 25 91 22, *Fax (941) 25 73 89* – 25/300 44 hab.

LOJA *18300 Granada 446 U 17 – 20 321 h. alt. 475.*

Madrid 484 – Antequera 43 – Granada 55 – Málaga 71.

Del Manzanil, carret. de Granada - Este : 1,5 km ☎ (958) 32 17 11, *Fax (958) 32 18 5* – AE E VISA. rest **Comida** 2500 – ☕ 550 – **47 hab** 3800/5700, 2 apartamentos.

en la autovía A 92 *Sur : 5 km – ✉ 18300 Loja :*

Los Abades, ☎ (958) 32 38 00, *Fax (958) 32 38 04,* ← – 25/100. AE E VISA **Comida** carta 2950 a 4000 – **76 hab** ☕ 4815/6315.

Manzanil Área, ☎ (958) 32 32 00, *Fax (958) 32 34 80,* ← – 25/60. AE E VISA. rest **Comida** 1500 – ☕ 500 – **76 hab** 5000/9000.

en la Finca La Bobadilla *por la autovía A 92 - Oeste : 18 km y desvío 3 km – ✉ 18300 Loj*

La Bobadilla 🔊, por salida a Villanueva de Tapia, ✉ apartado 144, ☎ (958) 32 18 6 *Fax (958) 32 18 10,* ←, *« Elegante cortijo andaluz »,* – 25/120. AE E VISA. rest ***La Finca*** *(sólo cena en verano)* **Comida** carta 6400 a 8600 - ***EL Cortijo*** : **Comida** car 4200 a 6850 – **50 hab** ☕ 30000/38000, 10 suites.

LO PAGÁN *Murcia – ver San Pedro del Pinatar.*

LORCA *30800 Murcia 445 S 24 – 67 024 h. alt. 331.*

Lope Gisbert (Casa de los Guevara) ☎ (968) 46 61 57 Fax 46 61 57.

Madrid 460 ① – Almería 157 ③ – Cartagena 83 ① – Granada 221 ③ – Murcia 64 ①

Plano página siguiente

Jardines de Lorca 🔊, Alameda Rafael Méndez ☎ (968) 47 05 99, *Fax (968) 47 07* – 25/500. AE E VISA. rest Z **Comida** 1485 – ☕ 1100 – **45 hab** 10285/12705.

Alameda sin rest, Musso Valiente 8 ☎ (968) 40 66 00, *Fax (968) 40 66 44* – AE E VISA Z ☕ 500 – **40 hab** 5000/7000.

El Teatro, pl. Colón 12 ☎ (968) 46 99 09 – AE E VISA. Z *cerrado domingo y agosto* – **Comida** carta 2200 a 3000.

LORCA

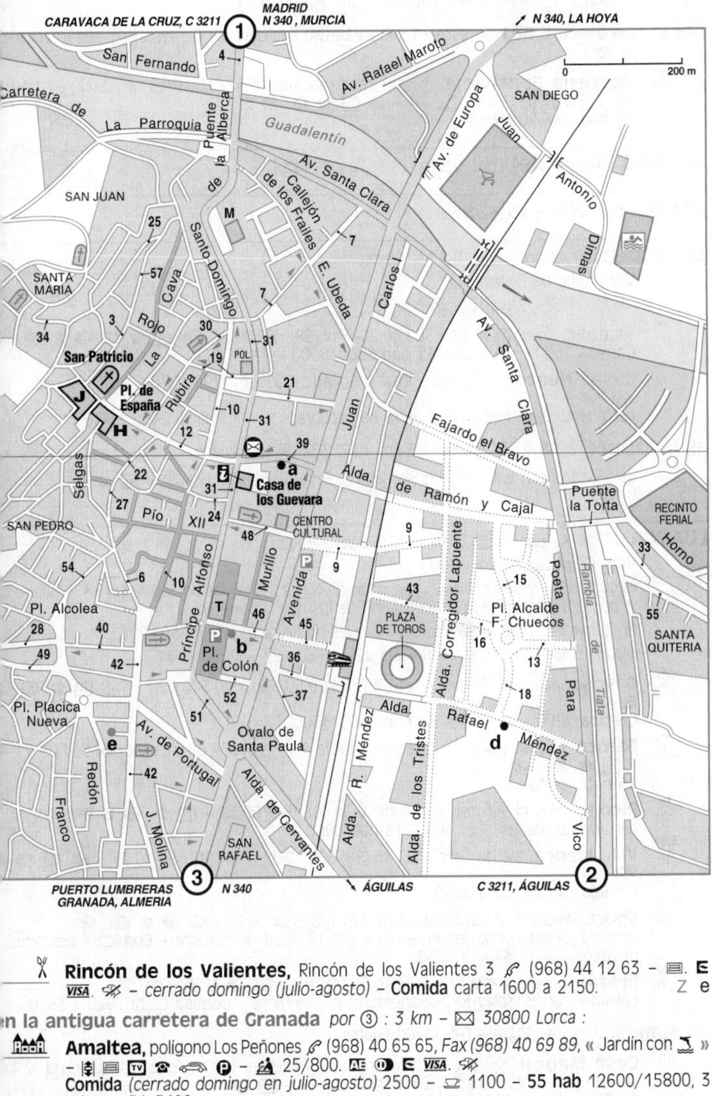

X **Rincón de los Valientes,** Rincón de los Valientes 3 ☎ (968) 44 12 63 – ▤. E VISA. ✈ – *cerrado domingo (julio-agosto)* – **Comida** carta 1600 a 2150. Z e

en la antigua carretera de Granada *por ③ : 3 km – ✉ 30800 Lorca :*

Amaltea, polígono Los Peñones ☎ (968) 40 65 65, *Fax (968) 40 69 89,* « Jardín con ⛱ » – |♦| ▤ TV ☎ 🚗 P – 25/800. AE ⓓ E VISA. ✈
Comida *(cerrado domingo en julio-agosto)* 2500 – ☕ 1100 – **55 hab** 12600/15800, 3 suites – PA 5490.

LOREDO *39140 Cantabria* 442 **B 18** – *Playa.*
Madrid 409 – Bilbao/Bilbo 96 – Santander 26.

El Encinar sin rest, callejo de los Beatos-Latas, ✉ 39140 Somo, ☎ (942) 50 40 3
Fax (942) 50 02 44 – P. VISA. ✻
Semana Santa y julio-septiembre – ☕ 350 – **19 hab** 6500/9000.

Latas, barrio de Latas 10 ☎ (942) 50 42 33, *Fax (942) 50 92 36,* – ▤ P. ⓓ
VISA. ✻
cerrado domingo noche, y 15 diciembre-15 enero – **Comida** carta 2500 a 3725.

LOSAR DE LA VERA *10460 Cáceres* 444 **L 13** – *2 855 h. alt. 545.*
Madrid 219 – Ávila 137 – Cáceres 156 – Plasencia 61.

por la carretera C 501 *Sureste : 1,5 km y desvío a la derecha 0,5 km* – ✉ *10460 Losar d*
la Vera :

Hostería Fontivieja sin rest, paraje de los Mártires ☎ (927) 57 01 0
Fax (927) 57 01 08, ≤, , – ▤ TV ☎ P. ⓓ E VISA
12 hab ☕ 5500/7500.

LOURIDO (Playa de) *Pontevedra – ver Pontevedra.*

LOYOLA *Guipúzcoa – ver Azpeitia.*

LUANCO *33440 Asturias* 441 **B 12** – *Playa.*
Ver : *Cabo de Peñas*★.
Madrid 478 – Gijón 15 – Oviedo 43.

Aramar, Gijón 10 ☎ (98) 588 00 25, *Fax (98) 588 00 25* – TV ☎. AE ⓓ E VISA.
Comida 1300 – ☕ 325 – **31 hab** 6000/8000 – PA 2600.

Casa Néstor, Conde Real Agrado 6 ☎ (98) 588 03 15 – AE ⓓ
VISA. ✻
cerrado lunes noche y del 1 al 15 de octubre – **Comida** carta 2900 a 4300.

en la carretera AS 239 *Sureste : 3 km* – ✉ *33449 Antromero :*

San Pedro con hab, ☎ (98) 588 24 17, *Fax (98) 588 24 17,* – TV ☎ P
8 hab.

LUARCA *33700 Asturias* 441 **B 10** – *19 920 h. – Playa.*
Ver : *Emplazamiento*★ *(≤★).*
Excurs. : *SO, Valle del Navia : recorrido de Navia a Grandas de Salime (✻★★ Embalse c*
Arbón, Vivedro ✻★★, confluencia★★ de los ríos Navia y Frío).
☐ *Olabarrieta (Capilla Palacio del Marqués de Ferrera) ☎ (98) 564 00 83.*
Madrid 536 – La Coruña/A Coruña 226 – Gijón 97 – Oviedo 101.

Gayoso, paseo de Gómez 4 ☎ (98) 564 00 50, *Fax (98) 547 02 71* – TV ☎. AE
E VISA
Comida 1200 – ☕ 500 – **33 hab** 6500/13000.

Báltico sin rest y sin ☕, paseo del muelle 1 ☎ (98) 564 09 91, *Fax (98) 564 09 91,*
– TV ☎. VISA. ✻
15 hab 10000.

Rico sin rest, pl. Alfonso X el Sabio 6 ☎ (98) 547 05 59 – TV ☎. ⓓ E VISA. ✻
cerrado Navidades – ☕ 300 – **15 hab** 8000.

Villa Blanca, av. de Galicia 25 ☎ (98) 564 10 79, *Fax (98) 564 10 79* – ▤. AE ⓓ
VISA. ✻
Comida carta 2750 a 4600.

Sport, Rivero 8 ☎ (98) 564 10 78, *Fax (98) 564 16 93* – AE ⓓ E VISA. ✻
cerrado jueves noche (en invierno) y del 15 al 30 de octubre – **Comida** - pescados
mariscos - carta 3400 a 3850.

Brasas, Aurelio Martínez 4 ☎ (98) 564 02 89 – AE ⓓ E VISA. ✻
cerrado martes (salvo julio-septiembre) y noviembre – **Comida** carta 2950 a 3350.

en Almuña *Sureste : 2 km* – ✉ *33700 Luarca :*

Casa Manoli sin rest, carret. de Paredes y desvío a la izquierda 1 kr
☎ (98) 547 00 40, *Fax (98) 547 00 40,* ≤, – TV P. ✻
☕ 325 – **9 hab** 3500/6200.

n la carretera N 634 :

Casa Consuelo, Oeste : 6 km, ✉ 33792 Otur, ☎ (98) 547 07 67, *Fax (98) 564 16 42*, ← - |‡| TV ☎ P. AE ⊙ E VISA. ✻
Comida (ver rest. ***Casa Consuelo***) - ☕ 500 - **38 hab** 5000/6500.

El Rocío, Oeste : 6 km, ✉ 33792 Otur, ☎ (98) 564 15 07, *Fax (98) 564 15 07* - |‡| TV ☎ P. ⊙ VISA. ✻
Comida 1200 - ☕ 500 - **21 hab** 5000/7500 - PA 2900.

Casa Consuelo, Oeste : 6 km, ✉ 33792 Otur, ☎ (98) 564 18 09, *Fax (98) 564 16 42* - ▤ P. AE ⊙ E VISA. ✻
cerrado lunes salvo julio y agosto - **Comida** carta 4500 a 7500.

Leonés, Oeste : 5 km, ✉ 33791 Las Pontigas, ☎ (98) 564 10 64, ☂ - P. AE ⊙ E VISA
Comida carta 2300 a 4150.

UCENA *14900 Córdoba* 446 **T 16** - *32 054 h. alt. 485.*
Madrid 471 - Antequera 57 - Córdoba 73 - Granada 150.

Santo Domingo, El Agua 12 ☎ (957) 51 11 00, *Fax (957) 51 62 95* - |‡| ▤ TV ☎. AE ⊙ E VISA. ✻
Comida 2100 - ☕ 600 - **30 hab** 9000/11000.

Baltanás sin rest y sin ☕, av. del Parque 10 ☎ (957) 50 05 24, *Fax (957) 50 12 72* - ▤ TV ☎ 🚗. AE E VISA
39 hab 4000/6000.

Araceli, av. del Parque 10 ☎ (957) 50 17 14, *Fax (957) 51 42 79* - ▤. AE E VISA. ✻
Comida carta 2500 a 4200.

n la carretera N 331 *Suroeste : 2,5 km - ✉ 14900 Lucena :*

Los Bronces, ☎ (957) 51 62 80, *Fax (957) 50 09 12*, ☂ - |‡| ▤ TV ☎ ♿ P. AE ⊙ E VISA. ✻
Comida - espec. en asados - 1800 - ☕ 500 - **40 hab** 5300/8000.

UGO *27000* P 441 **C 7** - *87 605 h. alt. 485.*
Ver : *Murallas★★ - Catedral★ (portada Norte : Cristo en Majestad★)* Z**A.**
ℹ *pr. Maior 27 (galerías)* ✉ *27001* ☎ *(982) 23 13 61* - **R.A.C.E.** *Das Hermanitas 1 (entlo.)* ✉ *27002* ☎ *(982) 25 07 11 Fax (982) 25 07 11.*
Madrid 506 ② - La Coruña/A Coruña 97 ④ - Orense/Ourense 96 ③ - Oviedo 255 ① - Santiago de Compostela 107 ③

Plano página siguiente

G.H. Lugo, av. Ramón Ferreiro 21, ✉ 27002, ☎ (982) 22 41 52, *Fax (982) 24 16 60*, ⛱ - |‡| ▤ TV ☎ 🚗 P - 🏃 25/350. AE ⊙ E VISA JCB. ✻
Comida *(cerrado domingo)* 3700 - ☕ 1350 - **156 hab** 12225/15270, 12 suites. por av. Ramón Ferreiro Z

Méndez Núñez sin rest, Raiña 1, ✉ 27001, ☎ (982) 23 07 11, *Fax (982) 22 97 38* - |‡| TV ☎ - 🏃 25/100. AE ⊙ E VISA Z a
☕ 500 - **86 hab** 7000/9100.

España sin rest y sin ☕, Vilalba 2 bis, ✉ 27002, ☎ (982) 23 15 40 - TV ☎. ✻ Z h
17 hab 2800/4800.

La Barra, San Marcos 27, ✉ 27001, ☎ (982) 25 29 20, *Fax (982) 25 30 22* - ▤. AE ⊙ E VISA. ✻ Y d
cerrado domingo - **Comida** carta 3300 a 4950.

Alberto, Cruz 4, ✉ 27001, ☎ (982) 22 83 10, *Fax (982) 25 13 58* - ▤. AE ⊙ E VISA JCB. ✻ Z c
cerrado domingo - **Comida** carta 3150 a 4150.

Antonio, av. das Américas 87, ✉ 27004, ☎ (982) 21 64 70, *Fax (982) 21 63 13* - ▤ P. AE ⊙ E VISA. ✻ por ③
Comida carta 3200 a 4200.

España, Xeneral Franco 10, ✉ 27001, ☎ (982) 22 60 16 - ▤. AE ⊙ E VISA. ✻ Y r
Comida carta 3250 a 4350.

Verruga, Cruz 12, ✉ 27001, ☎ (982) 22 98 55, *Fax (982) 22 98 18* - ▤. AE ⊙ E VISA. ✻ Z c
cerrado lunes - **Comida** carta 3175 a 3725.

LUGO

Ánxel López Pérez (Av.)	Z 2
Bispo Aguirre	Z 3
Bolaño Rivadeneira	Y 5
Campo (Pr. del)	Z 8
Comandante Manso (Pr.)	Z 12
Conde Pallarés	Z 15
Coruña (Av. de la)	Y 21
Cruz	Z 23
Dezaoito de Xullo (Av. del)	Y 24
Doctor Castro	Z 27
Montero Ríos (Av.)	Z 37
Paxariños	Z 39
Pío XII (Pr. de)	Z 43
Praza Maior	Z 45
Progreso	Y 47
Quiroga Ballesteros	Y 50
Raíña	Y 53
Ramón Ferreiro	Z 56
Rodríguez Mourelo (Av.)	Z 62
San Fernando	Y 65
San Marcos	Y 68
San Pedro	Z 71
Santa María (Pr. de)	Z 74
Santo Domingo (Pr. de)	YZ 77
Teniente Coronel Teijeiro	YZ 78
Tineria	Z 80
Vilalba	Z 83
Xeneral Franco	Y 85

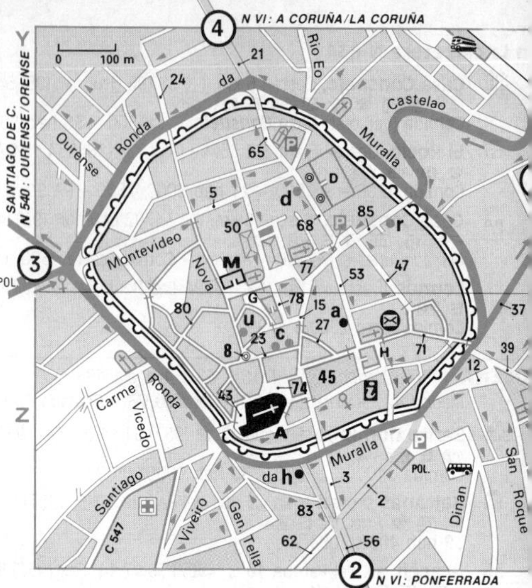

X **Campos,** Nova 4, ✉ 27001, ☎ (982) 22 97 43 – ▤. AE ⦿ E VISA. ⌀ Z
cerrado lunes (invierno) y del 15 al 30 de octubre – **Comida** carta 3200 a 4300.

en la carretera N 640 *por ① : 4 km – ✉ 27192 Muja :*

Jorge I, La Campiña ☎ (982) 22 34 55, *Fax (982) 25 01 07* – ▤ rest, TV ☎ ⇔ P. AE ⦿ E VISA JCB. ⌀
Comida 1800 – ☕ 620 – **30 hab** 4850/6675 – PA 3025.

en la carretera N VI :

Los Olmos sin rest, por ④ : 3 km, ✉ 27298 Bocamaos, ☎ (982) 20 00 32
Fax (982) 21 59 18 – |‡| TV ☎ ⇔ P. AE ⦿ E VISA. ⌀
☕ 400 – **70 hab** 3500/6000.

Torre de Nuñez, Conturiz - por ② : 4,5 km, ✉ 27160 Conturiz, ☎ (982) 30 40 4
Fax (982) 30 43 93 – |‡|, ▤ rest, TV ☎ ⇔ P. AE E VISA. ⌀
Comida 1250 – ☕ 400 – **129 hab** 4000/6000.

XX **O Muiño,** entre ② y ③ : 2 km, ✉ 27294 Lugo, ☎ (982) 23 05 50, « Terrazas al bord del río. Decoración rústica » – ▤ P. AE ⦿ VISA. ⌀
cerrado lunes en invierno – **Comida** carta 2800 a 4200.

en la carretera N 540 *por ③ : 4,5 km – ✉ 27294 Esperante :*

Santiago, ☎ (982) 25 03 18, *Fax (982) 25 26 00,* ⛱, ✂ – |‡| ▤ TV ☎ ⇔ P
🚩 25/700. AE ⦿ E VISA. ⌀
Comida 1500 – ☕ 1100 – **60 hab** 9000/12000.

MACAEL *04867 Almería* 446 **U 23** *– 5 961 h. alt. 535.*
Madrid 531 – Almería 113 – Murcia 145.

Villa de Macael sin rest, av. de Andalucía ☎ (950) 44 55 13, ⛱, ✂ – ▤ TV ☎
⦿ E VISA
☕ 500 – **12 hab** 4000/6800.

MAÇANET DE CABRENYS *Gerona – ver Massanet de Cabrenys.*

MADREMANYA *17462 Gerona* 443 **G 38** *– 179 h. alt. 177.*
Madrid 717 – Barcelona 115 – Gerona/Girona 19 – Figueras/Figueres 49 – Palafrugell 2

XX **La Plaça,** Sant Esteve 17 ☎ (972) 49 04 87, *Fax (972) 49 04 87,* 🏨, « Decoració moderna en un marco rústico » – ▤ P. AE ⦿ E VISA. ⌀
cerrado de domingo noche a jueves mediodía (en invierno) y 18 enero-19 febrero – **Comid** - sólo cena en verano salvo fines de semana - carta 3600 a 4350.

MADRID

28000 **P** 444 K 19 - *3 084 673 h. alt. 646.*

Barcelona 627 ② - Bilbao/Bilbo 397 ① - La Coruña/A Coruña 603 ⑦ - Lisboa 653 ⑥ - Málaga 548 ④ - Paris 1310 ① - Porto 599 ⑦ - Sevilla 550 ④ - Valencia 351 ③ - Zaragoza 322 ②.

OFICINAS DE TURISMO

ℹ *Duque de Medinaceli 2, ✉ 28014, ☎ (91) 429 49 51.*

ℹ *Pl. Mayor 3, ✉ 28012, ☎ (91) 588 16 36.*

ℹ *Mercado Puerta de Toledo, ✉ 28005, ☎ (91) 364 18 76.*

ℹ *Estación de Chamartín, ✉ 28036, ☎ (91) 315 99 76.*

ℹ *Aeropuerto de Madrid-Barajas, ✉ 28042 ☎ (91) 305 86 56.*

INFORMACIONES PRÁCTICAS

BANCOS Y OFICINAS DE CAMBIO

Principales bancos :
invierno (abiertos de lunes a viernes de 8.30 a 14 h. y sábados de 8.30 a 14 h. salvo festivos).
verano (abiertos de lunes a viernes de 8.30 a 14 h. salvo festivos).
En las zonas turísticas suele haber oficinas de cambio no oficiales.

TRANSPORTES

Taxi : *cartel visible indicando LIBRE durante el día y luz verde por la noche. Compañías de radio-taxi.*

Metro y Autobuses : *Una completa red de metro y autobuses enlaza las diferentes zonas de Madrid. Para el aeropuerto existe línea de autobuses con su terminal urbana en Pl. de Colón (parking subterráneo).*

Aeropuerto y Compañías Aéreas :
✈ *Aeropuerto de Madrid-Barajas por ② : 13 km, ☎ (91) 393 60 00.*
Iberia, Velázquez 130, ✉ 28006, ☎ (91) 587 87 87 HUV.
Iberia, aeropuerto, ✉ 28042, ☎ (91) 587 42 77.
Aviaco, Maudes 51, ✉ 28003, ☎ (91) 534 42 00 ET.

ESTACIONES DE TREN

Chamartín, 🚗 *☎ (91) 733 11 22* HR.
Atocha, ☎ (91) 328 90 20 GYZ.

RACE *(Real Automóvil Club de España)*

José Abascal 10, ✉ *28003,* ☏ *(91) 594 74 00, Fax (91) 594 73 29* BL

CAMPOS DE GOLF

18, 18 *Puerta de Hierro* ☏ *(91) 316 17 45* AL
9, 18, 18 *Club de Campo – Villa de Madrid* ☏ *(91) 357 21 32* AL
18 *La Moraleja por ① : 11 km* ☏ *(91) 650 07 00*
9 *Club Barberán por ⑤ : 10 km* ☏ *(91) 509 11 40*
18, 9 *Las Lomas – El Bosque por ⑥ : 18 km* ☏ *(91) 616 75 00*
18 *Real Automóvil Club de España por ① : 28 km* ☏ *(91) 657 00 11*
18 *Nuevo Club de Madrid, Las Matas por ⑦ : 26 km* ☏ *(91) 630 08 20*
9 *Somosaguas O : 10 km por Casa de Campo* ☏ *(91) 352 16 47* AM
18 *Club Olivar de la Hinojosa, por M-40* ☏ *(91) 721 18 89* CL
18 *La Dehesa, Villanueva de la Cañada por ⑦ y desvío a El Escorial : 28 km* ☏ *(91) 815 70 22*
18 *Real Sociedad Hípica Española Club de Campo por ① : 28 km* ☏ *(91) 657 10 18*

ALQUILER DE COCHES

AVIS, ☏ *(91) 348 03 48 – EUROPCAR,* ☏ *(91) 721 12 22 – HERTZ,* ☏ *(91) 372 93 00 – INTERRENT,* ☏ *(91) 402 14 80 – NATIONAL ATESA,* ☏ *(91) 561 48 00.*

CURIOSIDADES

PANORÁMICAS DE MADRID

Faro de Madrid : ✻ ★★ DU – *Edificio España :* ≤ ★ KV.

MUSEOS

Museo del Prado★★★ NY – *Museo Thyssen Bornemisza*★★★ MY **M6** – *Palacio Real*★★ KX *(Palacio*★ *: Salón del trono*★*, Real Armería*★★*, Museo de Carruajes Reales*★ DX **M1***)* – *Museo Arqueológico Nacional*★★ *(Dama de Elche*★★★*)* NV – *Museo Lázaro Galdiano*★★ *(colección de esmaltes y marfiles*★★★*)* GU **M4** – *Casón del Buen Retiro*★ NY – *Museo Nacional Centro de Arte Reina Sofía*★ *(El Guernica*★★★*)* MZ – *Museo del Ejército*★ NY – *Museo de América*★ *(Tesoro de los Quimbayas*★*, Códice Trocortesiano*★★★*)* DU – *Real Academia de Bellas Artes de San Fernando*★ LX **M2** – *Museo Cerralbo*★ KV – *Museo Sorolla*★ FU **M5** – *Museo de la Ciudad (maquetas*★*)* HT **M7** – *Museo de Cera*★ NV – *Museo Naval (maquetas*★*, mapa de Juan de la Cosa*★★*)* NXY **M3**.

IGLESIAS Y MONASTERIOS

Monasterio de las Descalzas Reales★★ KLX – *Iglesia de San Francisco el Grande (sillería*★*, sillería de la sacristía*★*)* KZ – *Real Monasterio de la Encarnación*★ KX – *Iglesia de San Antonio de la Florida (frescos*★★*)* DV – *Iglesia de San Miguel*★ KY.

BARRIOS HISTÓRICOS

Barrio de Oriente★★ KVXY – *El Madrid de los Borbones*★★ MNXYZ – *El Viejo Madrid*★ KYZ.

LUGARES PINTORESCOS

Plaza Mayor★★ KY – *Parque del Buen Retiro*★★ HY – *Zoo*★★ AM – *Plaza de la Villa*★ KY – *Jardines de las Vistillas (*✻ ★*)* KYZ – *Campo del Moro*★ DX – *Ciudad Universitaria*★ DT – *Casa de Campo*★ AL – *Plaza de Cibeles*★ MNX – *Paseo del Prado*★ MNXYZ – *Puerta de Alcalá*★ NX – *Plaza Monumental de las Ventas*★ JUV – *Parque del Oeste*★ DV.

COMPRAS

Grandes almacenes : *calles Preciados, Carmen, Goya, Serrano, Arapiles, Princesa, Raimundo Fernández Villaverde.*

Centros comerciales : *El Jardín de Serrano, ABC, La Galería del Prado, La Vaguada.*

Comercios de lujo : *calles Serrano, Velázquez, Goya, Ortega y Gasset.*

Antigüedades : *calle del Prado, barrio de Las Cortes, barrio Salamanca, calle Ribera de Curtidores (El Rastro).*

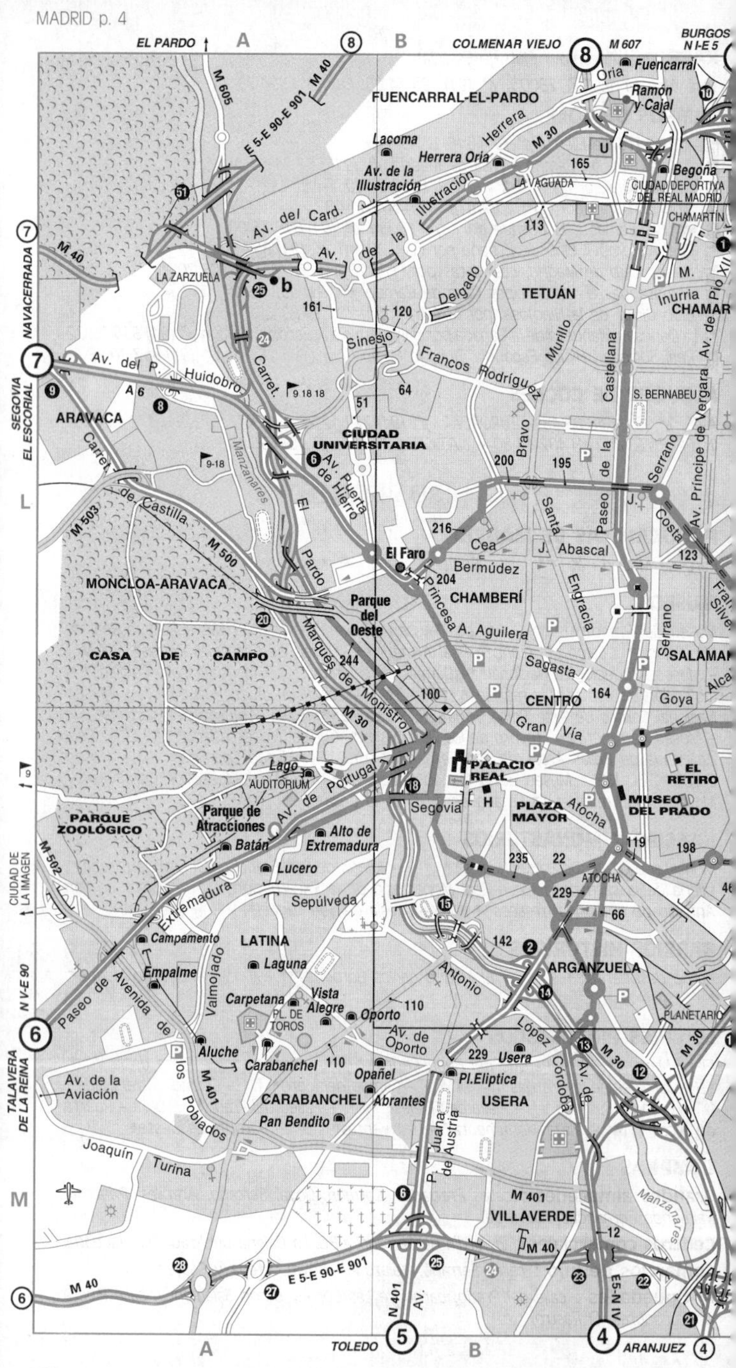

EL PARDO
A
B
COLMENAR VIEJO
M 607
BURGOS N I-E 5
FUENCARRAL-EL-PARDO
Fuencarral
Ramón y Cajal
Lacoma
Herrera Oria
Av. de la Illustración
Begoña
LA VAGUADA
CIUDAD DEPORTIVA DEL REAL MADRID
CHAMARTÍN
NAVACERRADA
LA ZARZUELA
TETUÁN
CHAMAR
SEGOVIA EL ESCORIAL
ARAVACA
S. BERNABEU
CIUDAD UNIVERSITARIA
L
MONCLOA-ARAVACA
El Faro
CHAMBERÍ
Parque del Oeste
CASA DE CAMPO
SALAMAN
CENTRO
Gran Vía
PALACIO REAL
EL RETIRO
AUDITORIUM
Lago
PARQUE ZOOLÓGICO
Parque de Atracciones
PLAZA MAYOR
MUSEO DEL PRADO
Batán
Alto de Extremadura
Lucero
ATOCHA
CIUDAD DE LA IMAGEN
Campamento
LATINA
Empalme
Laguna
ARGANZUELA
Carpetana
Vista Alegre
Oporto
PL. DE TOROS
PLANETARIO
N V-E 90
Aluche
Carabanchel
Usera
Pl.Eliptica
TALAVERA DE LA REINA
Opañel
Abrantes
CARABANCHEL
USERA
Pan Bendito
M
VILLAVERDE
M 40
E 5-E 90-E 901
TOLEDO
ARANJUEZ

MADRID

Andalucía (Av. de) . . . . . . BM 12
Andes (Av. de los) . . . . . . CL 13
Atocha (Ronda de) . . . . . . BM 22
Ciudad de Barcelona
(Av. de la) . . . . BM 46
Complutense (Av.) . . . . . . AL 51
Dehesa de la Villa
(Carret. de la) . . . . BL 64
Delicias (Pas. de las) . . . . BM 66
Estación de Hortaleza
(Carret. a la) . . . . CL 89
Florida (Pas. de la) . . . . . . BL 100
General Ricardos . . . . BM 110
Ginzo de Limia . . . . BL 113
Infanta Isabel
(Pas. de la) . . . . BM 119
Isla de Oza . . . . BL 120
Manzanares (Av. del) . . . . BM 142
Mar de Cristal (Glta del) . CL 144
Miraflores (Av. de) . . . . . . AL 161
Monforte de Lemos
(Av. de) . . . . BL 165
Raimundo Fernández
Villaverde . . . . BT 195
Reina Cristina
(Pas. de la) . . . . BM 198
Reina Victoria
(Av. de la) . . . . BL 200
Reyes Católicos
(Av. de los) . . . . BL 204
Ribera del Sena . . . . CL 205
San Francisco de Sales
(Pas. de) . . . . BL 216
San Luis (Av. de) . . . . CL 223
Santa María de la Cabeza
(Pas. de) . . . . BM 229
Toledo (Ronda de) . . . . . . BM 235
Valdetorres de Jarama . . . CL 241
Valladolid (Av. de) . . . . . . AL 244
Veinticinco de Septiembre
(Av. del) . . . . CL 247

Um conselho da ***Michelin :***

Para que as suas viagens sejam um êxito, prepare-as com anteedência.

Os ***mapas*** *e* ***guias Michelin*** *proporcionam-lhe todas as indicações úteis sobre : itinerários, visitas aos pontos com interesse, alojamento, preços, etc...*

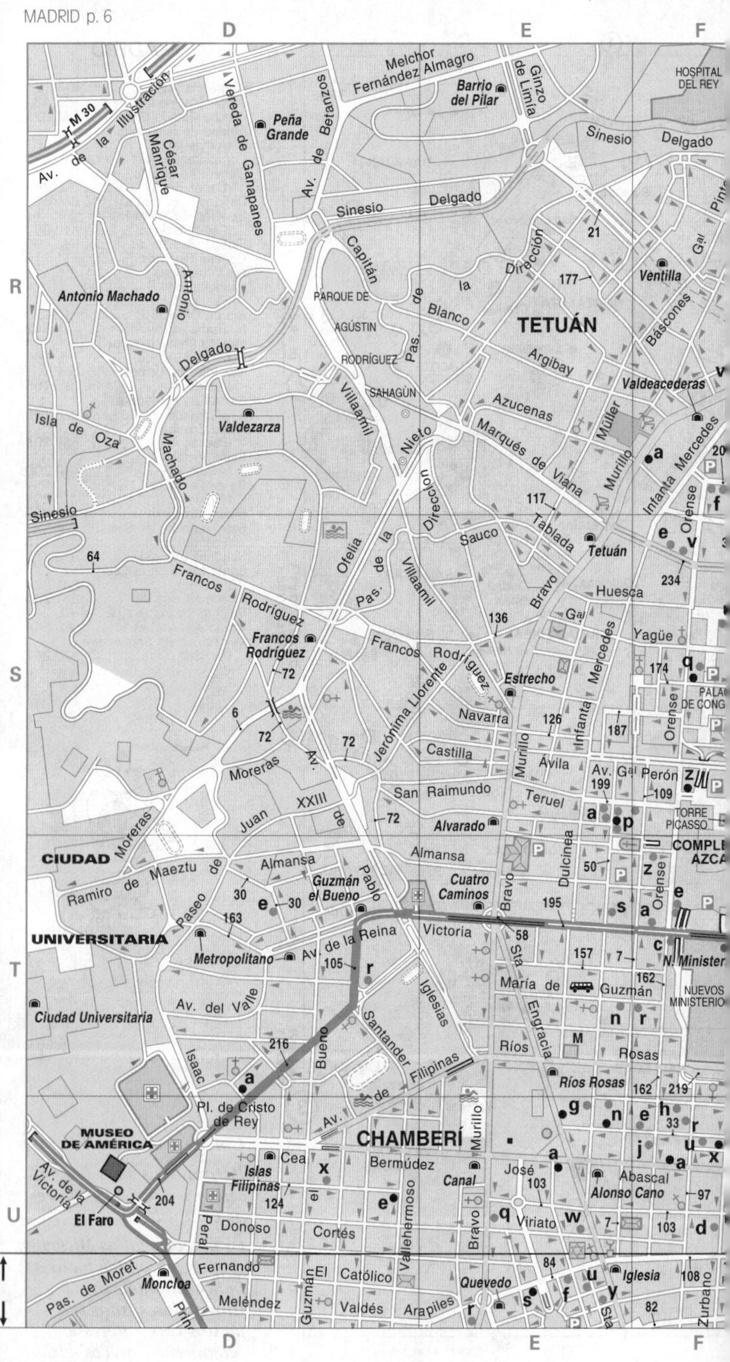
D
E
F
R
S
T
U
TETUÁN
CIUDAD UNIVERSITARIA
CHAMBERÍ
MUSEO DE AMÉRICA
HOSPITAL DEL REY
PARQUE DE AGÚSTIN RODRÍGUEZ SAHAGÚN
TORRE PICASSO
Barrio del Pilar
Peña Grande
Antonio Machado
Valdezarza
Ventilla
Valdeacederas
Tetuán
Francos Rodríguez
Estrecho
Alvarado
Cuatro Caminos
Guzmán el Bueno
Metropolitano
Ciudad Universitaria
Islas Filipinas
Canal
Ríos Rosas
Alonso Cano
Iglesia
Quevedo
Moncloa
El Faro
Melchor Fernández Almagro
Ginzo de Limía
Sinesio Delgado
Av. de la Ilustración
M 30
César Manrique
Vereda de Ganapanes
Av. de Betanzos
Capitán Blanco
Pas. de la Dirección
Argibay
Azucenas
Marqués de Viana
Müller
Infanta Mercedes
Orense
Tablada
Sauco
Bravo Murillo
Huesca
Yagüe
Isla de Oza
Antonio Machado
Villaamil
Nieto
Ofelia
Francos Rodríguez
Jerónima Llorente
Navarra
Castilla
Ávila
Av. Gal Perón
Teruel
San Raimundo
Moreras
Av. de Juan XXIII
Pablo Iglesias
Almansa
Dulcinea
Ramiro de Maeztu
Paseo de
Victoria
Av. de la Reina
Av. del Valle
Santander
Bueno
Isaac
Av. de Filipinas
Pl. de Cristo de Rey
Sta. Engracia
María de Guzmán
Ríos Rosas
Cea Bermúdez
José Abascal
Viriato
Donoso Cortés
Vallehermoso
Fernando el Católico
Meléndez Valdés
Arapiles
Guzmán el Bueno
Pas. de Moret
Av. de la Victoria
Peral
Zurbano
N. Ministerios
NUEVOS MINISTERIOS

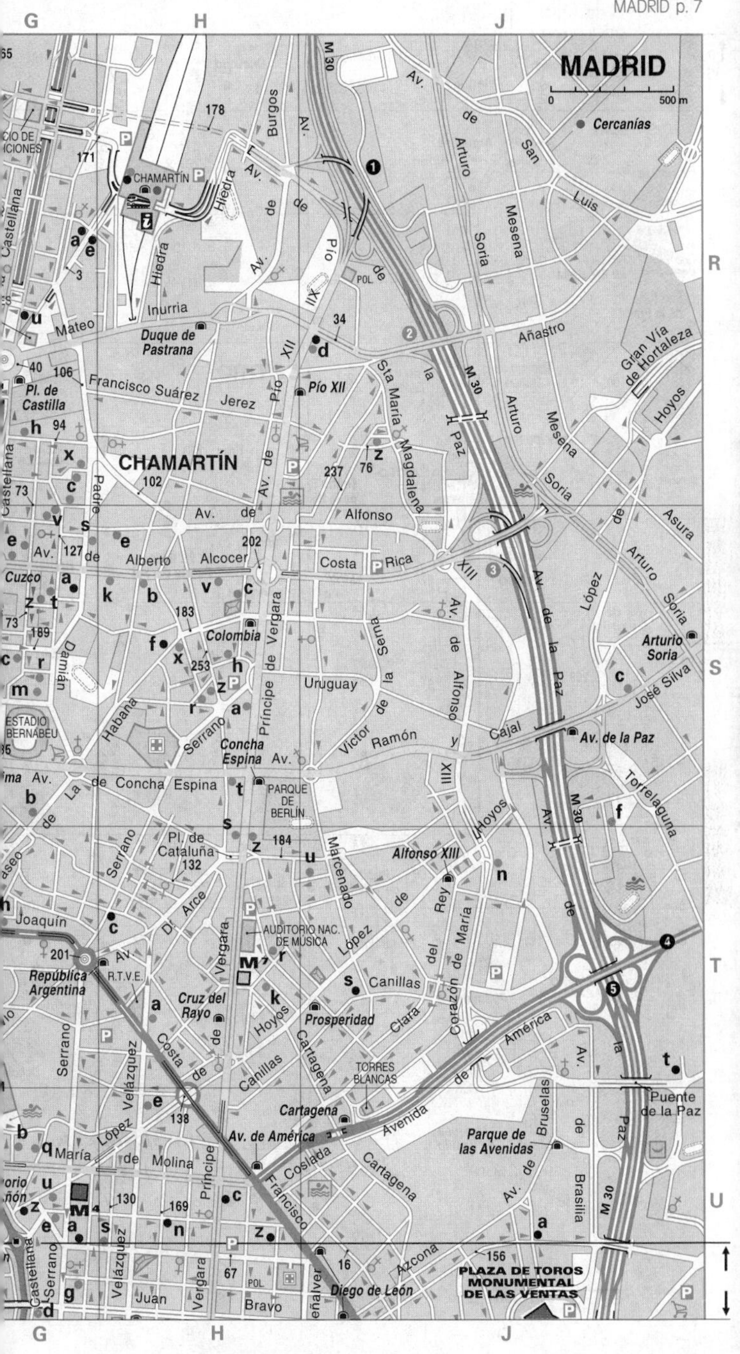
MADRID
0
500 m
Cercanías
G
H
J
R
S
T
U
M 30
Av. de Burgos
Av. de Arturo Soria
Av. de San Luis
Mesena
CHAMARTÍN
Hiedra
Av. de Pío XII
POL.
Mateo Inurria
Duque de Pastrana
Añastro
Gran Vía de Hortaleza
Pl. de Castilla
Francisco Suárez
Jerez
Pío XII
Sta María Magdalena
Av. de la Paz
Hoyos
CHAMARTÍN
Padre Damián
Castellana
Av. de Alfonso XIII
Av. de Alberto Alcocer
Costa Rica
López de Asura
Cuzco
Colombia
Arturo Soria
José Silva
Príncipe de Vergara
Uruguay
Víctor de la Serna
Ramón y Cajal
Habana
Serrano
ESTADIO BERNABEU
Concha Espina
Av. de la Paz
Av. de Concha Espina
PARQUE DE BERLÍN
Torrelaguna
Pl. de Cataluña
Marcenado
Alfonso XIII
Joaquín
D. Arce
AUDITORIO NAC. DE MÚSICA
López de Hoyos
Rey
Corazón de María
República Argentina
R.T.V.E.
Av.
Cruz del Rayo
Canillas
Prosperidad
Clara del Rey
Costa Rica
Av. de América
Cartagena
TORRES BLANCAS
Velázquez
Puente de la Paz
Cartagena
Av. de América
Avenida de América
Parque de las Avenidas
Av. de Bruselas
Brasilia
María de Molina
Coslada
Francisco
Azcona
PLAZA DE TOROS MONUMENTAL DE LAS VENTAS
Diego de León
Juan Bravo
Vergara
Serrano
Castellana

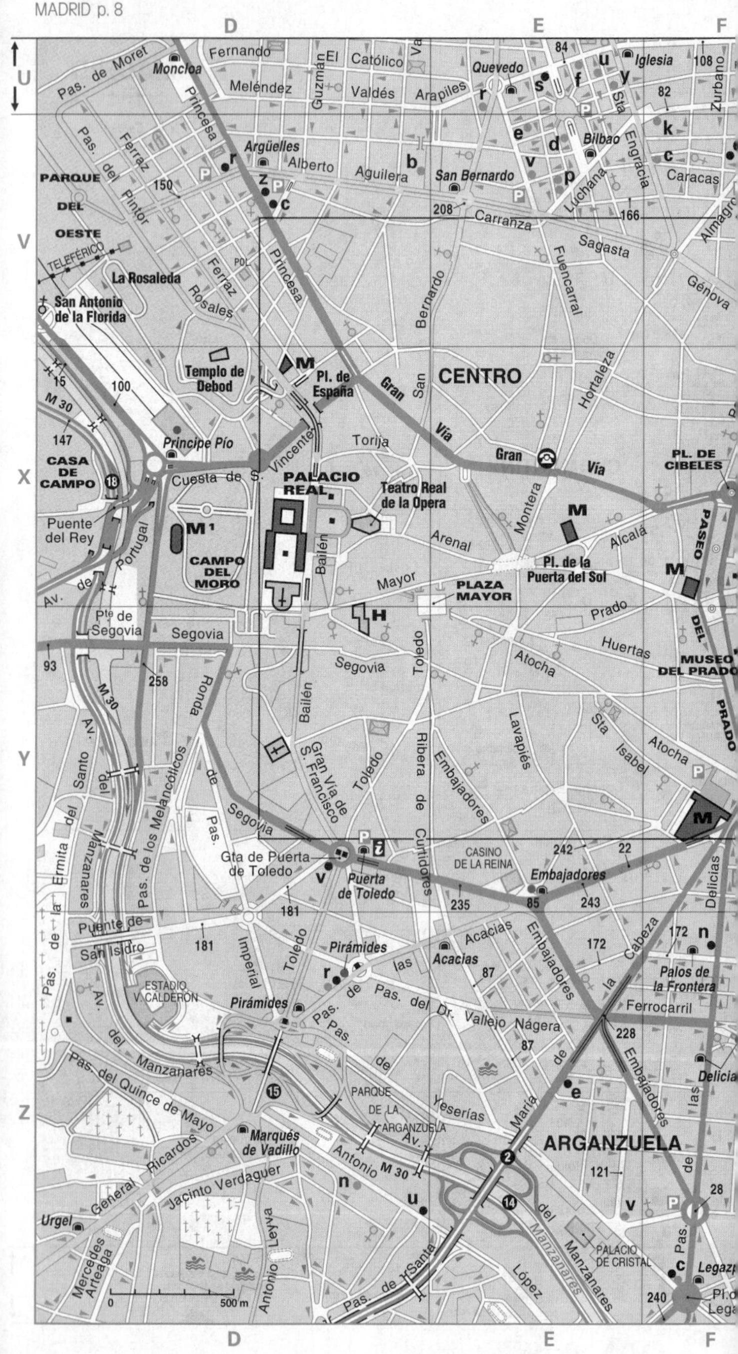
D
E
F
U
V
X
Y
Z
Pas. de Moret
Moncloa
Fernando
El Católico
Meléndez
Valdés
Guzmán
Arapiles
Quevedo
Iglesia
84
108
Zurbano
82
Sta Engracia
Bilbao
Luchana
Caracas
Almagro
Princesa
Pas. del Pintor
Ferraz
Argüelles
Alberto Aguilera
San Bernardo
PARQUE DEL OESTE
150
208
166
Carranza
Sagasta
TELEFÉRICO
La Rosaleda
Rosales
San Antonio de la Florida
Bernardo
Fuencarral
Génova
Templo de Debod
Pl. de España
Gran Vía
San
CENTRO
Hortaleza
15
100
M 30
147
Principe Pío
Torija
Gran Vía
PL. DE CIBELES
CASA DE CAMPO
18
Cuesta de S. Vincente
PALACIO REAL
Teatro Real de la Opera
Montera
Puente del Rey
M¹
CAMPO DEL MORO
Portugal
Bailén
Arenal
Alcalá
PASEO DEL PRADO
Pl. de la Puerta del Sol
Av. de
Mayor
PLAZA MAYOR
Pte de Segovia
Segovia
H
Prado
Huertas
MUSEO DEL PRADO
93
258
Atocha
Toledo
Ronda de Segovia
Lavapiés
Sta Isabel
Atocha
Av. del Santo
Ermita del
Manzanares
Pas. de los Melancólicos
Gran Vía de S. Francisco
Ribera de Curtidores
Embajadores
Pas.
Gta de Puerta de Toledo
Puerta de Toledo
CASINO DE LA REINA
242
22
Embajadores
235
85
243
Delicias
181
Puente de San Isidro
Imperial
Pirámides
Acacias
172
Palos de la Frontera
Pas. de la Ermita del
Av.
ESTADIO V. CALDERÓN
Pirámides
Pas. de las
Pas. del Dr. Vallejo Nágera
Ferrocarril
228
Delicias
Av. del Manzanares
Pas. del Quince de Mayo
15
PARQUE DE LA ARGANZUELA
Yeserías
María de la Cabeza
87
Marqués de Vadillo
Antonio
M 30
2
ARGANZUELA
121
General Ricardos
Jacinto Verdaguer
14
del Manzanares
28
Urgel
Antonio Leyva
PALACIO DE CRISTAL
Pas. de las Delicias
Mercedes Arteaga
0
500 m
Pas. de Santa María de la Cabeza
López
240
Legazpi
Pl. de Legazpi

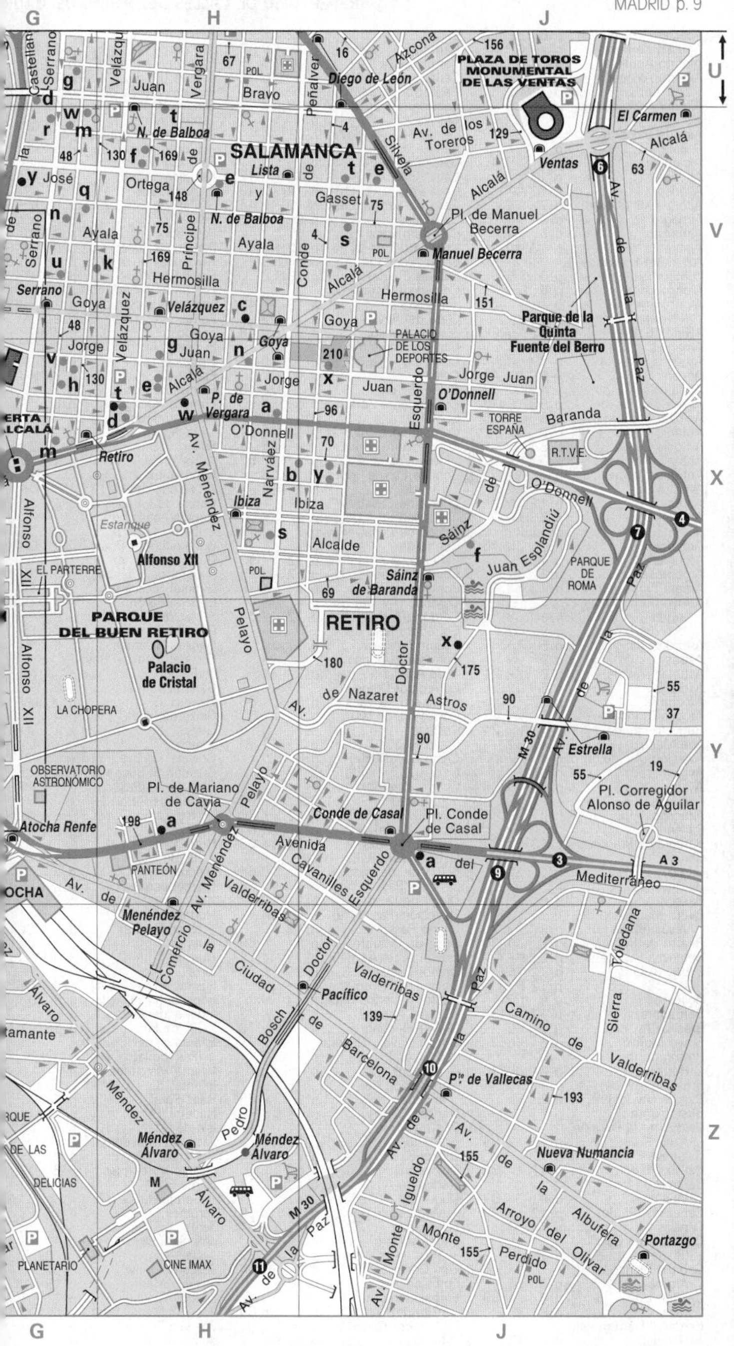

G
H
J
U
V
X
Y
Z
PLAZA DE TOROS MONUMENTAL DE LAS VENTAS
SALAMANCA
Diego de León
El Carmen
Ventas
Av. de los Toreros
Alcalá
Silvela
Pl. de Manuel Becerra
Manuel Becerra
N. de Balboa
Lista
Ortega y Gasset
Juan Bravo
Velázquez
Vergara
Serrano
Castellana
José
Ayala
Hermosilla
Goya
Jorge Juan
Príncipe de Vergara
Conde de Peñalver
Azcona
Parque de la Quinta Fuente del Berro
PALACIO DE LOS DEPORTES
O'Donnell
TORRE ESPAÑA
R.T.V.E.
Baranda
Av. de la Paz
Narváez
Ibiza
Alcalde Sáinz de Baranda
Sáinz de Baranda
Juan Esplandiú
PARQUE DE ROMA
Retiro
Estanque
Alfonso XII
EL PARTERRE
PARQUE DEL BUEN RETIRO
Palacio de Cristal
LA CHOPERA
OBSERVATORIO ASTRONÓMICO
RETIRO
Av. Menéndez Pelayo
Doctor Esquerdo
Av. de Nazaret
Astros
Estrella
M 30
Pl. Corregidor Alonso de Aguilar
Pl. de Mariano de Cavia
Atocha Renfe
PANTEÓN
Conde de Casal
Pl. Conde de Casal
Avenida Cavanilles
Av. del Mediterráneo
A 3
Valderribas
Menéndez Pelayo
Av. de la Ciudad
Comercio
Pacífico
Doctor
Bosch
Pedro
Av. de Barcelona
Camino de Valderribas
Toledana
Sierra
Pte. de Vallecas
Méndez Álvaro
Álvaro
DELICIAS
PLANETARIO
CINE IMAX
Av. de la Albufera
Arroyo del Olivar
Nueva Numancia
Portazgo
Monte Igueldo
Monte Perdido
POL.

Acacias (Pas. de las) p. 8 **EZ**
Agustín de Foxá p. 7 **GR** 3
Alberto Aguilera p. 8 **DV**
Alberto Alcocer (Av. de) p. 7 **HS**
Albufera (Av. de la) p. 5 **CM**
Alcalá p. 13 **MX**
Alcalde Sáinz de Baranda p. 9 **JX**
Alcántara p. 9 **JV** 4
Alfonso XI p. 13 **NX**
Alfonso XII p. 13 **NX**
Alfonso XIII (Av. de) p. 7 **JS**
Almagro p. 8 **FV**
Almansa p. 6 **DT**
Almirante p. 13 **MV**
Almirante Francisco Moreno p. 6 **DS** 6
Alonso Cano p. 6 **ET** 7
Alonso Martínez (Pl. de) p. 13 **MV**
Alvarez Gato p. 12 **LY** 9
Amaniel p. 12 **KV**
América (Av. de) p. 7 **JT**
Ancora p. 9 **GZ** 10
Andalucía (Av. de) p. 4 **BM** 12
Andes (Av. de los) p. 5 **CL** 13
Aniceto Marinas p. 8 **DX** 15
Antonio Leyva p. 8 **DZ**
Antonio López p. 8 **DZ**
Antonio Machado p. 6 **DR**
Antonio Maura p. 13 **NY**
Añastro p. 7 **JR**
Apodaca p. 12 **LV**
Arapiles p. 6 **EU**
Arenal p. 12 **KY**
Ardemans p. 7 **JU** 16
Argensola p. 13 **MV**
Argumosa p. 12 **LZ**
Arrieta p. 12 **KX** 18
Arroyo de la Media Legua p. 9 **JY** 19
Arroyo del Olivar p. 9 **JZ**
Arturo Soria p. 5 **CL**
Astros p. 9 **JY**
Asturias (Av. de) p. 6 **ER** 21
Asura p. 7 **JS**
Atocha p. 12 **LY**
Atocha (Ronda de) p. 8 **EY** 22
Augusto Figueroa p. 13 **MV** 24
Ave María p. 12 **LZ**
Aviación (Av. de la) p. 4 **AM**
Avila p. 6 **ES**
Ayala p. 13 **NV** 25
Azcona p. 7 **JU**
Azucenas p. 6 **ER**
Bailén p. 12 **KY**
Bárbara de Braganza p. 13 **NV** 27
Barceló p. 12 **LV**
Barco p. 12 **LV**
Barquillo p. 13 **MX**
Báscones p. 6 **FR**
Beata María Ana de Jesús (Pl. de la) p. 8 **FZ** 28
Beatriz de Bobadilla p. 6 **DT** 30
Betanzos (Av. de) p. 6 **DR**
Bilbao (Glta de) p. 12 **LV**
Bola p. 12 **KX**
Bolívar p. 9 **GZ**
Bordadores p. 12 **KY** 31
Brasilia (Av. de) p. 7 **JU**
Bravo Murillo p. 6 **EU**
Bretón de los Herreros p. 6 **FU** 33
Bruselas (Av. de) p. 7 **JU**
Burgos (Av. de) p. 7 **HR**
Bustamante p. 9 **GZ**
Caídos de la División Azul p. 7 **JR** 34
Calatrava p. 12 **KZ**
Callao (Pl. del) p. 12 **LX** 36
Camino de los Vinateros p. 9 **JY** 37
Canalejas (Pl. de) p. 12 **LY**
Canillas p. 7 **JT**
Cánovas del Castillo (Pl. de) p. 13 **MY**
Capitán Blanco Argibay p. 6 **ER**
Capitán Haya p. 6 **FS** 39
Caracas p. 8 **FV**
Cardenal Herrera Oria (Av. del) p. 4 **BL**

Carmen p. 12 **LX**
Carranza p. 8 **EV**
Carretas p. 12 **LY**
Cartagena p. 7 **JU**
Cascorro (Pl. de) p. 12 **LZ**
Castellana (Pas. de la) p. 13 **NV**
Castilla p. 6 **ES**
Castilla (Carret. de) p. 4 **AL**
Castilla (Pl. de) p. 7 **GR** 40
Cataluña (Pl. de) p. 7 **HT**
Cava Alta p. 12 **KZ** 42
Cava Baja p. 12 **KZ** 43
Cava de San Miguel p. 12 **KY** 45
Cavanilles p. 9 **JY**
Cea Bermúdez p. 6 **DU**
Cebada (Pl. de la) p. 12 **KZ**
César Manrique p. 6 **DR**
Cibeles (Pl. de) p. 13 **MX**
Ciudad de Barcelona (Av. de la) p. 13 **NZ** 46
Clara del Rey p. 7 **JT**
Claudio Coello p. 9 **GV** 48
Claudio Moyano p. 13 **NZ**
Colegiata p. 12 **LZ**
Colón p. 12 **LV**
Colón (Pl. de) p. 13 **NV** 49
Comandante Zorita p. 6 **ET** 50
Comercio p. 9 **HZ**
Complutense (Av.) p. 4 **AL** 51
Concepción Jerónima p. 12 **LY** 52
Concha Espina (Av. de) p. 7 **HS**
Conde de Casal (Pl. del) p. 9 **JY**
Conde de Peñalver p. 7 **JU**
Conde de Romanones p. 12 **LY** 53
Conde Duque p. 12 **KV**
Corazón de María p. 7 **JT**
Córdoba (Av. de) p. 4 **BM**
Cordón (Pl. del) p. 12 **KY** 54
Corredera Baja de San Pablo p. 12 **LV**
Corregidor Alonso de Aguilar (Pl. del) p. 9 **JY**
Corregidor Diego Cabeza de Vaca p. 9 **JY** 55
Cortes (Pl. de las) p. 13 **MY** 57
Coslada p. 7 **JU**
Costa Rica p. 7 **JS**
Cristo Rey (Pl. de) p. 6 **DU**
Cruz p. 12 **LY**
Cuatro Caminos (Glta de) p. 6 **ET** 58
Cuchilleros p. 12 **KY** 60
Cuzco (Pl. de) p. 7 **GS** 61
Daroca (Av. de) p. 9 **JV** 63
Dehesa de la Villa (Carret. de la) p. 6 **DS** 64
Delicias (Pas. de las) p. 4 **BM** 66
Diego de León p. 7 **HU** 67
Dirección (Pas. de la) p. 7 **ER**
Divino Pastor p. 12 **LV**
Doce de Octubre p. 9 **JX** 69
Doctor Arce (Av. del) p. 7 **HT**
Doctor Castelo p. 9 **JX** 70
Doctor Esquerdo p. 9 **JY**
Doctor Federico Rubio y Galí (Av. del) p. 6 **DS** 72
Doctor Fléming p. 7 **GS** 73
Doctor Vallejo Nágera (Pas. del) p. 8 **EZ**
Don Pedro p. 12 **KZ**
Don Ramón de la Cruz p. 9 **HV** 75
Donoso Cortés p. 6 **DU**
Dos de Mayo (Pl. del) p. 12 **LV**
Drácena p. 7 **JR** 76
Dulcinea p. 6 **ET**
Duque de Alba p. 12 **LZ** 78
Duque de Medinaceli p. 13 **MY** 79
Echegaray p. 12 **LY** 81
Eduardo Dato (Pas. de) p. 6 **FU** 82
Eloy Gonzalo p. 6 **EU** 84
Embajadores p. 12 **LZ**
Embajadores (Glta de) p. 8 **EY** 85
Emperador Carlos V (Pl. del) p. 12 **NZ**

Ermita del Santo (Pas. de la) p. 8 **DY**
Espalter p. 13 **NZ**
España (Pl. de) p. 12 **KV**
Esperanza (Pas. de la) p. 9 **EZ** 8
Espíritu Santo p. 12 **LV**
Espoz y Mina p. 12 **LY** 8
Estación de Hortaleza (Carret. a la) p. 5 **CL** 8
Estrella Polar p. 9 **JY** 9
Estudios p. 12 **KZ** 9
Extremadura (Pas. de) p. 8 **DY** 9
Felipe IV p. 13 **NY**
Félix Boix p. 7 **GR** 9
Fernán González p. 9 **JX** 9
Fernández de la Hoz p. 6 **FU** 9
Fernando VI p. 13 **MV**
Fernando El Católico p. 6 **DU**
Fernando el Santo p. 13 **NV** 9
Ferraz p. 9 **DV**
Ferrocarril p. 8 **FZ**
Filipinas (Av. de) p. 6 **ET**
Florida (Pas. de la) p. 8 **DX** 1
Francisco Silvela p. 7 **HU**
Francisco Suárez p. 7 **HR**
Francos Rodríguez p. 6 **DS**
Fray Bernardino Sahagún p. 7 **HR** 1
Fúcar p. 13 **MZ**
Fuencarral p. 12 **LV**
Ganapanes (Vereda de) p. 6 **DR**
García de Paredes p. 6 **EU** 1
General Ibáñez de Ibero p. 6 **DT** 1
General López Pozas p. 7 **GR** 1
General Martínez Campos (Pas. del) p. 6 **FU** 1
General Moscardó p. 6 **FS** 1
General Perón (Av. del) p. 6 **FS**
General Pintos p. 6 **FR**
General Ricardos p. 4 **BM** 1
General Vara del Rey (Pl. del) p. 12 **KZ** 1
General Yagüe p. 6 **FS**
Génova p. 13 **NV**
Ginzo de Limia p. 4 **BL** 1
Goya p. 13 **NV** 1
Gran Vía p. 12 **LX**
Gravina p. 13 **MV**
Guzmán El Bueno p. 6 **DU**
La Habana (Pas. de) p. 7 **HS**
Hermanos García Noblejas p. 5 **CL**
Hermosilla p. 9 **HV**
Herradores (Pl. de los) p. 12 **KY** 1
Hiedra p. 7 **HR**
Hierbabuena p. 6 **ER** 1
Hortaleza p. 12 **LX**
Hortaleza (Gran Vía de) p. 5 **CL**
Huertas p. 12 **LY**
Huesca p. 6 **ES**
Ibiza p. 9 **JX**
Ilustración (Av. de la) p. 4 **BL**
Imperial (Pas.) p. 8 **DZ**
Independencia (Pl. de la) p. 13 **NX** 1
Infanta Isabel (Pas. de la) p. 13 **NZ** 1
Infanta Mercedes p. 6 **ES**
Infantas p. 12 **LX**
Isaac Peral p. 6 **DT**
Isabel II (Pl. de) p. 12 **KX**
Isla de Oza p. 4 **BL** 1
Jacinto Benavente (Pl. de) p. 12 **LY**
Jacinto Verdaguer p. 8 **DZ**
Jaime El Conquistador p. 8 **EZ** 1
Jardines p. 12 **LX**
Jerez p. 7 **HR**
Jerónima Llorente p. 6 **DS**
Jesús p. 13 **MY**
Jesús del Valle p. 12 **LV** 1
Jesús y María p. 12 **LZ**
Joaquín Costa p. 7 **GT**
Joaquín María López p. 6 **DU** 1
Joaquín Turina p. 4 **AM**
Jorge Juan p. 9 **HX**

é Abascal....... p. 6 **EU**
é Ortega y Gasset. p. 9 **HV**
é Silva .... p. 7 **JS**
n XXIII (Pas. de) . p. 6 **DS**
n Bravo .... p. 7 **HU**
n de Olías ...... p. 6 **ES** 126
n Esplandiú ..... p. 9 **JX**
n Ramón Jiménez p. 7 **GS** 127
o Camba .... p. 9 **JV** 129
asca .... p. 9 **HV** 130
apiés .... p. 12 **LZ**
ltad (Pl. de la) ... p. 13 **NY**
anitos .... p. 12 **KX**
azpi (Pl. de) .... p. 8 **FZ**
arán .... p. 7 **HT** 132
eros .... p. 12 **KX** 133
a (Pl. de) ...... p. 7 **GS** 135
e de Haro ...... p. 6 **ES** 136
ez de Hoyos .... p. 7 **JT**
ez de Hoyos
Glta de) .... p. 7 **HU** 138
hana .... p. 8 **EV**
Mitjans .... p. 9 **JZ** 139
a .... p. 12 **KV**
dera .... p. 12 **LV**
drazo .... p. 13 **MY** 141
gdalena .... p. 12 **LZ**
nuel Becerra
Pl. de) .... p. 9 **JV**
nzanares (Av. del). p. 4 **BM** 142
de Cristal
Glta del) .... p. 5 **CL** 144
rcenado .... p. 7 **JT**
ía de Guzmán ... p. 6 **ET**
ía de Molina .... p. 7 **HU**
iano de Cavia
Pl. de) .... p. 9 **HY**
rqués de Cubas .. p. 13 **MY** 145
rqués de Monistrol
Pas. del) .... p. 8 **DX** 147
rqués de Sala-
manca (Pl. del) ... p. 9 **HV** 148
rqués de Urquijo . p. 8 **DV** 150
rqués de Viana .. p. 6 **ER**
rqués de Zafra
Pas. del) .... p. 9 **JV** 151
rqués del Riscal . p. 9 **GV** 153
rtínez de la Riva . p. 9 **JZ** 155
rtínez Izquierdo .. p. 7 **JU** 156
teo Inurria ...... p. 7 **HR**
udes .... p. 6 **ET** 157
yor .... p. 12 **KY**
yor (Pl.) .... p. 12 **KY**
diterráneo (Av. del) p. 9 **JY**
ía Lequerica .... p. 12 **LV** 159
ancólicos
Pas. de los) ..... p. 8 **DY**
chor Fernández
Almagro .... p. 6 **DR**
éndez Valdés ... p. 6 **DU**
néndez Álvaro .... p. 9 **HZ**
néndez Pelayo
Av. de) .... p. 9 **HX**
rcedes Arteaga .. p. 8 **DZ**
sena .... p. 7 **JR**
són de Paredes .. p. 12 **LZ**
uel Angel ...... p. 6 **FU** 160
aflores (Av. de) .. p. 4 **AL** 161
desto Lafuente ... p. 6 **FT** 162
ncloa (Av. de la) . p. 6 **DT** 163
nforte de Lemos
Av. de) .... p. 7 **GR** 165
ntalbán .... p. 13 **NX**
nte Igueldo
Av. del) .... p. 9 **JZ**
nte Perdido ..... p. 9 **JZ**
ntera .... p. 12 **LX**
ntserrat .... p. 12 **KV**
ratín .... p. 13 **MZ**
eras .... p. 6 **DS**
ret (Pas. de) .... p. 6 **DU**
reto .... p. 13 **NY**
ler .... p. 6 **ER**
rillo (Pl. de) ..... p. 13 **NZ**
váez .... p. 9 **HX**
arra .... p. 6 **ES**
aret (Av. de) .... p. 9 **JY**
asio Gallego ..... p. 8 **EV** 166
ñez de Arce ..... p. 12 **LY** 168
ñez de Balboa ... p. 9 **HV** 169
onnell .... p. 9 **JX**
ia Nieto .... p. 6 **DS**
ar .... p. 12 **LZ**

Oporto (Av. de) ..... p. 4 **BM**
Orense .... p. 6 **FS**
Oriente (Pl. de) ..... p. 12 **KX**
Pablo Iglesias (Av. de) p. 6 **DT**
Padre Damián ...... p. 7 **GS**
Padre Francisco Palau y Quer .... p. 7 **GR** 171
Padre Huidobro (Av. del) .... p. 4 **AL**
Paja (Pl. de la) ...... p. 12 **KZ**
Palma .... p. 12 **LV**
Palos de la Frontera . p. 8 **FZ** 172
El Pardo (Carret. de) . p. 4 **AL**
Paz (Av. de la) ..... p. 9 **JV**
Paz (Pte de la) ..... p. 7 **JU**
Pedro Bosch .... p. 9 **HZ**
Pedro Teixeira ...... p. 6 **FS** 174
Pelayo .... p. 13 **MV**
Pez .... p. 12 **LV**
Pez Volador .... p. 9 **JY** 175
Pinos Alta .... p. 6 **ER** 177
Pintor Rosales (Pas. del) .... p. 8 **DV**
Pío XII (Av. de) ..... p. 7 **HR**
Pío XII (Túnel de) ... p. 7 **HR** 178
Pío Baroja .... p. 9 **JY** 180
Pizarro .... p. 12 **LV**
Poblados (Av. de los). p. 4 **AM**
Pontones (Pas. de los) ...... p. 8 **DZ** 181
Portugal (Av. de) .... p. 4 **AM**
Potosí .... p. 7 **HS** 183
Pradillo .... p. 7 **HT** 184
Prado .... p. 13 **MY**
Prado (Pas. del) ..... p. 13 **NZ**
Preciados .... p. 12 **LX** 186
Presidente Carmona (Av. del) .... p. 6 **ES** 187
Prim .... p. 13 **NV**
Princesa .... p. 12 **KV**
Princesa Juana de Austria (Av. de la) . p. 4 **BM**
Príncipe .... p. 12 **LY**
Príncipe de Vergara . p. 7 **HS**
Profesor Waksman .. p. 7 **GS** 189
Provincia (Pl. de la) . p. 12 **LY**
Puebla .... p. 12 **LV**
Puerta Cerrada (Pl. de) p. 12 **KY** 190
Puerta de Hierro (Av. de) .... p. 4 **AL**
Puerta de Moros (Pl. de) .... p. 12 **KZ** 192
Puerta de Toledo (Glta de) .... p. 8 **DY**
Puerta del Sol (Pl. de la) .... p. 12 **LY**
Puerto de Canfranc . p. 9 **JZ** 193
Quince de Mayo (Pas. del) .... p. 8 **DZ**
Raimundo Fernández Villaverde .... p. 6 **ET** 195
Ramiro de Maeztu .. p. 6 **DT**
Ramón y Cajal (Av. de) .... p. 7 **JS**
Recoletos .... p. 13 **NX** 196
Recoletos (Pas. de) .. p. 13 **NV**
Reina Cristina (Pas.de la) .... p. 9 **HY** 198
Reina Mercedes .... p. 6 **ES** 199
Reina Victoria (Av. de la) .... p. 4 **BL** 200
República Argentina (Pl. de la) .... p. 7 **GT** 201
República Dominicana (Pl. de la) .... p. 7 **HS** 202
Rey (Pte del) .... p. 8 **DX**
Reyes .... p. 12 **KV**
Reyes Católicos (Av. de los) .... p. 6 **DU** 204
Ribera de Curtidores . p. 12 **KZ**
Ribera del Sena .... p. 5 **CL** 205
Río .... p. 12 **KV**
Ríos Rosas .... p. 6 **ET**
Rosario Pino .... p. 6 **FR** 207
Ruiz Jiménez (Glta de) .... p. 8 **EV** 208
Sacramento .... p. 12 **KY**
Sagasta .... p. 12 **LV**
Salvador Dalí (Pl. de). p. 9 **JX** 210
San Bernardino ..... p. 12 **KV** 211
San Bernardo ...... p. 12 **KV**
San Francisco (Carrera de) ...... p. 12 **KZ** 214

San Francisco (Gran Vía de) .... p. 12 **KZ**
San Francisco de Sales (Pas. de) ... p. 6 **DT** 216
San Isidro (Pte de) .. p. 8 **DZ**
San Jerónimo (Carrera de) ...... p. 12 **LY** 218
San Juan de la Cruz (Pl. de) .... p. 6 **FT** 219
San Justo .... p. 12 **KY** 220
San Lorenzo .... p. 12 **LV** 222
San Luis (Av. de) ... p. 5 **CL** 223
San Marcos .... p. 13 **MX**
San Mateo .... p. 12 **LV**
San Millán .... p. 12 **KZ** 225
San Raimundo ..... p. 6 **ES**
San Vicente (Cuesta de) ...... p. 8 **DX**
Santa Bárbara (Pl. de) .... p. 13 **MV**
Santa Engracia ..... p. 13 **MV** 226
Santa Isabel .... p. 13 **MZ**
Santa María de la Cabeza (Glta de) .. p. 8 **EZ** 228
Santa María de la Cabeza (Pas. de) .. p. 4 **BM** 229
Santa María Magdalena .... p. 7 **JR**
Santander .... p. 6 **DT**
Santo Domingo (Cuesta, Pl. de) ... p. 12 **KX** 231
Sauco .... p. 6 **ES**
Segovia .... p. 8 **DY**
Segovia (Pte de) .... p. 8 **DY**
Segovia (Ronda de) . p. 8 **DY**
Sepúlveda .... p. 4 **AM**
Serrano .... p. 13 **NV**
Sevilla .... p. 12 **LY** 232
Sierra Toledana ..... p. 9 **JZ**
Sinesio Delgado .... p. 6 **DR**
Sor Angela de la Cruz .... p. 6 **FS** 234
Tablada .... p. 6 **ES**
Teruel .... p. 6 **ES**
Tirso de Molina (Pl. de) .... p. 12 **LZ**
Toledo .... p. 12 **KZ**
Toledo (Ronda de) .. p. 8 **EY** 235
Toreros (Av. de los) . p. 9 **JV**
Torija .... p. 12 **KX**
Torpedero Tucumán . p. 7 **JR** 237
Torrelaguna .... p. 7 **JS**
Tudescos .... p. 12 **LX** 238
Uruguay .... p. 7 **JS**
Vado de Santa Catalina .... p. 8 **FZ** 240
Valderribas .... p. 9 **JZ**
Valderribas (Camino de) ..... p. 9 **JZ**
Valdetorres de Jarama .... p. 5 **CL** 241
Valencia .... p. 8 **EY** 242
Valencia (Ronda de) . p. 8 **EY** 243
Valladolid (Av. de) .. p. 4 **AL** 244
Valle (Av. del) ..... p. 6 **DT**
Vallehermoso ...... p. 6 **DU**
Valmojado .... p. 4 **AM**
Valverde .... p. 12 **LV** 246
Veinticinco de Septiembre (Av. del) p. 5 **CL** 247
Velázquez .... p. 7 **HU**
Ventura de la Vega . p. 12 **LY** 249
Ventura Rodríguez .. p. 12 **KV** 250
Vergara .... p. 12 **KY** 252
Victor Andrés Belaunde .... p. 7 **HS** 253
Victor de la Serna ... p. 7 **JS**
Victoria (Av. de la) .. p. 6 **DU**
Villa (Pl. de la) ..... p. 12 **KY**
Villa de París (Pl. de la) .... p. 13 **NV** 255
Villaamil .... p. 6 **DR**
Villanueva .... p. 13 **NV**
Virgen de los Peligros .... p. 12 **LX** 256
Virgen del Puerto (Pas. de la) ...... p. 8 **DY** 258
Viriato .... p. 6 **EU**
Vitruvio .... p. 7 **GT**
Yeserías (Pas. de) ... p. 8 **EZ**
Zurbano .... p. 6 **FU**
Zurbarán .... p. 8 **FV** 259
Zurita .... p. 12 **LZ**

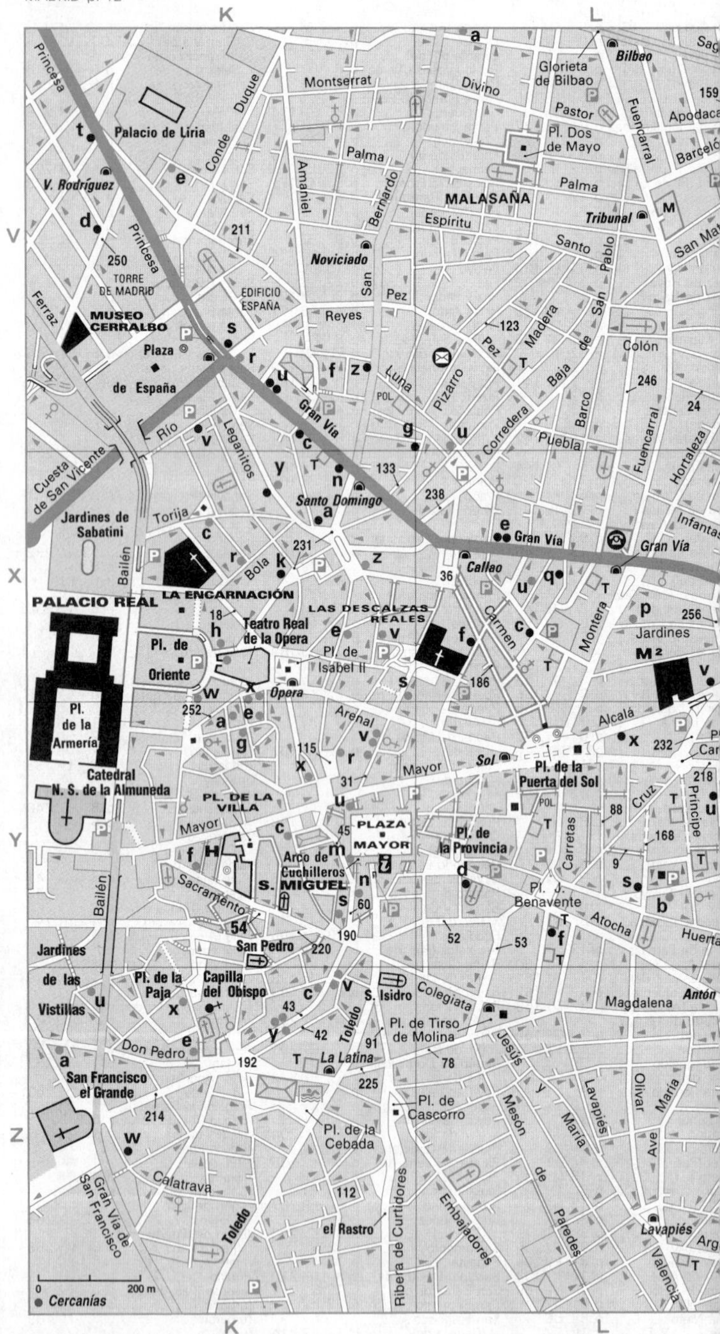

K
L
Princesa
Palacio de Liria
V. Rodríguez
Conde Duque
Montserrat
Divino
Glorieta de Bilbao
Bilbao
Pastor
Pl. Dos de Mayo
Fuencarral
Apodaca
Barceló
Palma
Amaniel
San Bernardo
MALASAÑA
Espíritu
Tribunal
Noviciado
Santo
San Pablo
Princesa
Torre de Madrid
Ferraz
Edificio España
Museo Cerralbo
Reyes
Pez
Madera
Baja de San Pablo
Colón
Plaza de España
Luna
Pizarro
Corredera
Barco
Gran Vía
Río
Leganitos
Puebla
Fuencarral
Hortaleza
Cuesta de San Vicente
Santo Domingo
Jardines de Sabatini
Torija
Infantas
Gran Vía
Callao
Bailén
Bola
Palacio Real
La Encarnación
Las Descalzas Reales
Teatro Real de la Opera
Pl. de Oriente
Pl. de Isabel II
Opera
Carmen
Montera
Jardines
Pl. de la Armería
Arenal
Alcalá
Catedral N. S. de la Almuneda
Mayor
Sol
Pl. de la Puerta del Sol
Pl. de la Villa
Plaza Mayor
Cruz
Príncipe
Pl. de la Provincia
Arco de Cuchilleros
S. Miguel
Carretas
Sacramento
Pl. J. Benavente
Atocha
Huertas
Bailén
San Pedro
Jardines de las Vistillas
Pl. de la Paja
Capilla del Obispo
S. Isidro
Colegiata
Magdalena
Antón
Toledo
Pl. de Tirso de Molina
Don Pedro
La Latina
Jesús y María
San Francisco el Grande
Pl. de Cascorro
Lavapiés
Olivar
Ave María
Pl. de la Cebada
Mesón de Paredes
Calatrava
Gran Vía de San Francisco
Embajadores
Toledo
el Rastro
Ribera de Curtidores
Lavapiés
Valencia
200 m
Cercanías

MADRID

Michelin pone sus mapas constantemente al día. Llévelos en su coche y no tendrá Vd. sorpresas desagradables en carretera.

Lista alfabética de hoteles y restaurantes
Lista alfabética de hotéis e restaurantes
Liste alphabétique des hôtels et restaurants
Elenco alfabetico degli alberghi e ristoranti
Alphabetisches Hotel- und Restaurantverzeichnis
Alphabetical list of hotels and restaurants

D – E

F

G

H

I – J

K – L

M

N

O – P

Q – R

S

T

V – W – X – Z

Establecimientos con estrellas
Estabelecimentos com estrelas
Les établissements à étoiles
Gli esercizi con stelle
Die Stern-Restaurants
Starred establishments

34 **Zalacaín**

28 **Amparo (El)**
37 **Broche (La)**
29 **Casa d'a Troya**
32 **Cuatro Estaciones (Las)**
35 **Goizeko Kabi**
32 **Jockey**
35 **Olivo (El)**
28 **Paloma (La)**
35 **Pazo (O')**
30 **Pescador (El)**
35 **Príncipe de Viana**
30 **Trainera (La)**

Buenas comidas a precios moderados
Refeições cuidadas a preços moderados
Repas soignés à prix modérés
Pasti accurati a prezzi contenuti
Sorgfältig zubereitete preiswerte Mahlzeiten
Good food at moderate prices

"Bib Gourmand"

24 **Asador de Aranda (El)** Preciados 44
29 **Asador de Aranda (El)** Diego de León 9
37 **Asador de Aranda (El)** pl. de Castilla 3
37 **Asador de Roa**
26 **Bola (La)**
26 **Casa Vallejo**
38 **Cenachero (El)**
26 **Ciao Madrid** (Argensola 7)
26 **Ciao Madrid** (Apodaca 20)
33 **Despensa (La)**
33 **Fuente Quince (La)**
33 **Gran Tasca (La)**
29 **Guisando**
26 **Ingenio (El)**
26 **Taberna Carmencita**
36 **Tahona (La)**
25 **Vaca Verónica (La)**
26 **Zerain**

Restaurantes especializados
Restaurants classés suivant leur genre
Ristoranti classificati secondo il loro genere
Restaurants nach Art geordnet
Restaurants classified according to type

Andaluces

38 **Borrachos de Velázquez (Los)**
38 **Cumbres (Las)**
30 **Giralda III (La)**
Maldonado 4
33 **Giralda II (La)**
Hartzenbuch 12
30 **Giralda IV (La)**
Claudio Coello 24

Arroces

35 **Albufera (L')**
33 **Balear**
25 **Barraca (La)**
25 **Pato Mudo (El)**
29 **St. James**

Asturianos

30 **Casa Portal**
25 **Casa Parrondo**
36 **Ferreiro**
29 **Hoja (La)**

Bacalaos

35 **Foque (El)**

Carnes y asados

24 **Asador de Aranda (El)** Preciados 44
29 **Asador de Aranda (El)**
Diego de León 9
37 **Asador de Aranda (El)**
pl. de Castilla 3
38 **Asador Los Condes**
33 **Babel**
36 **De María**
30 **Horno de Juan** Lope de Rueda 4
24 **Julián de Tolosa**
37 **Molino (El)**
Conde de Serrallo 1
37 **Molino (El)** Orense 70
36 **Ox's**
38 **Rancho Texano**
32 **Reses (Las)**
37 **Sidrería del Asador Frontón (La)**
36 **Tahona (La)**

Catalanes

36 **Pedralbes**

Cocido

24 **Bola (La)**

Gallegos

Pescados y mariscos

Tablao flamenco

Vascos y navarros

Alemanes

Chinos

Franceses

Hindúes

Italianos

26 **Ciao Madrid** Argensola 7
26 **Ciao Madrid** Apodaca 20
22 **Cupola (La)** – H. Palace
24 **Don Giovanni**
28 **Lucca**
24 **Nicola (Da)** pl. de los Mostenses 11
37 **Nicola (Da)** Orense 4
36 **Paparazzi**
33 **Pinocchio**
36 **Rugantino**
23 **San Carlo**
36 **Tattaglia**
29 **Teatriz**

Japoneses

26 **Donzoko**
25 **Robata**
28 **Suntory**

Libaneses

36 **Funy (De)**

Maghrebíes

28 **Al Mounia**

Sirios

38 **Al-Fanus**

MAPAS Y GUÍAS MICHELIN

Oficina de información

Doctor Zamenhof 22, 28027 Madrid - ✆ 410 50 00

Abierto de lunes a viernes de 8 h. a 16 h. 30

Centro : Paseo del Prado, Puerta del Sol, Gran Vía, Alcalá, Paseo de Recoletos, Plaza Mayo
(planos p. 12 y 13 salvo mención especial)

Palace, pl. de las Cortes 7, ✉ 28014, ✆ (91) 360 80 00, *Fax (91) 360 81 00* – 🛗 ▤ TV ☎ ♿ 🚗 – 🎤 25/450. AE ⦿ E VISA JCB. ✂ rest MY
La Cupola (cocina italiana, cerrado domingo, lunes y agosto) **Comida** carta 4900 a 630
– ☕ 3100 – **400 hab** 65000/72000, 40 suites.

Husa Princesa, Princesa 40, ✉ 28008, ✆ (91) 542 21 00, *Fax (91) 542 73 28,* 🏋, 🏊
– 🛗 ▤ TV ☎ ♿ 🚗 – 🎤 25/825. AE ⦿ E VISA JCB. ✂ plano p. 8 DV
Comida 2900 – ☕ 2150 – **263 hab** 28100/34250, 12 suites.

Villa Real, pl. de las Cortes 10, ✉ 28014, ✆ (91) 420 37 67, *Fax (91) 420 25 47*
« Decoración elegante » – 🛗 ▤ TV ☎ 🚗 – 🎤 35/100. AE ⦿ E VISA JCB
✂ rest MY
Comida carta 5300 a 5850 – ☕ 2000 – **96 hab** 26400/33000, 19 suites – PA 12500

Crowne Plaza, pl. de España, ✉ 28013, ✆ (91) 547 12 00, *Fax (91) 548 23 89,* ⋞, 🏋
– 🛗 ▤ TV ☎ ♿ – 🎤 25/350. AE ⦿ E VISA JCB. ✂ KV
Comida 4400 – ☕ 1925 – **295 hab** 21200/24400, 11 suites.

Tryp Ambassador, Cuesta de Santo Domingo 5, ✉ 28013, ✆ (91) 541 67 00
Fax (91) 559 10 40 – 🛗 ▤ TV ☎ – 🎤 25/280. AE ⦿ E VISA JCB. ✂ KX
Comida carta 3600 a 5000 – ☕ 1650 – **163 hab** 20000/25000, 18 suites.

NH Nacional, paseo del Prado 48, ✉ 28014, ✆ (91) 429 66 29, *Fax (91) 369 15 64*
🛗 ▤ TV ☎ ♿ 🚗 – 🎤 25/200. AE ⦿ E VISA JCB. ✂ NZ
Comida 2000 – ☕ 1800 – **214 hab** 18500/22000, 1 suite.

Liabeny, Salud 3, ✉ 28013, ✆ (91) 531 90 00, *Fax (91) 532 74 21* – 🛗 ▤ TV ☎ 🚗
– 🎤 25/125. AE ⦿ E VISA. ✂ LX
Comida 3000 – ☕ 1600 – **222 hab** 11200/15400 – PA 7000.

Moncloa Garden sin rest, Serrano Jover 1, ✉ 28015, ✆ (91) 542 45 82
Fax (91) 542 71 69 – 🛗 ▤ TV ☎ – 🎤 25/80. AE ⦿ E VISA JCB. ✂ plano p. 8 DV
☕ 1000 – **103 hab** 14900/17100, 20 suites.

Emperador sin rest, Gran Vía 53, ✉ 28013, ✆ (91) 547 28 00, *Fax (91) 547 28 17,* 🏋
🏊 – 🛗 ▤ TV ☎ – 🎤 25/150. AE ⦿ E VISA JCB KX
☕ 1950 – **232 hab** 18700/23400.

Arosa sin rest. con cafetería, Salud 21, ✉ 28013, ✆ (91) 532 16 00, *Telex 43618*
Fax (91) 531 31 27 – 🛗 ▤ TV ☎ 🚗 – 🎤 25/60. AE ⦿ E VISA JCB LX
☕ 1350 – **139 hab** 13750/21250.

Santo Domingo, pl. de Santo Domingo 13, ✉ 28013, ✆ (91) 547 98 00
Fax (91) 547 59 95 – 🛗 ▤ TV ☎ – 🎤 25/60. AE ⦿ E VISA JCB. ✂ KX
Comida 3850 – ☕ 1450 – **120 hab** 16925/24625 – PA 9350.

Mayorazgo, Flor Baja 3, ✉ 28013, ✆ (91) 547 26 00, *Fax (91) 541 24 85* – 🛗 ▤ TV
☎ 🚗 – 🎤 25/250. AE ⦿ E VISA JCB. ✂ KV
Comida carta 2925 a 4125 – ☕ 1300 – **200 hab** 13750/18000.

Gaudí, Gran Vía 9, ✉ 28013, ✆ (91) 531 22 22, *Fax (91) 531 54 69,* 🏋 – 🛗 ▤ TV ☎
– 🎤 25/120. AE ⦿ E VISA JCB. ✂ LX
Comida 2500 – ☕ 1500 – **88 hab** 20000/24000 – PA 6500.

G.H. Reina Victoria, pl. de Santa Ana 14, ✉ 28012, ✆ (91) 531 45 00
Fax (91) 522 03 07 – 🛗 ▤ TV ☎ 🚗 – 🎤 25/350. AE ⦿ E VISA JCB. ✂ LY
Comida 4800 – ☕ 1800 – **195 hab** 21000/26250, 6 suites.

El Coloso, Leganitos 13, ✉ 28013, ✆ (91) 559 76 00, *Fax (91) 547 49 68* – 🛗 ▤ TV
☎ 🚗 – 🎤 25/200. AE ⦿ E VISA JCB. ✂ KX
Comida 1975 – ☕ 1500 – **84 hab** 18975/22860 – PA 5450.

Suecia, Marqués de Casa Riera 4, ✉ 28014, ✆ (91) 531 69 00, *Fax (91) 521 71 41* – 🛗
▤ TV ☎ – 🎤 25/150. AE ⦿ E VISA JCB. ✂ MX
Comida 3500 – ☕ 1500 – **119 hab** 19200/24200, 9 suites – PA 8500.

Tryp Menfis, Gran Vía 74, ✉ 28013, ✆ (91) 547 09 00, *Fax (91) 547 51 99* – 🛗 ▤
TV ☎. AE ⦿ E VISA JCB. ✂ KV
Comida 1800 – ☕ 1300 – **116 hab** 16275/20475.

Atlántico sin rest, Gran Vía 38-1º, ✉ 28013, ☎ (91) 522 64 80, *Fax (91) 531 02 10* – LX e
850 – **81 hab** 11100/14670.

Regina sin rest, Alcalá 19, ✉ 28014, ☎ (91) 521 47 25, *Telex 27500, Fax (91) 522 40 88* – LX v
142 hab 9950/14400.

Casón del Tormes sin rest, Rio 7, ✉ 28013, ☎ (91) 541 97 46, *Fax (91) 541 18 52* – KV v
690 – **63 hab** 10200/14000.

El Prado sin rest, Prado 11, ✉ 28014, ☎ (91) 369 02 34, *Fax (91) 429 28 29* – 25/50. LY a
500 – **47 hab** 15600/19700.

Suite Prado sin rest, Manuel Fernández y González 10, ✉ 28014, ☎ (91) 420 23 18, *Fax (91) 420 05 59* – LY a
550 – **18 hab** 15600/19500.

Mercator sin rest. con cafetería, Atocha 123, ✉ 28012, ☎ (91) 429 05 00, *Fax (91) 369 12 52* – NZ b
800 – **89 hab** 8800/12300.

Carlos V sin rest, Maestro Vitoria 5, ✉ 28013, ☎ (91) 531 41 00, *Fax (91) 531 37 61* – LX f
67 hab 11570/14565.

Cortezo sin rest. con cafetería, Dr. Cortezo 3, ✉ 28012, ☎ (91) 369 01 01, *Fax (91) 369 37 74* – LY f
975 – **90 hab** 9250/13500.

París, Alcalá 2, ✉ 28014, ☎ (91) 521 64 96, *Fax (91) 531 01 88* – LY x
Comida 2700 – 500 – **120 hab** 8400/11000 – PA 5240.

Tryp Washington, Gran Vía 72, ✉ 28013, ☎ (91) 541 72 27, *Telex 48773, Fax (91) 547 51 99* – KV u
Comida (en el Hotel ***Tryp Menfis***) – 1100 – **120 hab** 13675/17150.

Los Condes sin rest, Los Libreros 7, ✉ 28004, ☎ (91) 521 54 55, *Fax (91) 521 78 82* – KLV g
650 – **68 hab** 7850/10990.

Reyes Católicos sin rest, Ángel 18, ✉ 28005, ☎ (91) 365 86 00, *Fax (91) 365 98 67* – KZ w
38 hab.

Mora sin rest, paseo del Prado 32, ✉ 28014, ☎ (91) 420 15 69, *Fax (91) 420 05 64* – NZ c
61 hab.

Inglés sin rest, Echegaray 8, ✉ 28014, ☎ (91) 429 65 51, *Fax (91) 420 24 23* – LY u
600 – **58 hab** 8000/11500.

California sin rest, Gran Vía 38, ✉ 28013, ☎ (91) 522 47 03, *Fax (91) 531 61 01* – LX e
485 – **26 hab** 8200/10500.

Alexandra sin rest, San Bernardo 29, ✉ 28015, ☎ (91) 542 04 00, *Fax (91) 559 28 25* – KV z
855 – **68 hab** 9600/12000.

Plaza Mayor sin rest, Atocha 2, ✉ 28012, ☎ (91) 360 06 06, *Fax (91) 360 06 10* – LY d
20 hab 5900/8400.

Teatro Real, Felipe V-2º, ✉ 28013, ☎ (91) 516 06 70, *Fax (91) 559 96 29,* « En una dependencia del Teatro Real » – KX
cerrado lunes y agosto – **Comida** - sólo cena - carta 5400 a 6450.

San Carlo, Barquillo 10, ✉ 28004, ☎ (91) 522 79 88, *Fax (91) 522 73 01,* « Decoración elegante » – MX a
Comida - cocina italiana - carta 3800 a 5700.

Paradis Madrid, Marqués de Cubas 14, ✉ 28014, ☎ (91) 429 73 03, *Fax (91) 429 32 95* – MY v
cerrado sábado mediodía, domingo y agosto – **Comida** carta 4725 a 6300.

El Landó, pl. Gabriel Miró 8, ✉ 28005, ☎ (91) 366 76 81, *Fax (91) 366 76 81,* « Decoración elegante » – KZ a
cerrado domingo, festivos y agosto – **Comida** carta 4200 a 6500.

XXX **Moaña,** Hileras 4, ✉ 28013, ☎ (91) 548 29 14, *Fax (91) 541 65 98* – ▤ ⇔. AE ◐ E VISA JCB. ✂ KY
cerrado domingo noche – **Comida** - cocina gallega - carta 4140 a 5600.

XXX **Bajamar,** Gran Vía 78, ✉ 28013, ☎ (91) 548 48 18, *Fax (91) 559 13 26* – ▤. AE ◐ E VISA JCB. ✂ KV
Comida - pescados y mariscos - carta 4600 a 7100.

XX **El Espejo,** paseo de Recoletos 31, ✉ 28004, ☎ (91) 308 23 47, *Fax (91) 593 22 2*
« Evocación de un antiguo café parisino » – ▤. AE E VISA. ✂ NV
cerrado sábado mediodía – **Comida** carta aprox. 2850.

XX **Errota-Zar,** Jovellanos 3-1º, ✉ 28014, ☎ (91) 531 25 64, *Fax (91) 531 25 64* – ▤. [
◑ E VISA MY
cerrado domingo y del 10 al 16 de agosto – **Comida** carta 4300 a 6200.

XX **Ainhoa,** Bárbara de Braganza 12, ✉ 28004, ☎ (91) 308 27 26 – ▤. AE E VISA. ✂ NV
cerrado domingo y agosto – **Comida** - cocina vasca - carta 4800 a 5900.

XX **Horno de Santa Teresa,** Santa Teresa 12, ✉ 28004, ☎ (91) 308 66 98 – ▤. AE
VISA. ✂ MV
Comida carta 3425 a 4550.

XX **Café de Oriente,** pl. de Oriente 2, ✉ 28013, ☎ (91) 541 39 74, *Fax (91) 547 77 0*
« En una bodega » – ▤. AE ◑ E VISA. ✂ KXY
Comida carta 4900 a 6050.

XX **Posada de la Villa,** Cava Baja 9, ✉ 28005, ☎ (91) 366 18 60, *Fax (91) 366 18 8*
« Antigua posada de estilo castellano » – ▤. ◑ E VISA. ✂ KZ
cerrado domingo noche y agosto – **Comida** carta 3375 a 4875.

XX **La Gastroteca de Stéphane y Arturo,** pl. de Chueca 8, ✉ 2800
☎ (91) 532 25 64 – ▤. AE ◑ E VISA. ✂ MV
cerrado sábado mediodía, festivos y agosto – **Comida** - cocina francesa - carta 5500
6500.

XX **Don Pelayo,** Alcalá 33, ✉ 28014, ☎ (91) 531 00 31, *Fax (91) 531 00 31* – ▤. AE ◐
E VISA JCB. ✂ MX
cerrado domingo y agosto – **Comida** carta 3450 a 5300.

XX **Platerías,** pl. de Santa Ana 11, ✉ 28012, ☎ (91) 429 70 48, « Evocación de un ca
de principio de siglo » – ▤. AE ◑ E VISA. ✂ LY
cerrado lunes (verano) y agosto – **Comida** carta 3525 a 4625.

XX **Da Nicola,** pl. de los Mostenses 11, ✉ 28015, ☎ (91) 542 25 74, *Fax (91) 547 89*
– ▤. AE ◑ E VISA JCB. ✂ KV
Comida - cocina italiana - carta 2015 a 3130.

XX **El Asador de Aranda,** Preciados 44, ✉ 28013, ☎ (91) 547 21 56, *Fax (91) 556 62 0*
« Decoración castellana » – ▤. AE ◑ E VISA JCB. ✂ KX
cerrado lunes noche y 21 julio-12 agosto – **Comida** - cordero asado - carta aprox. 400

XX **Arce,** Augusto Figueroa 32, ✉ 28004, ☎ (91) 522 04 40, *Fax (91) 522 59 13* – ▤.
◑ E VISA. ✂ MV
cerrado sábado mediodía, domingo, Semana Santa y 2ª quincena de agosto – **Comida** car
5930 a 6840.

XX **Don Giovanni,** Felipe V-4, ✉ 28013, ☎ (91) 541 46 70, *Fax (91) 548 20 52* – AE ◐
E VISA. ✂ KX
Comida - cocina italiana - carta 3100 a 4100.

XX **La Rioja,** Las Negras 8, ✉ 28015, ☎ (91) 548 04 97, *Fax (91) 542 56 37*, « Decoraci
rústica medieval » – ▤ P. AE ◑ E VISA JCB. ✂ KV
cerrado domingo – **Comida** carta 3350 a 4715.

XX **El Mentidero de la Villa,** Santo Tomé 6, ✉ 28004, ☎ (91) 308 12 8
Fax (91) 319 87 92, « Decoración original » – ▤. AE ◑ E VISA JCB. ✂ MV
cerrado sábado mediodía, domingo y 2ª quincena de agosto – **Comida** carta 3650 a 520

XX **Julián de Tolosa,** Cava Baja 18, ✉ 28005, ☎ (91) 365 82 10, « Decoraci
neorústica » – ▤. AE ◑ E VISA KZ
cerrado domingo – **Comida** - carnes a la brasa - carta 4200 a 5100.

XX **Sixto Gran Mesón,** Cervantes 28, ✉ 28014, ☎ (91) 429 22 55, *Fax (91) 523 31 7*
« Decoración castellana » – ▤. AE ◑ E VISA. ✂ MY
cerrado domingo noche – **Comida** carta 3100 a 3700.

XX **Casa Gallega,** pl. de San Miguel 8, ✉ 28005, ☎ (91) 547 30 55 – ▤. AE ◑ E VISA JC
✂ KY
Comida - cocina gallega - carta 3650 a 5600.

XX **La Toja,** Siete de Julio 3, ✉ 28012, ☎ (91) 366 46 64, *Fax (91) 366 52 30* – ▤. AE ◐
E VISA. ✂ KY
cerrado julio – **Comida** - cocina gallega - carta 3045 a 6200.

XX **Casa Gallega,** Bordadores 11, ✉ 28013, ☎ (91) 541 90 55, *Fax (91) 559 12 25* – ▤. AE ⊙ E VISA JCB. ✂ KY v
Comida - cocina gallega - carta 3650 a 5600.

XX **La Joya de Jardines,** Jardines 3, ✉ 28013, ☎ (91) 521 22 17, *Telex 43618, Fax (91) 531 31 27* – ▤. AE ⊙ E VISA. ✂ LX p
cerrado agosto – **Comida** carta 3450 a 5675.

XX **Gure-Etxea,** pl. de la Paja 12, ✉ 28005, ☎ (91) 365 61 49 – ▤. AE ⊙ E VISA JCB. ✂ KZ x
cerrado domingo, lunes mediodía, Semana Santa y agosto – **Comida** - cocina vasca - carta 3870 a 4825.

XX **La Ópera de Madrid,** Amnistía 5, ✉ 28013, ☎ (91) 559 50 92, *Fax (91) 559 50 92,* « Ambiente acogedor » – ▤. AE ⊙ E VISA JCB. ✂ KY g
cerrado domingo y agosto – **Comida** carta 3125 a 4175.

XX **Botín,** Cuchilleros 17, ✉ 28005, ☎ (91) 366 42 17, *Fax (91) 366 84 94,* « Decoración viejo Madrid. Bodega típica » – ▤. AE ⊙ E VISA JCB. ✂ KY n
Comida carta 4160 a 6100.

XX **Esteban,** Cava Baja 36, ✉ 28005, ☎ (91) 365 90 91, *Fax (91) 366 93 91* – ▤. AE ⊙ E VISA. ✂ KZ y
cerrado domingo noche, lunes noche y 2ª quincena de julio – **Comida** carta 3200 a 4550.

XX **Casa Parrondo,** Trujillos 4, ✉ 28013, ☎ (91) 522 62 34 – ▤. AE ⊙ E VISA JCB. ✂ KX v
Comida - cocina asturiana - carta 4000 a 8000.

XX **El Rincón de Esteban,** Santa Catalina 3, ✉ 28014, ☎ (91) 429 92 89, *Fax (91) 365 87 70* – ▤. AE ⊙ E VISA JCB. ✂ MY a
cerrado domingo y del 15 al 31 de agosto – **Comida** carta 4700 a 6500.

XX **El Pato Mudo,** Costanilla de los Angeles 8, ✉ 28013, ☎ (91) 559 48 40 – ▤. AE ⊙ E VISA. ✂ KX e
cerrado domingo noche, lunes, 2ª y 3ª semana de agosto – **Comida** - arroces - carta 2300 a 3400.

X **La Barraca,** Reina 29, ✉ 28004, ☎ (91) 532 71 54, *Fax (91) 521 58 96* – ▤. AE ⊙ E VISA JCB. ✂ LX a
Comida - arroces - carta 3475 a 4250.

X **Casa Lucio,** Cava Baja 35, ✉ 28005, ☎ (91) 365 32 52, *Fax (91) 366 48 66,* « Decoración castellana » – ▤. AE ⊙ VISA. ✂ KZ y
cerrado sábado mediodía y agosto – **Comida** carta 4900 a 6000.

X **Robata,** Reina 31, ✉ 28004, ☎ (91) 521 85 28, *Fax (91) 531 30 63* – ▤. AE ⊙ VISA JCB. ✂ LX a
cerrado martes – **Comida** - rest. japonés - carta 4100 a 5100.

X **La Vaca Verónica,** Moratín 38, ✉ 28014, ☎ (91) 429 78 27
▤. AE ⊙ E VISA JCB MZ e
cerrado sábado mediodía y domingo – **Comida** carta 3550 a 4150.

X **Mesón Gregorio III,** Bordadores 5, ✉ 28013, ☎ (91) 542 59 56 – ▤. AE ⊙ E VISA. ✂ KY v
cerrado miércoles – **Comida** carta 3200 a 4400.

X **Las Cuevas de Luis Candelas,** Cuchilleros 1, ✉ 28005, ☎ (91) 366 54 28, *Fax (91) 366 49 37,* « Decoración viejo Madrid. Camareros vestidos como los antiguos bandoleros » – ▤. ⊙ E VISA. ✂ KY m
Comida carta 3375 a 5325.

X **Pazo de Gondomar,** San Martín 2, ✉ 28013, ☎ (91) 532 31 63, *Fax (91) 532 31 63* – ▤. AE ⊙ E VISA JCB. ✂ KXY s
Comida - cocina gallega - carta 2935 a 5000.

X **Corral de la Morería,** Morería 17, ✉ 28005, ☎ (91) 365 11 37, *Fax (91) 365 12 19,* Tablao flamenco – ▤. AE ⊙ VISA JCB. ✂ KZ u
Comida - sólo cena-suplemento espectáculo - carta aprox. 11600.

X **El Arcón,** Silva 25, ✉ 28004, ☎ (91) 522 60 05 – ▤. AE ⊙ E VISA JCB. ✂ LV u
cerrado domingo noche y agosto – **Comida** carta 2700 a 4400.

X **Viejo Madrid,** Cava Baja 32, ✉ 28005, ☎ (91) 366 38 38, *Fax (91) 366 48 66* – ▤. AE ⊙ VISA. ✂ KZ y
cerrado domingo noche, lunes y julio – **Comida** carta 4900 a 6000.

X **La Bóveda del Teatro,** Prim 5, ✉ 28004, ☎ (91) 531 17 97, « En una bodega » – ▤. AE E VISA. ✂ MV n
cerrado sábado mediodía, domingo y del 5 al 25 de agosto – **Comida** carta 2950 a 4100.

X **El Schotis,** Cava Baja 11, ✉ 28005, ☎ (91) 365 32 30, *Fax (91) 365 72 44* – ▤. AE ⊙ E VISA JCB. ✂ KZ v
cerrado domingo noche y 2ª quincena de agosto – **Comida** carta 4000 a 5100.

Zerain, Quevedo 3, ✉ 28014, ☎ (91) 429 79 09, *Fax (91) 429 17 20,* Sidrería vasca
▤. AE ⓓ E VISA. ✈ MY
cerrado domingo y agosto – **Comida** carta 3300 a 4500.

Taberna del Alabardero, Felipe V-6, ✉ 28013, ☎ (91) 547 25 77
Fax (91) 547 77 07, « Taberna típica » – ▤. AE ⓓ E VISA JCB. ✈ KX
Comida - cocina vasca - carta 4100 a 4850.

La Quintana, Bordadores 7, ✉ 28013, ☎ (91) 542 04 88, *Fax (91) 542 04 88* – ▤. AE
ⓓ E VISA JCB. ✈ KY
cerrado lunes – **Comida** carta aprox. 5250.

Dómine Cabra, Huertas 54, ✉ 28014, ☎ (91) 429 43 65 – ▤. AE ⓓ E VISA JCB. ✈
cerrado domingo noche y del 9 al 22 de agosto – **Comida** carta 3250 a 3800. MZ

Casa Vallejo, San Lorenzo 9 ☎ (91) 308 61 58
▤. E VISA JCB. ✈ LV
cerrado domingo, lunes noche, festivos y agosto – **Comida** carta 2600 a 3550.

Bolívar, Manuela Malasaña 28, ✉ 28004, ☎ (91) 445 12 74 – ▤. AE ⓓ E VISA. ✈ LV
cerrado domingo, Semana Santa y agosto – **Comida** carta 3000 a 3800.

Cabo Finisterre, Chinchilla 7, ✉ 28013, ☎ (91) 523 37 79, *Fax (91) 522 99 52* – ▤
AE ⓓ VISA. ✈ LX
cerrado domingo – **Comida** - cocina gallega - carta 3050 a 4350.

Ciao Madrid, Argensola 7, ✉ 28004, ☎ (91) 308 25 19 – ▤. AE ⓓ
VISA JCB MV
cerrado sábado mediodía, domingo y agosto – **Comida** - cocina italiana - carta 2600 a 395

La Bola, Bola 5, ✉ 28013, ☎ (91) 547 69 30, *Fax (91) 547 04 63* – ▤. ✈ KX
cerrado sábado noche (julio-agosto) y domingo – **Comida** - cocido madrileño - carta 370
a 4400.

Casa Paco, Puerta Cerrada 11, ✉ 28005, ☎ (91) 366 31 66 – ▤. ⓓ. ✈ KY
cerrado domingo y agosto – **Comida** carta 4800 a 5650.

El Buey II, pl. de la Marina Española 1, ✉ 28013, ☎ (91) 541 30 41, *Fax (91) 577 95 8*
– ▤. AE E VISA. ✈ KX
cerrado domingo (julio-agosto) y domingo noche resto del año – **Comida** carta 1900
4200.

Taberna Carmencita, Libertad 16, ✉ 28004, ☎ (91) 531 66 12, « Taberna típica
– ▤. AE ⓓ E VISA JCB. ✈ MX
cerrado sábado mediodía y domingo – **Comida** carta 3000 a 4400.

Donzoko, Echegaray 3, ✉ 28014, ☎ (91) 429 57 20, *Fax (91) 429 57 20* – ▤. AE ⓓ
E VISA JCB. ✈ LY
cerrado domingo – **Comida** - rest. japonés - carta 2950 a 5100.

La Quinta del Sordo, Sacramento 10, ✉ 28005, ☎ (91) 548 18 52
Fax (91) 548 18 52 – ▤. ✈ KY
cerrado domingo en verano y domingo noche resto del año – **Comida** carta 2640 a 398

Casa Marta, Santa Clara 10, ✉ 28013, ☎ (91) 548 28 25 – ▤. AE ⓓ E VISA. ✈ KY
cerrado domingo y agosto – **Comida** carta 2500 a 2925.

La Esquina del Real, Amnistía 2, ✉ 28013, ☎ (91) 559 43 09 – ▤. AE E VISA. ✈
cerrado sábado mediodía, domingo y agosto – **Comida** carta 4675 a 6050. KY

Ciao Madrid, Apodaca 20, ✉ 28004, ☎ (91) 447 00 36 – ▤. AE ⓓ VISA. ✈ LV
cerrado sábado mediodía, domingo y septiembre – **Comida** - cocina italiana - carta 295
a 4200.

El Ingenio, Leganitos 10, ✉ 28013, ☎ (91) 541 91 33, *Fax (91) 547 35 34* – ▤. AE ⓓ
E VISA JCB. ✈ KX
cerrado domingo y festivos – **Comida** carta 2500 a 3250.

Chez Margo, Vergara 3, ✉ 28013, ☎ (91) 548 18 05 – ▤. VISA. ✈ KX
cerrado sábado mediodía y domingo – **Comida** - cocina francesa - carta 4250 a 5400

Mi Pueblo, Costanilla de Santiago 2, ✉ 28013, ☎ (91) 548 20 73 – ▤. E VISA. ✈ KY
cerrado domingo noche y lunes – **Comida** carta 2425 a 3625.

Retiro, Salamanca, Ciudad Lineal : Paseo de la Castellana, Velázquez, Serrano, Goy
Príncipe de Vergara, Narváez, Don Ramón de la Cruz (planos p. 6 y 9 salvo mención especi

Ritz, pl. de la Lealtad 5, ✉ 28014, ☎ (91) 521 28 57, *Fax (91) 532 87 76,* 🏨, 🏋 –
▤ 📺 ☎ – 🏛 25/280. AE ⓓ E VISA JCB. ✈ rest plano p. 13 NY
Comida carta aprox. 6750 – ☕ 3500 – **130 hab** 49000/60900, 29 suites.

Villa Magna, paseo de la Castellana 22, ✉ 28046, ☎ (91) 587 12 3
Fax (91) 431 22 86, 🏨, 🏋 – 🛗 ▤ 📺 ☎ 🚗 – 🏛 25/250. AE ⓓ E VISA JCB. ✈
Comida 5000 - ***Le Divellec*** **: Comida** carta 6300 a 8100 - ***Tsé Yang*** *(rest. chino)* **Comi**
carta 4400 a 6200 – ☕ 3100 – **164 hab** 55000/60000, 18 suites. GV

Wellington, Velázquez 8, ✉ 28001, ☎ (91) 575 44 00, *Telex 22700, Fax (91) 576 41 64,* – 25/300. AE ⓓ E VISA JCB. HX t
Comida (ver rest. ***El Fogón***) – 2200 – **198 hab** 29000/36250, 25 suites.

Meliá Confort Los Galgos, Claudio Coello 139, ✉ 28006, ☎ (91) 562 66 00, *Fax (91) 561 76 62* – 25/300. AE ⓓ E VISA JCB. GU a
Diábolo : Comida carta 3325 a 4975 – 1550 – **357 hab** 17200/28950.

Tryp Fénix, Hermosilla 2, ✉ 28001, ☎ (91) 431 67 00, *Fax (91) 576 06 61* – 25/100. AE ⓓ E VISA JCB. plano p. 13 NV c
Comida 2750 – 1735 – **213 hab** 25305/31655, 13 suites.

Meliá Avenida América, Juan Ignacio Luca de Tena 36, ✉ 28027, ☎ (91) 320 30 30, *Fax (91) 320 14 40,* – 25/1500. AE ⓓ E VISA JCB. plano p. 5 CL b
Comida carta 4650 a 5800 – 1800 – **285 hab** 22700/28000, 18 suites.

Sofitel Madrid-Aeropuerto, Campo de las Naciones, ✉ 28042, ☎ (91) 721 00 70, *Fax (91) 721 05 15,* – 50/120. AE ⓓ VISA JCB. rest plano p. 5 CL x
Comida carta 5460 a 6580 – 2035 – **178 hab** 28000/32000, 3 suites.

NH Príncipe de Vergara, Príncipe de Vergara 92, ✉ 28006, ☎ (91) 563 26 95, *Fax (91) 563 72 53,* – 25/200. AE ⓓ E VISA JCB. HU c
Comida carta 5150 a 5650 – 1900 – **170 hab** 18300/19800, 3 suites.

Emperatriz, López de Hoyos 4, ✉ 28006, ☎ (91) 563 80 88, *Fax (91) 563 98 04* – 25/150. AE ⓓ E VISA JCB. GU z
Comida 3000 – 1750 – **155 hab** 22500/27000, 3 suites.

NH Sanvy, Goya 3, ✉ 28001, ☎ (91) 576 08 00, *Fax (91) 575 24 43* – 25/150. AE ⓓ E VISA JCB. plano p. 13 NV r
Comida (ver rest. ***Sorolla***) – 2200 – **144 hab** 28440, 15 suites.

Agumar sin rest. con cafetería, paseo Reina Cristina 7, ✉ 28014, ☎ (91) 552 69 00, *Fax (91) 433 60 95* – 25/150. AE ⓓ E VISA JCB. HY a
1500 – **239 hab** 16200/20500, 6 suites.

Novotel Madrid-Puente de La Paz, Albacete 1, ✉ 28027, ☎ (91) 405 46 00, *Fax (91) 404 11 05,* – 25/250. AE ⓓ E VISA JT t
Comida 1950 – 1500 – **236 hab** 15700/17100.

Pintor, Goya 79, ✉ 28001, ☎ (91) 435 75 45, *Telex 23281, Fax (91) 576 81 57* – 25/350 HV c
174 hab, 2 suites.

Conde de Orgaz, av. Moscatelar 24, ✉ 28043, ☎ (91) 388 40 99, *Fax (91) 388 00 09* – 25/140. AE ⓓ VISA. plano p. 5 CL z
Comida 3500 – 1400 – **90 hab** 16000/19200.

NH Parque Avenidas, Biarritz 2, ✉ 28028, ☎ (91) 361 02 88, *Fax (91) 361 21 38,* – 25/400. AE ⓓ E VISA JCB JU a
Comida carta 3900 a 5400 – 1700 – **198 hab** 17800, 1 suite.

NH Alcalá, Alcalá 66, ✉ 28009, ☎ (91) 435 10 60, *Fax (91) 435 11 05* – 25/100. AE ⓓ E VISA. HX w
Comida *(cerrado sábado, domingo y agosto)* 3000 – 1800 – **146 hab** 19500/20600.

El Madroño, General Díaz Porlier 101, ✉ 28006, ☎ (91) 562 52 92, *Fax (91) 563 06 97* – 25/300. AE ⓓ E VISA. HU z
Comida 2650 – 1500 – **66 hab** 16720/20900 – PA 6800.

G.H. Colón, Pez Volador 1-11, ✉ 28007, ☎ (91) 573 59 00, *Fax (91) 573 08 09,* – 25/250. AE ⓓ E VISA JCB. JY x
Comida 1850 – 1150 – **380 hab** 9900/14900.

Novotel Madrid-Campo de las Naciones, Campo de las Naciones, ✉ 28042, ☎ (91) 721 18 18, *Fax (91) 721 11 22,* – 25/400. AE ⓓ E VISA JCB. rest plaano p. 5 CL x
Comida carta 3540 a 5145 – 1545 – **240 hab** 18000/19115, 6 suites.

Claridge, pl. Conde de Casal 6, ✉ 28007, ☎ (91) 551 94 00, *Fax (91) 501 03 85* – AE ⓓ E VISA JCB. JZ a
Comida 1375 – 850 – **150 hab** 10950/14250 – PA 4000.

NH Balboa, Núñez de Balboa 112, ✉ 28006, ☎ (91) 563 03 24, *Fax (91) 562 69 80* – 25/30. AE ⓓ E VISA JCB. HU n
carta 3300 a 4850 – 1600 – **120 hab** 17500/21000.

NH Sur sin rest, paseo Infanta Isabel 9, ✉ 28014, ☎ (91) 539 94 00, *Fax (91) 467 09 96* – 25/30. AE ⓓ E VISA JCB plano p. 13 NZ a
1500 – **68 hab** 14500/17500.

XXXX **Horcher,** Alfonso XII-6, ✉ 28014, ☎ (91) 522 07 31, *Fax (91) 523 34 90,* « Decoraci elegante » – ▤. AE ⓓ VISA. ⚘ NX
cerrado sábado mediodía, domingo, Semana Santa y agosto – **Comida** carta 7275 a 892

XXXX **Club 31,** Alcalá 58, ✉ 28014, ☎ (91) 531 00 92, *Fax (91) 531 00 92* – ▤. AE ⓓ E V JCB. ⚘ plano p. 13 NX
cerrado agosto – **Comida** carta 5050 a 7700.

XXXX **El Amparo,** Puigcerdá 8, ✉ 28001, ☎ (91) 431 64 56, *Fax (91) 575 54 91,* « Decoraci original » – ▤. AE E VISA. ⚘ HX
✿ *cerrado sábado mediodía, domingo, Semana Santa y del 10 al 16 de agosto* – **Comida** car 7200 a 8225
Espec. Milhojas de manzana ácida con pescado ahumado y foie gras. Cigalas salteadas c raviolis cremosos de maíz al aceite de vainilla y reducción de Módena. Rabo de buey guisa al vino tinto.

XXX **Combarro,** José Ortega y Gasset 40, ✉ 28020, ☎ (91) 577 82 72, *Fax (91) 435 95* – ▤. AE ⓓ E VISA JCB. ⚘ HV
cerrado domingo noche y agosto – **Comida** - pescados y mariscos - carta 4400 a 750

XXX **El Fogón,** Villanueva 34, ✉ 28001, ☎ (91) 575 44 00, *Telex 22700, Fax (91) 576 41* – ▤. AE ⓓ E VISA JCB. ⚘ HX
Comida carta 6100 a 7400.

XXX **Sorolla,** Hermosilla 4, ✉ 28001, ☎ (91) 431 27 15, *Fax (91) 575 24 43* – ▤. AE ⓓ VISA. ⚘ plano p. 13 NV
cerrado domingo y agosto – **Comida** carta 4100 a 4850.

XXX **Suntory,** paseo de la Castellana 36, ✉ 28046, ☎ (91) 577 37 34, *Fax (91) 577 44* – ▤ 🚗. AE ⓓ E VISA JCB. ⚘ GU
cerrado domingo, festivos y Semana Santa – **Comida** - rest. japonés - carta 5750 a 800

XXX **Balzac,** Moreto 7, ✉ 28014, ☎ (91) 420 01 77, *Fax (91) 429 83 70* – ▤. AE ⓓ E V ⚘ plano p. 13 NY
cerrado domingo, festivos, Semana Santa y agosto – **Comida** carta 4960 a 5790.

XXX **Pedro Larumbe,** Serrano 61-ático 2ª planta, ✉ 28006, ☎ (91) 575 11 *Fax (91) 562 16 09* – |‡| ▤. AE ⓓ E VISA. ⚘ GV
cerrado sábado mediodía, domingo, Semana Santa y del 13 al 23 de agosto – **Comida** car 4150 a 6950.

XXX **Paradis Casa América,** paseo de Recoletos 2, ✉ 28001, ☎ (91) 575 45 4 *Fax (91) 576 02 15,* 🏛, « En una dependencia del Palacio de Linares » – ▤. AE ⓓ V ⚘ plano p. 13 NX
cerrado sábado mediodía y domingo – **Comida** carta 5250 a 5900.

XXX **Ponteareas,** Claudio Coello 96, ✉ 28006, ☎ (91) 575 58 73, *Fax (91) 431 99 57* – 🚗. AE ⓓ E VISA JCB. ⚘ GV
cerrado domingo, festivos y 20 días en agosto – **Comida** - cocina gallega - carta 414 5795.

XXX **Castelló 9,** Castelló 9, ✉ 28001, ☎ (91) 435 00 67, *Fax (91) 435 91 34* – ▤. AE E VISA. ⚘ HX
cerrado domingo y 2ª quincena de agosto – **Comida** carta 4950 a 6050.

XX **La Paloma,** Jorge Juan 39, ✉ 28001, ☎ (91) 576 86 92 – ▤. AE ⓓ VISA. ⚘ HX
✿ *cerrado domingo, festivos, Semana Santa y agosto* – **Comida** 7500 y carta 4700 a 63
Espec. Lasagna de txangurro y espinacas con salsa de berros. Rodaballo al horno sob verduras con salsa de vino tinto. Tarta fina de hojaldre con manzana.

XX **Viridiana,** Juan de Mena 14, ✉ 28014, ☎ (91) 523 44 78, *Fax (91) 532 42 74* – ▤. VISA plano p. 13 NY
cerrado domingo, Semana Santa y agosto – **Comida** carta 5600 a 8400.

XX **La Gamella,** Alfonso XII-4, ✉ 28014, ☎ (91) 532 45 09, *Fax (91) 523 11 84* – ▤. ⓓ E VISA. ⚘ plano p. 13 NX
cerrado sábado mediodía y domingo – **Comida** carta 4000 a 6000.

XX **El Borbollón,** Recoletos 7, ✉ 28001, ☎ (91) 431 41 34 – ▤. AE ⓓ E VISA JCB.
cerrado domingo, festivos y agosto – **Comida** carta 4045 a 5445. plano p. 13 NV

XX **Lucca,** José Ortega y Gasset 29, ✉ 28006, ☎ (91) 576 01 44 – ▤. AE ⓓ E VISA.
Comida - cocina italiana - carta 3200 a 3720. HV

XX **Oter,** Claudio Coello 71, ✉ 28001, ☎ (91) 431 67 71, *Fax (91) 401 34 43* – ▤. AE E VISA JCB. ⚘ GV
cerrado domingo y del 5 al 25 de agosto – **Comida** - cocina vasco-navarra - carta apr 5000.

XX **Al Mounia,** Recoletos 5, ✉ 28001, ☎ (91) 435 08 28, « Ambiente oriental » – ▤. ⓓ E VISA. ⚘ plano p. 13 NV
cerrado domingo, lunes, Semana Santa y agosto – **Comida** - cocina maghrebí - carta 44 a 4900.

XX **Gerardo,** D. Ramón de la Cruz 86, ⊠ 28006, ✆ (91) 401 89 46, *Fax (91) 401 34 43* – ▤. AE ⓓ E VISA JCB. ⛔ JV s
Comida carta aprox. 4700.

XX **Teatriz,** Hermosilla 15, ⊠ 28001, ✆ (91) 577 53 79, *Fax (91) 577 91 98,* « Instalado en un antiguo teatro » – ▤. AE ⓓ E VISA. ⛔ GV u
cerrado agosto – **Comida** - cocina italiana - carta 3500 a 4200.

XX Tristana, Montalbán 9, ⊠ 28014, ✆ (91) 532 82 88 – ▤ plano p. 13 NX a

XX **Laray,** Hermanos Bécquer 6, ⊠ 28006, ✆ (91) 564 01 75, *Fax (91) 564 92 20* – ▤. AE ⓓ E VISA JCB. ⛔ GU e
cerrado del 8 al 25 de agosto – **Comida** carta 4650 a 5450.

XX **El Chiscón de Castelló,** Castelló 3, ⊠ 28001, ✆ (91) 575 56 62, « Ambiente acogedor » – ▤. AE ⓓ E VISA. ⛔ HX e
cerrado domingo, festivos y agosto – **Comida** carta 3100 a 4475.

XX **Rafa,** Narváez 68, ⊠ 28009, ✆ (91) 573 10 87, *Fax (91) 573 82 98,* 🏠 – ▤. AE ⓓ E VISA JCB. ⛔ HX s
Comida carta 4600 a 6700.

XX **La Misión,** José Silva 22, ⊠ 28043, ✆ (91) 519 24 63, *Fax (91) 416 26 93,* 🏠, « Evocación de una antigua misión americana » – ▤. AE ⓓ VISA. ⛔ JS c
cerrado sábado mediodía, domingo, Semana Santa y 3 semanas en agosto – **Comida** carta 3900 a 4650.

XX **El Asador de Aranda,** Diego de León 9, ⊠ 28006, ✆ (91) 563 02 46, *Fax (91) 556 62 02* – ▤. AE ⓓ E VISA JCB. ⛔ HU s
cerrado domingo noche y agosto – **Comida** - cordero asado - carta aprox. 4000.

XX **Guisando,** Núñez de Balboa 75, ⊠ 28006, ✆ (91) 575 09 00 – ▤. AE ⓓ E VISA. ⛔
cerrado sábado mediodía, domingo, Semana Santa y agosto – **Comida** carta 3450 a 4300. HV f

XX **Dynasty,** O'Donnell 31, ⊠ 28009, ✆ (91) 431 08 47 – ▤. AE ⓓ VISA. ⛔ HX a
Comida - rest. chino - carta 2275 a 3965.

XX **St. James,** Juan Bravo 26, ⊠ 28006, ✆ (91) 575 00 69, 🏠 – ▤. AE VISA. ⛔ HV t
cerrado domingo – **Comida** - arroces - carta 4000 a 5000.

XX **Casa Quinta,** Padilla 3, ⊠ 28006, ✆ (91) 576 74 18, *Fax (91) 576 74 18* – ▤. AE ⓓ E VISA JCB. ⛔ GV m
cerrado domingo y agosto – **Comida** carta 3425 a 4115.

XX **Casa Domingo,** Alcalá 99, ⊠ 28009, ✆ (91) 576 01 37, *Fax (91) 575 78 62,* 🏠 – ▤. AE E VISA. ⛔ HX d
Comida carta 2550 a 4550.

XX **Nicolás,** Villalar 4, ⊠ 28001, ✆ (91) 431 77 37, *Fax (91) 431 77 37* – ▤. AE ⓓ E VISA. ⛔ plano p. 13 NX t
cerrado domingo, lunes, Semana Santa y agosto – **Comida** carta 3625 a 4450.

XX **Nicomedes,** Moscatelar 18, ⊠ 28043, ✆ (91) 388 78 28, *Fax (91) 388 78 28* – ▤. AE ⓓ E VISA. ⛔ CL z
cerrado domingo noche, lunes noche, Semana Santa y agosto – **Comida** carta 3250 a 4400.

XX **Jota Cinco,** Alcalá 423, ⊠ 28027, ✆ (91) 742 93 85, *Fax (91) 742 62 09* – ▤ 🚗. AE ⓓ E VISA. ⛔ plano p. 5 CL v
cerrado domingo noche y agosto – **Comida** carta 3800 a 5200.

XX **La Hoja,** Doctor Castelo 48, ⊠ 28009, ✆ (91) 409 25 22, *Fax (91) 574 14 78* – ▤. AE E VISA. ⛔ JX y
cerrado domingo y agosto – **Comida** - cocina asturiana - carta 4100 a 5400.

XX **Don Víctor,** Emilio Vargas 18, ⊠ 28043, ✆ (91) 415 47 47 – ▤. AE ⓓ E VISA. ⛔ plano p. 5 CL f
cerrado sábado mediodía, domingo, Semana Santa y agosto – **Comida** carta 5600 a 7100.

XX Hang Zhou, López de Hoyos 14, ⊠ 28006, ✆ (91) 563 11 72 – ▤ GU u
Comida - rest. chino -.

X **Casa d'a Troya,** Emiliano Barral 14, ⊠ 28043, ✆ (91) 416 44 55 – ▤. ⓓ E VISA. ⛔ JS f
✿ *cerrado domingo, festivos y 15 julio-1 septiembre* – **Comida** *(es necesario reservar)* - cocina gallega, pescados y mariscos - carta 3400 a 4850
Espec. Pulpo a la gallega. Merluza a la gallega. Tarta de Santiago.

X **Alkalde,** Jorge Juan 10, ⊠ 28001, ✆ (91) 576 33 59, *Fax (91) 576 33 59* – ▤. AE ⓓ E VISA JCB. ⛔ GX v
cerrado sábado y domingo en julio-agosto – **Comida** carta aprox. 4800.

X **O'Grelo,** Menorca 39, ⊠ 28009, ✆ (91) 409 72 04 – ▤. AE ⓓ E VISA JX y
cerrado domingo noche – **Comida** - cocina gallega - carta aprox. 5500.

La Giralda IV, Claudio Coello 24, ✉ 28001, ☎ (91) 576 40 69 – ▤. AE VISA. ⚡ GX
cerrado domingo en julio-agosto y domingo noche resto del año – **Comida** - rest. and - carta aprox. 5550.

La Giralda III, Maldonado 4, ✉ 28006, ☎ (91) 577 77 62 – ▤. AE ◑ VISA. ⚡ GL
cerrado domingo en julio-agosto y domingo noche resto del año – **Comida** - rest. and - carta aprox. 5550.

Asador Velate, Jorge Juan 91, ✉ 28009, ☎ (91) 435 10 24, *Fax (91) 574 38 54* – AE ◑ E VISA JCB. ⚡ JX
cerrado domingo y agosto – **Comida** - cocina vasca - carta 4750 a 6450.

Horno de Juan, Lope de Rueda 4 ☎ (91) 575 69 16, *Fax (91) 576 01 88*, « Decora castellana » – ▤. AE ◑ E VISA. ⚡ HX
cerrado domingo noche – **Comida** - asados - carta 3600 a 4400.

Casa Portal, Doctor Castelo 26, ✉ 28009, ☎ (91) 574 20 26 – ▤. VISA. ⚡ HJ
cerrado domingo y agosto – **Comida** - cocina asturiana - carta 3200 a 5100.

Pelotari, Recoletos 3, ✉ 28001, ☎ (91) 578 24 97, *Fax (91) 431 60 04* – ▤. AE ◑ VISA. ⚡ plano p. 13 NV
cerrado domingo – **Comida** carta 4215 a 5925.

Sixto, José Ortega y Gasset 83, ✉ 28006, ☎ (91) 402 15 83, *Fax (91) 523 31 74* – AE ◑ E VISA. ⚡ JV
cerrado domingo noche – **Comida** carta 3000 a 3500.

La Trainera, Lagasca 60, ✉ 28001, ☎ (91) 576 05 75, *Fax (91) 575 06 31* – ▤. AE E VISA JCB. ⚡ GHV
cerrado domingo y agosto – **Comida** - pescados y mariscos - carta 4700 a 5400
Espec. Salpicón de marisco. Dorada a la plancha. Langosta a la americana.

El Pescador, José Ortega y Gasset 75, ✉ 28006, ☎ (91) 402 12 90, *Fax (91) 401 30* – ▤. E VISA. ⚡ JV
cerrado domingo, Semana Santa y agosto – **Comida** - pescados y mariscos - carta 4 a 5900
Espec. Almejas a la marinera. Lenguado Evaristo. Mero Pescador.

Betelu, Florencio Llorente 27, ✉ 28027, ☎ (91) 326 50 87 – ▤. AE E VISA. ⚡
cerrado domingo, lunes y agosto – **Comida** carta 3050 a 4750. plano p. 5 CL

Orbayo, Claudio Coello 4, ✉ 28001, ☎ (91) 576 41 86 – ▤. AE E VISA. ⚡ GX
cerrado domingo noche y agosto – **Comida** carta 3200 a 4700.

Casa Julián, Don Ramón de la Cruz 10, ✉ 28001, ☎ (91) 431 35 35 – ▤. AE ◑ ⚡ GV
cerrado domingo y festivos noche – **Comida** carta 2000 a 2700.

El Torito, Alcalde Sáinz de Baranda 80, ✉ 28007, ☎ (91) 573 48 14 – ▤. AE ◑ E ⚡ JX
cerrado domingo y agosto – **Comida** carta 3650 a 5850.

Arganzuela, Carabanchel, Villaverde : Antonio López, Paseo de Las Delicias, Pa Santa María de la Cabeza (planos p. 6 y 9 salvo mención especial)

Rafael Pirámides, paseo de las Acacias 40, ✉ 28005, ☎ (91) 517 18 *Fax (91) 517 00 90* – |♦| ▤ TV ☎ ♿ 🚗. AE ◑ E VISA. ⚡ rest DZ
Comida *(cerrado sábado, domingo y agosto)* 1300 – ☕ 1175 – **84 hab** 11850/14 9 suites.

Carlton, paseo de las Delicias 26, ✉ 28045, ☎ (91) 539 71 00, *Telex 445 Fax (91) 527 85 10* – |♦| ▤ TV ☎. AE ◑ E VISA. ⚡ FZ
Comida 3465 – ☕ 1500 – **105 hab** 18300/22800, 7 suites – PA 8430.

Praga sin rest. con cafetería, Antonio López 65, ✉ 28019, ☎ (91) 469 06 *Fax (91) 469 83 25* – |♦| ▤ TV ☎ 🚗 – 🔑 25/350. AE ◑ E VISA JCB. ⚡ DZ
☕ 1100 – **428 hab** 12500/16000.

Diana Plus, autopista M-40, salida 19-B, ✉ 28053, ☎ (91) 507 20 *Fax (91) 507 14 22* – |♦| ▤ TV ☎ 🚗 – 🔑 25/200. AE ◑ VISA. ⚡ rest
Comida 2300 - ***Asador San Isidro*** *(cerrado sábado y domingo)* **Comida** carta 3300 a 5 – ☕ 1250 – **103 hab** 12875/15950, 1 suite – PA 5850. plano p. 5 CM

Aramo, paseo Santa María de la Cabeza 73, ✉ 28045, ☎ (91) 473 91 *Fax (91) 473 92 14* – |♦| ▤ TV ☎ 🚗. AE ◑ E VISA. ⚡ rest EZ
Comida 1500 – ☕ 1000 – **105 hab** 9600/12000 – PA 4000.

Puerta de Toledo, glorieta Puerta de Toledo 4, ✉ 28005, ☎ (91) 474 71 *Fax (91) 474 07 47* – |♦| ▤ TV ☎ 🚗 – 🔑 25/30. AE ◑ E VISA JCB. ⚡ DY
Comida (ver rest. ***Puerta de Toledo***) – ☕ 930 – **152 hab** 7800/12100.

Hontoria, pl. del General Maroto 2, ✉ 28045, ☎ (91) 473 04 25 – ▤. AE ⓓ E VISA. ✻ EZ v
cerrado domingo, festivos, Semana Santa y agosto – **Comida** carta 3675 a 4800.

Puerta de Toledo, glorieta Puerta de Toledo 4, ✉ 28005, ☎ (91) 474 12 69, *Fax (91) 474 30 35* – ▤. ⓓ E VISA. ✻ DY v
Comida carta 2550 a 3800.

Los Cigarrales, Antonio López 52, ✉ 28019, ☎ (91) 469 74 52, *Fax (91) 560 69 34* – ▤ ⇔. AE ⓓ E VISA JCB. ✻ DZ n
cerrado domingo noche – **Comida** carta 3900 a 4600.

Ribadas, paseo de las Acacias 50, ✉ 28005, ☎ (91) 517 22 44 – ▤. AE ⓓ E VISA. ✻
cerrado agosto – **Comida** - cocina gallega - carta 2525 a 4400. DZ r

Mesón Auto, paseo de la Chopera 71, ✉ 28045, ☎ (91) 467 23 49, *Fax (91) 530 67 03*, « Decoración rústica » – ▤ ⓟ. AE ⓓ E VISA. ✻ FZ c
Comida carta 3000 a 4000.

Moncloa : Princesa, Paseo del pintor Rosales, Paseo de la Florida, Casa de Campo (planos p. 4 Y 9 salvo mención especial)

Meliá Madrid, Princesa 27, ✉ 28008, ☎ (91) 541 82 00, *Telex 22537, Fax (91) 541 19 88*, ℱ – |‡| ▤ TV ☎ – 🏛 25/200. AE ⓓ E VISA JCB. ✻
Comida carta 3400 a 4150 – ☕ 2000 – **253 hab** 29500/33900, 23 suites.
plano p. 12 KV t

Tryp Monte Real ⛰, Arroyofresno 17, ✉ 28035, ☎ (91) 316 21 40, *Fax (91) 316 39 34*, « Jardín », ⛱ – |‡| ▤ TV ☎ ⇔ ⓟ – 🏛 25/250. AE ⓓ VISA. ✻
Comida carta 3800 a 5500 – ☕ 1750 – **76 hab** 19270/24150, 4 suites. AL b

Sofitel-Plaza de España sin rest, Tutor 1, ✉ 28008, ☎ (91) 541 98 80, *Fax (91) 542 57 36* – |‡| ▤ TV ☎ ♿ – 🏛 25/30. AE ⓓ E VISA plano p. 12 KV d
☕ 2000 – **97 hab** 30000/34000.

Tirol sin rest. con cafetería, Marqués de Urquijo 4, ✉ 28008, ☎ (91) 548 19 00, *Fax (91) 541 39 58* – |‡| ▤ TV ☎. VISA. ✻ DV r
89 hab ☕ 9200/11500, 6 suites.

Sal Gorda, Beatriz de Bobadilla 9, ✉ 28040, ☎ (91) 553 95 06 – ▤. AE ⓓ E VISA. ✻
cerrado domingo y agosto – **Comida** carta 3540 a 4200. DT e

Currito, Casa de Campo-Pabellón de Vizcaya, ✉ 28011, ☎ (91) 464 57 04, *Fax (91) 479 72 54*, ⛱ – ▤ ⓟ. AE ⓓ VISA. ✻ AM s
cerrado domingo noche – **Comida** - cocina vasca - carta 5000 a 6400.

A'Casiña, Casa de Campo-Pabellón de Pontevedra, ✉ 28011, ☎ (91) 526 34 25, *Fax (91) 526 37 13*, ⛱ – ▤. AE ⓓ E VISA. ✻ AM s
Comida carta 3000 a 5000.

Chamberí : San Bernardo, Fuencarral, Alberto Aguilera, Santa Engracia (planos p. 8 y 13)

Santo Mauro, Zurbano 36, ✉ 28010, ☎ (91) 319 69 00, *Fax (91) 308 54 77*, « Elegante palacete con jardín », ⛆ – |‡| ▤ TV ☎ ⇔ – 🏛 25/70. AE ⓓ VISA JCB. ✻ FV e
Comida 8000 - ***Belagua* : Comida** carta 4800 a 6500 – ☕ 2500 – **33 hab** 32000/38000, 4 suites.

Miguel Ángel, Miguel Ángel 31, ✉ 28010, ☎ (91) 442 00 22, *Fax (91) 442 53 20*, ⛱, ℱ, ⛆ – |‡| ▤ TV ☎ ⇔ – 🏛 25/300. AE ⓓ E VISA JCB. ✻ FU c
***Florencia* : Comida** carta 5400 a 6700 – ☕ 2400 – **251 hab** 26500/37000, 20 suites.

Castellana Inter-Continental, paseo de la Castellana 49, ✉ 28046, ☎ (91) 310 02 00, *Fax (91) 319 58 53*, ⛱, « Terraza-jardín », ℱ – |‡| ▤ TV ☎ ⇔ – 🏛 25/550. AE ⓓ E VISA JCB. ✻ GU v
Comida carta 3840 a 7140 – ☕ 2600 – **278 hab** 37900/45800, 27 suites.

Mindanao, San Francisco de Sales 15, ✉ 28003, ☎ (91) 549 55 00, *Telex 22631, Fax (91) 544 55 96*, ⛱, ⛆ – |‡| ▤ TV ☎ ♿ ⇔ – 🏛 25/250. AE ⓓ E VISA JCB. ✻
Comida 3750 - ***El Candelabro*** *(cerrado agosto)* **Comida** carta 4600 a 6000 – ☕ 1825 – **272 hab** 15000/18900, 9 suites – PA 7540. DT a

Gran Versalles sin rest. con cafetería, Covarrubias 4, ✉ 28010, ☎ (91) 447 57 00, *Telex 49150, Fax (91) 446 39 87* – |‡| ▤ TV ☎ – 🏛 25/120. AE ⓓ E VISA. ✻ MV a
☕ 1400 – **143 hab** 17500/24500, 2 suites.

NH Zurbano, Zurbano 79-81, ✉ 28003, ☎ (91) 441 45 00, *Fax (91) 441 32 24* – |‡| ▤ TV ☎ ⇔ – 🏛 25/250. AE ⓓ E VISA JCB. ✻ FU x
Comida carta 3400 a 4600 – ☕ 1600 – **255 hab** 19710/26700, 12 suites.

NH Abascal, José Abascal 47, ✉ 28003, ☎ (91) 441 00 15, *Fax (91) 442 22 11*, ℱ – |‡| ▤ TV ☎ ♿ ⇔ – 🏛 25/180. AE ⓓ E VISA JCB. ✻ FU a
Comida carta 4500 a 6000 – ☕ 1900 – **181 hab** 25900/31000, 3 suites.

NH Embajada, Santa Engracia 5, ✉ 28010, ✆ (91) 594 02 13, *Fax (91) 447 33* « Bonito edificio de estilo español » – 25/45. AE VISA. MV
Comida *(cerrado sábado, domingo y julio-agosto)* 2100 – 1600 – **101 h** 21900/27400 – PA 5800.

NH Prisma, Santa Engracia 120, ✉ 28003, ✆ (91) 441 93 77, *Fax (91) 442 58 51* – 25/70. AE E VISA JCB. EU
Comida *(cerrado agosto)* carta aprox. 4000 – 1600 – **7 hab** 21000, 103 suites.

NH Argüelles sin rest. con cafetería, Vallehermoso 65, ✉ 28015, ✆ (91) 593 97 *Fax (91) 594 27 39* – AE E VISA. DU
1500 – **75 hab** 20900.

Sol Inn Alondras sin rest. con cafetería, José Abascal 8, ✉ 28003, ✆ (91) 447 40 *Fax (91) 593 88 00* – AE E VISA JCB. EU
1095 – **72 hab** 16400/19800.

NH Bretón, Bretón de los Herreros 29, ✉ 28003, ✆ (91) 442 83 00, *Fax (91) 441 38* – 25. AE E VISA JCB. EU
Comida carta 2850 a 3900 – 1400 – **56 hab** 13000/15400.

Trafalgar sin rest. con cafetería, Trafalgar 35, ✉ 28010, ✆ (91) 445 62 *Fax (91) 446 64 56* – AE E VISA. EU
450 – **48 hab** 7900/13200.

Jockey, Amador de los Ríos 6, ✉ 28010, ✆ (91) 319 24 35, *Fax (91) 319 24 35* – AE E VISA JCB. NV
cerrado sábado mediodía, domingo, festivos y agosto – **Comida** carta 6350 a 9350
Espec. Vieiras marinadas al aceite virgen y trufa. Esturión fresco a la vinagreta de balsám y soja. Pichón de Navaz a la parrila con fideos de arroz.

Las Cuatro Estaciones, General Ibáñez de Íbero 5, ✉ 28003, ✆ (91) 553 63 *Fax (91) 553 32 98* – AE E VISA JCB. DT
cerrado sábado mediodía, domingo y agosto – **Comida** 4500 y carta 4500 a 5750
Espec. Verduras a la plancha. Arroz negro con anillas de chipirones. Foie caliente al Pe Ximénez.

Lur Maitea, Fernando el Santo 4, ✉ 28010, ✆ (91) 308 03 50, *Fax (91) 308 03 9* AE E VISA. MV
cerrado sábado mediodía, domingo, festivos y agosto – **Comida** - cocina vasca - carta 50 a 6050.

Annapurna, Zurbano 5, ✉ 28010, ✆ (91) 308 32 49, *Fax (91) 308 32 49* – AE E VISA. MV
cerrado sábado mediodía, domingo y festivos – **Comida** - cocina hindú - carta 3500 a 52

Las Reses, Orfila 3, ✉ 28010, ✆ (91) 308 03 82 – AE E VISA. NV
cerrado sábado mediodía, domingo y festivos – **Comida** - carnes - carta 3150 a 53

Solchaga, pl. Alonso Martínez 2, ✉ 28004, ✆ (91) 447 14 96, *Fax (91) 593 22 23* – AE E VISA. MV
cerrado sábado mediodía, domingo, festivos y agosto – **Comida** carta 4100 a 5500.

La Cava Real, Espronceda 34, ✉ 28003, ✆ (91) 442 54 32, *Fax (91) 442 34 04* – AE E VISA. FU
cerrado domingo, festivos, y agosto – **Comida** carta 3800 a 5000.

La Vendimia, pl. del Conde del Valle de Suchil 7, ✉ 28015, ✆ (91) 445 73 77 – E VISA. DV
cerrado domingo noche – **Comida** carta 3300 a 4650.

Casa Arturo, Sagasta 29, ✉ 28004, ✆ (91) 445 55 43, *Fax (91) 734 07 12* – VISA. MV
Comida carta 4000 a 4900.

Kulixka, Fuencarral 124, ✉ 28010, ✆ (91) 447 25 38 – AE VISA. EV
cerrado domingo y agosto – **Comida** - pescados y mariscos - carta 4200 a 5800.

Porto Alegre 2, Trafalgar 15, ✉ 28010, ✆ (91) 445 19 74, *Fax (91) 445 19 74* – AE E VISA. EV
cerrado domingo noche y agosto – **Comida** carta 3800 a 5050.

Casa Hilda, Bravo Murillo 24, ✉ 28015, ✆ (91) 446 35 69 – AE E VISA. EU
cerrado domingo noche, lunes noche y agosto – **Comida** carta 3000 a 4000.

Jeromín, San Bernardo 115, ✉ 28015, ✆ (91) 448 98 43, *Fax (91) 446 44 81,* AE E VISA. EU
cerrado domingo noche y lunes noche – **Comida** carta 4350 a 5700.

Polizón, Viriato 39, ✉ 28010, ✆ (91) 593 39 19 – AE E VISA JCB. EU
cerrado domingo en verano, domingo noche (resto del año) y agosto – **Comida** - pescac y mariscos - carta 3475 a 4350.

XX **La Plaza de Chamberí,** pl. de Chamberí 10, ✉ 28010, ✆ (91) 446 06 97 – ▤. AE ⓓ E VISA JCB. ✂ FV k
cerrado domingo – **Comida** carta 3700 a 4225.

XX **La Fuente Quince,** Modesto Lafuente 15, ✉ 28003, ✆ (91) 399 14 75, *Fax (91) 441 10 43* – ▤. AE ⓓ E VISA. ✂ FU j
cerrado sábado mediodía, domingo, Semana Santa y agosto – **Comida** carta 3000 a 3725.

XX **Chuliá,** María de Guzmán 36, ✉ 28003, ✆ (91) 535 31 23, *Fax (91) 535 10 10* – ▤. AE ⓓ E VISA. ✂ ET n
cerrado sábado mediodía, domingo y agosto – **Comida** carta 2450 a 5325.

XX **Mesón del Cid,** Fernández de la Hoz 57, ✉ 28003, ✆ (91) 442 07 55, *Fax (91) 442 96 47* – ▤. AE ⓓ E VISA. ✂ FU r
cerrado domingo noche, festivos noche y Semana Santa – **Comida** carta 3600 a 4850.

XX **Gala,** Espronceda 14, ✉ 28003, ✆ (91) 441 95 48 – ▤. AE VISA. ✂ EU n
cerrado domingo – **Comida** carta 3700 a 4800.

XX **Doña,** Zurbano 59, ✉ 28010, ✆ (91) 319 25 51, *Fax (91) 441 90 20* – ▤. AE ⓓ VISA. ✂ FU d
cerrado domingo noche y 2ª quincena de agosto – **Comida** carta 3000 a 3750.

XX **Alborán,** Ponzano 39-41, ✉ 28003, ✆ (91) 399 21 50, *Fax (91) 399 21 50* – ▤. AE ⓓ E VISA. ✂ EU g
cerrado domingo noche – **Comida** carta 4350 a 5450.

XX **Babel,** Alonso Cano 60 (previsto traslado a Montalbán 9), ✉ 28003, ✆ (91) 553 08 27 – ▤. AE ⓓ VISA. ✂ FT r
cerrado sábado mediodía, domingo y agosto – **Comida** - carnes - carta 3850 a 4700.

XX **Asquiniña,** Modesto Lafuente 88, ✉ 28003, ✆ (91) 553 17 95, *Fax (91) 435 81 69* – ▤. AE ⓓ VISA. ✂ FT c
cerrado domingo noche, lunes noche y agosto – **Comida** - cocina gallega - carta 2900 a 4300.

X **Horno de Juan,** Joaquín María López 30, ✉ 28015, ✆ (91) 543 30 43 – ▤. AE ⓓ E VISA JCB. ✂ DU x
cerrado domingo noche y del 15 al 26 de agosto – **Comida** carta 2800 a 4500.

X **La Parra,** Monte Esquinza 34, ✉ 28010, ✆ (91) 319 54 98 – ▤. AE ⓓ E VISA. ✂ FV v
cerrado sábado mediodía, domingo y festivos – **Comida** carta 3550 a 4650.

X **Pinocchio,** Orfila 2, ✉ 28010, ✆ (91) 308 16 47, *Fax (91) 766 98 04* – ▤. AE ⓓ E VISA. ✂ NV d
cerrado domingo y agosto – **Comida** - cocina italiana - carta 2950 a 3335.

X **El Pedrusco de Aldealcorvo,** Juan de Austria 27, ✉ 28010, ✆ (91) 446 88 33, *Fax (91) 446 88 33*, « Decoración castellana » – ▤. AE ⓓ E VISA. ✂ EU f
cerrado sábado, domingo noche y agosto – **Comida** carta 3200 a 4900.

X **Balear,** Sagunto 18, ✉ 28010, ✆ (91) 447 91 15, *Fax (91) 445 19 97* – ▤. AE E VISA. ✂
cerrado domingo noche y lunes noche – **Comida** - arroces - carta 3150 a 4500. EU y

X **La Gran Tasca,** Santa Engracia 24, ✉ 28010, ✆ (91) 448 77 79, « Decoración castellana » – ▤. AE ⓓ E VISA. ✂ FV c
cerrado domingo noche – **Comida** carta 3800 a 4125.

X **Casa Félix,** Bretón de los Herreros 39, ✉ 28003, ✆ (91) 441 24 79, *Fax (91) 639 77 89* – ▤ Ⓟ. AE VISA. ✂ FU e
Comida carta 2900 a 4800.

X **Don Sancho,** Bretón de los Herreros 58, ✉ 28003, ✆ (91) 441 37 94 – ▤. AE ⓓ E VISA. ✂ FU u
cerrado domingo, festivos, lunes noche, Semana Santa y agosto – **Comida** carta 3290 a 4400.

X **La Giralda II,** Hartzenbuch 12, ✉ 28010, ✆ (91) 445 77 79, *Fax (91) 593 88 31* – ▤. AE ⓓ VISA. ✂ EV p
cerrado domingo noche y julio – **Comida** - rest. andaluz - carta 4800 a 5300.

X **Villa de Foz,** Gonzálo de Córdoba 10, ✉ 28010, ✆ (91) 446 89 93 – ▤. AE VISA. ✂ EV e
cerrado domingo y agosto – **Comida** - cocina gallega - carta 3400 a 5200.

X **Bene,** Castillo 19, ✉ 28010, ✆ (91) 448 08 78 – ▤. AE ⓓ E VISA. ✂ EU u
cerrado domingo y agosto – **Comida** carta 2925 a 3900.

X **La Despensa,** Cardenal Cisneros 6, ✉ 28010, ✆ (91) 446 17 94 – ▤. AE ⓓ E VISA. ✂ EV p
cerrado domingo noche, lunes y 22 agosto-19 septiembre – **Comida** carta 2425 a 3200.

Chamartín, Tetuán : Paseo de la Castellana, Capitán Haya, Orense, Alberto Alcoc Paseo de la Habana (planos p. 6 y 7)

Meliá Castilla, Capitán Haya 43, 28020, (91) 567 50 00, *Fax (91) 567 50 51,* - - 25/800. FR
Comida (ver rest ***L'Albufera*** y rest ***La Fragata***) - 2500 - **891 hab** 29000/330 14 suites.

Crowne Plaza Madrid City Centre, pl. Carlos Trías Beltrán 4 (acceso por Oren 22-24), 28020, (91) 456 80 00, *Fax (91) 456 80 01,* - 25/400. rest FS
La Terraza *(sólo almuerzo, cerrado 15 julio-1 septiembre)* **Comida** carta aprox. 3275 - ***Blue*** : **Comida** carta 2595 a 4725 - 2350 - **282 hab** 29100/3210 31 suites.

NH Eurobuilding, Padre Damián 23, 28036, (91) 345 45 00, *Fax (91) 345 45* « Jardín y terraza con », - - 25/900.
La Taberna : **Comida** carta aprox. 5700 - ***Le Relais*** : **Comida** carta aprox. 4500 - 22 - **416 hab** 28500, 84 suites. GS

Cuzco sin rest. con cafetería, paseo de la Castellana 133, 28046, (91) 556 06 *Fax (91) 556 03 72,* - - 25/450.
1300 - **322 hab** 20580/25725, 8 suites. FS

Chamartín, estación de Chamartín, 28036, (91) 334 49 00, *Fax (91) 733 02* - - 25/500. HR
Comida (ver rest. ***Cota 13***) - 1400 - **360 hab** 18900/21900, 18 suites.

NH La Habana, paseo de la Habana 73, 28036, (91) 345 82 84, *Fax (91) 457 75* - - 25/250. rest HS
Comida 3000 - 1600 - **156 hab** 16500/21000.

Orense, Pedro Teixeira 5, 28020, (91) 597 15 68, *Fax (91) 597 12 95* - FS
Comida 2500 - 1350 - **140 hab** 21150/25575 - PA 6350.

Foxá 32, Agustín de Foxá 32, 28036, (91) 733 10 60, *Fax (91) 314 11 65* - - 25/250. GR
Comida carta 2600 a 3500 - 1200 - **63 hab** 19000, 98 suites.

Foxá 25, Agustín de Foxá 25, 28036, (91) 323 11 19, *Fax (91) 314 53 11* - GR
Comida carta 2600 a 3500 - 1200 - **121 suites** 19000.

Castilla Plaza, paseo de la Castellana 220, 28046, (91) 323 11 *Fax (91) 315 54 06* - - 25/150. GR
Comida 2750 - 2000 - **147 hab** 24450/27300.

El Gran Atlanta sin rest, Comandante Zorita 34, 28020, (91) 553 59 *Fax (91) 533 08 58,* - - 25/120. ES
1200 - **180 hab** 11900/16450.

Tryp Togumar sin rest, Canillas 59, 28002, (91) 519 00 51, *Fax (91) 519 48* - JT
600 - **62 hab** 9500/10500.

Aristos, av. Pío XII-34, 28016, (91) 345 04 50, *Fax (91) 345 10 23* - JR
Comida (ver rest. ***El Chaflán***) - 950 - **24 hab** 14750/19750, 1 suite.

NH Práctico sin rest, Bravo Murillo 304, 28020, (91) 571 28 *Fax (91) 571 56 31* - - 25/40. FR
1500 - **35 hab** 13900/15400.

La Residencia de El Viso, Nervión 8, 28002, (91) 564 03 *Fax (91) 564 19 65* - HT
Comida 1700 - 750 - **12 hab** 9000/16000.

Zalacaín, Álvarez de Baena 4, 28006, (91) 561 48 40, *Fax (91) 561 47 32* - GU
cerrado sábado mediodía, domingo, festivos, Semana Santa y agosto - **Comida** 950 carta 6350 a 8825
Espec. Cazoleta de almejas con pasta al Jerez y pistachos asados. Rodaballo sobre pu de espárragos a la vinagreta de tomate. Pequeño volcán de chocolate caliente al ca

Príncipe y Serrano, Serrano 240, 28016, (91) 458 62 31, *Fax (91) 458 62* - HS
cerrado sábado mediodía, domingo y agosto - **Comida** carta 4900 a 5700.

La Máquina, Sor Ángela de la Cruz 22, 28020, (91) 572 33 18, *Fax (91) 570 44* - FS
cerrado domingo noche - **Comida** carta 4050 a 5350.

XXXX **El Bodegón,** Pinar 15, ✉ 28006, ℰ (91) 562 88 44, *Fax (91) 562 97 25* – ▤. AE ⓓ E VISA. ✻ GU q
cerrado sábado mediodía, domingo, festivos y agosto – **Comida** carta 6200 a 7050.

XXXX ✿ **Príncipe de Viana,** Manuel de Falla 5, ✉ 28036, ℰ (91) 457 15 49, *Fax (91) 457 52 83*, 🏠 – ▤. AE ⓓ E VISA JCB. ✻ GS c
cerrado sábado mediodía, domingo, Semana Santa y agosto – **Comida** - cocina vasco-navarra - carta 5650 a 6725
Espec. Menestra de verduras (temp.). Bacalao al ajoarriero. Tarta de arroz.

XXX **Nicolasa,** Velázquez 150, ✉ 28002, ℰ (91) 563 17 35, *Fax (91) 564 32 75* – ▤. AE ⓓ VISA. ✻ HT a
Comida carta 4950 a 6350.

XXX ✿ **O'Pazo,** Reina Mercedes 20, ✉ 28020, ℰ (91) 553 23 33, *Fax (91) 554 90 72* – ▤. E VISA. ✻ EFS p
cerrado domingo, Semana Santa y agosto – **Comida** - pescados y mariscos - carta 4800 a 5900
Espec. Centollo gallego. Langosta del Cantábrico a la americana. Rodaballo al horno.

XXX **L'Albufera,** Capitán Haya 43, ✉ 28020, ℰ (91) 567 51 97, *Fax (91) 567 50 51* – ▤ 🚗. AE ⓓ E VISA JCB. ✻ FR c
Comida - arroces - carta 4900 a 6500.

XXX **La Fragata,** Capitán Haya 43, ✉ 28020, ℰ (91) 567 51 96 – ▤ 🚗. AE ⓓ E VISA JCB. ✻ FR c
cerrado festivos y agosto – **Comida** carta 4990 a 6490.

XXX **José Luis,** Rafael Salgado 11, ✉ 28036, ℰ (91) 457 50 36, *Fax (91) 344 18 37* – ▤. AE ⓓ E VISA. ✻ GS m
cerrado domingo y agosto – **Comida** carta 3025 a 4350.

XXX **La Misión,** Comandante Zorita 6, ✉ 28020, ℰ (91) 533 27 57, *Fax (91) 534 50 90* – ▤. AE ⓓ VISA. ✻ ET s
cerrado sábado mediodía y domingo – **Comida** carta 3400 a 4650.

XXX **Bogavante,** Capitán Haya 20, ✉ 28020, ℰ (91) 556 21 14, *Fax (91) 597 00 79* – ▤. AE ⓓ E VISA JCB. ✻ FS d
cerrado domingo noche – **Comida** - pescados y mariscos - carta 2900 a 6200.

XXX **Señorío de Alcocer,** av. de Alberto Alcocer 1, ✉ 28036, ℰ (91) 345 16 96, *Fax (91) 345 16 96* – ▤. AE ⓓ E VISA. ✻ GS e
cerrado sábado mediodía, domingo, festivos y del 7 al 24 de agosto – **Comida** carta 5550 a 6250.

XXX ✿ **El Olivo,** General Gallegos 1, ✉ 28036, ℰ (91) 359 15 35, *Fax (91) 345 91 83* – ▤. AE ⓓ E VISA JCB GR c
cerrado domingo, lunes y del 15 al 31 de agosto – **Comida** 5600 y carta 4800 a 5900
Espec. Sardinas marinadas sobre caviar de berenjenas. Ensalada templada de bogavante y su vinagreta de finas hierbas. Pichón en dos cocciones sobre verduritas y su jugo trufado.

XXX ✿ **Goizeko Kabi,** Comandante Zorita 37, ✉ 28020, ℰ (91) 533 01 85, *Fax (91) 533 02 14* – ▤. AE ⓓ E VISA. ✻ ES a
cerrado sábado mediodía (julio-agosto) y domingo – **Comida** - cocina vasca - carta 6150 a 7200
Espec. Menestra de setas (otoño-primavera). Tártaro de salmón al queso y vinagreta de remolacha. Solomillo braseado con sal gorda y aceite de oliva.

XXX **Cabo Mayor,** Juan Ramón Jiménez 37, ✉ 28036, ℰ (91) 350 87 76, *Fax (91) 359 16 21* – ▤. AE ⓓ E VISA JCB. ✻ GS v
cerrado domingo, 25 diciembre-1 enero, Semana Santa y dos semanas en agosto – **Comida** carta 5400 a 7200.

XXX **Blanca de Navarra,** av. de Brasil 13, ✉ 28020, ℰ (91) 555 10 29 – ▤. AE ⓓ E VISA. ✻ FS q
cerrado agosto – **Comida** carta 4500 a 5400.

XXX **Lutecia,** Corazón de María 78, ✉ 28002, ℰ (91) 519 34 15 – ▤. AE ⓓ E VISA. ✻ JT n
cerrado domingo y agosto – **Comida** carta 3300 a 4500.

XXX **Aldaba,** av. de Alberto Alcocer 5, ✉ 28036, ℰ (91) 345 21 93 – ▤. AE ⓓ E VISA. ✻ GS e
cerrado sábado mediodía, domingo y agosto – **Comida** carta 4425 a 6000.

XXX **El Foque,** Suero de Quiñones 22, ✉ 28002, ℰ (91) 519 25 72, *Fax (91) 519 52 61* – ▤. AE ⓓ E VISA. ✻ HT r
cerrado domingo – **Comida** - espec. en bacalaos - carta 4500 a 5300.

XX **Ganges,** Bolivia 11, ✉ 28016, ☎ (91) 457 27 29 – ▤. AE ⓓ E VISA JCB. ✂ HS
Comida - cocina hindú - carta aprox. 3950.

XX **Combarro,** Reina Mercedes 12, ✉ 28020, ☎ (91) 554 77 84, *Fax (91) 534 25 01* – ▤ AE ⓓ E VISA JCB. ✂ ES
cerrado domingo noche y agosto – **Comida** - pescados y mariscos - carta 5075 7500.

XX **La Tahona,** Capitán Haya 21 (lateral), ✉ 28020, ☎ (91) 555 04 41, *Fax (91) 556 62 0* « Decoración castellano-medieval » – ▤. AE ⓓ E VISA JCB. ✂ FS
cerrado domingo noche y agosto – **Comida** - cordero asado - carta aprox. 4000.

XX **De Funy,** Serrano 213, ✉ 28016, ☎ (91) 457 95 22, *Fax (91) 458 85 84*, – ▤. ⓓ E VISA. ✂ HS
Comida - rest. libanés - carta 4050 a 5300.

XX **Gaztelupe,** Comandante Zorita 32, ✉ 28020, ☎ (91) 534 90 28, *Fax (91) 554 65 66* ▤. AE ⓓ VISA. ✂ ES
cerrado domingo (julio-agosto) y domingo mediodía en invierno – **Comida** - cocina vas - carta 5150 a 6050.

XX **Mirasierra,** Peña Auseba 5 (colonia Mirasierra), ✉ 28034, ☎ (91) 735 03 7 *Fax (91) 734 48 10*, « Terraza con arbolado » – ▤. AE ⓓ E VISA JCB. ✂ por
cerrado sábado, domingo, Semana Santa y agosto – **Comida** carta 2950 a 5250.

XX **Jai-Alai,** Balbina Valverde 2, ✉ 28002, ☎ (91) 561 27 42, *Fax (91) 561 38 46*, – ▤ AE ⓓ E VISA JCB GT
cerrado lunes y agosto – **Comida** - cocina vasca - carta 3775 a 5360.

XX **Pedralbes,** Basílica 15, ✉ 28020, ☎ (91) 555 30 27, *Fax (91) 570 95 30*, – ▤. ⓓ E VISA. ✂ FT
cerrado domingo noche – **Comida** - cocina catalana - carta 3165 a 4560.

XX **Asador Frontón II,** Pedro Muguruza 8, ✉ 28036, ☎ (91) 345 36 9 *Fax (91) 350 95 33* – ▤. AE ⓓ E VISA. ✂ GR
cerrado domingo – **Comida** carta 4000 a 5025.

XX **Gerardo,** av. de Alberto Alcocer 46 bis, ✉ 28016, ☎ (91) 457 94 59, *Fax (91) 401 34* – ▤. AE ⓓ E VISA JCB. ✂ HS
cerrado domingo y del 5 al 25 de agosto – **Comida** carta aprox. 5100.

XX **Carta Marina,** Padre Damián 40, ✉ 28036, ☎ (91) 458 68 26, *Fax (91) 458 68 26* ▤. AE ⓓ E VISA JCB. ✂ HS
cerrado domingo y agosto – **Comida** - cocina gallega - carta 4400 a 5450.

XX **El Telégrafo,** Padre Damián 44, ✉ 28036, ☎ (91) 350 61 19, *Fax (91) 401 34 4* « Imitando el interior de un barco » – ▤. AE ⓓ E VISA JCB. ✂ GS
Comida - pescados y mariscos - carta aprox. 5100.

XX **Rugantino,** Velázquez 136, ✉ 28006, ☎ (91) 561 02 22 – ▤. AE ⓓ E VISA. ✂ HU
Comida - cocina italiana - carta 3200 a 3545.

XX **De María,** Félix Boix 5, ✉ 28036, ☎ (91) 359 65 07, *Fax (91) 345 22 94* – ▤. AE ⓓ VISA. ✂ GR
Comida - pescados y carnes a la brasa - carta 4050 a 6875.

XX **Tattaglia,** paseo de la Habana 17, ✉ 28036, ☎ (91) 562 85 90 – ▤. AE ⓓ VISA. ✂ GS
Comida - cocina italiana - carta 3200 a 3665.

XX **Paparazzi,** Sor Ángela de la Cruz 22, ✉ 28020, ☎ (91) 579 67 67 – ▤. AE ⓓ E VIS ✂ FS
Comida - cocina italiana - carta 2980 a 3325.

XX **Ox's,** Juan Ramón Jiménez 11, ✉ 28036, ☎ (91) 458 19 03, *Fax (91) 344 14 37* – ▤ AE ⓓ E VISA. ✂ GS
cerrado domingo Semana Santa y agosto – **Comida** - carnes a la brasa - carta 3425 4950.

XX **Barlovento,** paseo de la Habana 84, ✉ 28016, ☎ (91) 458 64 04 – ▤. AE ⓓ VISA. ✂ HS
cerrado domingo noche y del 10 al 30 de agosto – **Comida** carta 3900 a 5300.

XX **Ferreiro,** Comandante Zorita 32, ✉ 28020, ☎ (91) 553 93 42, *Fax (91) 553 89 90* – ▤ AE ⓓ E VISA. ✂ ES
Comida - cocina asturiana - carta 3650 a 4750.

XX **Fass,** Rodríguez Marín 84, ✉ 28002, ☎ (91) 563 60 83, *Fax (91) 563 74 53*, « Decoració estilo bávaro » – ▤. AE ⓓ E VISA. ✂ HS
Comida - cocina alemana - carta 3175 a 4750.

XX **La Parrilla de Madrid,** Capitán Haya 19 (posterior), ✉ 28020, ☎ (91) 555 12 8 *Fax (91) 555 15 37* – ▤. AE ⓓ E VISA. ✂ FS
cerrado domingo y del 15 al 31 de agosto – **Comida** carta 3500 a 5100.

XX **Sacha,** Juan Hurtado de Mendoza 11 (posterior), ✉ 28036, ✆ (91) 345 59 52, Bistro – ▤. AE ⓓ VISA. GS v
cerrado domingo, Semana Santa y del 10 al 31 de agosto – **Comida** carta 3500 a 5250.

XX **Rianxo,** Oruro 11, ✉ 28016, ✆ (91) 457 10 06, *Fax (91) 457 22 04* – ▤. AE ⓓ E VISA. HS h
cerrado domingo noche – **Comida** - cocina gallega - carta 4050 a 6700.

XX **Alborada,** Henri Dunant 23, ✉ 28036, ✆ (91) 359 18 42, *Fax (91) 416 68 07,* – ▤. AE ⓓ E VISA JCB. HS e
cerrado domingo, lunes, Semana Santa y 20 días en agosto – **Comida** carta 4250 a 5100.

XX **El Chaflán,** av. Pío XII-34, ✉ 28016, ✆ (91) 350 61 93, *Fax (91) 345 10 23,* – ▤. AE ⓓ E VISA. JR d
cerrado domingo noche y Semana Santa – **Comida** carta 3500 a 5175.

XX **Tándem,** Pedro Muguruza 5, ✉ 28036, ✆ (91) 350 30 47 – ▤. AE ⓓ E VISA. GR x
cerrado sábado mediodía, domingo y agosto – **Comida** carta aprox. 3950.

XX **Cota 13,** estación de Chamartín, ✉ 28036, ✆ (91) 314 95 00, *Fax (91) 733 02 14* – ▤. AE ⓓ E VISA JCB. HR
Comida carta 2450 a 4650.

XX **La Broche,** Dr. Fleming 36, ✉ 28036, ✆ (91) 457 99 60, *Fax (91) 344 15 03* – ▤. AE ⓓ E VISA. GS t
cerrado sábado mediodía, domingo, festivos, Semana Santa y agosto – **Comida** carta 4550 a 6600
Espec. Carpaccio de ceps con pasta y piñones. Lomo de conejo con caracoles de mar y montaña. Espuma quemada de crema catalana avainillada.

XX **Asador de Roa,** Pintor Juan Gris 5, ✉ 28020, ✆ (91) 555 38 17, *Fax (91) 555 86 29* – ▤. AE ⓓ VISA. FS d
Comida carta 4000 a 4500.

XX **Donde Marian,** Torpedero Tucumán 32, ✉ 28016, ✆ (91) 359 04 84, – ▤. AE ⓓ E VISA. JR z
cerrado sábado mediodía, festivos y agosto – **Comida** carta 3150 a 3850.

XX **House of Ming,** paseo de la Castellana 74, ✉ 28046, ✆ (91) 561 10 13, *Fax (91) 561 98 27* – ▤. AE ⓓ E VISA. GU f
Comida - rest. chino - carta 2875 a 4220.

X **El Molino,** Conde de Serrallo 1, ✉ 28020, ✆ (91) 571 24 09, « Decoración castellana » – ▤. AE ⓓ E VISA. FR w
cerrado domingo noche – **Comida** - asados - carta 3700 a 5500.

X **La Ancha,** Príncipe de Vergara 204, ✉ 28002, ✆ (91) 563 89 77, *Fax (91) 563 89 77,* – ▤. AE ⓓ E VISA. HT z
cerrado domingo, festivos, Semana Santa y Navidades – **Comida** carta 3350 a 4500.

X **El Asador de Aranda,** pl. de Castilla 3, ✉ 28046, ✆ (91) 733 87 02, *Fax (91) 556 62 02,* « Decoración castellana » – ▤. AE ⓓ E VISA. GR b
cerrado domingo noche y 17 agosto-13 septiembre – **Comida** - cordero asado - carta aprox. 4000.

X **Prost,** Orense 6 (edificio Metrocentro), ✉ 28020, ✆ (91) 555 28 94 – ▤. AE ⓓ E VISA. FT e
cerrado domingo y festivos – **Comida** carta 2750 a 4300.

X **Da Nicola,** Orense 4, ✉ 28020, ✆ (91) 555 77 53, *Fax (91) 556 68 17* – ▤. AE ⓓ E VISA JCB. FT e
Comida - cocina italiana - carta 2015 a 2630.

X **Asador Ansorena,** Capitán Haya 55 (interior), ✉ 28020, ✆ (91) 579 64 51 – ▤.
cerrado domingo y agosto – **Comida** carta 4400 a 5400. FR n

X **La Sidrería del Asador Frontón,** Infanta María Teresa 19, ✉ 28016, ✆ (91) 457 13 60 – ▤. AE ⓓ VISA. HS r
cerrado domingo y agosto – **Comida** - carnes y pescados a la brasa - carta 3700 a 4700.

X **Rianxo,** Raimundo Fernández Villaverde 49, ✉ 28003, ✆ (91) 534 88 32, Fax (91) 554 09 81 – ▤. AE ⓓ E VISA. FT a
cerrado domingo y agosto – **Comida** - cocina gallega - carta 4300 a 7200.

X **El Molino,** Orense 70, ✉ 28020, ✆ (91) 571 38 34, « Decoración castellana » – ▤. AE ⓓ E VISA. FR f
Comida - asados - carta 4200 a 5700.

X **Zacarías de Santander,** Rosario Pino 17, ✉ 28020, ✆ (91) 571 28 86, *Fax (91) 571 28 86,* – ▤. AE ⓓ E VISA. FR f
Comida carta 4100 a 7200.

X **Casa Benigna,** Benigno Soto 9, ✉ 28002, ✆ (91) 413 33 56, *Fax (91) 416 93 57* – ▤. AE ⓓ E VISA. JT u
Comida carta 5650 a 6450.

X **Los Borrachos de Velázquez,** Príncipe de Vergara 205, ✉ 28002, ☎ (91) 564 04
Fax (91) 563 93 35 – ▤. AE ⓓ E VISA. ✂ HT
cerrado domingo – **Comida** - rest. andaluz - carta 3500 a 4900.

X **Al-Fanus,** Pechuán 6, ✉ 28002, ☎ (91) 562 77 18 – ▤. AE ⓓ VISA. ✂ HU
cerrado domingo noche y agosto – **Comida** - rest. sirio - carta 3150 a 3875.

X **Las Cumbres,** Alberto Alcocer 32, ✉ 28036, ☎ (91) 458 76 92, *Fax (91) 457 04*
« Taberna andaluza » – ▤. AE ⓓ E VISA JCB. ✂ HS
Comida carta 3100 a 4400.

X **El Cenachero,** Manuel de Falla 8, ✉ 28036, ☎ (91) 457 59 04 – ▤. AE
E VISA. ✂ GS
cerrado sábado mediodía, domingo, Semana Santa y del 15 al 30 de agosto – **Comida** ca
2925 a 4850.

Alrededores

por la salida ② *N II y acceso carretera Coslada - San Fernando, Este : 12 km* – ✉ 28(
Madrid :

XX **Rancho Texano,** av. Aragón 364 ☎ (91) 747 47 36, *Fax (91) 747 94 68,*
« Terraza » – ▤ P. AE ⓓ E VISA JCB. ✂
cerrado domingo noche – **Comida** - carnes a la brasa - carta 4120 a 6240.

por la salida ⑦ – ✉ *28023 Madrid :*

Concordy sin rest. con cafetería, cruce N VI con M-40 - El Plantío : 11,7
☎ (91) 307 65 54, *Fax (91) 372 81 95* – |ф| ▤ TV ☎ P. E VISA. ✂
☕ 350 – **22 hab** 6420/9630.

XXX **Gaztelubide,** Sopelana 13 - La Florida : 12,8 km ☎ (91) 372 85 44, *Fax (91) 372 84*
– |ф| ▤ P. AE ⓓ E VISA. ✂
cerrado domingo noche – **Comida** - cocina vasca - carta 5000 a 7000.

XX **Portonovo,** 10,5 km - salida 10 autopista ☎ (91) 307 01 73, *Fax (91) 307 02 86,*
– ▤ P. AE ⓓ E VISA JCB. ✂
cerrado domingo noche – **Comida** - cocina gallega - carta 4140 a 5395.

XX **Los Remos,** La Florida : 13 km ☎ (91) 307 72 30, *Fax (91) 372 84 35* – ▤ P. AE
E VISA. ✂
Comida - pescados y mariscos - carta 4700 a 5400.

XX **Asador Los Condes,** av. de la Victoria 7 - El Plantío : 12,5 km, ✉ 280
☎ (91) 307 73 00, *Fax (91) 307 79 69* – ▤. AE ⓓ E VISA. ✂
cerrado domingo noche, lunes y agosto – **Comida** - espec. en asados - carta apr
5000.

XX **La Dehesa,** centro comercial Sexta Avenida (terraza) - El Plantío : 13
☎ (91) 372 91 27, *Fax (91) 815 06 45,* – ▤. AE ⓓ E VISA. ✂
cerrado domingo noche y lunes – **Comida** carta aprox. 4000.

por la salida ⑧ *en Fuencarral : 9 km* – ✉ *28034 Madrid :*

XX **Casa Pedro,** Nuestra Señora de Valverde 119 ☎ (91) 734 02 01, *Fax (91) 358 40*
, « Decoración castellana » – ▤. AE ⓓ E VISA JCB. ✂
Comida carta 2800 a 4600.

por la salida ⑧ *14,5 km* – ✉ *28049 Madrid :*

XX **El Mesón,** carret. M 607 ☎ (91) 734 10 19, *Fax (91) 734 05 77,* , « Decoración rús
en una casa de campo castellana » – ▤ P. AE ⓓ E VISA. ✂
Comida carta 3150 a 4925.

Ver también : **Barajas** *por* ② *: 14 km*
Alcobendas *por* ① *: 16 km.*

Neumáticos MICHELIN S.A., División Comercial Dr. Zamenhof 22-4ª pla
✉ 28027 CL ☎ (91) 410 50 00, Fax (91) 410 50 10

Neumáticos MICHELIN S.A., Sucursal av. José Gárate 7, COSLADA por ②, ✉ 28
☎ (91) 671 80 11, Fax (91) 671 91 14

MADRIDEJOS *45710 Toledo* 444 **N 19** – *10 332 h. alt. 688.*

Madrid 120 – Alcázar de San Juan 29 – Ciudad Real 84 – Toledo 74 – Valdepeñas 8

en la autovía N IV *Norte : 6 km* – ✉ *45710 Madridejos :*

XX **Un Alto en el Camino,** ☎ (925) 46 00 00, *Fax (925) 46 35 41* – ▤ P. VISA
cerrado sábado y del 10 al 20 de septiembre – **Comida** - sólo almuerzo - carta ap
3800.

ADRONA *40154 Segovia* 442 **J 17** - *alt. 1088.*
Madrid 90 - Ávila 58 - Segovia 9.

Sotopalacio sin rest, Segovia 15 ✆ (921) 48 51 00, *Fax (921) 48 52 24* - TV ☎. E VISA.
☐ 400 - **12 hab** 4300/6500.

MADROÑAL *Las Palmas - ver Canarias (Gran Canaria) : Santa Brígida.*

AGALUF *Baleares - ver Baleares (Mallorca).*

AGAZ *34220 Palencia* 442 **G 16** - *782 h. alt. 728.*
Madrid 237 - Burgos 79 - León 137 - Palencia 9 - Valladolid 49.

Europa Centro ⛰, urb. Castillo de Magaz - carret. de Palencia, Oeste : 1 km ✆ (979) 78 40 00, *Fax (979) 78 41 85*, ≤ - |‡| ▤ TV ☎ ♿ 🚗 P - 🎤 25/500. AE ⓓ E VISA. ✻ rest
Comida 2300 - ☐ 1000 - **114 hab** 8000/10500, 8 suites - PA 4240.

AHÓN *Baleares - ver Baleares (Menorca).*

AJADAHONDA *28220 Madrid* 444 **K 18** - *34031 h. alt. 743.*
Madrid 20 - Segovia 82 - Toledo 83.

Ars Vivendi, Cristo 23 ✆ (91) 634 02 87, *Fax (91) 351 46 82* - ▤. AE ⓓ E VISA. ✻
cerrado domingo noche, martes y del 1 al 23 de agosto - **Comida** - cocina italiana - carta aprox. 5200.

ÁLAGA *29000* P 446 **V 16** - *534683 h. - Playa.*
Ver : *Gibralfaro : ≤★★* DY - *Alcazaba★ (Museo Arqueológico★)* DY - *Catedral★* CZ - *Iglesia de El Sagrario (retablo manierista★)* CY.
Alred. : *Finca de la Concepción★ 7 km por ④.*
18 Málaga, por ② : 9 km ✆ (95) 237 66 77 Fax (95) 237 66 12 - 9 El Candado, por ① : 5 km ✆ (95) 229 93 40 Fax (95) 229 08 45.
✈ de Málaga por ② : 9 km ✆ (95) 204 84 84 - Iberia : Molina Larios 13 ✉ 29015 ✆ (95) 213 61 48 CY *y aeropuerto ✆ (95) 204 84 84.*
🚗 ✆ (95) 212 82 25.
⛴ para Melilla : Cía. Trasmediterránea, Estación Marítima, Local E-1 ✉ 29016 - CZ *✆ (95) 222 43 91 Fax (95) 222 48 83.*
i pasaje de Chinitas 4 ✉ 29015 ✆ (95) 221 34 45 Fax (95) 222 94 21 av. Cervantes 1 ✉ 28016 ✆ (95) 260 44 10 Fax (95) 221 41 20 - **R.A.C.E.** *Calderería (galerias Goya 5º-1) ✉ 29008 ✆ (95) 221 42 60 Fax (95) 221 20 32.*
Madrid 548 ④ - Algeciras 133 ② - Córdoba 175 ④ - Sevilla 217 ④ - Valencia 651 ④

Planos páginas siguientes

Parador de Málaga-Gibralfaro ⛰, Castillo de Gibralfaro, ✉ 29016, ✆ (95) 222 19 02, *Fax (95) 222 19 04*, « Magnífica situación con ≤ Málaga y mar », 🏊 - |‡| ▤ TV ☎ ♿ P - 🎤 25/60. AE ⓓ E VISA JCB. ✻ DY
Comida 3700 - ☐ 1300 - **38 hab** 15200/19000 - PA 7395.

Larios, Marqués de Larios 2, ✉ 29005, ✆ (95) 222 22 00, *Fax (95) 222 24 07* - |‡| ▤ TV ☎ - 🎤 25/150. AE ⓓ E VISA. ✻ CY s
Comida *(cerrado domingo)* 3500 - ☐ 1300 - **40 hab** 15000/19000 - PA 7750.

Don Curro sin rest. con cafetería, Sancha de Lara 7, ✉ 29015, ✆ (95) 222 72 00, *Fax (95) 221 59 46* - |‡| ▤ TV ☎ - 🎤 25/60. AE ⓓ E VISA JCB CZ e
☐ 650 - **118 hab** 9270/13604.

Los Naranjos sin rest, paseo de Sancha 35, ✉ 29016, ✆ (95) 222 43 19, *Fax (95) 222 59 75* - |‡| ▤ TV ☎ 🚗. AE ⓓ E VISA. ✻ BU t
☐ 950 - **40 hab** 10800/15200, 1 suite.

Don Paco sin rest, Salitre 53, ✉ 29002, ✆ (95) 231 90 08, *Fax (95) 231 90 62* - |‡| ▤ TV ☎ 🚗. E VISA. ✻ AV b
☐ 375 - **25 hab** 6740/8560.

Venecia sin rest y sin ☐, Alameda Principal 9, ✉ 29001, ✆ (95) 221 36 36 - |‡| ▤ TV ☎. AE ⓓ E VISA. ✻ CZ u
40 hab 5200/8600.

Zeus sin rest, Canales 8, ✉ 29002, ✆ (95) 231 72 00, *Fax (95) 231 41 59* - |‡| ▤ TV ☎ AV a
32 hab.

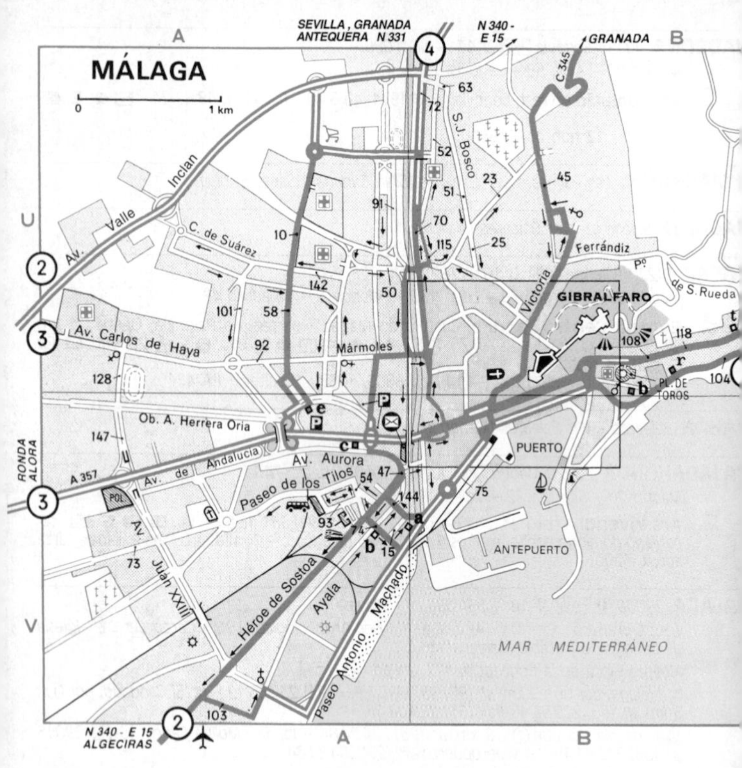

Blas de Lezo . . . . AU 10
Canales . . . . ABV 15
Capuchinos (Alameda de) . BU 23
Capuchinos (Carrera de) . . . BU 25
Cristo de la Epidemia . . . . . BU 45
Cuarteles . . . . AV 47
Dr. Gálvez Ginachero (Av.) . AU 50
Eduardo Domínguez Avila . . . . BU 51
Emilio Díaz . . . . BU 52
Eslava . . . . AV 54

Eugenio Gross . . . . AU 58
Guerrero Strachan . . . . BU 63
Huerto de los Claveles . . . . BU 70
Jorge Silvela (Av. de) . . . . . BU 72
Jose Ortega y Gasset (Av.) . AV 73
Jovellanos . . . . AV 74
Manuel Agustin Heredia (Av.) . . . . BV 75
Martinez Maldonado . . . . . AU 92
Martiricos (Paseo de) . . . . AU 91

Mendívil . . . . AV 9
Morales Villarrubia . . . . . . AU 1
Paloma (Av. de la) . . . . . . AV 1
Pablo Ruiz Picasso (Paseo) BU 1
Pries (Av. de) . . . . BU 1
Salamanca . . . . BU 1
Sancha (Paseo de) . . . . . . BU 1
Santa Rosa de Lima (Av. de) AU 1
Velarde . . . . AU 1
Vieja . . . . ABV 1
Virgen de la Cabeza . . . . . AV 1

XXX **Café de París,** Vélez Málaga 8, ✉ 29016, ☎ (95) 222 50 43, *Fax (95) 260 38 64* – Ⓟ. AE Ⓓ E VISA JCB. ✻ DZ
cerrado domingo y del 1 al 15 de julio – **Comida** carta 4100 a 4800.

XX **Adolfo,** paseo Marítimo Pablo Ruiz Picasso 12, ✉ 29016, ☎ (95) 260 19 1
Fax (95) 260 19 14 – ▤. E VISA. ✻ BU
cerrado domingo – **Comida** carta 2400 a 4200.

XX Strachan, Strachan 5, ✉ 29015, ☎ (95) 222 75 73 – ▤ CZ
Comida - espec. en carnes -.

XX **Doña Pepa,** Vélez Málaga 6, ✉ 29016, ☎ (95) 260 34 89 – ▤. AE E VISA. ✻ DZ
cerrado domingo y septiembre – **Comida** carta 2400 a 4250.

X **El Chinitas,** Moreno Monroy 4, ✉ 29015, ☎ (95) 221 09 72, *Fax (95) 222 00 31,* – ▤. Ⓓ E VISA JCB. ✻ CYZ
Comida carta 2875 a 5050.

X **Figón de Juan,** pasaje Esperanto 3, ✉ 29007, ☎ (95) 228 75 47 – ▤. AE E VISA. AV
cerrado domingo y del 4 al 26 de agosto – **Comida** carta 2450 a 4450.

X **El Refectorium,** Cervantes 8, ✉ 29016, ☎ (95) 221 89 90 – ▤. AE Ⓓ E VISA.
cerrado domingo y del 1 al 15 de junio – **Comida** carta aprox. 4300. BUV

X Cueva del Camborio, av. de la Aurora 18, ✉ 29006, ☎ (95) 234 78 16 – ▤ AV
Comida - sólo almuerzo en verano -.

MÁLAGA

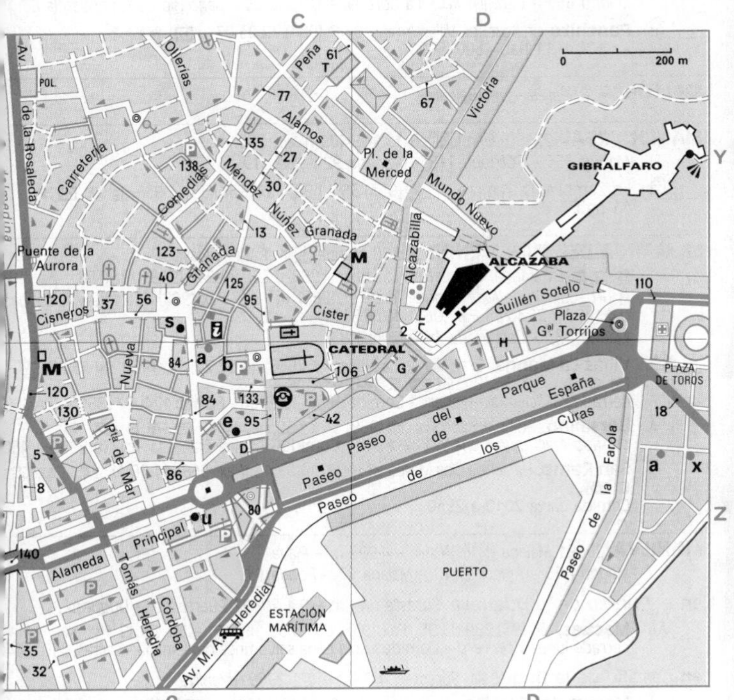

a Cerrado de Calderón *por ① : 6 km – ✉ 29018 Málaga :*

XX **El Campanario,** paseo de la Sierra 36 ✆ (95) 220 24 48, ≤, « Magnífica situación con ≤ bahía de Málaga » – ▤. AE E VISA. ✻
cerrado lunes y 2ª quincena de enero – **Comida** carta 3000 a 4500.

a la playa de El Palo *por ① : 6 km – ✉ 29017 Málaga :*

XX **Casa Pedro,** Quitapenas 121 ✆ (95) 229 00 13, *Fax (95) 229 00 03,* ≤, – ▤. AE ⦿ E VISA. ✻
cerrado lunes noche – **Comida** carta 2400 a 3775.
Ver también : **Torremolinos** *por ② : 14 km.*

Europe

If the name of the hotel is not in bold type, on arrival ask the hotelier his prices.

ALPARTIDA DE CÁCERES *10910 Cáceres* 444 **N 10** – *3 747 h. alt. 371.*
Madrid 308 – Alcántara 52 – Badajoz 103 – Cáceres 12 – Mérida 81 – Plasencia 94.

Peña Cruz, carret. N 521 ✆ *(927) 27 62 92, Fax (927) 27 50 27* – ▤ TV ⇔ P. AE ⦿ E VISA. ✻
Comida 950 – ☕ 500 – **12 hab** 4000/6000 – PA 1740.

MALPARTIDA DE PLASENCIA *10680 Cáceres* 444 **M 11** *– 4 234 h. alt. 467.*
Madrid 227 – Ávila 158 – Cáceres 88 – Ciudad Real 313 – Salamanca 139 – Talavera la Reina 111 – Plasencia 8.

Cañada Real, carret. C 511 - Sur : 1 km (927) 45 94 07, *Fax (927) 45 94 34*, – 25/600. AE VISA.
Comida 2000 – 600 – **61 hab** 9500/12600 – PA 3900.

MALPICA DE BERGANTIÑOS *15113 La Coruña* 441 **C 3** *– 7 434 h. – Playa.*
Madrid 651 – Carballo 18 – La Coruña/A Coruña 58 – Santiago de Compostela 63.

Panchito sin rest, pl. Villar Amigo 6 (981) 72 03 07 – TV. VISA.
600 – **11 hab** 4500/5000.

MALLORCA *Baleares – ver Baleares.*

MANCHA REAL *23100 Jaén* 446 **S 19** *– 8 409 h. alt. 760.*
Madrid 355 – Córdoba 118 – Granada 92 – Jaén 19.

La Zambra, La Zambra 47 (953) 35 11 93, *Fax (953) 35 11 93* – TV
11 hab.

La MANGA DEL MAR MENOR *30380 Murcia* 445 **T 27** *– Playa.*
La Manga, Suroeste : 11 km (968) 17 50 00 Fax (968) 17 50 58.
urb. Castillo de Mar - Torre Norte (968) 14 18 12 Fax (968) 14 21 72 y Gran Vía 0 (968) 56 33 55 Fax (968) 56 35 32.
Madrid 473 – Cartagena 34 – Murcia 83.

Villas La Manga, Gran Vía de La Manga (968) 14 52 22, *Fax (968) 14 53 23*, – TV – 25/80. AE E VISA.
cerrado 23 diciembre-8 enero – **Comida** 1600 – 800 – **60 hab** 12400/18800 – PA 360

Borsalino, edificio Babilonia (968) 56 31 30, ←, – AE E VISA.
cerrado martes y 7 enero-7 febrero – **Comida** - cocina francesa - carta 2950 a 460

San Remo, Hacienda Dos Mares (968) 14 08 13, *Fax (968) 14 08 13*, – . AE E VISA
Comida carta 2010 a 2950.

MANILVA *29691 Málaga* 446 **W 14** *– 4 902 h. – Playa.*
Madrid 643 – Algeciras 40 – Málaga 97 – Ronda 61.

en el Puerto de la Duquesa *Sureste : 4 km – 29692 Puerto de la Duquesa :*

Macues, (95) 289 03 95, *Fax (95) 289 03 39*, ←, – AE E VISA.
cerrado lunes y febrero – **Comida** - sólo cena salvo fines de semana - carta 3650 a 44

en Castillo de la Duquesa *Sureste : 4,8 km – 29691 Manilva :*

Mesón del Castillo, pl. Mayor (95) 289 07 66 – . AE E VISA.
cerrado lunes y del 16 al 30 de noviembre – **Comida** carta 3000 a 4500.

Hachomar, San José 4 (95) 289 03 47, – . AE E VISA.
cerrado martes y febrero – **Comida** carta 2800 a 3200.

MANISES *46940 Valencia* 445 **N 28** *– 24 453 h. alt. 52.*
Manises, carret. de Ribaroja, Noroeste : 2,5 km (96) 152 38 04.
de Valencia-Manises, (96) 159 85 00.
Madrid 346 – Castellón de la Plana/Castelló de la Plana 78 – Requena 64 – Valencia

Meliá Confort Azafata, autopista del aeropuerto 15 (96) 154 61
Fax (96) 153 20 19, – TV – 25/300. AE E VISA. rest
Comida 2900 – 1200 – **124 hab** 13700/17000, 4 suites – PA 5600.

MANLLEU *08560 Barcelona* 443 **F 36** *– 16 242 h. alt. 461.*
Madrid 649 – Barcelona 78 – Gerona/Girona 104 – Vic 9.

Torres, passeig de Sant Joan 42 (93) 850 61 88, *Fax (93) 850 63 13* – rest, . AE E VISA. rest
cerrado 19 diciembre-10 enero – **Comida** 1500 - ***Torres Petit*** *(cerrado domingo)* **Comi** carta 3450 a 4950 – 575 – **17 hab** 3700/6000 – PA 3100.

La Cabanya, Vía Ausetania 1 (93) 851 33 19, *Fax (93) 851 33 19* – . E VISA
cerrado lunes (salvo festivos) y del 1 al 15 de septiembre – **Comida** - mariscos - carta 34 a 5000.

MANRESA *08240 Barcelona* 443 G 35 – *66879 h. alt. 205.* **Ver** : *Basílica-Colegiata de Santa María*★★ BZ – *Cova de Sant Ignazi*★★ BZ – *Pont Vell*★ BZ.
pl. Major 1 ☎ (93) 878 23 01 Fax (93) 878 23 03.
Madrid 591 ③ – Barcelona 67 ① – Lérida/Lleida 122 ③ – Perpignan 239 ① – Tarragona 115 ② – Sabadell 67 ①

MANRESA

Street			Street			Street		
lfons XII	AZ		Carrió	AY		Pedregar	BY	28
ngel Guimerá	AY		Cova (Cami de la)	BZ	12	Rubió i Ors	AZ	30
rbonés	AZ	4	Era de l'esquerra	AY	14	Sant Ignasi (Via)	BZ	32
rquitecte Oms	AY	5	Monserrat (Pl.)	AZ	16	Sant Marc	BZ	34
astardes	BZ	6	Muralla de Sant Domènec	AY	18	Sant Miquel	BZ	36
orn	AY		Muralla de Sant Francesc	AZ	20	Santa Llúcia	BYZ	38
arme (Pl.)	BY	10	Muralla del Carme	BY	22	Talamanca	AZ	40
			Nou	AY		Urgell	AY	42
			Nou de Valldaura	AYZ	26	Vallfonollosa	BZ	44
						Viladordis	BY	46

Pere III, Muralla Sant Francesc 49 ☎ (93) 872 40 00, *Fax (93) 875 05 06* – 25/600. AE E VISA. rest AZ a
Comida 1700 – 500 – **113 hab** 6000/8000 – PA 3200.

XX **Catalonia,** Pompeu Fabra 13-1º ✆ (93) 872 08 44, *Fax (93) 875 13 81* – VISA. AY
cerrado de domingo a martes por la noche y agosto – **Comida** carta 3100 a 5100.

XX **La Cuina,** Alfons XII-18 ✆ (93) 872 89 69, *Fax (93) 872 89 69* – AE E VISA JCB AZ
cerrado jueves – **Comida** carta 3050 a 4300.

XX **Aligué,** barriada El Guix 8 - carret. de Vic ✆ (93) 873 25 62, *Fax (93) 874 53 52* – AE E VISA. por
cerrado domingo noche y lunes noche – **Comida** carta 4150 a 5500.

MANZANARES *13200 Ciudad Real* 444 **O 19** – *18 326 h. alt. 645.*

Madrid 173 – Alcázar de San Juan 63 – Ciudad Real 52 – Jaén 159.

Parador de Manzanares, autovía N IV ✆ (926) 61 04 00, *Fax (926) 61 09 35*, – 25/300. AE E VISA.
Comida 3200 – 1200 – **50 hab** 10000/12500 – PA 6660.

MANZANARES EL REAL *28410 Madrid* 444 **J 18** – *2 334 h. alt. 908.*

Ver : *Castillo★*

Madrid 53 – Ávila 85 – El Escorial 34 – Segovia 51.

Parque Real, Padre Damián 4 ✆ (91) 853 99 12, *Fax (91) 853 99 60*, – – 25/100. AE E VISA.
Comida 2500 – 750 – **24 hab** 7000/8600 – PA 5500.

MANZANERA *44420 Teruel* 443 **L 27** – *465 h. alt. 700 – Balneario.*

Madrid 352 – Teruel 51 – Valencia 120.

en la carretera de Abejuela – ✉ *44420 Manzanera :*

Balneario El Paraíso, Suroeste : 4 km ✆ (978) 78 18 18, *Telex 6202*
Fax (978) 78 18 18, – VISA.
junio-15 octubre – **Comida** 2300 – 700 – **64 hab** 6000/9250 – PA 4500.

Alta Montaña Los Cerezos, Los Cerezos - Suroeste : 3,5 km ✆ (978) 78 19 64 –
VISA.
Comida 1500 – 500 – **15 hab** 5500 – PA 2750.

MAÓ *Baleares – ver Baleares (Menorca) : Mahón.*

MARANGES o MERANGES *17539 Gerona* 443 **E 35** – *61 h.*

Madrid 652 – Gerona/Girona 166 – Puigcerdà 18 – Seo de Urgel/La Seu d'Urgell 50.

X **Can Borrell** con hab, Retorn 3 ✆ (972) 88 00 33, *Fax (972) 88 01 44*, «
un típico pueblo de montaña. Decoración rústica » – E VISA.
cerrado 7 enero-abril salvo fines de semana y festivos – **Comida** *(cerrado lunes noche martes salvo festivos)* - cocina regional - carta 3200 a 5300 – **8 hab** 10000/1200

MARBELLA *29600 Málaga* 446 **W 15** – *84 410 h. – Playa.*

Ver : *Casco antiguo★.*

18 *Rio Real, por ① : 5 km* ✆ *(95) 277 95 09 Fax (95) 277 21 40* – 18 *Los Naranjos, por ②* *7 km* ✆ *(95) 281 24 28* – 18 *Aloha urb. Aloha, por ② : 8 km* ✆ *(95) 281 23 88* – 18 *L Brisas, Nueva Andalucía por ② : 11 km* ✆ *(95) 281 08 75.*

glorieta de la Fontanilla ✆ *(95) 277 14 42 Fax (95) 277 94 57 y pl. de los Naranj* ✆ *(95) 282 35 50 Fax (95) 277 36 21.*

Madrid 602 ① – Algeciras 77 ② – Cádiz 201 ② – Málaga 56 ①

Plano página siguiente

Gran Meliá Don Pepe, José Meliá ✆ (95) 277 03 00, *Fax (95) 277 99 54*, m y montaña, « Césped con vegetación subtropical », – – 25/300. AE E VISA. por
Comida 6800 - ***Grill La Farola :*** **Comida** carta 5200 a 9730 – 2600 – **199 h** 38000/41000, 3 suites – PA 11400.

El Fuerte, av. del Fuerte ✆ (95) 286 15 00, *Fax (95) 282 44 11*, « Terrazas c jardín y palmeras », – – – 25/500. AE E VISA. rest AB
Comida - sólo cena salvo julio y agosto - carta 4550 a 5800 – 1600 – **249 h** 12000/21000, 14 suites.

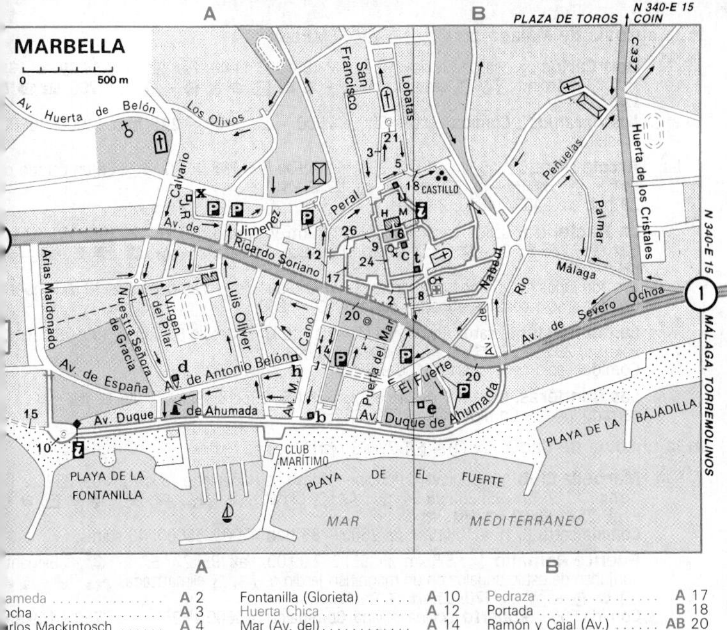

ameda	A 2	Fontanilla (Glorieta)	A 10	Pedraza	A 17
ncha	A 3	Huerta Chica	A 12	Portada	B 18
rlos Mackintosch	A 4	Mar (Av. del)	A 14	Ramón y Cajal (Av.)	AB 20
orrón	A 5	Marítimo (Pas.)	A 15	Santo Cristo (Pl. de)	A 21
rique del Castillo	AB 8	Naranjos (Pl. de los)	A 16	Valdés	A 24
tación	A 9			Victoria (Pl.)	A 26

Sultán Club Marbella, av. Arturo Rubinstein ☎ (95) 277 15 62, *Fax (95) 277 55 58*, por ②
Comida Monarque – **76 apartamentos.**

Marbella Inn sin rest. con cafetería, Jacinto Benavente - bloque 6 ☎ (95) 282 54 87, *Fax (95) 282 54 87*, climatizada – A x
24 hab, 32 apartamentos.

Lima sin rest, av. Antonio Belón 2 ☎ (95) 277 05 00, *Fax (95) 286 30 91* – AE E VISA. A h
495 – **64 hab** 9600/12000.

Santiago, av. Duque de Ahumada 5 ☎ (95) 277 43 39, *Fax (95) 282 45 03*, – AE E VISA JCB. A b
cerrado noviembre – **Comida** - pescados y mariscos - carta 4050 a 4750.

Triana, Gloria 11 ☎ (95) 277 99 62 – AE E VISA. B t
cerrado lunes y 7 enero-7 marzo – **Comida** - espec. en arroces - carta 3000 a 5000.

La Tirana, urb. La Merced Chica - Huerta Márquez ☎ (95) 286 34 24, « Terraza con jardín » – AE E VISA por ②
cerrado domingo (salvo en verano) y 9 enero-febrero – **Comida** - sólo cena - carta 3400 a 3700.

Cenicienta, av. Cánovas del Castillo 52 (circunvalación) ☎ (95) 277 43 18, – E VISA por ②
cerrado noviembre – **Comida** - sólo cena - carta 3400 a 4450.

Mena, pl. de los Naranjos 10 ☎ (95) 277 15 97, *Fax (95) 277 80 10*, A c

Mamma Angela, Virgen del Pilar 17 ☎ (95) 277 68 99, – AE E VISA A d
cerrado martes y 15 noviembre-15 diciembre – **Comida** *(sólo cena)* - cocina italiana - carta 2380 a 3150.

El Balcón de la Virgen, Remedios 2 ☎ (95) 277 60 92, *Fax (95) 277 60 92*, « Edificio del siglo XVI » – AE E VISA A u
cerrado martes – **Comida** - sólo cena - carta 1815 a 2840.

en la autovía de Málaga *por* ① – ✉ *29600 Marbella :*

Don Carlos ⑤, salida Elviria : 10 km ☎ (95) 283 11 40, *Fax (95) 283 34 29*, ≤, « Amplio jardín », ≡, ⛱ climatizada, ✂ – |‡| ≡ TV ☎ ♿ P – 25/1200. AE ⓓ VISA JCB. ✗
Los Naranjos : **Comida** carta 4500 a 7500 – ☐ 2400 – **225 hab** 31000/36500 14 suites.

Artola sin rest, 12,5 km ☎ (95) 283 13 90, *Fax (95) 283 04 50*, ≤, « En un campo de golf », ⛱, ≡, ⛳ – |‡| TV ☎ 🚗 P. AE E VISA
29 hab ☐ 9400/14800, 2 suites.

La Hacienda, salida Las Chapas : 11,5 km y desvío 1,5 km ☎ (95) 283 12 67, *Fax (95) 283 33 28*, ⛱, « Decoración rústica. Terraza » – P. AE ⓓ E VISA JCB. ✗
cerrado lunes (salvo agosto), martes (salvo julio-agosto) y 15 noviembre-20 diciembre – **Comida** - sólo cena en agosto - carta 5900 a 6800.

Le Chêne Liège, salida Elviria - La Mairena : 10 km y desvío 5,5 km ☎ (95) 283 60 92, *Fax (95) 283 62 23*, ⛱ – ≡. AE ⓓ E VISA. ✗
Comida - sólo cena - carta 3100 a 5400.

Las Banderas, 9,5 km y desvío 0,5 km ☎ (95) 283 18 19, ⛱ – AE E VISA. ✗
cerrado lunes – **Comida** carta 2500 a 4250.

en la autovía de Cádiz *por* ② – ✉ *29600 Marbella :*

Marbella Club ⑤, Boulevard Principe Alfonso de Hohenlohe : 3 km ☎ (95) 282 22 11, *Telex 77319, Fax (95) 282 98 84*, ⛱, ≡, ⛱ climatizada, ⛱, ≡, ✂ – |‡| ≡ TV ☎ – 25/180. AE ⓓ VISA. ✗
Comida carta 8715 a 10815 – ☐ 2800 – **83 hab** 45000/55000, 46 suites.

Puente Romano ⑤, 3,5 km ☎ (95) 282 09 00, *Fax (95) 277 57 66*, ⛱, « Elegante conjunto de estilo andaluz en un magnífico jardín », ≡, ⛱ climatizada, ⛱, ✂ – |‡| ≡ TV ☎ P – 25/170. AE ⓓ E VISA JCB. ✗ rest
Comida 5900 - ***Roberto*** *(cocina italiana)* **Comida** carta 3600 a 6900 – ☐ 2750 – **149 hab** 40000/53000, 77 suites – PA 14250.

Coral Beach, 5 km ☎ (95) 282 45 00, *Telex 79816, Fax (95) 282 62 57*, ≡, ⛱, ⛱ – |‡| ≡ TV ☎ ♿ 🚗 P – 25/200. AE ⓓ E VISA. ✗
15 marzo-octubre – ***Florencia*** *(sólo cena)* **Comida** carta 4200 a 6400 – ☐ 2050 – **148 hab** 29000/34000, 22 suites.

Rincón Andaluz ⑤, 8 km, ✉ 29660 Nueva Andalucía, ☎ (95) 281 15 17, *Fax (95) 281 41 80*, « Imitación de un pueblo andaluz », ⛱ climatizada, ⛱, ≡ – ≡ TV ☎ P – 25/100. AE ⓓ E VISA. ✗
cerrado 12 enero-12 febrero – **Comida** 3500 – ☐ 1400 – **224 hab** 20200/26500 – PA 8300.

Andalucía Plaza, urb. Nueva Andalucía - 7,3 km, ✉ 29660 Nueva Andalucía, ☎ (95) 281 20 00, *Fax (95) 281 47 92*, ⛱, ⛱ – |‡| ≡ TV ☎ – 25/600. AE ⓓ E VISA. ✗
Comida 3700 – **388 hab** ☐ 22050/30450, 2 suites – PA 6300.

Tryp Marbella Dinamar, 6 km, ✉ 29660 Nueva Andalucía, ☎ (95) 281 05 00, *Fax (95) 281 23 46*, ≤, ⛱, « Jardín con ⛱ », ⛱, ✂ – |‡| ≡ TV ☎ P – 25/150.
116 hab.

La Meridiana, camino de la Cruz : 3,5 km ☎ (95) 277 61 90, *Fax (95) 282 60 24*, ≤, ⛱, « Terraza con jardín » – ≡ P. AE ⓓ E VISA
cerrado lunes, martes mediodía y 10 enero-27 febrero – **Comida** - sólo cena en verano - carta 5100 a 7250.

Villa Tiberio, 2,5 km ☎ (95) 277 17 99, *Fax (95) 282 47 72*, ⛱, « Terraza-jardín » – P. AE ⓓ E VISA. ✗
cerrado domingo salvo agosto – **Comida** - sólo cena - carta 5100 a 6800.

El Portalón, 3 km ☎ (95) 282 78 80, *Fax (95) 277 71 04* – ≡ P. AE ⓓ E VISA. ✗
Comida - espec. en carnes y asados - carta 5200 a 7200.

El Girasol, urb. Aloha vía 1 : 7 km y desvío 1,5 km, ✉ 29660 Nueva Andalucía, ☎ (95) 281 38 59, *Fax (95) 281 38 59* – AE ⓓ E VISA. ✗
cerrado domingo – **Comida** - sólo cena - carta 3100 a 4050.

El Rodeito, 7,8 km, ✉ 29600 Nueva Andalucía, ☎ (95) 281 08 61, *Fax (95) 290 81 0..*, ⛱, « Decoración típica castellana » – ≡ P. AE ⓓ E VISA. ✗
Comida - espec. en carnes y asados - carta 2700 a 4500.

Ver también : **Puerto Banús** *por* ② *: 8 km*
San Pedro de Alcántara *por* ② *: 13 km.*

ARCHAMALO *19180 Guadalajara* 444 **J 20** – *alt. 674.*
Madrid 59 – Guadalajara 4 – Cuenca 149 – Segovia 157.

XXX **Las Llaves,** pl. Mayor 16 ✆ (949) 25 04 85, « Casa palaciega del siglo XVI » – E VISA.
cerrado domingo y agosto – **Comida** - sólo almuerzo salvo fines de semana - carta 3300 a 4750.

ARCILLA *31340 Navarra* 442 **F 24** – *2 237 h. alt. 290.*
Madrid 345 – Logroño 65 – Pamplona/Iruñea 63 – Tudela 38 – Zaragoza 123.

XX **Villa Marcilla,** carret. Estación - Noreste : 2 km ✆ (948) 71 37 37, « Casa señorial con jardín » – AE VISA
Comida - sólo almuerzo salvo fines de semana - carta 3600 a 4300.

ARGOLLES *33547 Asturias* 441 **B 14**.
Madrid 491 – Gijón 80 – Oviedo 73 – Ribadesella 11.

La Tiendona, carret. N 634 ✆ (98) 584 04 74, *Fax (98) 584 13 16,* « Casona del siglo XIX » – TV. E VISA.
cerrado enero – **Comida** 1700 – 600 – **18 hab** 6000/9000 – PA 4000.

MARINA o **La MARINA DEL PINET** *03194 Alicante* 445 **R 28** – *Playa.*
Madrid 437 – Alicante/Alacant 31 – Cartagena 79 – Murcia 57.

Marina sin rest. con cafetería, av. de la Alegría 30 ✆ (96) 541 94 50, *Fax (96) 541 94 25* – TV. AE E VISA.
500 – **20 hab** 2900/5100.

ARQUINA o **MARKINA-XEMEIN** *48270 Vizcaya* 442 **C 22** – *4 847 h. alt. 85.*
Alred. : *Balcón de Vizcaya★★ Suroeste : 15 km.*
Madrid 443 – Bilbao/Bilbo 50 – San Sebastián/Donostia 58 – Vitoria/Gasteiz 60.

ARTINET *25724 Lérida* 443 **E 35** – *alt. 980.*
Madrid 626 – Lérida/Lleida 157 – Puigcerdà 26 – Seo de Urgel/La Seu d'Urgell 24.

XXX **Boix,** carret. N 260 ✆ (973) 51 50 50, *Fax (973) 51 50 65,* – AE E VISA
Comida carta 3800 a 4800.

ARTORELL *08760 Barcelona* 443 **H 35** – *16 793 h. alt. 56.*
Madrid 598 – Barcelona 32 – Manresa 37 – Lérida/Lleida 141 – Tarragona 80.

X **Manel** con hab, Pedro Puig 74 ✆ (93) 775 23 87, *Fax (93) 775 23 87* – TV – 25/35. AE E VISA. rest
Comida carta 2500 a 3725 – 800 – **29 hab** 6900/7500.

la urbanización Can Amat *por la carretera N II - Noroeste : 6 km – ✉ 08760 Martorell :*

XX **Paradis Can Amat,** ✆ (93) 771 40 27, *Fax (93) 771 47 03,* « Antigua casa señorial con jardín » – AE VISA.
Comida - sólo almuerzo salvo viernes y sábado - carta 3300 a 4600.

ASCA *Santa Cruz de Tenerife – ver Canarias (Tenerife).*

ASIAS DE VOLTREGÁ o **Les MASIES DE VOLTREGÀ** *08519 Barcelona* 443 **F 36** – *2 423 h. alt. 533.*
Madrid 649 – Barcelona 78 – Gerona/Girona 104 – Vic 12.

X **Cal Peyu,** carret. N 152 ✆ (93) 850 25 35, *Fax (93) 850 21 57* – AE E VISA.
cerrado martes noche, miércoles, y del 1 al 15 de agosto – **Comida** carta 2100 a 4100.

Vinyoles *Norte : 3,5 km – ✉ 08519 Masias de Voltregá :*

X **Montecarlo,** carret. N 152 ✆ (93) 859 03 77, *Fax (93) 859 03 77* – E VISA.
cerrado martes y agosto – **Comida** carta 1700 a 3600.

AS NOU (Urbanización) *Gerona – ver Playa de Aro.*

EL MASNOU *08320 Barcelona* 443 H 36 – *17 942 h.*
Madrid 628 – Barcelona 14 – Gerona/Girona 87 – Vic 56.

Torino, Pere Grau 21 ℘ (93) 555 23 13, *Fax (93) 555 23 13* – |$|, ▤ rest, TV ☎. AE
E VISA. ⅌
Comida 1300 – ▭ 500 – **13 hab** 5000/8000 – PA 2900.

Club Nàutic El Masnou, passeig Marítim-port esportiu ℘ (93) 555 29 0
Fax (93) 540 06 62, ←, 🍽 – ▤ P. AE E VISA. ⅌
cerrado domingo noche, lunes (octubre-junio) – **Comida** carta 2550 a 3150.

MASPALOMAS *Las Palmas – ver Canarias (Gran Canaria).*

La MASSANA *Andorra – ver Andorra (Principado de).*

MASSANET DE CABRENYS o **MAÇANET DE CABRENYS** *17720 Gerona* 443 E 38
690 h.
Madrid 769 – Figueras/Figueres 28 – Gerona/Girona 62.

Els Caçadors ⛰, urb. Casanova ℘ (972) 54 41 36, *Fax (972) 54 33 60,* ←, ⛱, 🍽,
– |$|, ▤ rest, TV P. E VISA. ⅌
Comida 1650 – ▭ 650 – **18 hab** 4125/8250 – PA 3465.

MATADEPERA *08230 Barcelona* 443 H 36 – *4 734 h.*
Madrid 617 – Barcelona 32 – Lérida/Lleida 160 – Manresa 38.

El Celler, Gaudí 2 ℘ (93) 787 08 57, *Fax (93) 730 03 61* – ▤. E VISA
cerrado domingo noche, miércoles y del 5 al 25 de agosto – **Comida** carta 3700 a 51
Espec. Puré de patatas con rosinyols y butifarra negra. Lomo de merluza con habitas
salsa de vino tinto (primavera). Gratinado de fresitas al sabayon de oloroso.

en Pla de Sant Llorenç *Norte : 2,5 km – ✉ 08230 Matadepera :*

Masía Can Solà del Pla, ℘ (93) 787 08 07, *Fax (93) 730 03 12,* « Masía de ambien
acogedor » – ▤ P. AE ⓓ E VISA. ⅌
cerrado martes y agosto – **Comida** - espec. en bacalaos - carta 2775 a 3525.

MATAELPINO *28492 Madrid* 444 J 18.
Madrid 51 – Segovia 43.

Azaya, Muñoz Grandes 7 ℘ (91) 857 33 95, *Fax (91) 857 33 95,* ←, 🍽 – ▤ P. ⓓ
VISA. ⅌
Comida - sólo almuerzo en invierno salvo fines de semana - carta 3800 a 5850.

MATAGORDA (Urbanización) *Las Palmas – ver Canarias (Lanzarote) : Puerto del Carme*

MATALEBRERAS *42113 Soria* 442 G 23 – *119 h. alt. 1 200.*
Madrid 262 – Logroño 134 – Pamplona/Iruñea 133 – Soria 36 – Zaragoza 122.

Mari Carmen, carret. N 122 ℘ (975) 38 30 68, *Fax (976) 64 67 24* – ▤ rest, ☎
ⓓ E VISA. ⅌
Comida 1450 – ▭ 500 – **30 hab** 2750/3850.

MATAMOROSA *39200 Cantabria* 442 D 17.
Madrid 346 – Aguilar de Campóo 31 – Reinosa 3 – Santander 71.

Mesón Las Lanzas, Real 85 ℘ (942) 75 19 57, *Fax (942) 75 53 43* – P. AE ⓓ E VI
⅌
Comida carta 3475 a 4300.

MATARÓ *08300 Barcelona* 443 H 37 – *101 479 h. – Playa.*
B La Riera 48 (Ajuntament) ✉ 08301 ℘ (93) 758 21 21 Fax (93) 758 21 22.
Madrid 661 – Barcelona 28 – Gerona/Girona 72 – Sabadell 47.

NH Ciutat de Mataró, Camí Real 648, ✉ 08302, ℘ (93) 757 55 22, *Fax (93) 757 57*
– |$| ▤ TV ☎ 🚗 – 🏛 25/300. AE ⓓ E VISA JCB. ⅌ rest
Comida 2500 – ▭ 1300 – **101 hab** 12000/14500, 4 suites, 17 apartamentos – PA 500

Colón sin rest. con cafetería, Colón 6, ✉ 08301, ℘ (93) 790 58 04, *Fax (93) 790 62*
– |$| ▤ TV ☎. AE ⓓ E VISA
▭ 850 – **52 hab** 6500/9000.

El Nou Cents, El Torrent 21, ✉ 08302, ℘ (93) 799 37 51 – ▤. AE ⓓ E VISA
cerrado domingo, Semana Santa y 26 junio-24 agosto – **Comida** carta 3100 a 4900.

AZAGÓN *21130 Huelva* 446 **U 9** – *Playa.*

pl. Odón Betanzos ☎ *(959) 37 63 00. – Madrid 638 – Huelva 23 – Sevilla 102.*

or la carretera de Matalascañas – ✉ *21130 Mazagón :*

Parador de Mazagón, Sureste : 6,5 km ☎ (959) 53 63 00, *Fax (959) 53 62 28,* ← mar, « Jardín con », – 25/120. AE E VISA JCB.
Comida 3700 – 1300 – **42 hab** 15200/19000, 1 suite – PA 7395.

Albaida, Sureste : 1 km ☎ (959) 37 60 29, *Fax (959) 37 61 08,* – 25/45. AE E VISA.
Comida 1200 – 250 – **24 hab** 5500/9000 – PA 2650.

. MÉDANO *Santa Cruz de Tenerife – ver Canarias (Tenerife).*

EDELLÍN *06411 Badajoz* 444 **P 12** – *2 347 h. alt. 251.*

Madrid 317 – Badajoz 102 – Cáceres 88 – Mérida 44.

Quinto Cecilio Metello, Noroeste : 2 km ☎ (924) 82 28 01, *Fax (924) 80 08 91,* « En un cerro con ← vega y alrededores » – . AE VISA.
cerrado lunes – **Comida** carta aprox. 3600.

EDINA DE POMAR *09500 Burgos* 442 **D 19** – *5 584 h. alt. 607.*

Madrid 329 – Bilbao/Bilbo 81 – Burgos 86 – Santander 108.

Las Merindades, pl. de Juan Salazar ☎ (947) 19 08 22, *Fax (947) 19 15 56* – , rest, . AE E VISA. rest
Comida 2970 – 725 – **29 hab** 7500/9500 – PA 5330.

San Francisco, Juan de Ortega 3 ☎ (947) 19 09 33 – VISA.
cerrado lunes noche y 22 diciembre-25 enero – **Comida** carta aprox. 3700.

El Olvido, av. de Burgos ☎ (947) 19 00 01 – . AE E VISA.
cerrado octubre – **Comida** carta 2600 a 4350.

EDINA DE RIOSECO *47800 Valladolid* 442 **G 14** – *4 945 h. alt. 735.*

Ver : *Iglesia de Santa María (capilla de los Benavente★).*

Madrid 223 – León 94 – Palencia 50 – Valladolid 41 – Zamora 80.

Pasos, Lázaro Alonso 44 ☎ (983) 70 10 02, « Decoración castellana » – . AE VISA.
cerrado lunes y del 13 al 30 de octubre – **Comida** carta 3000 a 4100.

La Rua, San Juan 25 ☎ (983) 70 05 19,
. AE E VISA.
cerrado jueves noche y 10 septiembre-2 octubre – **Comida** carta 2300 a 3800.

EDINA DEL CAMPO *47400 Valladolid* 442 **I 15** – *20 499 h. alt. 721.*

Ver : *Castillo de la Mota★.*

pl. Mayor de la Hispanidad 27- 1º (Casa del Peso) ☎ *(983) 81 13 57 Fax (983) 81 13 57.*

Madrid 154 – Salamanca 81 – Valladolid 43.

La Mota sin rest y sin , Fernando el Católico 4 ☎ (983) 80 04 50, *Fax (983) 80 36 30* – . AE E VISA.
40 hab 4400/6600.

El Orensano, Claudio Moyano 20 ☎ (983) 80 03 41 – . VISA.
Comida *(cerrado domingo)* 1200 – 200 – **24 hab** 2600/4000 – PA 2200.

Don Pepe, Claudio Moyano 1 ☎ (983) 80 18 95 – . AE E VISA JCB.
Comida carta 2400 a 3900.

Mónaco, pl. de España 26 ☎ (983) 81 02 95 – . AE VISA.
cerrado 3ª semana de septiembre – **Comida** carta 3000 a 5500.

n la carretera de Velascálvaro *Suroeste : 4 km –* ✉ *47400 Medina del Campo :*

Palacio de las Salinas, Las Salinas ☎ (983) 80 44 50, *Fax (983) 80 46 15,* Servicios terapéuticos, « Edificio del siglo XIX », – . E VISA.
cerrado 22 diciembre-10 enero – **Comida** carta 2300 a 3400 – 500 – **64 hab** 8750/14900.

EDINA SIDONIA *11170 Cádiz* 446 **W 12** – *15 877 h. alt. 304.*

Ver : *Iglesia de Santa María (retablo★).*

Madrid 620 – Algeciras 73 – Arcos de la Frontera 42 – Cádiz 42 – Jerez de la Frontera 37.

n la carretera C 346 *Sur : 4 km –* ✉ *11170 Medina Sidonia :*

Medina Park con hab, ☎ (956) 23 30 55, *Fax (956) 41 20 30* – . AE E VISA. rest
Comida carta 1725 a 2600 – 500 – **17 hab** 4000/6000.

MEDINACELI *42240 Soria* 442 I 22 – *775 h. alt. 1 201.*

Madrid 154 – Soria 76 – Zaragoza 178.

Arco Romano y Resid. Medinaceli con hab y sin, Portillo 1 (975) 32 61 3…, Galería de arte – E VISA.
cerrado noviembre – **Comida** *(cerrado lunes noche)* carta 2200 a 3000 – **7 hab** 3000/450…

en la antigua carretera N II *Sureste : 3,5 km – ✉ 42240 Medinaceli :*

Nico, (975) 32 60 11, *Fax (975) 32 64 74,* – rest, TV. AE E VISA.
Comida 2100 – 650 – **22 hab** 7300/9200 – PA 4025.

Duque de Medinaceli, (975) 32 61 11, *Fax (975) 32 64 72* – TV. AE
VISA. – **Comida** 1550 – 475 – **12 hab** 6000/7500 – PA 3525.

Las MELEGUINAS *Las Palmas – ver Canarias (Gran Canaria) : Santa Brígida.*

MELILLA

Calle		
Actor Tallavi	AZ	
Alvaro de Bazan	AZ	
Armas (Pl. de)	BZ	
Avanzadilla (Pl. de la)	BZ	
Castillejos	AY	3
Comandante Benitez (Pl.)	AY	4
Concepción	BZ	6
Democracia (Av. de la)	AY	
Duquesa Victoria	AY	7
España (Pl. de)	AY	
Florentina (Túnel de)	BZ	
Iglesia	BZ	9
Juan Carlos I (Av. del Rey)	AY	10
L. de Sotomayor	AY	
Macias (Av. del Gen.)	BY,ZB	
Maestranza (Pl. de la)	BZ	12
Marina (Gen.)	AY	
Marina (Puerta de la)	BZ	
Marítimo (Paseo)	AZ	
Marqués de Montémar	AZ	13
Menéndez y Pelayo (Pl.)	AY	15
Miguel Acosta	BZ	
Músico Granados	AZ	
O'Donnell (Gen.)	AY	
Pablo Vallescá	AY	
Parada (Pl. de la)	BZ	
Polavieja (Gen.)	AZ	
Prim (Gen.)	AY	
Querol	AYZ	
Reyes Católicos (Av.)	AY	
San Miguel	BZ	
Santiago (Puerta de)	BZ	
Tte. Gen. García-Valiño	AY	

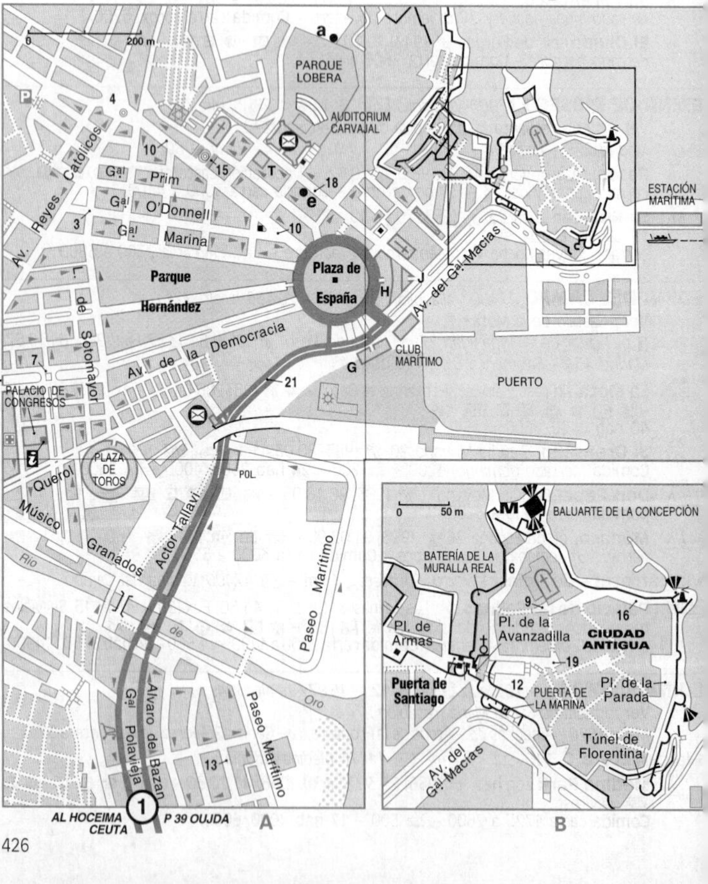

ELILLA *52800* 959 ⑥ y ⑪ – *63 670 h. – Playa.*

Ver : *Ciudad antigua★ : Terraza Museo Municipal ✻★* BZ**M.**

✈ *de Melilla, carret. de Yasinen por av. de la Duquesa Victoria 4 km* AY ☎ *(95) 269 86 14 – Iberia : Cándido Lobera 2* ☎ *(95) 269 86 14.*

⛴ *para Almería y Málaga : Cía. Trasmediterránea : General Marina 1* ☎ *(95) 268 12 45 Fax (95) 268 25 72* AY.

ℹ *Fortuny 21* ✉ *52004* ☎ *(95) 267 54 44* – **R.A.C.E.** *av. Duquesa Victoria 13 (bajo)* ☎ *(95) 267 01 12 Fax (95) 267 01 12.*

Plano página precedente

Parador de Melilla 🐚, av. Cándido Lobera, ✉ 52801, ☎ (95) 268 49 40, *Fax (95) 268 34 86*, ≤, 🏊, 🌳 – |‡| ▤ TV ☎ P. AE ⦿ VISA. ⛔ AY a
Comida 3500 – ☕ 1200 – **40 hab** 12000/15000.

Rusadir, Pablo Vallescá 5, ✉ 52801, ☎ (95) 268 12 40, *Fax (95) 267 05 27* – |‡| ▤ TV ☎ – 🏛 25/100. AE ⦿ E VISA AY e
Comida 2100 – ☕ 800 – **36 hab** 11700/16700.

Los Salazones, Conde Alcaudete 15, ✉ 52806, ☎ (95) 267 36 52, *Fax (95) 267 15 15* – ▤. AE ⦿ E VISA. ⛔ por av. Marqués de Montemar AZ
cerrado lunes y 20 días en octubre – **Comida** - pescados y mariscos - carta 3200 a 5100.

Mesón La Choza, av. Alférez Guerrero Romero, ✉ 52806, ☎ (95) 268 16 29 – ▤. E VISA. ⛔ por av. General Mola AY
cerrado domingo noche, martes y 28 julio-29 agosto – **Comida** - carnes - carta 2750 a 3700.

ENORCA *Baleares – ver Baleares.*

ERANGES *Gerona – ver Maranges.*

S MERAVELLES *Baleares – ver Baleares (Mallorca) : Palma.*

MERCADAL *Baleares – ver Baleares (Menorca).*

ÉRIDA *06800 Badajoz* 444 **P 10 Y 11** – *51 135 h. alt. 221.*

Ver : *Mérida romana★★ : Museo Nacional de Arte Romano★★, Mosaicos★* BYZ **M1** – *Teatro romano★★* BZ – *Anfiteatro romano★* BZ – *Puente romano★* BZ.

ℹ *paseo de José Alvárez Sáenz de Buruaga* ☎ *(924) 31 53 53.*

Madrid 347 ② – Badajoz 62 ③ – Cáceres 71 ① – Ciudad Real 252 ② – Córdoba 254 ③ – Sevilla 194 ③

Plano página siguiente

Parador de Mérida, pl. de la Constitución 3 ☎ (924) 31 38 00, *Fax (924) 31 92 08*, « Instalado en un antiguo convento », 🏊, 🌳 – |‡| ▤ TV ☎ 🚗 P – 🏛 25/150. AE ⦿ E VISA JCB. ⛔ AY a
Comida 3500 – ☕ 1300 – **80 hab** 13200/16500, 2 suites – PA 7055.

Velada Mérida, av. Princesa Sofía ☎ (924) 31 51 10, *Fax (924) 31 15 52*, ≤, 🏊 – |‡| ▤ TV ☎ P – 🏛 25/1000. AE ⦿ E VISA. ⛔ BZ b
Alcazaba : **Comida** carta 2250 a 3100 – ☕ 1000 – **99 hab** 11000/14000.

Nova Roma, Suárez Somonte 42 ☎ (924) 31 12 61, *Fax (924) 30 01 60* – |‡| ▤ TV ☎ 🚗 – 🏛 25/200. AE E VISA. ⛔ BZ x
Comida 1600 – ☕ 950 – **55 hab** 9200/12425 – PA 3530.

Zeus, av. Princesa Sofía 8 ☎ (924) 31 81 11, *Fax (924) 30 33 76* – |‡| ▤ TV ☎ P. AE ⦿ E VISA. ⛔ BZ a
Comida *(cerrado domingo noche)* 1100 – ☕ 600 – **44 hab** 7000/9000.

Cervantes, Camilo José Cela 10 ☎ (924) 31 49 01, *Fax (924) 31 13 42* – |‡| ▤ TV ☎ 🚗. AE ⦿ VISA. ⛔ AY e
Comida *(cerrado domingo)* 2200 – ☕ 500 – **30 hab** 6000/9000 – PA 4900.

Nicolás, Félix Valverde Lillo 13 ☎ (924) 31 96 10 – ▤. AE ⦿ E VISA AY r
cerrado domingo noche y del 1 al 16 de junio – **Comida** carta aprox. 4100.

Rufino, pl. de Santa Clara 2 ☎ (924) 30 19 30, 🍽 – ▤. AE ⦿ E VISA. ⛔ AZ s
cerrado domingo y del 10 al 30 de septiembre – **Comida** carta 3200 a 5400.

Chamorro Benítez, Vía de la Plata ☎ (924) 31 19 62 – ▤ por av. José Fernández López AY

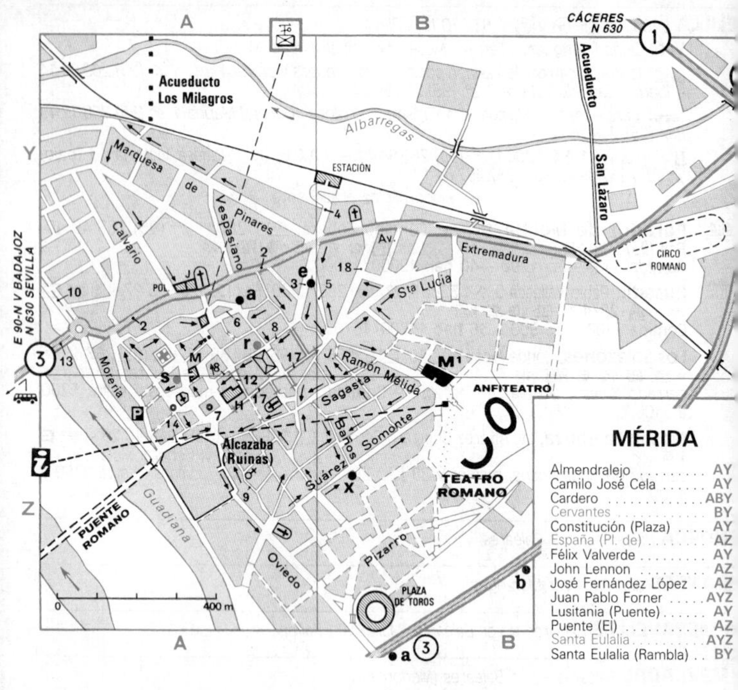

en la antigua carretera N V - ✉ *06800 Mérida :*

Tryp Medea, av. de Portugal - por ③ : 3 km ☎ (924) 37 24 00, *Fax (924) 37 30 20,* - ... 25/350. AE ⓓ E VISA.
Comida 3500 - ***El Encinar*** : **Comida** carta 2850 a 4100 - ☕ 1100 - **126 h** 12800/16000.

Las Lomas, por ② : 3 km ☎ (924) 31 10 11, *Telex 28840, Fax (924) 30 08 41,* - ... 25/800. AE ⓓ E VISA.
Comida 2100 - ☕ 850 - **134 hab** 11200/14000 - PA 6800.

Bahía Nirri, centro comercial El Foro - por ③ : 3 km ☎ (924) 37 20 01 - ▤. AE ⓓ VISA JCB.
Comida carta 3000 a 4500.

MERZA *36580 Pontevedra* **441** D 5.
Madrid 581 – Lugo 97 – Orense/Ourense 85 – Pontevedra 88 – Santiago de Compostela 3

al Sureste : *2 km*

Balneario Baños da Brea , Paradela 4 ☎ (986) 58 36 14, *Fax (986) 58 36 19,* , Servicios terapéuticos - ... ⓓ VISA.
Comida 1700 - **35 hab** ☕ 5000/6600.

MESTAS DE ARDISANA *33507 Asturias* **441** B 15.
Madrid 458 – Cangas de Onís 27 – Gijón 96 – Oviedo 83 – Ribadesella 32.

Benzua sin rest, ☎ (98) 592 56 85, *Fax (98) 592 56 85* - ... AE ⓓ E VISA.
10 hab ☕ 7500/10000.

Dieser Führer ist kein vollständiges Hotel- und Restaurantverzeichnis.
Um den Ansprüchen aller Touristen gerecht zu werden,
haben wir uns auf eine Auswahl in jeder Kategorie beschränkt.

MIAJADAS *10100 Cáceres* **444** **O 12** – *9 619 h. alt. 297.*
Madrid 291 – Cáceres 60 – Mérida 52.

El Cortijo, carret. de Don Benito - Sur : 1 km ℘ (927) 34 79 95, *Fax (927) 34 79 95* – .
cerrado 2ª quincena de junio – **Comida** 1300 – 300 – **20 hab** 2500/4500.

en la antigua carretera N V *Suroeste : 2 km* – ✉ *10100 Miajadas :*

La Torre, ℘ (927) 34 78 55, *Fax (927) 34 78 55* – . VISA.
cerrado del 1 al 15 de julio – **Comida** 1400 – 375 – **31 hab** 3000/4500.

MIAMI PLAYA o **MIAMI PLATJA** *43892 Tarragona* **443** **I 32** – *1 438 h. – Playa.*
Madrid 532 – Tarragona 33 – Tortosa 53.

Tropicana, av. de Barcelona 56 (carret. N 340) ℘ (977) 81 03 40, *Fax (977) 81 05 18,* – . VISA. rest
Comida 1400 – 550 – **34 hab** 3500/6000 – PA 2850.

MIERES *33600 Asturias* **441** **C 12** – *53 170 h. alt. 209.*
Madrid 426 – Gijón 48 – León 102 – Oviedo 19.

L'Albar, Teodoro Cuesta 1 ℘ (98) 546 84 45 – . AE VISA
cerrado lunes – **Comida** carta 2875 a 4675.

Casa Óscar, La Vega 39 ℘ (98) 546 68 88 – . AE VISA.
cerrado domingo y agosto – **Comida** - pescados y mariscos - carta 4400 a 4900.

Es MIGJORN GRAN *Baleares – ver Baleares (Menorca).*

MIJAS *29650 Málaga* **446** **W 16** – *32 835 h. alt. 475.*
Ver : *Pueblo*★.
Mijas, Sur : 5 km ℘ (95) 247 68 43 Fax (95) 246 79 43.
Madrid 585 – Algeciras 115 – Málaga 30.

Mijas, urb. Tamisa 2 ℘ (95) 248 58 00, *Fax (95) 248 58 25,* ≤ montañas, Fuengirola y mar, , « Conjunto de estilo andaluz », , , – rest, – 25/70. AE VISA JCB.
Comida 2800 – 1350 – **95 hab** 12000/14000, 3 suites – PA 6950.

El Capricho, Los Caños 5-1º ℘ (95) 248 51 11, , « Terraza con ≤ » – . AE VISA JCB.
cerrado miércoles y 15 noviembre-15 diciembre – **Comida** carta 2200 a 3900.

El Olivar, av. Virgen de la Peña - edificio El Rosario ℘ (95) 248 61 96, ≤, – AE VISA. – *cerrado sábado y febrero* – **Comida** carta 1650 a 2950.

en la carretera de Fuengirola *Sur : 4 km* – ✉ *29650 Mijas :*

Valparaíso, ℘ (95) 248 59 75, *Fax (95) 248 59 96,* ≤ Fuengirola y mar, , – . AE VISA.
cerrado domingo – **Comida** - sólo cena - carta 3200 a 4600.

El MILIARIO *Segovia – ver Honrubia de la Cuesta.*

MINAS DE RIOTINTO *21660 Huelva* **446** **S 10** – *5 374 h. alt. 417.*
Madrid 514 – Aracena 35 – Beja 155 – Huelva 74 – Sevilla 86 – Zafra 131.

Santa Bárbara , Cerro de los Embusteros ℘ (959) 59 11 88, *Fax (959) 59 06 39,* – . VISA.
Comida 1500 – **19 hab** 5100/6800, 1 suite – PA 3300.

MIRAFLORES DE LA SIERRA *28792 Madrid* **444** **J 18** – *2 649 h. alt. 1 150.*
Madrid 52 – El Escorial 50.

La Posada, Calvo Sotelo 6 ℘ (91) 844 46 46, *Fax (91) 844 32 12* – – 25. AE VISA.
Comida (ver rest. ***Mesón Maito***) – 800 – **18 hab** 7800/10000, 8 apartamentos.

Mesón Maito, Calvo Sotelo 5 ℘ (91) 844 35 67, *Fax (91) 844 32 12,* , « Decoración castellana » – . AE VISA.
Comida carta 2950 a 4500.

Llerja, Norte 5 ℘ (91) 844 37 86 – .

Asador La Fuente, Mayor 12 ℘ (91) 844 42 16, – . AE VISA.
Comida - asados - carta 2900 a 4400.

MIRAMBEL *44141 Teruel* 443 **K 28** – *138 h. alt. 993.*

Madrid 420 – Morella 24 – Teruel 120.

Fonda Guimerá, Agustín Pastor 28 ✆ (964) 17 82 69, *Fax (964) 17 82 93* – VISA.
Comida 1100 – ☕ 300 – **16 hab** 2000/4000 – PA 2500.

MIRANDA DE EBRO *09200 Burgos* 442 **D 21** – *37 197 h. alt. 463.*

Madrid 322 – Bilbao/Bilbo 84 – Burgos 79 – Logroño 71 – Vitoria/Gasteiz 33.

Hospedería El Convento, San Francisco 15 (casco antiguo) ✆ (947) 33 27 12,
Fax (947) 33 26 52, « En un convento con claustro. Amplio jardín con arboleda » – TV
– 25/150. AE E VISA.
Comida *(cerrado domingo noche)* 2310 – ☕ 650 – **36 hab** 5615/8980 – PA 5050.

Tudanca, carret. N I ✆ (947) 31 18 43, *Telex 39442, Fax (947) 31 18 48,* – rest
TV. AE E VISA.
Comida 1900 - ***Horno de San Juan*** **: Comida** carta aprox. 3500 – ☕ 575 – **120 hab**
5470/7775.

Neguri, Estación 80 ✆ (947) 32 25 12, *Fax (947) 32 25 12* – . AE E VISA.
cerrado domingo noche, lunes y del 16 al 31 de agosto – **Comida** carta 3700 a 4450.

MOCEJÓN *45270 Toledo* 444 **M 18** – *4 005 h. alt. 480.*

Madrid 62 – Aranjuez 38 – Toledo 13.

Guindanao, av. Castilla-La Mancha 31 ✆ (925) 27 04 00, *Fax (925) 27 04 00* – TV
. E VISA.
Comida 1200 – ☕ 450 – **14 hab** 3400/5700 – PA 2300.

MOGRO *39310 Cantabria* 442 **B 18.**

Madrid 394 – Santander 15 – Torrelavega 12.

El Desierto sin rest, junto estación ferrocarril ✆ (942) 57 66 47, *Fax (942) 57 66 47*
, *« Antigua casona »* – . AE VISA.
27 junio-15 septiembre – ☕ 475 – **11 hab** 4500/7200.

MOGUER *21800 Huelva* 446 **U 9** – *12 193 h. alt. 50.*

Ver : *Iglesia del convento de Santa Clara (sepulcros★).*

Madrid 618 – Huelva 19 – Sevilla 82.

Platero sin rest y sin ☕, Aceña 4 ✆ (959) 37 21 59 – TV.
18 hab 1710/3210.

MOIÀ *Barcelona – ver Moyá.*

MOJÁCAR *04638 Almería* 446 **U 24** – *4 305 h. alt. 175 – Playa.*

Ver : *Paraje★.*

Cortijo Grande (Turre) ✆ (950) 47 91 76 Fax (950) 46 81 75.

pl. Nueva ✆ (950) 47 51 62 Fax (950) 47 51 62.

Madrid 527 – Almería 95 – Murcia 141.

Mamabel's, Embajadores 5 ✆ (950) 47 24 48, *Fax (950) 47 24 48,* mar, – TV.
E VISA. rest
cerrado noviembre – **Comida** *(cerrado domingo)* - sólo cena - 1800 – ☕ 750 – **9 hab** 750

Arco Plaza sin rest. y sin ☕, Aire 1 ✆ (950) 47 27 77, *Fax (950) 47 27 17* – TV
E VISA.
15 hab 6000/7500.

en la playa :

Parador de Mojácar, paseo del Mediterráneo - Sureste : 2,5 km ✆ (950) 47 82 5
Fax (950) 47 81 83, – TV – 25/300. AE E VISA.
Comida 3500 – ☕ 1300 – **98 hab** 12000/15000 – PA 8300.

El Puntazo (anexo), paseo del Mediterráneo - Sureste : 4,5 km ✆ (950) 47 82 2
Fax (950) 47 82 85, – TV – 25/150. E VISA.
Comida 1600 – **21 hab** ☕ 7500/11000, 14 apartamentos – PA 3000.

Virgen del Mar sin rest, paseo del Mediterráneo - Sureste : 4,5 km ✆ (950) 47 22 2
Fax (950) 47 22 11 – TV . AE E VISA.
40 hab ☕ 8440/9950.

El MOLAR *28710 Madrid* 444 J 19 – *2 755 h. alt. 817.*
Madrid 44 – Aranda de Duero 115 – Guadalajara 63.

Azul sin rest, av. José Antonio 57 ✆ (91) 841 02 53, *Fax (91) 841 02 55* – ▤ TV ☎ P. E VISA
☕ 500 – **29 hab** 7000.

La MOLINA *17537 Gerona* 443 **E 35** – *alt. 1 300 – Deportes de invierno ⛷11.*
av. Supermolina ✆ (972) 89 20 31 Fax (972) 14 50 48.
Madrid 651 – Barcelona 148 – Gerona/Girona 131 – Lérida/Lleida 180.

Roc Blanc ⛰, alt. 1 450 ✆ (972) 14 50 00, *Fax (972) 14 50 02,* ≤, ⛱, – |‡| TV ☎ P. AE ◑ E VISA. ✂ rest
4 diciembre-11 abril y 26 junio-septiembre – **Comida** - sólo buffet - 1850 – ☕ 725 – **52 hab** 5565/9920 – PA 3540.

Adserá ⛰, alt. 1 600 ✆ (972) 89 20 01, *Fax (972) 89 20 25,* ≤, ⛱ – |‡| TV ☎ P. AE VISA. ✂ rest
4 diciembre-6 abril y julio-10 septiembre – **Comida** - sólo buffet - 2200 – ☕ 800 – **41 hab** 7000/10000 – PA 4120.

MOLINA DE ARAGÓN *19300 Guadalajara* 444 **J 24** – *3 656 h. alt. 1 050.*
Madrid 197 – Guadalajara 141 – Teruel 104 – Zaragoza 144.

La Subalterna, Martínez Izquierdo ✆ (949) 83 23 63, *Fax (949) 83 23 18,* « En el palacio de los Molina » – |‡| TV ☎
15 hab.

San Francisco sin rest y sin ☕, pl. San Francisco 6 ✆ (949) 83 27 14 – TV ☎. VISA. ✂
18 hab 3500/5700.

MOLINASECA *24413 León* 441 **E 10** – *744 h. alt. 585.*
Madrid 383 – León 103 – Lugo 125 – Oviedo 213 – Ponferrada 6,5.

Casa Ramón, Jardines Ángeles Balboa 2 ✆ (987) 45 31 53 – ▤. AE ◑ E VISA JCB. ✂
cerrado lunes, septiembre y del 1 al 15 de octubre – **Comida** carta 3600 a 5150.

Es MOLINAR *Baleares* – *ver Baleares (Mallorca) : Palma.*

LOS MOLINOS *28460 Madrid* 444 **J 17** – *2 530 h. alt. 1 045.*
Madrid 55 – Ávila 71 – Segovia 57.

Asador Paco, Pradillos 11 ✆ (91) 855 17 52 – ▤. E VISA. ✂
cerrado martes y del 15 al 30 de septiembre – **Comida** - asados y carnes - carta 3000 a 3700.

MOLINOS DE DUERO *42156 Soria* 442 **G 21** – *189 h. alt. 1 323.*
Madrid 232 – Burgos 110 – Logroño 75 – Soria 38.

San Martín, pl. San Martín Ximénez 3 ✆ (975) 37 84 42, *Fax (975) 37 84 77* – TV ☎. E VISA. ✂
Comida 1500 – ☕ 500 – **16 hab** 3500/5000.

MOLINS DE REI *08750 Barcelona* 443 **H 36** – *17 771 h. alt. 37.*
Madrid 600 – Barcelona 20 – Tarragona 92.

D'en Robert, av. de Barcelona 232 ✆ (93) 680 02 14 – ▤. AE ◑ E VISA. ✂
cerrado domingo, lunes noche y agosto – **Comida** carta 1850 a 3090.

MOLLERUSSA *25230 Lérida* 443 **H 32** – *9 108 h. alt. 250.*
Madrid 481 – Barcelona 137 – Lérida/Lleida 23 – Seo de Urgell/La Seu d'Urgell 136 – Tarragona 83.

Duch sin rest, Prat de la Riba 8 ✆ (973) 71 18 10, *Fax (973) 71 18 13,* Fō, ⛱ – |‡| ▤ TV ☎ – 🏛 25/35. ◑ E VISA
☕ 650 – **20 hab** 4500/8300.

MOLLET o **MOLLET DEL VALLÈS** *08100 Barcelona* 443 **H 36** – *40 947 h. alt. 65.*
Madrid 631 – Barcelona 17 – Gerona/Girona 80 – Sabadell 25.

Catalán, Can Flaquer 30 - Can Pantiquet ✆ (93) 570 64 34, *Fax (93) 570 56 06* – |‡| ▤ TV ☎ ♿ 🚗 – 🏛 50/100. AE E VISA. ✂ rest
Comida 1400 – ☕ 750 – **65 hab** 8500/12500 – PA 3250.

MOLLINA *29532 Málaga* 446 U 16 – *3 067 h. alt. 477.*
Madrid 473 – Antequera 16 – Córdoba 114 – Granada 101 – Sevilla 157.

en la antigua carretera N 334 *Sureste : 3 km – ✉ 29532 Mollina :*

Molino de Saydo, salida 142 autovía ☎ (95) 274 04 75, *Fax (95) 274 04 66*, – ▤
. E VISA.
Comida 1750 – ☕ 750 – **48 hab** 5500/7500 – PA 3300.

MOLLÓ *17868 Gerona* 443 E 37 – *333 h. alt. 1 140.*
Alred. : *Beget★★ (iglesia románica★★ : Majestad de Beget★) Sureste : 18 km.*
Madrid 707 – Barcelona 135 – Gerona/Girona 88 – Prats de Molló 24.

François , carret. de Camprodón ☎ (972) 13 00 29, *Fax (972) 13 00 34*, ≤ montañ
y valle del río Tort, – . E VISA.
cerrado del 9 al 16 de noviembre – **Comida** *(cerrado lunes)* 1800 – ☕ 600 – **28 ha**
4150/6460.

Calitxó , passatge El Serrat ☎ (972) 74 03 86, *Fax (972) 74 07 46*, ≤ montañas, Pist
polideportiva – . E VISA.
Comida *(cerrado lunes y 15 enero-15 febrero)* carta 2480 a 4185 – ☕ 1050 – **25 hab** 772

MOMBUEY *49310 Zamora* 441 F 11 – *530 h.*
Madrid 320 – León 124 – Orense/Ourense 181 – Valladolid 138 – Zamora 86.

La Ruta, carret. N 525 - Sureste : 1 km ☎ (980) 64 27 30, *Fax (980) 64 27 30*, ≤ –
VISA.
Comida 1200 – ☕ 350 – **14 hab** 1800/4000 – PA 2250.

MONACHIL *18193 Granada* 446 U 19 – *6 604 h. alt. 730.*
Madrid 440 – Granada 10 – Málaga 137 – Murcia 296 – Sevilla 271 – Valencia 551.

Los Cerezos , av. de la Libertad (Los Llanos) ☎ (958) 30 00 04, *Fax (958) 30 01 3*
≤ la vega, Granada y Sierra Nevada, – ▤ . AE E VISA.
Comida (ver rest. ***Los Cerezos***) – **16 hab** ☕ 6000/8000.

Los Cerezos, Granada 33 ☎ (958) 50 01 17, *Fax (958) 30 01 38*, – ▤ . AE
E VISA.
cerrado martes – **Comida** carta 2000 a 3700.

MONASTERIO – *ver el nombre propio del monasterio.*

MONDA *29110 Málaga* 446 W 15 – *1 664 h. alt. 377.*
Madrid 567 – Algeciras 96 – Málaga 40 – Marbella 17 – Ronda 76.

El Castillo de Monda , ☎ (95) 245 71 42, *Fax (95) 245 73 36*, ≤ serranía de Ron
y pueblo, « Instalado en un castillo árabe », – ▤ – 25/80. AE E VISA.
Comida 3250 – ☕ 1500 – **23 hab** 15000/18000 – PA 8000.

MONDARIZ-BALNEARIO *36878 Pontevedra* 441 F 4 – *662 h. alt. 70 – Balneario.*
Madrid 575 – Orense/Ourense 70 – Pontevedra 51 – Vigo 34.

Balneario Tryp Mondariz , av. Enrique Peinador ☎ (986) 65 61 5
Fax (986) 65 61 86, Servicios terapéuticos, , , , – ▤
25/300. AE E VISA.
Comida carta 2500 a 3525 – ☕ 1200 – **65 hab** 13310/16775.

MONDOÑEDO *27740 Lugo* 441 B 7 – *5 774 h. alt. 139.*
Ver : *Catedral★. Madrid 571 – La Coruña/A Coruña 115 – Lugo 60 – Viveiro 59.*

MONDRAGÓN o ARRASATE *20500 Guipúzcoa* 442 C 22 – *25 213 h. alt. 211.*
Madrid 390 – San Sebastián/Donostia 79 – Vergara/Bergara 9 – Vitoria/Gasteiz 34.

Arrasate sin rest, Biteri 1 ☎ (943) 79 73 22, *Fax (943) 79 14 16* – . AE E
☕ 500 – **12 hab** 6000/8000.

MONESTERIO *06260 Badajoz* 444 R 11 – *5 202 h. alt. 755.*
Madrid 444 – Badajoz 126 – Cáceres 150 – Córdoba 197 – Mérida 82 – Sevilla 97.

Moya, paseo de Extremadura 278 ☎ (924) 51 61 36, *Fax (924) 51 63 24* – ▤
AE E VISA JCB.
Comida 1000 – ☕ 200 – **36 hab** 5000 – PA 1870.

MONFORTE DE LEMOS *27400 Lugo* 441 E 7 – *20 510 h. alt. 298.*
Madrid 501 – Lugo 65 – Orense/Ourense 49 – Ponferrada 112.

Puente Romano *(anexo)* sin rest, pl. Doctor Goyanes 6 (982) 41 11 68, *Fax (982) 40 35 51* – . AE E VISA
500 – **27 hab** 3210/5350.

O Grelo, Chantada 16 (982) 40 47 01 – . AE E VISA JCB.
cerrado domingo noche y del 1 al 20 de julio – **Comida** carta 2700 a 3900.

La Fortaleza, Campo de la Virgen (subida al Castillo) (982) 40 06 04, – AE E VISA.
Comida carta 2350 a 3000.

MONTANEJOS *12448 Castellón* 445 L 28 – *422 h. alt. 369.*
Madrid 408 – Castellón de la Plana/Castelló de la Plana 62 – Teruel 106 – Valencia 95.

Rosaleda del Mijares, carret. de Tales 28 (964) 13 10 79, *Fax (964) 13 11 36* – , rest, . E VISA.
20 febrero-20 diciembre – **Comida** 1600 – 600 – **57 hab** 5000/7500 – PA 3800.

Xauen, av. Fuente de los Baños 26 (964) 13 11 51, *Fax (964) 13 13 75* – , rest, . VISA.
cerrado 15 diciembre-15 enero – **Comida** 1700 – 500 – **48 hab** 5000/7000 – PA 3400.

MONTAÑAS DEL FUEGO *Las Palmas – ver Canarias (Lanzarote).*

MONT-RAS *17253 Gerona* 443 G 39 – *1 358 h. alt. 88.*
Madrid 717 – Figueras/Figueres 54 – Gerona/Girona 40 – Barcelona 119.

al Sureste *por la carretera de Palamós : 1,5 km y desvío a la izquierda 2 km – 17253 Mont-Ras :*

La Cuina de Can Pipes, barri Canyelles (972) 30 48 87, *Fax (972) 30 59 22*, « Masía del siglo XVIII con jardín y terraza arbolada » – . AE E VISA JCB.
cerrado lunes, martes y enero-febrero – **Comida** carta 5050 a 6750.

MONTBLANC *43400 Tarragona* 443 H 33 – *5 612 h. alt. 350.*
Ver : *Emplazamiento★★ – Recinto amurallado★★ (Iglesia de Sant Miquel★, Iglesia de Santa María★★ : órgano★★, Museo Comarcal de la Conca de Barberá★).*
Otras curiosidades : *Convento de la Serra★, Hospital de Santa Magdalena★.*
Muralla de Sta. Tecla 24 (977) 86 12 32 Fax (977) 86 24 24.
Madrid 518 – Barcelona 112 – Lérida/Lleida 61 – Tarragona 36.

Ducal, Francesc Macià 11 (977) 86 00 25, *Fax (977) 86 21 31* – rest, – 25/50. AE E VISA.
Comida 1100 – 500 – **41 hab** 3500/6000 – PA 3000.

El Molí del Mallol, Muralla Santa Anna 2 (977) 86 05 91, *Fax (977) 86 26 83* – . AE E VISA.
cerrado domingo noche y lunes noche – **Comida** carta 3200 a 4400.

ONTBRIÓ DEL CAMP *43340 Tarragona* 443 I 33 – *1 393 h. alt. 132.*
Madrid 554 – Barcelona 125 – Lérida/Lleida 97 – Tarragona 21.

Termes Montbrió, Nou 38 (977) 81 40 00, *Fax (977) 82 62 51*, , Servicios terapéuticos, « En una antigua finca con un extenso y bonito jardín », , , – – 40/450. AE E VISA JCB.
cerrado del 8 al 29 de diciembre – **Comida** 4200 - ***Horta Florida*** *(cerrado domingo noche)* **Comida** carta 4650 a 5800 – **139 hab** 16100/20200 – PA 10200.

Torre dels Cavallers, carret. de Cambrils (977) 82 60 53, *Fax (977) 82 60 53*, « Decoración rústica » – . AE E VISA.
cerrado martes – **Comida** carta 2300 a 3850.

ONTE – *ver el nombre propio del monte.*

ONTE LENTISCAL *Las Palmas – ver Canarias (Gran Canaria) : Santa Brígida.*

ONTEAGUDO *30160 Murcia* 445 R 26.
Madrid 400 – Alicante/Alacant 77 – Murcia 5.

Monteagudo, av. Constitución 93 (968) 85 00 64, *Fax (968) 85 13 53* – . AE E VISA.
cerrado domingo noche – **Comida** carta 3100 a 4300.

MONTEMAYOR *14530 Córdoba* 446 **T 15** – *3 629 h. alt. 387.*
Madrid 433 – Córdoba 33 – Jaén 117 – Lucena 37.

Castillo de Montemayor, carret. N 331 (957) 38 42 00, *Fax (957) 38 43 06,* – 25/800. AE VISA.
Comida carta aprox. 3350 – 400 – **54 hab** 3200/6000 – PA 2900.

MONTFERRER o **MONTFERRER I CASTELLBÒ** *25711 Lérida* 443 **E 34** – *681 h.*
Madrid 599 – Lérida/Lleida 130 – Seo de Urgel/La Seu d'Urgell 3.

La Masía, carret. N 260 (973) 35 24 45 – . E VISA.
cerrado miércoles y 25 junio-25 julio – **Comida** carta aprox. 3900.

MONTILLA *14550 Córdoba* 446 **T 16** – *21 607 h. alt. 400.*
Madrid 443 – Córdoba 45 – Jaén 117 – Lucena 28.

Las Camachas, antigua carret. N 331 (957) 65 00 04, *Fax (957) 65 03 32,* –
. AE E VISA JCB.
Comida carta 2750 a 3250.

en la carretera N 331 – *14550 Montilla :*

Don Gonzalo, Suroeste : 3 km (957) 65 06 58, *Fax (957) 65 06 66,* , , –
– 25/70. AE E VISA.
Comida 1500 – 550 – **29 hab** 5250/8850 – PA 3850.

Alfar, Noroeste : 5 km (957) 65 11 11, *Fax (957) 65 11 20,* – . AE
VISA.
Comida 1200 – 300 – **32 hab** 3500/6500 – PA 2700.

MONTMELÓ *08160 Barcelona* 443 **H 36** – *7 470 h. alt. 72.*
Madrid 627 – Barcelona 18 – Gerona/Girona 80 – Manresa 54.

Montmeló H., Nou 1 (93) 572 24 24, *Fax (93) 572 12 08* –
– 25/80. AE E VISA.
Comida *(cerrado domingo)* 1425 – 1150 – **30 hab** 9745/11470 – PA 3840.

MONTSENY *08460 Barcelona* 443 **G 37** – *277 h. alt. 522.*
Alred. : *Sierra de Montseny*★.
Madrid 673 – Barcelona 60 – Gerona/Girona 68 – Vic 36.

Can Barrina con hab, carret. de Palautordera - Sur : 1,2 km (93) 847 30 6
Fax (93) 847 31 84, , « Antigua casa de campo. Césped con . Terraza y sierra c
Montseny » – . AE E VISA.
Comida carta 3200 a 4000 – 1400 – **14 hab** 6900/9900.

MONTSERRAT *08691 Barcelona* 443 **H 35** – *alt. 725.*
Ver : *Lugar*★★★ *– La Moreneta*★★.
Alred. : *Carretera de acceso por el oeste* ★★ *– Ermita Sant Jeroni*★*, Ermita de San Cecilia (iglesia*★*), Ermita de Sant Miquel*★.
Madrid 594 – Barcelona 53 – Lérida/Lleida 125 – Manresa 22.

Abat Cisneros , pl. Monestir (93) 835 02 01, *Fax (93) 835 06 59* – , res
. AE E VISA.
Comida 2675 – **41 hab** 6520/11400.

MONTUIRI *Baleares – ver Baleares (Mallorca).*

MONZÓN *22400 Huesca* 443 **G 30** – *14 405 h. alt. 368.*
pl. Aragón (974) 40 48 54.
Madrid 463 – Huesca 70 – Lérida/Lleida 50.

Vianetto, av. de Lérida 25 (974) 40 19 00, *Fax (974) 40 45 40* – . AE
E VISA
Comida 1500 – 550 – **84 hab** 3800/6500 – PA 3200.

Bellomonte, av. de Lérida 87 (974) 40 20 44 – . AE E VISA JCB.
Comida *(cerrado domingo y del 15 al 30 de agosto)* 1050 – 300 – **16 hab** 1950/390

Piscis, pl. de Aragón 1 (974) 40 00 48 – . AE VISA.
Comida carta 2500 a 5100.

ORA *45400 Toledo* 444 **M 18** – *9 244 h. alt. 717.*
Madrid 100 – Ciudad Real 92 – Toledo 31.

Agripino, pl. Príncipe de Asturias 8 ☎ (925) 30 00 00 – VISA.
cerrado agosto – **Comida** 1700 – 250 – **20 hab** 3000/5000 – PA 3040.

Los Conejos con hab, Cánovas del Castillo 14 ☎ (925) 30 15 04, *Fax (925) 30 15 86* – VISA.
cerrado 15 junio-15 julio – **Comida** *(cerrado viernes noche)* carta 2300 a 4500 – 400 – **5 hab** 4000/6000.

ORA DE RUBIELOS *44400 Teruel* 443 **L 27** – *1 313 h. alt. 1 035.*
Madrid 341 – Castellón de la Plana/Castelló de la Plana 92 – Teruel 40 – Valencia 129.

Jaime I, pl. de la Villa ☎ (978) 80 00 92, *Fax (978) 80 00 92* – AE E VISA. rest
Comida 2100 – 1350 – **39 hab** 7300/12000 – PA 4450.

La Rueda II, carret. de Alcalá de la Selva ☎ (978) 80 03 50, *Fax (978) 80 61 92,* – rest, – 25/30. AE VISA. rest
Comida 1300 – 500 – **48 hab** 3500/6000 – PA 3100.

El Rinconcico, Santa Lucía 4 ☎ (978) 80 60 63 – AE VISA.
cerrado martes y 15 junio-15 julio – **Comida** carta 1750 a 2750.

ORAIRA *03724 Alicante* 445 **P 30** – *757 h.* – *Playa.*
edificio Kristal-Mar local 11 ☎ (96) 574 51 68 Fax (96) 574 51 68.
Madrid 483 – Alicante/Alacant 75 – Gandía 65.

Costera del Mar sin rest y sin, Mar del Norte 20 ☎ (96) 649 03 51, *Fax (96) 649 03 50,* – AE E VISA.
16 apartamentos 12000.

La Sort, av. de Madrid 1 ☎ (96) 574 51 35, *Fax (96) 574 51 35* –.

Casa Dorita, Barranquet ☎ (96) 574 48 61, *Fax (96) 574 48 61,* –. E VISA.
cerrado lunes, del 10 al 30 de enero y del 15 al 30 de octubre – **Comida** carta 4100 a 5200.

La Seu, Dr. Calatayud 24 ☎ (96) 574 57 52 –. AE E VISA.
cerrado martes y 24 diciembre-10 enero – **Comida** carta 2800 a 4500
Espec. Tallarines de sepia con virutas de mojama. Filetes de salmonetes con puré de garbanzos. Frescor de chocolate negro con chocolate blanco.

r la carretera de Calpe – ✉ *03724 Moraira :*

Swiss Moraira sin rest, Oeste : 2,5 km ☎ (96) 574 71 04, *Fax (96) 574 70 74,* – – 30/100. AE E VISA.
cerrado enero – 1500 – **24 hab** 16500/20000, 1 suite.

Gema H., Estaca de Bares 11 - Suroeste : 2,5 km, ✉ apartado 330, ☎ (96) 574 71 88, *Fax (96) 574 71 88,* –. AE E VISA. rest
Comida *(julio-septiembre)* 1400 – 750 – **39 hab** 6100/7250.

Girasol, Suroeste : 1,5 km ☎ (96) 574 43 73, *Fax (96) 649 05 45,* « Villa acondicionada con elegancia » –. AE E VISA JCB.
cerrado lunes (salvo julio-agosto) y noviembre – **Comida** - sólo cena en verano salvo domingo - 9950 carta 6300 a 8400
Espec. Crema ligera de Curry Madras con cigalas de Jávea. Filetes de salmonetes de roca con mermelada de tomate y jugo de aceitunas negras. Crujiente de plátano con fruta de la pasión y helado de pimienta de Jamaica.

La Bona Taula, Suroeste : 1,5 km ☎ (96) 649 02 06, *Fax (96) 574 23 84,* mar, –. AE E VISA.
Comida carta 3775 a 4800.

El Portet *Noreste : 1,5 km* – ✉ *03724 Moraira :*

Le Dauphin, ✉ apartado 324 Moraira, ☎ (96) 649 04 32, *Fax (96) 649 04 32,* « Villa mediterránea con terraza y peñón de Ifach, Calpe y mar » –. AE E VISA.
cerrado lunes, 17 febrero-17 marzo y 10 noviembre-10 diciembre – **Comida** - sólo cena mayo-noviembre - carta 5450 a 6650.

MORALEJA *Madrid* – *ver Alcobendas.*

MORALZARZAL *28411 Madrid* 444 J 18 – *2 248 h. alt. 979.*
Madrid 42 – Ávila 77 – Segovia 57.

XXX **El Cenador de Salvador** con hab, av. de España 30 ✆ (91) 857 77 2… *Fax (91) 857 77 80*, ⛱, « Elegante villa con terraza ajardinada » – ▤ 📺 ☎ 🅟. AE ⓘ VISA. ✂
Comida carta 5775 a 8075 – ☕ 2000 – **7 hab** 25000/40000
Espec. Ensalada de hierbas aromáticas y flores de mi huerta con vinagreta Cabernet Sa… vignon (primavera-verano). Cabecita de pata de cordero lechal con frito de garbanz… blancos. Burbujas de Vichy con leche de coco y mermelada de naranja.

MOREDA DE ALLER *33670 Asturias* 441 C 12.
Madrid 436 – Gijón 60 – León 103 – Oviedo 30.

Collainos, av. Tartiere 44 ✆ (98) 548 10 40 – |‡| 📺 ☎. E VISA. ✂
Comida 1000 – ☕ 500 – **8 hab** 4500/6000 – PA 2200.

XX **La Teyka,** Constitución 35 ✆ (98) 548 10 20 – E VISA. ✂
Comida carta 2500 a 3700.

EL MORELL *43760 Tarragona* 443 I 33 – *2 366 h. alt. 85.*
Madrid 528 – Lérida/Lleida 84 – Tarragona 29 – Tortosa 95.

X **La Grava** con hab, Pareteta 4 ✆ (977) 84 06 18, *Fax (977) 84 13 99*, ⛱, 🏊 – ▤ re… 📺. AE E VISA. ✂
cerrado del 20 al 30 de diciembre – **Comida** *(cerrado sábado mediodía y festivos noch…* carta 2840 a 3600 – ☕ 350 – **22 hab** 3000/5000.

MORELLA *12300 Castellón* 445 K 29 – *2 717 h. alt. 1 004.*
Ver : *Emplazamiento★ – Basílica de Santa María la Mayor★ – Castillo ⋞★.*
🅑 *pl. de San Miguel ✆ (964) 17 30 32 Fax (964) 16 07 62.*
Madrid 440 – Castellón de la Plana/Castelló de la Plana 98 – Teruel 139.

Rey Don Jaime, Juan Giner 6 ✆ (964) 16 09 11, *Fax (964) 16 09 11* – |‡|, ▤ rest, … ☎ – 🏛 25/200. AE E VISA. ✂
Comida 1400 – ☕ 700 – **44 hab** 5000/8100 – PA 2975.

Cardenal Ram, Cuesta Suñer 1 ✆ (964) 17 30 85, *Fax (964) 17 32 18* – ▤ rest, … ☎. E VISA. ✂
Comida 1750 – ☕ 800 – **17 hab** 5000/8000, 2 suites – PA 4000.

X **Meson del Pastor,** Cuesta Jovaní 7 ✆ (964) 16 02 49, *Fax (964) 16 02 49* – ▤. E VISA. ✂
cerrado miércoles salvo festivos y verano – **Comida** carta 1950 a 3100.

X **Casa Roque,** Segura Barreda 8 ✆ (964) 16 03 36, *Fax (964) 16 02 00* – AE ⓘ E … JCB. ✂
cerrado lunes (noviembre-marzo) y 2ª quincena de febrero – **Comida** carta 2… a 4875.

en la carretera CS 840 *Oeste : 4,5 km – ✉ 12300 Morella :*

Fábrica de Giner, ✆ (964) 17 31 42, *Fax (964) 17 31 97* – |‡| ▤ 📺 ☎ ♿ 🅟. E … ✂
Comida *(cerrado lunes y martes)* 1650 – ☕ 700 – **24 hab** 6000/8000 – PA 3200.

MÓSTOLES *28930 Madrid* 444 L 18 – *193 056 h. alt. 661.*
Madrid 19 – Toledo 64.

X **Mesón Gregorio I,** Reyes Católicos 16, ✉ 28938, ✆ (91) 613 22 75, « Decorac… típica » – ▤. E VISA. ✂
Comida carta 3600 a 4000.

en la autovía N V *Suroeste : 5,5 km – ✉ 28935 Móstoles :*

XX **La Fuencisla,** ✆ (91) 647 22 89, « Decoración rústica » – ▤ 🅟. E VISA. ✂
Comida carta 3200 a 4600.

MOTA DEL CUERVO *16630 Cuenca* 444 N 21 – *5 568 h. alt. 750.*
Madrid 139 – Albacete 108 – Alcázar de San Juan 36 – Cuenca 113.

Mesón de Don Quijote, carret. N 301 ✆ (967) 18 02 00, *Fax (967) 18 07…* « Decoración regional », 🏊 – ▤ 📺 ☎ 🚗 🅟. AE ⓘ VISA. ✂ rest
Comida 1600 – ☕ 500 – **36 hab** 4700/8500 – PA 3040.

LE GUIDE MICHELIN DU PNEUMATIQUE

QU'EST-CE QU'UN PNEU ?

Produit de haute technologie, le pneu constitue le seul point de liaison de la voiture avec le sol.
Ce contact correspond, par roue, à une surface équivalente à celle d'une carte postale. Le pneu doit donc se contenter de ces quelques centimètres carrés de gomme au sol pour remplir un grand nombre de tâches souvent contradictoires :

Porter le véhicule à l'arrêt, mais aussi résister aux transferts de charge considérables à l'accélération et au freinage.

Transmettre la puissance utile du moteur, les efforts au freinage et en courbe.

Rouler régulièrement, plus sûrement, plus longtemps pour un plus grand plaisir de conduire.

Guider le véhicule avec précision, quels que soient l'état du sol et les conditions climatiques.

Amortir les irrégularités de la route, en assurant le confort du conducteur et des passagers ainsi que la longévité du véhicule.

Durer, c'est-à-dire, garder au meilleur niveau ses performances pendant des millions de tours de roue.

Afin de vous permettre d'exploiter au mieux toutes les qualités de vos pneumatiques, nous vous proposons de lire attentivement les informations et les conseils qui suivent.

LE PNEU
EST LE SEUL POINT
DE LIAISON
DE LA VOITURE AVEC LE SOL

COMMENT LIT-ON UN PNEU ?

CODES DE VITESSE MAXIMUM :

		S	*180 km/h*	*V*	*240 km/h*
		T	*190 km/h*	*W*	*270 km/h*
Q	*160 km/h*	*H*	*210 km/h*	*Y*	*300 km/h*
R	*170 km/h*	*VR*	*> 210 km/h*	*ZR*	*> 240 km/h (dans la dimension)*

POURQUOI VERIFIER LA PRESSION DE VOS PNEUS ?

POUR EXPLOITER AU MIEUX
LEURS **PERFORMANCES** ET ASSURER
VOTRE **SECURITE**

Contrôlez la pression de vos pneus, sans oublier la roue de secours, dans de bonnes conditions.
Un pneu perd régulièrement de la pression.

Les pneus doivent être contrôlés

une fois toutes les 2 semaines

à froid, c'est-à-dire une heure au moins après l'arrêt de la voiture ou après avoir parcouru 2 à 3 kilomètres à faible allure.
En roulage, la pression augmente ; ne dégonflez donc jamais un pneu qui vient de rouler : considérez que, pour être correcte, sa pression doit être au moins supérieure de 0,3 bar à celle préconisée à froid.

VERIFIEZ LA PRESSION DE VOS PNEUS
REGULIEREMENT ET AVANT CHAQUE VOYAGE

LE SURGONFLAGE

Si vous devez effectuer un long trajet à vitesse soutenue, ou si la charge de votre voiture est particulièrement importante, il est généralement conseillé de majorer la pression de vos pneus. Attention : l'écart de pression avant-arrière nécessaire à l'équilibre du véhicule doit être impérativement respecté. Consultez les tableaux de gonflage Michelin chez tous les professionnels de l'automobile et chez les spécialistes du pneu. N'hésitez pas à leur demander conseil.

LE SOUS-GONFLAGE

Lorsque la pression de gonflage est insuffisante, les flancs du pneu travaillent anormalement. Il en résulte une fatigue excessive de la carcasse, une élévation de température et une usure anormale. Le pneu subit alors des dommages irréversibles qui peuvent entraîner sa destruction immédiate ou future.
En cas de perte de pression, il est impératif de consulter un spécialiste qui en recherchera la cause et jugera de la réparation éventuelle à effectuer.

LE BOUCHON DE VALVE

En apparence, il s'agit d'un détail ; c'est pourtant un élément essentiel de l'étanchéité. Aussi, n'oubliez pas de le remettre en place après vérification de la pression, en vous assurant de sa parfaite propreté.

VOITURE TRACTANT CARAVANE, BATEAU...

Dans ce cas particulier, il ne faut jamais oublier que le poids de la remorque accroît la charge du véhicule.
Il est donc nécessaire d'augmenter la pression des pneus arrière de votre voiture, en vous conformant aux indications des tableaux de gonflage Michelin.
Pour de plus amples renseignements, demandez conseil à votre revendeur de pneumatiques, c'est un véritable spécialiste.

COMMENT FAIRE DURER VOS PNEUS ?

Afin de préserver longtemps les qualités de vos pneus, il est impératif de les faire contrôler régulièrement, et avant chaque grand voyage. Il faut savoir que la durée de vie d'un pneu peut varier dans un rapport de 1 à 4, et parfois plus, selon son entretien, l'état du véhicule, le style de conduite et l'état des routes !

L'ensemble roue-pneumatique doit être parfaitement équilibré pour éviter les vibrations qui peuvent apparaître à partir d'une certaine vitesse. Pour supprimer ces vibrations et leurs désagréments, vous confierez l'équilibrage à un professionnel du pneumatique car cette opération nécessite un savoir-faire et un outillage très spécialisé.

LES FACTEURS QUI INFLUENT SUR L'USURE ET LA DUREE DE VIE DE VOS PNEUMATIQUES :

Les caractéristiques du véhicule (poids, puissance...), le profil des routes (rectilignes, sinueuses), le revêtement (granulométrie : sol lisse ou rugueux), l'état mécanique du véhicule (réglage des trains avant, arrière, état des suspensions et des freins...), le style de conduite (accélérations, freinages, vitesse de passage en courbe...), la vitesse (en ligne droite à 120 km/h un pneu s'use deux fois plus vite qu'à 70 km/h), la pression des pneumatiques (si elle est incorrecte, les pneus s'useront beaucoup plus vite et de manière irrégulière).

D'autres événements de nature accidentelle (chocs contre trottoirs, nids de poule...), en plus du risque de déréglage et de détérioration de certains éléments du véhicule, peuvent provoquer des dommages internes au pneumatique dont les conséquences ne se manifesteront parfois que bien plus tard.

LES CHOCS
CONTRE LES TROTTOIRS,
LES NIDS DE POULE...
PEUVENT ENDOMMAGER
GRAVEMENT VOS PNEUS.

Un contrôle régulier de vos pneus vous permettra donc de détecter puis de corriger rapidement les anomalies (usure anormale, perte de pression...). A la moindre alerte, adressez-vous immédiatement à un revendeur spécialiste qui interviendra pour préserver les qualités de vos pneus, votre confort et votre sécurité.

SURVEILLEZ L'USURE DE VOS PNEUMATIQUES :

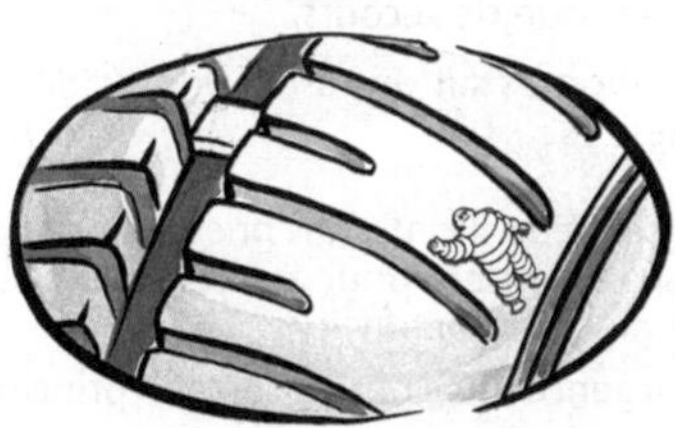

Comment ? Tout simplement en observant la profondeur de la sculpture. C'est un facteur de sécurité, en particulier sur sol mouillé. Tous les pneus possèdent des indicateurs d'usure de 1,6 mm d'épaisseur. Ces indicateurs sont repérés par un Bibendum situé aux "épaules" des pneus MICHELIN. Un examen visuel suffit pour connaître le niveau d'usure de vos pneumatiques.
Attention : même si vos pneus n'ont pas encore atteint la limite d'usure légale (en France, **la profondeur restante de la sculpture doit être supérieure à 1,6 mm** sur l'ensemble de la bande de roulement), leur capacité à évacuer l'eau aura naturellement diminué avec l'usure.

COMMENT CHOISIR VOS PNEUS ?

Le type de pneumatique qui équipe d'origine votre véhicule a été déterminé pour optimiser ses performances. Il vous est cependant possible d'effectuer un autre choix en fonction de votre style de conduite, des conditions climatiques, de la nature des routes et des trajets effectués.
Dans tous les cas, il est indispensable de consulter un spécialiste du pneumatique, car lui seul pourra vous aider à trouver la solution la mieux adaptée à votre utilisation dans le respect de la législation.

MONTAGE, DEMONTAGE, EQUILIBRAGE DU PNEU ; C'EST L'AFFAIRE D'UN PROFESSIONNEL.

Un mauvais montage ou démontage du pneu peut le détériorer et mettre en cause votre sécurité.
Sauf cas particulier et exception faite de l'utilisation provisoire de la roue de secours,

- les pneus montés sur un essieu donné, doivent être identiques.
- Il est conseillé de monter les pneus neufs ou les moins usés à l'arrière pour assurer la meilleure tenue de route en situation difficile

(freinage d'urgence ou courbe serrée) principalement sur chaussée glissante.

En cas de crevaison, seul un professionnel du pneu saura effectuer les examens nécessaires et décider d'une éventuelle réparation.
Il est recommandé de changer la valve ou la chambre à air à chaque intervention.

- IL EST DECONSEILLE DE MONTER UNE CHAMBRE A AIR DANS UN ENSEMBLE TUBELESS.

- L'utilisation de pneus cloutés est strictement réglementée ; il est important de s'informer avant de les faire monter.

Attention : la capacité de vitesse des pneumatiques Hiver "M+S" peut être inférieure à celle des pneus d'origine. Dans ce cas, la vitesse de roulage devra être adaptée à cette limite inférieure.
Une étiquette de rappel de cette vitesse sera apposée à l'intérieur du véhicule à un endroit aisément visible du conducteur.

LES CLEFS DU SUCCES DE MICHELIN : SA PASSION POUR LE PROGRES ET L'INNOVATION

"Battre aujourd'hui le pneu de demain", c'est ce qui permet à MICHELIN d'être toujours à la pointe de l'innovation pour être toujours plus proche de ses clients.

LE GROUPE MICHELIN EN BREF :

- 120 000 personnes à travers le monde.
- Une présence commerciale dans près de 180 pays.
- 79 sites implantés dans 18 pays - Europe, Amérique du Nord/Sud, Afrique et Asie.
- 5 centres de recherche et 5 centres d'essais.
- 6 plantations d'hévéas au Brésil et au Nigéria.

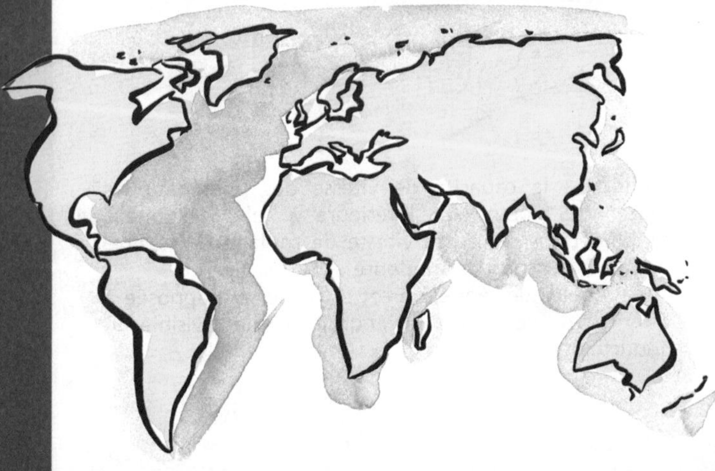

DERNIER FRUIT DES RECHERCHES DE MICHELIN : LE PNEU MICHELIN ENERGY.

Pour répondre à une des attentes principales de ses clients - **la Sécurité** - MICHELIN a notamment fait évoluer sa gamme de pneumatiques Energy.

Le pneu MICHELIN ENERGY est le pneu ETÉ qui peut être utilisé dans des conditions hivernales (sols gras, mouillés, enneigés en plaine) en conservant des qualités d'adhérence et de comportement exceptionnelles.
Grâce à une faible résistance au roulement, donc une moindre consommation d'énergie, le pneu MICHELIN ENERGY contribue également à un meilleur respect de l'environnement.

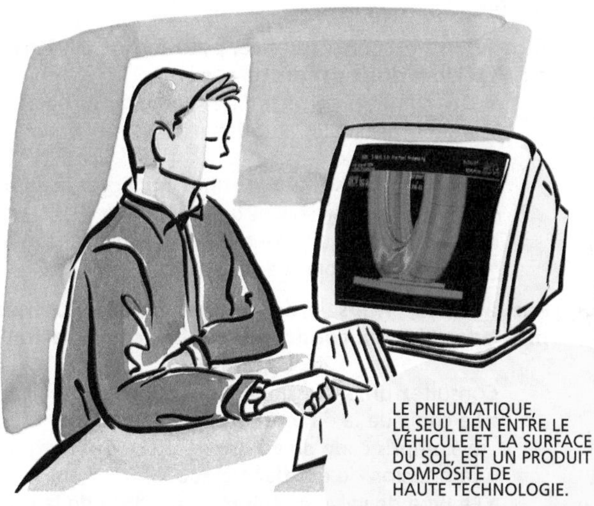

LE PNEUMATIQUE, LE SEUL LIEN ENTRE LE VÉHICULE ET LA SURFACE DU SOL, EST UN PRODUIT COMPOSITE DE HAUTE TECHNOLOGIE.

INFORMATIONS SUPPLEMENTAIRES

Les pneumatiques comportent sur leurs flancs, en dehors des inscriptions réglementaires, un certain nombre d'indications destinées à répondre à des usages internes aux manufacturiers ou à certains pays.
Tel le **"Safety Warning"** propre aux USA, dont la traduction est :

Avertissement de Sécurité

"D'importants dommages peuvent résulter d'une défaillance pneumatique provoquée par un sous-gonflage, une surcharge, une mauvaise association pneu/jante (ne jamais dépasser 275 KPa pour positionner les talons sur la jante).
Seules les personnes spécialement formées doivent démonter et monter les pneumatiques."
Ces consignes sont précisées dans nos documentations commerciales et techniques.
Consultez un professionnel du pneu.

CAMPING CARS

Ce type de véhicule offre une modularité et un volume de rangement qui peuvent le placer, ainsi que ses pneumatiques, dans des conditions d'utilisation anormalement pénalisantes.
Par la suite, des dégradations irréversibles pourront se manifester sur les pneumatiques même si, depuis, les conditions normales d'utilisation ont été parfaitement rétablies.

Il convient, en conséquence, pour éviter tout risque de détériorations prématurées :

- De charger correctement le véhicule dans les limites maximales autorisées par la réglementation et les constructeurs.
- De répartir les charges afin d'équilibrer le chargement : avant/arrière et gauche/droite.
- De vérifier régulièrement la pression de gonflage (y compris la roue de secours).

Par ailleurs, nous préconisons des équipements plus adaptés aux conditions réelles d'utilisation :

XC CAMPING

Consultez un professionnel du pneu pour :

- Le choix de la dimension de pneumatique (y compris code de vitesse et indice de charge)
- La pression de gonflage à adopter
- Le type de valve à utiliser en fonction de la roue.

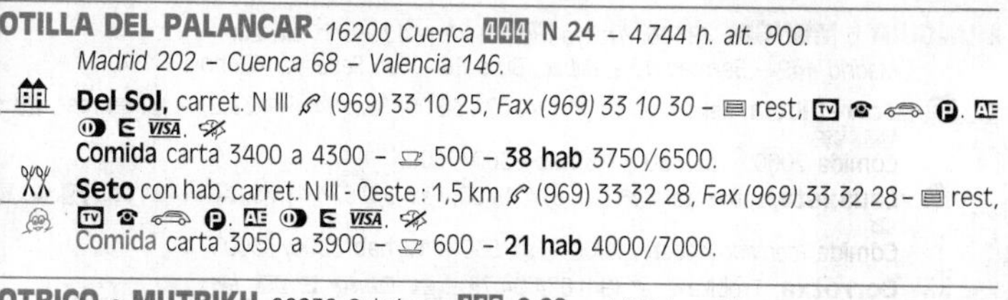
OTILLA DEL PALANCAR *16200 Cuenca 444 N 24 - 4 744 h. alt. 900.*
Madrid 202 - Cuenca 68 - Valencia 146.

Del Sol, carret. N III ✆ (969) 33 10 25, *Fax (969) 33 10 30* - rest, TV ☎ P. AE ⓓ E VISA. ✻
Comida carta 3400 a 4300 - ☕ 500 - **38 hab** 3750/6500.

Seto con hab, carret. N III - Oeste : 1,5 km ✆ (969) 33 32 28, *Fax (969) 33 32 28* - rest, TV ☎ P. AE ⓓ E VISA. ✻
Comida carta 3050 a 3900 - ☕ 600 - **21 hab** 4000/7000.

OTRICO o MUTRIKU *20830 Guipúzcoa 442 C 22 - 4 466 h. - Playa.*
Madrid 464 - Bilbao/Bilbo 75 - San Sebastián/Donostia 46.

Jarri-Toki, carret. de Deva - Este : 1 km ✆ (943) 60 32 39, ≤ mar, - P. AE E VISA. ✻
cerrado domingo noche y lunes (octubre-mayo) y del 15 al 30 de septiembre - **Comida** carta 3300 a 4700.

OTRIL *18600 Granada 446 V 19 - 45 880 h. alt. 65.*
Los Moriscos, urb. playa Granada carret. de Bailén : 8 km ✆ (958) 82 55 27.
Madrid 501 - Almería 112 - Antequera 147 - Granada 71 - Málaga 96.

Tropical sin ☕, Rodríguez Acosta 23 ✆ (958) 60 04 50, *Fax (958) 60 04 50* - TV ☎. AE ⓓ E VISA. ✻
Comida *(cerrado domingo)* 1400 - **21 hab** 5000/8000.

el puerto *Suroeste : 4,5 km - ✉ 18600 Motril :*

G.H. Motril , av. playa de Poniente ✆ (958) 60 77 44, *Fax (958) 60 77 76*, ≤, - TV ☎ P - 25/50. AE VISA. ✻
Comida 2600 - ☕ 900 - **71 hab** 11600/14800, 22 suites - PA 4880.

OYÁ o MOIÀ *Barcelona 443 G 38 - 3 303 h. alt. 776.*
Alred. : *Monasterio de Santa María de l'Estany★, (claustro★ : capiteles★★) Norte : 8 km.*
Madrid 611 - Barcelona 72 - Manresa 26.

OZÁRBEZ *37183 Salamanca 441 J 13 - 324 h. alt. 871.*
Madrid 219 - Béjar 64 - Peñaranda de Bracamonte 53 - Salamanca 14.

Mozárbez, carret. N 630 ✆ (923) 30 82 91, *Fax (923) 30 82 91* - TV ☎ P. AE ⓓ E VISA. ✻
Comida 1300 - ☕ 500 - **28 hab** 4500/8000 - PA 2635.

UCHAVISTA (Playa) *Alicante - ver Campello.*

ÚJICA o MUXIKA *48392 Vizcaya 442 C 21 - 1 432 h. alt. 40.*
Madrid 406 - Bilbao/Bilbo 27 - San Sebastián/Donostia 84 - Vitoria/Gasteiz 56.

Remenetxe, carret. BI 635 - barrio Ugarte ✆ (94) 625 35 20, *Fax (94) 625 57 83*, , « Caserío típico » - P. AE ⓓ E VISA. ✻
cerrado miércoles y febrero - **Comida** carta 4100 a 5800.

ULA *30170 Murcia 445 R 25 - 12 930 h. alt. 300.*
Madrid 394 - Cartagena 92 - Lorca 66 - Murcia 39.

Alcázar, carret. de Pliego - Sur : 1 km ✆ (968) 66 21 05, *Fax (968) 66 40 86* - TV ☎ P. E VISA. ✻
Comida 1000 - ☕ 550 - **20 hab** 3500/5500 - PA 2550.

UNDACA o MUNDAKA *48360 Vizcaya 442 B 21 - 1 639 h. - Playa.*
Madrid 436 - Bilbao/Bilbo 35 - San Sebastián/Donostia 105.

Atalaya sin rest, paseo de Txorrokopunta 2 ✆ (94) 617 70 00, *Fax (94) 687 68 99* - TV ☎ P. AE ⓓ E VISA
☕ 950 - **11 hab** 8700/12500.

El Puerto sin rest, Portu 1 ✆ (94) 687 67 25, *Fax (94) 687 67 26*, ≤ - TV ☎ . ⓓ E VISA
☕ 900 - **11 hab** 7500/9500.

Mundaka sin rest, Florentino Larrínaga 9 ✆ (94) 687 67 00, *Fax (94) 687 61 58* - TV ☎ P. ⓓ E VISA
☕ 800 - **19 hab** 6000/9000.

La Fonda, pl. Olazábal ✆ (94) 687 65 43.

MUNGUÍA o **MUNGIA** *48100 Vizcaya* 442 **B 21** – *12 995 h. alt. 20.*
Madrid 449 – Bermeo 17 – Bilbao/Bilbo 16 – San Sebastián/Donostia 114.

Torrebillela, Beko-Kale 18 ☎ (94) 674 32 00, *Fax (94) 674 39 27* – ▮, ▤ rest, TV · VISA. ✻
Comida 2000 – ☕ 650 – **18 hab** 6300/7300.

Lauaxeta, Lauaxeta 4 ☎ (94) 674 43 80, *Fax (94) 674 43 79,* – ▤ rest, TV ☎. VI ✻
Comida *(cerrado agosto)* 2000 – ☕ 630 – **17 hab** 6300/7300.

XX **Gorrotxa,** Trobika 7 ☎ (94) 674 04 75 – ▤. AE ◑ E VISA. ✻
cerrado domingo, Semana Santa y 23 agosto-14 septiembre – **Comida** carta 3750 a 475

MURCIA *30000* P 445 **S 26** – *338 250 h. alt. 43.*
Ver : *Catedral★ (fachada★, Capilla de los Vélez★, Museo : San Jerónimo★, campanario :* ←
DY – *Museo Salzillo★* CY - *calle de la Trapería★.*
✈ *de Murcia-San Javier por ② : 50 km ☎ (968) 17 20 00 – Iberia : av. Libertac*
☎ (968) 28 50 52.
San Cristóbal 6 ✉ 30001 ☎ (968) 36 61 00 Fax (968) 36 61 10 – **R.A.C.E.** *Alfonso X*
Sabio 14 (plta. baja) ✉ 30008 ☎ (968) 23 02 66 Fax (968) 23 05 17.
Madrid 395 ① – Albacete 146 ① – Alicante/Alacant 81 ① – Cartagena 49 ② – Lo
64 ③ – Valencia 256 ①

Plano página siguiente

Meliá 7 Coronas, paseo de Garay 5, ✉ 30003, ☎ (968) 21 77 72, *Fax (968) 22 12* « Terraza-jardín » – ▮ ▤ TV ☎ ⇔ – 🏛 25/400. AE ◑ E VISA. ✻ X
Comida (ver rest. Las Coronas) – ☕ 1600 – **153 hab** 19000/22500, 3 suites.

NH Rincón de Pepe, pl. Apóstoles 34, ✉ 30001, ☎ (968) 21 22 39, *Fax (968) 22 17* – ▮ ▤ TV ☎ ⇔ – 🏛 25/150. AE ◑ E VISA. ✻ DY
Comida (ver rest. ***Rincón de Pepe***) – ☕ 1250 – **147 hab** 13750/17600, 4 suites.

NH Amistad Murcia, Condestable 1, ✉ 30009, ☎ (968) 28 29 29, *Fax (968) 28 08* – ▮ ▤ TV ☎ ⇔ – 🏛 25/600. AE ◑ E VISA JCB. ✻ X
Comida 3000 – ☕ 1350 – **143 hab** 12500/17500, 5 suites.

Arco de San Juan, pl. de Ceballos 10, ✉ 30003, ☎ (968) 21 04 55, *Fax (968) 22 08* – ▮ ▤ TV ☎ ⇔ – 🏛 25/300. AE ◑ E VISA JCB. ✻ rest DZ
Comida (ver rest. ***Del Arco***) – ☕ 1250 – **107 hab** 12000/16500, 3 suites.

Conde de Floridablanca, Princesa 18, ✉ 30002, ☎ (968) 21 46 2 *Fax (968) 21 32 15* – ▮ ▤ TV ☎ ⇔ – 🏛 25/75. AE ◑ E VISA. ✻ DZ
Comida 1500 – ☕ 700 – **79 hab** 6500/8125, 6 suites – PA 3500.

Hispano 2, Radio Murcia 3, ✉ 30001, ☎ (968) 21 61 52, *Fax (968) 21 68 59* – ▮ TV ☎ ⇔ – 🏛 25/100. AE ◑ E VISA. ✻ DY
Comida (ver rest. ***Hispano***) – ☕ 900 – **35 hab** 6000/7500.

Fontoria sin rest, Madre de Dios 4, ✉ 30004, ☎ (968) 21 77 89, *Fax (968) 21 07* – ▮ ▤ TV ☎ ⇔ – 🏛 25/120. AE ◑ E VISA. ✻ DY
☕ 950 – **120 hab** 8200/11900.

Churra-Vistalegre con cafetería, Arquitecto Juan J. Belmonte 4, ✉ 3000 ☎ (968) 20 17 50, *Fax (968) 20 17 95* – ▮ ▤ TV ☎ ⇔ – 🏛 25/100. AE ◑ E V ✻ X
Comida (ver rest. ***El Churra***) – ☕ 700 – **57 hab** 6500/9000.

La Huertanica, Infantes 5, ✉ 30001, ☎ (968) 21 76 69, *Fax (968) 21 25 04* – ▮ TV ☎ ⇔. AE ◑ E VISA JCB. ✻ DY
Comida 1600 – ☕ 600 – **31 hab** 5000/7000.

El Churra, Obispo Sancho Dávila 1, ✉ 30007, ☎ (968) 23 84 00, *Fax (968) 23 77 9* ▮ ▤ TV ☎ ⇔ – 🏛 25/50. AE ◑ E VISA. ✻ X
Comida (ver rest. ***El Churra***) – ☕ 600 – **96 hab** 6500/8500, 1 suite.

Pacoche Murcia, Cartagena 30, ✉ 30002, ☎ (968) 21 33 85, *Fax (968) 21 33 8* ▮ ▤ TV ☎ ♿ ⇔ – 🏛 25/50. AE ◑ E VISA JCB. ✻ DZ
Comida (ver rest. ***Universal Pacoche***) – ☕ 500 – **72 hab** 7000/10000.

Casa Emilio sin rest. con cafetería, Alameda de Colón 9, ✉ 30002, ☎ (968) 22 06 *Fax (968) 21 30 29* – ▮ ▤ TV ☎ – 🏛 25/100. E VISA. ✻ DZ
☕ 300 – **42 hab** 4000/6000.

Majesty sin rest. con cafetería, pl. San Pedro 5, ✉ 30004, ☎ (968) 21 47 *Fax (968) 21 67 65* – ▮ ▤ TV ☎ CY
67 hab.

Universal Pacoche sin ☕, Cartagena 21, ✉ 30002, ☎ (968) 21 76 *Fax (968) 21 76 05* – ▮ ▤ TV ☎. AE ◑ E VISA. ✻ DZ
Comida (ver rest. ***Universal Pacoche***) – **47 hab** 3500/5500.

MURCIA

onso x el Sabio (Gran Vía) . . . . DY, X 2
rdenal Belluga (Pl.) . . . DY 5
dad de Almería (Av.) . . . . . X 7
lón (Alameda de) . . . . DZ
nstitución (Av. de la) . . X 9
ilio Díez de Revenga (Plaza) . . . . . . X 12
paña (Glorieta de) . . . . DZ 15
ridablanca . . . . DZ, X 18
ay (Paseo de) . . . . . . DZ 20
neral Primo de Rivera (Av.) . . . . X 22
neral Yagüe . . . . X 25
mez Cortina . . . . CY 28
ustria . . . . X 30
ante Juan Manuel (Avenida) . . . . DZ 33
endente Jorge Palacio (Av.) . . . . X 35
ac Albéniz . . . . X 37
oro de la Cierva . . . . DY 40
me I el Conquistador . . . . . X 42
sé Antonio Ponzoa . . . DY 44
an Carlos I (Av. de) . . . X 46
an XXIII (Plaza de) . . . X 48
vante (Ronda de) . . . . . X 50
ertad (Av. de la) . . . . . X 53
enciado Cascales . . . . DY 56
s Fontes Pagán . . . . . X 58
rcos Redondo . . . . . . CY 60
riano Vergara . . . . X 61
rqués de Corvera (Paseo) . . . . X 63
rtínez Tornel (Pl.) . . . . DZ 65

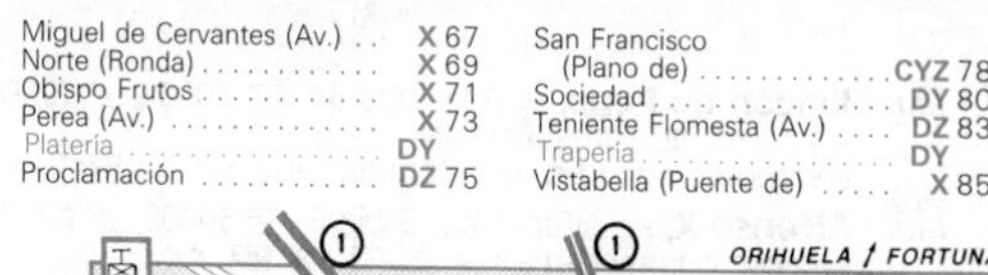

Miguel de Cervantes (Av.) . . X 67
Norte (Ronda) . . . . X 69
Obispo Frutos . . . . X 71
Perea (Av.) . . . . X 73
Platería . . . . DY
Proclamación . . . . DZ 75
San Francisco (Plano de) . . . . CYZ 78
Sociedad . . . . DY 80
Teniente Flomesta (Av.) . . . . DZ 83
Trapería . . . . DY
Vistabella (Puente de) . . . . . X 85

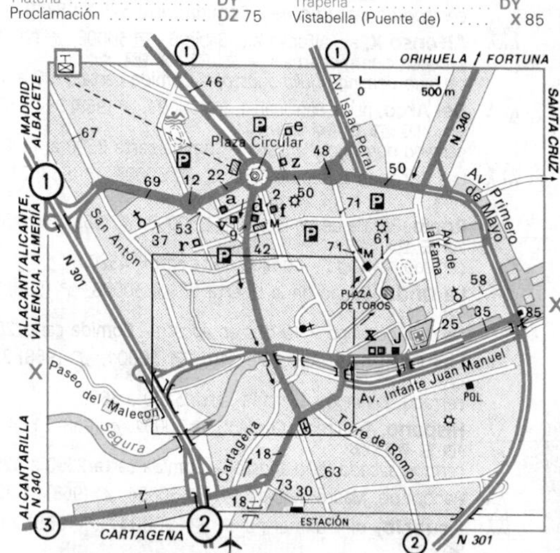

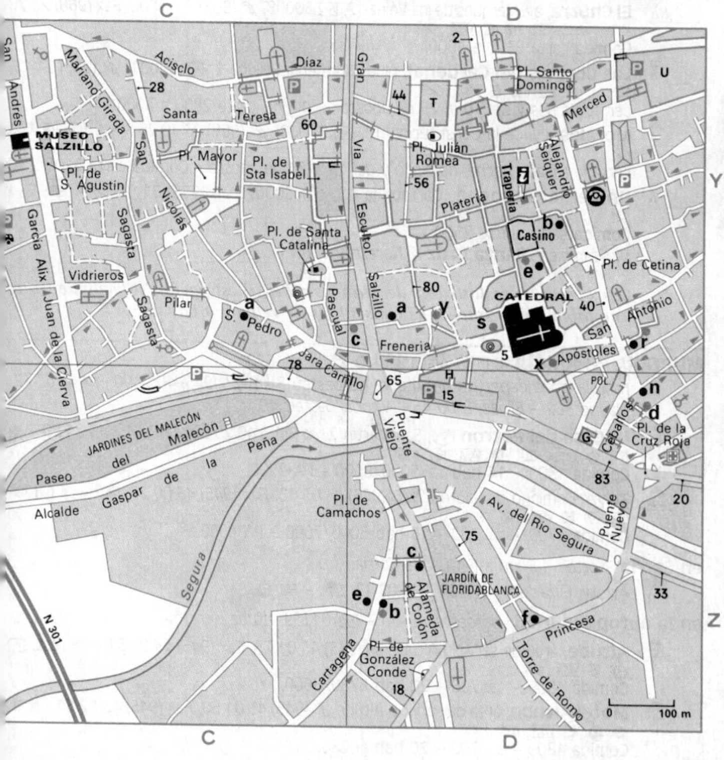

C D

X Y Z

C D

XXX **Rincón de Pepe,** pl. Apóstoles 34, ✉ 30001, ✆ (968) 21 22 39, *Fax (968) 22 17* – ▤ 🚗. AE ⓓ E VISA. ✈ DY
cerrado domingo noche – **Comida** carta 3750 a 5750.

XXX **Alfonso X,** av. Alfonso X el Sabio 8, ✉ 30008, ✆ (968) 23 10 66, *Fax (968) 24 26* « Decoración moderna » – ▤. AE ⓓ VISA. ✈ X
cerrado domingo (julio-agosto) – **Comida** carta 3700 a 4500.

XXX **Del Arco,** pl. de San Juan 1, ✉ 30003, ✆ (968) 21 04 55, *Fax (968) 22 08 09,* ☂ – 🚗. AE ⓓ E VISA JCB. ✈ DZ
cerrado domingo y agosto – **Comida** carta 2500 a 4200.

XXX Las Coronas, paseo de Garay 5, ✉ 30003, ✆ (968) 21 77 72, *Fax (968) 22 12 94* – 🚗 X

XX **Rocío,** Batalla de las Flores, ✉ 30008, ✆ (968) 24 29 30, *Fax (968) 23 76 61* – ▤. ⓓ E VISA. ✈ X
cerrado domingo – **Comida** carta aprox. 4500.

XX **La Onda,** Bando de la Huerta 8, ✉ 30008, ✆ (968) 24 78 82 – ▤. AE ⓓ E VI ✈ X
cerrado domingo y 10 días en agosto – **Comida** carta 2800 a 3300.

XX **Las Cadenas,** Apóstoles 10, ✉ 30001, ✆ (968) 22 09 24 – ▤. AE ⓓ E VI ✈ AY
cerrado domingo – **Comida** carta 3100 a 3600.

XX **Hispano,** Arquitecto Cerdá 7, ✉ 30001, ✆ (968) 21 61 52, *Fax (968) 21 68 59* – ▤. ⓓ E VISA. ✈ DY
cerrado sábado (julio-agosto) – **Comida** carta 2500 a 4200.

XX Pacopepe, Madre de Dios 14, ✉ 30004, ✆ (968) 21 95 87 – ▤ DY

XX **Acuario,** pl. Puxmarina 3, ✉ 30004, ✆ (968) 21 99 55 – ▤. AE ⓓ E VI ✈ DY
cerrado domingo y del 15 al 30 de agosto – **Comida** carta 2800 a 3400.

XX **El Churra,** av. Marqués de los Vélez 12, ✉ 30008, ✆ (968) 23 84 00, *Fax (968) 23 77* – ▤ 🚗. AE ⓓ E VISA. ✈ X
Comida carta 2300 a 3900.

X **Las Cocinas del Cardenal,** pl. del Cardenal Belluga 7, ✉ 30001, ✆ (968) 21 13 ☂ – ▤. AE ⓓ E VISA. ✈ DY
cerrado lunes y del 10 al 25 de agosto – **Comida** carta 2800 a 3000.

X **Morales,** av. de la Constitución 12, ✉ 30008, ✆ (968) 23 10 26 – ▤. AE ⓓ E V ✈ X
cerrado sábado noche, domingo y del 15 al 31 de agosto – **Comida** carta 3100 a 43

X **Universal Pacoche,** Cartagena 25, ✉ 30002, ✆ (968) 21 13 38 – ▤. E V ✈ DZ
Comida carta aprox. 2500.

Ver también : **Santa Cruz** X *Noreste : 9 km*

Dans certains restaurants de grandes villes, il est parfois difficile de trouv une table libre. Nous vous conseillons de retenir à l'avance.

MURGUÍA o **MURGIA** *01130 Álava* 442 **D 21** – *alt. 620.*

Zuia, zona deportiva de Altube, Noroeste : 5 km ✆ *(945) 40 32 90 Fax 40 31 72.*
Madrid 362 – Bilbao/Bilbo 45 – Vitoria/Gasteiz 19.

La Casa del Patrón ⛰, San Martín 2 ✆ (945) 46 25 28, *Fax (945) 46 24 80* – |‡| TV ☎ 🚗. AE ⓓ VISA. ✈ rest
Comida 1300 – **14 hab** ☕ 5000/8000 – PA 2500.

Zuya, Domingo de Sauto 32 ✆ (945) 43 03 00, *Fax (945) 43 00 27,* ☂ – |‡| TV ☎ AE ⓓ E VISA. ✈ rest
Comida 1700 – ☕ 700 – **15 hab** 5000/7000 – PA 4000.

en Sarria *Norte : 1,5 km – ✉ 01139 Sarria :*

XX Arlobi, Elizalde 21 ✆ (945) 43 02 12, ☂ – ▤ Ⓟ.

en la autopista A 68 *Noroeste : 5 km – ✉ 01139 Altube :*

Altube, área de servicio Altube ✆ (945) 43 01 73, *Fax (945) 43 02 51* – ▤ rest, TV Ⓟ. E VISA. ✈
Comida 1800 – ☕ 700 – **20 hab** 6780/8600.

Motel Altube, área de servicio Altube ✆ (945) 43 01 50, *Fax (945) 43 02 51* – ▤ re ☎ Ⓟ. E VISA. ✈
Comida 1800 – ☕ 700 – **20 hab** 10280.

URIEDAS *39600 Cantabria* 442 **B 18**.
Madrid 392 – Bilbao/Bilbo 102 – Burgos 149 – Santander 7.

Parayas sin rest, av. de la Concordia 6 ✆ (942) 25 13 00, *Fax (942) 36 19 36* – ☎ . E VISA.
▭ 600 – **26 hab** 6000/8500.

San Luis sin rest, av. de Bilbao 28 ✆ (942) 25 15 41, *Fax (942) 25 11 08* – ☎ P. AE E VISA.
▭ 250 – **22 hab** 7500/9500.

URO (Playa de) *Baleares – ver Baleares (Mallorca) : Puerto de Alcúdia.*

UROS *15250 La Coruña* 441 **D 2** – *10 178 h. – Playa.*
Madrid 674 – Pontevedra 97 – Santiago de Compostela 72.

Muradana, av. Castelao ✆ (981) 82 68 85 – ☎. VISA.
Comida 1300 – ▭ 350 – **16 hab** 5500/7500 – PA 2950.

UTRIKU *Guipúzcoa – ver Motrico.*

UXIKA *Vizcaya – ver Mújica.*

ÁJERA *26300 La Rioja* 442 **E 21** – *6 901 h. alt. 484.*
Ver : *Monasterio de Santa María la Real★ (claustro★★, iglesia : panteón real★, sepulcro de Blanca de Navarra★, coro alto : sillería★).*
Madrid 324 – Burgos 85 – Logroño 28 – Vitoria/Gasteiz 84.

AVA *33520 Asturias* 441 **B 13** – *5 564 h.*
Madrid 463 – Gijón 41 – Oviedo 32 – Santander 173.

Villa de Nava, carret. de Santander ✆ (98) 571 80 70, *Fax (98) 571 80 83* – rest, ☎ P. AE E VISA.
Comida 1500 – ▭ 600 – **39 hab** 8500/10500, 1 suite – PA 3500.

AVACERRADA *28491 Madrid* 444 **J 17** – *1 597 h. alt. 1 203 – Deportes de invierno en el Puerto de Navacerrada 8.*
Madrid 50 – El Escorial 21 – Segovia 35.

Nava Real, Huertas ✆ (91) 853 10 00, *Fax (91) 853 12 40*, « Decoración íntima en un ambiente acogedor » – ☎ – 25. AE E VISA.
Comida 2000 – ▭ 500 – **12 hab** 6000/7000 – PA 3500.

Ricardo, Audiencia ✆ (91) 853 11 23 – . E VISA.
cerrado lunes y del 15 al 30 de septiembre – **Comida** carta 3250 a 4050.

Felipe, av. de Madrid 2 ✆ (91) 856 08 34, *Fax (91) 856 08 34* – . AE E VISA.
Comida carta 2750 a 4750.

Asador Felipe, del Mayo 3 ✆ (91) 853 10 41, *Fax (91) 854 08 34*, , « Decoración castellana » – AE E VISA.
cerrado lunes – **Comida** carta 3150 a 4750.

La Galería, Iglesia 9 ✆ (91) 856 05 79 –
Comida - sólo almuerzo salvo verano y fines de semana -.

la carretera M 601 – ✉ *28491 Navacerrada :*

Arcipreste de Hita, Noroeste : 1,5 km ✆ (91) 856 01 25, *Fax (91) 856 02 70*, ≤ pantano y montañas, , , – , rest, ☎ P – 25/60. AE E VISA.
Comida 3000 – ▭ 800 – **40 hab** 10000/12000 – PA 6000.

La Fonda Real, Noroeste : 2 km ✆ (91) 856 03 05, *Fax (91) 856 05 40*, « Decoración castellana del siglo XVIII » – P. AE E VISA
Comida - sólo almuerzo salvo verano y fines de semana - carta 3900 a 4950.

Las Postas con hab, Suroeste : 1,5 km ✆ (91) 856 02 50, *Fax (91) 853 11 51*, ≤ – rest, ☎ P – 25/60. AE E VISA.
Comida *(cerrado lunes salvo mayo-septiembre)* carta 2700 a 3775 – ▭ 500 – **20 hab** 5600/8000.

el valle de La Barranca *Noreste : 3,5 km* – ✉ *28491 Navacerrada :*

La Barranca, pinar de La Barranca - alt. 1 470 ✆ (91) 856 00 00, *Fax (91) 856 03 52*, ≤, , – ☎ P – 25/35. E VISA. rest
Comida 3500 – **42 hab** ▭ 8500/11000, 2 suites – PA 6300.

NAVACERRADA (Puerto de) *28470 Madrid-Segovia* 444 **J 17** – *alt. 1860 – Deportes invierno : 8.*
Ver : Puerto★ (<★). – Madrid 7 – El Escorial 28 – Segovia 28.

Pasadoiro, carret. N 601 (91) 852 14 27, *Fax (91) 852 35 29,* < – TV P. AE E VISA rest – **Comida** 2250 – 375 – **36 hab** 5000/7000 – PA 4300.

NAVAL *22320 Huesca* 443 **F 30** – *303 h. alt. 637.*
Madrid 471 – Huesca 81 – Lérida/Lleida 108.

Olivera, San Miguel (974) 30 03 01, *Fax (974) 30 03 01,* <, – rest, VISA. – **Comida** 1450 – 450 – **30 hab** 3000/4700 – PA 3000.

NAVALCARNERO *28600 Madrid* 444 **L 17** – *10294 h. alt. 671.*
pl. del Teatro (Centro Cívico Doña María de Austria) (91) 811 00 65 Fax (91) 811 31 6
Madrid 32 – El Escorial 42 – Talavera de la Reina 85.

Real Villa de Navalcarnero, paseo San Damián 3 (91) 811 24 9 *Fax (91) 811 11 42,* <, – TV – 25/300. AE E VISA.
Comida 1500 – 450 – **36 hab** 6000/8000 – PA 3000.

Hostería de las Monjas, pl. de la Iglesia 1 (91) 811 18 19, , « Decoraci castellana » – . AE E VISA.
cerrado lunes y del 1 al 15 de agosto – **Comida** carta 3800 a 4600.

en la autovía N V – *28600 Navalcarnero :*

El Labrador G.H., Suroeste : 5 km (91) 813 94 20, *Fax (91) 813 94 44,* – P. AE VISA.
Comida 1350 – **82 hab** 4800/7000.

Felipe IV, Este : 3 km (91) 811 09 13, *Fax (91) 811 09 13,* – P.

NAVALENO *42149 Soria* 442 **G 20** – *973 h. alt. 1200.*
Madrid 219 – Burgos 97 – Logroño 108 – Soria 48.

El Maño, Calleja del Barrio 5 (975) 37 42 61
. VISA.
cerrado lunes noche y 2ª quincena de enero – **Comida** carta 2050 a 3400.

NAVALMORAL DE LA MATA *10300 Cáceres* 444 **M 13** – *15211 h. alt. 514.*
Madrid 180 – Cáceres 121 – Plasencia 69.

Brasilia, antigua carret. N V (927) 53 07 50, *Fax (927) 53 07 54,* – TV P. VI rest
Comida 2100 – 350 – **43 hab** 4650/7400.

Los Arcos de Baram, Regimiento Argel 6 (927) 53 30 60 – . E VISA.
Comida carta 2600 a 3400.

Las NAVAS DEL MARQUÉS *05230 Ávila* 442 **K 17** – *4087 h. alt. 1318.*
Madrid 81 – Ávila 40 – El Escorial 26.

Excelsior, av. de Aniceto Marinas 26 (91) 897 14 14, *Fax (91) 897 14 52* – . VISA.
Comida 1200 – 500 – **36 hab** 4500/7000 – PA 2500.

Montecarlo, García del Real 22 (91) 897 06 49, *Fax (91) 897 12 08* – . VISA.
Comida carta 2100 a 2900.

NAVIA *33710 Asturias* 441 **B 9** – *8914 h. – Playa.*
El Muelle 3 (98) 547 37 95 (temp).
Madrid 565 – La Coruña/A Coruña 203 – Gijón 118 – Oviedo 122.

Palacio Arias sin rest, av. José Antonio 11 (98) 547 36 75, *Fax (98) 547 36 8* « Antiguo palacete » – TV P. AE E VISA.
16 hab 7000/14000.

Blanco, La Colorada - Norte : 1 km (98) 563 07 75, *Fax (98) 547 32 01,* – rest, TV P – 25/300. AE E VISA.
Comida 1400 – 600 – **38 hab** 4000/8000 – PA 3400.

Palacio Arias II, av. José Antonio 11 (98) 547 36 75, *Fax (98) 547 36 83* – TV P. AE E VISA.
Comida 1000 – 500 – **29 hab** 4500/7400, 4 apartamentos – PA 2500.

El Sotanillo, Mariano Luiña 24 (98) 563 08 84 – AE E VISA.
Comida carta 2600 a 4400.

A XAMENA (Urbanización) *Baleares – ver Baleares (Ibiza) : San Miguel.*

EGREIRA *15830 La Coruña* 441 **D 3** – *6 265 h. alt. 183.*
Madrid 633 – La Coruña/A Coruña 92 – Santiago de Compostela 20.

Tamara, carret. de Santiago 81 ☎ (981) 88 52 01, *Fax (981) 88 58 13* – AE E VISA. – **Comida** 800 – 300 – **40 hab** 3000/5000, 22 apartamentos – PA 1500.

EGURI *Vizcaya – ver Getxo.*

ERJA *29780 Málaga* 446 **V 18** – *14 334 h. – Playa.*
Alred. : *Cueva de Nerja★★ Noreste : 4 km – Carretera★ de Nerja a La Herradura ★★.*
Puerta del Mar 2 ☎ (95) 252 15 31 Fax (95) 252 62 87.
Madrid 549 – Almería 169 – Granada 120 – Málaga 52.

Parador de Nerja, Almuñécar 8 ☎ (95) 252 00 50, *Fax (95) 252 19 97,* mar, « Césped frente al mar », – 25/80. AE E VISA.
Comida 3500 – 1300 – **73 hab** 15200/19000.

Perla Marina, Mérida 7 ☎ (95) 252 33 50, *Fax (95) 252 40 83,* – 25/180. AE E VISA. rest
Comida - sólo cena buffet - 1500 – 700 – **106 hab** 7000/12000.

Plaza Cavana, pl. Cavana 10 ☎ (95) 252 40 00, *Fax (95) 252 40 08,* – 25/175. E VISA.
Comida - sólo cena - 1700 – **35 hab** 11000/14500.

Balcón de Europa, paseo Balcón de Europa 1 ☎ (95) 252 08 00, *Fax (95) 252 44 90,* – 25/100. AE E VISA. rest
Comida 2300 – 900 – **105 hab** 12350/17000 – PA 4500.

Jimesol, Chaparil 6 ☎ (95) 252 58 88, *Fax (95) 252 58 88,* – E VISA.
Comida 1575 – **51 hab** 9975/12600 – PA 3150.

Don Peque sin rest, Diputación Provincial 13-1º ☎ (95) 252 13 18 – E VISA.
400 – **10 hab** 5500.

Estrella del Mar, Bella Vista 5 ☎ (95) 252 04 61,
marzo-octubre – **Comida** - sólo cena en invierno - 975 – 350 – **12 hab** 3800/4800.

De Miguel, Pintada 2 ☎ (95) 252 29 96 – E VISA.
marzo-15 noviembre – **Comida** *(cerrado lunes)* - sólo cena - carta 3350 a 4100.

Pepe Rico, Almirante Ferrándiz 28 ☎ (95) 252 02 47, *Fax (95) 252 44 98,* – E VISA.
cerrado martes, del 1 al 15 de diciembre y del 16 al 31 de enero – **Comida** carta 2200 a 3500.

Verano Azul, Almirante Ferrándiz 31, – AE E VISA.
cerrado miércoles y 15 noviembre-15 diciembre – **Comida** carta 2025 a 3100.

IGRÁN *36350 Pontevedra* 441 **F 3**.
Madrid 619 – Orense/Ourense 108 – Pontevedra 44 – Vigo 17.

Los Abetos, av. Val Niñor 89 (carret. C 550) ☎ (986) 36 81 47, *Fax (986) 36 55 67,* – AE E VISA.
Comida carta 2600 a 4250.

OALLA *36990 Pontevedra* 441 **E 3** – *Playa.*
Madrid 633 – Pontevedra 27 – Santiago de Compostela 79.

n la playa de La Lanzada *Oeste : 1,3 km – ✉ 36990 Noalla :*

Delfín Azul, ☎ (986) 74 51 66, *Fax (986) 74 48 09,* – E VISA.
Comida 1800 – **87 hab** 6400/8800 – PA 4320.

OIA *La Coruña – ver Noya.*

OJA *39180 Cantabria* 442 **B 19** – *1 562 h. – Playa.*
Madrid 422 – Bilbao/Bilbo 79 – Santander 44.

n la playa de Ris *Noroeste : 2 km – ✉ 39184 Ris :*

Torre Cristina , La Sierra 9 ☎ (942) 67 54 20, *Fax (942) 63 10 24,* rest, VISA.
15 junio-15 septiembre – **Comida** 1300 – 400 – **49 hab** 7200/10800 – PA 2500.

La Encina, av. de Ris 75 ☎ (942) 63 01 41, *Fax (942) 63 01 41,*
47 hab.

Las Dunas, paseo Marítimo 4 ☎ (942) 63 01 23, *Fax (942) 63 01 08,* ≤, ⛱ – |‡| TV ☎ Ⓟ. ✻
Semana Santa-octubre – **Comida** *(junio-septiembre)* 1200 – ☐ 350 – **72 hab** 7500/950
– PA 2200.

Los Nogales, av. de Ris 21 ☎ (942) 63 02 65, *Fax (942) 63 02 65* – |‡| TV ☎ Ⓟ
temp – **42 hab.**

Montemar ⛰, Arenal 21 ☎ (942) 63 03 20, *Fax (942) 63 03 20,* ⛱ – |‡|, ▤ rest, TV ☎ Ⓟ. E VISA. ✻
15 junio-15 septiembre – **Comida** 1700 – ☐ 650 – **61 hab** 5250/8500 – PA 2750.

NOREÑA *33180 Asturias* 441 **B 12** – *4 193 h.*
Madrid 447 – Oviedo 12.

Doña Nieves sin ☐, Pío XII-4 ☎ (98) 574 02 74, *Fax (98) 574 12 71* – |‡| TV ☎. AE ⓞ E VISA. ✻
Comida (en el Hotel ***Cabeza***) – **27 hab** 6000/7700.

Cabeza, Javier Lauzurica 4 ☎ (98) 574 02 74, *Fax (98) 574 12 71* – |‡| TV ☎ 🚗. AE ⓞ E VISA. ✻
Comida *(cerrado domingo)* 1700 – ☐ 550 – **48 hab** 6000/7700 – PA 3950.

NOVO SANCTI PETRI (Urbanización) *Cádiz – ver Chiclana de la Frontera.*

NOYA o **NOIA** *15200 La Coruña* 441 **D 3** – *14 082 h.*
Ver : *Iglesia de San Martín*★.
Alred. : *Oeste : Rías de Muros y Noya*★★.
Madrid 639 – La Coruña/A Coruña 109 – Pontevedra 62 – Santiago de Compostela 3

Park ⛰, carret. de Muros-Barro ☎ (981) 82 37 29, *Fax (981) 82 31 33,* ≤, ⛱ – TV ☎ Ⓟ. E VISA. ✻
Comida 1600 – ☐ 600 – **70 hab** 7000/9400 – PA 3200.

Ceboleiro con hab, Galicia 15 ☎ (981) 82 44 97, *Fax (981) 82 44 97* – ▤ rest, TV ☎ AE ⓞ E VISA. ✻
Comida carta 2200 a 4500 – ☐ 300 – **13 hab** 4000/8000.

La NUCÍA o **La NUCIA** *03530 Alicante* 445 **Q 29** – *6 106 h. alt. 85.*
Madrid 450 – Alicante/Alacant 56 – Gandía 64.

en la carretera de Benidorm *Sur : 4,5 km y desvío a la derecha 1 km* – ✉ *03530 La Nucía*

Kaskade I, urb. Panorama III ☎ (96) 587 31 40, *Fax (96) 587 34 48,* ⛱, ⛱, ✻ – Ⓟ E VISA. ✻
cerrado del 1 al 15 de diciembre – **Comida** carta 2040 a 3085.

NUESTRA SEÑORA DE LA SALUT (Santuario de) *Gerona* 443 **F 37** – ✉ *17174 Sant Feliu de Pallerols.*
Madrid 706 – Barcelona 122 – Gerona/Girona 59 – Vic 37.

De La Salut ⛰, ☎ (972) 44 40 06, *Fax (972) 44 44 87,* « Magnífica situación con montañas y valle » – |‡| TV ☎ ♿ Ⓟ. AE ⓞ E VISA. ✻
Comida 1375 – ☐ 600 – **30 hab** 3600/7200 – PA 2750.

NUEVA DE LLANES *33592 Asturias* 441 **B 15.**
Madrid 495 – Cangas de Onís 31 – Gijón 77 – Llanes 20 – Oviedo 92 – Ribadesella 10

Cuevas del Mar sin rest, pl. de Laverde Ruiz ☎ (98) 541 03 77, *Fax (98) 541 03 78* |‡| TV ☎. AE ⓞ E VISA
cerrado en invierno salvo fines de semana – **12 hab** ☐ 8000/10950.

Playa San Antonio, Ovio - Norte : 1,5 km ☎ (98) 541 03 43, *Fax (98) 541 01 95* – TV ☎ Ⓟ. AE ⓞ E VISA. ✻ rest
cerrado enero-febrero – **Comida** 1000 – **25 hab** ☐ 6000/8500 – PA 2300.

NUEVA EUROPA (Urbanización) *Las Palmas – ver Canarias (Gran Canaria) : Maspalomas*

NULES *12520 Castellón* 445 **M 29** – *11 510 h. alt. 15.*
Madrid 402 – Castellón de la Plana/Castelló de la Plana 19 – Teruel 125 – Valencia 5

Barbacoa, carret. de Burriana ☎ (964) 67 05 04 – ▤ Ⓟ. AE ⓞ VISA. ✻
cerrado domingo noche, lunes noche y agosto – **Comida** carta 1600 a 3500.

CHAGAVÍA *31680 Navarra* 442 **D 26** – *591 h. alt. 765.*
Madrid 472 – Bayonne 119 – Pamplona/Iruñea 75 – Tudela 165.

Auñamendi, pl. Gurpide 1 ✆ (948) 89 01 89, *Fax (948) 89 01 89* – rest, . *cerrado 2ª quincena de septiembre* – **Comida** 1600 – 500 – **11 hab** 6800.

CHANDIANO u **OTXANDIO** *48210 Vizcaya* 442 **C 22**.
Madrid 377 – Bilbao/Bilbo 50 – Vitoria/Gasteiz 23.

María Jesús, pl. Nagusia 15 ✆ (945) 45 00 28.

IARTZUN *Guipúzcoa – ver Oyarzun.*

IEREGI *Navarra – ver Oyeregui.*

ION *Álava – ver Oyón.*

JEDO *39585 Cantabria* 442 **C 16**.
Madrid 398 – Aguilar de Campóo 81 – Santander 111.

Infantado, carret. N 621 ✆ (942) 73 09 39, *Fax (942) 73 05 78,* – , rest, . **Comida** 2000 – 500 – **46 hab** 6000/9100, 2 suites – PA 4500.

Peña Sagra, cruce carret. N 621 y N 627 ✆ (942) 73 07 92, *Fax (942) 73 07 96* – . **Comida** 1070 – **25 hab** 5565/8560 – PA 2400.

Martín, carret. N 621 ✆ (942) 73 07 00, *Fax (942) 73 02 33,* – . *cerrado 10 diciembre-10 febrero* – **Comida** carta 1800 a 2750.

JÉN *29610 Málaga* 446 **W 15** – *1 976 h. alt. 780.*
Madrid 610 – Algeciras 85 – Málaga 64 – Marbella 8.

n la Sierra Blanca *Noroeste : 10 km por C 337 y carretera particular – ✉ 29610 Ojén :*

Refugio de Juanar , ✆ (95) 288 10 00, *Fax (95) 288 10 01,* « Refugio de caza », , , – . **Comida** 3150 – 950 – **27 hab** 8400/10700 – PA 6450.

LABERRÍA *20212 Guipúzcoa* 442 **C 23** – *1 078 h. alt. 332.*
Madrid 419 – Pamplona/Iruñea 65 – San Sebastián/Donostia 42 – Vitoria/Gasteiz 72.

n la carretera N I *Noroeste : 2,4 km – ✉ 20212 Olaberría :*

Castillo, ✆ (943) 88 19 58, *Fax (943) 88 34 60* – . rest **Comida** *(cerrado domingo noche)* 1500 – **35 hab** 6500/8700 – PA 3700.

LAVE u **OLABE** *31799 Navarra* 442 **D 25**.
Madrid 411 – Bayonne 106 – Pamplona/Iruñea 12.

Sarasate, carret. N 121-A ✆ (948) 33 08 20 . *cerrado domingo noche y lunes* – **Comida** carta aprox. 4500.

LEIROS *15173 La Coruña* 441 **B 5** – *18 727 h. alt. 79.*
Madrid 580 – La Coruña/A Coruña 8 – Ferrol 24 – Santiago de Compostela 78.

El Refugio, pl. de Galicia 11 ✆ (981) 61 08 03, *Fax (981) 63 14 80* – . *cerrado domingo noche y del 11 al 30 de septiembre* – **Comida** carta aprox. 6500.

LITE *31390 Navarra* 442 **E 25** – *3 049 h. alt. 380.*
Ver *: Castillo de los Reyes de Navarra★ – Iglesia de Santa María la Real (fachada★).*
pl. Carlos III el Noble ✆ (948) 71 24 34 Fax (948) 71 24 34.
Madrid 370 – Pamplona/Iruñea 43 – Soria 140 – Zaragoza 140.

Parador de Olite , pl. de los Teobaldos 2 ✆ (948) 74 00 00, *Fax (948) 74 02 01,* « Instalado parcialmente en el antiguo castillo de los Reyes de Navarra » – – 25/100. rest **Comida** 3500 – 1300 – **43 hab** 13200/16500 – PA 6640.

Merindad de Olite, Rua de la Judería 11 ✆ (948) 74 02 13, Fax (948) 74 07 35 –
TV ☎. AE ⓓ E VISA. ✂
Comida (cerrado domingo noche y 15 días en noviembre) 1800 – ☕ 600 – **10 ha**
6000/7500 – PA 3800.

Carlos III el Noble, Rua de Medios 1 ✆ (948) 74 06 44, Fax (948) 71 24 67 – TV ☎
AE ⓓ E VISA. ✂
Comida 1900 – ☕ 700 – **13 hab** 5500/8000.

Casa Zanito con hab, Rua Mayor 16 ✆ (948) 74 00 02, Fax (948) 71 20 87 –
☎. AE ⓓ E VISA. ✂
cerrado 20 diciembre-10 enero – **Comida** *(cerrado lunes noche y martes)* carta 3575
4700 – **15 hab** ☕ 6500/8500.

OLIVA *46780 Valencia* 445 **P 29** – *20 311 h. – Playa.*

Olivanova, Sureste : 6 km ✆ (96) 285 59 75 Fax (96) 285 59 75.

passeig Lluís Vives ✆ (96) 285 55 28 Fax (96) 285 55 28.

Madrid 424 – Alicante/Alacant 101 – Gandía 8 – Valencia 76.

en la playa *Este : 3 km – ✉ 46780 Oliva :*

Pau-Pi sin rest, Roger de Lauria 2 ✆ (96) 285 12 02, Fax (96) 285 10 49 – ☎ P. ⓓ
VISA
☕ 575 – **38 hab** 3450/6800.

Kiko Port, ✆ (96) 285 61 52, Fax (96) 285 43 20, « Frente al puerto deportivo c
mar » – P. E VISA. ✂
Comida carta 3000 a 5000.

Soqueta, ✆ (96) 285 14 52, – .

por la carretera de Alicante *al borde del mar - Sureste : 6 km – ✉ 46780 Oliva :*

Oliva Nova Golf , apartado 31 ✆ (96) 285 33 00, Fax (96) 285 51 08,
« Bonito conjunto con jardines y frente al mar », , – TV ☎ P
25/400. AE ⓓ E VISA. ✂
Comida 2900 – **90 hab** ☕ 13100/21000, 88 apartamentos – PA 5900.

La OLIVA (Monasterio de) *31310 Navarra* 442 **E 25.**

Ver : *Monasterio★ (iglesia★★, claustro★).*

Madrid 366 – Pamplona/Iruñea 73 – Zaragoza 117.

L'OLLERÍA *46850 Valencia* 445 **P 28** – *6 791 h. alt. 232.*

Madrid 388 – Albacete 137 – Aicante/Alacant 96 – Valencia 73.

San Miguel, av. Diputación 6 ✆ (96) 220 03 59, Fax (96) 220 02 87 – TV ☎
24 hab.

OLOCAU *46169 Valencia* 445 **M 28** – *568 h.*

*Madrid 356 – Aicante/Alacant 218 – Castellón de la Plana/Castelló de la Plana 77 – Ter
112 – Valencia 35.*

L'Arquet, av. Font de Frare 4 ✆ (96) 273 98 14, Fax (96) 273 98 14 – TV ☎. E V
✂
Comida 1500 – ☕ 450 – **5 hab** 5500/7500.

OLOST u **OLOST DE LLUÇANÉS** *08516 Barcelona* 443 **G 36** – *960 h. alt. 669.*

Madrid 618 – Barcelona 85 – Gerona/Girona 98 – Manresa 71.

Sala con hab, pl. Major 17 ✆ (93) 888 01 06, Fax (93) 812 90 68 – rest, TV ☎. AE
E VISA. ✂
cerrado del 1 al 14 de septiembre – **Comida** *(cerrado domingo noche)* carta 3650 a 59
– ☕ 600 – **12 hab** 3000/6000
Espec. Canelón de trufas frescas con una emulsión de faisán en su jugo (noviemb
marzo). Salteado de habas con gambas y ajos tiernos. Becada en salmis (noviemb
febrero).

*Si vous cherchez un hôtel tranquille,
consultez d'abord les cartes de l'introduction
ou repérez dans le texte les établissements indiqués avec le signe ou*

OLOT

t Maduixa . . . . BY 2
mèrica (Pl.) . . . . AZ 4
nselm Clavé (Av.) . . . . . . BZ 5
ntoni Llopis . . . . BY 6
alears (Av.) . . . . AZ 8
almes (Pl.) . . . . AY 9
sbe Guillamet
(Pg.) . . . . AY 10
sbe Vilanova . . . . ABZ 12

Blay (Pg.) . . . . BY 13
Cal Russet (Pont de) . . . . BZ 14
Carme . . . . BY 15
Carme (Pl.) . . . . BY 16
Cuba (Av.) . . . . AZ 20
Dels Sastres . . . . BY 21
Dr. Joaquim Danés
(Av.) . . . . AY 22
Esglayers . . . . BY 26
Major . . . . BY 32
Major (Pl.) . . . . BY 34
Mig (Pl. del) . . . . BY 36

Pont Nou . . . . BY 37
República Argentina
(Av.) . . . . AZ 38
Santa Pau (Ctra) . . . . BZ 40
Sant Esteve . . . . BY 41
Sant Rafel . . . . ABY
Serra i Ginesta . . . . BY 42
Sureda Sabina . . . . BY 44
Valls Nous . . . . BY 46
Vayreda (Pl.) . . . . BZ 48
Vayreda Marià . . . . BY 50
Verge de Montserrat . . . . BZ 52

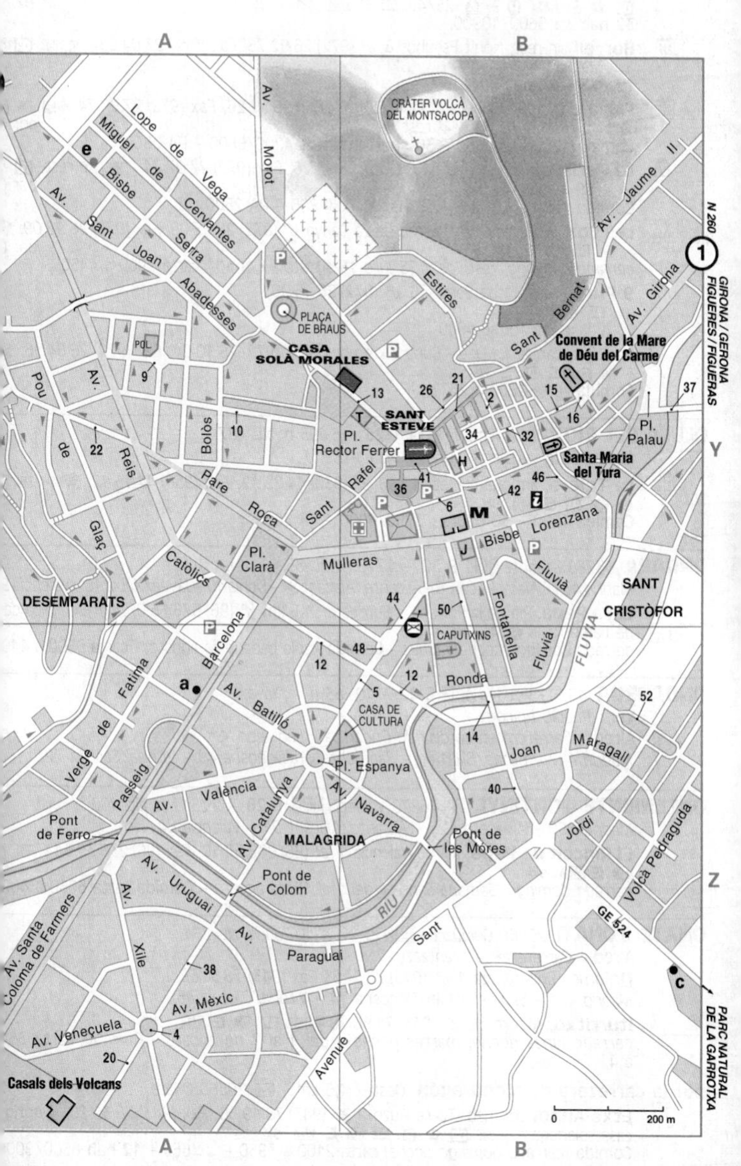

OLOT *17800 Gerona* 443 **F 37** – *26 613 h. alt. 443.*
Ver : *Iglesia de Sant Esteve★ (cuadro de El Greco★)* BY, *Museo Comarcal de la Garrotxa* BY **M** – *Casa Solá-Morales (fachada modernista★★)* BY.
Alred. : *Parque Natural de la Zona volcánica de la Garrotxa★.*
Lorenzana 15 (972) 26 01 41 Fax (972) 27 00 56.
Madrid 700 ② – Barcelona 130 ② – Gerona/Girona 55 ①
Planos páginas precedentes

Riu Olot sin rest, carret. de Santa Pau (972) 26 94 44, *Fax (972) 26 67 03*, ≤ – 25/40. VISA. BZ
32 hab 8600/10900.

Borrell sin rest, Nónit Escubós 8 (972) 26 92 75, *Fax (972) 27 04 08* – . VISA. AZ
875 – **24 hab** 4700/7950.

Perla d'Olot, av. Santa Coloma 97 (972) 26 23 26, *Fax (972) 27 07 74* – . VISA. rest por
Comida 1280 – 550 – **30 apartamentos** 4200/6800 – PA 2500.

La Perla, carret. La Deu 9 (972) 26 23 26, *Fax (972) 27 07 74* – , rest, . VISA. por
Comida 1280 – 550 – **30 hab** 2400/4800 – PA 2500.

Les Cols, Mas Les Cols - carret. de La Canya (972) 26 92 09, *Fax (972) 26 92 09*, – . VISA JCB por
cerrado domingo, festivos y 25 julio-15 agosto – **Comida** carta 2900 a 4450.

9 Purgatori, Bisbe Serra 56 (972) 26 16 06
. VISA. AY
Comida carta aprox. 4000.

La Deu, carret. La Deu - Sur : 2 km por ② (972) 26 10 04, *Fax (972) 26 64 36*,
– . VISA.
Comida carta 2000 a 2675.

OLULA DEL RÍO *04860 Almería* 446 **T 23** – *5 695 h. alt. 487.*
Madrid 528 – Almería 116 – Murcia 142.

La Tejera, antigua carret. N 336 (950) 44 22 12, *Fax (950) 44 15 12*, –
. VISA.
Comida 1200 – **36 hab** 3750/6000 – PA 2650.

ONDARA *03760 Alicante* 445 **P 30** – *4 776 h. alt. 35.*
Madrid 431 – Alcoy/Alcoi 88 – Alicante/Alacant 84 – Denia 10 – Jávea/Xàbia 16 – Valencia 9

Casa Pepa, Pla de la Font 87 - Suroeste : 1,5 km (96) 576 66 06, , « Típica ca de campo » – . VISA.
cerrado domingo noche y lunes – **Comida** - sólo cena (julio-agosto) - carta 3500 a 440

ONDÁRROA *48700 Vizcaya* 442 **C 22** – *10 265 h. – Playa.*
Ver : *Pueblo típico★.*
Alred. : *Carretera en cornisa de Ondárroa a Lequeitio ≤★.*
Madrid 427 – Bilbao/Bilbo 61 – San Sebastián/Donostia 49 – Vitoria/Gasteiz 72.

ONTENIENTE u **ONTINYENT** *46870 Valencia* 445 **P 28** – *29 511 h. alt. 400.*
Madrid 369 – Albacete 122 – Alicante/Alacant 91 – Valencia 84.

El Rincón de Pepe, av. de Valencia 1 (96) 238 32 10, *Fax (96) 238 30 51* – .
VISA.
cerrado domingo, Semana Santa y del 1 al 15 de agosto – **Comida** carta 3050 a 400

OÑATE u **OÑATI** *20560 Guipúzcoa* 442 **C 22** – *10 264 h. alt. 231.*
Alred. : *Carretera★ a Arantzazu.*
Foruen Enparantza 4 (943) 78 34 53 Fax (943) 78 30 69.
Madrid 401 – San Sebastián/Donostia 74 – Vitoria/Gasteiz 45.

Iturritxo, Atzeko 32 (943) 71 60 78 – . VISA
cerrado lunes noche, martes noche y del 1 al 7 de agosto – **Comida** carta 35 a 4100.

por la carretera de Mondragón *Oeste : 1,5 km – ✉ 20560 Oñate :*

Etxe-Aundi con hab, Torre Auzo 9 (943) 78 19 56, *Fax (943) 78 32 90*, « Antig casa solariega » – . VISA.
Comida *(cerrado domingo noche)* carta 2100 a 3950 – 650 – **12 hab** 6500/800

n la crretera de Aránzazu Suroeste : 2 km – ✉ 20560 Oñate :

Soraluze 🦢, ☎ (943) 71 61 79, Fax (943) 71 60 70, ← – ▤ rest, TV ☎ P. AE E VISA. ✈ rest
Comida (cerrado domingo noche) 1000 – ☕ 550 – **12 hab** 6000/7550 – PA 2165.

RDENES u ORDES 15680 La Coruña 441 C 4 – 11 693 h.

Madrid 599 – La Coruña/A Coruña 39 – Santiago de Compostela 27.

Nogallas, Alfonso Senra 110 ☎ (981) 68 01 55, *Fax (981) 68 01 31* – |$| TV ☎. AE E VISA. ✈
Comida 1400 – ☕ 350 – **38 hab** 3500/5500 – PA 3000.

RDESA Y MONTE PERDIDO (Parque Nacional de) *Huesca* 443 E 29 y 30 – *alt. 1 320.*

Ver : *Parque Nacional★★★.*

Madrid 490 – Huesca 100 – Jaca 62.
Hoteles y restaurantes ver : **Torla** *Suroeste : 8 km.*

RDINO *Andorra – ver Andorra (Principado de).*

RDICIA u ORDIZIA *20240 Guipúzcoa* 442 C 23 – *8 966 h.*

Madrid 421 – Beasain 2 – Pamplona/Iruñea 68 – San Sebastián/Donostia 40 – Vitoria/Gasteiz 71.

Martínez, Santa María 10 ☎ (943) 88 06 41 – ▤. E VISA. ✈
cerrado lunes y agosto – **Comida** carta 2950 a 4200.

RDUÑA *48460 Vizcaya* 442 D 20 – *4 194 h. alt. 283.*

Alred. : *Sur : Carretera del Puerto de Orduña ✳★.*

Madrid 357 – Bilbao/Bilbo 41 – Burgos 111 – Vitoria/Gasteiz 40.

RENSE u OURENSE *32000* P 441 E 6 – *108 382 h. alt. 125.*

Ver : *Catedral★ (Pórtico del Paraíso★★)* AY **B** – *Museo Arqueológico y de Bellas Artes (Camino del Calvario★)* AZ **M** – *Claustro de San Francisco★* AY.

Excurs. : *Ribas de Sil (Monasterio de San Esteban : paraje★) 27 km por ② - Gargantas del Sil★ 26 km por ②.*

ℹ *Curros Enríquez 1 (Torre de Orense) ☎ (988) 37 20 20* – **R.A.C.E.** ☎ *900 20 00 93.*

Madrid 499 ④ – Ferrol 198 ① – La Coruña/A Coruña 183 ① – Santiago de Compostela 111 ① – Vigo 101 ⑤

Plano página siguiente

G.H. San Martín sin rest. con cafetería, Curros Enríquez 1, ✉ 32003, ☎ (988) 37 18 11, *Fax (988) 37 21 38* – |$| ▤ TV ☎ 🚗 – 🏛 25/250. AE ⊙ E VISA. ✈ — AY a
☕ 1400 – **89 hab** 13390/16740, 1 suite.

Francisco II sin rest, Bedoya 17, ✉ 32003, ☎ (988) 24 20 95, *Fax (988) 24 24 16* – |$| ▤ TV ☎ 🚗 – 🏛 25/100. AE E VISA. ✈ — AY e
80 hab ☕ 8000/11000.

Padre Feijoó sin rest, Cruz Vermella 2, ✉ 32005, ☎ (988) 22 31 04, *Fax (988) 22 31 00* – |$| TV ☎. ⊙ E VISA. ✈ — AY p
☕ 500 – **71 hab** 4000/6250.

Altiana sin rest. con cafetería, Ervedelo 14, ✉ 32002, ☎ (988) 37 09 52, *Fax (988) 37 01 28* – |$| TV ☎ – 🏛 25/40. ⊙ VISA. ✈ — AY u
☕ 500 – **32 hab** 3400/5000.

Sanmiguel, San Miguel 12, ✉ 32005, ☎ (988) 22 12 45, *Fax (988) 24 27 49* – ▤ 🚗. AE ⊙ E VISA JCB. ✈ — AY s
cerrado 10 enero-1 febrero – **Comida** carta 3700 a 5275.

Martín Fierro, Sáenz Díez 17, ✉ 32003, ☎ (988) 37 26 43, *Fax (988) 37 22 63* – ▤ P. AE ⊙ E VISA JCB. ✈ — AY b
cerrado domingo – **Comida** carta 2000 a 3900.

Zarampallo con hab, Hermanos Villar 29, ✉ 32005, ☎ (988) 23 00 08, *Fax (988) 23 00 08* – |$|, ▤ rest, TV ☎. AE ⊙ E VISA. ✈ — AY c
Comida *(cerrado domingo noche)* carta 2800 a 3700 – ☕ 500 – **14 hab** 3500/6000.

Ver también : **La Derrasa** *por ③ : 10 km.*

OURENSE/ORENSE

Alfonso R. Castelao . . . . B 2
Barreira . . . . AZ 3
Basilio Álvarez . . . . B 4
Bedoya . . . . AY
Buenos Aires (Av. de) . . . . . B 5
Cabeza de Manzaneda . . . . AZ 6
Caldas (Av. de As) . . . . B 7
Capitán Eloy . . . . AY
Cardenal Quiroga Palacios . . . . . . AY 9
Coronel Ceano Vivas . . . . . AY 1
Cruz Vermella . . . . AY 1

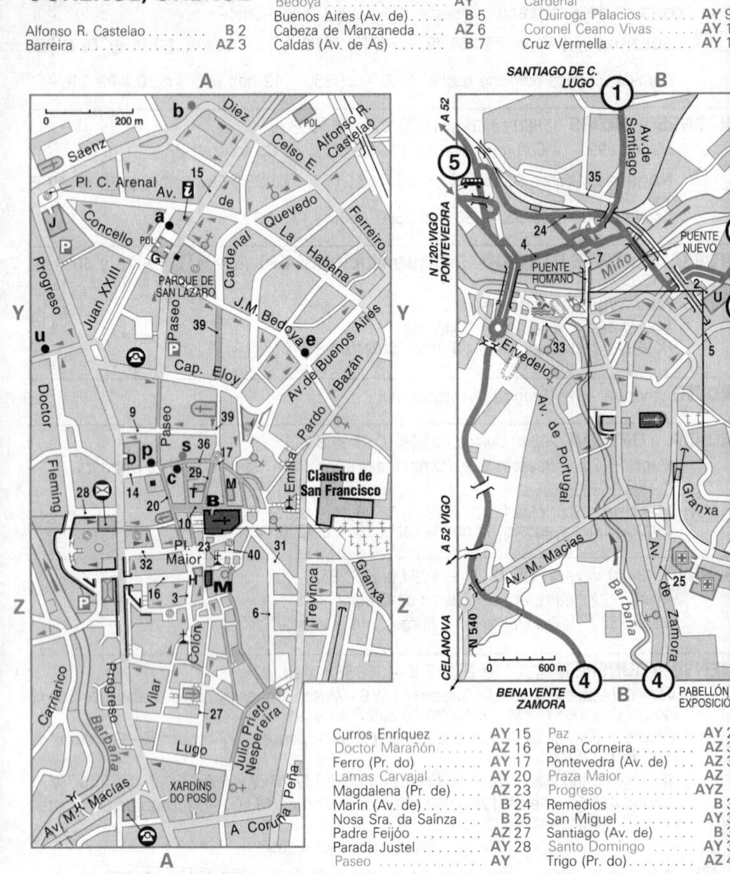

Curros Enríquez . . . . . . AY 15
Doctor Marañón . . . . . . AZ 16
Ferro (Pr. do) . . . . AY 17
Lamas Carvajal . . . . AY 20
Magdalena (Pr. de) . . . . AZ 23
Marín (Av. de) . . . . B 24
Nosa Sra. da Saínza . . . B 25
Padre Feijóo . . . . AZ 27
Parada Justel . . . . AY 28
Paseo . . . . AY
Paz . . . . AY 2
Pena Corneira . . . . AZ 3
Pontevedra (Av. de) . . . AZ 3
Praza Maior . . . . AZ
Progreso . . . . AYZ
Remedios . . . . B 3
San Miguel . . . . AY 3
Santiago (Av. de) . . . . . B 3
Santo Domingo . . . . . . AY 3
Trigo (Pr. do) . . . . AZ 4

Le Guide change, changez de guide Michelin tous les ans.

ORGAÑA u **ORGANYÀ** *25794 Lérida* **443** **F 33** – *1 049 h. alt. 558.*

Alred. : *Garganta de Tresponts*★★ *Norte : 2 km – Embalse de Oliana*★ *Sur : 6 km – C... de Nargó (iglesia de Sant Climent*★★*) Sur : 6 km.*

pl. Homilies ✆ (973) 38 20 02 Fax (973) 38 35 36 (temp).

Madrid 579 – Lérida/Lleida 110 – Seo de Urgel/La Seu d'Urgell 23.

ÓRGIVA *18400 Granada* **446** **V 19** – *4 994 h. alt. 450.*

Madrid 485 – Almería 121 – Granada 55 – Málaga 121.

Taray Alpujarra, carret. A 348 - Sur : 1 km ✆ (958) 78 45 25, *Fax (958) 78 45 3...* – ... AE VISA.
Comida 1600 – **27 hab** 6000/8200 – PA 2880.

Alpujarras, El Empalme ✆ (958) 78 55 49, *Fax (958) 78 43 90* – rest, ... VISA.
Comida 1000 – 250 – **22 hab** 3000/5000 – PA 2250.

Mirasol, av. González Robles 5 ✆ (958) 78 51 08 – ... VISA
Comida 1100 – 500 – **19 hab** 3000/6000.

ORIENT *Baleares – ver Baleares (Mallorca).*

ORIHUELA *03300 Alicante* **445** **R 27** – *49 642 h. alt. 24.*
Francisco Die (Palacio Rubalcava) (96) 530 27 47.
Madrid 445 – Alicante/Alacant 60 – Cartagena 81 – Murcia 24.

Rey Teodomiro sin rest y sin, av. Teodomiro 10-1º (96) 530 03 49, *Fax (96) 674 33 48* – VISA
23 hab 4000/6000.

ORIO *20810 Guipúzcoa* **442** **C 23** – *4 247 h. – Playa.*
Madrid 479 – Bilbao/Bilbo 85 – Pamplona/Iruñea 100 – San Sebastián/Donostia 20.

XXX **Itsas-Ondo,** Kaia 7 (943) 13 11 79 – . AE E VISA.
cerrado martes – **Comida** carta 2500 a 4450.

OROPESA *45460 Toledo* **444** **M 14** – *2 911 h. alt. 420.*
Ver : *Castillo★.*
Madrid 155 – Ávila 122 – Talavera de la Reina 33.

Parador de Oropesa, pl. del Palacio 1 (925) 43 00 00, *Fax (925) 43 07 77,* « Instalado en un palacio feudal », – 25/45. AE E VISA.
Comida 3700 – 1300 – **44 hab** 12000/15000, 4 suites – PA 7395.

OROPESA DEL MAR u **ORPESA** *12594 Castellón* **445** **L 30** – *2 451 h. alt. 16 – Playa.*
av. de la Plana 4 (964) 31 22 41.
Madrid 447 – Castellón de la Plana/Castelló de la Plana 22 – Tortosa 100.

en la zona de la playa – *12594 Oropesa del Mar :*

Marina d'Or sin rest, paseo Marítimo - urb. Marina d'Or (964) 31 10 00, *Fax (964) 31 32 84* – . E VISA.
144 hab 11470/19745.

Neptuno Playa sin rest, paseo Marítimo La Concha 1 (964) 31 00 40, *Fax (964) 31 00 75,* ← – . AE E VISA
abril-septiembre – 650 – **88 hab** 5500/9600.

Marina, paseo Marítimo La Concha 12 (964) 31 00 99, *Fax (964) 31 00 99,* ← – , rest, . AE E VISA.
Comida 1250 – 500 – **17 hab** 4000/7000 – PA 2750.

Oropesa Sol sin rest, av. de Madrid 11 (964) 31 01 50 – .
20 marzo-septiembre – 220 – **50 hab** 3450/4925.

en Las Playetas *carretera de Benicasim por la costa - Sur : 5 km* – *12594 Oropesa del Mar :*

El Cid, (964) 30 07 00, *Fax (964) 30 48 78,* – . VISA.
marzo-septiembre – **Comida** 2100 – **54 hab** 9000/11800 – PA 4500.

La OROTAVA *Santa Cruz de Tenerife – ver Canarias (Tenerife).*

ORREAGA *Navarra – ver Roncesvalles.*

ORRIOLS *17468 Gerona* **443** **F 38.**
Madrid 730 – Figueras/Figueres 21 – Gerona/Girona 20.

XXX **L'Odissea de l'Empordà** con hab, av. del Castell 6 (972) 55 17 18, *Fax (972) 56 04 18,* « Palacio de estilo renacentista », – . E VISA
cerrado enero – **Comida** *(cerrado martes y miércoles salvo verano)* carta 3975 a 5925 – 1700 – **5 hab** 24000/32000.

ORTIGOSA DEL MONTE *40421 Segovia* **442** **J 17** – *290 h.*
Madrid 72 – Ávila 56 – Segovia 15.

en la carretera N 603 – *40421 Ortigosa del Monte :*

X **Venta Vieja,** Este : 2,5 km (921) 48 91 64, *Fax (921) 48 90 61,* « Decoración rústica » – . AE VISA.
Comida carta 3600 a 3900.

X **Becea,** Este : 2,3 km (921) 48 90 49, – . AE E VISA.
cerrado lunes noche – **Comida** carta 2000 a 3300.

ORTIGUEIRA *15330 La Coruña* **441** **A 6** – *9 658 h. alt. 11.*

Madrid 615 – La Coruña/A Coruña 97 – Lugo 104 – Viveiro 34.

La Perla sin rest, av. de La Penela ☏ (981) 40 01 50, *Fax (981) 40 01 51* – TV ☎ P. ✻
☕ 300 – **20 hab** 3500/6000.

OSEJA DE SAJAMBRE *24916 León* **441** **C 14** – *345 h. alt. 760.*

Alred. : *Mirador★★ ≤★★ Norte : 2 km – Desfiladero de los Beyos★★★ Noroeste : 5 km – Puerto del Pontón★ (≤★★) Sur : 11 km – Puerto de Panderruedas★ (mirador de Piedrafita ≤★★ 15 mn. a pie) Sureste : 17 km.*

Madrid 385 – León 122 – Oviedo 108 – Palencia 159.

OSORNO LA MAYOR *34460 Palencia* **442** **E 16** – *1 786 h. alt. 800.*

Madrid 277 – Burgos 58 – Palencia 51 – Santander 150.

Tierra de Campos, La Fuente ☏ (979) 81 72 16, *Fax (979) 81 72 18* – |⇕| TV ☎ P
E *VISA*. ✻
cerrado febrero – **Comida** 2000 – ☕ 600 – **30 hab** 4500/6500 – PA 4000.

OSUNA *41640 Sevilla* **446** **U 14** – *16 240 h. alt. 328.*

Ver : *Zona monumental★ – Colegiata (lienzos de Ribera★, Sepulcro Ducal★) – Calle San Pedro★.*

Madrid 489 – Córdoba 85 – Granada 169 – Málaga 123 – Sevilla 92.

Villa Ducal, área de servicio - salida 84 autovía ☏ (95) 582 02 72, *Fax (95) 582 02 8*
– ▤ TV ☎. AE E *VISA*. ✻
Comida 1200 – ☕ 400 – **23 hab** 5000/8000.

Doña Guadalupe, pl. de Guadalupe 6 ☏ (95) 481 05 58, *Fax (95) 481 15 45* – ▤. AE
⊕ E *VISA*. ✻
cerrado martes y del 1 al 15 de agosto – **Comida** carta 2450 a 3750.

OURENSE – *ver Orense.*

OVIEDO *33000* P *Asturias* **441** **B 12** – *204 276 h. alt. 236.*

Ver : *Catedral★ (retablo mayor★, Cámara Santa : estatuas-columnas★★, tesoro★★)* BY. *– Antiguo Hospital del Principado (escudo★)* AY**P**.

Alred. : *Santuarios del Monte Naranco★ (Santa María del Naranco★★, San Miguel de Lillo★ jambas★★) Noroeste : 4 km por av. de los Monumentos* AY.

Excurs. : *Iglesia de Santa Cristina de Lena★ ✻★ 34 km por ② – Teverga ≤★ de Peña Juntas - Desfiladero de Teverga★ 43 km por ③.*

18 Club Deportivo La Barganiza : 12 km ☏ (98) 74 24 68 Fax (98) 74 24 68.

✈ de Asturias por ① : 47 km ☏ (98) 512 75 00 – Iberia : Ventura Rodríguez 6 ✉ 3300 ☏ (98) 25 68 53.

ℹ pl. Alfonso-II el Casto 6 ✉ 33003 ☏ (98) 521 33 85 Fax (98) 522 84 59 – **R.A.C.E.** *Longoria Carbajal 3-1º ✉ 33004 ☏ (98) 522 31 06 Fax (98) 522 76 68.*

Madrid 445 ② – Bilbao/Bilbo 306 ① – La Coruña/A Coruña 326 ③ – Gijón 29 ① – León 121 ② – Santander 203 ②

Plano página siguiente

De la Reconquista, Gil de Jaz 16, ✉ 33004, ☏ (98) 524 11 00, *Telex 8432*, *Fax (98) 524 11 66,* « Lujosa instalación en un magnífico edificio del siglo XVIII » – |⇕| ▤
TV ☎ 🚗 – 🎤 25/800. AE ⊕ E *VISA*. ✻ AY
Comida carta 5750 a 7400 – ☕ 2000 – **132 hab** 23500/29500, 10 suites.

G.H. España sin rest, Jovellanos 2, ✉ 33003, ☏ (98) 522 05 96, *Fax (98) 522 05 96*
|⇕| ▤ TV ☎ 🚗 – 🎤 25/200. AE ⊕ E *VISA*. ✻ BY
☕ 1500 – **83 hab** 13800/17000, 3 suites.

Regente sin rest, Jovellanos 31, ✉ 33003, ☏ (98) 522 23 43, *Fax (98) 522 93 31* –
TV ☎ P – 🎤 25/220. AE ⊕ E *VISA*. ✻ BY
☕ 1300 – **126 hab** 12800/16000.

NH Principado, San Francisco 6, ✉ 33003, ☏ (98) 521 77 92, *Fax (98) 521 39 46*
|⇕|, ▤ rest, TV ☎ – 🎤 25/200. AE ⊕ E *VISA*. ✻ BZ
Comida 2200 – ☕ 1200 – **62 hab** 11200/13000, 4 suites – PA 5600.

Ciudad de Oviedo sin rest. con cafetería, Gascona 21, ✉ 33001, ☏ (98) 522 22 2
Fax (98) 522 15 99 – |⇕| ▤ TV ☎ 🚗. AE ⊕ E *VISA*. ✻ BY
☕ 950 – **58 hab** 10000/14100.

OVIEDO

elantado de la Florida . . BY 2
calde G. Conde . . . . BY 3
onso II (Plaza) . . . . BZ 4
güelles . . . . ABY 5
zobispo Guisasola . . . . . . BZ 6
bo Noval . . . . AZ 7
mpos de los Patos
aza) . . . . BY 8
nóniga . . . . BZ 9
madevilla . . . . BZ 10

Constitución
(Plaza de la) . . . . BZ 12
Covadonga . . . . AY 13
Daoiz y Velarde (Pl. de) . . . BZ 14
División Azul . . . . AZ 15
Fruela . . . . ABZ 17
Ingeniero Marquina . . . . . . AY 18
Marqués de Gastañaga . . . BZ 20
Marqués de Santa Cruz . . . AZ 21
Martínez Marina . . . . ABZ 22
Martínez Vigil . . . . BY 23
Melquíades Álvarez . . . . . . AY 25
Monumentos (Av. de los) . . AY 27

Palacio Valdés . . . . AY 28
Pelayo . . . . AYZ 30
Porlier
(Plaza de) . . . . BZ 32
Postigo Alto . . . . BZ 33
Riego (Plaza) . . . . BZ 34
San Antonio . . . . BZ 36
San Francisco . . . . ABZ 37
San José . . . . BZ 38
San Vicente . . . . BYZ 39
Tenderina (La) . . . . BY 42
Teniente Alfonso Martínez . BY 44
Uría . . . . AY 45

Clarín sin rest. con cafetería, Caveda 23, ✉ 33002, ☏ (98) 522 72 72, *Fax (98) 522 80 18* – |‡| TV ☎ – 🏃 25/60. AE ⓓ VISA. ✗ AY b
☕ 950 – **47 hab** 10000/14100.

Ramiro I sin rest. con cafetería, av. Calvo Sotelo 13, ✉ 33007, ☏ (98) 523 28 50, *Fax (98) 523 63 29* – |‡| TV ☎ 🚗 – 🏃 25/30. AE ⓓ E VISA. ✗ AZ a
83 hab ☕ 10200/14850.

La Gruta, alto de Buenavista, ✉ 33006, ☏ (98) 523 24 50, *Fax (98) 525 31 41,* ⇐ – |‡| ▤ TV ☎ Ⓟ – 🏃 25/600. AE ⓓ E VISA JCB. ✗ por ③
Comida (ver rest. ***La Gruta***) – ☕ 900 – **101 hab** 10400/13000, 4 suites.

Campus sin rest, Fernando Vela 13, ✉ 33001, ☏ (98) 11 16 19, *Fax (98) 11 16 19* – |‡| TV ☎ 🚗. AE ⓓ E VISA BY f
☕ 800 – **56 apartamentos** 10000/14000.

El Magistral sin rest, Jovellanos 3, ✉ 33003, ☏ (98) 521 51 16, *Fax (98) 521 06 79* – |‡| TV ☎ – 🏃 25/40. AE ⓓ E VISA. ✗ BY h
☕ 1100 – **34 hab** 10500/14000.

Campoamor sin rest, Argüelles 23, ✉ 33003, ☏ (98) 521 07 20, *Fax (98) 521 18 92* – |‡| ▤ TV ☎. AE ⓓ E VISA. ✗ AZ r
☕ 500 – **16 hab** 9500/13500.

Vetusta sin rest, Covadonga 2, ✉ 33002, ☏ (98) 522 22 29, *Fax (98) 522 22 09* – |‡| ▤ TV ☎. AE ⓓ VISA. ✗ AY c
☕ 600 – **16 hab** 9250/11500.

Santa Clara sin rest, Santa Clara 1, ✉ 33001, ☏ (98) 522 27 27, *Fax (98) 522 87 37* – |‡| TV ☎. AE ⓓ E VISA. ✗ AY c
☕ 500 – **14 hab** 6000/9000.

XXX **Del Arco,** pl. de América, ✉ 33005, ☎ (98) 525 55 22, *Fax (98) 527 58 79* – ▤. AE
E VISA. ✻ AZ
cerrado domingo y 15 días en agosto – **Comida** carta 3700 a 6100.

XXX **Casa Fermín,** San Francisco 8, ✉ 33003, ☎ (98) 521 64 52, *Fax (98) 522 92 12* –
AE ⓓ E VISA. ✻ AZ
cerrado domingo – **Comida** carta 4500 a 5200.

XXX **Botas,** pl. de la Constitución 11, ✉ 33009, ☎ (98) 521 56 90, *Fax (98) 521 56 90* –
AE ⓓ E VISA. ✻ BZ
cerrado domingo y julio – **Comida** carta 3800 a 5000.

XX **La Gruta,** alto de Buenavista, ✉ 33006, ☎ (98) 523 24 50, *Fax (98) 525 31 41*, ≤, Vive
propio – ▤ Ⓟ. AE ⓓ E VISA. ✻ por
Comida carta 2950 a 5500.

XX **Marchica,** Dr. Casal 10, ✉ 33004, ☎ (98) 521 30 27, *Fax (98) 521 19 58* – ▤. AE
E VISA. ✻ AY
Comida carta 3400 a 4400.

XX **Meraxko,** av. de Los Monumentos 21, ✉ 33012, ☎ (98) 529 55 76 – ▤ Ⓟ. AE ⓓ
VISA por carret. del Monte Naranco AY
cerrado domingo (salvo mayo) y agosto – **Comida** carta 3825 a 4725.

XX **El Asador de Aranda,** Jovellanos 19, ✉ 33003, ☎ (98) 521 32 90, *Fax (98) 521 32*
– ▤. AE ⓓ E VISA. ✻ BY
cerrado domingo (julio-agosto) y domingo noche resto del año – **Comida** - cordero asa
- carta aprox. 4275.

XX **Casa Lobato,** av. de los Monumentos 67, ✉ 33012, ☎ (98) 529 77 4
Fax (98) 511 18 25, ≤,
▤ Ⓟ. AE ⓓ E VISA. ✻ por carret. del Monte Naranco AY
cerrado martes salvo festivos – **Comida** carta 3500 a 5295.

XX **Casa Conrado,** Argüelles 1, ✉ 33003, ☎ (98) 522 39 19, *Fax (98) 521 26 09* – ▤.
ⓓ E VISA JCB. ✻ BY
cerrado domingo y agosto – **Comida** carta 3725 a 5125.

XX **La Goleta,** Covadonga 32, ✉ 33002, ☎ (98) 522 07 73, *Fax (98) 521 26 09* – ▤.
ⓓ E VISA JCB. ✻ AY
cerrado domingo y julio – **Comida** carta 3725 a 5125.

XX **Pelayo,** Pelayo 15, ✉ 33003, ☎ (98) 521 26 52, – ▤. AE ⓓ E VI
✻ AY
Comida carta 3500 a 4500.

X **Logos,** San Francisco 10, ✉ 33003, ☎ (98) 521 20 70 – ▤. AE ⓓ E VISA. ✻ AZ
cerrado agosto – **Comida** carta 2950 a 4900.

X **La Querencia,** av. del Cristo 29, ✉ 33006, ☎ (98) 525 73 70 – ▤. AE ⓓ
VISA AZ
cerrado domingo en julio y agosto – **Comida** - carnes a la brasa - carta 2900 a 400

X **El Raitán y El Chigre,** pl. de Trascorrales 6, ✉ 33009, ☎ (98) 521 42 1
Fax (98) 522 83 21, « Decoración rústica regional » – ▤. AE ⓓ E VISA. ✻ BZ
cerrado domingo – **Comida** - cocina regional - carta 3400 a 5900.

al Norte *3 km por av. Pumarín ① BY – ✉ 33012 Oviedo :*

Casa Camila , Fitoria 28 ☎ (98) 511 48 22, *Fax (98) 529 41 98*, « Magnífi
situación en la falda del Naranco con ≤ Oviedo, valle y montañas » – ▤ rest, TV
AE VISA. ✻ rest
Comida *(cerrado lunes)* 2000 – ☕ 650 – **7 hab** 10000/12500 – PA 4500.

en la carretera de Santander *por La Tenderina BY – ✉ 33010 Cerdeño :*

Las Lomas, ☎ (98) 528 22 61, *Fax (98) 529 96 95* – |‡| TV ☎ Ⓟ – 25/300. AE
E VISA. ✻
Comida 1500 – ☕ 650 – **102 hab** 10400/13000 – PA 3650.

OYARZUN u OIARTZUN *20180 Guipúzcoa* 442 C 24 – *8 393 h. alt. 81.*

Madrid 481 – Bayonne 42 – Pamplona/Iruñea 98 – San Sebastián/Donostia 13.

XXX ✿✿ **Zuberoa,** barrio Iturriotz 8 ☎ (943) 49 12 28, *Fax (943) 49 26 79*, , « Rústico e
gante en un caserío del siglo XV con bonita terraza y ≤ » – ▤ Ⓟ. AE ⓓ E VISA. ✻
*cerrado domingo noche, lunes, del 1 al 15 de enero, del 5 al 19 de abril y del 15 al
de octubre* – **Comida** 9000 y carta 7000 a 8400
Espec. Vieiras y calamares en gelée de pomelo y crema de coliflor (noviembre-mayo). M
hojas de ternera en salsa de vino tinto y puré de patatas. Pastel de almendra y hela
de yogurt.

XX **Matteo,** barrio Ugaldetxo 11 ☎ (943) 49 11 94, *Fax (943) 49 00 59* – ▤ P. AE ⓓ E VISA. ✂
✿ *cerrado domingo noche, lunes y Navidades* – **Comida** carta 4950 a 6850
Espec. Ensalada templada de cigalitas. Merluza al aroma de Jabugo y setas de temporada. Pichón asado con rissotto de hongos.

XX Kazkazuri, Kazkazuri ☎ (943) 49 32 26.

X **Albistur,** pl. Martintxo 38 (barrio de Alcibar) ☎ (943) 49 07 11, ⛱ – E VISA. ✂
cerrado martes – **Comida** carta 3200 a 3900.

YEREGUI u OIEREGI *31720 Navarra* 442 C 25.
Alred. : *Noroeste : Valle del Bidasoa*★.
Madrid 449 – Bayonne 68 – Pamplona/Iruñea 50.

🏠 **Mugaire,** carret. N 121-A ☎ (948) 59 20 50, *Fax (948) 59 20 50* – ▤ rest, TV ☎ P. AE ⓓ E VISA. ✂
Comida *(cerrado martes de noviembre-abril)* carta aprox. 4500 – ☕ 500 – **14 hab** 3750/6900.

YÓN u OION *01320 Álava* 442 E 22 – *2 192 h. alt. 440.*
Madrid 339 – Logroño 4 – Pamplona/Iruñea 90 – Vitoria/Gasteiz 89.

🏠 **Felipe IV,** av. Navarra 28 ☎ (941) 60 10 56, *Fax (941) 60 14 00,* ⛱ – ▤ rest, TV ☎ 🚗. ⓓ E VISA. ✂
cerrado 19 diciembre-10 enero – **Comida** 1650 – ☕ 500 – **30 hab** 5500/8500.

X **Mesón la Cueva,** Concepción 15 ☎ (941) 60 10 22, « Instalado en una antigua bodega » – ▤. E VISA. ✂
cerrado lunes y del 1 al 15 de agosto – **Comida** carta 2575 a 3475.

ADRÓN *15900 La Coruña* 441 D 4 – *10 147 h. alt. 5.*
Madrid 634 – La Coruña/A Coruña 94 – Orense/Ourense 135 – Pontevedra 37 – Santiago de Compostela 20.

XX **Chef Rivera** con hab, enlace Parque 7 ☎ (981) 81 04 13, *Fax (981) 81 14 54* – |♦|, ▤ rest, TV ☎ 🚗. AE ⓓ E VISA. ✂
Comida *(cerrado domingo noche en invierno)* carta 3050 a 5050 – ☕ 450 – **20 hab** 4500/6200.

la carretera N 550 *Norte : 2 km* – ✉ *15900 Padrón :*

🏨 **Scala,** ☎ (981) 81 13 12, *Fax (981) 81 15 00,* ← – |♦|, ▤ rest, TV ☎ P. E VISA. ✂
Comida 1300 – ☕ 300 – **194 hab** 6000/9000 – PA 2900.

AGUERA *Baleares – ver Baleares (Mallorca).*

AIPORTA *Valencia – ver Valencia.*

AJARES (Puerto de) *33693 Asturias* 441 C 12 – *alt. 1 364 – Deportes de invierno :* ⛷ *14.*
Ver : *Puerto*★★ *– Carretera del puerto*★★.
Madrid 378 – León 59 – Oviedo 59.

os PALACIOS Y VILLAFRANCA *41720 Sevilla* 446 U 12 – *29 417 h. alt. 12.*
Madrid 529 – Cádiz 94 – Huelva 120 – Sevilla 32.

X **Casa Manolo** con hab, av. de Sevilla 29 ☎ (95) 581 10 86, *Fax (95) 581 11 52* – ▤ TV ☎ 🚗. AE ⓓ E VISA. ✂
cerrado del 2 al 13 de agosto – **Comida** carta 2300 a 4100 – ☕ 500 – **25 hab** 6000/8000.

Pleasant hotels or restaurants are shown in the Guide by a red sign.
Please send us the names of any where you have enjoyed your stay.
Your Michelin Guide will be even better.

PALAFRUGELL *17200 Gerona* 443 G 39 – *17 343 h. alt. 87 – Playas : Calella, Llafranc y Tamar*
Carrilet 2 ℘ (972) 30 02 28 Fax (972) 61 12 61 y pl. de l'Església (Can Ros
℘ (972) 61 18 20 Fax (972) 61 17 56.
Madrid 736 ② – Barcelona 123 ② – Gerona/Girona 39 ① – Portbou 108 ①

XX **La Xicra,** Estret 17 ℘ (972) 30 56 30, *Fax (972) 30 56 30* – ▤. AE ⓓ E VISA. ✻
cerrado martes noche, miércoles y noviembre – **Comida** carta 3750 a 5800.

X **La Casona,** paraje La Sauleda 4 ℘ (972) 30 36 61 – ▤ Ⓟ. E VISA
cerrado domingo noche, lunes y noviembre-15 diciembre – **Comida** carta 2150 a 335

Ver también : **Mont-Ras** *Suroeste : 2 km*
Calella de Palafrugell *Sureste : 3,5 km*
Llafranc *Sureste : 3,5 km*
Tamariu *Este : 4,5 km*

PALAMÓS *17230 Gerona* 443 G 39 – *13 258 h. – Playa.*
passeig del Mar ℘ (972) 60 05 00 Fax (972) 60 01 37.
Madrid 726 – Barcelona 109 – Gerona/Girona 49.

Trias, passeig del Mar ℘ (972) 60 18 00, *Fax (972) 60 18 19,* ≤, climatizada – |♦|
☎ Ⓟ. AE ⓓ E VISA. ✻ rest
31 marzo-3 octubre – **Comida** 3600 – ☕ 1300 – **70 hab** 8500/19000 – PA 5500.

Marina, av. 11 de Setembre 48 ℘ (972) 31 42 50, *Fax (972) 60 00 24* – |♦|, ▤ rest,
☎. AE ⓓ E VISA JCB. ✻ rest
Comida 1825 – ☕ 775 – **62 hab** 6250/7950 – PA 2900.

Vostra Llar, av. President Macià 12 ℘ (972) 31 42 62, *Fax (972) 31 43 07,* ☂ –
▤ rest,. AE E VISA. ✻
marzo-15 octubre – **Comida** 975 – **45 hab** ☕ 4725/8820.

XX **La Gamba,** pl. Sant Pere 1 ℘ (972) 31 46 33, *Fax (972) 31 85 26,* ☂ – ▤. AE ⓓ
VISA
cerrado miércoles (salvo verano) y noviembre – **Comida** - pescados y mariscos - carta 36
a 4975.

X **Plaça Murada,** pl. Murada 5 ℘ (972) 31 53 76, ≤ – ▤. AE ⓓ E VISA JCB
Comida carta 2750 a 3700.

X **La Menta,** Tauler i Servià 1 ℘ (972) 31 47 09 – ▤. AE ⓓ E VISA. ✻
*cerrado miércoles mediodía en verano, domingo noche y miércoles resto del año
noviembre* – **Comida** carta 4000 a 5100.

X **María de Cadaqués,** Tauler i Servià 6 ℘ (972) 31 40 09 – ▤. AE ⓓ E VISA
cerrado lunes y diciembre-enero – **Comida** - pescados y mariscos - carta 3500 a 66

X **Bell Port,** passeig del Mar 1 ℘ (972) 31 57 72, ☂ – ▤. AE ⓓ E VISA
cerrado 9 diciembre-30 enero – **Comida** carta 2300 a 5150.

X **L' Arcada,** Pagès Ortiz 49 ℘ (972) 31 51 69 – ▤. E VISA
cerrado domingo noche, lunes y enero – **Comida** carta 3200 a 5000.

X **L'Art,** passeig del Mar 7 ℘ (972) 31 55 32 – ▤. AE ⓓ E VISA
cerrado jueves noche, domingo noche (en invierno) y enero – **Comida** carta 2500 a 48

X **Celler de la Planassa,** Vapor 4 (La Planassa) ℘ (972) 31 64 96, ☂ – ▤. E VISA
cerrado lunes mediodía (julio-agosto) domingo noche y lunes resto del año y noviemb
– **Comida** carta 2600 a 4500.

en La Fosca *Noreste : 2 km – ✉ 17230 Palamós :*

Áncora ⛵, Josep Plà, ✉ apartado 242, ℘ (972) 31 48 58, *Fax (972) 60 24 70,* ≤,
✻ – ▤ 📺 ☎ Ⓟ. AE E VISA. ✻ rest
Comida 2525 – ☕ 750 – **44 hab** 7550/10550 – PA 4300.

en Plà de Vall-Llobregà *carretera de Palafrugell C 255 - Norte : 3,5 km – ✉ 17253 Vall Llobreg*

XX **Mas dels Arcs,** ✉ 17230 apartado 115 Palamós, ℘ (972) 31 51 35, *Fax (972) 60 01*
– ▤ Ⓟ. ⓓ E VISA. ✻
cerrado 10 enero-1 marzo – **Comida** carta aprox. 4125.

PALAU-SATOR *17256 Gerona* 443 G 39 – *291 h. alt. 20.*
Madrid 732 – Gerona/Girona 37 – Figueras/Figueres 51 – Palafrugell 17 – Palamós

X **Mas Pou,** Extramurs 8 ℘ (972) 63 41 25, *Fax (972) 63 50 13* – ▤ Ⓟ. AE ⓓ E VISA.
cerrado lunes salvo festivos y 20 diciembre-1 febrero – **Comida** carta 2300 a 3750.

PALAU-SAVERDERA *17495 Gerona* 443 F 39 – *682 h.*
Madrid 763 – Figueras/Figueres 17 – Gerona/Girona 56.

X **El Tinell,** av. de Catalunya 2 ℘ (972) 53 00 82, ≤, ☂ – Ⓟ. AE E VISA
cerrado martes (octubre-marzo) y febrero – **Comida** carta 2400 a 3400.

ALENCIA *34000* 🄿 442 **F 16** – *81 988 h. alt. 781.*

Ver : *Catedral★★ (interior★★ : tríptico★ - Museo★ : tapices★)* AY.

Alred. : *Baños de Cerrato (Basílica de San Juan Bautista★) 14 km por* ②.

🅱 *Mayor 105* ✉ *34001* ✆ *(979) 74 00 68 Fax (979) 70 08 22*

R.A.C.E. *av. Casado del Alisal 25* ✉ *34001* ✆ *(979) 74 69 50 Fax (979) 70 19 74.*

Madrid 235 ② – *Burgos 88* ② – *León 128* ③ – *Santander 203* ① – *Valladolid 47* ②

PALENCIA

turias (Av. de) .... **AY** 2	Eduardo Dato .... **AY** 14	Mayor (Puente) .... **AZ** 26
rio y Mier .... **AY** 3	España (Pl. de) .... **BZ** 15	Miguel Primo de Rivera (Av.) **AY** 27
rdenal Almaraz .... **AZ** 4	General Franco .... **AZ** 16	Padre Faustino Calvo (Pas. del) .... **AZ** 28
rdenal Cisneros (Av.) ... **BZ** 5	Ignacio Martínez de Azcoitia **BY** 20	República Argentina (Avenida) .... **BZ** 32
rvantes (Pl.) .... **AY** 8	Jorge Manrique .... **AY** 21	Salvino Sierra .... **AY** 33
n Sancho .... **BZ** 10	José Antonio Primo de Rivera (Av.) .... **BZ** 22	San Marcos .... **AZ** 34
	Mayor .... **AYZ**	Santander (Av. de) .... **BY** 38
	Mayor (Pl.) .... **AY** 24	

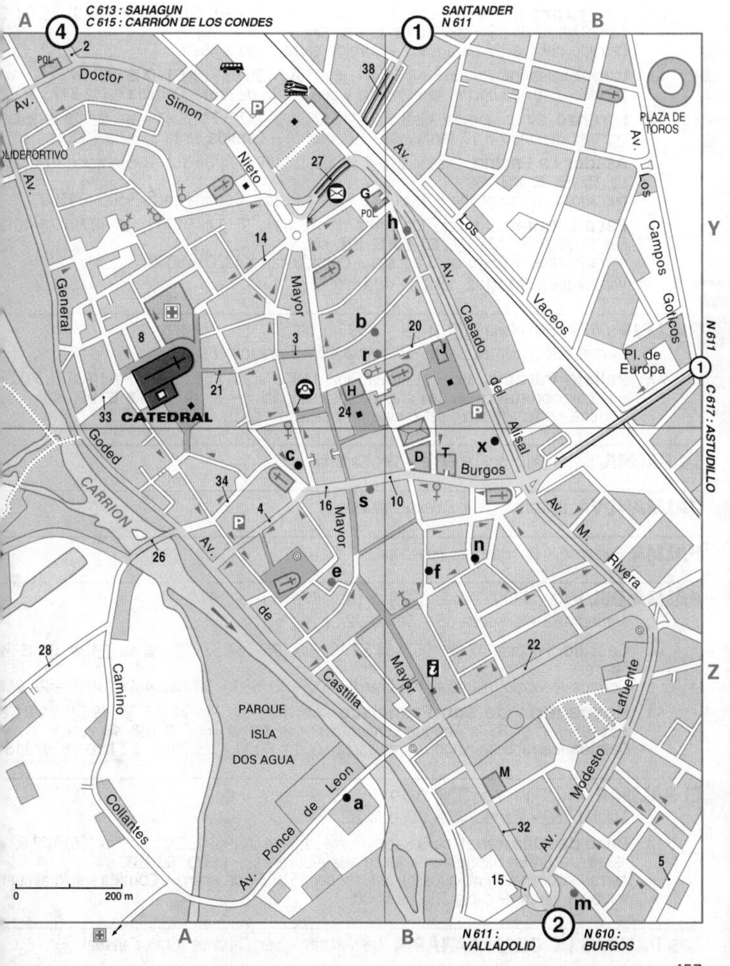

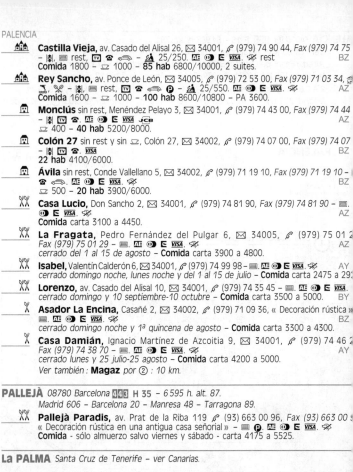

Castilla Vieja, av. Casado del Alisal 26, ✉ 34001, ☎ (979) 74 90 44, *Fax (979) 74 75* – |♦|, ≡ rest, TV ☎ – 25/250. AE ⓓ E VISA. ✗ rest BZ
Comida 1800 – ☕ 1000 – **85 hab** 6800/10000, 2 suites.

Rey Sancho, av. Ponce de León, ✉ 34005, ☎ (979) 72 53 00, *Fax (979) 71 03 34,* – |♦|, ≡ rest, TV ☎ P – 25/550. AE ⓓ E VISA. ✗ AZ
Comida 1600 – ☕ 1000 – **100 hab** 8600/10800 – PA 3600.

Monclús sin rest, Menéndez Pelayo 3, ✉ 34001, ☎ (979) 74 43 00, *Fax (979) 74 44* – |♦| TV ☎. AE ⓓ E VISA JCB AZ
☕ 400 – **40 hab** 5200/8000.

Colón 27 sin rest y sin ☕, Colón 27, ✉ 34002, ☎ (979) 74 07 00, *Fax (979) 74 07* – |♦| TV ☎. VISA BZ
22 hab 4100/6000.

Ávila sin rest, Conde Vallellano 5, ✉ 34002, ☎ (979) 71 19 10, *Fax (979) 71 19 10* – ☎. AE ⓓ E VISA. ✗ BZ
☕ 500 – **20 hab** 3900/6000.

Casa Lucio, Don Sancho 2, ✉ 34001, ☎ (979) 74 81 90, *Fax (979) 74 81 90* – ≡. ⓓ E VISA. ✗ AZ
Comida carta 3100 a 4450.

La Fragata, Pedro Fernández del Pulgar 6, ✉ 34005, ☎ (979) 75 01 2 *Fax (979) 75 01 29* – ≡. AE ⓓ E VISA. ✗ AZ
cerrado del 1 al 15 de agosto – **Comida** carta 3900 a 4800.

Isabel, Valentín Calderón 6, ✉ 34001, ☎ (979) 74 99 98 – ≡. AE ⓓ E VISA. ✗ AY
cerrado domingo noche, lunes noche y del 1 al 15 de julio – **Comida** carta 2475 a 29

Lorenzo, av. Casado del Alisal 10, ✉ 34001, ☎ (979) 74 35 45 – ≡. AE ⓓ E VISA. *cerrado domingo y 10 septiembre-10 octubre* – **Comida** carta 3500 a 5000. BY

Asador La Encina, Casañé 2, ✉ 34002, ☎ (979) 71 09 36, « Decoración rústica » ≡. AE ⓓ E VISA. ✗ BZ
cerrado domingo noche y 1ª quincena de agosto – **Comida** carta 3300 a 4300.

Casa Damián, Ignacio Martínez de Azcoitia 9, ✉ 34001, ☎ (979) 74 46 *Fax (979) 74 38 70* – ≡. AE ⓓ E VISA. ✗ AY
cerrado lunes y 25 julio-25 agosto – **Comida** carta 4200 a 5000.

Ver también : **Magaz** *por ② : 10 km.*

PALLEJÀ *08780 Barcelona* 443 **H 35** *– 6595 h. alt. 87.*

Madrid 606 – Barcelona 20 – Manresa 48 – Tarragona 89.

Pallejà Paradis, av. Prat de la Riba 119 ☎ (93) 663 00 96, *Fax (93) 663 00* « Decoración rústica en una antigua casa señorial » – ≡ P. AE ⓓ E VISA. ✗
Comida - sólo almuerzo salvo viernes y sábado - carta 4175 a 5525.

La PALMA *Santa Cruz de Tenerife – ver Canarias.*

PALMANOVA *Baleares – ver Baleares (Mallorca).*

PALMA *Baleares – ver Baleares (Mallorca).*

PALMA DEL RÍO *14700 Córdoba* 446 **S 14** *– 17978 h. alt. 54.*

Madrid 462 – Córdoba 55 – Sevilla 92.

Castillo, Portada 47 ☎ (957) 64 57 10, *Fax (957) 64 57 40* – |♦| ≡ TV ☎ P. E V ✗ rest
Comida *(cerrado miércoles y febrero)* 1100 – ☕ 350 – **38 hab** 4600/6600 – PA 25

Hospedería de San Francisco con hab, av. Pío XII-35 ☎ (957) 71 01 *Fax (957) 71 01 83,* « Antiguo convento » – ≡ TV ☎. E VISA. ✗ rest
Comida *(cerrado domingo noche)* carta 3000 a 4000 – ☕ 790 – **22 hab** 7875/115

El PALMAR *46012 Valencia* 445 **O 29.**

Madrid 368 – Gandía 48 – Valencia 20.

Racó de l'Olla, carret. de El Saler - Norte : 1,5 km ☎ (96) 162 01 72, *Fax (96) 162 02* ←, , « En un paraje verde junto a la Albufera » – ≡ P. AE VISA. ✗
cerrado domingo (julio-agosto), lunes y del 15 al 31 de enero – **Comida** - sólo almue salvo en verano - carta 3200 a 5000.

Las PALMAS DE GRAN CANARIA *Las Palmas – ver Canarias (Gran Canaria).*

ALMONES *11379 Cádiz* 446 **X 13** – *Playa.*
Madrid 661 – Algeciras 8 – Cádiz 125 – Málaga 133.

XX **Mesón El Copo,** Trasmayo 2 ✆ (956) 67 77 10, *Fax (956) 67 77 86* – ▤. AE ⓓ E VISA.
cerrado domingo – **Comida** - pescados y mariscos - carta aprox. 4600.

PALO (Playa de) *Málaga – ver Málaga.*

ALOL DE REVARDIT *17483 Gerona* 443 **F 38** – *378 h. alt. 152.*
Madrid 699 – Barcelona 110 – Figueras/Figueres 30 – Gerona/Girona 13 – Vic 77.

X **Els Caçadors,** Mas Bosch (carret. de Camós) ✆ (972) 59 42 39 – ▤. AE ⓓ E VISA
cerrado domingo noche, miércoles y 11 septiembre-20 octubre – **Comida** carta 2685 a 4545.

ALOS DE LA FRONTERA *21810 Huelva* 446 **U 9** – *7 335 h. alt. 26.*
Madrid 623 – Huelva 12 – Sevilla 93.

La Pinta, Rábida 79 ✆ (959) 35 05 11, *Fax (959) 53 01 64* – ▤ TV ☎. AE ⓓ E VISA.
Comida 1500 – ▭ 400 – **30 hab** 4000/8000 – PA 3400.

ALS *17256 Gerona* 443 **G 39** – *1 675 h.*
Ver : *Pueblo medieval*★.
18 *Pals, playa ✆ (972) 63 60 06 Fax (972) 63 70 09.*
Aniceta Figueras 6 ✆ (972) 66 78 57 Fax (972) 66 78 18 (temp).
Madrid 744 – Gerona/Girona 41 – Palafrugell 8.

n la playa – ✉ *17256 Pals :*

Sa Punta ⚘, Este : 6 km ✆ (972) 66 73 76, *Fax (972) 66 73 15*, « con terrazas ajardinadas » – ▤ TV ☎ Ⓟ – 25/60. AE ⓓ E VISA JCB.
Comida (ver rest. ***Sa Punta***) – ▭ 1500 – **22 hab** 18000/20000, 3 suites.

La Costa ⚘, av. Arenales de Mar 3 - Este : 8 km ✆ (972) 66 77 40, *Fax (972) 66 77 36*, « Gran junto a un pinar », 18 – ▤ TV ☎ Ⓟ – 25/70. AE ⓓ E VISA.
3 marzo-1 noviembre – **Comida** 4300 – **120 hab** ▭ 18900/24800 – PA 6575.

XXX **Sa Punta,** Este : 6 km ✆ (972) 66 73 76, *Fax (972) 66 73 15*, « con terrazas ajardinadas » – ▤ Ⓟ. AE ⓓ E VISA JCB.
Comida carta 4100 a 6150.

AMPLONA o IRUÑEA *31000* Ⓟ *Navarra* 442 **D 25** – *191 197 h. alt. 415.*
Ver : *Catedral*★ *(sepulcro*★*, claustro*★*)* BY – *Museo de Navarra*★ *(mosaicos*★*, capiteles*★*, pinturas murales*★*, arqueta hispano-árabe*★*)* AY**M.**
18 *Ulzama, por ① : 21 km ✆ (948) 30 54 71 Fax (948) 30 54 71.*
de Pamplona por ③ : 7 km ✆ (948) 16 87 00 – Aviaco : aeropuerto ✉ 31003 ✆ (948) 31 79 55.
Duque de Ahumada 3 ✉ 31002 ✆ (948) 22 07 41 Fax (948) 21 14 62 – **R.A.C.V.N.** *av. Sancho el Fuerte 29 ✉ 31007 ✆ (948) 26 65 62 Fax (948) 17 68 83.*
Madrid 385 ③ – Barcelona 471 ③ – Bayonne 118 ① – Bilbao/Bilbo 157 ⑤ – San Sebastián/Donostia 94 ⑤ – Zaragoza 169 ③

Planos páginas siguientes

Iruña Park H., Arcadio María Larraona 1, ✉ 31008, ✆ (948) 17 32 00, *Telex 37948, Fax (948) 17 23 87* – ▤ TV ☎ – 25/1000. AE ⓓ E VISA. X r
Comida 3000 – ▭ 1500 – **219 hab** 26000/32000, 6 suites.

Blanca de Navarra, Av. Pío XII-43, ✉ 31008, ✆ (948) 17 10 10, *Fax (948) 17 54 14* – ▤ TV ☎ – 25/400. AE ⓓ E VISA. X e
Comida 2900 – ▭ 1200 – **100 hab** 12700/15900, 2 suites – PA 5780.

Tres Reyes, Jardines de la Taconera, ✉ 31001, ✆ (948) 22 66 00, *Fax (948) 22 29 30*, climatizada – ▤ TV ☎ Ⓟ – 25/400. AE ⓓ E VISA. rest AY x
Comida 5000 – ▭ 1650 – **152 hab** 16500/20000, 8 suites.

NH Ciudad de Pamplona, Iturrama 21, ✉ 31007, ✆ (948) 26 60 11, *Fax (948) 17 36 26* – ▤ TV ☎ – 25/80. AE ⓓ E VISA. rest X a
Comida 2500 – ▭ 1300 – **115 hab** 12400/13700, 2 suites.

IRUÑEA
PAMPLONA

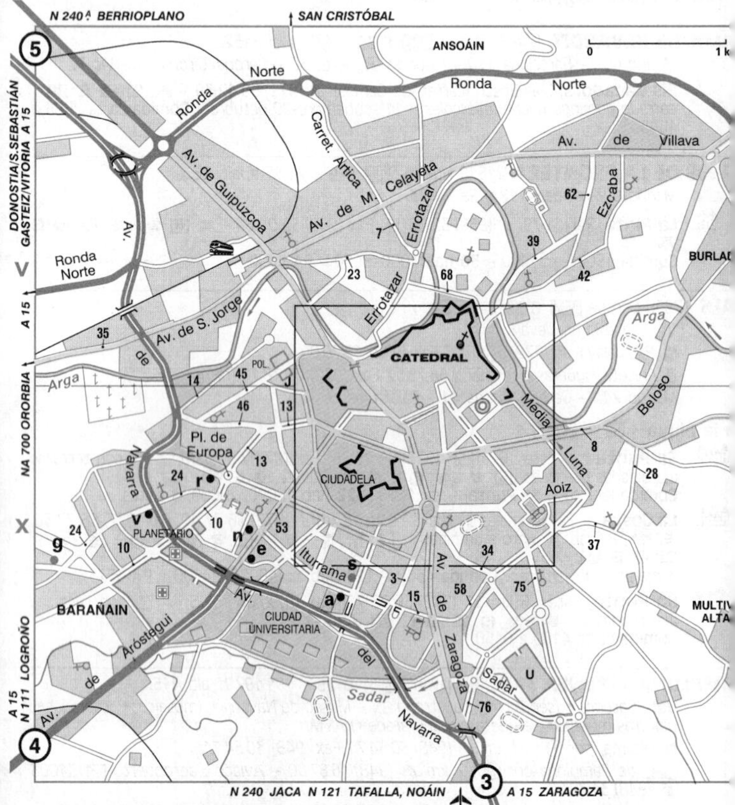

Reino de Navarra, Acella 1, ✉ 31008, ☏ (948) 17 75 75, *Fax (948) 17 77 78* – |‡| TV ☎ 🚗 – 🎤 25/90. AE ⦿ E VISA. ✂ X
Comida 2200 – ☕ 1200 – **83 hab** 19000/26000 – PA 5600.

Maisonnave, Nueva 20, ✉ 31001, ☏ (948) 22 26 00, *Fax (948) 22 01 66* – |‡| ▤ ☎ 🚗 – 🎤 25/60. AE ⦿ E VISA. ✂ rest AY
Comida *(cerrado sábado)* carta 3000 a 4000 – ☕ 1100 – **138 hab** 9000.

Albret sin rest. con cafetería, Ermitagaña 3, ✉ 31008, ☏ (948) 17 22 3 *Fax (948) 17 83 84* – |‡| ▤ TV ☎ ♿ 🚗 – 🎤 60/150. AE ⦿ E V ✂ X
☕ 1200 – **108 hab** 20600/23800, 2 suites.

Europa, Espoz y Mina 11-1º, ✉ 31002, ☏ (948) 22 18 00, *Fax (948) 22 92 35* – |‡| TV ☎. AE ⦿ E VISA. ✂ BY
Comida (ver rest. ***Europa***) – ☕ 925 – **25 hab** 6900/14675.

Avenida, av. de Zaragoza 5, ✉ 31003, ☏ (948) 24 54 54, *Fax (948) 23 23 23* – |‡| TV ☎ 🚗. AE ⦿ E VISA JCB. ✂ BZ
Comida 1500 – ☕ 1100 – **27 hab** 8100/14500 – PA 3900.

IRUÑEA PAMPLONA

naya . . . . BYZ 4
soleaga . . . . AY 5
yona (Av. de) . . . . AY 13
rlos III (Av. de) . . . . BYZ
stillo de Maya . . . . BZ 16
apitela . . . . BY 17
nde Oliveto (Av. del) . . . AZ 19
rtes de Navarra . . . . BY 20

Cruz (Pl. de la) . . . . BZ 22
Esquiroz . . . . AZ 25
Estafeta . . . . BY 26
García Castañón . . . . ABY 30
Juan de Labrit . . . . BY 33
Leyre . . . . BYZ 36
Mayor . . . . AY 40
Mercaderes . . . . BY 43
Navarrería . . . . BY 48
Navas de Tolosa . . . . AY 50
Paulino Caballero . . . . BZ 51
Príncipe
de Viana (Pl. del) . . . . . . BZ 54

Reina (Cuesta de la) . . . . . . AY 56
Roncesvalles (Av. de) . . . . . BY 59
Sancho el Mayor . . . . ABZ 60
San Fermín . . . . BZ 63
San Francisco (Pl. de) . . . . . AY 65
Sangüesa . . . . BZ 69
San Ignacio (Av. de) . . . . . . BYZ 66
Santo Domingo . . . . AY 70
Sarasate (Paseo de) . . . . . . AY 72
Taconera (Recta de) . . . . . . AY 73
Vínculo
(Plaza del) . . . . AYZ 78
Zapatería . . . . AY 89

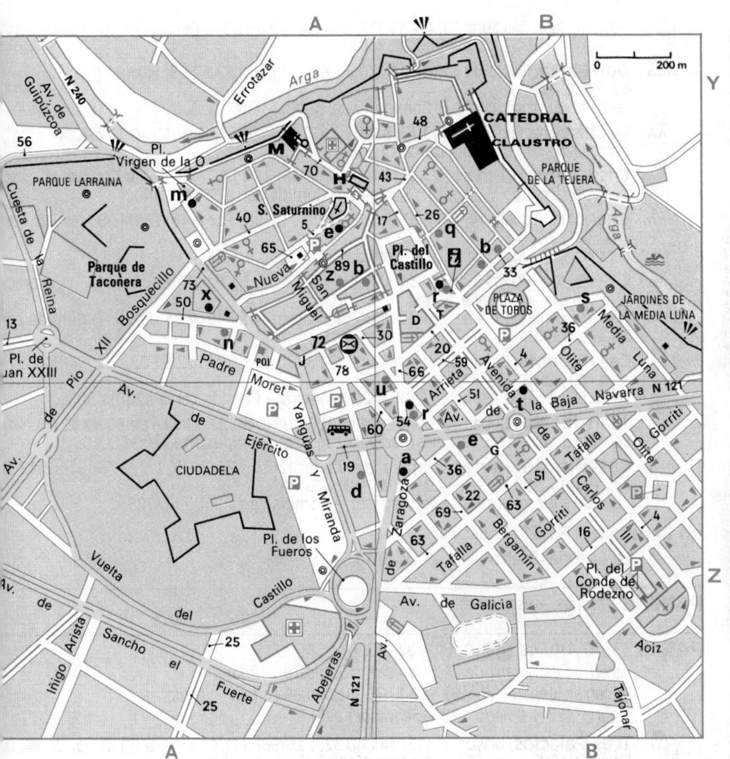

Yoldi sin rest, av. San Ignacio 11, ✉ 31002, ☎ (948) 22 48 00, *Fax (948) 21 20 45* – ▯ TV ☎ – 25/40. AE ⓓ E VISA – ☕ 950 – **50 hab** 7000/10000. BZ r

Leyre sin rest, Leyre 7, ✉ 31002, ☎ (948) 22 85 00, *Fax (948) 22 83 18* – ▯ TV ☎ – 25/50. AE ⓓ E VISA
☕ 950 – **55 hab** 8475/10175. BZ t

Eslava sin rest, Recoletas 20, ✉ 31001, ☎ (948) 22 22 70, *Fax (948) 22 51 57* – ▯ TV ☎. AE ⓓ E VISA. ✂ AY m
☕ 500 – **28 hab** 5000/8000.

Josetxo, pl. Príncipe de Viana 1, ✉ 31002, ☎ (948) 22 20 97, *Fax (948) 22 41 57,* « Decoración elegante » – ▤. AE ⓓ VISA. ✂ BZ r
cerrado domingo (salvo mayo) y agosto – **Comida** 6500 y carta 5750 a 7150
Espec. Salteado de alcachofas con cigalitas (octubre-junio). Corzo asado al Merlot con purés de reineta y patata (octubre-diciembre). Carlota de ciruela con mermelada de arándanos.

Rodero, Arrieta 3, ✉ 31002, ☎ (948) 22 80 35, *Fax (948) 21 12 17* – ▤. AE E VISA. ✂
cerrado domingo y 15 días en agosto – **Comida** carta 5150 a 5650 BY s
Espec. Sopa de tomate y melón con pequeña ensalada de percebes. Carrilleras de ternera glaseadas con puré de pochas. Rulo de piña con helado de cáscara de limón.

XXX **Alhambra,** Francisco Bergamín 7, ✉ 31003, ☏ (948) 24 50 07, *Fax (948) 24 09 1*
▤. AE ⓓ E VISA. ✂ BZ
cerrado domingo – **Comida** carta 4500 a 5800.

XXX **Europa,** Espoz y Mina 11-1º, ✉ 31002, ☏ (948) 22 18 00, *Fax (948) 22 92 35* – ▤.
✿ ⓓ E VISA. ✂ BY
cerrado domingo – **Comida** 3100 y carta 4575 a 5375
Espec. Raviolis de jugo de bacalao ajoarriero con sopa de espárragos trigueros. Lengua parrilla con pil-pil aromatizado con vinagre de Jerez. Tartita caliente de plátano con hela de limón.

XXX Hartza, Juan de Labrit 19, ✉ 31001, ☏ (948) 22 45 68, « Decoración rústica elegante – ▤ BY

XXX **Don Pablo,** Navas de Tolosa 19, ✉ 31002, ☏ (948) 22 52 99, *Fax (948) 22 52 99* –
AE ⓓ E VISA. ✂ AY
cerrado domingo noche – **Comida** carta 3800 a 5050.

XX **La Chistera,** San Nicolás 40, ✉ 31001, ☏ (948) 21 05 12 – ▤. AE ⓓ E VISA. ✂ AY
cerrado domingo – **Comida** carta 3100 a 5100.

XX **Casa Amparo,** Esquiroz 22, ✉ 31007, ☏ (948) 26 11 62 – ▤. AE ⓓ VISA. ✂ X
cerrado domingo y 25 julio-15 agosto – **Comida** carta 3550 a 4400.

XX **Enekorri,** Tudela 14, ✉ 31002, ☏ (948) 23 07 98, *Fax (948) 23 07 98* – ▤. AE ⓓ
VISA. ✂ AZ
cerrado domingo y festivos – **Comida** carta 3800 a 5200.

XX **Otano,** San Nicolás 5-1º, ✉ 31001, ☏ (948) 22 70 36, *Fax (948) 21 20 12*, « Decoraci regional » – ▤. AE ⓓ E VISA AY
cerrado domingo noche, del 10 al 25 de febrero y del 15 al 23 de julio – **Comida** car 3400 a 4600.

XX **Casa Manolo,** García Castañón 12-1º, ✉ 31002, ☏ (948) 22 51 02, *Fax (948) 22 51*
– ▤. AE ⓓ E VISA. ✂ BYZ
cerrado domingo noche y del 7 al 25 de enero – **Comida** carta 3200 a 5000.

XX **Juan de Labrit,** Juan de Labrit 29, ✉ 31001, ☏ (948) 22 90 92 – ▤. AE ⓓ E VISA. ✂
cerrado domingo noche, lunes mediodía y agosto – **Comida** carta 2700 a 5050. BY

X **Castillo de Javier,** bajada de Javier 2-1º, ✉ 31001, ☏ (948) 22 18 9
Fax (948) 22 05 28 – ▤. AE ⓓ E VISA JCB. ✂ BY
cerrado miércoles salvo julio y agosto – **Comida** carta 2600 a 3725.

en Barañain – ✉ *31010 Barañain :*

X La Casona, Pueblo Viejo ☏ (948) 18 67 13 – ▤ X

PANCAR *Asturias – ver Llanes.*

PANES *33570 Asturias* 441 **C 16** – *alt. 50.*
Alred. : *Desfiladero de La Hermida*★★ *Suroeste : 12 km.*
🅘 *carret. general* ☏ *(98) 541 40 08 - Peñamellera baja - (temp).*
Madrid 427 – Oviedo 128 – Santander 89.

🏨 **Tres Palacios,** Mayor ☏ (98) 541 40 32, *Fax (98) 541 44 63* – ⇅ TV ☎ P. AE VISA.
Comida 1200 – ☕ 650 – **29 hab** 4500/7800 – PA 2900.

X **Covadonga** con hab, Virgilio Linares ☏ (98) 541 40 35, *Fax (98) 541 41 62*, –
☎. VISA. ✂
Comida carta 1850 a 3500 – ☕ 300 – **10 hab** 4000/6000.

en Alevia *Noroeste : 3 km* – ✉ *33579 Alevia :*

🏨 **Casona d'Alevia** 🔇 sin rest, ☏ (98) 541 41 76, *Fax (98) 541 44 26*, « Acogedor mar regional » – TV ☎. VISA. ✂ – ☕ 750 – **9 hab** 8500/10800.

en la carretera de Cangas de Onís :

🏨 **La Molinuca,** Oeste : 6 km, ✉ 33578 Peñamellera Alta, ☏ (98) 541 40 3
Fax (98) 541 43 97, ≤, – TV ☎ P. E VISA. ✂
marzo-octubre – **Comida** 1200 – ☕ 600 – **18 hab** 6000/7500 – PA 3060.

XX **Casa Julián** 🔇 con hab, Oeste : 9 km, ✉ 33578 Niserias, ☏ (98) 541 57 9
Fax (98) 541 57 97, ≤, « Al borde del río Cares » – TV ☎ P. ⓓ E VISA. ✂
marzo-15 diciembre – **Comida** carta aprox. 3600 – ☕ 500 – **4 hab** 6000/8000.

en Alles *por la carretera de Cangas de Onís - Oeste : 10,5 km* – ✉ *33578 Alles :*

🏨 **La Tahona de Besnes** 🔇, Besnes ☏ (98) 541 57 49, *Fax (98) 541 57 49*,
« Rústico regional » – TV ☎ P. AE ⓓ E VISA. ✂
Comida 1850 – ☕ 750 – **19 hab** 7000/8800 – PA 4200.

ANTICOSA *22661 Huesca* 443 **D 29** – *1 005 h. alt. 1 185 – Balneario – Deportes de invierno :* 12.

Alred. : *Balneario de Panticosa★ – Norte : Garganta del Escalar★★.*

Madrid 481 – Huesca 86.

Escalar, La Cruz (974) 48 70 08, *Fax (974) 48 70 03*, ≤, climatizada – . AE VISA.
25 diciembre-4 abril y 20 junio-septiembre – **Comida** 1350 – 550 – **32 hab** 5600.

Arruebo, La Cruz 8 (974) 48 70 52, *Fax (974) 48 70 52*, ≤ – . E VISA.
Comida 1800 – 700 – **18 hab** 6000/8000 – PA 3700.

Morlans, San Miguel (974) 48 70 57, *Fax (974) 48 73 86* – rest, . AE E VISA.
5 diciembre-abril y 20 junio-15 septiembre – **Comida** 1500 – 650 – **25 hab** 5000/7000 – PA 3500.

Panticosa, La Cruz (974) 48 70 00, *Fax (974) 48 70 01* – . VISA.
diciembre-15 abril y julio-15 septiembre – **Comida** 1350 – 550 – **30 hab** 5000/6000 – PA 2700.

Valle de Tena, La Cruz (974) 48 70 73, *Fax (974) 48 70 92* – . E VISA.
6 diciembre-15 abril y 20 junio-20 septiembre – **Comida** 1450 – 550 – **28 hab** 5000/6950 – PA 2700.

PARDO *28048 Madrid* 444 **K 18.**

Ver : *Palacio Real★ (tapices★) – Convento de Capuchinos : Cristo yacente★.*

Madrid 13 – Segovia 93.

Pedro's, av. de La Guardia (91) 376 08 83, – . AE E VISA.
Comida carta 2600 a 4400.

Menéndez, av. de La Guardia 25 (91) 376 15 56, *Fax (91) 376 15 56*, – . AE E VISA JCB.
cerrado del 10 al 25 de agosto – **Comida** carta 3000 a 5000.

AREDES *Pontevedra – ver Vilaboa.*

ARETS o **PARETS DEL VALLÈS** *08150 Barcelona* 443 **H 36** – *10 928 h. alt. 94.*

Madrid 637 – Barcelona 26 – Gerona/Girona 81 – Manresa 64.

El Jardí, Major 1 (93) 562 01 03, , « Terraza » – . AE E VISA.
cerrado martes, Semana Santa y agosto – **Comida** carta 3600 a 4500.

AS DE LA CASA *Andorra – ver Andorra (Principado de).*

ASAJES DE SAN JUAN o **PASAI DONIBANE** *20110 Guipúzcoa* 442 **B 24** – *18 203 h.*

Ver : *Localidad pintoresca★.*

Alred. : *Trayecto★★ de Pasajes de San Juan a Fuenterrabía por el Jaizkíbel.*

Madrid 477 – Pamplona/Iruñea 100 – St-Jean-de-Luz 27 – San Sebastián/Donostia 10.

Casa Cámara, San Juan 79 (943) 52 36 99, ≤ – E VISA.
cerrado domingo noche y lunes – **Comida** - pescados y mariscos - carta 3000 a 4350.

Nicolasa, San Juan 59 (943) 51 54 69, ≤ – AE E VISA.
cerrado domingo noche, lunes y 15 diciembre-15 enero – **Comida** carta 3100 a 4100.

Txulotxo, San Juan 71 (943) 52 39 52, ≤ – AE E VISA JCB.
cerrado domingo noche, martes y 20 diciembre-17 enero – **Comida** - pescados - carta aprox. 3700.

Badiola, San Juan 18 (943) 51 84 15 – AE E VISA.
cerrado domingo noche, martes y 16 diciembre-8 enero – **Comida** carta 2700 a 3650.

ASAJES DE SAN PEDRO o **PASAI SAN PEDRO** *20110 Guipúzcoa* 442 **C 24** – *18 203 h.*

Madrid 458 – Bayonne 50 – Pamplona/Iruñea 84 – San Sebastián/Donostia 5.

n Trintxerpe : – *20110 Trintxerpe :*

Izkiña, Euskadi Etorbidea 19 (943) 39 90 43, *Fax (943) 39 90 43*, Vivero propio – . AE VISA.
cerrado domingo noche y lunes – **Comida** - pescados y mariscos - carta 3400 a 4900.

PASTRANA *19100 Guadalajara* 444 **K 21** – *1 092 h. alt. 759.*

Ver : *Colegiata (tapices★).*

Madrid 101 – Guadalajara 46 – Sacedón 39 – Tarancón 59.

Hospedería Real de Pastrana ⛰, Convento del Carmen - Sur : 1,5 k ☎ (949) 37 10 60, *Fax (949) 37 10 60,* « Instalado en un convento » – |♦|, ▤ rest, TV P – 25/125. AE ◑ VISA. ✂ rest
Comida 1975 – ☕ 495 – **25 hab** 6100/7750, 2 suites – PA 4445.

PATALAVACA (Playa de) *Las Palmas – ver Canarias (Gran Canaria) : Arguineguín.*

PATONES *28189 Madrid* 444 **J 19** – *339 h. alt. 832.*

Madrid 76 – Guadalajara 55 – Segovia 116.

en Patones de Arriba : – ✉ *28189 Patones :*

El Tiempo Perdido ⛰, travesía del Ayuntamiento 7 ☎ (91) 843 21 5 *Fax (91) 843 21 48,* « Ambiente acogedor » – ▤ TV ☎. AE E VI *fines de semana, festivos y vísperas (cerrado 15 julio-30 agosto)* – **Comida** (ver rest. Poleo) – ☕ 2000 – **5 hab** 25000.

XX El Poleo, travesía del Arroyo 3 ☎ (91) 843 21 01, *Fax (91) 843 21 48,* 🏠, « Rústi elegante » – ▤.

PAU *17494 Gerona* 443 **F 39** – *363 h.*

Madrid 760 – Figueras/Figueres 14 – Gerona/Girona 53.

XX **L'Olivar d'en Norat,** carret. de Rosas - Este : 1 km ☎ (972) 53 03 00, 🏠 – ▤ P. ◑ E VISA
cerrado lunes – **Comida** - cocina vasca - carta 3000 a 4450.

El PAULAR *28741 Madrid* 444 **J 18** – *alt. 1 073.*

Ver : *Cartuja★ (iglesia : retablo★★).*

Madrid 76 – Segovia 55.

Hoteles y restaurantes ver : **Rascafría** *Norte : 1,5 km.*

PAXARIÑAS (Playa de) *Pontevedra – ver Portonovo.*

PECHINA *04259 Almería* 446 **V 22** – *2 166 h. alt. 98 – Balneario.*

Madrid 566 – Almería 12 – Guadix 102.

en Baños de Sierra Alhamilla *Noreste : 8 km*

Balneario de Sierra Alhamilla ⛰, Los Baños ☎ (950) 31 74 13, *Fax (950) 16 02 5* ⩽ sierra, valle y mar, 🏠, « Antiguas albercas », ⛆ de agua termal – TV ☎. ◑ E VI ✂
Comida 2200 – ☕ 750 – **22 hab** 6500/8750 – PA 3850.

PECHÓN *39594 Cantabria* 442 **B 16** – *Playa.*

Madrid 417 – Gijón 116 – Oviedo 128 – Santander 68.

Don Pablo ⛰ sin rest, El Cruce ☎ (942) 71 95 00, *Fax (942) 71 95 00* – TV ☎ ⇐ ◑ E VISA JCB
18 hab ☕ 7900/9900.

PEDRAZA DE LA SIERRA *40172 Segovia* 442 **I 18** – *448 h. alt. 1 073.*

Ver : *Pueblo histórico★★.*

Madrid 126 – Aranda de Duero 85 – Segovia 35.

El Hotel de la Villa ⛰, Calzada 5 ☎ (921) 50 86 51, *Fax (921) 50 86 53,* « Ambien acogedor. Decoración elegante » – |♦| ▤ TV ☎ – 25/50. AE ◑ E VI ✂
Comida 3900 – ☕ 900 – **24 hab** 11500/13600, 2 suites – PA 6900.

La Posada de Don Mariano ⛰, Mayor 14 ☎ (921) 50 98 86, *Fax (92 50 98 86,* « Elegante decoración interior » – TV ☎. AE ◑ E VISA JC ✂
Comida *(cerrado domingo noche, lunes, del 15 al 30 de enero y del 15 al 30 de junio)* 300 – ☕ 950 – **18 hab** 9000/11000.

XX **La Olma,** pl. del Ganado 1 ☎ (921) 50 99 81, *Fax (921) 50 99 35* – ▤. AE ⓓ E VISA. ✂
cerrado martes y del 16 al 30 de septiembre salvo fines de semana – **Comida** carta 2450 a 4100.

X **El Corral de Joaquina,** Íscar 3 ☎ (921) 50 98 19, *Fax (921) 50 98 19*, ☂ – ▤. AE ⓓ E VISA. ✂
cerrado lunes – **Comida** - sólo almuerzo en invierno salvo fines de semana - carta 2650 a 3200.

EDREZUELA *28723 Madrid* 444 J 19 – *798 h.*
Madrid 44 – Aranda de Duero 117 – Guadalajara 72.

XX **Los Nuevos Hornos** *(Ángel)*, carret. N I - Norte : 2 km ☎ (91) 843 35 71, *Fax (91) 843 38 73*, ☂ – ▤ ⓟ. AE ⓓ E. ✂
cerrado lunes noche, martes y agosto – **Comida** carta 3300 a 5250.

as PEDROÑERAS *16660 Cuenca* 444 N 21 y 22 – *6 475 h. alt. 700.*
Madrid 160 – Albacete 89 – Alcázar de San Juan 58 – Cuenca 111.

XX **Las Rejas,** av. del Brasil ☎ (967) 16 10 89, *Fax (967) 16 21 68*, « Decoración regional »
✿ – ▤ ⓟ. AE ⓓ E VISA JCB. ✂
cerrado domingo noche, lunes y 2ª quincena de junio – **Comida** 5000 y carta 4000 a 5200
Espec. Perdiz con foie gras, trufas y hongos (copa fría). Lechona confitada en su grasa con canela, salvia y romero. Bacalao rustido con el guiso de sus callos.

L PEDROSO *41360 Sevilla* 446 S 12 – *2 393 h. alt. 415.*
Madrid 502 – Aracena 104 – Écija 96 – Sevilla 74.

Casa Montehuéznar, av. de la Estación 15 ☎ (95) 488 90 00, *Fax (95) 488 93 04* – ▤ ☎. AE E VISA. ✂
Comida 1950 – **8 hab** ☕ 4000/7800 – PA 3575.

EGUERA *Baleares – ver Baleares (Mallorca) : Paguera.*

ENÁGUILA *03815 Alicante* 445 P 28 – *351 h. alt. 685.*
Madrid 432 – Alcoy/Alcoi 19 – Alicante/Alacant 76 – Gandía 100.

Oeste : *3,5 km*

Mas de Pau ⛰, carret. de Alcoy ☎ (96) 551 31 11, *Fax (96) 551 31 09*, ←, ☂, « Interior rústico », ⛱, ✂ – TV ☎ ⓟ – 🏛 25/65. AE ⓓ VISA. ✂
Comida *(cerrado jueves)* 1500 – **18 hab** ☕ 6000/9000.

EÑAFIEL *47300 Valladolid* 442 H 17 – *5 003 h. alt. 755.*
Ver : *Castillo*★.
Madrid 176 – Aranda de Duero 38 – Valladolid 55.

Ribera del Duero ⛰, av. Escalona 17 ☎ (983) 88 16 16, *Fax (983) 88 14 44* – |♦| ▤ TV ☎ ⓟ. AE E VISA. ✂
Comida 1600 – ☕ 800 – **27 hab** ☕ 8800/10500.

EÑARANDA DE BRACAMONTE *37300 Salamanca* 441 J 14 – *6 290 h. alt. 730.*
ℹ *Carlos I-1* ☎ *(923) 54 00 01.*
Madrid 164 – Ávila 56 – Salamanca 43.

XX **Las Cabañas,** Carmen 10 ☎ (923) 54 02 03
▤. AE ⓓ E VISA. ✂
cerrado lunes noche – **Comida** carta 2950 a 3800.

X La Encina, av. de Salamanca 10 ☎ (923) 54 20 40 – ▤.

EÑARROYA PUEBLONUEVO *14200 Córdoba* 446 R 14 – *13 946 h. alt. 577.*
Madrid 394 – Azuaga 46 – Córdoba 83 – Sevilla 232.

Gran Hotel sin rest, Trinidad 7 ☎ (957) 57 00 58, *Fax (957) 57 01 94* – ▤ TV ☎. VISA. ✂
☕ 400 – **17 hab** 3500/5900.

Pour voyager rapidement, utilisez les **cartes Michelin "Grandes Routes" :**
970 *Europe,* **974** *Pologne,* **976** *République Tchèque-République Slovaque,*
980 *Grèce,* **984** *Allemagne,* **985** *Scandinavie-Finlande,*
986 *Grande-Bretagne-Irlande,* **987** *Allemagne-Autriche-Benelux,*
988 *Italie,* **989** *France,* **990** *Espagne-Portugal,* **991** *Yougoslavie.*

PEÑÍSCOLA *12598 Castellón* 445 **K 31** – *3 677 h. – Playa.*
Ver : *Ciudad Vieja★ (castillo ≤★).*
paseo Marítimo ℘ (964) 48 02 08 Fax (964) 48 02 08.
Madrid 494 – Castellón de la Plana/Castelló de la Plana 76 – Tarragona 124 – Tortosa

Hostería del Mar (Parador Colaborador), av. Papa Luna 18 ℘ (964) 48 06 0 *Fax (964) 48 13 63,* ≤ mar y Peñíscola, Cenas medievales los sábados, « Interi castellano », ⛱, 🏞, 🎾 – 🛗 ▤ 📺 ☎ 🅿. AE ⓞ E VISA. 🚫 rest
Comida 2500 – ☕ 1050 – **85 hab** 12800/17000, 1 suite – PA 5100.

Jaime I, av. Pigmalión ℘ (964) 48 99 00, *Fax (964) 48 94 10,* ⛱ – 🛗 ▤ 📺 ☎ 🅿. ⓞ E VISA. 🚫
cerrado 15 enero-1 marzo – **Comida** 1850 – ☕ 750 – **47 hab** 5300/10600 – PA 34

Prado, av. Papa Luna 3 ℘ (964) 48 91 20, *Fax (964) 48 95 17,* ≤, ⛱ – 🛗 ▤ 📺 ☎ 🅿. AE E VISA. 🚫
Comida 2000 – ☕ 800 – **154 hab** 7500/11500 – PA 3200.

Cabo de Mar, av. Primo de Rivera 1 ℘ (964) 48 00 16, ≤ – ▤ rest, 📺 – *temp* – **20 ha**

Porto Cristo, av. Papa Luna 2 ℘ (964) 48 07 18, *Fax (964) 48 90 49,* 🏖 – 🛗 ▤ ☎ 🅿. 🚫
Semana Santa-octubre – **Comida** 1400 – ☕ 500 – **39 hab** 3600/8600 – PA 3300.

Mare Nostrum sin rest, Molino 4 ℘ (964) 48 16 26, *Fax (964) 48 03 17* – 🛗 ▤ 📺 E VISA. 🚫 – **24 hab** ☕ 9000.

Marina, av. José Antonio 42 ℘ (964) 48 08 90, *Fax (964) 48 08 90* – ▤ rest, ☎. ⓞ VISA. 🚫
Semana Santa-1 noviembre – **Comida** 1300 – ☕ 400 – **19 hab** 2100/4300 – PA 25

XX **Les Doyes,** av. Papa Luna 10 ℘ (964) 48 07 95, *Fax (964) 48 08 55,* 🏖 – ▤. AE E VISA. 🚫
19 marzo-12 octubre – **Comida** carta 2300 a 4000.

X **Simó** con hab, Porteta 5 ℘ (964) 48 06 20, *Fax (964) 48 06 20,* ≤, 🏖 – 📺. AE ⓞ VISA. 🚫
marzo-septiembre – **Comida** *(cerrado lunes)* carta 3350 a 6000 – ☕ 650 – **10 h** 5600/7000.

en la urbanización Las Atalayas *por la carretera CS 500 - Noroeste : 1 km* – ✉ 125 *Peñíscola :*

Benedicto XIII 🔇, ℘ (964) 48 08 01, *Fax (964) 48 95 23,* ≤, 🏖, ⛱, 🎾 – 🛗, ▤ re 📺 ☎ 🅿 – 🏛 25/80. AE ⓞ E VISA JCB. 🚫
marzo-octubre – **Comida** 2000 – ☕ 850 – **30 hab** 6700/8500.

PERALADA *Gerona – ver Perelada.*

PERALEJO *28211 Madrid* 444 **K 17.**
Madrid 54 – El Escorial 6 – Ávila 70 – Segovia 66 – Toledo 103.

X **Casavieja,** ℘ (91) 899 20 11, 🏖, « Decoración rústica » – ▤. VISA. 🚫
Comida *(cerrado lunes y 20 días en octubre)* carta 1850 a 3400.

PERALES DEL PUERTO *10896 Cáceres* 444 **L 9** – *967 h. alt. 441.*
Madrid 300 – Alcántara 68 – Cáceres 101 – Salamanca 149.

XX **La Taberna Encantada,** av. Sierra de Gata 96 ℘ (927) 51 41 61, *Fax (927) 51 41 0* « Decoración rústica » – ▤. AE ⓞ E VISA. 🚫
cerrado domingo noche, lunes y octubre – **Comida** carta 2900 a 3600.

PERALTA *31350 Navarra* 442 **E 24** – *4 544 h. alt. 292.*
Madrid 347 – Logroño 70 – Pamplona/Iruñea 59 – Zaragoza 122.

XX **Atalaya** con hab, Dabán 11 ℘ (948) 75 01 52, *Fax (948) 75 01 52* – 🛗, ▤ rest, 📺 AE ⓞ E VISA. 🚫 rest
cerrado 24 diciembre-6 enero – **Comida** *(cerrado lunes)* carta 3250 a 4300 – **22 h** ☕ 3000/5000.

PERAMOLA *25790 Lérida* 443 **F 33** – *393 h. alt. 566.*
Madrid 567 – Lérida/Lleida 98 – Seo de Urgel/La Seu d'Urgell 47.

al Noreste : *2,5 km*

Can Boix *(anexo* 🏨 *)* 🔇, ℘ (973) 47 02 66, *Fax (973) 47 02 66,* ≤, ⛱, 🎾 – ▤ ☎ ♿ 🅿 – 🏛 25/40. AE ⓞ E VISA JCB. 🚫 rest
cerrado 10 enero-10 febrero y 15 días en noviembre – **Comida** carta 3150 a 4850 ☕ 1100 – **48 hab** 13000/17000.

ERATALLADA *17113 Gerona* 443 G 39.

Madrid 752 - Gerona/Girona 33 - Palafrugell 16.

XXX **Castell de Peratallada** con hab, pl. del Castell 1 (972) 63 40 21, *Fax (972) 63 40 11*, « Castillo medieval con su torre de homenaje », - hab, . AE E VISA JCB
cerrado enero - **Comida** *(cerrado domingo noche todo el año y lunes en invierno)* carta 3475 a 6325 - **5 hab** 25000/30000.

XX **La Riera** con hab, pl. les Voltes 3 (972) 63 41 42, *Fax (972) 63 50 40*, « Instalado en una antigua casa medieval. Decoración rústica » - TV P. AE VISA.
Comida *(cerrado miércoles salvo verano)* carta 2550 a 4300 - 800 - **6 hab** 8000, 2 apartamentos.

X **Can Nau,** pl. Esquiladors 2 (972) 63 40 35, « Instalado en una antigua casa de estilo regional » - . E VISA.
cerrado domingo noche (salvo agosto), miércoles no festivos y 2 febrero-11 marzo - **Comida** carta 2600 a 3500.

X **El Borinot,** del Forn 15 (972) 63 40 84 - P. AE E VISA.
cerrado martes y 7 enero-5 febrero - **Comida** carta 2350 a 3650.

X **Can Bonay,** pl. Les Voltes (972) 63 40 34, « Bodega museo » - P. E VISA.
cerrado lunes (salvo festivos) y noviembre - **Comida** carta 2300 a 3200.

PEREDA *Asturias - ver Llanes.*

ERELADA o PERALADA *17491 Gerona* 443 F 39 - *1 118 h.*

18 Peralada, Paraje La Garriga (972) 53 82 87 Fax (972) 53 82 36.
Madrid 738 - Gerona/Girona 42 - Perpignan 61.

XX **Cal Sagristà,** Rodona 2 (972) 53 83 01, - AE E VISA
cerrado martes (salvo julio y agosto), 3 semanas en febrero y una semana en noviembre - **Comida** carta aprox. 4300.

ERELLÓ o El PERELLÓ *43519 Tarragona* 443 J 32 - *2 119 h. alt. 142.*

Madrid 519 - Castellón de la Plana/Castelló de la Plana 132 - Tarragona 59 - Tortosa 33.

X **Censals,** carret. N 340 (977) 49 00 59, *Fax (977) 49 10 20* - P. AE E VISA.
cerrado martes noche, miércoles (salvo verano) y 1ª quincena de noviembre - **Comida** carta 2400 a 4300.

ERILLO *La Coruña - ver La Coruña.*

ERUYES *33547 Asturias* 441 B 14.

Madrid 522 - Gijón 89 - Oviedo 71 - Ribadesella 13.

Aultre Naray sin rest, (98) 584 08 08, *Fax (98) 584 08 48*, « En un bonito paraje entre montañas » - TV P. AE E VISA.
850 - **10 hab** 9500/12000.

ETREL o PETRER *03610 Alicante* 445 Q 27 - *24 383 h. alt. 640.*

Madrid 380 - Albacete 130 - Alicante/Alacant 36 - Elda 2 - Murcia 82.

XX **La Sirena,** av. de Madrid 14 (96) 537 17 18, *Fax (96) 695 09 22* - . AE E VISA.
cerrado domingo noche, lunes, Semana Santa y 21 días en agosto - **Comida** carta 3300 a 4400.

PÍ DE SANT JUST *25286 Lérida* 443 G 34.

Madrid 582 - Lérida/Lleida 113 - Manresa 47 - Solsona 5.

X **El Pí de Sant Just** con hab, carret. C 1410 (973) 48 07 00, *Fax (973) 48 30 37*, , - rest, TV P. AE E VISA.
Comida *(cerrado lunes)* carta aprox. 3600 - 700 - **11 hab** 3000/5500.

CANYA *46210 Valencia* 445 N 28 - *7 789 h. alt. 15.*

Madrid 356 - Valencia 7.

Císcar sin rest, Alquería de Moret (polígono industrial) (96) 159 43 00 - TV
 - 25/50
43 hab.

PIEDRA (Monasterio de) *Zaragoza* 443 **I 24** – *alt. 720* – ✉ *50210 Nuévalos.*
Ver : *Parque y cascadas*★★.
Madrid 231 – Calatayud 29 – Zaragoza 118.

Monasterio de Piedra ⛰, ☎ (976) 84 90 11, *Fax (976) 84 90 54,* « Instalado en antiguo monasterio », ⛱, 🎾 – ▤ rest, TV ☎ ♿ P – 🏃 25/170. AE ⓓ E VISA. ✻ r
Comida 2750 – ☕ 550 – **61 hab** 7000/10500 – PA 5500.

PIEDRALAVES *05440 Ávila* 442 **L 15** – *2 097 h. alt. 730.*
Madrid 95 – Ávila 83 – Plasencia 159.

Almanzor, Progreso 4 ☎ (91) 866 50 00, « Terraza con arbolado y ⛱ » – |‡|, ▤ re ☎ P. VISA. ✻
Comida 1800 – ☕ 600 – **59 hab** 4350/5700.

PINA *Baleares – ver Baleares (Mallorca).*

LA PINEDA (Playa de) *Tarragona – ver Salou.*

PINEDA DE MAR *08397 Barcelona* 443 **H 38** – *16 317 h. – Playa.*
ℹ *Sant Joan Nonell ☎ (93) 767 15 60 Fax (93) 767 12 12.*
Madrid 694 – Barcelona 51 – Gerona/Girona 46.

Mercè, Rdo. Antoni Doltra 2 ☎ (93) 767 00 78, *Fax (93) 767 10 10,* ⛱, 🎾 – |‡|, ▤ re ✻ rest
abril-20 noviembre – - ***La Taverna*** *(cerrado lunes salvo festivos y 7 enero-28 mar*
Comida carta 2300 a 3050 – ☕ 600 – **170 hab** 3000/5000.

Mont Palau, Roig i Jalpi 1 ☎ (93) 767 14 66, *Fax (93) 767 05 83,* ⛱ – |‡| P. AE ⓓ VISA. ✻ rest
abril-octubre – **Comida** 1400 – ☕ 480 – **82 hab** 4000/6000 – PA 2800.

Sabiote, Rdo. Antoni Doltra 15 ☎ (93) 767 14 40, *Fax (93) 767 14 40* – |‡|, ▤ rest, ☎. AE E VISA JCB. ✻
cerrado 8 diciembre-8 enero – **Comida** *(cerrado miércoles)* 1200 – ☕ 600 – **26 h** 4000/7500 – PA 2550.

PINETA (Valle de) *Huesca – ver Bielsa.*

PINOS GENIL *18191 Granada* 446 **U 19** – *1 069 h. alt. 774.*
Madrid 443 – Granada 13.

en la carretera de Granada – ✉ *18191 Pinos Genil :*

Labella María, Oeste : 0,5 km ☎ (958) 48 87 46, *Fax (958) 48 87 26* – |‡| ▤ TV ☎
25 hab.

Los Pinillos, Oeste : 3 km ☎ (958) 48 61 09, *Fax (958) 48 72 16,* ☂ – ▤ P. AE E VISA. ✻
cerrado domingo noche, martes y agosto – **Comida** carta 3300 a 4400.

PINTO *28320 Madrid* 444 **L 18** – *22 305 h. alt. 604.*
Madrid 20 – Aranjuez 28 – Toledo 59.

Plaza Santiago, pl. de Santiago 1 ☎ (91) 692 83 90, *Fax (91) 692 83 91* – |‡| ▤ ☎ 🚗 – 🏃 25/300. AE ⓓ VISA. ✻
Comida 2500 - ***Savarín :*** **Comida** carta 3400 a 4200 – ☕ 600 – **45 hab** 6300/800

PLÀ DE LA ERMITA *Lérida – ver Taüll*

PLÀ DE SANT LLORENÇ *Barcelona – ver Matadepera.*

PLÀ DE VALL LLOBREGÀ *Gerona – ver Palamós.*

PLASENCIA *10600 Cáceres* 444 **L 11** – *36 826 h. alt. 355.*
Ver : *Catedral*★ *(retablo*★*, sillería*★*).*
ℹ *del Rey 8 ☎ (927) 42 21 59 pl. de la Catedral ☎ (927) 42 38 43.*
Madrid 257 – Ávila 150 – Cáceres 85 – Ciudad Real 332 – Salamanca 132 – Talavera la Reina 136.

Alfonso VIII, Alfonso VIII-34 ☎ (927) 41 02 50, *Fax (927) 41 80 42* – 🛗 ▤ TV ☎ 🚗 – 🏛 25/400. AE ⊙ E VISA. ✗
Comida carta 3400 a 5750 – ☕ 850 – **55 hab** 8500/14000, 2 suites – PA 6375.

Real, Norte : 1,5 km ☎ (927) 41 29 00, *Fax (927) 41 68 24* – 🛗 ▤ TV ☎ P. AE ⊙ E VISA. ✗
Comida 1500 – ☕ 400 – **33 hab** 3800/6000 – PA 2500.

La Alacena de Chus, Higuerillas 2 ☎ (927) 42 37 86 – ▤. VISA. ✗
cerrado domingo noche y lunes – **Comida** carta 3300 a 4650.

Puerta Talavera, Talavera 30-bajo ☎ (927) 42 42 69, *Fax (927) 42 43 97* – ▤. AE VISA. ✗
Comida carta 3100 a 3700.

Casa Juan, Arenillas 2 ☎ (927) 42 40 42 – ▤. VISA. ✗
cerrado jueves, 2ª quincena de enero y 2ª quincena de junio – **Comida** carta 3500 a 4600.

Florida 2, av. de España 22 ☎ (927) 41 38 58 – ▤. AE E VISA. ✗
Comida carta 2800 a 4100.

la carretera N 630 *Suroeste : 3 km – ✉ 10600 Plasencia :*

Azar, ☎ (927) 42 18 33, *Fax (927) 42 18 33* – 🛗 ▤ TV ☎ 🚗 P – 🏛 25/400. E VISA. ✗
Comida 2300 – **48 hab** ☕ 7600/11800 – PA 4300.

ASENCIA DEL MONTE *22810 Huesca* 443 F 28 – *263 h. alt. 535.*
Madrid 407 – Huesca 17 – Pamplona/Iruñea 147.

El Cobertizo con hab, carret. A 132 ☎ (974) 27 00 11, *Fax (974) 27 00 92*, 🏊 – ▤ rest, TV P. AE ⊙ E VISA JCB
Comida carta 1650 a 2550 – ☕ 500 – **24 hab** 3500/6000.

ATJA D'ARO *Gerona – ver Playa de Aro.*

AYA – *ver el nombre propio de la playa.*

AYA BARCA *Las Palmas – ver Canarias (Fuerteventura).*

AYA BLANCA *Las Palmas – ver Canarias (Fuerteventura) : Puerto del Rosario.*

AYA BLANCA DE YAIZA *Las Palmas – ver Canarias (Lanzarote).*

AYA CANYELLES (Urbanización) *Gerona – ver Lloret de Mar.*

AYA GRANDE *Murcia – ver Puerto de Mazarrón.*

AYA DE ARO o PLATJA D'ARO *17250 Gerona* 443 G 39 – *4 785 h. – Playa.*
18 9 D'Aro, urb. Mas Nou, Noroeste : 4,5 km ☎ (972) 82 69 00 Fax (972) 82 69 06.
Jacinto Verdaguer 4 ☎ (972) 81 71 79 Fax (972) 82 56 57.
Madrid 715 – Barcelona 102 – Gerona/Girona 37.

Columbus 🐦, passeig del Mar 100 ☎ (972) 81 71 66, *Fax (972) 81 75 03*, ≤, 🏖, 🏊, 🎾 – 🛗 ▤ TV ☎ P – 🏛 25/250. AE ⊙ E VISA. ✗ rest
marzo-octubre – **Comida** 2750 – **108 hab** ☕ 12500/20000, 2 suites.

Platja Park, av. d'Estrasburg 10 ☎ (972) 81 68 05, *Fax (972) 81 68 03*, 🏋, 🏊 – 🛗 ▤ TV ☎ ♿ 🚗 – 🏛 25/400. AE ⊙ E VISA. ✗
cerrado enero – **Comida** - sólo buffet - 2800 – **189 hab** ☕ 9200/15200, 8 suites.

Mar Condal 🐦, paseo Marítimo 104 ☎ (972) 81 80 69, *Fax (972) 81 61 14*, ≤, 🏖, 🏊 – 🛗, ▤ rest, TV ☎ 🚗 P. AE ⊙ E VISA. ✗
abril-octubre – **Comida** 1500 – ☕ 500 – **144 hab** 9500/15500, 2 suites – PA 3500.

Cosmopolita, Pinar del Mar 30 ☎ (972) 81 73 50, *Fax (972) 81 74 50*, ≤ – 🛗, ▤ rest, TV. E VISA. ✗ rest
cerrado enero – **Comida** 1800 – ☕ 700 – **90 hab** 7100/13000 – PA 3000.

Costa Brava 🐦, carret. de Palamós - Punta d'en Ramís ☎ (972) 81 73 08, *Fax (972) 82 63 48*, ≤, « Al borde del mar » – TV ☎ P. AE ⊙ E VISA. ✗ rest
marzo-noviembre – **Comida** 1600 - ***Can Poldo*** **:** **Comida** carta 2700 a 3750 – **57 hab** ☕ 7200/15000.

Xaloc, carret. de Palamós - playa de Rovira ☎ (972) 81 73 00, *Fax (972) 81 61 00* – ▤ rest, TV ☎ P. AE E VISA. ✂ rest
mayo-15 octubre – **Comida** - sólo cena - 1950 – ▭ 800 – **47 hab** 7850/13500.

Els Pins, Nostra Señora del Carme 34 ☎ (972) 81 72 19, *Fax (972) 81 75 46,* – |‡|
☎. E VISA. ✂ rest
abril-septiembre – **Comida** 1350 – ▭ 650 – **65 hab** 8440/11250 – PA 2500.

Miramar, Virgen del Carmen 45 ☎ (972) 81 71 50, *Fax (972) 81 71 50,* ← – |‡|. AE
VISA. ✂
mayo-octubre – **Comida** 1500 – **42 hab** ▭ 6900/11100.

Aradi, carret. de Palamós ☎ (972) 81 73 76, *Fax (972) 81 75 72,* – ▤ P. AE ⓘ
VISA
Comida carta 2500 a 3900.

Japet con hab, carret. de Palamós 50 ☎ (972) 81 73 66, *Fax (972) 81 73 66,* –
AE ⓘ E VISA JCB
Comida carta 3000 a 4000 – ▭ 500 – **20 hab** 3600/6000.

en la carretera de Mas Nou *Oeste : 1,5 km* – ✉ *17250 Playa de Aro :*

Carles Camós-Big Rock con hab, barri de Fanals 5 ☎ (972) 81 80
Fax (972) 81 89 71, « Antigua masía señorial », – ▤ TV ☎ P. AE ⓘ
VISA
cerrado enero – **Comida** *(cerrado domingo noche y lunes)* carta 3300 a 4250 – ▭ 12
– **5 suites** 22000.

en Condado de San Jorge *Noreste : 2 km* – ✉ *17251 Calonge :*

Park H. San Jorge, ☎ (972) 65 23 11, *Fax (972) 65 25 76,* « Agradable terraza c arbolado, ← rocas y mar », – |‡| ▤ TV ☎ P – 25/100. AE ⓘ V
✂
marzo-noviembre – **Comida** - sólo cena salvo julio-agosto - 3500 – **99 h**
▭ 18900/25000, 5 suites.

en la carretera de Sant Feliu de Guíxols – ✉ *17250 Playa de Aro :*

Panamá sin rest, Suroeste : 1 km ☎ (972) 81 76 39, *Fax (972) 81 79 34,* – |‡|. AE
VISA
mayo-octubre – ▭ 400 – **42 hab** 5600/7800.

en la urbanización Mas Nou *Noroeste : 4,5 km* – ✉ *17250 Playa de Aro :*

Mas Nou, ☎ (972) 81 78 53, *Telex 57205, Fax (972) 81 67 22,* ←, « Decoraci rústica », – ▤ P. AE ⓘ E VISA
10 marzo-15 noviembre – **Comida** *(cerrado miércoles salvo julio-agosto)* carta 3000
4995.

PLAYA DE PALMA *Baleares – ver Baleares (Mallorca) : Palma.*

PLAYA DE SAN JUAN o PLATJA DE SAN JUAN *03540 Alicante* 445 **Q 28** – *Play*
Madrid 424 – Alicante/Alacant 7 – Benidorm 33.

Sidi San Juan , ☎ (96) 516 13 00, *Fax (96) 516 33 46,* ← mar, – |‡| ▤ TV ☎ P – 25/250. AE ⓘ E VISA. ✂ rest
Comida 3500 - ***Grill Sant Joan*** **: Comida** carta 3500 a 5300 – ▭ 1700 – **172 h**
18000/22000, 4 suites – PA 6700.

Holiday Inn Alicante-Playa de San Juan , av. de Cataluña 20 ☎ (96) 515 61 8
Fax (96) 515 39 36, – ▤ TV ☎ ♿ P – 50/100. AE ⓘ E VISA JCB. ✂
Comida 1700 – ▭ 800 – **66 hab** 11800/13800 – PA 3500.

Almirante , av. de Niza 38 ☎ (96) 565 01 12, *Fax (96) 565 71 69,* ←,
|‡| ▤ TV ☎ P – 25/150. AE ⓘ E VISA. ✂
Pocardy **: Comida** carta 2350 a 3550 – ▭ 595 – **64 hab** 9000/11640.

Mío Cid, av. Costablanca 22-A ☎ (96) 515 27 00, *Fax (96) 526 52 26,* ←, – |‡| ▤
☎ AE ⓘ E VISA. ✂
Comida 2500 – ▭ 900 – **43 hab** 11100/14100 – PA 5015.

Castilla, av. Países Escandinavos 7 ☎ (96) 516 20 33, *Fax (96) 516 20 61,* – |‡| ▤
☎ P – 25/120. AE ⓘ VISA. ✂
Comida 2000 – ▭ 935 – **155 hab** 11945/19615 – PA 5000.

Estella, av. Costa Blanca 125 ☎ (96) 516 04 07 – ▤. AE ⓘ E VISA JCB. ✂
cerrado domingo noche, lunes, del 20 al 30 de junio y del 10 al 30 de noviembre – **Comi**
carta 3180 a 4425.

Max's, Curricán 43 ✆ (96) 516 59 15
Comida - cocina francesa -.

Marcolisa, av. La Condomina 62 ✆ (96) 516 41 38, - E VISA
cerrado miércoles – **Comida** *(sólo cena en verano salvo sábado y domingo)* - cocina franco-belga - carta aprox. 2300.

la carretera de San Juan de Alicante *Noroeste : 2 km – ✉ 03560 Campello :*

Monastrell, carret. Benimagrell 52 ✆ (96) 594 03 23, *Fax (96) 598 00 27* – ▤. AE E VISA
cerrado domingo noche y lunes (salvo verano) y 15 enero-15 febrero – **Comida** carta 3400 a 4700.

.AYA DE LAS AMÉRICAS *Santa Cruz de Tenerife – ver Canarias (Tenerife).*

S PLAYAS *Santa Cruz de Tenerife – ver Canarias (Hierro) : Valverde.*

.AYAS DE FORNELLS (Urbanización) *Baleares – ver Baleares (Menorca) : Fornells.*

S PLAYETAS *Castellón – ver Oropesa del Mar.*

.ENCIA o PLENTZIA *48620 Vizcaya* **442 B 21** – *2 520 h. – Playa.*
Madrid 416 – Bilbao/Bilbo 21 – Vitoria/Gasteiz 91.

Uribe sin rest, Erribera 13 ✆ (94) 677 44 78, *Fax (94) 677 44 61* – TV ☎
8 hab.

Gaminiz, Areatza 38 ✆ (94) 677 30 93, « Villa de época con terraza acristalada » – ⓓ E VISA
cerrado lunes y del 2 al 30 de noviembre – **Comida** carta 4500 a 5900.

A POBLA DE BENIFASSÀ *Castellón – ver La Puebla de Benifasar.*

POBLA DE CLARAMUNT *08787 Barcelona* **443 H 35** – *1 635 h. alt. 246.*
Madrid 570 – Barcelona 71 – Lérida/Lleida 101 – Manresa 35.

la carretera C 244 *Sur : 2 km – ✉ 08787 La Pobla de Claramunt :*

La Farga, av. Corral de la Farga 15 (residencial El Xaro) ✆ (93) 808 61 85, *Fax (93) 808 61 85,* « Césped con », – ▤ P.

POBLA DE FARNALS *Valencia – ver Puebla de Farnals.*

OBLET (Monasterio de) *43448 Tarragona* **443 H 33** – *alt. 490.*
Ver : *Paraje★ – Monasterio★★★ (capilla de Sant Jordi★★, Plaza Mayor★, Puerta Real★, Palacio del Rey Martín★, claustro★★ : capiteles★, templete★, sala capitular★★ ; Iglesia★★ : Panteón Real★★, Retablo Mayor★★).*
paseo del Abat Conill 9 ✆ (977) 87 12 47 Fax 87 12 47.
Madrid 528 – Barcelona 122 – Lérida/Lleida 51 – Tarragona 46.

Masía del Cadet , ✉ 43449 Les Masies, ✆ (977) 87 08 69, *Fax (977) 87 08 69,* ←, – , ▤ rest, ☎ P. AE ⓓ E VISA.
cerrado del 5 al 22 de noviembre – **Comida** *(cerrado domingo noche y lunes)* 2000 – 700 – **12 hab** 5500/7500 – PA 4420.

Monestir , ✉ 43449 Les Masies, ✆ (977) 87 00 58, *Fax (977) 87 00 30,* , – , ▤ rest, ☎ P. AE E VISA.
15 marzo-octubre – **Comida** 2200 – 750 – **30 hab** 4800/7500 – PA 5150.

Fonoll, pl. Ramón Berenguer IV-2 ✆ (977) 87 03 33, *Fax (977) 87 13 66,* – P. AE ⓓ E VISA
cerrado jueves salvo (julio-septiembre) y 21 diciembre-24 enero – **Comida** carta 2700 a 3100.

OBOA DE TRIVES *Orense – ver La Puebla de Trives.*

OBRA DO CARAMIÑAL *La Coruña – ver Puebla del Caramiñal.*

OS POCILLOS (Playa de) *Las Palmas – ver Canarias (Lanzarote) : Puerto del Carmen.*

POLA DE ALLANDE *33880 Asturias* 441 **C 10** *– 710 h. alt. 524.*
Madrid 500 – Cangas 21 – Luarca 84 – Oviedo 106.

La Nueva Allandesa con hab, Donato Fernández 3 ☎ (98) 580 70
Fax (98) 580 80 31 – ☎. AE ⓓ E VISA.
Comida *(cerrado domingo noche)* carta 2000 a 3000 – ☐ 500 – **24 hab** 4200/700

POLA DE SIERO *33510 Asturias* 441 **B 12**.
Madrid 470 – Gijón 23 – Oviedo 17.

Lóriga, Valeriano León 22 ☎ (98) 572 00 26, *Fax (98) 572 07 98* – ☎. AE
E VISA.
Comida *(cerrado lunes)* 1500 – ☐ 650 – **40 hab** 6750/10850 – PA 2560.

POLA DE SOMIEDO *33840 Asturias* 441 **C 11**.
Madrid 444 – Oviedo 86.

Casa Miño sin rest, Rafael Rey López ☎ (98) 576 37 30, *Fax (98) 576 37 50* –
E VISA.
cerrado 6 enero-6 febrero – ☐ 600 – **15 hab** 5000/8000.

en Valle de Lago *Sureste : 8 km – ✉ 33840 Valle de Lago :*

Valle de Lago, ☎ (98) 576 39 69, *Fax (98) 576 39 79* – ☎ P. VISA.
Comida 1200 – ☐ 600 – **10 hab** 4990/6550 – PA 3000.

POLLENSA o **POLLENÇA** *Baleares – ver Baleares (Mallorca).*

POLOP *03520 Alicante* 445 **Q 29** *– 1 903 h. alt. 230.*
Madrid 449 – Alicante/Alacant 57 – Gandía 63.

Ca L'Àngeles, Gabriel Miró 36 ☎ (96) 587 02 26 – E VISA.
cerrado martes y 16 junio-16 julio – **Comida** - sólo almuerzo salvo viernes, sábado y jun
septiembre - carta 3500 a 4700.

PONFERRADA *24400 León* 441 **E 10** *– 59 702 h. alt. 543.*
Alred. : *Peñalba de Santiago★ Sureste : 21 km – Las Médulas★ Suroeste : 22 km.*
i *Gil y Carrasco 4 (junto al Castillo) ☎ (987) 42 42 36.*
Madrid 385 – Benavente 125 – León 105 – Lugo 121 – Orense/Ourense 159 – Oviedo 2

Del Temple, av. de Portugal 2 ☎ (987) 41 00 58, *Fax (987) 42 35 25*, « Decoraci
evocadora de la época de los Templarios » – ☎ – 25/120. AE ⓓ
VISA.
Comida 2100 – ☐ 875 – **112 hab** 8400/12200, 2 suites.

Madrid, av. de La Puebla 44 ☎ (987) 41 15 50, *Fax (987) 41 18 61* – rest,
– 25/200. AE ⓓ E VISA JCB.
Comida *(cerrado domingo noche)* 1250 – ☐ 425 – **55 hab** 3750/6000 – PA 2485.

Bérgidum sin rest. con cafetería, av. de la Plata 4 ☎ (987) 40 15 99, *Fax (987) 40 16*
– ☎. AE ⓓ E VISA.
☐ 900 – **71 hab** 7200/10200.

en la carretera N VI – *✉ 24400 Ponferrada :*

Novo, Norte : 2,5 km ☎ (987) 42 44 41, *Fax (987) 42 60 59* – ☎ P
26 hab.

Azul Montearenas, Noreste : 6 km ☎ (987) 41 70 12, *Fax (987) 42 48 21*, ≤ –
AE ⓓ E VISA JCB.
cerrado domingo noche – **Comida** carta 3150 a 3750.

PONS o **PONTS** *25740 Lérida* 443 **G 33** *– 2 247 h. alt. 363.*
Madrid 533 – Barcelona 131 – Lérida/Lleida 64.

Boncompte, pl. Sant Cristòfol 1 ☎ (973) 46 10 02, *Fax (973) 46 10 04* –
P. AE ⓓ E VISA JCB
Comida 1500 – ☐ 550 – **34 hab** 5000/8000.

Ventureta, carret. de Seo de Urgel 2 ☎ (973) 46 03 45, *Fax (973) 46 03 45* – VI

Comida carta 2000 a 3100.

PONT D'ARRÒS *Lérida – ver Viella.*

PONT DE BAR *25723 Lérida* **443** **E 34** – *169 h.*

Madrid 614 – Puigcerdà 34 – Seo de Urgel/La Seu d'Urgell 23.

la carretera N 260 *Este : 4,5 km – ✉ 25723 El Pont de Bar :*

XX **La Taverna dels Noguers,** ✆ (973) 38 40 20 – ▤ Ⓟ. E VISA
cerrado jueves y 7 enero-7 febrero – **Comida** - sólo almuerzo salvo sábado - carta aprox. 3900.

ONT DE MOLINS *17706 Gerona* **443** **F 38** – *260 h.*

Madrid 749 – Figueras/Figueres 6 – Gerona/Girona 42.

X **El Molí** con hab, de abril-octubre, carret. Les Escaules - Oeste : 2 km ✆ (972) 52 92 71, *Fax (972) 52 91 01*, « Antiguo molino », – ☎ Ⓟ. AE ⓓ E VISA. hab
Comida *(cerrado martes noche, miércoles y 15 diciembre-15 enero)* carta 1550 a 3800 – **8 hab** ☐ 6000/9900.

ONT DE SUERT *25520 Lérida* **443** **E 32** – *2 143 h. alt. 838.*

Alred. : *Embalse de Escales★ Sur : 5 km.*

Madrid 555 – Lérida/Lleida 123 – Viella 40.

la carretera de Bohí *Norte : 2,5 km – ✉ 25520 Pont de Suert :*

X **Mesón del Remei,** ✆ (973) 69 02 55, *Fax (973) 69 12 08* – Ⓟ. AE E VISA.
cerrado lunes (salvo enero-marzo y junio-septiembre) y 1ª semana de octubre – **Comida** - carnes a la brasa - carta 2600 a 3600.

PONT D'INCA *Baleares – ver Baleares (Mallorca).*

ONTEAREAS *Pontevedra – ver Puenteareas.*

ONTEDEUME *La Coruña – ver Puentedeume.*

ONTEVEDRA *36000* **P** **441** **E 4** – *75 148 h.*

Ver : *Barrio antiguo★ : Plaza de la Leña★* BY *- Museo Provincial (tesoros célticos★)* BY **M1** *- Iglesia de Santa María la Mayor★ (fachada oeste★)* AY *– Ría★.*

Alred. : *Mirador de Coto Redondo★★ ※★★ 14 km por ③.*

General Mola 1 ✉ 36001 ✆ (986) 85 08 14 Fax (986) 85 08 14 – **R.A.C.E.** *Joaquín Costa 35 ✉ 36001 ✆ (986) 86 09 85 Fax (986) 86 08 98.*

Madrid 599 ② – Lugo 146 ① – Orense/Ourense 100 ② – Santiago de Compostela 57 ① – Vigo 27 ③

Plano página siguiente

Parador de Pontevedra, Barón 19, ✉ 36002, ✆ (986) 85 58 00, *Fax (986) 85 21 95*, « Antiguo pazo acondicionado », – |♦| TV ☎ Ⓟ – 25/40. AE ⓓ E VISA JCB. AY a
Comida 3200 – ☐ 1300 – **45 hab** 12000/15000, 2 suites – PA 7055.

Galicia Palace, av. de Vigo 3, ✉ 36003, ✆ (986) 86 44 11, *Fax (986) 86 10 26* – |♦| ▤ TV ☎ ♿ – 25/300. AE ⓓ E VISA. rest BZ t
Comida 2200 – ☐ 950 – **80 hab** 11900/13200, 5 suites – PA 3950.

Rías Bajas sin rest. con cafetería, Daniel de la Sota 7, ✉ 36001, ✆ (986) 85 51 00, *Fax (986) 85 51 00* – |♦| TV ☎ – 25/90. AE ⓓ E VISA BZ n
☐ 600 – **93 hab** 7000/12500, 7 suites.

Don Pepe sin rest, carret. de La Toja 24, ✉ 36163 Poyo, ✆ (986) 87 22 60, *Fax (986) 87 34 33* – |♦| TV ☎ Ⓟ. AE ⓓ E VISA. por Puente de la Barca AY
☐ 600 – **25 hab** 7800/8500.

Virgen del Camino sin rest. con cafetería, Virgen del Camino 55, ✉ 36001, ✆ (986) 85 59 00, *Fax (986) 85 09 00* – |♦| TV ☎ – 25/50. AE ⓓ VISA. BZ v
☐ 700 – **53 hab** 7700/11900.

Ruas sin rest, Sarmiento 20, ✉ 36002, ✆ (986) 84 64 16, *Fax (986) 84 64 11* – ▤ TV ☎. AE ⓓ E VISA BY r
☐ 600 – **22 hab** 5500/8000.

Madrid sin rest, Andrés Mellado 5, ✉ 36001, ✆ (986) 86 51 80, *Fax (986) 86 51 80* – |♦| TV. E VISA. BZ c
☐ 450 – **40 hab** 4300/7500.

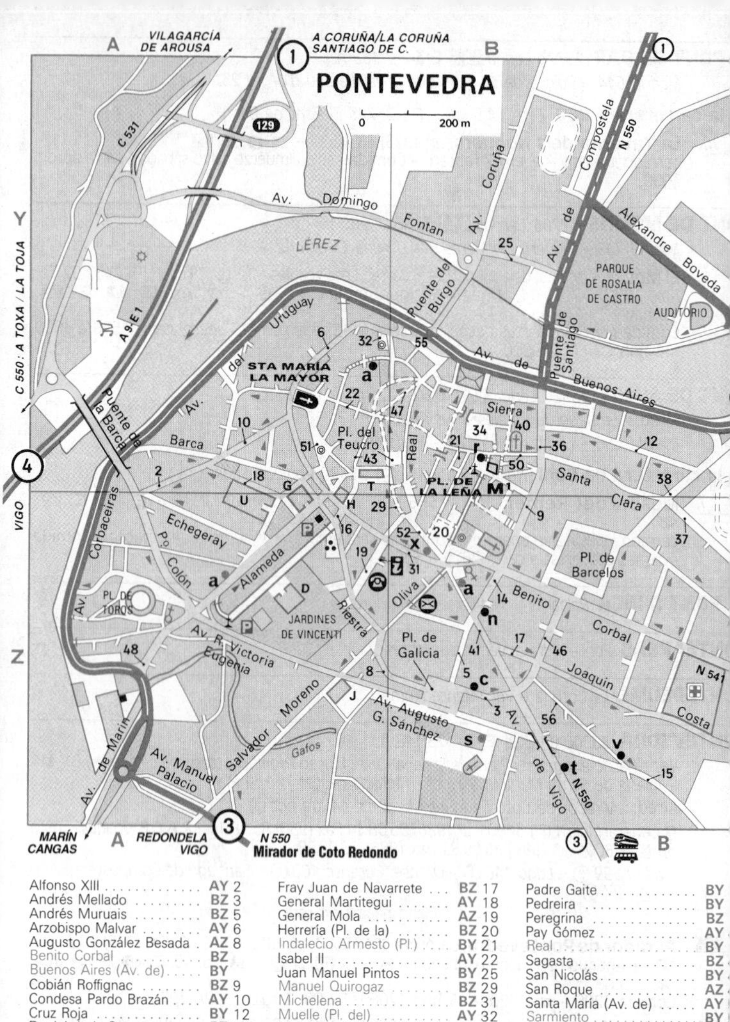

Alfonso XIII . . . . . AY 2	Fray Juan de Navarrete . . . BZ 17	Padre Gaite . . . . . BY
Andrés Mellado . . . . . BZ 3	General Martitegui . . . . . AY 18	Pedreira . . . . . BY
Andrés Muruais . . . . . BZ 5	General Mola . . . . . AZ 19	Peregrina . . . . . BZ
Arzobispo Malvar . . . . . AY 6	Herrería (Pl. de la) . . . . . BZ 20	Pay Gómez . . . . . AY
Augusto González Besada . AZ 8	Indalecio Armesto (Pl.) . . . BY 21	Real . . . . . BY
Benito Corbal . . . . . BZ	Isabel II . . . . . AY 22	Sagasta . . . . . BZ
Buenos Aires (Av. de) . . . . BY	Juan Manuel Pintos . . . . . BY 25	San Nicolás . . . . . BY
Cobián Roffignac . . . . . BZ 9	Manuel Quirogaz . . . . . BZ 29	San Roque . . . . . AZ
Condesa Pardo Brazán . . . . AY 10	Michelena . . . . . BZ 31	Santa María (Av. de) . . . . AY
Cruz Roja . . . . . BY 12	Muelle (Pl. del) . . . . . AY 32	Sarmiento . . . . . BY
Daniel de la Sota . . . . . BZ 14	Mugártegui (Pl. de) . . . . . BY 34	Soportales de la Herrería . . BZ
Eduardo Pondal (Avenida de) . . . . . BZ 15	Oliva . . . . . BZ	Valentín García Escudero (Pl.) . . . . . BY
España (Pl. de) . . . . . AZ 16	Padre Amoedo Carballo . . . BY 36	Virgen del Camino . . . . . BZ
	Padre Fernando Olmedo . . BZ 37	

XX **Román,** Augusto García Sánchez 12, ✉ 36001, ✆ (986) 84 35 60, *Fax (986) 84 35* – ▤. AE ⓓ E VISA. ✂ BZ
cerrado domingo noche – **Comida** carta 2875 a 4125.

XX **Doña Antonia,** Soportales de la Herrería 4-1º, ✉ 36002, ✆ (986) 84 72 74 – AE E VISA. ✂ BZ
cerrado domingo – **Comida** carta 3100 a 5600.

X **Chipén,** Peregrina 3, ✉ 36001, ✆ (986) 84 58 80 – ▤. ⓓ E VISA ✂ BZ
cerrado domingo – **Comida** carta 2300 a 2800.

X **Alameda,** Alameda 10, ✉ 36001, ✆ (986) 85 74 12 – AE E VISA. ✂ AZ
cerrado domingo, del 11 al 17 de enero, 21 junio-4 julio y del 18 al 24 de octubre – **Comida** carta 2500 a 4700.

San Salvador de Poyo *por Puente de la Barca* AY – ✉ *36994 San Salvador de Poyo :*

París sin rest, carret. de La Toja : 3 km ☎ (986) 87 31 98, *Fax (986) 87 30 40*, – TV ☎ P. E VISA.
400 – **39 hab** 3000/6000.

Casa Solla, carret. de La Toja : 2 km ☎ (986) 87 28 84, *Fax (986) 87 31 29* – P. AE E VISA.
cerrado domingo noche, jueves noche y 15 días en Navidades – **Comida** carta aprox. 5550
Espec. Lomo de merluza al romero con pisto y pimiento de piquillo. Morcillo de ternera estofado con cogollo braseado. Soufflé de chocolate frío y caliente con salsa de piña.

Casa Ces, carret. de La Toja : 2 km ☎ (986) 87 29 46 – AE E VISA.
cerrado domingo noche y 2ª semana de septiembre – **Comida** carta 2300 a 4050.

la playa de Lourido *por Puente de la Barca : 3,5 km* AY – ✉ *36994 Playa de Lourido :*

La Brisa, ☎ (986) 87 31 27, *Fax (986) 87 35 74*, ≤ – P. E VISA.
cerrado miércoles y noviembre – **Comida** carta 2350 a 4150.

San Juan de Poyo *por Puente de la Barca : 4 km* AY – ✉ *36994 San Juan de Poyo :*

San Juan sin rest, Cesteiro 6 ☎ (986) 77 00 20, *Fax (986) 77 05 11* – TV ☎ P. AE E VISA.
400 – **72 hab** 4000/6000.

la carretera N 550 *por ① : 4 km* – ✉ *36157 Alba :*

Corinto con hab, ☎ (986) 87 03 45, *Fax (986) 87 07 51* – P. AE E VISA.
cerrado enero – **Comida** *(cerrado lunes)* carta 2650 a 4850 – 300 – **16 hab** 2500/4500.

ONTS *Lérida – ver Pons.*

O DE CABRALES *33554 Asturias* 441 **C 15.**
Madrid 453 – Oviedo 104 – Santander 113.

Principado de Europa, Mirador del Naranjo de Bulnes 2 ☎ (98) 584 54 74, *Fax (98) 584 54 74*, ≤, – TV ☎ P
37 hab.

ORRERA *43739 Tarragona* 443 **I 32** – *435 h. alt. 316.*
Madrid 530 – Lérida/Lleida 84 – Tarragona 42 – Tortosa 80.

Lo Teatret, Onze de Setembre 4 ☎ (977) 82 81 61, « Ambientado en un teatro » – . E VISA.
cerrado del 11 al 24 de enero y del 7 al 20 de junio – **Comida** carta 2450 a 2950.

ORRIÑO *36400 Pontevedra* 441 **F 4** – *15 093 h. alt. 29.*
Madrid 585 – Orense/Ourense 86 – Pontevedra 34 – Porto 142 – Vigo 15.

Motel Acapulco, Antonio Palacios 147 ☎ (986) 33 15 07, *Fax (986) 33 64 65* – TV ☎ P. AE E VISA. rest
Albariño **: Comida** carta 1500 a 2100 – 500 – **40 hab** 5500/10285.

Parque sin rest. con cafetería, parque del Cristo ☎ (986) 33 16 04, *Fax (986) 33 15 79* – TV ☎ . AE E VISA.
750 – **47 hab** 6500/7800.

or la autovía N 120 *salida 660 - Noroeste : 5 km* – ✉ *36416 Mos :*

Casa Alfredo, Tameiga-Rans 226 ☎ (986) 33 85 40, *Fax (986) 22 74 33* – . AE VISA.
cerrado domingo, 25 diciembre-4 enero y del 15 al 25 de agosto – **Comida** carta 3325 a 4625.

ORTBOU *17497 Gerona* 443 **E 39** – *1 908 h.* – **Playa.**
Alred. : *carretera de Colera★★.*
passeig Lluís Companys ☎ (972) 12 51 61 Fax (972) 12 51 23 (temp).
Madrid 782 – Banyuls 17 – Gerona/Girona 75.

Comodoro sin rest, Méndez Núñez 1 ☎ (972) 39 01 87 – E VISA
julio-septiembre – 800 – **14 hab** 8000/12500.

L'Áncora, passeig de la Sardana 3 ☎ (972) 39 00 25, *Fax (972) 39 03 60*, , « Decoración rústica » – E VISA
cerrado martes y noviembre – **Comida** carta 3300 a 5800.

PORT BALÍS *Barcelona – ver San Andrés de Llavaneras.*

PORT D'ALCUDIA *Baleares – ver Baleares (Mallorca) : Puerto de Alcudia.*

PORT D'ANDRATX *Baleares – ver Baleares (Mallorca) : Puerto de Andraitx.*

PORT DE POLLENÇA *Baleares – ver Baleares (Mallorca) : Puerto de Pollensa.*

PORT DE SÓLLER *Baleares – ver Baleares (Mallorca) : Puerto de Sóller.*

PORT DE LA SELVA *Gerona – ver Puerto de la Selva.*

PORT ESCALA *Gerona – ver La Escala.*

PORTALS NOUS *Baleares – ver Baleares (Mallorca).*

PORTALS VELLS *Baleares – ver Baleares (Mallorca).*

LA PORTELA DE VALCARCE *León – ver Vega de Valcarce.*

El PORTET *Alicante – ver Moraira.*

PORTO DO SON *La Coruña – ver Puerto del Son.*

PORTOCOLOM *Baleares – ver Baleares (Mallorca).*

PORTOCRISTO *Baleares – ver Baleares (Mallorca).*

PORTOMARÍN *Lugo – ver Puertomarín.*

PORTOPETRO *Baleares – ver Baleares (Mallorca).*

PORTOPÍ *Baleares – ver Baleares (Mallorca) : Palma.*

PORTONOVO *36970 Pontevedra* **441** **E 3** – *Playa.*
Madrid 626 – Pontevedra 22 – Santiago de Compostela 79 – Vigo 49.

Caneliñas sin rest, av. de Pontevedra 40 ✆ (986) 69 03 63, *Fax (986) 69 04 89* –
☎. VISA
marzo-noviembre – ☕ 300 – **29 hab** 5000/7000.

Siroco sin rest, av. de Pontevedra 12 ✆ (986) 72 08 43, *Fax (986) 69 10 16*, ← –
☎. VISA.
Semana Santa-15 octubre – ☕ 400 – **32 hab** 5000/10000.

Nuevo Cachalote, Marina ✆ (986) 72 34 54, *Fax (986) 72 34 55* – , ▤ rest, TV
E VISA.
abril-15 octubre – **Comida** 1800 – ☕ 450 – **31 hab** 4500/7700 – PA 3440.

Cachalote sin rest, Marina ✆ (986) 72 08 52, *Fax (986) 72 34 55* – TV ☎. E VISA.
mayo-15 octubre – ☕ 450 – **27 hab** 3800/6300.

Punta Lucero, av. de Pontevedra 18 ✆ (986) 72 02 24, *Fax (986) 69 06 54*, ← –
☎. VISA.
marzo-noviembre – **Comida** 1800 – ☕ 500 – **35 hab** 6500/8500.

Titanic, Rafael Pico 46 ✆ (986) 72 36 45, ← – ▤. E VISA JCB.
cerrado lunes (octubre-mayo) y 20 diciembre-4 enero – **Comida** carta 2175 a 3800.

en la playa de Canelas *Oeste : 1 km – ✉ 36970 Portonovo :*

Villa Cabicastro, ✆ (986) 69 08 48, *Fax (986) 69 02 58*, – TV ☎ P – 25/10
E VISA.
marzo-noviembre – **Comida** 2200 – ☕ 500 – **34 apartamentos** 12000 – PA 3300.

Duna , ✆ (986) 69 14 11, *Fax (986) 69 14 43*, ← – , ▤ rest, TV ☎ P.
abril-30 octubre – **Comida** - sólo almuerzo - 1800 – ☕ 450 – **33 hab** 5700/10300.

Canelas, ✆ (986) 72 08 67, *Fax (986) 69 08 90* – , ▤ rest, TV ☎ P. E VISA.
marzo-noviembre – **Comida** 1650 – ☕ 530 – **36 hab** 6000/6500 – PA 3485.

a la playa de Paxariñas *Oeste : 2 km – ✉ 36970 Portonovo :*

Luz de Luna, ✆ (986) 69 09 09, *Fax (986) 69 12 63,* ≤, ⛱, 🎾 – |‡| TV ☎ P *temp* – **67 hab.**

Ver también : **Sangenjo** *Este : 1,5 km*
Noalla *Noroeste : 9 km.*

ORTUGOS *18415 Granada* 446 **V 20** – *457 h. alt. 1 305.*

Madrid 506 – Granada 77 – Motril 56.

Nuevo Malagueño ⑤, Sierra Nevada 1 ✆ (958) 76 60 98, *Fax (958) 85 73 37,* ≤ – |‡|, ▤ rest, TV ☎ 🚗 P – 25/200. AE E VISA. ✻
Comida *(cerrado miércoles)* 1400 – ☕ 720 – **30 hab** 4500/7700.

OSADA DE VALDEÓN *24915 León* 441 **C 15** – *496 h. alt. 940.*

Alred. : *Puerto de Pandetrave★★ Sureste : 9 km – Puerto de Panderruedas★ (Mirador de Piedrafitas★★) Suroeste : 6 km – Puerto del Pontón★ ≤★★ Suroeste : 12 km.*

Madrid 411 – León 123 – Oviedo 140 – Santander 170.

Corona ⑤, Rebanal 4 ✆ (987) 74 05 78, *Fax (987) 74 05 95* – E VISA. ✻
abril-diciembre – **Comida** 1650 – ☕ 500 – **20 hab** 5400 – PA 2700.

Casa Abascal ⑤, El Salvador ✆ (987) 74 05 07, *Fax (987) 74 05 07* – TV P. E VISA. ✻
Comida 1500 – ☕ 400 – **40 hab** 5000/6500.

OTES *39570 Cantabria* 442 **C 16** – *1 411 h. alt. 291.*

Ver : *Paraje★.*

Alred. : *Santo Toribio de Liébana ≤★ Suroeste : 3 km – Desfiladero de La Hermida★★ Norte : 18 km – Puerto de San Glorio★ (Mirador de Llesba ≤★★) Suroeste : 27 km y 30 mn. a pie.*

Independencia 30 ✆ (942) 73 07 87.

Madrid 399 – Palencia 173 – Santander 115.

Valdecoro, Roscabado 5 ✆ (942) 73 00 25, *Fax (942) 73 03 15,* ≤ – |‡|, ▤ rest, TV ☎ P. AE ◑ E VISA. ✻
Comida 2000 - ***Paco Wences*** **: Comida** carta 2900 a 3300 – ☕ 500 – **41 hab** 4500/8000.

a la carretera de Fuente Dé *Oeste : 1,5 km – ✉ 39570 Potes :*

La Cabaña ⑤ sin rest, La Molina ✆ (942) 73 00 50, *Fax (942) 73 00 51,* ≤, ⛱ – TV ☎ P. E VISA. ✻
☕ 650 – **24 hab** 7700/8700.

OTRIES *46721 Valencia* 445 **P 29** – *964 h. alt. 12.*

Madrid 416 – Alicante/Alacant 115 – Denia 36 – Gandía 6 – Valencia 73 – Játiva/Xàtiva 35.

Molí-Canyar, carret. de Gandía ✆ (96) 280 10 30, « Antiguo molino » – P. VISA. ✻
Comida carta 1900 a 3100.

OZOBLANCO *14400 Córdoba* 446 **Q 15** – *15 445 h. alt. 649.*

Pozoblanco, Sur : 3 km ✆ (957) 33 91 71 Fax (957) 33 91 71.

Madrid 361 – Ciudad Real 164 – Córdoba 67.

Los Godos, Villanueva de Córdoba 32 ✆ (957) 77 00 22, *Fax (957) 77 00 22* – |‡| ▤ TV ☎. AE ◑ E VISA. ✻
Comida 1200 – ☕ 500 – **35 hab** 4500/7500 – PA 2500.

a la carretera de Alcaracejos *Oeste : 2 km – ✉ 14400 Pozoblanco :*

San Francisco, ✆ (957) 77 15 12, *Fax (957) 77 00 22* – |‡| ▤ TV ☎ P. AE ◑ E VISA. ✻
Comida 1200 – ☕ 500 – **40 hab** 4500/8000 – PA 2500.

OZUELO DE ALARCÓN *28200 Madrid* 444 **K 18** – *48 297 h. alt. 690.*

Madrid 10.

La Española, av. Juan XXIII-5, ✉ 28224, ✆ (91) 715 87 85, *Fax (91) 352 67 93,* 🍽 – ▤ P. AE ◑ E VISA. ✻
cerrado domingo noche y lunes – **Comida** carta 3700 a 4475.

Bodega La Salud, Jesús Gil González 36, ✉ 28223, ✆ (91) 715 33 90, *Fax (91) 352 67 93* – ▤. AE ◑ E VISA. ✻
cerrado domingo noche, lunes, Semana Santa y agosto – **Comida** - carnes a la brasa - carta 3025 a 4075.

en la carretera M 602 *Sureste : 2,5 km – ✉ 28223 Pozuelo de Alarcón :*

Chaplin, Zoco ☎ (91) 715 75 59, – . AE ⦿ E VISA.
cerrado domingo y festivos noche – **Comida** carta 3275 a 3725.

en la Ciudad de la Imagen *Sur : 6,5 km – ✉ 28223 Pozuelo de Alarcón :*

Express Ciudad de la Imagen sin rest. con cafetería, carret. M 5
☎ (91) 711 02 22, *Fax (91) 711 24 28* – . AE ⦿ E VISA.
600 – **76 hab** 7900.

PRADERA DE NAVALHORNO *Segovia – ver La Granja.*

PRADES *43364 Tarragona* 443 **I 32** *– 475 h.*

Madrid 530 – Lérida/Lleida 68 – Tarragona 50.

L'Estanc, pl. Major 9 ☎ (977) 86 81 67 – E VISA.
cerrado miércoles y 15 enero-15 febrero – **Comida** - carnes - carta 2550 a 3650.

PRADO *33344 Asturias* 441 **B 14** *– alt. 135.*

Madrid 498 – Gijón 56 – Oviedo 96 – Santander 141.

Caravia con hab, carret. N 632 ☎ (98) 585 30 14 – rest, . E VISA.
Comida *(cerrado domingo noche salvo verano y Semana Santa)* carta 2600 a 425C
350 – **20 hab** 3400/6500.

PRADO DEL REY *11660 Cádiz* 446 **V 13** *– 5 489 h. alt. 431.*

Madrid 556 – Arcos de la Frontera 34 – Algeciras 114 – Cádiz 98 – Ronda 56 – Sevilla

en la carretera C 344 *Sureste : 7 km – ✉ 11660 Prado del Rey :*

Puerta del Parque, ☎ (956) 23 12 58, *Fax (956) 72 35 30* – . E VISA.
Comida 1375 – 425 – **14 hab** 4000/6500 – PA 3000.

PRATS DE CERDAÑA o PRATS DE CERDANYA *25721 Lérida* 443 **E 35** *– 133 h. alt. 1 1*

– Deportes de invierno en Masella, Este : 9 km : 11.

Madrid 639 – Lérida/Lleida 170 – Puigcerdà 14.

Moixaró , carret. de Alp ☎ (972) 89 02 38, *Fax (972) 89 04 01*, ←, , –
AE ⦿ E VISA.
Comida 2200 – 650 – **40 hab** 7000/8600 – PA 4125.

PRATS DE LLUÇANÈS *08513 Barcelona* 443 **F 36** *– 2 625 h. alt. 707.*

pl. Nova 10 ☎ (93) 856 01 00 Fax (93) 850 80 70 (temp).

Madrid 607 – Barcelona 98 – Berga 32 – Gerona/Girona 97 – Manresa 43 – Vic 29.

Lluçanès, Major 1 ☎ (93) 850 80 50 – . AE E VISA.
cerrado domingo noche, lunes noche, martes y 27 enero-9 febrero – **Comida** carta 38
a 4790.

PRAVIA *33120 Asturias* 441 **B 11** *– 9 831 h. alt. 17.*

Madrid 490 – Gijón 49 – Oviedo 55.

Casa del Busto, pl. del Rey Don Silo 1 ☎ (98) 582 27 71, *Fax (98) 582 27 72*, « Caser
palaciego del siglo XVI » – . AE ⦿ E VISA.
Comida carta 2500 a 3600 – 750 – **26 hab** 7000/9500.

Balbona, Pico Meras 2 ☎ (98) 582 11 62 – . AE ⦿ E VISA.
cerrado martes y 22 septiembre-8 octubre – **Comida** carta 3150 a 4150.

en Beifar *Sureste : 3,5 km – ✉ 33129 Beifar :*

Juan de la Tuca, carret. AS 236 ☎ (98) 582 06 94 – . AE E
cerrado jueves y 22 diciembre-22 enero – **Comida** carta 2200 a 3500.

PREMIÀ DE DALT *08338 Barcelona* 443 **H 37** *– 6 511 h. alt. 142.*

Madrid 627 – Barcelona 22 – Gerona/Girona 82.

en la carretera de Premià de Mar *Sur : 2 km – ✉ 08338 Premià de Dalt :*

Sant Antoni, Penedés 43 ☎ (93) 752 34 81, *Fax (93) 752 34 81*, , « Decoraci
regional » – . AE ⦿ E VISA.
cerrado del 16 al 31 de agosto – **Comida** - sólo almuerzo en invierno salvo viernes y sába
- carta 3275 a 4950.

REMIÀ DE MAR *08330 Barcelona* **443** **H 37** – *22 740 h. – Playa.*
Madrid 653 – Barcelona 20 – Gerona/Girona 82.

XX **Jordi,** Mossèn Jacint Verdaguer 128 ✆ (93) 751 09 10 – ▤. E VISA
cerrado domingo noche y lunes – **Comida** carta 3300 a 4850.

RENDES *33438 Asturias* **441** **B 12.**
Madrid 484 – Avilés 17 – Gijón 10 – Oviedo 39.

XX ✿ **Casa Gerardo,** carret. AS 19 ✆ (98) 588 77 97, *Fax (98) 588 77 98* – ▤ P. AE ⓓ E VISA. ✂
cerrado lunes y enero – **Comida** - sólo almuerzo salvo viernes y sábado - carta 5225 a 5950
Espec. Ensalada templada de queso fresco y verduras con vinagreta de frutos secos (primavera-verano). Milhojas de rape y patata al aroma de sidra. Pil-pil de bacalao y su tortillita de verduras (verano-otoño).

RIEGO *16800 Cuenca* **444** **K 23** – *1 046 h. alt. 868.*
Madrid 179 – Cuenca 65 – Sacedón 58 – Teruel 201.

El Rosal, Dr. Nicolás Herráiz 45 ✆ (969) 31 20 85, *Fax (969) 31 20 86* – ▤ rest, TV ☎ 🚗. AE E VISA. ✂
Comida 1500 – ☕ 300 – **26 hab** 3210/6200 – PA 2700.

RIEGO DE CÓRDOBA *14800 Córdoba* **446** **T 17** – *20 823 h. alt. 649.*
Ver : *Fuentes del Rey y de la Salud★ – Parroquia de la Asunción : Capilla del Sagrario★★ – Barrio de la Villa★. – Madrid 395 – Antequera 85 – Córdoba 103 – Granada 79.*

n Zagrilla *Noroeste : 10 km* – ✉ *14816 Zagrilla :*

Villa Turística de Priego ⛰, ✆ (957) 70 35 03, *Fax (957) 70 35 73*, ⛱, « Imitación de un pueblo andaluz en un bonito paraje de olivares y montañas », 🏊 – ▤ TV ☎ P – 🎪 50/150. AE E VISA. ✂ rest
Comida 2000 – ☕ 750 – **52 apartamentos** 6750/9800 – PA 3500.

a PROVIDENCIA *Asturias – ver Gijón.*

RULLANS *25727 Lérida* **443** **E 35** – *192 h. alt. 1 096.*
Madrid 632 – Lérida/Lleida 163 – Puigcerdà 22.

Muntanya ⛰, Puig 3 ✆ (973) 51 02 60, *Fax (973) 51 06 06*, ←, 🏊, 🌳 – 🛗 TV ☎ P. AE E VISA. ✂ rest
cerrado 2 noviembre-26 diciembre – **Comida** 1750 – ☕ 520 – **32 hab** 4925/7300 – PA 3350.

RUVIA *33192 Asturias* **441** **B 12.**
Madrid 468 – Avilés 29 – Gijón 13 – Oviedo 13.

La Campana, carret. AS 18 ✆ (98) 526 58 36, *Fax (98) 526 48 80*, 🏋 – 🛗, ▤ rest, TV ☎ 🚗 P. AE ⓓ E VISA. ✂
Comida 3000 – ☕ 800 – **34 hab** 9600/12500.

UÇOL *Valencia – ver Puzol.*

UEBLA DE ALFINDÉN *50171 Zaragoza* **443** **H 27** – *1 439 h. alt. 197.*
Madrid 340 – Huesca 83 – Lérida/Lleida 139 – Zaragoza 17.

XX **Galatea,** Barrio Nuevo 6 (carret. N II) ✆ (976) 10 79 99, *Fax (976) 10 79 99*, « Ambiente acogedor » – ▤. AE ⓓ E VISA
cerrado domingo, lunes noche, martes noche, miércoles noche y agosto – **Comida** carta aprox. 3900.

n la autopista A 2 *Noroeste : 1,5 km* – ✉ *50171 Puebla de Alfindén :*

Aragón sin rest. con cafetería, área de servicio Casablanca ✆ (976) 10 73 47, *Fax (976) 10 73 28* – ▤ TV ☎ ♿ P. AE ⓓ VISA. ✂
☕ 400 – **39 hab** 4200/6200.

a PUEBLA DE ARGANZÓN *09294 Burgos* **442** **D 21** – *289 h. alt. 481.*
Madrid 338 – Bilbao/Bilbo 75 – Burgos 95 – Logroño 75 – Vitoria/Gasteiz 17.

X **Palacios** con hab y sin ☕, carret. N I-km 333 ✆ (945) 37 30 30, *Fax (945) 37 30 30* – TV P. AE ⓓ E VISA. ✂
Comida carta aprox. 3150 – **11 hab** 3500/7000.

PUEBLA DE BENIFASAR o **LA POBLA DE BENIFASSÀ** *12599 Castellón* 445 **K 30**
231 h. alt. 600.
Madrid 531 – Amposta 53 – Castellón de la Plana 122 – Peñíscola 65 – Tarragona 139 – Tortosa 53.

Tinença de Benifassà ⑤, Mayor 50 ✆ (977) 72 90 44, *Fax (977) 72 90 44*, ≤ – ▤ rest, TV ☎ ♿. ⓞ E VISA. ✻ rest
cerrado mayo-15 junio salvo fines de semana – **Comida** *(cerrado martes salvo verar* 2250 – ☕ 800 – **10 hab** 6000/8100 – PA 4650.

PUEBLA DE FARNALS o **LA POBLA DE FARNALS** *46137 Valencia* 445 **N 29** – *4501 h. alt. 14.*
Madrid 369 – Castellón de la Plana/Castelló de la Plana 58 – Valencia 18.

en la playa *Este : 5 km –* ✉ *46137 Puebla de Farnals :*

Bergamonte, av. del Mar 10 ✆ (96) 146 16 12, *Fax (96) 146 14 77*, 🏠, « Típica barraca valenciana », 🏊, 🎾 – ▤ P. AE VISA. ✻
Comida carta 3200 a 4800.

PUEBLA DE SANABRIA *49300 Zamora* 441 **F 10** – *1 696 h. alt. 898.*
Alred. : *Carretera a San Martín de Castañeda ≤★ Noreste : 20 km.*
Madrid 341 – León 126 – Orense/Ourense 158 – Valladolid 183 – Zamora 110.

Parador de Puebla de Sanabria ⑤, carret. del lago 18 ✆ (980) 62 00 01, *Fax (980) 62 03 51*, ≤ – 🛗 TV ☎ 🚗 P – 🎤 25/40. AE ⓞ E VISA JCB. ✻ rest
Comida 3200 – ☕ 1200 – **44 hab** 10800/13500 – PA 6460.

Los Perales ⑤ sin rest, colonia Los Perales ✆ (980) 62 00 25, *Fax (980) 62 03 85* – ▤ ☎ P. AE ⓞ E VISA
☕ 600 – **24 hab** 5600/7000.

Carlos V sin rest, av. Braganza 6 ✆ (980) 62 01 61
10 hab.

LA PUEBLA DE TRIVES o **POBOA DE TRIVES** *32780 Orense* 441 **E 8** – *3 077 h. alt. 73*
Madrid 479 – Bragança 146 – Lugo 115 – Orense/Ourense 74 – Ponferrada 84.

Casa Grande de Trives sin rest, Marqués de Trives 17 ✆ (988) 33 20 66, *Fax (988) 33 20 66*, « En una casa rural » – TV. AE ⓞ E VISA. ✻
☕ 750 – **7 hab** 6200/7700.

La PUEBLA DE VALVERDE *44450 Teruel* 443 **L 27** – *474 h. alt. 1 118.*
Madrid 329 – Morella 134 – Sagunto/Sagunt 96 – Teruel 24.

en la carretera N 234 *Sureste : 4,5 km –* ✉ *44450 La Puebla de Valverde :*

Euro-Ruta, ✆ (978) 67 01 36, *Fax (978) 67 01 37* – TV ☎ P. AE ⓞ E VISA. ✻ rest
Comida 1400 – ☕ 500 – **27 hab** 3500/7000, 1 suite – PA 2900.

PUEBLA DEL CARAMIÑAL o **POBRA DO CARAMIÑAL** *15940 La Coruña* 441 **E 3** – *9 863 h. – Playa.*
Alred. : *Mirador de la Curota★★★ Norte : 10 km.*
Madrid 665 – La Coruña/A Coruña 123 – Pontevedra 68 – Santiago de Compostela 5

O'Lagar, Condado 5 ✆ (981) 83 00 37 – ▤. E VISA. ✻
cerrado domingo noche, lunes y del 16 al 31 de diciembre – **Comida** carta 2850 a 380

PUEBLA DE LA SIERRA *28190 Madrid* 444 **I 19** – *48 h. alt. 1 161.*
Madrid 103 – Guadalajara 110 – Segovia 104.

Parador de la Puebla con hab, pl. de Carlos Ruiz 2 ✆ (91) 869 72 5 *Fax (91) 869 72 56*, ≤, 🏠 – TV. AE E VISA. ✻
Comida *(cerrado miércoles)* carta 2950 a 4300 – **5 hab** ☕ 4000/7000.

PUENTE ARCE *39478 Cantabria* 442 **B 18.**
Madrid 380 – Bilbao/Bilbo 110 – Santander 13 – Torrelavega 14.

El Molino, carret. N 611 ✆ (942) 57 50 55, *Fax (942) 57 52 54*, « Instalado en un antiguo molino » – P. AE ⓞ E VISA. ✻
cerrado domingo noche – **Comida** carta 4025 a 4450.

Puente Arce *(Casa Setien)*, barrio del Puente 5 ✆ (942) 57 52 51, *Fax (942) 57 50 3* 🏠, « Terraza-jardín. Decoración rústica » – ▤ P. AE ⓞ E VISA. ✻
cerrado octubre – **Comida** carta 3150 a 5550.

la carretera de Vioño *Sur : 2 km – ✉ 39478 Oruña :*

Paraíso del Pas, ✆ (942) 57 50 01, « Decoración rústica » – P. AE E VISA.
cerrado lunes (salvo verano) y enero – **Comida** carta 2950 a 3550.

JENTE GENIL *14500 Córdoba* 446 **T 15** – *25 969 h. alt. 171.*
Madrid 469 – Córdoba 71 – Málaga 102 – Sevilla 128.

Xenil sin rest y sin ☐, Poeta García Lorca 3 ✆ (957) 60 02 00, *Fax (957) 60 58 75* – TV P. AE E VISA.
35 hab 5000/8000.

JENTE VIESGO *39670 Santander* 442 **C 18** – *2 464 h. alt. 71 – Balneario.*
Ver : *Cueva del castillo*★.
Madrid 364 – Bilbao/Bilbo 128 – Burgos 125 – Santander 30.

G.H. Puente Viesgo, Manuel Pérez Mazo ✆ (942) 59 80 61, *Fax (942) 59 82 61*, Servicios terapéuticos, – rest, TV P – 25/300. AE E VISA.
Comida 2900 - ***El Jardín* : Comida** carta 3300 a 4000 – ☐ 1200 – **98 hab** 15500/19000, 3 suites – PA 5950.

JENTE DE SAN MIGUEL *39530 Cantabria* 442 **B 17.**
Madrid 376 – Burgos 141 – Santander 25 – Torrelavega 4.

La Ermita 1883 con hab, pl. Javier Irastorza 89 ✆ (942) 83 82 47, *Fax (942) 83 83 91* – TV. AE VISA. rest
Comida carta 2800 a 3500 – ☐ 350 – **6 hab** 5200/6200.

JENTE DE SANABRIA *49350 Zamora* 441 **F 10.**
Alred. : *Norte : Carretera a San Martín de Castañeda* ≤★.
Madrid 347 – Benavente 90 – León 132 – Orense/Ourense 164 – Zamora 116.

Gela, carret. del lago ✆ (980) 62 03 40 – VISA.
Comida 1500 – ☐ 250 – **16 hab** 3500/5000.

JENTE DEL OBISPO *23529 Jaén* 446 **S 19.**
Madrid 324 – Jaén 42 – Linares 25 – Úbeda 13.

r la carretera A 316 *Suroeste : 1 km y desvío a la derecha 2 km – ✉ 23529 Puente del Obispo*

Hacienda La Laguna, ✆ (953) 12 71 72, *Fax (953) 12 71 74*, « Museo del aceite », – TV P – 25/100. E VISA.
Comida 1500 – **17 hab** ☐ 6500/8500 – PA 3000.

JENTE LA REINA *31100 Navarra* 442 **D 24** – *2 155 h. alt. 346.*
Ver : *Iglesia del Crucifijo (Cristo*★*) – Iglesia Santiago (portada*★*).*
Alred. : *Eunate*★ *Este : 5 km – Cirauqui*★ *(iglesia de San Román : portada*★*) Oeste : 6 km.*
Madrid 403 – Logroño 68 – Pamplona/Iruñea 24.

Jakue, carret. de Pamplona - Noreste : 1 km ✆ (948) 34 10 17, *Fax (948) 34 11 20* – rest, TV P – 25/300. AE E VISA. rest
Comida 1650 – ☐ 500 – **28 hab** 14000/17000 – PA 4500.

Mesón del Peregrino con hab, carret. de Pamplona - Noreste : 1 km ✆ (948) 34 00 75, *Fax (948) 34 11 90*, « Decoración original en un ambiente rústico », – rest, TV P. E VISA
Comida *(cerrado domingo noche, lunes y 23 diciembre-3 enero)* carta 3800 a 5950 – ☐ 1300 – **13 hab** 7000/12000, 1 suite.

JENTEAREAS o **PONTEAREAS** *36860 Pontevedra* 441 **F 4** – *15 630 h.*
Madrid 576 – Orense/Ourense 75 – Pontevedra 45 – Vigo 26.

Condado, Alcázar de Toledo 62 ✆ (986) 64 13 10, *Fax (986) 64 13 19* – TV P. AE E VISA.
Comida *(cerrado domingo y lunes mediodía)* 1800 – ☐ 500 – **28 hab** 4800/7500 – PA 3700.

PUENTEDEUME o PONTEDEUME *15600 La Coruña* 441 **B 5** – *8 851 h. – Playa.*
Madrid 599 – La Coruña/A Coruña 48 – Ferrol 15 – Lugo 95 – Santiago de Compostela 85.

X **Brasilia,** carret. N VI ☎ (981) 43 02 49, *Fax (981) 43 34 34* – ▤. AE VISA. ✈
Comida carta 2175 a 4100.

PUERTO – *ver el nombre propio del puerto.*

PUERTO BANÚS *Málaga* 446 **W 15** – ✉ *29660 Nueva Andalucía – Playa.*
Ver : *Puerto deportivo★.*
Madrid 622 – Algeciras 69 – Málaga 67 – Marbella 8.

XXX **Cipriano,** av. Playas del Duque - edificio Sevilla ☎ (95) 281 10 77, *Fax (95) 281 10 7*
– ▤ P. AE ◑ E VISA. ✈
cerrado 15 noviembre-15 diciembre – **Comida** carta 5100 a 7050.

XXX **Taberna del Alabardero,** muelle Benabola ☎ (95) 281 27 94, *Fax (95) 281 86 30,*
– ▤. AE ◑ E VISA. ✈
Comida carta 3125 a 6000.

PUERTO LÁPICE *13650 Ciudad Real* 444 **O 19** – *1 000 h. alt. 676.*
Madrid 135 – Alcázar de San Juan 25 – Ciudad Real 62 – Toledo 85 – Valdepeñas 65

El Puerto, av. Juan Carlos I-59 ☎ (926) 58 30 50, *Fax (926) 58 30 52* – ▤ TV ☎ P
25. AE E VISA. ✈ rest
Comida 1300 – ☕ 500 – **27 hab** 4000/6000 – PA 2550.

PUERTO LUMBRERAS *30890 Murcia* 445 **T 24** – *9 824 h. alt. 333.*
Madrid 466 – Almería 141 – Granada 203 – Murcia 80.

Parador de Puerto Lumbreras, av. de Juan Carlos I-77 ☎ (968) 40 20 2
Fax (968) 40 28 36, – ▤ TV ☎ P – 25/60. AE ◑ E VISA
✈
Comida 3200 – ☕ 1200 – **60 hab** 10000/12500 – PA 6460.

Riscal, av. Juan Carlos I-5 ☎ (968) 40 20 50, *Fax (968) 40 06 71,* – ▤ TV ☎
– 25/800. E VISA. ✈ rest
Comida 1500 – ☕ 675 – **48 hab** 4210/6215 – PA 3690.

PUERTO NAOS *Santa Cruz de Tenerife – ver Canarias (La Palma).*

PUERTO SHERRY *Cádiz – ver El Puerto de Santa María.*

PUERTO DE ALCUDIA *Baleares – ver Baleares (Mallorca).*

PUERTO DE ANDRAITX *Baleares – ver Baleares (Mallorca).*

UERTO DE MAZARRÓN *30860 Murcia* 445 **T 26** – *Playa.*

av. Dr. Meca 47 ℘ (968) 59 44 26 Fax (968) 59 44 26.
Madrid 459 – Cartagena 33 – Lorca 55 – Murcia 69.

La Cumbre, urb. La Cumbre ℘ (968) 59 48 61, *Fax (968) 59 44 50*, ≤, – – 25/300. AE E VISA.
Comida *(cerrado diciembre-enero)* 2000 – 750 – **119 hab** 7200/10400 – PA 3690.

Virgen del Mar, paseo Marítimo 2 ℘ (968) 59 50 57, ≤, – . AE E VISA.
cerrado noviembre – Comida - pescados y mariscos - carta 2500 a 3500.

El Puerto, pl. del Mar ℘ (968) 59 48 05 – . E VISA.
cerrado octubre – **Comida** carta aprox. 4350.

Playa Grande *Oeste : 3 km – 30870 Mazarrón :*

Playa Grande, carret. de Bolnuevo ℘ (968) 59 44 81, *Fax (968) 15 34 30*, ≤, , – – 25/250. E VISA.
cerrado 15 diciembre-15 enero – **Comida** 2000 – **38 hab** 8800/12100 – PA 3800.

UERTO DE POLLENSA *Baleares – ver Baleares (Mallorca).*

PUERTO DE SANTA MARÍA *11500 Cádiz* 446 **W 11** – *69 663 h. – Playa.*

Vistahermosa, Oeste : 1,5 km ℘ (956) 87 56 05 Fax (956) 87 56 04.
Guadalete 1 ℘ (956) 54 24 13 Fax (956) 54 22 46.
Madrid 610 ① – Cádiz 22 ② – Jerez de la Frontera 12 ① – Sevilla 102 ①

Planos páginas siguientes

Monasterio de San Miguel, Larga 27 ℘ (956) 54 04 40, *Fax (956) 54 26 04*, « Antiguo convento », – – 25/400. AE E VISA JCB. CY a
Las Bóvedas : Comida carta aprox. 3500 – 1350 – **137 hab** 18000/22500, 13 suites.

Santa María sin rest. con cafetería, av. de la Bajamar ℘ (956) 87 32 11, *Fax (956) 87 36 52*, – – 25/200. AE E VISA. BZ c
725 – **100 hab** 9250/11700.

Del Mar sin rest. con cafetería, av. Marina de Guerra ℘ (956) 87 59 11, *Fax (956) 85 87 16* – . AE E VISA AZ b
650 – **41 hab** 9000/12000.

Los Cántaros sin rest. con cafetería, Curva 6 ℘ (956) 54 02 40, *Fax (956) 54 11 21* – . AE E VISA. BZ e
650 – **39 hab** 8340/11500.

Chaikana sin rest, Javier de Burgos 17 ℘ (956) 54 29 02, *Fax (956) 54 29 22* – . AE E VISA. CZ n
25 hab 6000/8500.

El Faro del Puerto, av. de Fuentebravía ℘ (956) 87 09 52, *Fax (956) 54 04 66*, – . AE E VISA. AZ f
cerrado domingo noche salvo agosto y 15 días en noviembre – **Comida** carta 3800 a 4650.

Casa Flores, Ribera del Río 9 ℘ (956) 54 35 12, *Fax (956) 54 02 64* – . AE E VISA JCB. CZ r
Comida carta 2700 a 4500.

Los Portales, Ribera del Río 13 ℘ (956) 54 18 12, *Fax (956) 54 21 16* – . AE E VISA. CZ s
Comida carta 2400 a 3800.

la carretera de Cádiz *por ② : 2,5 km – 11500 El Puerto de Santa María :*

Meliá el Caballo Blanco, av. Madrid 1 ℘ (956) 56 25 41, *Fax (956) 56 27 12*, , « Jardín con » – – 25/150. AE E VISA. rest
Comida 2900 – 1200 – **94 hab** 15000/18750 – PA 5950.

Valdelagrana *por ② : 2,5 km – 11500 El Puerto de Santa María :*

Puertobahía, av. la Paz 38 ℘ (956) 56 27 00, *Fax (956) 56 12 21*, ≤, , , – – 25/200. AE E VISA.
Comida 2350 – 850 – **330 hab** 10200/14600 – PA 6300.

la carretera de Rota CA 603 AZ – *11500 El Puerto de Santa María :*

Los Jándalos sin rest, Amparo Osborne - Vistahermosa - Oeste : 1,5 km ℘ (956) 87 34 11, *Fax (956) 87 20 12*, « Bonito conjunto con profusión de plantas, jardín y » – . AE E VISA.
750 – **43 apartamentos** 22500.

EL PUERTO DE SANTA MARÍA

Calle	Plano	Nº
Alfonso X El Sabio (Plaza)	BZ	3
Antonio Fernández Sevilla	AZ	
Arzobispo Bizarrón	ABY	4
Aurora	BZ	6
Caldevilla	CY	7
Carmen Pérez Pascual	BY	9
Catavino	BZ	10
Curva	BZ	12
Dr Múñoz Seca	BY	13
Ejército (Av. del)	AZ	
Elias Ahuja (Pl. de)	AZ	15
Enrique Bartolomé (Pl. de)	AZ	16
Fernán Caballero	BZ	18
Fray Bernal Boyl	CY	19
Galeras Reales (Pl. de las)	BZ	21
Ganado	BY	
Herrería (Pl. de la)	BZ	22
Isaac Peral (Pl. de)	BZ	24
Javier de Burgos	CZ	25
Libertad (Av. de la)	AZ	27
Luis Manzatini	AZ	28
Luna	BZ	
Magisterio (Rotonda)	AZ	30
Menesteo	BZ	31
Micaela Aramburu de Mora	BZ	33
Miguel del Pino (Pl.)	AZ	34
Misericordia	BZ	36
Pedro Múñoz Seca	BZ	37
Polvorista (Pl. del)	BZ	39
Pozos Dulces	CY	40
Ribera del Río	CYZ	42
Ricarco Alón	BZ	43
San Isidro Labrador	AY	45
San Juan	BY	46
San Juan (Pl.)	AY	48
San Sebastian	ABYZ	49
Santa M. de la Cabeza	AY	51
Santísima Trinidad	CY	52
Santo Domingo	BZ	54
Varilergueros	AZ	55
Virgen de los Milagros	BCYZ	

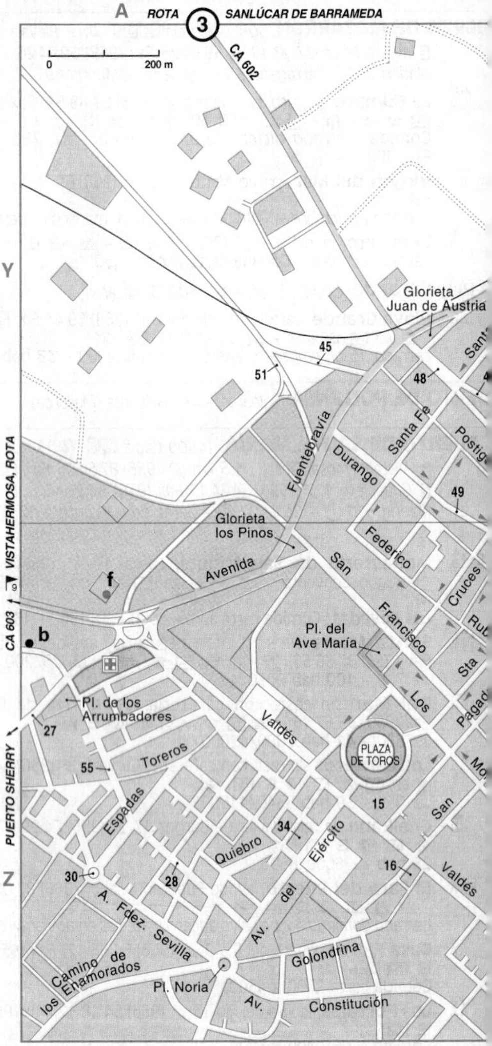

X **El Asador de Castilla,** Oeste : 3 km ✆ (956) 48 03 99, *Fax (956) 87 64 55,* –
Ⓟ. Ɛ VISA.
cerrado lunes salvo 15 junio-15 septiembre – **Comida** - cordero asado y carnes - car
aprox. 3500.

en Puerto Sherry *Suroeste : 3,5 km* AZ – ✉ *11500 El Puerto de Santa María :*

Yacht Club, av. de la Libertad ✆ (956) 87 20 00, *Fax (956) 85 33 00,* ←,
– Ⓟ – 25/450. AE ⓞ Ɛ VISA.
La Regata : **Comida** carta 3000 a 4700 – 1000 – **57 hab** 14000/18200, 1 suite
PA 5500.

PUERTO DE SANTIAGO *Santa Cruz de Tenerife – ver Canarias (Tenerife).*

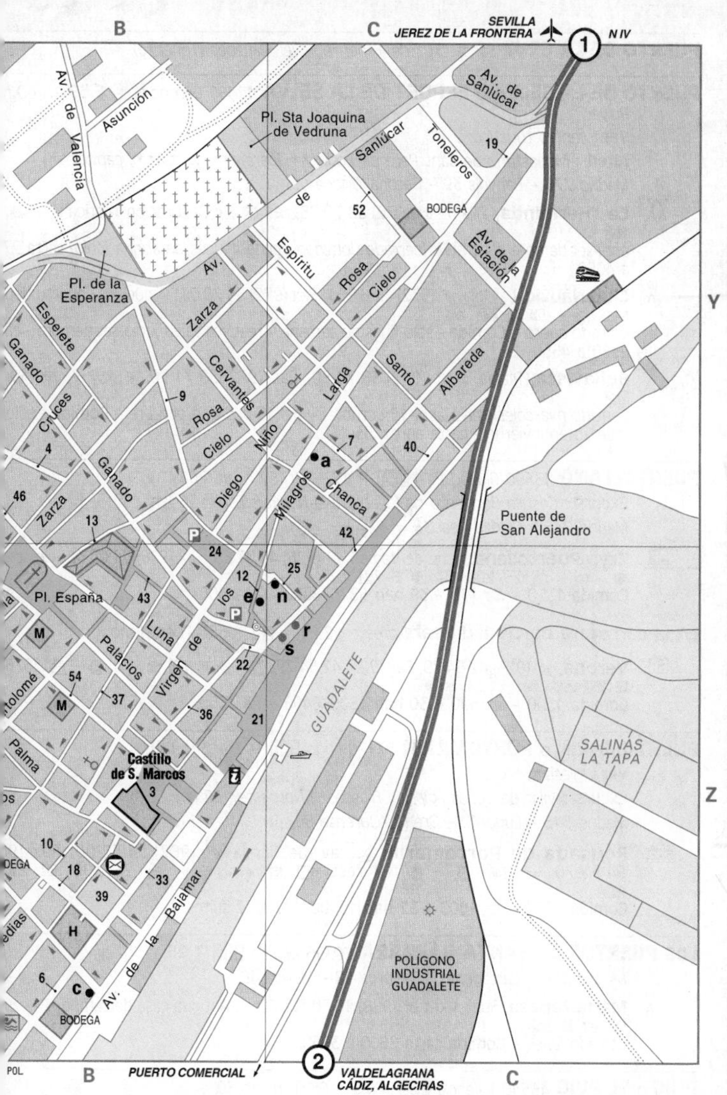

ERTO DE SÓLLER *Baleares – ver Baleares (Mallorca).*

ERTO DEL CARMEN *Las Palmas – ver Canarias (Lanzarote).*

ERTO DEL ROSARIO *Las Palmas – ver Canarias (Fuerteventura).*

ERTO DEL SON o **PORTO DO SON** *15970 La Coruña* 441 D 2 – *10 414 h. – Playa.*
Madrid 662 – Muros 47 – Noia 15 – Pontevedra 72 – Santiago de Compostela 52.

Arnela II, travesía 13 Septiembre ☎ (981) 76 73 44 – VISA.
Comida carta 1200 a 2500.

12

PUERTO DE LA CRUZ *Santa Cruz de Tenerife – ver Canarias (Tenerife).*

PUERTO DE LA SELVA o **El PORT DE LA SELVA** *17489 Gerona* 443 E 39 – *760 h*

Playa.

Ver : *centro turístico★.*

Alred. : *Monasterio de Sant Pere de Rodes★★ (paraje★★, iglesia★★, capiteles★).*

Madrid 776 – Banyuls 39 – Gerona/Girona 69.

Ca l'Herminda, l'Illa 7 (972) 38 70 75, ≤, « Decoración rústica » – . VISA

abril-septiembre – **Comida** *(cerrado domingo noche y lunes de abril a junio) carta 27*[illegible] a 4050.

Club Nàutic, La Lloia (972) 12 61 51, *Fax (972) 38 70 01,* ≤ pueblo y puerto dep[illegible]tivo, – E VISA.

cerrado enero – **Comida** - sólo fines de semana y festivos salvo junio-septiembre - ca[illegible] 2350 a 4550.

Bellavista, Platja 3 (972) 38 70 50, *Fax (972) 38 71 30,* ≤, – . VISA

cerrado miércoles (salvo abril-15 octubre) y del 15 al 31 de octubre – **Comida** - sólo [illegible]muerzo en invierno - carta aprox. 5500.

PUERTOLLANO *13500 Ciudad Real* 444 **P 17** – *49 459 h. alt. 708.*

Excurs. : *Castillo Convento de Calatrava la Nueva★ Este : 35 km.*

Madrid 235 – Ciudad Real 38.

Tryp Puertollano, Lope de Vega 3 (926) 41 07 68, *Fax (926) 41 05 45* – – 25/200. AE E VISA.

Comida 1350 – 775 – **39 hab** 6825/8500 – PA 2900.

en la carretera de Ciudad Real *Noreste : 2 km – 13500 Puertollano :*

Verona, (926) 42 54 79, *Fax (926) 42 54 79,* – – 25/6[illegible] E VISA.

Comida 1500 – 500 – **30 hab** 4800/8400 – PA 3000.

PUERTOMARÍN o **PORTOMARÍN** *27170 Lugo* 441 **D 7** – *2 159 h.*

Ver : *Iglesia★.*

Excurs. : *Vilar de Donas (iglesia : frescos★) Noroeste : 36 km.*

Madrid 515 – Lugo 40 – Orense/Ourense 80.

Pousada de Portomarín , av. de Sarria (982) 54 52 00, *Fax (98[illegible] 54 52 70,* ≤, , – , rest, – 25/300. AE VISA

Comida 1700 – 1000 – **32 hab** 10100/12750, 2 suites.

Los PUERTOS DE SANTA BÁRBARA *30396 Murcia* 445 **T 26.**

Madrid 436 – Cartagena 12 – Lorca 58 – Murcia 46.

María Zapata, Sur : 1 km (968) 16 30 30, , « Antigua casa de campo » – AE E VISA

cerrado lunes – **Comida** carta 2600 a 3650.

PUIG o **EL PUIG** *46540 Valencia* 445 **N 29** – *6 430 h. alt. 50.*

Madrid 367 – Castellón de la Plana/Castelló de la Plana 57 – Valencia 20.

Ronda II, Ronda Este 15 (96) 147 12 28, *Fax (96) 147 12 28* – 25/225. AE E VISA.

Comida (ver rest. ***L'Horta***) – **59 hab** 5700/8400.

Ronda I, Ronda Este 9 (96) 147 12 79, *Fax (96) 147 12 79* – 25/225. AE E VISA.

Comida (ver rest. ***L'Horta***) – 600 – **45 hab** 3900/6000.

Pensión Ronda, Ronda Este 5 (96) 147 12 79, *Fax (96) 147 12 79* – . AE VISA.

Comida (ver rest. ***L'Horta***) – 600 – **19 hab** 2000/3500.

L'Horta, Ronda Este 9 (96) 147 12 79, *Fax (96) 147 12 79* – . AE E V[illegible]

cerrado domingo noche – **Comida** carta 2400 a 3600.

UIGCERDÀ *17520 Gerona 443 E 35 – 6 414 h. alt. 1 152.*
Ver : *Campanario*★.
Cerdaña, Suroeste : 1 km (972) 14 14 08 Fax (972) 88 13 38.
Querol 1 (972) 88 05 42 Fax (972) 88 05 42.
Madrid 653 – Barcelona 169 – Gerona/Girona 152 – Lérida/Lleida 184.

Avet Blau sin rest, pl. de Santa María 14 (972) 88 25 52, *Fax (972) 88 12 12* – . E VISA
6 hab 9000/12000.

Tèrminus, pl. Estació 2 (972) 88 02 12, *Fax (972) 88 00 02* – – 30. VISA.
Comida 1500 – 500 – **24 hab** 3500/6000.

Del Lago sin rest, av. Dr. Piguillem 7 (972) 88 10 00, *Fax (972) 14 15 11,* « Amplio jardín con » – . AE VISA.
800 – **13 hab** 6500/9500, 2 suites.

Puigcerdà, av. Catalunya 42 (972) 88 21 81, *Fax (972) 88 12 56* – , rest, . E VISA.
Comida 1735 – **39 hab** 7700/11650 – PA 3470.

Estació, pl. Estació 2 (972) 88 03 50, *Fax (972) 14 13 14* – AE E VISA.
Comida 1500 – 500 – **23 hab** 2500/5400 – PA 3400.

La Tieta, dels Ferrers 20 (972) 88 01 56 – AE E VISA.
cerrado martes y junio – **Comida** carta 2600 a 4300.

La Vila, Alfons I-34 (972) 14 08 04 – . AE E VISA
cerrado domingo noche y lunes (salvo festivos y agosto), 24 junio-15 julio y 7 días en noviembre – **Comida** carta 3700 a 4850.

n la carretera de Llivia *Noreste : 1 km – 17520 Puigcerdà :*

Del Prado, (972) 88 04 00, *Fax (972) 14 11 58,* , , – , rest, – 25/100. AE E VISA. rest
Comida 2800 – 900 – **54 hab** 6600/10000 – PA 5800.
Ver también : **Bolvir** *Suroeste : 6 km.*

S PUJOLS *Baleares – ver Baleares (Formentera).*

UNTA PRIMA *Baleares – ver Baleares (Formentera) : Es Pujols.*

UNTA UMBRÍA *21100 Huelva 446 U 9 – 9 897 h. – Playa.*
Madrid 648 – Huelva 21.

Pato Amarillo, urb. Everluz (959) 31 12 50, *Fax (959) 31 12 58,* , , , – – 25/300. E VISA.
marzo-octubre – **Comida** 2000 – 750 – **120 hab** 9000/12500 – PA 4035.

Ayamontino, av. de Andalucía 35 (959) 31 14 50, *Fax (959) 31 03 16* – . AE E VISA.
Comida 2360 – 485 – **45 hab** 5750/9000 – PA 4700.

la antigua carretera de Huelva *Noroeste : 7,5 km – 21100 Punta Umbría :*

El Paraíso, (959) 31 27 56, *Fax (959) 31 27 56* – . AE E VISA.
Comida carta 3100 a 3900.

UZOL o PUÇOL *46530 Valencia 445 N 29 – 12 432 h. alt. 48.*
Madrid 373 – Castellón de la Plana/Castelló de la Plana 54 – Valencia 25.

Monte Picayo , urb. Monte Picayo (96) 142 01 00, *Fax (96) 142 21 68,* , « En la ladera de un monte con », , , – – 25/800. AE E VISA.
Comida 4000 – 1500 – **79 hab** 19600/23500, 4 suites – PA 9300.

Alba sin rest y sin , av. Hostalets 96 (96) 142 24 44, *Fax (96) 142 21 48* – . E VISA.
17 hab 8000.

Asador Mares, carret. de Barcelona 17 (96) 142 07 21, – . AE E VISA
cerrado martes, Semana Santa y 15 días en enero – **Comida** carta 3050 a 4100.

Rincón del Faro, carret. de Barcelona 49 (96) 142 01 20 – . AE E VISA.
cerrado domingo noche, lunes noche y septiembre – **Comida** carta 3700 a 5000.

QUART DE POBLET *46930 Valencia* 445 **N 28** - *27404 h.*
Madrid 343 - Valencia 8.

X **Casa Gijón,** Joanot Martorell 16 ✆ (96) 154 50 11, *Fax (96) 154 10 65,* « Decoració típica » - ▤. AE ⓓ E VISA. ✂
Comida carta aprox. 3200.

QUATRETONDETA *03811 Alicante* 445 **p 29** - *alt. 520.*
Madrid 430 - Alcoy/Alcoi 23 - Alicante/Alacant 80 - Benidorm 55 - Valencia 116.

Els Frares, av. País Valencià 20 ✆ (96) 551 12 34, *Fax (96) 551 12 00* - AE ⓓ E VISA
✂ rest
cerrado del 6 al 21 de enero y 28 junio-11 julio - **Comida** *(cerrado lunes salvo festivo)* 2000 - ☕ 500 - **6 hab** 4500/7500 - PA 4000.

QUEJANA o KEXAA *01478 Álava* 442 **C 20**
Madrid 377 - Bilbao/Bilbo 47 - Burgos 148 - Vitoria/Gasteiz 50 - Miranda de Ebro 67.

Los Arcos de Quejana , carret. Beotegi 25 ✆ (945) 39 93 20, *Fax (945) 39 93 4*
« En un pintoresco paraje » - TV ☎ P. AE ⓓ E VISA. ✂ rest
Comida *(cerrado domingo noche)* 1680 - ☕ 750 - **19 hab** 6800/7960 - PA 3350.

When in a hurry use the ***Michelin Main Road Maps*** *:*
970 ***Europe,*** 974 ***Poland,*** 976 ***Czech Republic-Slovak Republic,*** 980 ***Greece,***
984 ***Germany,*** 985 ***Scandinavia-Finland,*** 986 ***Great Britain and Ireland,***
987 ***Germany-Austria-Benelux,*** 988 ***Italy,*** 989 ***France,***
990 ***Spain-Portugal*** *and* 991 ***Yugoslavia.***

Per spostarvi più rapidamente utilizzate le ***carte Michelin "Grandi Strade"*** *:*
n° 970 ***Europa,*** *n°* 974 ***Polonia,*** *n°* 976 ***Rep. Ceca-Slovacchia,*** *n°* 980 ***Grecia,***
n° 984 ***Germania,*** *n°* 985 ***Scandinavia-Finlanda,***
n° 986 ***Gran Bretagna-Irlanda,*** *n°* 987 ***Germania-Austria-Benelux,***
n° 988 ***Italia,*** *n°* 989 ***Francia,*** *n°* 990 ***Spagna-Portogallo,*** *n°* 991 ***Jugoslavia.***

QUEJO (Playa de) *Cantabria* - *ver Isla.*

QUEVEDA *39314 Cantabria* 442 **B 17** - *623 h. alt. 41.*
Madrid 382 - Santander 22 - Santillana del Mar 6 - Torrelavega 6.

La Casona de Luis, carret. C 6316 ✆ (942) 89 50 05, *Fax (942) 89 51 21* - TV ☎
AE VISA. ✂
Comida 1000 - ☕ 300 - **12 hab** 7000/8000 - PA 2040.

QUIJAS *39590 Cantabria* 442 **B 17**
Madrid 386 - Burgos 147 - Oviedo 172 - Santander 32.

XXX **Hostería de Quijas** con hab, carret. N 634 ✆ (942) 82 08 33, *Fax (942) 83 80*
« Casa señorial del siglo XVIII con amplio jardín y » - TV ☎ P. AE ⓓ E VISA
✂
cerrado 23 diciembre-3 enero - **Comida** carta aprox. 4650 - ☕ 700 - **14 hab** 6800/850
5 suites.

en Caranceja *Suroeste : 3,5 km* - ✉ *39591 Caranceja :*

XX **Rubín,** ✆ (942) 81 61 37 - ▤ P. AE E VISA. ✂
Comida carta 2500 a 3850.

QUINTANADUEÑAS *09197 Burgos* 442 **E 18** - *alt. 850.*
Madrid 241 - Burgos 6 - Palencia 90 - Valladolid 125.

XX **La Galería,** Mayor 14 ✆ (947) 29 26 06, *Fax (947) 29 26 05* - ▤. AE E VISA
✂
cerrado domingo noche y 1ª quincena de agosto - **Comida** carta 2550 a 4250.

JINTANAR DE LA ORDEN *45800 Toledo* 444 **N 20** – *8 991 h. alt. 691.*

Madrid 120 – Albacete 127 – Alcázar de San Juan 27 – Toledo 98.

Costablanca, carret. N 301 ☎ (925) 18 05 19 – ▤ Ⓟ. AE VISA. ⚘
cerrado lunes – **Comida** carta 2400 a 4000.

JINTANAR DE LA SIERRA *09670 Burgos* 442 **G 20** – *2 093 h. alt. 1 200.*

Alred. : *Laguna Negra de Neila★★ (carretera★★) Noroeste : 15 km.*

Madrid 253 – Burgos 76 – Soria 70.

JINTANAS DE GORMAZ *42313 Soria* 442 **H 21** – *200 h. alt. 778.*

Madrid 222 – Almazán 43 – Aranda de Duero 69 – Soria 71.

La Casa Grande de Gormaz ⊗, camino de Las Fuentes - Sur : 1 km ☎ (975) 34 09 82, « En una villa de estilo colonial », ⊼, ⚘ – ☎. VISA. ⚘
cerrado 24 diciembre-1 enero – **Comida** 1800 – ☕ 600 – **11 hab** 5000/7500 – PA 3600.

JIROGA *27320 Lugo* 441 **E 8** – *4 657 h.*

Madrid 461 – Lugo 89 – Orense/Ourense 79 – Ponferrada 79.

Marcos, carret. N 120 ☎ (982) 42 84 52, ←, ⛱ – ▤ rest, Ⓟ. VISA. ⚘
Comida 1600 – ☕ 450 – **16 hab** 4500 – PA 3200.

ÁBADE *27370 Lugo* 441 **C 7** – *1 692 h.*

Madrid 530 – La Coruña/A Coruña 79 – Lugo 15 – Ponferrada 133 – Santiago de Compostela 100.

Manuel Francisco, antigua carret. N VI ☎ (982) 39 00 12, *Fax (982) 39 00 12* – |♦|, ▤ rest, TV ☎ Ⓟ – 🏋 25/200. AE ⓓ E VISA. ⚘
Asador Coto Real *(espec. en carnes y asados)* **Comida** carta 2500 a 4150 – ☕ 650 – **27 hab** 5400/6900.

RÁBITA *18760 Granada* 446 **V 20** – *Playa.*

Madrid 549 – Almería 69 – Granada 120 – Málaga 152.

Las Conchas, paseo Marítimo 55 ☎ (958) 82 90 17, ← – |♦|, ▤ hab, TV ☎ ⇔ Ⓟ. ⓓ E VISA. ⚘
abril-septiembre – **Comida** 1390 – ☕ 480 – **24 hab** 5200/8600, 1 suite.

ACÓ DE SANTA LLÚCIA *Barcelona – ver Villanueva y Geltrú.*

AJÓ o **RAXÓ** *36992 Pontevedra* 441 **E 3** – *Playa.*

Madrid 617 – Orense/Ourense 103 – Pontevedra 13 – Santiago de Compostela 68.

Gran Proa, playa de Raxó 4 ☎ (986) 74 04 33, *Fax (986) 74 03 17,* ⚒ – |♦|, ▤ rest, TV ☎. AE ⓓ E VISA. ⚘
Semana Santa-octubre – **Comida** 2000 – ☕ 725 – **43 hab** 8000/10000 – PA 4015.

AMALES DE LA VICTORIA *39800 Cantabria* 442 **C 19** – *2 481 h. alt. 84.*

Madrid 368 – Bilbao/Bilbo 64 – Burgos 125 – Santander 51.

Rio Asón con hab, Barón de Adzaneta 17 ☎ (942) 64 61 57, *Fax (942) 67 83 60* – ▤ rest,. AE ⓓ E VISA. ⚘
cerrado 22 diciembre-1 febrero – **Comida** *(cerrado lunes noche en verano, domingo noche y lunes resto del año)* carta 4150 a 5750 – ☕ 450 – **9 hab** 3000/6000
Espec. Pasta fresca con bogavante. Salmón de río asado lentamente (marzo-julio). Carrillera de buey con costra de trufas.

la carretera S 510 *Noroeste : 2,5 km* – ✉ *39800 Ramales de la Victoria :*

La Palette con hab, El Montañal ☎ (942) 64 61 43, *Fax (942) 64 61 43* – Ⓟ. VISA. ⚘ rest
Comida *(cerrado domingo noche y miércoles noche)* carta 2400 a 3400 – **10 hab** ☕ 4500.

ANDA *Baleares – ver Baleares (Mallorca).*

RASCAFRÍA *28740 Madrid* 444 J 18 – *1 366 h. alt. 1 163.*

Ver : *Cartuja de El Paular★ (iglesia : retablo★★).*

Madrid 78 – Segovia 54.

Santa María de El Paular ⑤, carret. N 604 - Sur : 1,5 km, ✉ 28741 El Paul... ☎ (91) 869 10 11, *Fax (91) 869 10 06,* « Cartuja del siglo XIV », climatizada, ..., – TV ☎ P – 25/100. AE ◑ E VISA JCB. ✻
Comida 4000 – **52 hab** ☐ 15500/19000.

Rosaly, av. del Valle 39 ☎ (91) 869 12 13, *Fax (91) 869 12 55,* ≤ – TV P. ...
✻
Comida 1000 – ☐ 350 – **25 hab** 3100/4900.

Los Calizos ⑤ con hab, carret. de Miraflores - Este : 1 km ☎ (91) 869 11 ...
Fax (91) 869 11 12, ..., – ☎ P. AE ◑ E VISA. ✻
Comida carta 3950 a 4650 – ☐ 650 – **12 hab** 6000/7500.

RAXÓ *Pontevedra – ver Rajó.*

Los REALEJOS *Santa Cruz de Tenerife – ver Canarias (Tenerife).*

REBOREDO *36988 Pontevedra* 441 E 3 – *Playa.*

Madrid 650 – La Coruña/A Coruña 116 – Pontevedra 52 – Santiago de Compo... tela 36.

Bosque-Mar, ☎ (986) 73 10 55, *Fax (986) 73 05 12,* ..., – |‡| TV ☎ ⇔ P. E V...
✻ rest
mayo-15 octubre – **Comida** - sólo cena - 2000 – **65 hab** ☐ 9640/13880, 8 apar... mentos.

Mirador Ría de Arosa, ☎ (986) 73 08 38, *Fax (986) 73 06 48,* ≤ – TV ☎ ⇔ P.
◑ E VISA. ✻
Semana Santa-octubre – **Comida** 2400 – ☐ 600 – **41 hab** 4500/8000.

Els REGUERS *43527 Tarragona* 443 J 31.

Madrid 546 – Castellón de la plana/Castelló de la Plana 134 – Tarragona 93 Tortosa 7.

El Celler d'en Panxampla, carret. d'Alfara - Norte : 0,5 km ☎ (977) 47 41 ...
« Antigua masía » – P. E VISA. ✻
cerrado martes – **Comida** carta 2350 a 3800.

REINOSA *39200 Cantabria* 442 C 17 – *12 852 h. alt. 850 – Balneario en Fontibre – Deportes invierno en Alto Campóo, Oeste : 25 km : ⛷9.*

Excurs. : *Pico de Tres Mares★★★ ✻★★★ Oeste : 26 km y telesilla.*

Madrid 355 – Burgos 116 – Palencia 129 – Santander 70.

Vejo, av. Cantabria 83 ☎ (942) 75 17 00, *Fax (942) 75 47 63,* ≤, ..., ✻ – |‡| TV ☎ ...
P – 25/500. AE ◑ E VISA. ✻ rest
Comida 2600 – ☐ 600 – **71 hab** 6400/9200.

Fontibre Iberia, Nestares - Oeste : 1 km ☎ (942) 75 04 50, *Fax (942) 75 04 54,* ≤, ...
✻ – |‡| TV ☎ P – 25/300. AE E VISA. ✻
Comida *(cerrado domingo noche)* 1500 – ☐ 550 – **50 hab** 6500/9000 PA 3015.

Peña's, av. Puente de Carlos III-7 (interior) ☎ (942) 75 41 26 – AE ◑ E V...
✻
cerrado lunes y del 1 al 15 de noviembre – **Comida** carta 2850 a 3500.

en Alto Campóo *Oeste : 25 km – ✉ 39200 Reinosa :*

Corza Blanca ⑤, alt. 1 660 ☎ (942) 77 92 51, *Fax (942) 77 92 50,* ≤, ... – |‡| ☎ ...
AE E VISA. ✻
cerrado octubre-noviembre – **Comida** 1975 – ☐ 500 – **68 hab** 6100/8800 PA 3775.

RENEDO DE CABUÉRNIGA *39516 Cantabria* 441 C 17.

Madrid 400 – Burgos 156 – Santander 60.

Reserva del Saja ⑤, carret. de Reinosa ☎ (942) 70 61 90, *Fax (942) 70 61 08,* ≤, – ▤ rest, TV ☎ P – 25/300. E VISA
Comida *(cerrado lunes)* 1950 – **26 hab** ☐ 7500/11000.

ENTERÍA o ERRENTERIA *20100 Guipúzcoa* 442 *C 24 - 41163 h. alt. 11.*

Madrid 479 - Bayonne 45 - Pamplona/Iruñea 98 - San Sebastián/Donostia 8.

Lintzirin, carret. N I - Este : 1,5 km, ✉ 20180 apartado 30 Oyarzun, ✆ (943) 49 20 00, *Fax (943) 49 25 04* - |, ▤ rest, TV ☎ P. AE ⓞ E VISA. ✂ rest
Comida *(cerrado domingo noche)* 1050 - ☕ 650 - **132 hab** 5300/9550 - PA 3650.

n el cruce de la carretera de Astigarraga a Oiartzun *Sur : 4 km y desvío 1 km -* ✉ *20100 Rentería :*

Mugaritz, Aldura aldea 20-Otzazulueta Baserria ✆ (943) 51 83 43, *Fax (943) 51 82 16*, ⛱, « Caserío neorústico en pleno monte » - ▤ P. AE ⓞ VISA. ✂
cerrado sábado mediodía, domingo noche, lunes y 20 diciembre-18 enero - **Comida** carta 4500 a 5750.

EQUENA *46340 Valencia* 445 *N 26 - 17014 h. alt. 292.*

García Montés ✆ (96) 230 38 51 Fax (96) 230 38 51.

Madrid 279 - Albacete 103 - Valencia 69.

Avenida sin rest. y sin ☕, San Agustín 10 ✆ (96) 230 04 80, *Fax (96) 230 47 64* - | TV. AE VISA
30 hab 3500/5300.

Mesón del Vino, av. Arrabal 11 ✆ (96) 230 00 01, « Decoración rústica » - ▤. E VISA. ✂
cerrado martes y septiembre - **Comida** carta 2350 a 3700.

El Rincón, San Agustín 20 ✆ (96) 230 33 00 - ▤. ⓞ E VISA. ✂
cerrado lunes - **Comida** carta 2100 a 3700.

EUS *43200 Tarragona* 443 *I 33 - 88595 h. alt. 134.*

Ver : *Casa Navàs*★★ BY - *Palau Bofarull*★ BY - *Teatre Fortuny*★ BY **T.**

Alred. : *Port Aventura*★★★ *por* ③.

Reus Aigüesverds, carret. de Cambrils km 1,8-Mas Guardià ✆ (977) 75 27 25.

de Reus por ② : 3 km ✆ (977) 77 98 00.

pl. Llibertat ✉ 43201 ✆ (977) 34 59 43 Fax (977) 34 00 10.

Madrid 547 ④ - Barcelona 118 ② - Castellón de la Plana/Castelló de la Plana 177 ③ - Lérida/Lleida 90 ① - Tarragona 14 ②

Planos páginas siguientes

NH Ciutat de Reus, av. Marià Fortuny 85, ✉ 43203, ✆ (977) 34 53 53, *Fax (977) 34 32 34* - | ▤ TV ☎ ♿ 🚗 - 🎤 60/400. AE ⓞ E VISA. ✂ rest CX r
Comida 1950 - ☕ 1100 - **76 hab** 12000/14000, 8 suites.

Quality Reus, carret. de Salou 129 - Sureste : 1,5 km, ✉ 43205, ✆ (977) 75 21 46, *Fax (977) 77 31 73* - | ▤ TV ☎ ♿ 🚗 P - 🎤 25/50. AE ⓞ E VISA. ✂ rest por ③
Comida 1600 - ☕ 850 - **60 hab** 10500.

Simonet, Raval Santa Anna 18, ✉ 43201, ✆ (977) 34 59 74, *Fax (977) 34 45 81*, ⛱ - ▤ TV ☎ 🚗. AE E VISA. ✂ BY e
cerrado 24 diciembre-2 enero - **Comida** *(cerrado domingo noche)* 2200 - ☕ 650 - **39 hab** 4400/7500.

Gaudí sin rest. con cafetería, Raval Robuster 49, ✉ 43204, ✆ (977) 34 55 45, *Fax (977) 34 28 08* - | TV ☎ - 🎤 25/150. AE ⓞ E VISA BZ a
☕ 1350 - **73 hab** 6765/11000.

La Glorieta del Castell, pl. Castell 2, ✉ 43201, ✆ (977) 34 08 26 - ▤. AE ⓞ E VISA JCB. ✂ BZ c
cerrado domingo - **Comida** carta aprox. 4650.

El Tupí, Alcalde Joan Bertran 3, ✉ 43202, ✆ (977) 31 05 37 - ▤. AE ⓞ E VISA. ✂
cerrado domingo y del 15 al 31 de agosto - **Comida** carta 2700 a 3900. AZ s

n la carretera de Tarragona *por ② : 1 km -* ✉ *43206 Reus :*

Masia Típica Crusells, ✆ (977) 75 40 60, *Fax (977) 77 24 12*, « Decoración regional » - ▤ P. AE ⓞ E VISA. ✂
cerrado domingo noche - **Comida** carta 3175 a 4200.

n Castellvell *(Baix Camp) Norte : 2 km* AX - ✉ *43392 Castellvell :*

El Pa Torrat, av. de Reus 24 ✆ (977) 85 52 12, « Decoración rústica » - ▤. AE E VISA. ✂
cerrado martes, festivos noche, 2ª quincena de agosto y Navidades - **Comida** - cocina regional - carta 2700 a 4150.

REUS

Alt del Carme	AZ	3
Amargura	BY	4
Baluard (Pl. del)	BZ	7
Barreres	BZ	8
Bertran de Castellet	BX	9
Bisbe Borràs	AX	10
Castell (Pl.)	BY	12
Comte de Reus (Pl. de)	AZ	13
Doctor Codina Castellví	AZ	15
Font	BZ	16
Francesc Bartrina	AX	18
Galera	BYZ	21
Galió	BY	22
Hospital	BY	24
Josep Anselm Clavé	BY	25
Josep Anselm Clavé (Pl.)	CY	27
Josep M. Arnavat i Vilaró	CY	28
Josep Sardà i Cailà	AY	30
Jueus (Carreró dels)	BZ	31
Major	BZ	33
Mar	BY	34
Marià Benlliure	BZ	36
Mercadal (Pl. del)	BY	37
Mestres (Closa de)	BZ	38
Misericordia (Passeig de)	AZ	39
Monsenyor Higini Anglès	CZ	40
O'Donnell	ABZ	42
Pallol (Raval del)	BY	43
Pintor Fortuny (Pl. del)	AY	45
Pintor Tapiró (Av. del)	AX	46
Puríssima Sang (Pl. de la)	CY	48
Ramón J. Sender	BZ	49
Rigoberta Menchu	AZ	50
Robuster (Raval de)	BZ	52
Sales (Raseta de)	BZ	54
Salvador Espria Misericordia	BY	55
Sant Elíes	AY	56
Sant Francesc Xavier	BZ	57
Sant Jaume	BZ	58
Sant Miquel	BY	61
Sant Pere (Raval de)	BZ	63
Sant Vicenç	BY	64
Santa Anna (Raval de)	BY	66
Santa Anna	BY	67
Segle XX (Av. del)	AX	69
Selva del Camp	BY	72
Vallroquetes	BY	73
Vapor Nou	AY	74
Víctor (Pl. del)	AX	75
Vidre	BY	78

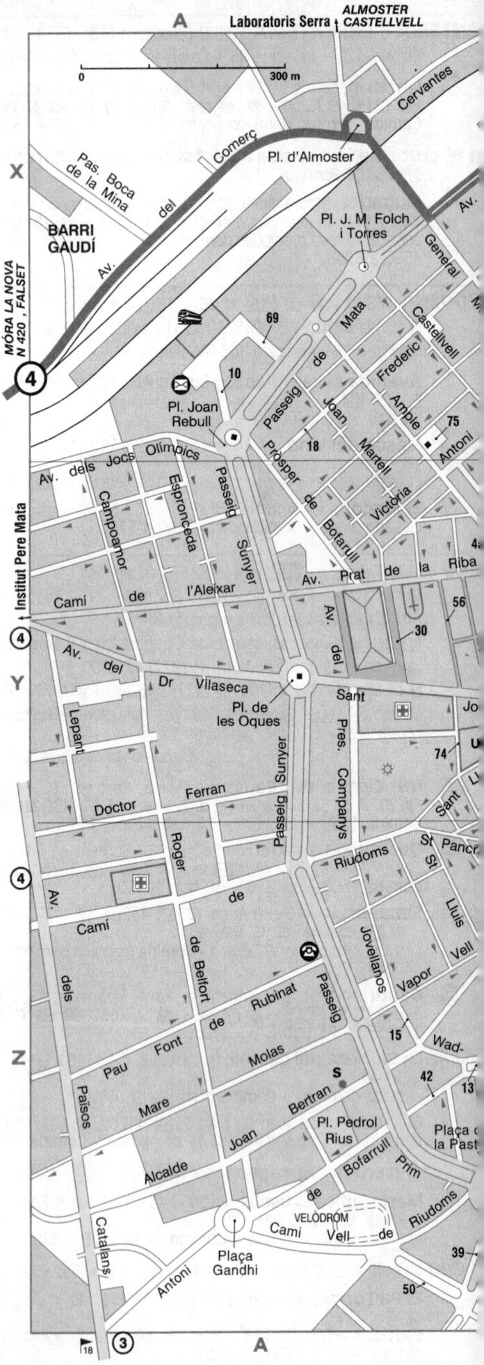

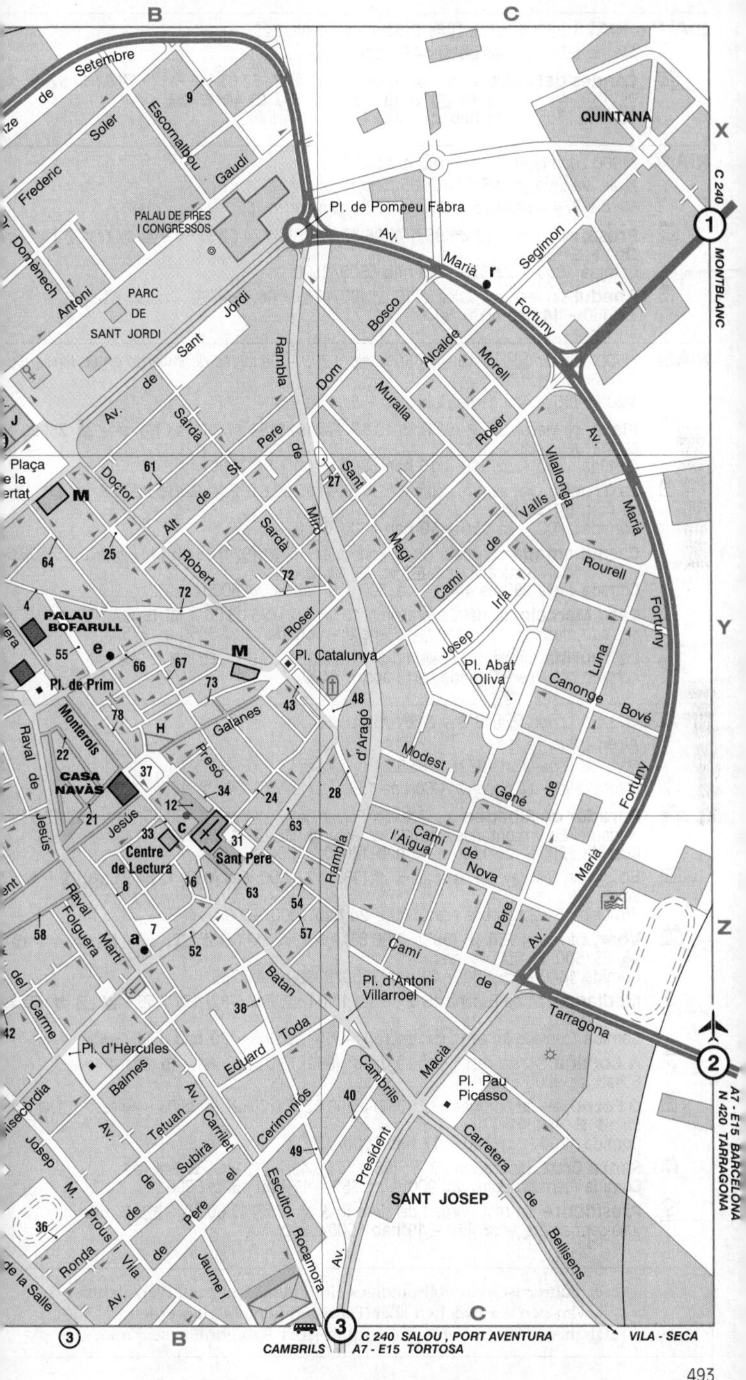
QUINTANA
Pl. de Pompeu Fabra
PALAU DE FIRES I CONGRESSOS
PARC DE SANT JORDI
Av. Marià Fortuny
Segimon
Rambla de Sant Jordi
Dom Bosco
Alcalde Morell
Muralla
Roser
Vilallonga
Plaça de la Llibertat
Doctor Sardà
Alt de St Pere
Robert
Magí
Camí de Valls
Rourell
PALAU BOFARULL
Pl. de Prim
Pl. Catalunya
Josep Irla
Pl. Abat Oliva
Canonge Bové
Luna
Monterols
Raval de Jesús
Galanes
Presó
CASA NAVÀS
d'Aragó
Modest Gené
Centre de Lectura
Sant Pere
Camí l'Aigua de Nova
Pere
Raval Folguera
Martí
Batan
Camí de Tarragona
Pl. d'Antoni Villarroel
Pl. d'Hèrcules
Balmes
Eduard Toda
Cambrils
Macià
Pl. Pau Picasso
Carretera de Bellisens
Av. Tetuan
Carrilet
Cerimonios
Subirà
Av. de Pere el
Escultor Rocamora
Av. President
SANT JOSEP
Josep M. Prous i Vila
Ronda
Av. de Jaume I
de la Salle
del Carme
C 240 MONTBLANC
A7 - E15 BARCELONA
N 420 TARRAGONA
C 240 SALOU, PORT AVENTURA
CAMBRILS A7 - E15 TORTOSA
VILA - SECA

RIALP o **RIALB** *25594 Lérida* 443 **E 33** - *440 h. alt. 725.*
Madrid 593 - Lérida/Lleida 141 - Sort 5.

Condes del Pallars, av. Flora Cadena 2 ☎ (973) 62 03 50, *Fax (973) 62 12 32,* ≤, ...
..., ..., ..., ... - ... ≡ TV ☎ P - 25/150. AE ① E VISA. ✂
Comida 2350 - **171 hab** ⊏ 6800/17000 - PA 5700.

RIAÑO *24900 León* 441 **D 14** - *485 h. alt. 1 125.*
av. Valcayo ☎ (987) 74 06 65 (temp).
Madrid 374 - León 95 - Oviedo 112 - Santander 166.

Presa, av. Valcayo 12 ☎ (987) 74 06 37, *Fax (987) 74 07 37,* ≤ - ..., ≡ rest, TV ☎ ...
AE ① E VISA. ✂
Comida 1800 - ⊏ 575 - **33 hab** 6500/8500.

Abedul sin rest, av. Valcayo 16 ☎ (987) 74 07 06, ≤ - TV ... E VISA. ✂
⊏ 450 - **14 hab** 4000/8000.

RIAZA *40500 Segovia* 442 **I 19** - *1 650 h. alt. 1 200 - Deportes de invierno en La Pinilla, Su...*
9 km - 1 12.
Madrid 116 - Aranda de Duero 60 - Segovia 70.

Plaza, pl. Mayor 24 ☎ (921) 55 10 55, *Fax (921) 55 11 28* - ≡ TV ☎ - 25. AE ...
E VISA JCB. ✂
Comida 1500 - ⊏ 500 - **15 hab** 5000/7000 - PA 3000.

La Trucha ..., av. Dr. Tapia 17 ☎ (921) 55 00 61, *Fax (921) 55 00 86,* ≤, ..., ...
≡ rest, TV ☎. VISA
Comida 1700 - ⊏ 350 - **30 hab** 4800/6800.

Casaquemada con hab, Isidro Rodríguez 18 ☎ (921) 55 00 51, *Fax (921) 55 06 0...*
« Decoración rústica » - ≡ TV ☎. AE ① VISA. ✂
Comida carta 2800 a 4400 - ⊏ 500 - **9 hab** 6000/8000.

Casa Marcelo, pl. del Generalísimo 16 ☎ (921) 55 03 20 - AE E VISA. ✂
cerrado martes y 10 diciembre-2 enero - **Comida** carta 3350 a 4975.

La Taurina, pl. del Generalísimo 6 ☎ (921) 55 01 05 - AE ① E VISA. ✂
cerrado octubre - **Comida** carta aprox. 3400.

RIBADEO *27700 Lugo* 441 **B 8** - *8 761 h. alt. 46.*
Alred. : *Puente* ≤★.
pl. de España ☎ (982) 12 86 89.
Madrid 591 - La Coruña/A Coruña 158 - Lugo 90 - Oviedo 169.

Parador de Ribadeo ..., Amador Fernández 7 ☎ (982) 12 88 25, *Fax (982) 12 83 4...*
≤ ría del Eo y montañas - ... TV ☎ ... P. AE ① E VISA. ✂
Comida 3200 - ⊏ 1300 - **46 hab** 12000/15000, 1 suite.

Eo ... sin rest, av. de Asturias 5 ☎ (982) 12 87 50, *Fax (982) 12 80 21,* ≤, ... - ☎. ...
① E VISA
15 junio-15 septiembre - ⊏ 500 - **24 hab** 7000/9000.

Voar, carret. N 634 ☎ (982) 12 86 85, *Fax (982) 13 06 85,* ..., ... - TV ☎ ... P
25/300. E VISA. ✂ rest
Comida 1300 - ⊏ 650 - **42 hab** 7500/8800 - PA 2765.

Mediante, pl. de España 16 ☎ (982) 13 04 53, *Fax (982) 13 07 58* - ... TV ☎. AE ...
E VISA. ✂
Comida *(cerrado lunes y noviembre)* 1400 - ⊏ 300 - **20 hab** 5500/8000.

A Cortiña ... sin rest, Paco Lanza ☎ (982) 13 01 87, ... - P. VISA. ✂
6 hab ⊏ 9000.

O Forno, av. de Asturias 4 ☎ (982) 13 08 02, *Fax (982) 13 08 03* - ≡ rest, TV ☎ ...
AE ① E VISA. ✂
Comida 1200 - ⊏ 350 - **17 hab** 5000/7500.

Santa Cruz, Diputación 22 ☎ (982) 13 05 49 - TV .... E VISA. ✂
Comida *(cerrado domingo)* 900 - ⊏ 350 - **17 hab** 4500/6800.

Presidente sin rest, Virgen del Camino 3 ☎ (982) 12 80 92 - TV. E VISA
julio-septiembre - ⊏ 450 - **19 hab** 5000/6500.

Dieser Führer ist kein vollständiges Hotel- und Restaurantverzeichnis.
Um den Ansprüchen aller Touristen gerecht zu werden,
haben wir uns auf eine Auswahl in jeder Kategorie beschränkt.

RIBADESELLA *33560 Asturias* 441 **B 14** – *6 182 h. – Playa.*

Ver : *Cuevas Tito Bustillo★ (pinturas rupestres★).*

Puente Río Sella - carret. de la Piconera ☎ (98) 586 00 38.

Madrid 485 – Gijón 67 – Oviedo 84 – Santander 128.

Marina, Gran Vía 36 ☎ (98) 586 00 50, *Fax (98) 586 01 57* – TV ☎. VISA. *febrero-octubre* – **Comida** 1500 – ☕ 500 – **46 hab** 6500/8500.

La Bohemia, Gran Vía 53 ☎ (98) 586 11 50, *Fax (98) 586 01 57* – .

Náutico, Marqués de Argüelles 9 ☎ (98) 586 00 42, ≤ – VISA. **Comida** carta 4750 a 5600.

en la playa :

G.H. del Sella, ☎ (98) 586 01 50, *Fax (98) 585 74 49*, ≤, – TV ☎ Ⓟ – 25/300. AE E VISA. *abril-15 octubre* – **Comida** 2700 - ***Casa Delfa :*** **Comida** carta 3300 a 4900 – ☕ 1000 – **78 hab** 9600/15000, 4 suites.

Don Pepe, Dionisio Ruisánchez 12 ☎ (98) 585 78 81, *Fax (98) 585 78 77*, ≤ – TV ☎. AE E VISA. *abril-septiembre* – **Comida** 2200 – ☕ 700 – **32 hab** 10000/12000.

Ribadesella Playa sin rest, Ricardo Cangás 3 ☎ (98) 586 07 15, *Fax (98) 586 02 20*, ≤ – TV ☎ Ⓟ. AE E VISA. *cerrado del 1 al 20 de enero* – ☕ 500 – **17 hab** 7500/9500.

La Playa, Dionisio Ruisánchez 16 ☎ (98) 586 01 00, ≤ – TV Ⓟ. AE E VISA. *abril-septiembre* – **Comida** 2000 – ☕ 500 – **11 hab** 6000/9000.

Derby sin rest, El Pico 24 ☎ (98) 586 00 92, *Fax (98) 586 00 92* – TV ☎. *15 marzo-15 octubre* – ☕ 400 – **27 hab** 4400/6400.

en la carretera de Collía *Suroeste : 3 km – ✉ 33567 El Carmen :*

El Carmen sin rest, El Carmen ☎ (98) 586 12 89, *Fax (98) 586 12 48*, ≤, – TV ☎ Ⓟ. E VISA. ☕ 600 – **8 hab** 7000/8900.

RIBAFORADA *31550 Navarra* 442 **G 25** – *3 148 h. alt. 262.*

Madrid 326 – Logroño 113 – Soria 95 – Tudela 10 – Zaragoza 71.

en la carretera N 232 *Suroeste : 2 km – ✉ 31550 Ribaforada :*

Sancho el Fuerte, ☎ (948) 86 40 25, *Fax (948) 86 40 25*, – TV ☎ Ⓟ – 25/500 135 hab.

RIBAS DE FRESER o RIBES DE FRESER *17534 Gerona* 443 **F 36** – *2 358 h. alt. 920 – Balneario.*

Excurs. : *Vall de Núria★ (tren cremallera ≤★★).*

pl. Ajuntament 3 ☎ (972) 72 77 28 Fax (972) 72 70 16.

Madrid 689 – Barcelona 118 – Gerona/Girona 101.

Catalunya Park H., passeig Mauri 9 ☎ (972) 72 71 98, *Fax (972) 72 70 17*, ≤, « Césped con » – TV . VISA. *21 junio-septiembre* – **Comida** 2300 – ☕ 750 – **55 hab** 3800/7250 – PA 4800.

Sant Antoni, Sant Quintí 55 ☎ (972) 72 70 18, *Fax (972) 72 77 81*, , – TV ☎ – 25/100. E VISA. *cerrado del 13 al 31 de octubre* – **Comida** 2150 – ☕ 650 – **48 hab** 4000/7000 – PA 4200.

Catalunya, Sant Quintí 37 ☎ (972) 72 70 17, *Fax (972) 72 70 17* – TV. VISA. **Comida** - sólo cena - 2300 – ☕ 650 – **18 hab** 3200/6900.

RIBERA DE CARDÓS *25570 Lérida* 443 **E 33** – *alt. 920.*

Alred. : *Valle de Cardós★.*

Madrid 614 – Lérida/Lleida 157 – Sort 21.

Cardós, Reguera 2 ☎ (973) 62 31 00, *Fax (973) 62 31 58*, ≤, – . VISA. rest *abril-septiembre* – **Comida** 1800 – ☕ 750 – **50 hab** 4500/6800 – PA 3300.

Sol i Neu, Llimera 1 ☎ (973) 62 31 37, *Fax (973) 62 31 37*, ≤, , – Ⓟ. AE E VISA. *15 marzo-15 diciembre* – **Comida** 1600 – ☕ 525 – **30 hab** 4500/6000.

RIBES DE FRESER *Gerona – ver Ribas de Freser.*

RICOTE *30610 Murcia* 445 **R 25** *– 1 679 h. alt. 400.*
Madrid 371 – Archena 10 – Cieza 15 – Cehegín 40 – Lorca 93 – Murcia 37.

X **El Sordo,** Algarrobo ☎ (968) 69 71 50, *Fax (968) 69 72 09* – ▤ P. AE ⓓ E VISA.
cerrado miércoles y julio – **Comida** - espec. en asados y caza - carta 2850 a 3700.

RIELLS *17404 Gerona* 443 **G 37** *– 998 h. alt. 487.*
Madrid 657 – Barcelona 59 – Gerona/Girona 53 – Vic 44.

XX **Can Marlet** con hab, Sureste : 1,5 km ☎ (972) 87 09 03, *Fax (972) 87 09 43,* « En un frondoso paraje de la sierra del Montseny », – ▤ rest, TV ☎ P. AE VISA.
cerrado enero y octubre-marzo salvo fines de semana – **Comida** carta 3275 a 5400 – 900 – **11 hab** 11000.

SA RIERA (Playa de) *Gerona – ver Bagur.*

La RIERA DE GAIÀ *43762 Tarragona* 443 **I 34** *– 894 h. alt. 28.*
Madrid 558 – Barcelona 102 – Lérida/Lleida 118 – Sitges 34 – Tarragona 14.

X **La Masía de l'Era,** Sant Joan 64 ☎ (977) 65 54 02, « Marco rústico catalán » – P. E VISA.
15 junio-septiembre y fines de semana resto del año – **Comida** carta aprox. 3450.

RINCÓN DE LA VICTORIA *29730 Málaga* 446 **V 17** *– 13 007 h. – Playa.*
Añoreta, av. del Golf-urb. Añoreta Golf ☎ (95) 240 40 00 Fax (95) 240 40 50.
Madrid 568 – Almería 208 – Granada 139 – Málaga 13.

Rincón Sol, av. del Mediterráneo 174 ☎ (95) 240 11 00, *Fax (95) 240 43 79,* – ▤ TV ☎ – 25/180. AE ⓓ E VISA JCB. rest
Comida 1950 – 725 – **86 hab** 7500/10000, 1 suite – PA 3900.

por la carretera de Macharaviaya *Noreste : 8 km y desvío a la derecha 1,3 km – ✉ 2973 Rincón de la Victoria :*

Molino de Santillán, apartado 101 ☎ (95) 211 57 80, *Fax (95) 211 57 82,* « Cortijo en pleno campo con el mar al fondo », – TV ☎ P. AE ⓓ E VISA JCB
Comida 2800 – 1000 – **9 hab** 10900/12900 – PA 5500.

RIPOLL *17500 Gerona* 443 **F 36** *– 11 204 h. alt. 682.*
Ver : *Antiguo Monasterio de Santa María★ (portada★★★, iglesia★, claustro★).*
Alred. : *San Juan de las Abadesas★ : puente medieval★, Monasterio★★ (iglesia★ : descendimiento de la Cruz★★, claustro★) Noreste : 10 km.*
pl. de l'Abat Oliba ☎ (972) 70 23 51.
Madrid 675 – Barcelona 104 – Gerona/Girona 86 – Puigcerdá 65.

Del Ripollés, pl. Nova 11 ☎ (972) 70 02 15, *Fax (972) 70 00 27* – TV ☎. E VISA.
Comida carta aprox. 2900 – 450 – **8 hab** 4500/7000.

en la carretera N 152 *Sur : 2 km – ✉ 17500 Ripoll :*

Solana del Ter, ☎ (972) 70 10 62, *Fax (972) 71 43 43,* – ▤ rest TV ☎ P – 25/300. E VISA.
cerrado 15 días en noviembre – **Comida** *(cerrado domingo noche en invierno)* 2500 – 800 – **40 hab** 5800/8800 – PA 5000.

RIPOLLET *08291 Barcelona* 443 **H 36** *– 26 835 h. alt. 79.*
Madrid 625 – Barcelona 11 – Gerona/Girona 74 – Sabadell 6.

XX **Eulalia,** Casanovas 29 ☎ (93) 692 04 02, *Fax (93) 691 63 57* – ▤ P. AE ⓓ E VISA.
cerrado domingo – **Comida** carta 3600 a 5700.

RIS (Playa de) *Cantabria – ver Noja.*

RIUDARENAS o **RIUDARENES** *17421 Gerona* 443 **G 38** *– 1 102 h. alt. 84.*
Madrid 693 – Barcelona 80 – Gerona/Girona 32.

X **La Brasa,** carret. Santa Coloma 21 ☎ (972) 85 60 17, *Fax (972) 85 62 38* – ▤. AE ⓓ E VISA.
cerrado lunes y 15 enero-febrero – **Comida** *(sólo almuerzo)* - cocina regional - carta 2175 a 2525.

OA DE DUERO *09300 Burgos* 442 G 18 – *2264 h. alt. 810.*
Madrid 181 – Aranda de Duero 20 – Burgos 82 – Palencia 72 – Valladolid 76.

Chuleta, av. de la Paz 7 ☎ (947) 54 03 12 – ▤. E VISA. ✻
cerrado lunes noche – **Comida** carta 2250 a 3200.

OCAFORT *46111 Valencia* 445 N 28 – *4055 h. alt. 35.*
Madrid 361 – Valencia 11.

L'Été, Francisco Carbonell 33 ☎ (96) 131 11 90, *Fax (96) 363 67 63* – ▤. AE ⦿ E VISA. ✻
cerrado domingo, lunes, festivos y Semana Santa – **Comida** carta 3300 a 4150.

l ROCÍO *21750 Huelva* 446 U 10.
Ver : *Parque Nacional de Doñana*★.
Madrid 607 – Huelva 67 – Sevilla 78.

Toruño ⚘, pl. del Acebuchal 22 ☎ (959) 44 23 23, *Fax (959) 44 23 38*, « Junto a las marismas de Doñana » – ▤ TV ☎. ⦿ E VISA. ✻
Comida *(cerrado del 17 al 26 de mayo)* 1500 – ☕ 500 – **30 hab** 7500/10000.

n la carretera de Matalascañas *Suroeste : 4 km* – ✉ *21750 El Rocío :*

El Cortijo de los Mimbrales ⚘ sin rest, ☎ (959) 50 61 66, *Fax (959) 50 61 66*, « Conjunto rural con ⛱ en una extensa finca » – TV P. AE E VISA. ✻
☕ 900 – **14 hab** 14000, 6 apartamentos.

a RODA *02630 Albacete* 444 O 23 – *12938 h. alt. 716.*
Madrid 210 – Albacete 37.

Flor de la Mancha, Alfredo Atienza 139 ☎ (967) 44 05 55, *Fax (967) 44 09 04* – |‡|, ▤ rest, TV ☎ P. AE ⦿ E VISA. ✻
Comida 1350 – ☕ 450 – **26 hab** 4500/8000.

n la carretera N 301 *Noroeste : 2,5 km* – ✉ *02630 La Roda :*

Juanito, ☎ (967) 44 15 12, *Fax (967) 44 40 06* – ▤ P. AE ⦿ E VISA. ✻
Comida carta 2100 a 4600.

ODA DE ISÁBENA *22482 Huesca* 443 F 31 – *281 h. alt. 751.*
Madrid 491 – Huesca 106 – Lérida/Lleida 95.

Hospedería de Roda de Isábena ⚘, pl. La Catedral ☎ (974) 54 45 54, *Fax (974) 54 45 00*, ≤, « Instalado en un edificio medieval » – TV ☎. ⦿ E VISA JCB. ✻
cerrado del 20 al 30 de diciembre – **Comida** (ver rest. ***Hospedería La Catedral***) – ☕ 400 – **11 hab** 3000/5000.

Hospedería La Catedral, pl. Pons Sorolla ☎ (974) 54 45 45, « Instalado en el refectorio. Claustro del siglo XII » – ⦿ E VISA JCB. ✻
cerrado domingo noche y del 20 al 30 de diciembre – **Comida** carta 1700 a 3100.

OIS *15911 La Coruña* 441 D 4.
Madrid 638 – La Coruña/A Coruña 98 – Pontevedra 41.

Casa Ramallo, Castro 5 ☎ (981) 80 41 80, *Fax (981) 80 41 80*
P. AE E VISA. ✻
cerrado lunes y 24 diciembre-7 enero – **Comida** carta 2700 a 3300.

OJALES *03170 Alicante* 445 R 27 – *5227 h. alt. 125.*
La Marquesa, urb. Ciudad Quesada ☎ (96) 671 42 58 Fax (96) 671 42 67.
Madrid 435 – Alicante/Alacant 58 – Benidorm 100 – Elche/Elx 23 – Cartagena 71 – Murcia 46.

or la carretera de Guardamar del Segura *Noreste : 2 km y desvío a la izquierda 1 km* – ✉ *03170 Rojales :*

Viloriens, Huerta Rojales ☎ (96) 671 54 72, 🏠, « Casa de campo con terraza » – P. E VISA. ✻
cerrado lunes y noviembre – **Comida** carta 2225 a 3175.

OMANYÀ DE LA SELVA *17246 Gerona* 443 G 38.
Madrid 699 – Barcelona 97 – Gerona/Girona 34 – San Feliú de Guixols/Sant Feliu de Guíxols 18.

Can Roquet, pl. Església ☎ (972) 83 32 89 – ▤ P.

RONCESVALLES u **ORREAGA** *31650 Navarra* 442 C 26 – *60 h. alt. 952.*
Ver : *Pueblo★ - Conjunto Monumental : museo★.*
Antiguo Molino ☎ (948) 76 01 93 Fax (948) 76 01 93.
Madrid 446 – Pamplona/Iruñea 47 – St-Jean-Pied-de-Port 29.

La Posada, ☎ (948) 76 02 25, *Fax (948) 76 02 25,* ≤ – P. Ⓓ E VISA
cerrado noviembre – **Comida** 1700 – ☐ 550 – **18 hab** 5040/6300.

RONDA *29400 Málaga* 446 V 14 – *35 788 h. alt. 750.*
Ver : *Situación★★ – Barrio de la ciudad★* YZ – *Tajo★* Y – *Puente Nuevo* ≤★ Y – *Plaza de Toros★* Y.
Alred. : *Cueva de la Pileta★ (carretera de acceso ≤★★) 27 km por ①.*
Excurs. : *Carretera★★ de Ronda a San Pedro de Alcántara (cornisa★★) por ② – Carretera de Ronda a Algeciras por ③.*
pl. de España 9 ☎ (95) 287 12 72 Fax (95) 287 12 72.
Madrid 612 ① – Algeciras 102 ③ – Antequera 94 ① – Cádiz 149 ① – Málaga 96 ② Sevilla 147 ①

RONDA

Armiñán	YZ
Capitán Cortés	Y 3
Carmen Abela (Pl. de)	Y 5
Cerrillo	Y
Descalzos (Pl. de los)	Y
Doctor Fleming (Av.)	Y 6
Duquesa de Parcent (Pl. de la)	Z 8
España (Pl. de)	Y 12
Espinel (Carrera de)	Y
González Campos	Z 15
Las Imágenes	Z 18
María Auxiliadora (Plaza)	Z 20
Marqués de Salvatierra	Z 21
Merced (Pl. de la)	Y 24
Padre Mariano Soubirón	Y 26
Prado	Z
Peñas	Y
Real	Y
Ruedo Alameda (Pl.)	Z
Ruedo de Gameros	Z 27
Santa Cecilia	Y 30
Santo Domingo	Y 33
Sevilla	Y
Tenorio	YZ
Virgen de la Paz	Y
Virgen de los Dolores	Y

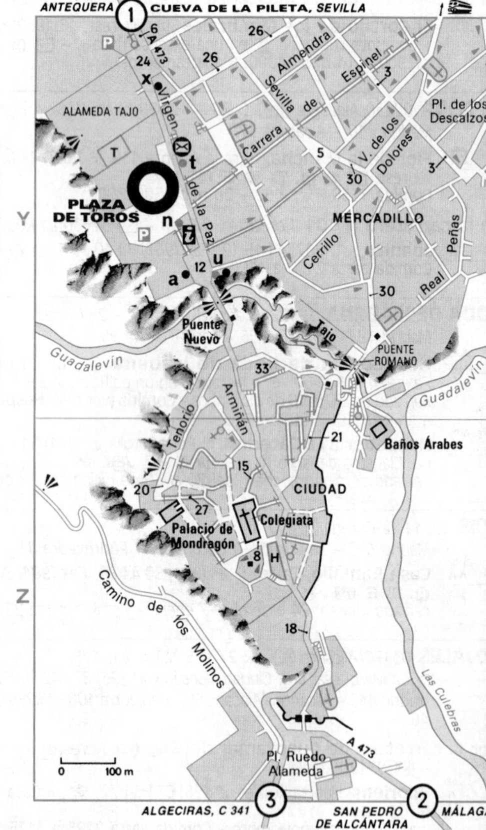

Un consejo ***Michelin:***
Para que sus viajes sean un éxito, prepárelos de antemano. Los ***mapas*** *y las* ***guías Michelin*** *le proporcionan todas las indicaciones útiles sobre: itinerarios, visitas de curiosidades, alojamiento, precios, etc...*

Parador de Ronda, pl. de España ☎ (95) 287 75 00, *Fax (95) 287 81 88,* ≤, « Instalado en el antiguo ayuntamiento. Al borde del Tajo », ⛱, – |‡| ▤ TV ☎ – 25/8
AE Ⓓ E VISA JCB. Y
Comida 3700 – ☐ 1300 – **70 hab** 14800/18500, 8 suites.

Reina Victoria ⑤, av. Dr. Fleming 25 ☎ (95) 287 12 40, *Fax (95) 287 10 75*, « Al borde del Tajo, ≤ valle y serranía de Ronda », , – | 25/200. AE ⓓ E VISA JCB. rest por ①
Comida 3500 – 1450 – **89 hab** 10000/17000.

Don Miguel, Villanueva 8 ☎ (95) 287 77 22, *Fax (95) 287 83 77*, ≤ – |. AE ⓓ E VISA JCB. Y u
cerrado del 11 al 25 de enero – **Comida** (ver rest. ***Don Miguel***) – 450 – **19 hab** 6000/9000.

Royal sin rest, Virgen de la Paz 42 ☎ (95) 287 11 41, *Fax (95) 287 81 32* – . AE ⓓ E VISA. Y x
375 – **29 hab** 3500/5600.

Don Miguel, pl. de España 3 ☎ (95) 287 10 90, *Fax (95) 287 83 77*, , « Terrazas sobre el Tajo » – . AE ⓓ E VISA JCB. Y u
cerrado del 11 al 29 de enero – **Comida** carta 2300 a 3900.

Pedro Romero, Virgen de la Paz 18 ☎ (95) 287 11 10, *Fax (95) 287 10 61*, « Decoración típica » – . AE ⓓ E VISA. Y t
Comida carta aprox. 3750.

Jerez, paseo Blas Infante 2 ☎ (95) 287 20 98, *Fax (95) 287 46 36*, – . AE ⓓ E VISA. Y n
Comida carta 2550 a 3800.

ROQUETAS DE MAR *04740 Almería* 446 V 22 – *32 361 h. – Playa.*

Playa Serena, urb. Playa Serena ☎ (950) 33 30 55.
Madrid 605 – Almería 18 – Granada 176 – Málaga 208.

en la urbanización Roquetas de Mar *Sur : 4 km*

Al-Baida, av. Las Gaviotas ☎ (950) 33 38 21, *Fax (950) 33 39 51*, – . AE ⓓ E VISA JCB.
cerrado lunes (salvo festivos y vísperas) y 20 enero-febrero – **Comida** carta 3500 a 5000.

ROSAS o ROSES *17480 Gerona* 443 F 39 – *10 303 h. – Playa.*

Ver : *Ciudadela★.*
av. de Rhode 101 ☎ (972) 25 73 31 Fax (972) 15 11 50.
Madrid 763 – Gerona/Girona 56.

Terraza, passeig Marítim 16 ☎ (972) 25 61 54, *Fax (972) 25 68 66*, ≤, , climatizada, – | – 25/150. AE ⓓ E VISA. rest
Semana Santa-octubre – **Comida** *(cerrado domingo en abril, mayo y octubre)* - sólo cena en abril-mayo y octubre - carta 3550 a 5600 – 1300 – **112 hab** 11000/17000.

Ramblamar ⑤, av. de Rhode 153 ☎ (972) 25 63 54, *Fax (972) 25 68 11*, ≤ mar – |, rest, . AE E VISA.
Semana Santa-octubre – **Comida** 2100 – 1000 – **52 hab** 7800/12000 – PA 4150.

Coral Platja, av. de Rhode 28 ☎ (972) 25 62 50, *Fax (972) 15 18 11*, ≤ – |
123 hab.

Goya sin rest, Riera Ginjolers ☎ (972) 25 61 23, *Fax (972) 15 14 61*, – | . AE ⓓ E VISA
abril-octubre – 900 – **65 hab** 6850/10400.

Novel Risech, av. de Rhode 183 ☎ (972) 25 62 84, *Fax (972) 25 68 11*, ≤, – |, rest,. AE E VISA. rest
cerrado 15 noviembre-18 diciembre – **Comida** 1900 – 925 – **78 hab** 3900/7800 – PA 3800.

Casa del Mar sin rest, av. de Rhode 21 ☎ (972) 25 64 50, *Fax (972) 25 64 54* – . AE E VISA
abril-15 octubre – 600 – **28 hab** 6700.

Flor de Lis, Cosconilles 47 ☎ (972) 25 43 16, *Fax (972) 25 43 16*, « Decoración rústica » – . AE ⓓ E VISA.
cerrado martes (salvo julio-septiembre), 5 enero-Semana Santa y 9 octubre- 21 diciembre – **Comida** - cocina francesa - carta 5325 a 6725
Espec. Sopa de pescado con frutos del mar. Solomillo de ternera con foie gras y salsa de trufas. Carro de repostería.

Die Insel, Pescadors 17 ☎ (972) 25 71 23, *Fax (972) 25 33 50* – . AE ⓓ E VISA.
cerrado martes, 15 enero-10 marzo y 20 noviembre-15 diciembre – **Comida** carta 3600 a 5900.

L'Entrecot, Joan Badosa 9 ☎ (972) 25 42 63, *Fax (972) 25 41 19*, « Decoració rústica catalana » – AE E VISA.
cerrado miércoles (enero-marzo) y 15 noviembre-21 diciembre – **Comida** carta 2400 3800.

Llevant, av. de Rhode 145 ☎ (972) 25 68 35, – AE E VISA.
cerrado martes, diciembre y enero – **Comida** carta 1950 a 3500.

en la urbanización Santa Margarita *Oeste : 2 km – ✉ 17480 Rosas :*

Sant Marc, av. de la Bocana 42 ☎ (972) 25 21 30, *Fax (972) 25 21 01*, – rest
240 hab.

Goya Park, Port de Reig 25 ☎ (972) 25 21 40, *Fax (972) 25 43 41*, ←, – rest
245 hab.

Montecarlo, av. de la Platja ☎ (972) 25 66 73, *Fax (972) 25 57 03*, ←, – rest
AE E VISA. rest
15 marzo-15 noviembre – **Comida** 1900 – 850 – **126 hab** 6750/10700.

Monterrey, passeig Marítim 72 ☎ (972) 25 66 76, *Fax (972) 25 38 69*, ←, climatizac
– rest, TV . AE E VISA. rest
marzo-noviembre – **Comida** 1750 – **135 hab** 9300/13300.

Marítim, Jacinto Benavente 2 ☎ (972) 25 63 90, *Fax (972) 25 68 75*, ←, –
AE E VISA. rest
marzo-15 diciembre – **Comida** 1500 – **132 hab** 7100/11200.

Rosamar, av. Nautilus 25 ☎ (972) 25 47 12, *Fax (972) 25 48 50*, – .
VISA. rest
Semana Santa y mayo-octubre – **Comida** - sólo buffet - 1100 – **56 hab** 6000 10000.

El Jabalí, platja Salatá ☎ (972) 25 65 25, « Decoración rústica » – . AE
E VISA
marzo-octubre – **Comida** carta aprox. 3100.

en la playa de Canyelles Petites *Sureste : 2,5 km – ✉ 17480 Rosas :*

Vistabella , av. Díaz Pacheco 26 ☎ (972) 25 62 00, *Fax (972) 25 32 13*, ←,
« Terraza ajardinada », – TV . AE E VISA. rest
abril-10 octubre – **Comida** 6000 – **27 hab** 18000/32200, 7 suites.

Canyelles Platja, av. Díaz Pacheco 7 ☎ (972) 25 65 00, *Fax (972) 25 66 47*, ←,
– TV . AE E VISA. rest
Semana Santa-septiembre – **Comida** 2400 – **100 hab** 10500/13000.

en la playa de La Almadraba *Sureste : 4 km – ✉ 17480 Roses :*

Almadraba Park H. , ☎ (972) 25 65 50, *Fax (972) 25 67 50*, ← mar, « Terraza ajardinadas », – TV – 25/190. AE E VISA. rest
abril-13 octubre – **Comida** 4500 – 1500 – **66 hab** 13200/18000.

en la carretera de Figueras *Oeste : 4,5 km – ✉ 17480 Rosas :*

La Llar, ✉ apartado 315, ☎ (972) 25 53 68, *Fax (972) 25 53 68* – . AE E VISA
cerrado jueves (salvo festivos y verano), 1ª quincena de febrero y 2ª quincena de noviembre – **Comida** carta 5150 a 7675
Espec. Filetes de salmonetes de roca con trufa y sal Maldon. Solomillo de ternera a la manera de Víctor. Carro de postres.

en Cala Montjoi *Sureste : 7 km – ✉ 17480 Rosas :*

El Bulli, ✉ apartado 30, ☎ (972) 15 04 57, *Fax (972) 15 07 17*, « Villa de acogedo marco rústico frente a una cala » – . AE E VISA
15 marzo-15 octubre – **Comida** *(cerrado lunes y martes salvo julio-septiembre)* 14500 carta 7850 a 12200
Espec. Menestra en texturas. Espardenyes en agridulce. Tuétano con caviar.

ROTA *11520 Cádiz* 446 **W 10** – *27 139 h.* – *Playa.*
pl. de España 3 ☎ (956) 82 91 05 Fax (956) 82 91 55.
Madrid 632 – Cádiz 44 – Jerez de la Frontera 34 – Sevilla 125.

Duque de Nájera, Gravina 2 ☎ (956) 84 60 20, *Fax (956) 81 24 72*, ←, –
TV – 25/300. AE E VISA JCB.
Comida 3000 – 1300 – **91 hab** 15760/21935.

la carretera de Chipiona Oeste : 2 km – ✉ 11520 Rota :

Playa de la Luz ⛭, av. Diputación ☎ (956) 81 05 00, Fax (956) 81 06 06, « Conjunto típico andaluz », ⛳, ⛱, ✂ – ▤ rest, TV ☎ ♿ P – 25/300. AE ⓓ E VISA JCB.
Comida 2750 - ***Atlántico*** (sólo cena en verano) **Comida** carta 2625 a 3800 – ☕ 1250 – **265 hab** 10960/14615 – PA 5900.

S ROZAS 28230 Madrid 444 K 18 – 35 211 h. alt. 718.
Madrid 16 – Segovia 91.

la autovía N VI – ✉ 28230 Las Rozas :

Gobolem, La Cornisa 18 - Sureste : 2 km ☎ (91) 634 05 44, – ▤ P. AE ⓓ E VISA.
cerrado domingo noche – **Comida** carta 3375 a 5100.

El Asador de Aranda, Sureste : 1,5 km ☎ (91) 639 30 27, Fax (91) 556 62 02, « Decoración castellana. Patio-terraza » – ▤ P. AE ⓓ E VISA.
cerrado domingo noche y 15 agosto-10 septiembre – **Comida** - cordero asado - carta aprox. 4000.

RUA o **A RUA** 32350 Orense 441 E 8 – 4 933 h. alt. 371.
Madrid 448 – Lugo 114 – Orense/Ourense 109 – Ponferrada 61.

Os Pinos, carret. N 120 - Oeste : 1,5 km ☎ (988) 31 17 16, Fax (988) 31 22 91 – ⇕ TV ☎ P. AE E VISA.
Comida 1400 – ☕ 600 – **38 hab** 4000/6000 – PA 2600.

JBÍ 08191 Barcelona 443 H 36 – 50 384 h. alt. 123.
Madrid 616 – Barcelona 24 – Lérida/Lleida 160 – Mataró 43.

Sant Pere II sin rest, Riu Segre 27 ☎ (93) 588 59 95, Fax (93) 588 50 36, ← – ⇕ ▤ TV ☎ . E VISA JCB
☕ 950 – **18 hab** 6895/7960.

UBIELOS DE MORA 44415 Teruel 443 L 28 – 570 h. alt. 929.
pl. de Hispano América 1 ☎ (978) 80 40 01 Fax (978) 80 40 96.
Madrid 357 – Castellón de la Plana/Castelló de la Plana 93 – Teruel 56.

Montaña Rubielos ⛭, av. de los Mártires ☎ (978) 80 42 36, Fax (978) 80 42 84, ← – ▤ rest, TV ☎ P – 25/300. AE VISA.
Comida 1575 – ☕ 500 – **37 hab** 4000/7500.

UGAT 46842 Valencia 445 P 28 – 199 h. alt. 300.
Madrid 398 – Alcoy/Alcoi 41 – Denia 46 – Gandía 21.

La Casa Vieja ⛭, Horno 4 ☎ (96) 281 40 13, Fax (96) 281 40 13, « Ambiente acogedor en un marco rústico », ⛱ – ⓓ E VISA JCB. rest
cerrado del 7 al 20 de enero y del 15 al 30 de septiembre – **Comida** (cerrado domingo noche, lunes, martes y miércoles) 1500 – **6 hab** ☕ 8000/10000.

UILOBA 39527 Cantabria 442 B 17 – 731 h. alt. 35.
Madrid 393 – Aguilar de Campóo 106 – Oviedo 150 – Santander 37.

La Cigoña ⛭, barrio La Iglesia ☎ (942) 72 10 75, – TV ☎. AE E VISA JCB
cerrado 15 enero-15 marzo – **Comida** (cerrado miércoles) 1900 – ☕ 500 – **16 hab** 5500/7000.

UPIT 08569 Barcelona 443 F 37 – 353 h. alt. 822.
Madrid 668 – Barcelona 97 – Gerona/Girona 75 – Manresa 93.

Estrella, pl. Bisbe Font 1 ☎ (93) 852 20 05, Fax (93) 852 21 71 – ⇕, ▤ rest,. AE E VISA. rest
Comida 1750 – ☕ 750 – **26 hab** 4600/6500 – PA 3525.

UTE 14960 Córdoba 446 U 16 – 9 703 h. alt. 637.
Madrid 494 – Antequera 60 – Córdoba 96 – Granada 127.

María Luisa, carret. Lucena-Loja ☎ (957) 53 80 96, Fax (957) 53 90 37, ⛱, ⛱, – ⇕ ▤ TV ☎ P. AE E VISA.
Comida 3500 – **37 hab** ☕ 5500/9000.

SABADELL *08200 Barcelona* 443 H 36 – *189 184 h. alt. 188.*

Iberia : paseo Manresa 14 ✆ (93) 727 84 64.

Madrid 626 – Barcelona 20 – Lérida/Lleida 169 – Mataró 47 – Tarragona 108.

Sabadell, pl. Catalunya 10, ✉ 08201, ✆ (93) 727 92 00, *Fax (93) 727 86 17* – |\$| ▤ ☎ ♿ – 25/300. AE ⓓ E VISA JCB. ✻
Comida 2500 – ☕ 1000 – **110 hab** 18000/22000 – PA 5000.

G.H. Verdi, av. Francesc Macià 62, ✉ 08206, ✆ (93) 723 11 11, *Fax (93) 723 12 32* |\$| ▤ TV ☎ ♿ – 25/450. AE ⓓ E VISA JCB. ✻ rest
Comida 2750 – ☕ 1000 – **172 hab** 15900/17900.

Urpí, av. 11 Setembre 38, ✉ 08208, ✆ (93) 723 48 48, *Fax (93) 723 35 28* – |\$| ▤ ☎ – 25/600. AE ⓓ E VISA. ✻ rest
Comida 1500 – ☕ 800 – **123 hab** 4500/7500 – PA 3000.

Forrellat, Horta Novella 27, ✉ 08201, ✆ (93) 725 71 51 – ▤. AE ⓓ E VISA. ✻
cerrado domingo, lunes noche y 3 semanas en agosto – **Comida** carta 3450 a 5650.

SABANELL (Playa de) *Gerona – ver Blanes.*

SABINOSA *Santa Cruz de Tenerife – ver Canarias (El Hierro).*

SABIÑÁNIGO *22600 Huesca* 443 E 28 – *9 917 h. alt. 798.*

Madrid 443 – Huesca 53 – Jaca 18.

La Pardina ⚲, Santa Orosia 36 (carret. de Jaca) ✆ (974) 48 09 75, *Fax (974) 48 10 7* ⛱, – |\$|, ▤ rest, TV ☎ P. AE ⓓ E VISA. ✻ rest
Comida 1400 – ☕ 500 – **63 hab** 6000/9000.

Mi Casa, av. del Ejército 32 ✆ (974) 48 04 00, *Fax (974) 48 29 79* – |\$|, ▤ rest, TV AE E VISA. ✻
Comida *(cerrado domingo noche en invierno)* 1450 – ☕ 700 – **72 hab** 5500/7800.

en la carretera de circunvalación *Este : 1,5 km* – ✉ *22600 Sabiñánigo :*

Confortel Sabiñánigo, ✆ (974) 48 34 45, *Fax (974) 48 32 80*, ≤, ⛱, ✻ – |\$|, ▤ res TV ☎ P. AE ⓓ E VISA. ✻
cerrado 4 noviembre-3 diciembre – **Comida** 1500 – ☕ 850 – **48 hab** 6325/10800 – P 3050.

SACEDÓN *19120 Guadalajara* 444 K 21 – *1 632 h. alt. 740.*

Madrid 107 – Guadalajara 51.

Mariblanca, glorieta de los Mártires 2 ✆ (949) 35 00 44, *Fax (949) 35 00 44*, ⛱, – ▤ rest, TV P. AE E VISA. ✻
cerrado 2ª quincena de septiembre – **Comida** *(cerrado domingo noche)* 1500 – ☕ 42 – **27 hab** 3500/5250.

SADA *15160 La Coruña* 441 B 5 – *9 190 h. – Playa.*

Madrid 584 – La Coruña/A Coruña 20 – Ferrol 38.

Sada Marina H., paseo Marítimo ✆ (981) 62 34 06, *Fax (981) 62 38 06*, ≤ – |\$| ▤ ☎ P – 25/1000. AE ⓓ E VISA JCB. ✻ rest
Comida *(cerrado lunes)* carta 3100 a 4400 – ☕ 850 – **76 hab** 11360/14200.

S' AGARÓ *17248 Gerona* 443 G 39 – *Playa.*

Ver : Centro veraniego★ (≤★).

Madrid 717 – Barcelona 103 – Gerona/Girona 38.

Hostal de La Gavina ⚲, pl. de la Rosaleda ✆ (972) 32 11 00, *Fax (972) 32 15 73*, ⛱, « Lujosa instalación con mobiliario de gran estilo », ⛱, ✻ – |\$| ▤ TV P – 25/130. AE ⓓ E VISA. ✻ rest
31 marzo-12 octubre – **Comida** 5900 - ***Candlelight*** *(sólo cena)* **Comida** carta 4900 a 790 – ☕ 2300 – **74 hab** 27500/40000, 1 suite.

S'Agaró H. ⚲, platja de Sant Pol ✆ (972) 32 52 00, *Fax (972) 32 45 33*, ⛱, – |\$| ▤ TV ☎ P – 25/250. AE ⓓ E VISA. ✻ rest
Comida 3800 – ☕ 1500 – **80 hab** 13375/19950 – PA 7735.

Confortel Caleta Park ⚲, platja de Sant Pol ✆ (972) 32 00 12, *Fax (972) 32 40 9* ≤, ⛱, ✻ – |\$| ▤ TV ☎ P – 25/100. AE ⓓ E VISA. ✻ rest
abril-25 noviembre – **Comida** 2600 – ☕ 850 – **95 hab** 9700/18600 – PA 5100.

Sant Pol, platja de Sant Pol 125, ✉ 17220 San Feliú de Guixols, ✆ (972) 32 10 7 *Fax (972) 82 23 78*, ≤, ⛱ – |\$|, ▤ hab, TV ☎ ♿ AE ⓓ E VISA JCB. ✻ rest
cerrado noviembre – **Comida** 2200 – ☕ 700 – **24 hab** 8500/11000 – PA 4100.

XX **Barcarola,** platja de Sant Pol ✆ (972) 32 69 32, *Fax (972) 82 01 97*, ⛱, 🏊 – ▤ Ⓟ. AE E VISA
cerrado 15 enero-15 febrero – **Comida** carta aprox. 3800.

X **Alicia-Can Joan,** carret. de Castell d'Aro 47, ✉ 17220 San Feliú de Guixols, ✆ (972) 32 48 99 – ▤ Ⓟ. E VISA
cerrado jueves y noviembre – **Comida** carta 3290 a 5425.

SAGUNTO o SAGUNT *46500 Valencia* 445 M 29 – *58 164 h. alt. 45.*
Ver : *Acrópolis* ※★.
🅸 *pl. Cronista Chabret* ✆ *(96) 266 22 13 Fax (96) 265 05 63.*
Madrid 350 – Castellón de la Plana/Castelló de la Plana 40 – Teruel 120 – Valencia 25.

Azahar sin rest, av. Pais Valencià 8 ✆ (96) 266 33 68, *Fax (96) 265 01 75* – |‡| ▤ TV ☎ 🚗. AE ⓓ E VISA. ✻
☕ 650 – **25 hab** 6400/8500.

X **L'Armeler,** subida del Castillo 44 ✆ (96) 266 43 82, *Fax (96) 266 43 82*, ⛱ – ▤. AE ⓓ E VISA JCB
cerrado domingo noche y lunes noche salvo festivos y vísperas – **Comida** carta 3800 a 4250.

en el puerto *Este : 6 km* – ✉ *46520 Puerto de Sagunto* :

Teide, av. 9 de Octubre 53 ✆ (96) 267 22 44, *Fax (96) 267 57 85* – ▤ TV ☎. AE E VISA. ✻
Comida 1400 – ☕ 525 – **23 hab** 3500/6000 – PA 3000.

El Bergantín sin rest, pl. del Sol ✆ (96) 268 03 59, *Fax (96) 267 33 23* – |‡| ▤ TV ☎. E VISA
cerrado 8 diciembre-8 enero – ☕ 400 – **27 hab** 2500/5500.

X **El Almirez,** Cataluña 7 ✆ (96) 268 00 30 – ▤. E VISA. ✻
cerrado lunes y julio – **Comida** carta 3000 a 4650.

en la playa de Corinto *Noreste : 12 km* – ✉ *46500 Sagunto* :

XX **Coll Verd de Corinto,** av. Danesa 43-E ✆ (96) 260 91 04, *Fax (96) 260 89 70*, ⛱ – ▤. E VISA. ✻
marzo-octubre – **Comida** *(cerrado lunes)* carta 2450 a 3450.

SAHAGÚN *24320 León* 441 E 14 – *3 351 h. alt. 816.*
Madrid 298 – León 66 – Palencia 63 – Valladolid 110.

La Codorniz, av. de la Constitución 97 ✆ (987) 78 02 76, *Fax (987) 78 01 86* – ▤ rest, TV ☎ 🚗 – 🔺 25/60. AE ⓓ E VISA. ✻
Comida 1500 – ☕ 500 – **40 hab** 4500/6000.

Alfonso VI, Antonio Nicolás 4 ✆ (987) 78 11 44, *Fax (987) 78 12 58* – TV ☎ 🚗. AE ⓓ E VISA JCB. ✻
Comida *(cerrado del 1 al 10 de enero)* 1000 – ☕ 300 – **10 hab** 4500/5000 – PA 2300.

SALAMANCA *37000* P 441 J 12 y 13 – *186 322 h. alt. 800.*
Ver : *El centro monumental★★★ : Plaza Mayor★★★* BY, *Casa de las Conchas★* BY, *Patio de Escuelas★★★ (fachada de la Universidad★★★)* BZ **U** – *Escuelas Menores (patio★★, cielo de Salamanca★)* BZ **U1** – *Catedral Nueva★★ (fachada occidental★★★)* BZ – *Catedral Vieja★★★ (retablo mayor★★, sepulcro★★ del obispo Anaya, órgano★)* BZ **B** – *Convento de San Esteban★ (fachada★★, claustro★, medallones del claustro★)* BZ – *Convento de las Dueñas (claustro★★)* BZ **F** – *Palacio de Fonseca (patio★)* BY **D.**
Otras curiosidades : *Iglesia de la Purísima Concepción (retablo de la Inmaculada Concepción★)* BY **P** – *Convento de las Úrsulas (sepulcro★)* BY **X**- *Colegio Fonseca (patio★)* AY.
🅸 *Rua Mayor (Casa de Las Conchas)* ✉ *37008* ✆ *(923) 26 85 71 Fax (923) 26 24 92 y pl. Mayor 14* ✉ *37002* ✆ *(923) 21 83 42* – **R.A.C.E.** *España 6* ✉ *37001* ✆ *(923) 21 29 25 Fax (923) 26 97 19.*
Madrid 205 ② – *Ávila 98* ② – *Cáceres 217* ③ – *Valladolid 115* ① – *Zamora 62* ①

Planos páginas siguientes

NH Palacio de Castellanos, San Pablo 58, ✉ 37001, ✆ (923) 26 18 18, *Fax (923) 26 18 19*, ⛱, « Elegante patio interior » – |‡| ▤ TV ☎ 🚗 – 🔺 25/120. AE ⓓ E VISA. ✻ BZ r
Comida 2500 – ☕ 1300 – **62 hab** 14000/18200.

Gran Hotel, pl. Poeta Iglesias 3, ✉ 37001, ✆ (923) 21 35 00, *Telex 26809*, *Fax (923) 21 35 00* – |‡| ▤ TV ☎ – 🔺 25/600. AE ⓓ E VISA. ✻ rest BY r
Comida 3500 - ***Feudal*** : **Comida** carta aprox. 4500 – ☕ 1500 – **133 hab** 15000/19500, 4 suites.

SALAMANCA

Street	Grid	No.
Álvaro Gil	BY	3
Anaya (Pl.)	BZ	4
Ancha	ABY	
Ángel (Pl.)	BY	6
Azafranal	CY	
Balmes	AZ	
Bandos (Pl. de Los)	BY	7
Bordadores	BY	9
Caldereros	BZ	10
Calderón de la Barca	BZ	12
Campo Charro (Av. del)	AY	
Canaleras (Paseo de)	CYZ	
Carmelitas (Pas. de las)	ABY	
Carmen (Cuesta del)	BY	13
Casas (Pl. de las)	BY	15
Cervantes	BY	
Champagnat (Av. de)	AY	
Campaña	BY	
Comuneros (Av. de los)	CY	16
Concilio de Trento	BZ	18
Condes de Crespo Rascón	BY	19
Constitución (Pl. de la)	CY	21
Corillo (Pl.)	BY	22
Desengaño (Paseo)	AZ	24
Dr. Torres Villarroel (Paseo del)	BY	25
Enrique Estevan (Puente)	BZ	27
España (Pl. del)	CY	
Espoz y Mina	BY	28
Estación (Paseo de la)	CY	30
Federico Anaya (Av. de)	CY	31
Filiberto Villalobos (Av. de)	AY	33
Fray Luis de Granada	BY	34
Fregeneda	AZ	
Fuente (Pl. de la)	BY	36
García Tejado	AY	
Gran Via	CY	
Grillo	CYZ	
Italia (Av. de)	BY	
Juan de la Fuente	BZ	37
Libertad (Pl. de la)	BY	39
Libreros	BZ	40
María Auxiliadora	CY	42
Marquesa de Almarza	CZ	43
Mayor (Pl.)	BY	
Meléndez	BY	45
Mirat (Av. de)	BCY	
Monterrey (Pl. de)	BY	46
Obispo Jarrín	BY	48
Padilla	CY	49
Palominos	BZ	51
Patio Chico	BZ	52
Pedro Mendoza	CY	54
Peña de Francia	AY	55
Peso (Pl. del)	BY	57
Portugal (Av. de)	CY	
Pozo Amarillo	BY	58
Prior	BY	
Progreso (Paseo del)	AZ	
Puerta de Zamora (Pl.)	BY	
Ramón y Cajal	AY	60
Rector Esperabe (Paseo del)	BZ	
Reina (Pl. de la)	CY	61
Reyes de España (Av.)	BZ	63
Rosario	BCZ	
Rúa Mayor	BZ	
San Antonio (Paseo de)	CY	
San Blas	AY	64
San Gregorio	AZ	
San Isidro (Pl. de)	BYZ	66
San Julián (Pl.)	CY	67
San Justo	BY	
San Pablo	BZ	
San Vicente (Paseo de)	AY	
Santa Clara	CZ	
Santa Eulalia (Pl.)	CY	69
Santa Teresa (Pl. de)	BY	70
Santo Domingo (Pl.)	BZ	72
Sánchez Fabres (Puente)	AZ	73
Sancti Spiritus (Cuesta)	CY	75
Serranos	BZ	76
Sorias	BY	
Toro	BCY	
Tostado	BZ	78
Villamayor (Av. de)	AY	
Wences Moreno	BY	79
Zamora	BY	

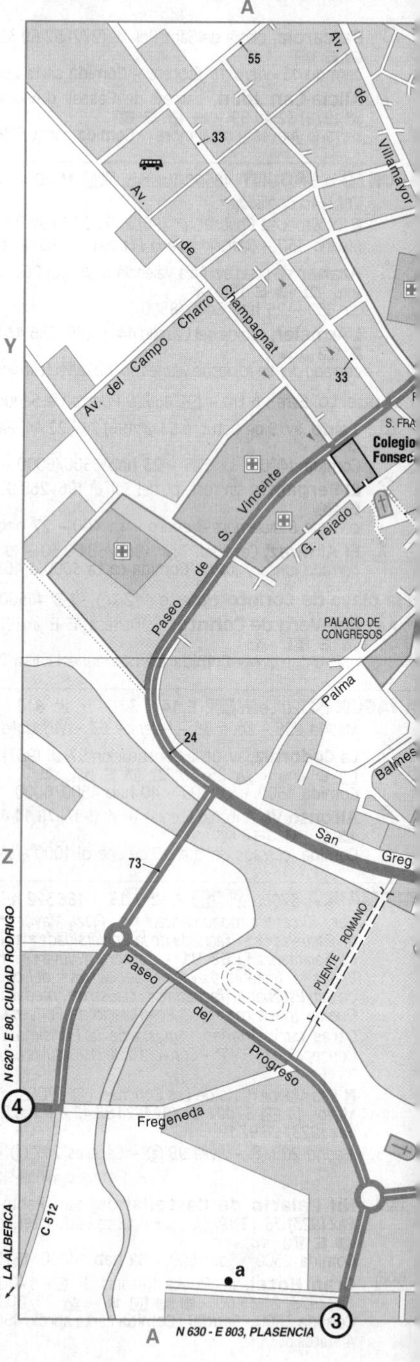

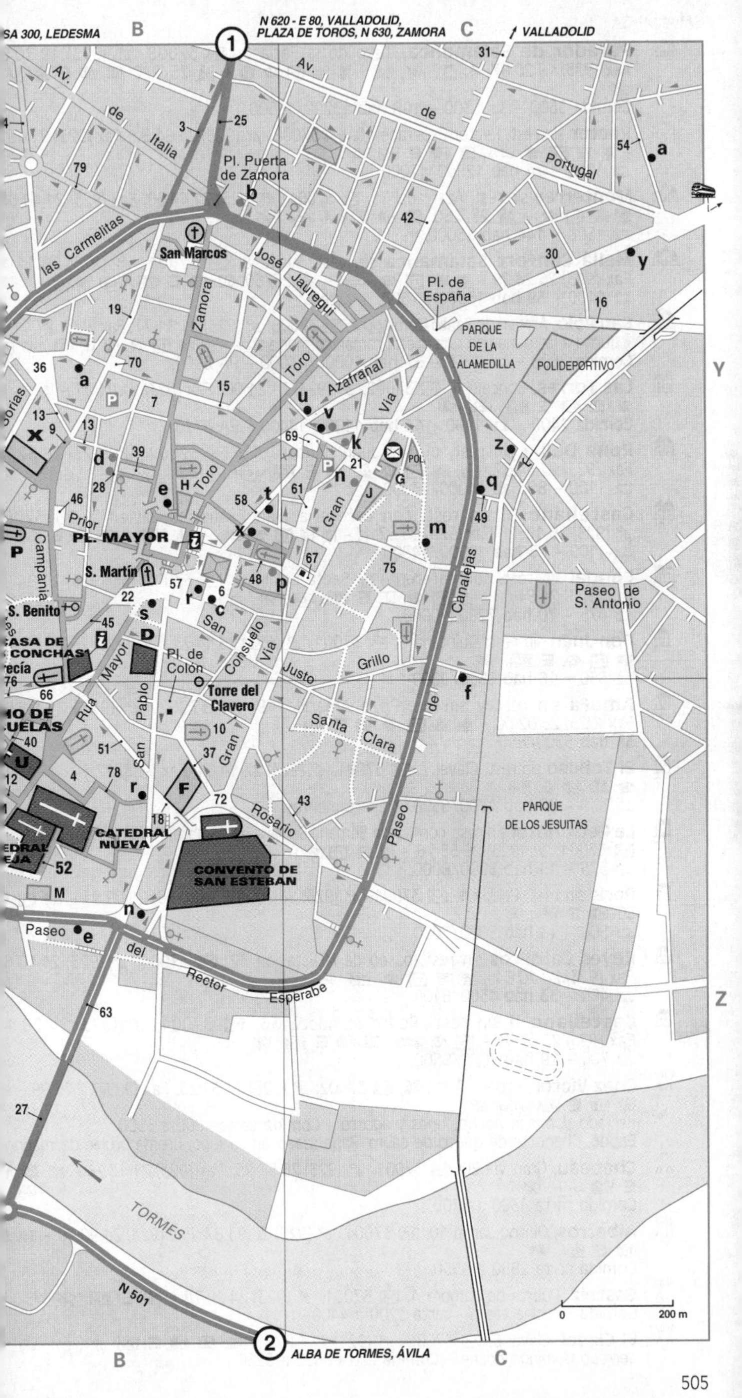

SA 300, LEDESMA
N 620 - E 80, VALLADOLID, PLAZA DE TOROS, N 630, ZAMORA
VALLADOLID
ALBA DE TORMES, ÁVILA
Av. de Italia
Av. de Portugal
Pl. Puerta de Zamora
San Marcos
las Carmelitas
José Jauregui
Zamora
Pl. de España
PARQUE DE LA ALAMEDILLA
POLIDEPORTIVO
Azafranal
Toro
Gran Vía
PL. MAYOR
S. Martín
Prior
Campania
S. Benito
CASA DE CONCHAS
Rua Mayor
San Pablo
Pl. de Colón
Torre del Clavero
San
Consuelo
Justo
Grillo
Santa Clara
Rosario
Paseo de Canalejas
Paseo de S. Antonio
PARQUE DE LOS JESUITAS
CATEDRAL NUEVA
CONVENTO DE SAN ESTEBAN
Paseo del Rector Esperabe
TORMES
N 501
POL.
0
200 m

Parador de Salamanca, Teso de la Feria 2, ⊠ 37008, ✆ (923) 19 20 8
Fax (923) 19 20 87, ≤, ⛱, ⚘, ✗ – |‡| ▤ TV ☎ P – 🏛 25/220. AE ⓓ E VISA J
✗ AZ
Comida 3500 – ☕ 1300 – **108 hab** 13200/16500.

Rector sin rest, Rector Esperabé 10, ⊠ 37008, ✆ (923) 21 84 82, *Fax (923) 21 40*
– |‡| ▤ TV ☎ 🚗. AE ⓓ E VISA. ✗ BZ
☕ 1000 – **14 hab** 12500/17000.

Monterrey sin rest, Azafranal 21, ⊠ 37001, ✆ (923) 21 44 00, *Fax (923) 21 44 00*
|‡| ▤ TV ☎ – 🏛 25/250. AE ⓓ E VISA JCB. ✗ CY
☕ 1500 – **144 hab** 15000/19500.

Meliá Confort Salamanca sin rest, Álava 8, ⊠ 37001, ✆ (923) 26 11 1
Fax (923) 26 24 29 – |‡| ▤ TV ☎ 🚗 – 🏛 25/60. AE ⓓ E VISA JCB. ✗ CYZ
☕ 1100 – **59 hab** 13900/17500, 4 suites.

San Polo, Arroyo de Santo Domingo 2, ⊠ 37008, ✆ (923) 21 11 77, *Fax (923) 21 11 7*
« Junto a las ruinas de una iglesia románico-mudejar » – |‡| ▤ TV ☎. AE E VISA. ✗ re
Comida 2500 – ☕ 1200 – **37 hab** 10000/14000 – PA 6000. BZ

Las Torres, Concejo 4, ⊠ 37002, ✆ (923) 21 21 00, *Fax (923) 21 21 01* – |‡| ▤
☎. AE ⓓ E VISA JCB. ✗ BY
Comida 2400 – ☕ 1100 – **44 hab** 11000/14400 – PA 4720.

Rona Dalba sin rest, pl. San Juan Bautista 12, ⊠ 37002, ✆ (923) 26 32 3
Fax (923) 21 54 57 – |‡| ▤ TV ☎. AE ⓓ E VISA JCB BY
☕ 1100 – **89 hab** 11000/13000.

Castellano III sin rest. con cafetería, San Francisco Javier 2, ⊠ 3700
✆ (923) 26 16 11, *Fax (923) 26 67 41* – |‡| ▤ TV ☎ 🚗 – 🏛 25/35. AE ⓓ E VISA.
☕ 1100 – **73 hab** 10000/14000. CY

Condal sin rest. con cafetería, pl. Santa Eulalia 3, ⊠ 37002, ✆ (923) 21 84 0
Fax (923) 21 84 00 – |‡| TV ☎. AE E VISA JCB. ✗ CY
☕ 675 – **70 hab** 7200/10900.

Don Juan sin rest, Quintana 6, ⊠ 37001, ✆ (923) 26 14 73, *Fax (923) 26 24 75* –
▤ TV ☎. E VISA. ✗ BY
☕ 550 – **16 hab** 6500/9000.

Amefa sin rest y sin ☕, Pozo Amarillo 18, ⊠ 37002, ✆ (923) 21 81 8
Fax (923) 26 02 00 – |‡| ▤ TV ☎. AE E VISA BY
33 hab 5500/8500.

El Toboso sin rest, Clavel 7, ⊠ 37001, ✆ (923) 27 14 64, *Fax (923) 27 14 64* – |‡|
☎. AE ⓓ E VISA BY
☕ 350 – **30 hab** 4700/6500, 7 apartamentos.

Le Petit Hotel sin rest. con ☕ de Semana Santa a noviembre, ronda Sancti Spíritus 3
⊠ 37001, ✆ (923) 26 55 76 – |‡| ▤ TV ☎ CY
☕ 575 – **15 hab** 3900/6000.

París sin rest, Padilla 1, ⊠ 37001, ✆ (923) 26 29 70, *Fax (923) 26 09 91* – ▤ TV
AE ⓓ E VISA. ✗ CY
☕ 500 – **13 hab** 5000/7000.

Reyes Católicos sin rest, paseo de la Estación 32, ⊠ 37004, ✆ (923) 24 10 6
Fax (923) 24 10 64 – |‡| ▤ TV ☎. VISA. ✗ CY
☕ 480 – **33 hab** 4300/6100.

Castellano II sin rest, Pedro Mendoza 36, ⊠ 37004, ✆ (923) 24 28 1
Fax (923) 26 67 41 – TV ☎ 🚗. AE ⓓ E VISA. ✗ CY
☕ 700 – **29 hab** 7000/9500.

Chez Víctor, Espoz y Mina 26, ⊠ 37002, ✆ (923) 21 31 23, *Fax (923) 21 76 99* – ▤
AE ⓓ E VISA JCB. ✗ BY
cerrado domingo noche, lunes y agosto – **Comida** carta 4800 a 5900
Espec. Charlotte de queso de cabra. Rape asado en su jugo. Crema brulée de mango

Chapeau, Gran Vía 20, ⊠ 37001, ✆ (923) 26 57 95, *Fax (923) 21 17 26* – ▤. AE
E VISA JCB. ✗ CY
Comida carta 4300 a 5700.

Albatros, Obispo Jarrín 10, ⊠ 37001, ✆ (923) 26 93 87, *Fax (923) 21 90 70* – ▤.
ⓓ E VISA. ✗ BY
Comida carta 2850 a 3550.

Gasteiz, Puerta de Zamora 4, ⊠ 37001, ✆ (923) 24 18 78 – ▤. E VISA. ✗ BY
Comida - cocina vasca - carta 3200 a 4400.

El Clavel, Clavel 6, ⊠ 37001, ✆ (923) 21 61 75 – ▤. AE ⓓ E VISA BY
cerrado domingo noche – **Comida** carta 3300 a 5250.

X **Le Sablon,** Espoz y Mina 20, ✉ 37002, ☎ (923) 26 29 52 – ▤. AE ⓓ E VISA. ✻ BY d
cerrado martes y julio – **Comida** carta 2750 a 4350.

X **La Posada,** Aire 1, ✉ 37001, ☎ (923) 21 72 51 – ▤. AE ⓓ E VISA. ✻ CY k
cerrado del 1 al 15 de agosto – **Comida** carta 3275 a 4575.

X **Asador Arandino,** Azucena 5, ✉ 37001, ☎ (923) 21 73 82 – ▤. AE ⓓ E VISA. ✻
cerrado lunes y del 1 al 27 de julio – **Comida** carta 4300 a 5600. CY v

la carretera N 630 *por ① : 3 km – ✉ 37184 Villares de la Reina :*

Helmántico, ☎ (923) 22 12 20, *Fax (923) 24 53 41* – |‡| ▤ TV ☎ 🚗 P. AE ⓓ E VISA. ✻
Comida 1700 – ☕ 800 – **55 hab** 8000/10000 – PA 3600.

Moderno, ☎ (923) 12 03 68, *Fax (923) 12 14 39* – ▤ TV ☎ 🚗 P. AE ⓓ E VISA. ✻
Comida 1200 – ☕ 500 – **19 hab** 6500/8500 – PA 2465.

la carretera N 501 *por ② : – ✉ 37900 Santa Marta de Tormes :*

Regio, 5,5 km ☎ (923) 13 88 88, *Fax (923) 13 80 44,* ⛱, ⛱, 🌳, ✻ – |‡| ▤ TV ☎ P – 🎤 25/800. AE ⓓ E VISA JCB. ✻
Comida 3600 - ***Lazarillo de Tormes :*** **Comida** carta 3925 a 4900 – ☕ 950 – **121 hab** 9500/14000.

Meliá Horus 🐚, av. de la Serna 20 : 3 km ☎ (923) 20 11 00, *Fax (923) 20 11 12,* 🏋, ⛱, ✻ – |‡| ▤ TV ☎ ♿ 🚗 P – 🎤 25/600. AE ⓓ E VISA JCB. ✻
Comida 2500 – ☕ 975 – **82 hab** 12500/15500, 4 suites – PA 5600.

ALARDÚ *25598 Lérida* **443** **D 32** – *alt. 1 267 – Deportes de invierno en Baqueira Beret, Este : 6 km - ⛷24.*
Ver : *Pueblo★.*
Madrid 611 – Lérida/Lleida 172 – Viella 9.

Petit Lacreu sin rest, carret. de Viella ☎ (973) 64 41 42, *Fax (973) 64 42 43,* ≤, ⛱ climatizada, 🌳 – |‡| TV ☎ P. AE E VISA. ✻
diciembre-abril y julio-septiembre – ☕ 1000 – **30 hab** 7000/10000.

Lacreu, carret. de Viella ☎ (973) 64 42 22, *Fax (973) 64 42 43,* ≤, ⛱ climatizada, 🌳 – |‡| TV ☎ P. AE ⓓ E VISA. ✻
diciembre-abril y julio-septiembre – **Comida** 2200 – ☕ 800 – **68 hab** 5500/7500.

Garona, ☎ (973) 64 50 10, *Fax (973) 64 40 26,* ≤ – |‡| TV ☎ 🚗. VISA. ✻ rest
5 diciembre-abril y 10 julio-20 septiembre – **Comida** - sólo cena en invierno - 1975 – ☕ 675 – **28 hab** 4000/6250.

Deth Païs 🐚, pl. de la Pica ☎ (973) 64 58 36, *Fax (973) 64 45 00,* ≤ – |‡| TV ☎ P. E VISA. ✻
diciembre-abril y julio-septiembre – **Comida** carta aprox. 3000 – ☕ 650 – **18 hab** 6000/7975.

n Tredós *por la carretera del port de la Bonaigua – ✉ 25598 Salardú :*

De Tredós 🐚, Este : 1,4 km ☎ (973) 64 40 14, *Fax (973) 64 43 00,* ≤ – |‡| TV ☎ ♿ P. E VISA. ✻
diciembre-abril y julio-septiembre – **Comida** - sólo cena - 2500 – ☕ 950 – **37 hab** 10500/13200.

Orri 🐚, Este : 1,2 km ☎ (973) 64 60 86, *Fax (973) 64 60 89,* ≤ – |‡| TV ☎ P. AE ⓓ E VISA. ✻
diciembre-mayo y julio-septiembre – **Comida** - sólo cena en invierno - 2100 – **30 hab** ☕ 9800/17200.

n Bagergue *Norte : 2 km – ✉ 25598 Salardú :*

X **Casa Perú,** Sant Antoni 6 ☎ (973) 64 54 37, *Fax (973) 64 54 37* – VISA. ✻
noviembre-abril – **Comida** - carnes - carta 3025 a 3560.

n Baqueira *por la carretera del port de la Bonaigua - Este : 4 km – ✉ 25598 Salardú :*

Tuc Blanc, ☎ (973) 64 43 50, *Fax (973) 64 60 08,* ⛱ – |‡| TV ☎ 🚗 P – 🎤 25/250. AE ⓓ E VISA. ✻
diciembre-abril y julio-septiembre – **Comida** - sólo cena en invierno - 2900 – ☕ 1225 – **165 hab** 12500/16500.

Montarto, ☎ (973) 64 44 44, *Fax (973) 64 52 00,* ≤ alta montaña, ⛱ climatizada, ✻ – |‡| TV ☎ 🚗 P – 🎤 25/75. AE ⓓ E VISA. ✻ rest
diciembre-11 abril y julio-15 septiembre – **Comida** 2925 - ***La Perdiu Blanca :*** **Comida** carta aprox. 4500 – ☕ 1325 – **166 hab** 13350/28700.

Val de Ruda, (973) 64 52 58, *Fax (973) 64 58 12*, ≤, « Decoración típica aranesa
- TV ☎ P. E VISA. ✻
29 noviembre-18 abril y 17 julio-12 septiembre – **Comida** - sólo cena - 3000 – ☕ 15
– **34 hab** 9800/16275.

Ticolet, edificio Biciberri (973) 64 54 77
AE ⓓ E VISA
cerrado mayo-15 julio y 15 septiembre-noviembre – **Comida** carta 3325 a 4350.

en la carretera de Beret – ✉ *25598 Salardú :*

Tryp Royal Tanau, Este : 7 km (973) 64 44 46, *Fax (973) 64 43 44*, ≤, ...
- TV ☎ P. AE ⓓ E VISA JCB. ✻
diciembre-abril y julio-agosto – **Comida** 5400 - ***Eth Cauder*** *(sólo cena)* **Comida** carta 45
a 5200 – ☕ 2200 – **30 hab** 32500/40000, 15 apartamentos.

Chalet Bassibe, urb. Nin de Beret - Este : 6,5 km (973) 64 51 52, *Fax (973) 64 50 3*
≤, – TV ☎. AE E VISA. ✻
diciembre-15 abril y julio-15 septiembre – **Comida** - sólo cena en invierno - 3500 – **36 h**
☕ 15500/23400.

SALAS DE LOS INFANTES *09600 Burgos* 442 **F 20** – *2 064 h.*
Madrid 230 – Aranda de Duero 69 – Burgos 53 – Logroño 118 – Soria 92.

Moreno con hab, Filomena Huerta 5 (947) 38 01 35 – TV. VISA. ✻
cerrado febrero – **Comida** *(cerrado lunes)* carta 1950 a 2850 – ☕ 375 – **15 ha**
3000/4500.

SALDAÑA *34100 Palencia* 442 **E 15** – *3 100 h. alt. 910.*
Madrid 291 – Burgos 92 – León 101 – Palencia 65.

Dipo's, carret. de Relea - Norte : 1,5 km (979) 89 01 44, *Fax (979) 89 05 50*,
– TV ☎ P. VISA. ✻
Comida 1200 – ☕ 450 – **40 hab** 3500/5500 – PA 2850.

El SALER *46012 Valencia* 445 **N 29** – *Playa.*
18 *El Saler, (Parador de El Saler) Sur : 7 km (96) 161 11 86 Fax (96) 162 70 16.*
Madrid 356 – Gandía 55 – Valencia 8.

al Sur :

Parador de El Saler, 7 km (96) 161 11 86, *Fax (96) 162 70 16*, ≤, « En el centr
de un campo de golf », 18 – TV ☎ P – 25/200. AE ⓓ E VISA. ✻
Comida 3700 – ☕ 1300 – **58 hab** 15600/19500 – PA 7395.

Sidi Saler, playa - 3 km (96) 161 04 11, *Fax (96) 161 08 38*, ≤, ...
– TV ☎ P – 25/300. AE ⓓ E VISA. ✻ rest
Comida 3550 - ***Grill Bendinat* : Comida** carta 3550 a 5400 – ☕ 1700 – **260 ha**
20150/25200, 17 suites.

SALINAS *33400 Asturias* 441 **B 12.**
Ver : *Desde la Peñona* ≤★ *de la playa.*
Madrid 488 – Avilés 5 – Gijón 24 – Oviedo 37.

El Pinar sin rest, Pablo Laloux 15 (98) 550 18 22, *Fax (98) 550 06 61*, ≤ – TV ☎
ⓓ E VISA. ✻
☕ 600 – **17 hab** 9600/12100.

Real Balneario, Juan Sitges 3 (98) 551 86 13, *Fax (98) 550 11 58*, ≤, – ▤.
ⓓ VISA. ✻
cerrado 2ª quincena de enero – **Comida** carta 4900 a 5900.

Las Conchas, Pablo Laloux - edificio Espartal (98) 550 14 45, ≤, – E VISA. ✻
cerrado lunes y octubre – **Comida** carta 4000 a 5200.

Piemonte, Príncipe de Asturias 74 (98) 550 00 25, – AE ⓓ E VISA JCB. ✻
cerrado miércoles y del 15 al 30 de septiembre – **Comida** carta 2125 a 4200.

SALINAS DE LENIZ o **LEINTZ-GATZAGA** *20530 Guipúzcoa* 442 **D 22** – *188 h.*
Madrid 377 – Bilbao/Bilbo 66 – San Sebastián/Donostia 83 – Vitoria/Gasteiz 22.

en el puerto de Arlabán *carretera GI 627 - Suroeste : 3 km* – ✉ *20530 Salinas de Leniz*

Gure Ametsa con hab, (943) 71 49 52, *Fax (943) 71 49 52* – ▤ rest, P. AE E VISA. ✻
cerrado 23 diciembre-3 enero y del 10 al 31 de agosto – **Comida** *(cerrado lunes noche)*
carta 3500 a 4200 – ☕ 500 – **5 hab** 4500/5500.

ALINAS DE SIN *22365 Huesca* 443 E 30 - *alt. 725.*
Madrid 541 - Huesca 146.

X **Mesón de Salinas** con hab, cruce carret. de Bielsa ☎ (974) 50 40 01 - ▤ rest, ☎ P. AE ⓓ E VISA. ✻
cerrado del 10 al 27 de diciembre - **Comida** carta 1845 a 3150 - ☕ 600 - **16 hab** 2400/4400.

ALLENT *08650 Barcelona* 443 G 35 - *7 659 h. alt. 275.*
Madrid 593 - Barcelona 70 - Berga 39 - Manresa 14 - Vic 54.

nto a la autovía C 1411 *Sur : 4,5 km* - ✉ *08650 Sallent :*

XX **La Sala,** vía de servicio ☎ (93) 837 02 68, *Fax (93) 837 25 54,* « Antigua masía. Interesante bodega » - ▤ P. AE ⓓ E VISA. ✻
cerrado domingo noche y del 1 al 21 de agosto - **Comida** carta 3900 a 6350.

ALLENT DE GÁLLEGO *22640 Huesca* 443 D 29 - *1 823 h. alt. 1 305 - Deportes de invierno en El Formigal : ⛷1 ⛷24.*
Madrid 485 - Huesca 90 - Jaca 52 - Pau 78.

🏨 **Almud** ⛰ sin rest, Espadilla 11 ☎ (974) 48 83 66, *Fax (974) 48 83 66,* ≤ - TV ☎. AE ⓓ E VISA. ✻
8 hab ☕ 9000/13000.

X **Garmo Blanco,** Iglesia ☎ (974) 48 82 19, ≤ - E VISA. ✻
cerrado noviembre - **Comida** carta 2250 a 3400.

n El Formigal *Noroeste : 4 km* - ✉ *22640 El Formigal :*

🏨 **Formigal** ⛰, ☎ (974) 49 00 30, *Fax (974) 49 02 04,* ≤ alta montaña, Lǝ - |ǂ| TV ☎ 🚗 P - 🎤 25/120. AE ⓓ E VISA. ✻ rest
cerrado octubre-noviembre - **Comida** 2400 - ☕ 1000 - **125 hab** 9750/15900.

🏨 **Villa de Sallent** ⛰, ☎ (974) 49 02 23, *Fax (974) 49 01 50,* ≤ alta montaña - |ǂ| TV ☎ 🚗. ⓓ E VISA. ✻
Comida 2500 - ☕ 1100 - **40 hab** 10000/15000.

🏨 Eguzki-Lore ⛰, ☎ (974) 49 01 23, *Fax (974) 49 01 22,* ≤ alta montaña - TV ☎
Comida (sólo cena) - **32 hab.**

Europe

Wenn der Name eines Hotels dünn gedruckt ist,
hat uns der Hotelier Preise
und Öffnungszeiten nicht angegeben.

ALOBREÑA *18680 Granada* 446 V 19 - *9 220 h. alt. 100 - Playa.*
⛳9 *Los Moriscos, Sureste : 5 km* ☎ *(958) 82 55 27.*
Madrid 499 - Almería 119 - Granada 70 - Málaga 102.

n la carretera de Málaga *Oeste : 1 km* - ✉ *18680 Salobreña :*

🏨 **Salambina,** ☎ (958) 61 00 37, *Fax (958) 61 13 28,* ≤ plantaciones de cañas y mar, 🌴 - ▤ rest, ☎ P. AE ⓓ E VISA JCB. ✻
Comida 1750 - ☕ 470 - **14 hab** 3700/5390.

ALOU *43840 Tarragona* 443 I 33 - *8 236 h. - Playa.*
Alred. : *Port Aventura★★★ (Vila-Seca).*
ℹ *passeig Jaume I-4 (xalet Torremar)* ☎ *(977) 35 01 02 Fax (977) 38 07 47.*
Madrid 556 ① - Lérida/Lleida 99 ① - Tarragona 10 ②

Planos páginas siguientes

🏨 **Regente Aragón,** Llevant 5 ☎ (977) 35 20 02, *Fax (977) 35 20 03,* 🌴, Lǝ, 🏊 - |ǂ| ▤ TV ☎ 🚗. AE ⓓ E VISA. ✻ AY a
Comida - ver tambiém rest. ***José Luis*** - 2100 - ☕ 1450 - **60 hab** 13200/19200.

🏨 **Casablanca Playa,** passeig Miramar 12 ☎ (977) 38 01 07, *Fax (977) 35 01 17,* ≤, 🏊 - |ǂ| ▤ TV ☎ ♿ 🚗. AE ⓓ E VISA. ✻ AY b
Comida 1600 - ☕ 650 - **63 hab** 9650/13000 - PA 3850.

🏨 **Caspel,** Alfons V-9 ☎ (977) 38 02 07, *Fax (977) 35 01 75,* Lǝ, 🏊, 🏊 - |ǂ| ▤ TV ☎ - 🎤 25/170. AE ⓓ E VISA. ✻ BZ d
Comida - sólo buffet - 1600 - ☕ 1000 - **95 hab** 11000/13000 - PA 4000.

🏨 **Planas,** pl. Bonet 3 ☎ (977) 38 01 08, *Fax (977) 38 05 33,* ≤, « Terraza con arbolado » - |ǂ|, ▤ rest, TV ☎. E VISA. ✻ AY e
abril-octubre - **Comida** 2100 - ☕ 800 - **100 hab** 5000/8900.

SALOU

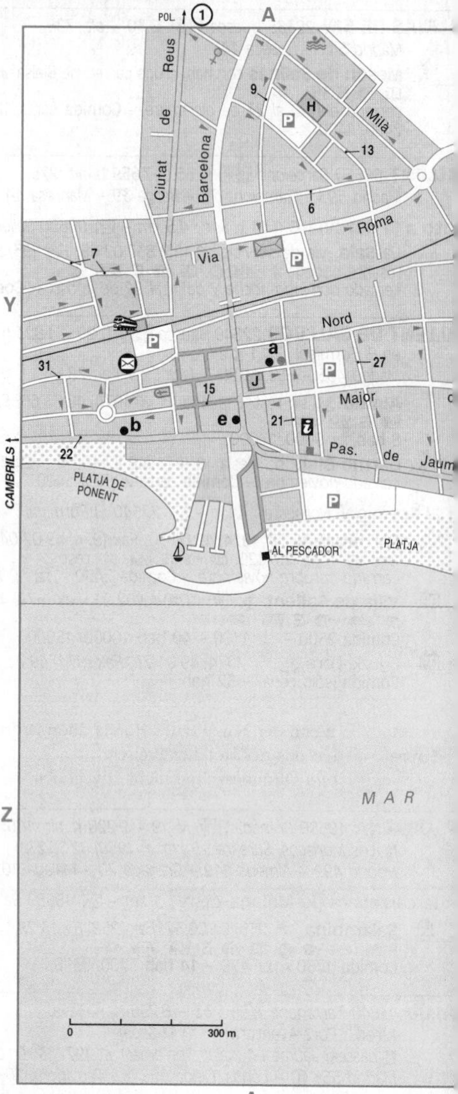

POL. 1 — A — Ciutat de Reus — Barcelona — Milà — Roma — Via — Nord — Major — Pas. de Jaum — PLATJA DE PONENT — AL PESCADOR — PLATJA — CAMBRILS — Y — Z — MAR — 0 — 300 m — A

Albatros, Brusel.les 60 ☎ (977) 38 50 70, *Fax (977) 38 50 70,* – ▤ . AE ⓓ VISA JCB. BZ
cerrado domingo noche, lunes y del 7 al 31 de enero – **Comida** carta 4100 a 5500.

Casa Font, Colóm 17 ☎ (977) 38 57 45, *Fax (977) 38 24 36,* ← – ▤. AE ⓓ E VISA BZ
cerrado domingo noche y lunes (en invierno) y Navidades – **Comida** carta aprox. 450

La Goleta, Gavina - playa Capellans ☎ (977) 38 35 66, ←, – ▤ Ⓟ. AE ⓓ E VISA.
cerrado domingo noche salvo mayo-septiembre – **Comida** carta 3600 a 6100. BZ

José Luis, Llevant 7 ☎ (977) 35 07 07, *Fax (977) 35 20 03* – ▤ . AE ⓓ E VISA.
cerrado lunes en invierno – **Comida** carta 3800 a 5900. AY

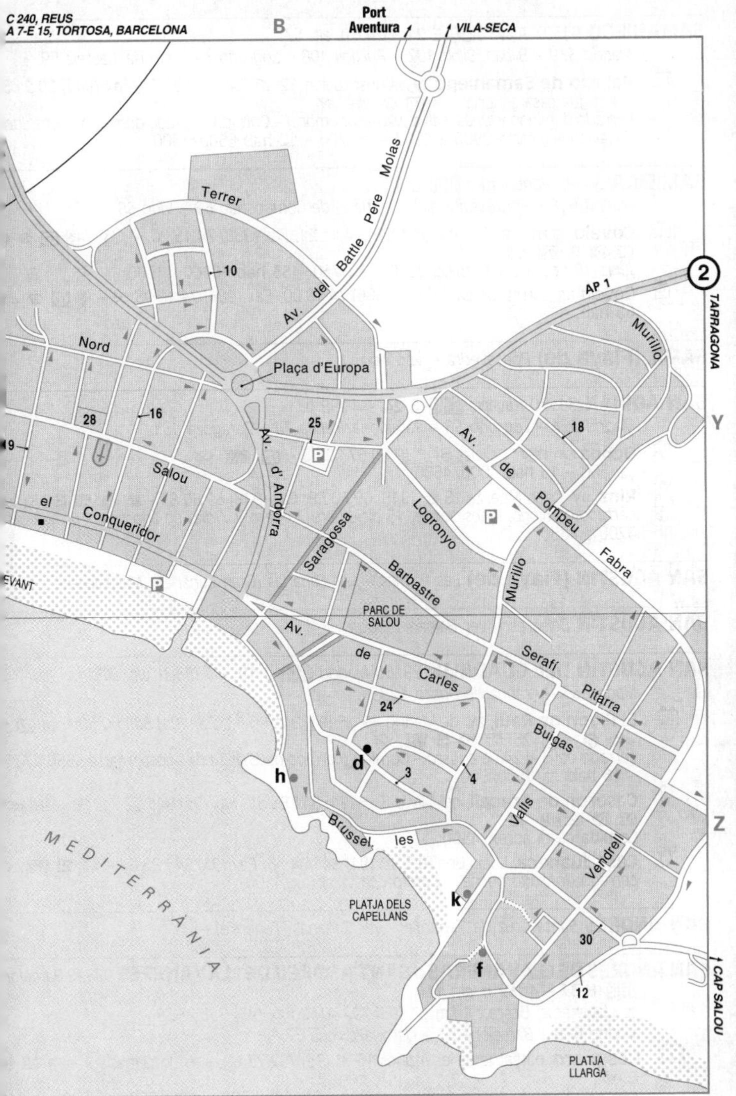

n la playa de La Pineda *Este : 7 km – ✉ 43840 Salou :*

Carabela Roc, Pau Casals 108 ✆ (977) 37 01 66, *Fax (977) 37 07 62*, ←, « Terraza bajo los pinos », – ▤ ☎ ℗. E VISA. rest *mayo-octubre* – **Comida** - sólo buffet - 1200 – ☕ 500 – **108 hab** 10700/18400.

ALT *17190 Gerona* 443 G 38 – *21 939 h. alt. 86.*
Madrid 695 – Gerona/Girona 3 – Palafrugell 40 – Palamós 46.

Vilanova, passeig Marqués de Camps 51 ✆ (972) 23 30 26 – ▤. AE ⓓ E VISA. *cerrado domingo, Semana Santa y tres semanas en agosto* – **Comida** carta 2335 a 3660.

SAMANIEGO *01307 Álava* 442 E 21 – *247 h. alt. 572.*

Madrid 339 – Bilbao/Bilbo 107 – Burgos 108 – Logroño 34 – Vitoria/Gasteiz 59.

Palacio de Samaniego, Constitución 12 (941) 60 91 51, *Fax (941) 60 91 5*
« Antigua casa señorial » – . VISA.
cerrado domingo y lunes (salvo julio-septiembre) – **Comida** *(cerrado domingo noche, lun y Navidades)* carta 2800 a 4500 – 700 – **12 hab** 6500/7500.

SAMIEIRA *36992 Pontevedra* 441 E 3.

Madrid 616 – Pontevedra 12 – Santiago de Compostela 69 – Vigo 38.

Covelo, carret. de La Toja (986) 74 11 21, *Fax (986) 74 15 20*, – AE E VISA.
junio-15 octubre – **Comida** 2500 – 750 – **53 hab** 10000/11000.

Covelmar, carret. de La Toja (986) 74 10 00, *Fax (986) 74 10 98*, –
65 hab.

SAMIL (Playa de) *Pontevedra – ver Vigo.*

SAN ADRIÁN *31570 Navarra* 442 E 24 – *4 998 h.*

Madrid 324 – Logroño 56 – Pamplona/Iruñea 74 – Zaragoza 131.

Ochoa sin rest, Delicias 3 (948) 67 08 26 – . VISA.
500 – **15 hab** 3000/4500.

Ríos, av. Celso Muerza 18 (948) 69 60 68, *Fax (948) 69 60 87* – . AE E VISA.
cerrado domingo, lunes noche, 15 diciembre-2 enero y 7 días en agosto – **Comida** car 3200 a 4350.

SAN AGUSTÍN (Playa de) *Las Palmas – ver Canarias (Gran Canaria) : Maspalomas.*

SAN AGUSTÍN *Baleares – ver Baleares : Ibiza.*

SAN AGUSTÍN DEL GUADALIX *28750 Madrid* 444 J 19 – *3 133 h. alt. 648.*

Madrid 35 – Aranda de Duero 128.

El Figón de Raúl, av. de Madrid 19 (91) 841 90 11, *Fax (91) 841 90 50* –
– 25. AE E VISA.
cerrado del 3 al 24 de agosto – **Comida** *(cerrado del 3 al 24 de agosto)* carta 3650 a 42
– **16 hab** 6500/8000.

Caserón de Araceli, del Olivar 8 (91) 841 85 31, *Fax (91) 843 52 71*, –
AE E VISA.
Comida carta aprox. 4550.

Casa Juaneca, Lucio Benito 3 (91) 841 84 78, *Fax (91) 841 82 64* – . AE VISA.
cerrado domingo noche – **Comida** carta aprox. 4100.

SAN ANDRÉS *Santa Cruz de Tenerife – ver Canarias (Tenerife).*

SAN ANDRÉS DE LLAVANERAS o **SANT ANDREU DE LLAVANERES** *08392 Barcelo*
443 H 37 – *4 182 h. alt. 114.*

Llavaneras, Oeste : 1 km (93) 792 60 50 Fax (93) 795 25 58.

Madrid 666 – Barcelona 33 – Gerona/Girona 67.

L'Esguard, passatge de les Alzines 16 (93) 792 77 67, « Antigua masía » – . AE
E VISA
cerrado domingo noche, lunes y martes – **Comida** 7700 y carta 5800 a 7600
Espec. Ensalada de pasta ahumada con gambas a la menta. Rollitos de dorada con alg y albóndigas de morcilla. Arroz negro con naranja confitada y salsa de vainilla.

en Port Balís *Sureste : 3 km – 08392 San Andrés de Llavaneras :*

Can Jaume, (93) 792 69 60, – . VISA.
cerrado miércoles y del 1 al 20 de enero – **Comida** - sólo almuerzo salvo sábado - car 2275 a 4775.

SAN ANDRÉS DEL RABANEDO *24191 León* 441 E 13 – *21 643 h. alt. 825.*

Madrid 331 – Burgos 196 – León 4 – Palencia 132.

Casa Teo, Corpus Christi 203 (987) 84 61 05, –
cerrado domingo noche, lunes, 1ª quincena de marzo y 2ª quincena de octubre – **Comid** carta aprox. 3700.

AN ANDRES DE LA BARCA o SANT ANDREU DE LA BARCA 08740 Barcelona 443

H 35 – *14 547 h. alt. 42.*

Madrid 604 – Barcelona 26 – Manresa 43.

Bristol, Via de l'Esport 4 ☏ (93) 682 11 77, *Fax (93) 682 37 97,* – 25/180. AE VISA JCB. Comida 1500 – 950 – **57 hab** 11900/13900 – PA 3950.

AN ANTONIO DE CALONGE o SANT ANTONI DE CALONGE 17252 Gerona 443

G 39 – *Playa.*

av. Catalunya ☏ (972) 66 17 14 Fax (972) 66 10 80.

Madrid 717 – Barcelona 107 – Gerona/Girona 47.

Rosa dels Vents, passeig de Mar ☏ (972) 65 13 11, *Fax (972) 65 06 97,* – rest, VISA. rest
Semana Santa-septiembre – **Comida** 1900 – 900 – **68 hab** 10000/13500.

Rosamar, passeig Josep Mundet 43 ☏ (972) 65 05 48, *Fax (972) 65 21 61,* – rest, AE VISA.
Semana Santa-octubre – **Comida** 1500 – **50 hab** 9000/12000.

Reimar, Torre Valentina ☏ (972) 65 22 11, *Fax (972) 65 12 13,* – VISA. rest
Semana Santa y junio-septiembre – **Comida** 1650 – 850 – **49 hab** 9000/12000 – PA 3300.

Del Pi, Ferran Agulló 4 ☏ (972) 65 14 63, *Fax (972) 65 10 13* – 20 hab.

Refugi de Pescadors, passeig Josep Mundet 55 ☏ (972) 65 06 64, « Imitación del interior de un barco » – AE VISA.
Comida - pescados y mariscos - carta 3350 a 5600.

Costa Brava con hab, av. Catalunya 28 ☏ (972) 65 10 61 – rest, VISA. rest
Comida *(cerrado miércoles y enero)* carta 2550 a 4250 – 500 – **6 hab** 5000/6000.

El Racó, edificio Eden Playa - Torre Valentina ☏ (972) 65 06 40.

AN ANTONIO DE PORTMANY *Baleares – ver Baleares (Ibiza).*

AN BAUDILIO DE LLOBREGAT o SANT BOI DE LLOBREGAT 08830 Barcelona 443

H 36 – *77 894 h. alt. 30.*

Madrid 626 – Barcelona 11 – Tarragona 83.

El Castell, Castell 1 ☏ (93) 640 07 00, *Fax (93) 640 07 04,* – 25/100. AE VISA JCB. rest
Comida 1500 – **43 hab** 8500/11700.

AN CARLOS DE LA RÁPITA o SANT CARLES DE LA RÁPITA 43540 Tarragona 443

K 31 – *10 574 h.*

pl. Carles III-13 ☏ (977) 74 01 00 Fax (977) 74 43 87.

Madrid 505 – Castellón de la Plana/Castelló de la Plana 91 – Tarragona 90 – Tortosa 29.

La Rápita, pl. Lluís Companys ☏ (977) 74 15 07, *Fax (977) 74 19 54,* – rest, – 25/50. AE VISA.
marzo-octubre – **Comida** - sólo buffet - 1500 – 800 – **232 apartamentos** 9200/11500 – PA 3000.

Llansola, Sant Isidre 98 ☏ (977) 74 04 03, *Fax (977) 74 04 03* – rest, AE VISA.
cerrado noviembre – **Comida** *(cerrado domingo noche y lunes mediodía)* 1650 – **21 hab** 4500/8000 – PA 3300.

Miami Park, av. Constitució 33 ☏ (977) 74 03 51, *Fax (977) 74 11 66* – AE VISA
Semana Santa-octubre – **Comida** (ver rest. ***Miami***) – 675 – **62 hab** 4350/7500.

Juanito Platja, passeig Marítim ☏ (977) 74 04 62, *Fax (977) 74 27 57,* – VISA. rest
abril-septiembre – **Comida** 2000 – 500 – **35 hab** 5500/7200.

Plaça Vella, Arsenal 31 ☏ (977) 74 24 96, *Fax (977) 74 43 97* – rest,
Comida L'Áncora – **21 hab.**

Varadero, av. Constitució 1 ☏ (977) 74 10 01, *Fax (977) 74 22 06,* – AE VISA
cerrado lunes y 10 diciembre-30 enero – **Comida** - pescados y mariscos - carta 3500 a 5200.

Miami, av. Constitució 37 ☏ (977) 74 05 51, *Fax (977) 74 11 66* – AE VISA
cerrado por la noche de domingo a jueves (en invierno) y del 15 al 31 de enero – **Comida** - pescados y mariscos - carta 2750 a 4800.

Can Víctor, Vista Alegre 8 (977) 74 29 05, *Fax (977) 74 53 30,* – . AE VISA
Comida - pescados y mariscos - carta 3000 a 3875.

Casa Ramón, Pou de les Figueretes 7 (977) 74 14 58, *Fax (977) 74 53 30* – AE E VISA
Comida - pescados y mariscos - carta 3000 a 3875.

Brasseria Elena, pl. Lluís Companys 1 (977) 74 29 68, – AE E VISA.
cerrado martes (salvo verano) y del 3 al 30 de noviembre – **Comida** - carnes a la bra
- carta 1675 a 2900.

Can Batiste con hab, Sant Isidre 204 (977) 74 23 08, *Fax (977) 74 23 08* – res
TV. E VISA.
Comida carta aprox. 4300 – 400 – **10 hab** 3000/6000.

SAN CELONI o SANT CELONI *08470 Barcelona 443 G 37 – 11 937 h. alt. 152.*

Alred. : *NO, Sierra de Montseny★ : itinerario★★ de San Celoni a Santa Fé del Montseny Carretera★ de San Celoni a Tona por Montseny.*
Madrid 662 – Barcelona 49 – Gerona/Girona 57.

Suis sin rest, Major 152 (93) 867 00 02, *Fax (93) 867 43 43* – TV . E VISA.
650 – **28 hab** 6000/12000.

El Racó de Can Fabes, Sant Joan 6 (93) 867 28 51, *Fax (93) 867 38 6*
« Decoración rústica » – . AE E VISA JCB.
cerrado domingo noche, lunes, del 1 al 15 de febrero y 21 junio-5 julio – **Comida** 155(
y carta 9850 a 13100
Espec. Espardenyes con amouretes y un caviar de arenque. Gigot de cabrito caramelizac
a la salvia. Buñuelos de chocolate con helado de coco.

Les Tines, passeig dels Esports 16 (93) 867 25 54, – .

en la carretera C 251 *Suroeste : 5,5 km – 08460 Santa María de Palautordera :*

Típica Cuina Catalana, (93) 848 94 51, *Fax (93) 848 94 51* – . E VISA.
cerrado lunes y 15 enero-2 febrero – **Comida** carta 2600 a 3850.

SAN CIBRIÁN *39110 Cantabria 442 B 18.*

Madrid 388 – Bilbao/Bilbo 86 – Santander 12 – Torrelavega 15.

Château La Roca sin rest, José María Pereda (942) 57 91 02, *Fax (942) 57 91 9*
– TV . AE E VISA.
700 – **56 hab** 8500/12950.

SAN CLEMENTE *Baleares – ver Baleares : Menorca.*

SAN COSME *33155 Asturias 441 B 11.*

Madrid 530 – Gijón 58 – Luarca 37 – Oviedo 71.

El Chisco , (98) 559 73 21, *Fax (98) 559 72 65* – TV . AE E VISA.
cerrado 20 septiembre-12 octubre – **Comida** 1000 – 300 – **22 hab** 4800/7000 – P
2300.

SAN CUGAT DEL VALLÉS o SANT CUGAT DEL VALLÈS *08190 Barcelona 443 H 3 – 38 834 h. alt. 180.*

Ver : *Monasterio★★ (Iglesia★ : retablo de todos los Santos★, claustro★ : capitel románicos★).*
Sant Cugat, Villa (93) 674 39 08 Fax (93) 675 51 52.
Madrid 615 – Barcelona 18 – Sabadell 9.

La Fonda, Enric Granados 12 (93) 675 54 26 – . AE E VISA.
cerrado domingo noche, lunes y del 1 al 15 de septiembre – **Comida** carta 3300 a 460

Chez Philippe, pl. Pep Ventura 5 (93) 674 94 84, *Fax (93) 674 94 84* – . E VIS
cerrado sábado mediodía, domingo, festivos, del 1 al 7 de enero, Semana Santa y agost – **Comida** carta 3275 a 5200.

al Noroeste : *3 km*

Novotel Barcelona-Sant Cugat , pl. Xavier Cugat, 08190 apartado 12
(93) 589 41 41, *Fax (93) 589 30 31,* <, , – TV – 25/30
AE E VISA
Comida 2135 – 1580 – **146 hab** 14300/16500, 4 suites.

r la carretera de Rubí *y desvío a la izquierda - Oeste : 3,5 km – ✉ 08190 Sant Cugat del Vallès :*

Masia Ametller, junto a la autopista A7 ✆ (93) 674 91 51, *Fax (93) 675 09 07* – ▤ **P**. AE ⓓ E VISA. ✈
Comida carta 3650 a 5300.

la carretera de Barcelona *Sureste : 6 km. – ✉ 08190 Sant Cugat del Vallès :*

Can Cortés, urb. Can Cortés ✆ (93) 674 17 04, *Fax (93) 675 27 07*, ≤, Enoteca de vinos y cavas catalanes, « Antigua masía », – **P**. AE ⓓ E VISA. ✈
cerrado domingo noche, lunes y del 16 al 31 de agosto – **Comida** carta 2750 a 3975.

AN ESTEBAN DE BAS o SANT ESTEVE D'EN BAS *17176 Gerona* 443 **F 37**.
Madrid 692 – Barcelona 122 – Gerona/Girona 48.

Sant Antoni, carret. C 152 ✆ (972) 69 00 33, *Fax (972) 69 04 62*, ≤, – ▤ rest, **P**. AE ⓓ E VISA. ✈ rest
Comida *(cerrado lunes)* 1500 – ☕ 650 – **35 hab** 4000/6750.

AN FELIÚ DE GUÍXOLS o SANT FELIU DE GUÍXOLS *17220 Gerona* 443 **G 39** – *16 088 h.* – *Playa.*

Ver : *Centro Veraniego★, Iglesia Monasterio de Sant Feliu★ (portada★★) – Capilla de Sant Elm (≤★★).*

i *pl. Monestir ✆ (972) 82 00 51 Fax (972) 82 01 19.*
Madrid 713 ③ – Barcelona 100 ③ – Gerona/Girona 35 ③

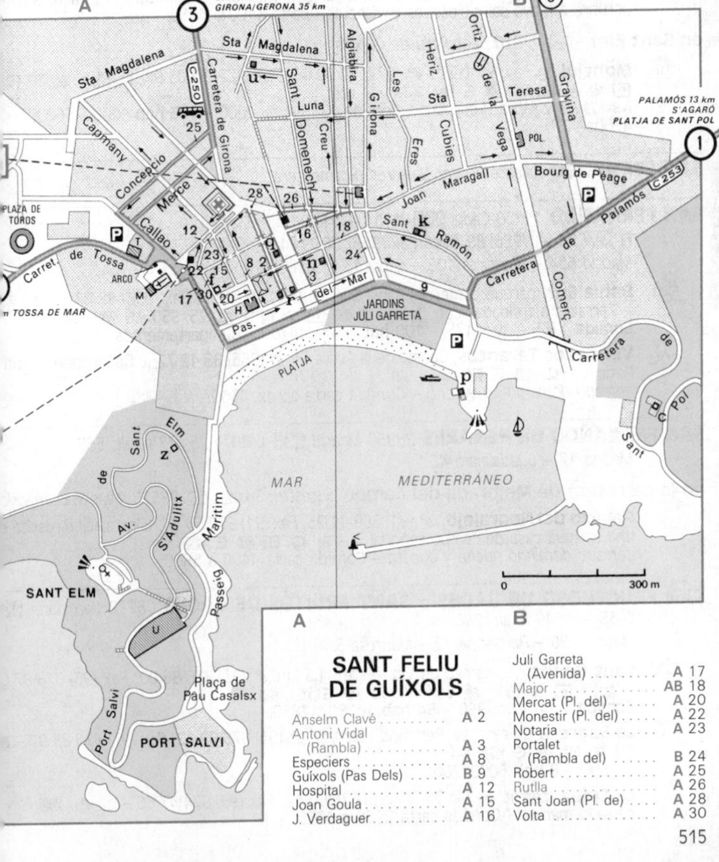

SANT FELIU DE GUÍXOLS

Anselm Clavé	A 2	Juli Garreta (Avenida)	A 17
Antoni Vidal (Rambla)	A 3	Major	AB 18
Especiers	A 8	Mercat (Pl. del)	A 20
Guíxols (Pas Dels)	B 9	Monestir (Pl. del)	A 22
Hospital	A 12	Notaria	A 23
Joan Goula	A 15	Portalet (Rambla del)	B 24
J. Verdaguer	A 16	Robert	A 25
		Rutlla	A 26
		Sant Joan (Pl. de)	A 28
		Volta	A 30

Curhotel Hipócrates, carret. de Sant Pol 229 (972) 32 06 6 Fax (972) 32 38 04, Servicios terapéuticos y de cirugía estética, – 25/180. VISA. B
12 febrero-7 noviembre – **Comida** - sólo buffet - 2950 – **84 hab** 11685/21120.

Plaça sin rest, pl. Mercat 22 (972) 32 51 55, *Fax (972) 82 13 21* – AE VISA A
600 – **16 hab** 5500/11000.

Turist H., Sant Ramon 45 (972) 32 08 41, *Fax (972) 32 20 59* – AE JCB. rest B
abril-septiembre – **Comida** 1200 – 400 – **20 hab** 3250/6500 – PA 2600.

Eldorado Petit, rambla Vidal 23 (972) 32 18 18, *Fax (972) 82 14 69* – AE VISA. A
cerrado miércoles (octubre-junio) y noviembre – **Comida** carta 4900 a 6450.

Bahía, passeig del Mar 18 (972) 32 02 19, *Fax (972) 82 13 21*, – AE
Comida carta 3460 a 5600. A

Can Salvi, passeig del Mar 23 (972) 32 10 13, – AE VISA A
cerrado miércoles (octubre-mayo) y del 7 al 31 de enero – **Comida** carta 3875 a 520

Can Toni, Sant Martirià 29 (972) 32 10 26 – AE VISA A
cerrado martes de octubre a mayo – **Comida** carta 3800 a 5200.

Cau del Pescador, Sant Domènec 11 (972) 32 40 52 – AE VISA JCB.
cerrado martes (en invierno) y del 7 al 15 de enero – **Comida** - pescados y mariscos - car 3275 a 5500. A

Nàutic, puerto deportivo (972) 32 06 63, – AE VISA B
cerrado domingo noche y lunes salvo junio-septiembre – **Comida** - sólo almuerzo octubre a mayo salvo festivos o vísperas - carta 3100 a 4650.

en Sant Elm – *17220 Sant Feliu de Guíxols* :

Montjoi, av. Sant Elm (972) 82 09 04, *Fax (972) 32 03 04*, – re AE VISA JCB. rest A
Navidades y febrero-octubre – **Comida** 2275 – 1000 – **115 hab** 10000/16000 – 4750.

SAN FERNANDO *Baleares – ver Baleares (Formentera).*

SAN FERNANDO *11100 Cádiz* 446 W 11 – *91 696 h. – Playa.*

Real 24 (956) 89 78 46 Fax (956) 88 99 64.
Madrid 634 – Algeciras 108 – Cádiz 13 – Sevilla 126.

Bahía Sur, parque comercial Bahía Sur (956) 89 91 04, *Fax (956) 88 87 16*, « Terrazas ajardinadas con » – 25/850. AE VISA.
Comida 1765 – 1175 – **100 hab** 9500/14700, 282 apartamentos.

Venta Los Tarantos, Cuesta de la Ardila 63 (956) 88 12 72, « Decoración region Patio » – AE VISA JCB.
cerrado domingo en verano – **Comida** carta aprox. 4300.

SAN FERNANDO DE HENARES *28830 Madrid* 444 L 20 – *25 477 h. alt. 585.*

Madrid 17 – Guadalajara 40.

en la carretera de Mejorada del Campo *Sureste : 3 km – 28529 Rivas-Vaciamadri*

Palacio del Negralejo, (91) 669 11 25, *Fax (91) 672 54 55*, « Instalación rústica una antigua casa de campo señorial » – AE VISA.
cerrado domingo noche y agosto – **Comida** carta 4400 a 5800.

SAN FRUCTUOSO DE BAGES o SANT FRUITÓS DE BAGES *08272 Barcelona* 44 G 35 – *4 549 h. alt. 246.*

Madrid 596 – Barcelona 72 – Manresa 5.

Sant Benet, carret. de Vic - Este : 1,5 km (93) 878 86 00, *Fax (93) 878 87* – 25/180. AE VISA.
Comida 1300 – 990 – **54 hab** 10280/12850.

La Sagrera sin rest, av. Bertrand i Serra 2 (93) 876 09 42, *Fax (93) 878 85 92* – AE VISA.
500 – **8 hab** 5000/7000.

La Cuina, carret. de Vic 73 (93) 876 00 32, *Fax (93) 874 47 60* – VISA.
cerrado martes – **Comida** carta 2950 a 4350.

N HILARIO SACALM o SANT HILARI SACALM *17403 Gerona* 443 **G 37** – *4 677 h. alt. 801 – Balneario.*

carret. de Arbúcies ☎ (972) 86 88 26 Fax (972) 86 89 76 (temp).
Madrid 664 – Barcelona 82 – Gerona/Girona 43 – Vic 36.

Ripoll, Vic 26 ☎ (972) 86 80 25, *Fax (972) 86 80 26* – . VISA.
Semana Santa-diciembre (hotel) – **Comida** *(cerrado martes y enero)* 1725 – 590 – **30 hab** 3600/5100 – PA 3950.

Torrás y Tarres, pl. Gravalosa 13 ☎ (972) 86 80 96, *Fax (972) 87 22 34* – , rest, . AE VISA.
cerrado 23 diciembre-enero – **Comida** *(cerrado lunes)* carta aprox. 2550 – 650 – **48 hab** 3800/6750.

Brugués, Valls 4 ☎ (972) 86 80 18 – AE VISA.
junio-septiembre – **Comida** 1500 – 400 – **16 hab** 2200/4400.

AN ILDEFONSO *Segovia – ver La Granja.*

AN ISIDRO *Santa Cruz de Tenerife – ver Canarias (Tenerife).*

AN JAVIER *30730 Murcia* 445 **S 27** – *15 277 h. alt. 27.*

San Javier, Sureste : 5 km ☎ (968) 17 20 00.
Madrid 440 – Alicante/Alacant 76 – Cartagena 34 – Murcia 45.

Moderno, pl. García Alix ☎ (968) 57 00 49, *Fax (968) 57 05 66* – . AE VISA.
cerrado lunes y 2ª quincena de septiembre – **Comida** carta 3300 a 3900.

AN JOSÉ *04118 Almería* 446 **V 23** – *Playa.*
Madrid 590 – Almería 40.

San José, Correo ☎ (950) 38 01 16, *Fax (950) 38 00 02*, ←, , « Villa frente al mar » – . VISA.
marzo-octubre – **Comida** 2500 - ***Borany*** *(cerrado lunes salvo en verano)* **Comida** carta 3200 a 4100 – 700 – **8 hab** 15000.

Agades, Sidi Bel Abbes 1 ☎ (950) 38 03 90, *Fax (950) 38 03 90*, – hab, . VISA. rest
Comida *(Semana Santa-octubre)* 1500 – 500 – **25 hab** 7500/9500.

Tres Pinos sin rest. y sin , camino de la Escuela ☎ (950) 38 02 12, *Fax (950) 38 02 13*, –
16 apartamentos.

AN JOSÉ *Baleares – ver Baleares (Ibiza).*

AN JOSÉ DE LA RINCONADA *41300 Sevilla* 446 **T 12** – *8 098 h.*
Madrid 532 – Aracena 87 – Carmona 42 – Huelva 105 – Sevilla 14.

n la carretera C 433 *Suroeste : 4,5 km – ✉ 41300 San José de la Rinconada :*

Majaravique, ☎ (95) 490 30 99, *Fax (95) 490 34 60* –
32 hab.

AN JUAN DE ALICANTE o SANT JOAN D'ALACANT *03550 Alicante* 445 **Q 28** – *14 369 h. alt. 50.*
Madrid 426 – Alcoy Alcoi 46 – Alicante/Alacant 9 – Benidorm 34.

Villa San Juan sin rest, pl. de la Constitución 6 ☎ (96) 565 39 54, *Fax (96) 594 02 93* – . AE VISA.
850 – **40 hab** 8000/10000.

Roma sin rest, Mercat 1 ☎ (96) 565 40 16, *Fax (96) 565 40 16* – . AE VISA.
27 hab 3780/6615.

El Patio de San Juan, av. de Alicante 17 - Sur : 1 km ☎ (96) 565 68 00, *Fax (96) 515 30 51*, – . VISA
cerrado miércoles, enero y febrero – **Comida** - sólo cena en julio y agosto - carta 3100 a 4300.

La Quintería, Dr. Gadea 17 ☎ (96) 565 22 94 – . AE VISA.
cerrado domingo noche, miércoles y junio – **Comida** - cocina gallega - carta 4000 a 4800.

Albatros, Doctor Pérez Mateo 1 ☎ (96) 565 72 26 – . AE VISA.
cerrado lunes, 2ª quincena de mayo y 2ª quincena de octubre – **Comida** carta 3200 a 4100.

SAN JUAN DE AZNALFARACHE *Sevilla – ver Sevilla.*

SAN JUAN DE POYO *Pontevedra – ver Pontevedra.*

SAN JULIÁN DE SALES o SAN XULIÁN DE SALES *15885 La Coruña* 441 D 4.

Madrid 629 – La Coruña/A Coruña 78 – Lugo 105 – Santiago de Compostela 9.

XXX **Roberto** con hab, (981) 51 17 69, *Fax (981) 51 18 94*, « Antigua c de campo con jardín. Decoracion rústica » – TV P. AE E VISA rest

Comida *(cerrado domingo noche)* 6500 y carta 3850 a 4600 – **4 hab** 800 10000

Espec. Ensalada de verduras y cigalitas. Lubina sobre fondo de arroz de verduras. C de frutas rojas con crema de vainilla y gelée de maracuyá.

SAN JULIÁN DE VILLATORTA o SANT JULIÀ DE VILATORTA *08514 Barcelona* 4 G 36 – *1934 h. alt. 595.*

Madrid 643 – Barcelona 72 – Gerona/Girona 85 – Manresa 58.

XX **Ca la Manyana** con hab, av. Nostra Senyora de Montserrat 38 (93) 812 24 *Fax (93) 888 70 04* – rest, TV. AE E VISA. rest

Comida *(cerrado domingo noche, lunes y del 2 al 20 de enero)* carta 4100 a 5350 – 7 – **21 hab** 5850/7000.

SAN LORENZO DE EL ESCORIAL *28200 Madrid* 444 K 17 – *8 704 h. alt. 1 040.*

Ver : *Monasterio*** (Palacios** : tapices* - Panteones** : Panteón de los Reyes** Panteón de los Infantes*) – Salas capitulares* - Basílica** - Biblioteca** – Nuev Museos** : El Martirio de San Mauricio y la legión Tebana* – Casita del Príncip (Techos pompeyanos*).*

Alred. : *Silla de Felipe II ≤* Sur : 7 km.*

18 *Herrería, (91) 890 51 11 Fax (91) 890 71 54.*

Floridablanca 10 (91) 890 15 54.

Madrid 46 – Ávila 64 – Segovia 52.

Victoria Palace, Juan de Toledo 4 (91) 890 15 11, *Fax (91) 890 12 48*, ≤, « Terra con arbolado », – , rest, TV P – 25/200. AE VISA.

Comida 4300 – 1100 – **87 hab** 14700/18300.

Botánico, Timoteo Padrós 16 (91) 890 78 79, *Fax (91) 890 81 58*, « Elegante v de ambiente acogedor », – TV P – 25/40. AE VISA.

Comida 5250 – **20 hab** 11900/14800.

Miranda Suizo, Floridablanca 18 (91) 890 47 11, *Fax (91) 890 43 58*, – rest, TV – 25/100. AE E VISA.

Comida carta 3200 a 4250 – 700 – **52 hab** 9000/11000.

Florida, Floridablanca 12 (91) 890 17 21, *Fax (91) 890 17 15*, – TV 40/90. AE VISA. rest

***El Carillón* : Comida** carta 3100 a 4100 – 600 – **46 hab** 7000/9000.

Cristina, Juan de Toledo 6 (91) 890 19 61, *Fax (91) 890 12 04*, – TV. E VISA.

Comida 1600 – 400 – **16 hab** 5000/6600 – PA 3200.

Tres Arcos, Juan de Toledo 42 (91) 890 68 97, *Fax (91) 890 79 97*, – TV VISA. rest

Comida *(cerrado domingo noche)* 1800 – 500 – **30 hab** 5000/8000.

XX **Charolés,** Floridablanca 24 (91) 890 59 75, *Fax (91) 890 05 92*, – . AE VISA.

Comida carta 5900 a 7080.

XX **Parrilla Príncipe** con hab, Floridablanca 6 (91) 890 16 11, *Fax (91) 890 76 01*, – rest, TV. AE E VISA.

Comida carta aprox. 4400 – 700 – **18 hab** 4800/7400.

X **Alaska,** pl. de San Lorenzo 4 (91) 890 43 65, *Fax (91) 890 43 65*, – . AE VISA.

cerrado lunes – **Comida** carta 2600 a 3500.

al Noroeste : *1,8 km*

XX **Horizontal,** Camino Horizontal (91) 890 38 11, *Fax (91) 890 38 11*, – P. AE VISA.

Comida carta 3850 a 5400.

AN LORENZO DE MORUNYS o SANT LLORENÇ DE MORUNYS *25282 Lérida* 443
F 34 – *839 h. alt. 925.*
Madrid 596 – Barcelona 148 – Berga 31 – Lérida/Lleida 127.

Cas-Tor, carret. de La Coma - Noroeste : 1 km ☎ (973) 49 21 02, *Fax (973) 49 22 28*, – TV P. E VISA. rest
24 junio-octubre y fines de semana resto del año – **Comida** 1900 – 700 – **17 hab** 3500/5600 – PA 4000.

AN LUIS *Baleares – ver Baleares (Menorca).*

AN MAMÉS DE MERUELO *39192 Cantabria* 442 **B 19** – *alt. 60.*
Madrid 446 – Bilbao /Bilbo 75 – Burgos 173 – Santander 39 – Torrelavega 56.

Casona de Meruelo sin rest, barrio de la Iglesia ☎ (942) 63 70 92, *Fax (942) 65 70 42,* valle, « Casa señorial del siglo XVIII », climatizada – TV ☎. VISA.
700 – **9 hab** 16500.

AN MARTÍN DE LA VIRGEN DE MONCAYO *50584 Zaragoza* 443 **G 24** – *332 h. alt. 813.*
Madrid 292 – Zaragoza 100.

Gomar, camino de la Gayata ☎ (976) 19 21 01, *Fax (976) 19 20 98* – TV. AE E VISA.
Comida 1200 – 450 – **22 hab** 2700/4500.

AN MARTÍN DE OSCOS *33777 Asturias* 441 **C 9** – *571 h. alt. 697.*
Madrid 602 – Lugo 91 – Oviedo 199.

La Marquesita con hab, carretera Principal ☎ (98) 562 60 02, *Fax (98) 562 60 00* – TV ☎ P. AE E VISA JCB.
Comida carta 2800 a 3900 – 700 – **6 hab** 6500/8000.

AN MARTÍN DE VALDEIGLESIAS *28680 Madrid* 444 **K 16** – *5 428 h. alt. 681.*
Madrid 73 – Ávila 58 – Toledo 81.

La Corredera, Corredera Alta 28 ☎ (91) 861 10 84, *Fax (91) 861 04 34* – TV ☎. AE E VISA.
Los Arcos : **Comida** carta 2825 a 3690 – 450 – **14 hab** 5500/7500.

AN MARTÍN SARROCA o SANT MARTÍ SARROCA *08731 Barcelona* 443 **H 34** – *2 394 h. alt. 340.*
Madrid 583 – Barcelona 65 – Tarragona 65.

Ca l'Anna, Pepet Teixidor 14 - barri La Roca, Suroeste : 1,5 km ☎ (93) 899 14 08, *Fax (93) 399 14 08,* « Bonita terraza acristalada » – . E VISA JCB
cerrado domingo noche y lunes – **Comida** carta 4350 a 5650
Espec. Calçot de vieiras con oreja de cerdo crujiente (temp). Filetes de salmonetes con parmentier de anchoas. Crujiente de manzana con mousse de plátano y granizado de infusión.

AN MIGUEL *Baleares – ver Baleares (Ibiza).*

AN MIGUEL DE LUENA *39687 Cantabria* 442 **C 18.**
Madrid 345 – Burgos 102 – Santander 54.

n la subida al puerto del Escudo *carretera N 623 - Sureste : 2,5 km – ✉ 39687 San Miguel de Luena :*

Ana Isabel con hab, ☎ (942) 59 52 06 – TV P. AE VISA.
Comida carta 1900 a 3050 – 250 – **9 hab** 3500/5000.

AN MILLÁN DE LA COGOLLA *26226 La Rioja* 442 **F 21** – *299 h. alt. 728.*
Ver : *Monasterio de Suso★ - Monasterio de Yuso (marfiles tallados★★).*
Madrid 326 – Burgos 96 – Logroño 53 – Soria 114 – Vitoria/Gasteiz 82.

n el Monasterio de Yuso :

Hostería del Monasterio de San Millán, ☎ (941) 37 32 77, *Fax (941) 37 32 66,* « Instalado en un ala del monasterio de Yuso » – TV ☎ P – 25/150. AE E VISA. rest
Comida 2000 – 975 – **22 hab** 10000/15000, 3 suites – PA 4230.

SAN PEDRO DE ALCÁNTARA *29670 Málaga* 446 **W 14** *– Playa.*

Excurs. : *Carretera*★★ *de San Pedro de Alcántara a Ronda (cornisa*★★*).*

Guadalmina, Oeste : 3 km (95) 288 33 75 Fax (95) 288 34 83 – Aloha, Oes 3 km (95) 281 23 88 – Atalaya Park, Oeste : 3,5 km (95) 278 18 94.

Marqués del Duero 69 (95) 278 52 52 Fax (95) 278 90 90.

Madrid 624 – Algeciras 69 – Málaga 69.

por la carretera de Ronda *Norte : 2 km – 29670 San Pedro de Alcántara :*

XX **El Gamonal,** Camino La Quinta (95) 278 99 21, – P. AE VISA.
cerrado miércoles y febrero – **Comida** carta aprox. 3500.

en la carretera de Cádiz *– 29678 San Pedro de Alcántara :*

Golf H. Guadalmina (obras en curso), urb. Guadalmina - Suroeste : 2 km y des 1,2 km (95) 288 22 11, *Fax (95) 288 22 91*, <, , « Ambiente acogedor. Agradab terrazas », , , , , , – hab, TV P – 25/40. AE E
rest
junio-diciembre – **Comida** 4700 – 1500 – **90 hab** 25000/31000.

XX **Víctor,** centro comercial Guadalmina - Suroeste : 2,2 km (95) 288 34 91, – .
E VISA.
cerrado lunes – **Comida** carta aprox. 3600.

SAN PEDRO DE RIBAS o SANT PERE DE RIBES *08810 Barcelona* 443 **I 35** *– 13 722*
alt. 44.

Madrid 596 – Barcelona 46 – Sitges 4 – Tarragona 52.

XX **El Tovalló Verd,** carret. dels Carçs 58 (93) 896 21 21 – . AE E VISA.
cerrado miércoles y 25 octubre-19 noviembre – **Comida** carta 4000 a 5600.

XX **El Rebost de l'Avia,** av. Els Cards 29 (93) 896 08 35, *Fax (93) 896 27 92* – .
E VISA.
cerrado lunes – **Comida** carta 3225 a 4500.

X **La Torrada,** carret. de Sitges 7 (93) 896 29 93, « Decoración rústica » – . AE
VISA.
cerrado lunes y febrero – **Comida** - carnes a la brasa - carta 2725 a 3650.

en la carretera de Olivella *Noreste : 1,5 km – 08810 San Pedro de Ribas :*

X **Can Lloses,** (93) 896 07 46, *Fax (93) 896 07 46*, < – P. E VISA.
cerrado martes y octubre – **Comida** - carnes - carta 2195 a 3900.

SAN PEDRO DE RUDAGÜERA *39539 Cantabria* 442 **B 17** *– 442 h. alt. 70.*

Madrid 387 – Santander 36 – Santillana del Mar 23 – Torrelavega 14.

X **La Ermita 1826** con hab, (942) 71 90 71, *Fax (942) 83 84 91*, « Decoraci rústica regional » – rest, TV. AE VISA
Comida carta 2350 a 2850 – 350 – **7 hab** 5500.

SAN PEDRO DE VIVERO o SAN PEDRO DE VIVEIRO *27866 Lugo* 441 **B 7.**

Madrid 615 – La Coruña/A Coruña 142 – Ferrol 97 – Lugo 104.

O Val do Naseiro , (982) 59 84 34, *Fax (982) 59 82 64* – , rest, TV
P – 25/700. AE E VISA.
Comida 1500 – **41 hab** 8000/12000 – PA 2900.

SAN PEDRO DEL PINATAR *30740 Murcia* 445 **S 27** *– 12 221 h. – Playa.*

explanada de Lo Pagán (968) 18 23 01 Fax (968) 18 37 06.

Madrid 441 – Alicante/Alacant 70 – Cartagena 40 – Murcia 51.

XX **Juan Mari,** Julio Albaladejo 12 (968) 18 38 69, – . AE E VISA JCB.
cerrado lunes – **Comida** carta 2800 a 3700.

en Lo Pagán *Sur : 2,5 km – 30740 San Pedro del Pinatar :*

Neptuno, Generalísimo 6 (968) 18 19 11, *Fax (968) 18 33 01*, < – TV
AE E VISA. rest
Comida 2700 – 800 – **40 hab** 5450/9750.

Arce sin rest, Marqués de Santillana 117 (968) 18 22 47 – TV . AE VIS

julio-septiembre – 400 – **14 hab** 3745/6420.

X **Venezuela,** Campoamor (968) 18 15 15, *Fax (968) 18 20 21* – . E VISA.
cerrado 2ª quincena de octubre – **Comida** carta 4100 a 5000.

AN POL DE MAR o **SANT POL DE MAR** *08395 Barcelona* 443 **H 37** – *2 383 h.* – *Playa.*
Madrid 679 – Barcelona 44 – Gerona/Girona 53.

Gran Sol *(Hotel escuela)*, carret. N II ☎ (93) 760 00 51, *Fax (93) 760 09 85*, ←, ⛱, 🎾 – |$|, ▤ hab, TV ☎ P – 25/200. AE ⓓ E VISA. ✂ rest
Comida 2500 – ☕ 1275 – **44 hab** 9100/12800.

La Costa, Nou 32 ☎ (93) 760 01 51, *Fax (93) 760 01 51*, ←, 🏖 – |$| ☎ 🚗. E VISA. ✂
junio-septiembre – **Comida** - sólo almuerzo - carta aprox. 2100 – ☕ 500 – **17 hab** 3850/7550.

XXX ✿✿ **Sant Pau,** Nou 10 ☎ (93) 760 06 62, *Fax (93) 760 09 50* – ▤ P. AE E VISA. ✂
cerrado domingo noche, lunes, del 8 al 24 de marzo y del 1 al 18 de noviembre – **Comida** 8900 y carta 7500 a 8700
Espec. El gazpacho de fresones con atillos de hojas de pimiento y bonito (jul-sept). La brochette de vieiras sobre fondant de cebolla tierna. La dentelle de naranja con garnache de chocolate.

AN QUIRICO DE BESORA o **SANT QUIRZE DE BESORA** *08580 Barcelona* 443 **F 36** – *2 027 h. alt. 550.*
Madrid 661 – Barcelona 90 – Puigcerdà 79.

X **Ca la Càndida,** Berga 8 ☎ (93) 855 04 11 – ▤. E VISA
cerrado domingo noche, lunes (salvo festivos) y 2ª quincena de mayo – **Comida** carta 2400 a 3200.

AN QUIRICO DEL VALLÉS o **SANT QUIRZE DEL VALLÈS** *08192 Barcelona* 443 **H 36** – *9 047 h. alt. 188.*
Madrid 611 – Barcelona 18 – Manresa 46 – Mataró 34 – Vic 59.

X **Lluernari,** Pintor Vila Puig 73 ☎ (93) 721 01 63, *Fax (93) 721 01 63*, 🏖 – ▤. E VISA. ✂
cerrado domingo noche, lunes, del 7 al 18 de enero y del 9 al 23 de agosto – **Comida** carta 2800 a 3750.

AN ROQUE *11360 Cádiz* 446 **X 13** – *23 092 h. alt. 110.*
18 *San Roque, carret. de Málaga, Noreste : 8 km ☎ (956) 61 30 30 Fax (956) 61 30 13* – 18 *Alcaidesa Links, carret. de Málaga, Noreste : 5 km ☎ (956) 79 10 40 Fax (956) 79 10 41.*
Madrid 678 – Algeciras 15 – Cádiz 136 – Málaga 123.

XX **Claus en El Don Benito,** pl. de Armas 10 ☎ (956) 78 23 42, *Fax (956) 78 23 42*, 🏖, « Patio andaluz » – E VISA
cerrado domingo y lunes mediodía – **Comida** - sólo cena en verano - carta 4550 a 5250.

n la carretera de La Línea de la Concepción *Sur : 3 km – ✉ 11360 San Roque :*

XXX **Los Remos,** Villa Victoria ☎ (956) 69 84 12, *Fax (956) 69 84 97*, 🏖, « Villa de estilo neocolonial rodeada de jardín » – ▤ P. AE ⓓ E VISA. ✂
cerrado domingo – **Comida** carta 3800 a 5200.

AN SADURNÍ DE NOYA o **SANT SADURNÍ D'ANOIA** *08770 Barcelona* 443 **H 35** – *9 283 h. alt. 162.*
Madrid 578 – Barcelona 44 – Lérida/Lleida 120 – Tarragona 68.

n la carretera C 243 a *Suroeste : 4 km – ✉ 08739 Lavern :*

Sol i Vi 🐚, Can Bas ☎ (93) 899 32 04, *Fax (93) 899 34 35*, ←, « Frente a los viñedos », ⛱ – ▤ TV ☎ P. AE ⓓ E VISA. ✂
Comida 2000 – ☕ 700 – **25 hab** 5000/8000 – PA 4200.

n la carretera de Ordal *Sureste : 4,5 km – ✉ 08770 Els Casots :*

XX **Mirador de les Caves,** ☎ (93) 899 31 78, *Fax (93) 899 33 88*, ← – ▤ P. AE ⓓ E VISA JCB. ✂
cerrado domingo noche, lunes noche y 15 días en agosto – **Comida** carta 3700 a 5300.

AN SALVADOR o **SANT SALVADOR** *Baleares – ver Baleares (Mallorca).*

AN SALVADOR (Playa de) *Tarragona – ver Vendrell.*

AN SALVADOR DE POYO *Pontevedra – ver Pontevedra.*

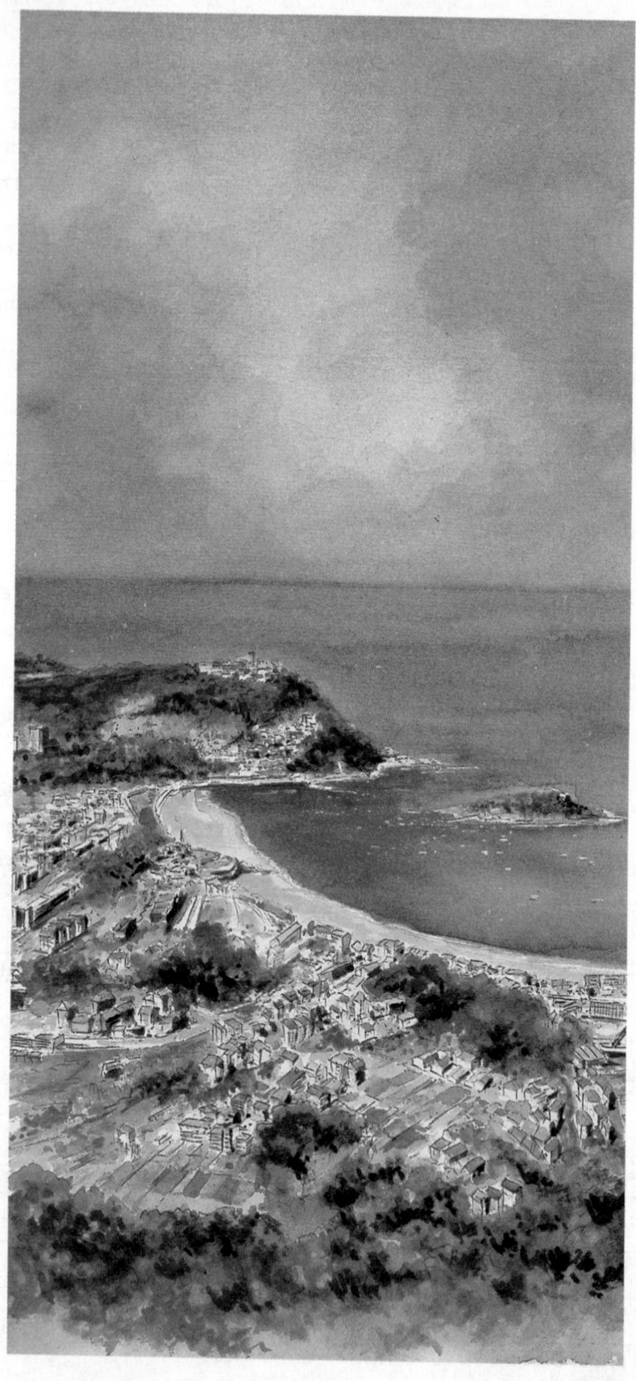

SAN SEBASTIÁN o DONOSTIA

20000 P Guipúzcoa 442 C 24 – 176 019 h. – Playa.

Madrid 488 ② – Bayonne 54 ① – Bilbao/Bilbo 100 ③ – Pamplona/Iruñea 94 ② – Vitoria/Gasteiz 115 ②.

OFICINAS DE TURISMO

Reina Regente 8, ✉ 20003, ☎ (943) 48 11 66, Fax (943) 48 11 72 y Fueros 1, ✉ 20005, ☎ (943) 42 62 82, Fax (943) 43 17 46
R.A.C.V.N. *(Real Automóvil Club Vasco Navarro) Echaide 12, ✉ 20005, ☎ (943) 43 08 00, Fax (943) 42 91 50.*

INFORMACIONES PRÁCTICAS

18 *de San Sebastián, Jaizkíbel por N I : 14 km (B) ☎ (943) 61 68 45.*
✈ *de San Sebastián, Fuenterrabía por ① : 20 km ☎ (943) 64 12 67 – Iberia : Bengoetxea 3, ✉ 20004, ☎ (943) 42 35 86* CZ *y Aviaco : aeropuerto, ✉ 20280, ☎ (943) 64 12 67.*

CURIOSIDADES

Ver : *Emplazamiento y bahía*★★★ A – *Monte Igueldo* ⩽★★★ A – *Monte Urgull* ⩽★★ CY
Alred. : *Monte Ulía* ⩽★ *Noreste : 7 km por N I* B.

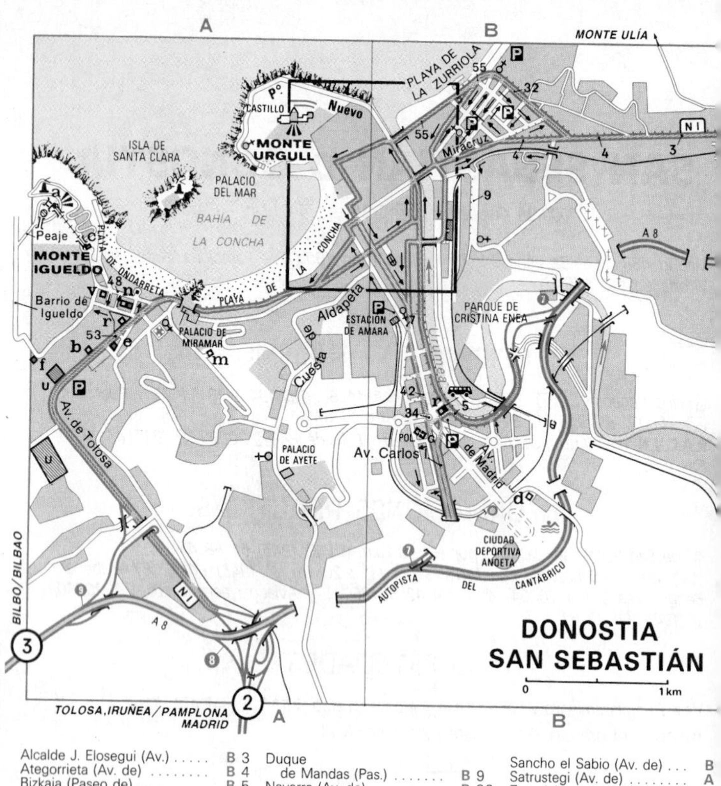

Alcalde J. Elosegui (Av.) . . . . . B 3
Ategorrieta (Av. de) . . . . B 4
Bizkaia (Paseo de) . . . . B 5
Centenario (Pl. del) . . . . B 7
Duque de Mandas (Pas.) . . . . . . B 9
Navarra (Av. de) . . . . B 32
Pío XII (Pl. de) . . . . B 34
Sancho el Sabio (Av. de) . . . B
Satrustegi (Av. de) . . . . A
Zumalakarregi (Av.) . . . . A
Zurriola (Paseo de) . . . . B

Centro :

María Cristina, Okendo 1, ✉ 20004, ☎ (943) 42 49 00, *Fax (943) 42 39 14,* ← – ▤ TV ☎ – 25/300. AE ⓓ E VISA JCB. ✻ rest — DY
Comida 3700 - ***Easo :* Comida** carta 4900 a 6600 – ☕ 2500 – **108 hab** 32000/460[...] 28 suites.

De Londres y de Inglaterra, Zubieta 2, ✉ 20007, ☎ (943) 42 69 8[...] *Fax (943) 42 00 31,* ← – |‡| ▤ TV ☎ – 25/100. AE ⓓ E VISA. ✻ — CZ
Comida 3000 – ☕ 1350 – **126 hab** 16700/20800, 16 suites.

Orly, pl. Zaragoza 4, ✉ 20007, ☎ (943) 46 32 00, *Fax (943) 45 61 01,* ← – |‡|, ▤ re[...] TV ☎ 🚗 – 25/250. AE ⓓ E VISA. ✻ — CZ
Comida 1600 – ☕ 1000 – **60 hab** 14000/17000.

Europa sin rest. con cafetería, San Martín 52, ✉ 20007, ☎ (943) 47 08 8[...] *Fax (943) 47 17 30* – |‡| TV ☎ – 25/130. AE ⓓ E VISA. ✻ — CZ
☕ 900 – **65 hab** 15440/19300.

Niza sin rest, Zubieta 56, ✉ 20007, ☎ (943) 42 66 63, *Fax (943) 42 66 63* – |‡| TV 🚗. AE ⓓ E VISA. ✻ — CZ
☕ 875 – **41 hab** 7300/15900.

Parma sin rest, paseo de Salamanca 10, ✉ 20003, ☎ (943) 42 88 93, *Fax (943) 42 40* [...] – TV ☎. AE ⓓ E VISA. ✻ — DY
☕ 950 – **27 hab** 10100/14900.

Casa Nicolasa, Aldamar 4-1º, ✉ 20003, ☎ (943) 42 17 62, *Fax (943) 42 09 57* – [...] AE ⓓ E VISA JCB — DY
cerrado lunes noche (salvo julio-septiembre), domingo y 22 enero-13 febrero – **Comi[...]** carta 5850 a 7050.

DONOSTIA SAN SEBASTIÁN

XXX **Urepel,** paseo de Salamanca 3, ✉ 20003, ☎ (943) 42 40 40, *Fax (943) 42 40 40* – ▤. AE ⓓ E VISA. no dogs — DY e

cerrado domingo, martes noche, 15 días en Navidades, Semana Santa y 21 días en julio – **Comida** carta 4950 a 5950

Espec. La clásica sopa de pescado. Los lomos de merluza con kokotxas y almejas. Los callos y morros juntos pero no revueltos.

XXX **Panier Fleuri,** paseo de Salamanca 1, ✉ 20003, ☎ (943) 42 42 05, *Fax (943) 42 42 05* – ▤. AE ⓓ E VISA JCB. no dogs — DY e

cerrado domingo noche, miércoles, Navidades, del 1 al 17 de febrero y 31 mayo-21 junio – **Comida** carta 5325 a 3650

Espec. Carpaccio de hongos a la vinagreta de piñones (primavera y otoño). Chipironcitos en su tinta con rissotto Bomba (verano). Pichón de caserío en sus dos cocciones sobre salsa de caza.

XX **Juanito Kojua,** Puerto 14, ✉ 20003, ☎ (943) 42 01 80, *Fax (943) 42 18 71* – ▤. CY
cerrado domingo noche – **Comida** carta aprox. 4850.

XX **Beti Jai,** Fermín Calbetón 22, ✉ 20003, ☎ (943) 42 77 37, *Fax (943) 42 30 09* – ▤. VISA JCB. CY
cerrado lunes, martes, 20 diciembre-7 enero y 20 junio-7 julio – **Comida** carta 3700 a 500

X **Casa Urola,** Fermín Calbetón 20, ✉ 20003, ☎ (943) 42 34 24, *Fax (943) 42 34 24* – AE VISA. CY
cerrado domingo noche – **Comida** carta 3350 a 5200.

X **Salduba,** Pescadería 6, ✉ 20003, ☎ (943) 42 56 27 – AE VISA. CY
cerrado domingo noche y noviembre – **Comida** carta 3200 a 4300.

X **Casa Urbano,** 31 de Agosto 17, ✉ 20003, ☎ (943) 42 04 34 – ▤. AE VISA.
cerrado domingo, miércoles noche, 2ª quincena de junio y Navidades – **Comida** carta 33
a 4700. CY

X **Bodegón Alejandro,** Fermín Calbetón 4, ✉ 20003, ☎ (943) 42 71 5
Fax (943) 42 71 58 – ▤. AE VISA CY
cerrado domingo noche, lunes y 22 diciembre-7 enero – **Comida** carta aprox. 2900.

al Este :

Pellizar, paseo Zubiaurre 70 (barrio Inchaurrondo), ✉ 20015, ☎ (943) 28 12 1
Fax (943) 28 16 55 – TV ☎ P. AE VISA. B
cerrado 10 diciembre-10 enero – **Comida** *(cerrado domingo)* 1600 – ☕ 575 – **46 ha**
6500/10000.

XXXX ✿✿✿ **Arzak,** alto de Miracruz 21, ✉ 20015, ☎ (943) 27 84 65, *Fax (943) 27 27 53* – ▤
AE VISA JCB. B
cerrado domingo noche, lunes, del 13 al 30 de junio y 7 noviembre-1 diciembre – **Comi**
9900 y carta 9200 a 10800
Espec. Carabineros con relieve de pistachos, almendras, pipas verdes y pan de coci
Arraitxikis horneados con pomada de crustáceos y cereales (julio-noviembre). So
de chufas con pan de frutas.

X **Mirador de Ulía,** subida al Monte Ulía - 5 km, ✉ 20013, ☎ (943) 27 27 0
Fax (943) 29 35 79, ≤ ciudad y bahía – P. VISA B
cerrado lunes, martes y 14 diciembre-4 enero – **Comida** carta 3650 a 4600.

al Sur :

Amara Plaza, pl. Pío XII-7, ✉ 20010, ☎ (943) 46 46 00, *Fax (943) 47 25 48* – ▤
☎ – 25/400. AE VISA. B
Comida 1700 – ☕ 1300 – **160 hab** 12800/16000, 3 suites – PA 3400.

Anoeta, ciudad deportiva de Anoeta, ✉ 20014, ☎ (943) 45 14 99, *Fax (943) 45 20 3*
– ▤ TV ☎ – 25/100. AE VISA. B
***Xanti* :** **Comida** carta 3000 a 5400 – ☕ 850 – **26 hab** 11000/14000.

al Oeste :

NH Aránzazu, Vitoria-Gasteiz 1, ✉ 20009, ☎ (943) 21 90 77, *Fax (943) 21 86 95* –
▤ TV ☎ – 25/400. AE VISA. A
Comida 1800 – ☕ 1200 – **176 hab** 16000, 4 suites.

Costa Vasca , av. Pío Baroja 15, ✉ 20008, ☎ (943) 21 10 11, *Fax (943) 21 24 2*
– ▤ TV ☎ P – 25/350. AE VISA JCB. A
Comida 3000 – ☕ 1200 – **196 hab** 12000/18000, 7 suites.

Mercure Monte Igueldo , paseo del Faro 134 - 5 km, ✉ 20008, ☎ (943) 21 02 1
Telex 38096, Fax (943) 21 50 28, mar, bahía y ciudad, « Magnífica situación dominan
la bahía », – , ▤ rest, TV ☎ P – 25/200. AE VISA. rest A
Comida 2400 – ☕ 1200 – **125 hab** 10800/18000 – PA 4900.

San Sebastián, av. Zumalakarregi 20, ✉ 20008, ☎ (943) 21 44 00, *Fax (943) 21 72*
– TV ☎ – 25/150. AE VISA. A
Comida 2500 – ☕ 1200 – **89 hab** 10900/16000, 2 suites.

La Galería sin rest, av. Infanta Cristina 1, ✉ 20008, ☎ (943) 21 60 7
Fax (943) 21 12 98 – TV ☎ P. VISA A
☕ 800 – **23 hab** 11800/14500.

Ezeiza, av. de Satrustegi 13, ✉ 20008, ☎ (943) 21 43 11, *Fax (943) 21 47 68* –
TV ☎. AE VISA. A
Comida *(cerrado domingo noche y lunes en invierno)* 1800 – ☕ 600 – **30 ha**
10500/13500.

Nicol's , paseo de Gudamendi 21 - 5 km, ✉ 20008, ☎ (943) 21 57
Fax (943) 21 17 24, « Amplio césped » – TV ☎ P. VISA por barrio de Igueldo A
Comida (ver rest. ***Juan Mari Humada***) – ☕ 700 – **23 hab** 7600/12000.

XXXX **Akelaŕe,** paseo del Padre Orcolaga 56 - barrio de Igueldo : 7,5 km, ✉ 20008, ✆ (943) 21 20 52, *Fax (943) 21 92 68,* ≤ mar – ▤ P. AE ⓓ E VISA. ✂
✿✿ *cerrado domingo noche, lunes (salvo festivos o vísperas), febrero y del 1 al 15 de octubre* – **Comida** 8700 y carta 7000 a 8500 por barrio de Igueldo A
Espec. Lascas de bacalao asado con patatitas y crema de espárragos verdes y blancos. Lubina al horno con ajoblanco y coco, extracto del refrito con piquillo. Gin tonic helado.

XXX **Chomin** con hab, av. Infanta Beatriz 16, ✉ 20008, ✆ (943) 21 07 05, *Fax (943) 21 14 01,* ☂ – TV. AE ⓓ E VISA. ✂ A n
Comida *(cerrado domingo noche, lunes y 15 diciembre-15 enero)* carta 3450 a 4450 – ☕ 400 – **8 hab** 7200/9000.

XX **Rekondo,** paseo de Igueldo 57, ✉ 20008, ✆ (943) 21 29 07, *Fax (943) 21 95 64,* ☂ – ▤ P. AE ⓓ E VISA. ✂ A f
cerrado miércoles, del 8 al 21 de junio y 3 semanas en noviembre – **Comida** carta 4150 a 5850.

XX **Juan Mari Humada,** paseo de Gudamendi 21 - 5 km, ✉ 20008, ✆ (943) 31 19 69, *Fax (943) 21 17 24* – P. E VISA. ✂ por barrio de Igueldo A
cerrado miércoles y 1ª quincena de noviembre – **Comida** carta 3900 a 5000.

XX **San Martín,** plazoleta del Funicular 5, ✉ 20008, ✆ (943) 21 40 84, ≤, ☂ – AE E VISA. ✂ A c
cerrado domingo noche y 18 días en febrero – **Comida** carta 3850 a 5000.

X **Oihandar,** av. Zumalakarregi 25, ✉ 20008, ✆ (943) 21 12 66 – ▤. AE ⓓ E VISA. ✂
Comida carta 2050 a 3500. A e

Ver también : **Lasarte** *por ② : 9 km*
Oyarzun *por ① : 13 km.*

SAN SEBASTIÁN DE LA GOMERA *Santa Cruz de Tenerife – ver Canarias (La Gomera).*

SAN SEBASTIÁN DE LOS REYES *28700 Madrid* 444 K 19 – *53 794 h. alt. 678.*

Madrid 17.

XXX **Izamar,** av. Matapiñonera 6 - polígono industrial ✆ (91) 654 38 93, *Fax (91) 653 69 42,* ☂ – ▤ P. AE VISA. ✂
Comida - pescados y mariscos - carta 4400 a 5900.

XX **Pablo,** antigua carret. N I ✆ (91) 652 65 65, *Fax (91) 663 69 00,* ☂ – ▤ P. AE ⓓ VISA. ✂
cerrado del 10 al 26 de agosto – **Comida** carta 3000 a 4100.

XX **Vicente,** Lanzarote 26 (polígono Norte) - Norte : 2 km ✆ (91) 663 95 32, *Fax (91) 651 31 71* – ▤. AE ⓓ E VISA. ✂
cerrado domingo y 15 días en agosto – **Comida** carta 3250 a 5050.

en la autovía N I *Noreste : 6,5 km – ✉ 28700 San Sebastián de los Reyes :*

XX **Garcías,** ✆ (91) 657 02 62, *Fax (91) 657 02 62* – ▤ P. AE ⓓ VISA. ✂
Comida carta 2750 a 5000.

en la carretera de Algete *Noreste : 7 km – ✉ 28700 San Sebastián de los Reyes :*

X **El Molino,** ✆ (91) 651 55 83, *Fax (91) 653 59 83,* « Decoración castellana » – ▤ P. AE ⓓ E VISA. ✂
Comida - asados - carta 4200 a 5700.

SAN VICENTE DE TORANZO *39699 Cantabria* 442 C 18 – *alt. 168.*

Madrid 354 – Bilbao/Bilbo 124 – Burgos 115 – Santander 40.

🏠 **Posada del Pas,** carret. N 623 ✆ (942) 59 44 11, *Fax (942) 59 43 86,* ⛱, ✂ – ▤ rest, TV ☎ 🚗 P. AE ⓓ E VISA. ✂
Comida 1600 – ☕ 550 – **32 hab** 7000/10100 – PA 3200.

SAN VICENTE DEL HORTS o SANT VICENÇ DELS HORTS *08620 Barcelona* 443 H 36 – *20 715 h. alt. 22.*

Madrid 612 – Barcelona 20 – Tarragona 92.

en la carretera de Sant Boi *Sureste : 1,5 km – ✉ 08620 Sant Vicenç dels Horts :*

X **Las Palmeras,** ✆ (93) 656 13 16, *Fax (93) 676 80 47* – ▤ P. AE ⓓ E VISA. ✂
Comida carta 3600 a 4900.

SAN VICENTE DEL MAR *Pontevedra – ver El Grove.*

SAN VICENTE DEL RASPEIG 03690 Alicante 445 Q 28 – 30 119 h. alt. 110.

Madrid 422 – Alcoy/Alcoi 49 – Alicante/Alacant 9 – Benidorm 48.

La Paixareta, Torres Quevedo 10 ☎ (96) 566 58 39 – ▤. AE E VISA. ✗
cerrado domingo noche – **Comida** carta 3400 a 3900.

SAN VICENTE DE LA BARQUERA 39540 Cantabria 442 B 16 – 4 349 h. – Playa.

Ver : *Emplazamiento★.*
Alred. : *Carretera de Unquera ≤★.*
av. Generalísimo 20 ☎ (942) 71 07 97.
Madrid 421 – Gijón 131 – Oviedo 141 – Santander 64.

Miramar, La Barquera - Norte : 1 km ☎ (942) 71 03 63, *Fax (942) 71 00 75*, ≤ – TV ☎ ⇔ P. AE E VISA. ✗
Semana Santa y junio-octubre – **Comida** (ver rest. ***Miramar***) – ☕ 650 – **21 h**
7800/9500.

Luzón sin rest, av. Miramar 1 ☎ (942) 71 00 50, *Fax (942) 71 00 50*, ≤ – |‡| ☎. AE VI
✗
☕ 400 – **36 hab** 4500/7200.

Noray sin rest, paseo de La Barquera ☎ (942) 71 21 41, *Fax (942) 71 24 32*, ≤ –
☎ ⇔ P. AE ⓓ E VISA. ✗
☕ 450 – **20 hab** 5500/7800.

Maruja, av. Generalísimo ☎ (942) 71 00 77, *Fax (942) 71 20 51* – AE ⓓ E VISA. ✗
Comida carta aprox. 4300.

Miramar con hab, La Barquera - Norte : 1 km ☎ (942) 71 00 75, *Fax (942) 71 00 7*
≤ playa, mar y montaña, ☂ – ▤ rest, TV ☎ P. AE E VISA. ✗
marzo-15 diciembre – **Comida** carta 3500 a 4700 – ☕ 650 – **15 hab** 6500/7800.

Boga-Boga con hab, pl. José Antonio 9 ☎ (942) 71 01 35, *Fax (942) 71 01 51*, ☂ –
TV. AE ⓓ E VISA JCB. ✗
Comida *(cerrado martes de octubre a mayo)* carta 3000 a 4300 – ☕ 425 – **18 h**
6255/8760.

en Gerra *Noreste : 5 km – ✉ 39547 Gerra :*

Gerra Mayor sin rest. con cafetería por la noche en julio y agosto, ☎ (942) 71 14 0
Fax (942) 71 14 01, ≤ playa, mar y montañas – ☎ P. AE E VISA. ✗
cerrado enero-15 febrero – ☕ 400 – **15 hab** 6000/7000.

SAN VICENTE DE LA SONSIERRA 26338 La Rioja 442 E 21 – 1 105 h. alt. 528.

Madrid 334 – Bilbao/Bilbo 107 – Burgos 103 – Logroño 35 – Vitoria/Gasteiz 44.

Toni, Zumalacárregui 27 ☎ (941) 33 40 01 – ▤. AE VISA. ✗
cerrado domingo noche, lunes, 2ª quincena de junio y 2ª quincena de septiembre – **Comi**
carta 2850 a 4350.

SAN XULIÁN DE SALES *La Coruña – ver San Julián de Sales.*

SANGENJO o SANXENXO 36960 Pontevedra 441 E 3 – 14 659 h. – Playa.

playa de la Panadeira ☎ (986) 72 02 85 (temp).
Madrid 622 – Orense/Ourense 123 – Pontevedra 18 – Santiago de Compostela 75.

Sanxenxo, av. playa de Silgar 3 ☎ (986) 69 11 11, *Fax (986) 72 37 79*, ≤, ☂,
– |‡| ▤ TV ☎ ⇔ – 🏖 25/35. AE ⓓ E VISA. ✗
15 marzo-15 diciembre – **Comida** carta aprox. 4300 – ☕ 750 – **47 hab** 13500/1650

Rotilio, av. del Puerto 7 ☎ (986) 72 02 00, *Fax (986) 72 41 88*, ≤ – |‡| TV ☎. AE ⓓ
VISA. ✗
cerrado 15 diciembre-15 enero – **Comida** (ver rest. ***La Taberna de Rotilio***) – ☕ 900
40 hab 8400/14800.

Minso sin rest, av. do Porto 1 ☎ (986) 72 01 50, *Fax (986) 69 09 32*, ≤ – |‡| TV ☎.
ⓓ E VISA. ✗
cerrado 15 diciembre-15 enero – ☕ 600 – **44 hab** 7300/13500.

Ton sin rest, El Castañal ☎ (986) 69 10 03, *Fax (986) 69 10 06* – |‡| TV ☎ P. E VISA.
85 hab ☕ 9095/10700.

Faro Salazón sin rest, Sol 6 ☎ (986) 72 33 99, *Fax (986) 72 40 68* – |‡| TV ☎ ⇔.
VISA. ✗
☕ 500 – **30 hab** 10500/12400.

Punta Vicaño sin rest, paseo Praia Silgar 94 ☎ (986) 72 00 11, *Fax (986) 72 07 81*,
– ⇔ P. AE ⓓ E VISA. ✗
junio-septiembre – ☕ 450 – **30 hab** 4350/7300.

Cervantes 2 sin rest, Progreso 27 ☎ (986) 72 43 34, *Fax (986) 72 07 01* – ☎. VISA. ✻
junio-septiembre – ☕ 350 – **20 hab** 4000/6600.

Casa Román, Carlos Casas 2 ☎ (986) 72 00 31, *Fax (986) 69 16 91* – , rest, TV ☎. AE ⊙ E VISA. ✻
Comida *(15 junio-septiembre)* 1800 – ☕ 300 – **32 hab** 5500.

Cervantes, Progreso 29 ☎ (986) 72 07 00, *Fax (986) 72 07 01,* – ☎. VISA. ✻
junio-septiembre – **Comida** 2500 – ☕ 350 – **18 hab** 3750/6100.

La Taberna de Rotilio. H. Rotilio, av. del Puerto ☎ (986) 72 02 00, *Fax (986) 72 41 88,*
Vivero propio – . AE ⊙ E VISA. ✻
cerrado domingo noche, lunes (octubre-mayo) y 15 diciembre-15 enero – **Comida** carta 3900 a 5200
Espec. Berberechos y algas sobre pan de ajo. Milhojas de ostras y verduritas crujientes. Raya en su jugo con verduras y ajada.

Mesón Don Camilo, Poetas Galegos 9 ☎ (986) 69 11 24
. AE ⊙ E VISA. ✻
cerrado miércoles y noviembre – **Comida** carta 2500 a 3200.

n la carretera C 550 *Este : 3,5 km – ✉ 36960 Sangenjo :*

Áncora sin rest, La Granja-Dorrón ☎ (986) 74 10 74, *Fax (986) 74 13 90* – TV ☎ P. AE ⊙ E VISA. ✻
abril-octubre – **30 hab** ☕ 6000/8000.
Ver también : **Portonovo** *Oeste : 1,5 km.*

ANGÜESA *31400 Navarra 442 E 26 – 4 447 h. alt. 404.*

Ver : *Iglesia de Santa María la Real★ (portada sur★★).*
Alfonso el Batallador 20 ☎ (948) 87 03 29 Fax (948) 87 03 29.
Madrid 408 – Huesca 128 – Pamplona/Iruñea 46 – Zaragoza 140.

Yamaguchy, carret. de Javier - Este : 0,5 km ☎ (948) 87 01 27, *Fax (948) 87 07 00,* – rest, ☎ P. AE ⊙ E VISA JCB. ✻
Comida 2700 – ☕ 750 – **40 hab** 4300/7200.

ANLÚCAR DE BARRAMEDA *11540 Cádiz 446 V 10 – 57 044 h. – Playa.*

Ver : *Iglesia de Nuestra Señora de la O (portada★) – Iglesia de Santo Domingo★ (Bóvedas★).*
Calzada del Ejército ☎ (956) 36 61 10 Fax (956) 36 61 32.
Madrid 669 – Cádiz 45 – Jerez 23 – Sevilla 106.

Doñana, Orfeón Santa Cecilia ☎ (956) 36 50 00, *Fax (956) 36 71 41,* – TV ☎ – 25/350. AE ⊙ E VISA. ✻
Comida 2000 – ☕ 900 – **96 hab** 10000/12600 – PA 4900.

Tartaneros sin rest, Tartaneros 8 ☎ (956) 36 20 44, *Fax (956) 36 00 45,* « Antigua mansión señorial » – TV ☎. AE ⊙ E VISA. ✻
☕ 750 – **22 hab** 8000/10000.

Los Helechos sin rest, pl. Madre de Dios 9 ☎ (956) 36 13 49, *Fax (956) 36 96 50,* « Casa típica andaluza. Patio » – TV ☎. AE ⊙ E VISA. ✻
☕ 600 – **56 hab** 5500/8000.

Posada de Palacio sin rest, Caballeros 11 (barrio alto) ☎ (956) 36 48 40, *Fax (956) 36 50 60,* « Casa antigua de estilo andaluz » – E VISA
cerrado enero-febrero – ☕ 800 – **13 hab** 5000/8000.

Mirador Doñana, Bajo de Guía ☎ (956) 36 42 05, *Fax (956) 36 42 05,* ≤, – . AE ⊙ E VISA. ✻
cerrado 15 enero-15 febrero – **Comida** - pescados y mariscos - carta 2950 a 3650.

Casa Bigote, Bajo de Guía ☎ (956) 36 26 96, *Fax (956) 36 87 21* – . AE ⊙ E VISA. ✻
cerrado domingo y noviembre – **Comida** - pescados y mariscos - carta 2700 a 4200.

El Veranillo, prolongación av. Cerro Falón ☎ (956) 36 27 19, – . ⊙ E VISA. ✻
cerrado domingo noche – **Comida** carta 2100 a 3600.

ANLÚCAR LA MAYOR *41800 Sevilla 446 T 11 – 9 448 h. alt. 143.*

Madrid 569 – Huelva 72 – Sevilla 27.

Hacienda Benazuza , Virgen de las Nieves ☎ (95) 570 33 44, *Fax (95) 570 34 10,* ≤, « Instalado en una alquería árabe del siglo X », , , ✻ – TV ☎ P – 25/400. AE ⊙ E VISA. ✻ rest
cerrado 15 julio-agosto – **Comida** 6500 - ***La Alquería* :** **Comida** carta 5500 a 9100 – ☕ 1500 – **26 hab** 36000/44000, 18 suites.

SANT AGUSTÍ *Baleares – ver Baleares (Mallorca) : Palma.*

SANT AGUSTÍ DES VEDRÀ *Baleares – ver Baleares (Ibiza) : San Agustín.*

SANT ANDREU DE LLAVANERES *Barcelona – ver San Andrés de Llavaneras.*

SANT ANDREU DE LA BARCA *Barcelona – ver San Andrés de la Barca.*

SANT ANTONI DE CALONGE *Gerona – ver San Antonio de Calonge.*

SANT ANTONI DE PORTMANY *Baleares – ver Baleares (Ibiza) : San Antonio de Portma*

SANT BOI DE LLOBREGAT *Barcelona – ver San Baudilio de Llobregat.*

SANT CARLES DE LA RÀPITA *Tarragona – ver San Carlos de la Rápita.*

SANT CELONI *Barcelona – ver San Celoni.*

SANT CLIMENT *Baleares – ver Baleares (Menorca) : San Clemente.*

SANT CUGAT DEL VALLÈS *Barcelona – ver San Cugat del Vallés.*

SANT ELM *Gerona – ver San Feliú de Guixols.*

SANT ESTEVE D'EN BAS *Gerona – ver San Esteban de Bas.*

SANT FELIU DE GUÍXOLS *Gerona – ver San Feliú de Guixols.*

SANT FERRAN DE SES ROQUES *Baleares – ver Baleares (Formentera) : San Fernando.*

SANT FRUITÓS DE BAGES *Barcelona – ver San Fructoso de Bagés.*

SANT HILARI SACALM *Gerona – ver San Hilario Sacalm.*

SANT JOAN DESPÍ *Barcelona – ver Barcelona : Alrededores.*

SANT JOAN D'ALACANT *Alicante – ver San Juan de Alicante.*

SANT JOSEP DE SA TALAIA *Baleares – ver Baleares (Ibiza) : San José.*

SANT JULIÀ DE LÓRIA *Andorra – ver Andorra (Principado de).*

SANT JULIÀ DE VILATORTA *Barcelona – ver San Julián de Villatorta.*

SANT JUST DESVERN *Barcelona – ver Barcelona : Alrededores.*

SANT LLORENÇ DE MORUNYS *Lérida – ver San Lorenzo de Morunys.*

SANT LLUÍS *Baleares – ver Baleares (Menorca) : San Luis.*

SANT MARÇAL *Barcelona* 443 G 37 – ✉ 08460 Montseny.
Madrid 686 – Barcelona 86 – Gerona/Girona 60 – Vic 36.

Sant Marçal, ✆ (93) 847 30 43, Fax (93) 847 30 43, ← valle y montañas, « Decoración rústica » – TV ☎ P – 10/25. AE ⓓ E VISA.
Comida 3000 – 1350 – **11 hab** 9600/12000.

SANT MARTÍ D'EMPÚRIES *Gerona – ver La Escala.*

SANT MARTÍ SARROCA *Barcelona – ver San Martín Sarroca.*

ANT MIQUEL DE BALANSAT *Baleares – ver Baleares (Ibiza) : San Miguel.*

ANT PAU D'ORDAL *08739 Barcelona* 443 H 35.
Madrid 587 – Barcelona 51 – Lérida/Lleida 116 – Tarragona 66.

Cal Xim, pl. Subirats 5 (93) 899 30 92, Interesante enoteca – ▤. AE ⓓ E VISA. ※
cerrado domingo, Navidades, Semana Santa y 2ª quincena de agosto – **Comida** - carnes a la brasa - carta 2050 a 4250.

ANT PERE PESCADOR *17470 Gerona* 443 F 39 – *1 215 h. alt. 5.*
Madrid 750 – Figueras/Figueres 16 – Gerona/Girona 38.

Can Ceret, del Mar 1 (972) 55 04 33, *Fax (972) 55 04 33*, «Marco rústico en una antigua casa de pueblo» – ▤ TV ☎. AE E VISA. ※
cerrado del 9 al 30 de noviembre – **Comida** *(cerrado domingo noche y lunes salvo en verano)* 1750 – **10 hab** 6000/11000.

ANT PERE DE RIBES *Barcelona – ver San Pedro de Ribas.*

ANT POL DE MAR *Barcelona – ver San Pol de Mar.*

ANT QUIRZE DE BESORA *Barcelona – ver San Quirico de Besora.*

ANT QUIRZE DEL VALLÈS *Barcelona – ver San Quirico del Vallés.*

ANT SADURNÍ D'ANOIA *Barcelona – ver San Sadurní de Noya.*

ANTA BÁRBARA *43570 Tarragona* 443 J 31 – *3 322 h. alt. 79.*
Madrid 515 – Castellón de la Plana/Castelló de la Plana 107 – Tarragona 98 – Tortosa 15.

Venta de la Punta, Major 207 (977) 71 89 63, *Fax (977) 71 81 37* – ▤ TV ☎ Ⓟ. AE ⓓ E VISA JCB. ※
Comida (ver rest. ***Venta de la Punta***) – 500 – **22 hab** 4000/7000.

Venta de la Punta, carret. de Madrid 2 (977) 71 90 95, *Fax (977) 71 81 37* – ▤. AE ⓓ E VISA JCB. ※
cerrado domingo noche y 15 días en enero – **Comida** carta 2450 a 3300.

ANTA BRÍGIDA *Las Palmas – ver Canarias (Gran Canaria).*

ANTA COLOMA *Andorra – ver Andorra (Principado de).*

ANTA COLOMA DE FARNÉS o **SANTA COLOMA DE FARNERS** *17430 Gerona* 443 G 38 – *8 111 h. alt. 104 – Balneario.*
Madrid 700 – Barcelona 87 – Gerona/Girona 30.

Balneario Termas Orión, Afueras - Sur : 2 km (972) 84 00 65, *Fax (972) 84 04 66*, «En un gran parque», ▤, ※ – ▤, ▤ rest, TV ☎ Ⓟ – 25/50. E VISA. ※
cerrado 7 enero-25 febrero – **Comida** 2200 – 775 – **66 hab** 6700/10900 – PA 4400.

Can Gurt con hab, carret. de Sils 32 (972) 84 02 60, *Fax (972) 84 20 36* – ▤ rest,. AE ⓓ E VISA. ※
cerrado del 5 al 11 de abril y 27 septiembre-3 octubre – **Comida** *(cerrado domingo noche)* carta 2100 a 3450 – 350 – **17 hab** 2500/4000.

la carretera de Sils *Sureste : 2 km – ✉ 17430 Santa Coloma de Farnés :*

Mas Solá, (972) 84 08 48, «Antigua masía. Decoración rústica regional», ※ – ▤ Ⓟ. AE ⓓ E VISA
cerrado lunes noche, martes (salvo julio-agosto) y febrero – **Comida** carta 2450 a 4350.

ANTA CRISTINA (Playa de) *Gerona – ver Lloret de Mar.*

Si vous cherchez un hôtel tranquille,
consultez d'abord les cartes de l'introduction
ou repérez dans le texte les établissements indiqués avec le signe ⛭ *ou* ⛭

SANTA CRISTINA DE ARO o **SANTA CRISTINA D'ARO** *17246 Gerona* 443 G 39
1 859 h.

Costa Brava, La Masía ✆ (972) 83 70 55 Fax (972) 83 72 72.

pl. Mossèn Baldiri Reixac 1 ✆ (972) 83 70 10 Fax (972) 83 74 12.

Madrid 709 – Barcelona 96 – Gerona/Girona 31.

junto al golf *Oeste : 2 km – ✉ 17246 Santa Cristina de Aro :*

Golf Costa Brava, ✆ (972) 83 51 51, *Fax (972) 83 75 88*, ←, – – 25/200. AE E VISA. rest
Semana Santa-octubre – **Comida** 3500 – 1000 – **91 hab** 8000/16500 – PA 690

en la carretera de Playa de Aro *Este : 2 km – ✉ 17246 Santa Cristina de Aro :*

Mas Torrellas, ✆ (972) 83 75 26, *Fax (972) 83 75 27*, « Antigua masía », – . AE E VISA.
15 marzo-15 octubre – **Comida** 2100 – **17 hab** 7000/11500.

en la carretera de Gerona *Noroeste : 2 km – ✉ 17246 Santa Cristina de Aro :*

Les Panolles, ✆ (972) 83 70 11, *Fax (972) 83 72 54*, « Masía típica decorada estilo rústico » – . AE E VISA
cerrado miércoles noche en invierno – **Comida** carta 3140 a 5495.

SANTA CRUZ *15179 La Coruña* 441 B 4 – *Playa.*
Madrid 584 – La Coruña/A Coruña 4 – Ferrol 28 – Santiago de Compostela 82.

Sol Porto Cobo, Casares Quiroga 16 ✆ (981) 61 41 00, *Fax (981) 61 49 20*, ← ba y La Coruña, – , rest, – 25/150. AE E VISA JCB.
Comida 2700 – 900 – **58 hab** 8000/13900.

SANTA CRUZ *30162 Murcia* 445 R 26.
Madrid 403 – Murcia 9.

Hostería Palacete Rural La Seda, Vereda del Catalán - Norte : 1 ✆ (968) 87 08 48, *Fax (968) 87 08 48*, « Imponente palacete con plantas plena huerta murciana » – . AE VISA.
cerrado domingo, festivos y agosto – **Comida** carta 3800 a 6100.

SANTA CRUZ DE BEZANA *39100 Cantabria* 442 B 18 – *5 280 h. alt. 45.*
Madrid 378 – Bilbao/Bilbo 102 – Santander 6 – Torrelavega 18.

Solar de Miracruz, Alto de Maoño - carret. N 611, Sur : 1,5 km ✆ (942) 58 07
Fax (942) 58 12 63, « Decoración rústica » – . AE E VISA
cerrado domingo noche, lunes y 2ª quincena de enero – **Comida** carta 3700 a 5600

SANTA CRUZ DE MUDELA *13730 Ciudad Real* 444 Q 19 – *4 775 h. alt. 716.*
Madrid 218 – Ciudad Real 77 – Jaén 118 – Valdepeñas 15.

al Noreste : *3 km*

Balneario Cervantes, Camino de los Molinos ✆ (926) 33 13
Fax (926) 33 13 13, – – 25/100. AE VISA.
Comida 3000 – 600 – **80 hab** 7400/11800.

en la autovía N IV *Sur : 4 km – ✉ 13730 Santa Cruz de Mudela :*

Las Canteras con hab, ✆ (926) 34 24 75, *Fax (926) 34 24 75* – . VISA.
Comida carta 2400 a 3400 – 500 – **21 hab** 2800/5500.

SANTA CRUZ DE TENERIFE *Santa Cruz de Tenerife – ver Canarias (Tenerife).*

SANTA CRUZ DE LA PALMA *Santa Cruz de Tenerife – ver Canarias (La Palma).*

SANTA CRUZ DE LA SERÓS *22792 Huesca* 443 E 27 – *137 h.*

Ver : *Pueblo★.*

Alred. : *Monasterio de San Juan de la Peña★★ (paraje★★, claustro★ : capiteles★★) S 5 km.*

Madrid 480 – Huesca 85 – Jaca 14 – Pamplona/Iruñea 105.

en la carretera N 240 *Norte : 4,5 km – ✉ 22792 Santa Cruz de la Serós :*

Aragón, ✆ (974) 37 71 12, *Fax (974) 36 21 89*, ←, – . AE E VISA JCB.
cerrado octubre – **Comida** 1500 – 500 – **21 hab** 3000/4700 – PA 3500.

ANTA ELENA *23213 Jaén* 446 Q 19 – *1 076 h. alt. 742.*
Madrid 255 – Córdoba 143 – Jaén 78.

El Mesón con hab, av. Andalucía 91 ☎ (953) 66 41 00, *Fax (953) 66 41 02*, ≤, – ▤ TV P. ⓓ VISA.
Comida carta 2250 a 3300 – ☐ 475 – **22 hab** 3400/5600.

ANTA EUGENIA DE BERGA *08519 Barcelona* 443 G 36 – *1 591 h. alt. 538.*
Madrid 641 – Barcelona 70 – Gerona/Girona 83 – Vic 4.

L'Arumi H., carret. d'Arbúcies 1 ☎ (93) 889 53 32, *Fax (93) 889 55 73*, ≤ – ▤ TV ☎ P. AE ⓓ E VISA.
Comida (ver rest. ***L'Arumi***) – ☐ 500 – **18 hab** 6000/7800, 3 suites.

L'Arumi, carret. d'Arbúcies 21 ☎ (93) 885 56 03 – ▤ P. AE ⓓ E VISA.
cerrado domingo noche, lunes y julio – **Comida** carta 2800 a 4300.

ANTA EULALIA *03639 Alicante* 445 Q 27.
Madrid 367 – Albacete 120 – Alicante/Alacant 50 – Elda 11 – Murcia 94.

La Casona, acceso autovía ☎ (96) 547 51 44, *Fax (96) 656 08 08*, « En un pinar. Decoración rústica » – P. AE ⓓ E VISA.
cerrado lunes, del 15 al 31 de enero y Semana Santa – **Comida** carta 2700 a 4500.

ANTA EULALIA DEL RÍO o SANTA EULÀRIA DES RIU *Baleares – ver Baleares (Ibiza).*

ANTA FÉ *18320 Granada* 446 U 18 – *11 645 h. alt. 580.*
Madrid 441 – Antequera 8 – Granada 11.

Colón, Buenavista ☎ (958) 44 09 89, *Fax (958) 51 05 52* – ▤ TV ☎
25 hab.

ANTA GERTRUDIS DE FRUITERA *Baleares – ver Baleares (Ibiza).*

ANTA MARGARITA (Urbanización) *Gerona – ver Rosas.*

ANTA MARGARITA Y MONJÓS o SANTA MARGARIDA i ELS MONJÓS *08730 Barcelona* 443 I 34 y 35 – *3 922 h. alt. 161.*
Madrid 571 – Barcelona 59 – Tarragona 43.

Hostal del Penedés, carret. N 340 ☎ (93) 898 00 61, *Fax (93) 818 60 32* – ▤ TV ☎ P. AE E VISA
Comida carta aprox. 4400 – ☐ 700 – **32 hab** 4800/8000.

ANTA MARÍA *Baleares – ver Baleares : (Mallorca).*

ANTA MARÍA DE GETXO *Vizcaya – ver Getxo.*

ANTA MARÍA DE HUERTA *42260 Soria* 442 I 23 – *611 h. alt. 764.*
Ver : *Monasterio★★ (claustro de los Caballeros★, refectorio★★).*
Madrid 182 – Soria 84 – Zaragoza 131.

ANTA MARÍA DE MAVE *34492 Palencia* 442 D 17.
Madrid 323 – Burgos 79 – Santander 116.

Hostería El Convento, ☎ (979) 12 36 11, *Fax (979) 12 54 92*, « Antiguo convento » – P. AE ⓓ E VISA.
Comida 1500 – ☐ 600 – **25 hab** 5000/7000 – PA 3600.

ANTA MARÍA DEL ÁGUILA *04710 Almería* 446 V 21.
Madrid 565 – Almería 32 – Granada 154 – Málaga 172.

la carretera de Almería *Este : 3 km – ✉ 04710 Santa María del Águila*

El Edén, ☎ (950) 58 10 36, *Fax (950) 58 05 10* – ▤ rest, TV ☎ P. AE E VISA.
rest
Comida 1500 – ☐ 350 – **23 hab** 4000/7500 – PA 3350.

ANTA MARIA DEL CAMÍ *Balares – ver Baleares (Mallorca) : Santa María.*

SANTA MARÍA DEL MAR *Asturias* 441 B 11 – ✉ *33457 Naveces.*

Madrid 500 – Avilés 12 – Luarca 53 – Oviedo 50.

Marqués de la Moral ⛺, av. Fernández Trapa 89 - Suroeste : 1 km ☎ (98) 551 93 4 *Fax (98) 551 97 62*, – TV ☎ P. AE ⊕ E VISA JCB. ✗
Comida 3000 – ☕ 750 – **14 hab** 9600/12000.

Román con hab, paseo Marítimo 11 ☎ (98) 551 94 88, *Fax (98) 551 98 89*, ← – TV **14 hab.**

SANTA PAU *17811 Gerona* 443 F 37 – *1 381 h.*

Madrid 690 – Figueras/Figueres 55 – Gerona/Girona 45.

Cal Sastre ⛺, placeta dels Balls 6 ☎ (972) 68 00 49, *Fax (972) 68 04 81*, ←, – ☎. AE E VISA. ✗
cerrado 22 diciembre-6 enero – **Comida** (ver rest. ***Cal Sastre***) – ☕ 750 – **10 h** 6000/7500.

Cal Sastre, placeta dels Balls 6 ☎ (972) 68 04 21, *Fax (972) 68 04 81* – AE ⊕ E V ✗
cerrado lunes, 22 diciembre-6 enero y del 1 al 15 de julio – **Comida** - sólo almuerzo - ca 2675 a 3875.

por la carretera GI 524 *Noroeste : 6 km* – ✉ *17811 Santa Pau* :

Francesa, Pí 27 ☎ (972) 26 22 41, *Fax (972) 26 22 41*, – ▤. AE E VISA. ✗
cerrado domingo noche, lunes (salvo festivos) y del 1 al 15 de agosto – **Comida** carta 21 a 3525.

SANTA PERPÈTUA DE MOGODA *08130 Barcelona* 443 H 36 – *16 710 h. alt. 74.*

Madrid 632 – Barcelona 14 – Mataró 41 – Sabadell 6.

en Santiga *por la carretera de Sabadell B 140 - Oeste : 3 km* – ✉ *08130 Santiga* :

Castell de Santiga, pl. Santiga 6 ☎ (93) 560 71 53, *Fax (93) 574 24 20* – ▤ P.

Neumáticos MICHELIN S.A., Sucursal CIM VALLÈS - polígono industrial Les Minet Nave 11, ✉ 08130 ☎ (93) 560 77 22, Fax (93) 560 17 52

SANTA POLA *03130 Alicante* 445 R 28 – *15 365 h.* – *Playa.*

ℹ *pl. de la Diputación 6* ☎ *(96) 669 22 76.*

Madrid 423 – Alicante/Alacant 19 – Cartagena 91 – Murcia 75.

Polamar, Astilleros 12 ☎ (96) 541 32 00, *Fax (96) 541 31 83*, ←, – ▤ TV ☎. ⊕ E VISA. ✗
Comida *(cerrado domingo noche)* 2500 – **76 hab** ☕ 7900/13200.

Patilla, Elche 29 ☎ (96) 541 10 15, *Fax (96) 541 52 95* – ▤ TV ☎ P. VISA. ✗
Comida 1900 – ☕ 600 – **72 hab** 5000/7300.

Picola, Alicante 64 ☎ (96) 541 10 44, *Fax (96) 541 10 44* – ▤ rest,. E VISA. ✗
Comida *(cerrado lunes)* 1500 – ☕ 575 – **20 hab** 4150/5000.

Miramar, av. Pérez Ojeda ☎ (96) 541 10 00, *Fax (96) 541 38 96*, ←, – ▤. AE E VISA. ✗
Comida carta 2750 a 4650.

en la playa del Varadero *Este : 1,5 km* – ✉ *03130 Santa Pola* :

Varadero, Santiago Bernabeu ☎ (96) 541 17 66, *Fax (96) 669 29 95*, ←, – ▤ AE ⊕ E VISA. ✗
Comida carta 2700 a 4600.

en la carretera N 332 – ✉ *03130 Santa Pola* :

Rocas Blancas, Norte : 1 km ☎ (96) 541 13 12, *Fax (96) 541 16 02*, ←, , , ▤ TV ☎ ♿ P – 25/200. VISA. ✗
Comida 2000 – ☕ 1000 – **100 hab** 9500/14000.

El Faro, Norte : 2,5 km ☎ (96) 541 21 36, *Fax (96) 669 24 08*, – ▤ P. AE ⊕ VISA. ✗
Comida carta 3300 a 4200.

en la carretera de Elche *Noroeste : 3 km* – ✉ *03130 Santa Pola* :

María Picola, ☎ (96) 541 35 13, *Fax (96) 541 55 62*, – P. AE ⊕ E VISA. ✗
cerrado lunes y octubre – **Comida** carta 3800 a 5300.

SANTA PONSA o SANTA PONÇA *Baleares* – *ver Baleares (Mallorca).*

NTA ÚRSULA *Santa Cruz de Tenerife – ver Canarias (Tenerife).*

NTANDER *39000* **P** *Cantabria* **442** **B 18** – *196 218 h. – Playa.*

Ver : *Museo Regional de Prehistoria y Arqueología★ (bastones de mando★)* BY**D** – *El Sardinero★★* BX.

Pedreña, por ③ : 24 km ✆ (942) 50 00 01 Fax (942) 50 04 21.

de Santander por ③ : 7 km ✆ (942) 25 10 07 – Iberia : paseo de Pereda 18 ✉ 39004 ✆ (942) 22 97 00 BY *y Aviaco : aero puerto ✆ (942) 25 10 07.*

Cía. Trasmediterránea, paseo de Pereda 13 ✉ 39004 ✆ (942) 22 14 00 Telex 35834 Fax (942) 21 73 83.

Jardines de Pereda ✉ 39003 ✆ (942) 21 61 20 Fax (942) 36 20 78 pl. de Velarde 5 (pl. Porticada) ✉ 39001 ✆ (942) 31 07 08 – **R.A.C.E.** *✆ 900 20 00 93.*

Madrid 393 ② – Bilbao/Bilbo 116 ③ – Burgos 154 ② – León 266 ① – Oviedo 203 ① – Valladolid 250 ①

Plano página siguiente

NH Ciudad de Santander, Menéndez Pelayo 13, ✉ 39006, ✆ (942) 22 79 65, *Fax (942) 21 73 03* – 25/220. AE VISA JCB. AX c
Comida *(cerrado domingo)* carta 2900 a 4050 – 1200 – **60 hab** 15000/19500, 2 suites.

Central sin rest. con cafetería, General Mola 5, ✉ 39004, ✆ (942) 22 24 00, *Fax (942) 36 38 29,* « Decoración original en un ambiente acogedor » – 25/40. AE VISA. AY c
750 – **40 hab** 10150/15900, 1 suite.

México, Calderón de la Barca 3, ✉ 39002, ✆ (942) 21 24 50, *Fax (942) 22 92 38* – VISA. AZ w
Comida (ver rest ***La Solana del México***) – 800 – **32 hab** 6800/10500, 2 suites.

Piñamar, Ruiz de Alda 15, ✉ 39009, ✆ (942) 36 18 66, *Fax (942) 36 19 36* – VISA. AX x
Comida 1800 – 650 – **34 hab** 9975/13650 – PA 3600.

Alisas sin rest. con cafetería, Nicolás Salmerón 3, ✉ 39009, ✆ (942) 22 27 50, *Fax (942) 22 24 86* – 25/120. AE VISA. AX r
700 – **70 hab** 5300/12000.

San Glorio 2 sin rest. con cafetería, Federico Vial 3, ✉ 39009, ✆ (942) 22 16 66, *Fax (942) 31 21 09* – AE VISA AX e
575 – **33 hab** 7350/9200.

Romano sin rest, Federico Vial 8, ✉ 39009, ✆ (942) 22 30 71, *Fax (942) 22 30 71* – VISA. AX u
450 – **25 hab** 5500/8500.

Zacarías, General Mola 41, ✉ 39003, ✆ (942) 21 23 33, *Fax (942) 36 11 87* – AE VISA BY r
Comida carta 3950 a 4850.

Puerto, Hernán Cortés 63, ✉ 39003, ✆ (942) 21 56 55, *Fax (942) 21 93 93* – AE VISA. BY m
Comida - pescados y mariscos - carta 4200 a 5700.

Cañadío, Gómez Oreña 15 (pl. Cañadío), ✉ 39003, ✆ (942) 31 41 49 – AE VISA BY c
cerrado domingo – **Comida** carta 3100 a 4100.

Asador Lechazo Aranda, Tetuán 15, ✉ 39004, ✆ (942) 21 48 23 – VISA. BY t
cerrado lunes noche en invierno – **Comida** - cordero asado - carta 2950 a 3300.

La Bombi, Casimiro Sáinz 15, ✉ 39003, ✆ (942) 21 30 28, *Fax (942) 67 90 19* – AE VISA. BY b
Comida carta 3800 a 4500.

Mesón Segoviano, Menéndez Pelayo 49, ✉ 39006, ✆ (942) 31 10 10, « Decoración castellana » – AE VISA. AX a
cerrado domingo – **Comida** carta 3600 a 4600.

Posada del Mar, Juan de la Cosa 3, ✉ 39004, ✆ (942) 21 56 56, « Decoración rústica » – AE VISA. BY p
cerrado 15 septiembre-15 octubre – **Comida** carta 3700 a 4300.

La Solana del México, Calderón de la Barca 3, ✉ 39002, ✆ (942) 31 25 75, *Fax (942) 31 25 75* – VISA. AZ w
cerrado domingo – **Comida** carta 3150 a 4200.

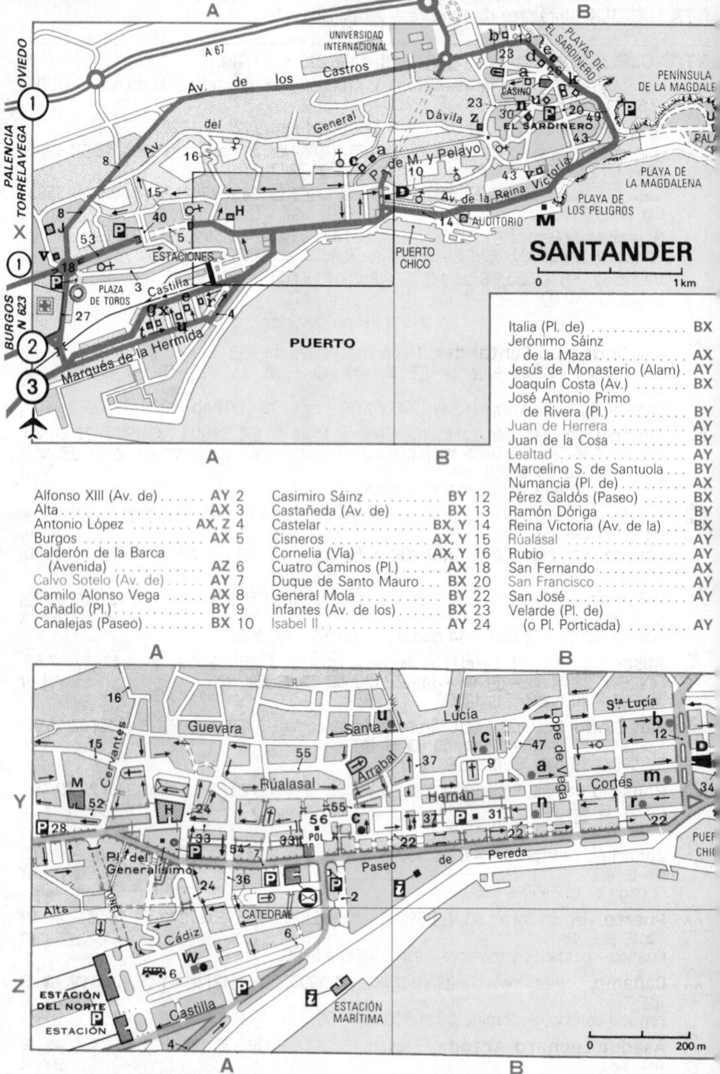

Alfonso XIII (Av. de) . . . . . . AY 2
Alta . . . . AX 3
Antonio López . . . . AX, Z 4
Burgos . . . . AX 5
Calderón de la Barca (Avenida) . . . . AZ 6
Calvo Sotelo (Av. de) . . . . . AY 7
Camilo Alonso Vega . . . . . AX 8
Cañadío (Pl.) . . . . BY 9
Canalejas (Paseo) . . . . BX 10
Casimiro Sáinz . . . . BY 12
Castañeda (Av. de) . . . . . . BX 13
Castelar . . . . BX, Y 14
Cisneros . . . . AX, Y 15
Cornelia (Vía) . . . . AX, Y 16
Cuatro Caminos (Pl.) . . . . . AX 18
Duque de Santo Mauro . . . BX 20
General Mola . . . . BY 22
Infantes (Av. de los) . . . . . . BX 23
Isabel II . . . . AY 24
Italia (Pl. de) . . . . BX
Jerónimo Sáinz de la Maza . . . . AX
Jesús de Monasterio (Alam) . AY
Joaquín Costa (Av.) . . . . BX
José Antonio Primo de Rivera (Pl.) . . . . BY
Juan de Herrera . . . . AY
Juan de la Cosa . . . . BY
Lealtad . . . . AY
Marcelino S. de Santuola . . . BY
Numancia (Pl. de) . . . . AX
Pérez Galdós (Paseo) . . . . . . BX
Ramón Dóriga . . . . BY
Reina Victoria (Av. de la) . . . BX
Rúalasal . . . . AY
Rubio . . . . AY
San Fernando . . . . AX
San Francisco . . . . AY
San José . . . . AY
Velarde (Pl. de) (o Pl. Porticada) . . . . AY

Laury, av. Pedro San Martín 4 (Cuatro Caminos), ✉ 39010, ☎ (942) 33 01 ... *Fax (942) 34 63 85* – ▤. AE ⓓ E VISA JCB. ✂ AX
cerrado domingo y septiembre – **Comida** - pescados y mariscos - carta 38... a 6500.

Machinero, Ruiz de Alda 16, ✉ 39009, ☎ (942) 31 49 21 – ▤. AE ⓓ E V... ✂ AX
cerrado domingo – **Comida** carta 2900 a 3450.

Bodega del Riojano, Río de la Pila 5, ✉ 39003, ☎ (942) 21 67 50, *Fax (942) 57 52* « Bodegón típico » – AE ⓓ E VISA. ✂ ABY
cerrado domingo noche y lunes (salvo verano) – **Comida** carta 3350 a 3900.

X **Bodega Cigaleña,** Daoiz y Velarde 19, ✉ 39003, ℘ (942) 21 30 62, « Museo del vino. Decoración rústica » – ▤. AE ◑ E VISA. ✗ BY a
cerrado domingo, 20 junio-4 julio y 20 octubre-5 noviembre – **Comida** carta 3050 a 5100.

X **Mesón Gele,** Eduardo Benot 4, ✉ 39003, ℘ (942) 22 10 21 – ▤. AE ◑ E VISA. ✗ BY n
cerrado domingo noche, lunes mediodía y del 1 al 20 de junio – **Comida** carta 2750 a 3600.

n El Sardinero – ✉ *39005 Santander :*

Real ⛵, paseo Pérez Galdós 28 ℘ (942) 27 25 50, *Fax (942) 27 45 73,* « Magnífica situación con ⩽ bahía », ⛱ – |‡| ▤ TV ☎ P – 🏛 25/200. AE ◑ E VISA. ✗ BX v
Comida 3550 - ***El Puntal*** **: Comida** carta 4600 a 5800 – ☕ 1550 – **114 hab** 29900/37500, 9 suites.

Hoyuela ⛵, av. de los Hoteles 7 ℘ (942) 28 26 28, *Fax (942) 28 00 40* – |‡| ▤ TV ☎ 🚗 – 🏛 60/300. AE ◑ E VISA. ✗ BX a
Comida 3150 – ☕ 1350 – **49 hab** 19500/27000, 6 suites – PA 6500.

Palacio del Mar, La Pereda 5, ✉ 39012, ℘ (942) 39 24 00, *Fax (942) 39 22 20* – |‡| ▤ TV ☎ 🚗 – 🏛 25/450. AE ◑ E VISA. ✗ por av. de Castañeda BX
Neptuno **: Comida** carta aprox. 4850 – ☕ 1300 – **21 hab** 21000/26400, 47 suites.

Santemar, Joaquín Costa 28 ℘ (942) 27 29 00, *Fax (942) 27 86 04,* Fö, ✗ – |‡| ▤ TV ☎ 🚗 – 🏛 25/700. AE ◑ E VISA. ✗ BX u
Comida 3500 - ***El Rincón de Mariano*** **: Comida** carta 3450 a 4750 – ☕ 1300 – **344 hab** 17200/21500, 6 suites.

Chiqui ⛵, av. Manuel García Lago 9 ℘ (942) 28 27 00, *Fax (942) 27 30 32,* ⩽ playa y mar – |‡|, ▤ rest, TV ☎ 🚗 P – 🏛 25/700. AE E VISA. ✗ por av. de Castañeda BX
Comida carta 3500 a 5700 – ☕ 1100 – **157 hab** 12600/17900, 4 suites.

Rhin ⛵, av. Reina Victoria 153 ℘ (942) 27 43 00, *Fax (942) 27 86 53,* ⩽ playa y mar – |‡| ▤ TV ☎ – 🏛 50/300. AE ◑ E VISA JCB. ✗ BX k
Comida 2800 - ***La Cúpula*** **: Comida** carta 5500 a 6500 – ☕ 1100 – **89 hab** 12000/19700.

Sardinero, pl. de Italia 1 ℘ (942) 27 11 00, *Fax (942) 27 16 98,* ⩽ – |‡|, ▤ rest, TV ☎ – 🏛 25/150. AE ◑ E VISA. ✗ BX d
Comida 2300 – ☕ 1100 – **108 hab** 13000/18300 – PA 5000.

Don Carlos, Duque de Santo Mauro 20 ℘ (942) 28 00 66, *Fax (942) 28 11 77* – |‡|, ▤ rest, TV ☎ 🚗. E VISA. ✗ rest BX k
Comida 1500 – ☕ 250 – **28 apartamentos** 17000/19000.

Las Brisas ⛵ sin rest, La Braña 14 ℘ (942) 27 50 11, *Fax (942) 28 11 73* – TV ☎. AE ◑ E VISA BX b
☕ 600 – **13 hab** 10000/13000.

Carlos III sin rest, av. Reina Victoria 135 ℘ (942) 27 16 16, *Fax (942) 27 16 16* – TV ☎. AE VISA. ✗ BX k
15 marzo-11 noviembre – ☕ 410 – **20 hab** 6400/8300.

XX **La Sardina,** Dr. Fleming 3 ℘ (942) 27 10 35, *Fax (942) 57 52 54,* « Interior barco de pesca » – ▤. AE ◑ E VISA. ✗ por av. de Castañeda BX
cerrado domingo noche y martes (salvo verano) – **Comida** carta 3650 a 4400.

XX **Del Muelle,** Joaquín Costa 16 ℘ (942) 28 29 24, *Fax (942) 28 29 24* – ▤. AE E VISA. ✗ BX n
cerrado domingo noche, lunes y 2ª quincena de febrero – **Comida** carta 3400 a 4650.

XX **Rhin,** pl. de Italia 2 ℘ (942) 27 30 34, *Fax (942) 27 80 08,* ⩽ mar y playa – ▤. AE ◑ E VISA JCB. ✗ BX e
Comida carta 4000 a 5100.

X **La Flor de Miranda,** av. de Los Infantes 1 ℘ (942) 27 10 56 – ▤. AE ◑ E VISA. ✗ BX z
Comida carta 2400 a 4200.

Ver también : **San Cibrián** *por av. de los Castros : 12 km* AX.

ANTES CREUS (Monasterio de) *43815 Tarragona* 443 H 34 – *alt. 340.*

Ver : *Monasterio★★★ (Gran claustro★★★ - Sala capitular★★ - Iglesia★★ : rosetón★ - tumbas reales★★, patio del Palacio Real★).*

Madrid 555 – Barcelona 95 – Lérida/Lleida 83 – Tarragona 32.

X **Grau** ⛵ con hab, Pere El Gran 3 ℘ (977) 63 83 11 – ▤ rest,. AE E VISA. ✗
cerrado 15 diciembre-15 enero – **Comida** *(cerrado lunes)* carta 2025 a 3575 – ☕ 450 – **15 hab** 2700/4200.

SANTIAGO DE COMPOSTELA *15700 La Coruña* 441 D 4 – *105 851 h. alt. 264.*

Ver : *Plaza del Obradoiro o Plaza de España**** V – *Catedral*** (Fachada d Obradoiro***, Pórtico de la Gloria***, Museo de tapices**, Claustro*, Puerta de l Platerías**)* V – *Palacio Gelmírez (salón sinodal*)* VA – *Hostal de los Reyes Católicos* fachada** V – *Barrio antiguo*** VX : *Plaza de la Quintana** - Puerta del Perdón* - Mona terio de San Martín Pinario** V – *Colegiata de Santa María del Sar* (arcos geminados** Z – *Paseo de la Herradura ≤*.*

Alred. : *Pazo de Oca* : parque** 25 km por ③.*

Santiago, por ② : 9 km (981) 88 84 06 Fax (981) 59 24 00.

de Santiago de Compostela, Labacolla por ② : 12 km (981) 54 75 00 – Iberia Xeneral Pardiñas 36 ✉ 15701 (981) 57 20 24 Z.

Vilar 43 ✉ 15705 (981) 58 40 81 Fax (981) 56 51 78 – **R.A.C.E.** *Romero Donallo (entreplanta) (981) 53 18 00 Fax (981) 53 18 06.*

Madrid 613 ② – La Coruña/A Coruña 72 ② – Ferrol 103 ② – Orense/Ourense 111 (– Vigo 84 ④

Plano página siguiente

Parador H. Reyes Católicos, praça do Obradoiro 1, ✉ 15705, (981) 58 22 0 *Telex 86004, Fax (981) 56 30 94,* « Lujosa instalación en un magnífico edificio d siglo XVI. Mobiliario de gran estilo » – 25/300. AE VISA JCB. V
Comida 3800 – 1800 – **130 hab** 21200/26500, 6 suites.

Meliá Araguaney, Alfredo Brañas 5, ✉ 15701, (981) 59 59 00, *Telex 861C Fax (981) 59 02 87,* – 25/300. AE VISA JCB. Z
Comida 3750 – 1500 – **79 hab** 20000/25000, 1 suite.

Peregrino, av. Rosalía de Castro, ✉ 15706, (981) 52 18 50, *Fax (981) 52 17 77,* ≤, climatizada, – , rest, – 25/250. AE VISA JCB. Z
Comida carta 3400 a 5200 – 1400 – **142 hab** 14850/18650, 7 suites.

Compostela sin rest. con cafetería, Hórreo 1, ✉ 15702, (981) 58 57 0 *Fax (981) 56 32 69* – – 25/200. AE VISA JCB. X
1000 – **98 hab** 10500/16500, 1 suite.

Gelmírez sin rest. con cafetería, Hórreo 92, ✉ 15702, (981) 56 11 0 *Fax (981) 56 32 69* – – 25/80. AE VISA JCB. Z
800 – **138 hab** 7800/11000.

Área Central sin rest, París 7-c, ✉ 15707, (981) 55 22 22, *Fax (981) 55 22 23* – – 25/75. AE VISA. por (
750 – **60 hab** 8000/11000.

Hogar San Francisco, Campillo de San Francisco 3, ✉ 15705, (981) 58 16 0 *Fax (981) 57 19 16,* « Instalado en el convento de San Francisco » – – 25/5 AE VISA. V
Comida 2000 – 650 – **71 hab** 7000/10300.

San Carlos sin rest. con cafetería, Hórreo 106, ✉ 15702, (981) 56 05 0 *Fax (981) 56 05 06* – – 25. AE VISA. Z
1150 – **21 hab** 12850/15500.

Universal sin rest, praça de Galicia 2, ✉ 15706, (981) 58 58 00, *Fax (981) 58 57* – . AE VISA. X
500 – **54 hab** 5300/8000.

México sin rest, República Arxentina 33-4º, ✉ 15706, (981) 59 80 0 *Fax (981) 59 80 16* – . VISA. Z
400 – **57 hab** 3900/6500.

Rey Fernando sin rest, Fernando III el Santo 30-6º, ✉ 15702, (981) 59 35 5 *Fax (981) 59 00 96* – . AE VISA. Z
450 – **24 hab** 4550/6500.

Vilas, av. Romero Donallo 9-A, ✉ 15706, (981) 59 11 50, *Fax (981) 59 11 50* – AE VISA JCB. Z
Comida (ver rest. ***Anexo Vilas***) – 500 – **28 hab** 4000/7500.

Mapoula sin rest y sin , Entremurallas 10-3º, ✉ 15702, (981) 58 01 2 *Fax (981) 58 40 89* – . VISA X
12 hab 3750/5000.

XXXX **Toñi Vicente,** Rosalía de Castro 24, ✉ 15706, (981) 59 41 00, *Fax (981) 59 35* – . AE VISA. Y
cerrado domingo, del 1 al 20 de enero y del 9 al 15 de agosto – **Comida** carta 4200 6500
Espec. Ensalada marinada de lubina. Ensalada de vieiras con nata agria y caviar. Boni braseado en fondo de aceitunas negras y tomate (julio-agosto).

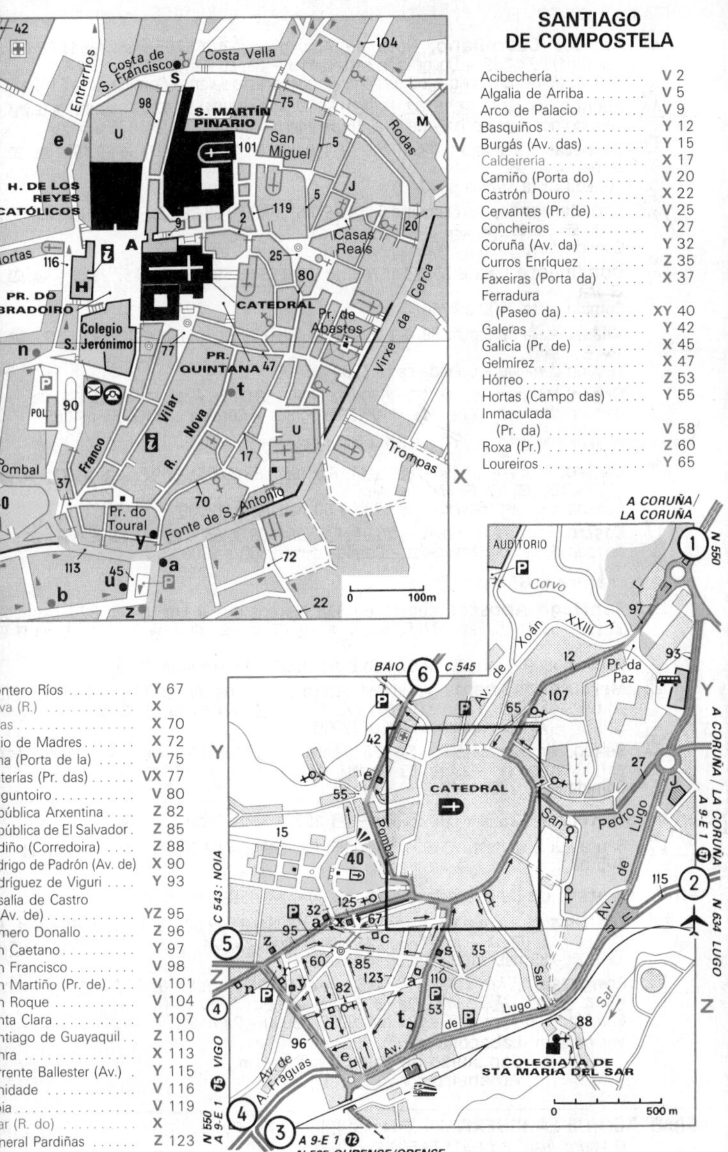

Anexo Vilas, av. de Villagarcía 21, ✉ 15706, ☎ (981) 59 86 37, *Fax (981) 59 11 50* – ▤. AE ⓓ E VISA JCB. ✈ – **Comida** carta 4200 a 5500. Z y

La Tacita d'Juan, Hórreo 31, ✉ 15702, ☎ (981) 56 20 41, *Fax (981) 56 04 18* – ▤. AE E VISA. ✈ Z s
cerrado domingo y 1ª quincena de agosto – **Comida** carta 4500 a 5500.

Don Gaiferos, Rua Nova 23, ✉ 15705, ☎ (981) 58 38 94 – ▤. AE ⓓ E VISA. ✈ X t
cerrado domingo y del 22 al 31 de diciembre – **Comida** carta 3875 a 6575.

XX **Asador Castellano,** Nova de Abaixo 2, ✉ 15705, ☎ (981) 59 03 5 *Fax (981) 59 44 89,* « Decoración castellana » – ▤. AE ⓓ E VISA. ✻ YZ
cerrado domingo en julio-agosto y domingo noche resto del año – **Comida** carta 3100 a 45

XX **Fornos,** Hórreo 24, ✉ 15702, ☎ (981) 56 57 21, *Fax (981) 57 17 27* – ▤. AE ⓓ E VISA.
cerrado domingo noche y del 2 al 16 de enero – **Comida** carta 3175 a 5175. X

XX **Carretas,** Carretas 21, ✉ 15705, ☎ (981) 56 31 11, *Fax (981) 56 29 39* – ▤. AE E VISA JCB. ✻ V
Comida carta 3375 a 5000.

XX **San Clemente,** San Clemente 6, ✉ 15705, ☎ (981) 58 08 82, *Fax (981) 56 29 39,* – ▤. AE ⓓ E VISA JCB. ✻ X
Comida carta 3375 a 5000.

XX **Don Quijote,** Galeras 20, ✉ 15705, ☎ (981) 58 68 59, *Fax (981) 57 29 69* – ▤. AE E VISA. ✻ Y
Comida carta 2900 a 4750.

X **Vilas,** Rosalía de Castro 88, ✉ 15706, ☎ (981) 59 21 70, *Fax (981) 59 11 50* – ▤. ⓓ VISA. ✻ Z
cerrado domingo – **Comida** carta 3200 a 5100.

X **Green,** Montero Ríos 16, ✉ 15706, ☎ (981) 58 09 76 – ▤. AE ⓓ E VISA. ✻ X
cerrado domingo noche y del 1 al 15 de agosto – **Comida** carta 2285 a 4085.

en la carretera N 550 *por ① : 6 km – ✉ 15884 Sionlla :*

Castro, Formarís ☎ (981) 88 81 14, *Fax (981) 88 80 63,* ←, ✻ – |♦| ▤ TV ☎ P 25/400. AE ⓓ E VISA. ✻
Comida (ver rest. ***Castro***) – ☕ 700 – **60 hab** 7000/12000.

X **Castro,** Formarís ☎ (981) 58 25 91, *Fax (981) 88 80 63* – P. AE ⓓ E VISA. ✻
cerrado domingo y Navidades – **Comida** carta 2800 a 3800.

en la carretera N 634 *por ② :*

Santiago Apóstol, cuesta de San Marcos 1 - 4 km, ✉ 15820 Labacol ☎ (981) 55 71 55, *Fax (981) 58 64 99,* ← – |♦| TV ☎ 🚗 P – 25/200. AE ⓓ E V ✻ rest
Comida 1800 – ☕ 1000 – **97 hab** 8600/12000, 1 suite – PA 4320.

Mercure Los Abetos sin rest, San Lázaro - carret. Arines 3 km, ✉ 15892 Arin ☎ (981) 55 70 26, *Fax (981) 58 61 77,* ← – ▤ TV ☎ 🚗 P. AE E VISA. ✻
☕ 900 – **70 apartamentos** 9600/12000.

XX **Sexto,** San Marcos - 5 km, ✉ 15820 Labacolla, ☎ (981) 57 14 07, *Fax (981) 57 14* , Vivero propio – ▤ P. AE ⓓ VISA. ✻
Comida carta 2900 a 4500.

en la carretera N 525 *por ③ : 3,5 km – ✉ 15893 Santa Lucía :*

Santa Lucía sin rest, ☎ (981) 54 92 83, *Fax (981) 54 93 00,* ← – |♦| ▤ TV ☎ P
105 hab.

en la carretera de La Estrada C 541 *por ③ – ✉ 15894 Montouto :*

Los Tilos sin rest. con cafetería, 3 km ☎ (981) 81 92 00, *Fax (981) 80 15 14,* ←, ✻ – |♦| TV ☎ – 25/500. AE ⓓ E VISA JCB. ✻
☕ 900 – **89 hab** 11000/15000, 4 suites.

Congreso, 4,5 km ☎ (981) 81 90 80, *Telex 86585, Fax (981) 81 91 24,* – |♦|, ▤ ha TV ☎ ♿ P – 25/400. AE ⓓ E VISA. ✻ rest
Comida 1600 – ☕ 900 – **101 hab** 9000/13600 – PA 4100.

Ver también : **Labacolla** *por ② : 11 km*
San Julián de Sales *por ③ : 9 km*
Ameneiro *por ④ : 9 km.*

SANTIAGO DE LA RIBERA *30720 Murcia 445 S 27 – Playa.*

Padre Juan ☎ (968) 57 17 04 Fax (968) 57 39 63.
Madrid 438 – Alicante/Alacant 76 – Cartagena 37 – Murcia 48.

Ribera, explanada de Barnuevo 12 ☎ (968) 57 02 00, *Fax (968) 57 02 00,* ← – |♦|, ▤ re TV ☎. E VISA. ✻ rest
cerrado 15 diciembre-15 enero – **Comida** 1500 – ☕ 550 – **42 hab** 4000/8000 – PA 33

SANTIAGO DEL MONTE *33459 Asturias 441 B 11.*

Madrid 487 – Gijón 37 – Oviedo 44.

Cristal Aeropuerto, carret. del aeropuerto 91 ☎ (98) 551 95 45, *Fax (98) 551 98 0* |♦| ▤ TV ☎ 🚗 P – 25/300 – **51 hab.**

ANTIGA *Barcelona - ver Santa Perpètua de Mogoda.*

ANTILLANA DEL MAR *39330 Cantabria* 442 **B 17** - *3 839 h. alt. 82.*

Ver : *Pueblo pintoresco★★ : Colegiata★ (interior : cuatro Apóstoles★, retablo★, claustro★ : capiteles★★).*

Alred. : *Cueva prehistórica★★ de Altamira (techo★★★) Suroeste : 2 km.*

pl. Mayor ✆ (942) 81 82 51.

Madrid 393 - Bilbao/Bilbo 130 - Oviedo 171 - Santander 30.

Parador de Santillana del Mar, pl. Ramón Pelayo 8 ✆ (942) 81 80 00, *Fax (942) 81 83 91,* « Antigua casa señorial », - 25/200. AE E VISA.
Comida 3500 - 1300 - **54 hab** 14000/17500, 2 suites - PA 7055.

Altamira, Cantón 1 ✆ (942) 81 80 25, *Fax (942) 84 01 36,* « Casa señorial del siglo XVII » - rest, AE E VISA JCB.
Comida 1700 - 650 - **32 hab** 6500/11000.

Los Infantes, av. Le Dorat 1 ✆ (942) 81 81 00, *Fax (942) 84 01 03,* « Fachada del siglo XVIII » - AE E VISA.
Comida 2000 - 700 - **48 hab** 10000/14700.

Santillana, El Cruce ✆ (942) 81 80 11, *Fax (942) 84 01 03* - rest, AE E VISA. rest
Semana Santa-15 noviembre - **Comida** *(cerrado martes)* 2000 - 700 - **38 hab** 10000/14700.

Siglo XVIII sin rest, Revolgo 38 ✆ (942) 84 02 10, *Fax (942) 84 02 11,* - AE E VISA.
marzo-12 diciembre - 450 - **16 hab** 6500/10500.

Cuevas sin rest, av. Antonio Sandi 4 ✆ (942) 81 83 84, *Fax (942) 81 83 89* - E VISA.
400 - **40 hab** 7500/9000.

Los Ángeles, Campo de Revolgo 19 ✆ (942) 81 81 40, *Fax (942) 84 01 77* - E VISA.
marzo-noviembre - **Comida** 1400 - 400 - **27 hab** 7000/9500.

Los Hidalgos, Campo de Revolgo ✆ (942) 81 81 01, *Fax (942) 84 01 70* - AE E VISA.
abril-octubre - **Comida** 1200 - 400 - **35 hab** 5500/7900.

San Marcos, av. Antonio Sandi ✆ (942) 84 01 88, *Fax (942) 81 81 85* - AE E VISA.
marzo-15 diciembre - **Comida** 1400 - 450 - **19 hab** 8000/9000.

Salldemar sin rest, av. Marcelino Sanz de Sautuola ✆ (942) 84 01 80, *Fax (942) 81 80 23* - AE E VISA.
Semana Santa y mayo-octubre - 375 - **15 hab** 7200/8500.

Los Blasones, pl. de la Gándara 8 ✆ (942) 81 80 70, *Fax (942) 84 02 07* - AE E VISA.
10 marzo-10 diciembre - **Comida** carta aprox. 3500.

n la carretera de Suances *Norte : 1 km - ✉ 39330 Santillana del Mar :*

Colegiata, Los Hornos 20 ✆ (942) 84 02 16, *Fax (942) 84 02 17,* « En una ladera con ≤ », - 25/300. AE E VISA. rest
Comida 2000 - 500 - **27 hab** 6500/9500 - PA 3825.

n la carretera de Puente de San Miguel *Sureste : 2,3 km - ✉ 39330 Santillana del Mar :*

Zabala, barrio Vispieres ✆ (942) 83 84 00, *Fax (942) 83 83 30* - AE E VISA.
Comida 1000 - 400 - **27 hab** 8000/10000.

ANTO DOMINGO DE LA CALZADA *26250 La Rioja* 442 **E 21** - *5 308 h. alt. 639.*

Ver : *Catedral★ (retablo mayor★).*

Madrid 310 - Burgos 67 - Logroño 47 - Vitoria/Gasteiz 65.

Parador de Santo Domingo de la Calzada, pl. del Santo 3 ✆ (941) 34 03 00, *Fax (941) 34 03 25,* « Antiguo hospital de peregrinos », - 25/120. AE E VISA JCB.
Comida 3500 - 1300 - **59 hab** 14000/17500, 2 suites - PA 7055.

El Corregidor, Mayor 14 ✆ (941) 34 21 28, *Fax (941) 34 21 15* - rest, - 25/300. AE E VISA. rest
Comida 2500 - 950 - **32 hab** 9680/12100.

El Rincón de Emilio, pl. Bonifacio Gil 7 ☎ (941) 34 09 90, *Fax (941) 34 09 90* – ▤. VISA. ✻
cerrado martes noche y febrero – **Comida** carta 2500 a 3800.

Mesón El Peregrino, av. de Calahorra 19 ☎ (941) 34 02 02, *Fax (941) 34 21*
« Decoración rústica » – E VISA. ✻
cerrado lunes y Navidades – **Comida** carta aprox. 3300.

SANTO DOMINGO DE SILOS (Monasterio de) *09610 Burgos* 442 G **19** – *328*
alt. 1 003.

Ver : *Monasterio★★ (claustro★★★).*

Madrid 203 – Burgos 58 – Soria 99.

Tres Coronas de Silos ⟡, pl. Mayor 6 ☎ (947) 39 00 47, *Fax (947) 39 00 6*
« Conjunto castellano » – TV ☎. AE E VISA. ✻ rest
Comida 2000 – ☕ 975 – **16 hab** 6800/10500 – PA 4900.

SANTO TOMÉ DEL PUERTO *40590 Segovia* 442 I **19** – *370 h. alt. 1 129.*

Madrid 100 – Aranda de Duero 61 – Segovia 54.

Mirasierra, antigua carret. N I ☎ (921) 55 72 98, *Fax (921) 55 71 05*, ⛱ – TV ☎
AE ⊙ E VISA. ✻ rest
Comida 1700 – ☕ 750 – **16 hab** 5000/7950 – PA 3750.

SANTOMERA *30140 Murcia* 445 R **26** – *8 488 h. alt. 28.*

Madrid 402 – Alicante/Alacant 68 – Cartagena 74 – Murcia 14.

Santos sin rest. con cafetería, Almazara 11 ☎ (968) 86 52 11, *Fax (968) 86 52 11* –
▤ TV ☎ ⇔. AE E VISA. ✻
☕ 400 – **14 hab** 5000/7000.

SANTOÑA *39740 Cantabria* 442 B **19** – *10 929 h. – Playa.*

Madrid 441 – Bilbao/Bilbo 81 – Santander 48.

Castilla, Manzanedo 29 ☎ (942) 66 22 61, *Fax (942) 66 24 51* – |‡|, ▤ rest, TV ☎.
⊙ E VISA JCB. ✻
cerrado 21 diciembre-enero – **Comida** *(cerrado domingo noche salvo verano)* 2000
☕ 500 – **42 hab** 6500/9000.

La Marisma 2, Manzanedo 19 ☎ (942) 66 06 06 – ▤. AE ⊙ E VISA. ✻
cerrado del 1 al 15 de noviembre – **Comida** - pescados y mariscos - carta 4100
5500.

en la playa de Berria *Noroeste : 3 km* – ✉ *39740 Santoña :*

Juan de la Cosa ⟡, ☎ (942) 66 12 38, *Fax (942) 66 16 32*, ≤, 🏖, Fø, ⛱ – |‡|
TV ☎ ⇔ P – 🏕 25/300. AE ⊙ E VISA. ✻
cerrado enero – **Comida** carta aprox. 4500 – ☕ 1200 – **29 hab** 9500/11500, 3 suite
18 apartamentos.

SANTPEDOR *08251 Barcelona* 443 G **35** – *4 579 h. alt. 320.*

Madrid 638 – Barcelona 69 – Manresa 6 – Vic 54.

Ramón, Camí de Juncadella ☎ (93) 832 08 50, *Fax (93) 827 22 41*, 🏖 – ▤ P. AE
E VISA. ✻
cerrado domingo noche – **Comida** carta aprox. 5250.

SANTUARIO – *ver el nombre propio del santuario.*

SANTULLANO *Asturias* 441 B **12** – *2 435 h. alt. 167* – ✉ *33190 Biedes.*

Madrid 470 – Avilés 20 – Gijón 34 – Oviedo 13.

en Biedes *Este : 3 km* – ✉ *33190 Biedes :*

Casa Edelmiro, ☎ (98) 579 94 92, *Fax (98) 579 90 11* – ▤. AE E VISA JCB
✻
cerrado martes (salvo festivos) y del 1 al 17 de agosto – **Comida** carta 2550 a 3800

Nos guides hôteliers, nos guides touristiques et nos cartes routières sont complémentaires. Utilisez-les ensemble.

NTURCE o SANTURTZI *48980 Vizcaya* 442 B 20 – *50 124 h.*
Madrid 411 – Bilbao/Bilbo 15 – Santander 97.

San Jorge, Antonio Alzaga 51 ✆ (94) 483 93 93, *Fax (94) 483 93 75* – ⫶, ▤ rest, TV ☎ ⇔ – 🏛 25/90. AE ⓓ E VISA. ✂ rest
Comida 1450 – ☕ 660 – **30 hab** 7100/9300 – PA 3560.

Currito, av. Murrieta 21 ✆ (94) 493 73 08, *Fax (94) 493 71 35*, ←, ☂ – AE ⓓ E VISA. ✂
cerrado domingo noche – **Comida** carta aprox. 5500.

Kai-Alde, Capitán Mendizábal 7 ✆ (94) 461 00 34, ☂ – AE ⓓ E VISA
cerrado lunes noche – **Comida** carta 3400 a 4900.

NXENXO *Pontevedra – ver Sangenjo.*

SARDINERO *Cantabria – ver Santander.*

RDÓN DE DUERO *47340 Valladolid* 442 H 16 – *679 h.*
Madrid 208 – Aranda de Duero 66 – Valladolid 26.

Sardón, carret. N 122 ✆ (983) 68 03 07, *Fax (983) 68 03 07* – ▤ rest, AE ⓓ E VISA. ✂
Comida 1500 – ☕ 475 – **12 hab** 2450/4450 – PA 3475.

Pour être inscrit au ***guide Michelin*** *:*
– pas de piston,
– pas de pot-de-vin !

RRIA *Álava – ver Murguía.*

RRIA *27600 Lugo* 441 D 7 – *12 437 h. alt. 420.*
Madrid 491 – Lugo 32 – Orense/Ourense 81 – Ponferrada 109.

NH Alfonso IX ⟡, Peregrino 29 ✆ (982) 53 00 05, *Fax (982) 53 12 61* – ⫶ ▤ TV ☎ Ⓟ – 🏛 25/400. AE ⓓ E VISA
Comida 900 – ☕ 700 – **60 hab** 6000/7500.

RRIÓN *44460 Teruel* 443 L 27 – *1 021 h. alt. 991.*
Madrid 338 – Castellón de la Plana/Castelló de la Plana 118 – Teruel 37 – Valencia 109.

El Asturiano, carret. N 234 ✆ (978) 78 10 00, *Fax (978) 78 10 32* – TV ☎ ⇔ Ⓟ. E VISA. ✂ – **Comida** 1250 – ☕ 350 – **15 hab** 3000/4700 – PA 2850.

Atalaya, carret. N 234 ✆ (978) 78 04 59 – Ⓟ. ✂
Comida *(cerrado sábado)* 1200 – ☕ 275 – **15 hab** 2000/4000.

SAUZAL *Santa Cruz de Tenerife – ver Canarias (Tenerife).*

GORBE *12400 Castellón* 445 M 28 – *7 435 h. alt. 358.*
Ver : *Museo (colección de retablos★).*
ℹ *Marcelino Blasco 3 ✆ (964) 71 32 54.*
Madrid 395 – Castellón/Castelló 57 – Sagunto/Sagunt 34 – Teruel 83 – Valencia 57.

María de Luna, av. Comunidad Valenciana 2 ✆ (964) 71 13 13, *Fax (964) 71 12 13* – ⫶ ▤ TV ☎ ♿ ⇔. E VISA. ✂
Comida *(cerrado domingo noche, lunes y del 1 al 20 de julio)* 1000 – **20 hab** ☕ 5000/8000.

GOVIA *40000* P 442 J 17 – *57 617 h. alt. 1 005.*
Ver : *Emplazamiento★★ - Acueducto romano★★★* BY *– Ciudad vieja★★ : Catedral★★* AY*(claustro★, tapices★) – Plaza de San Martín★ (iglesia de San Martín★)* BY **78** *– Iglesia de San Millán★* BY*- Iglesia de San Juan de los Caballeros★* BY*- Iglesia de San Esteban (torre★)* AX *– Alcázar★* AX*- Capilla de la Vera Cruz★* AX *– Monasterio de El Parral★* AX.
Alred. : *Palacio de La Granja de San Ildefonso★★ (Museo de Tapices ★★, Jardines★★ : surtidores★★) Sureste : 11 km por ③ – Palacio de Riofrío★ Sur : 11 km por ⑤.*
ℹ *pl. Mayor 10* ✉ *40001 ✆ (921) 46 03 34 Fax (921) 46 03 30 y pl. del Azoguejo 1* ✉ *40001 ✆ (921) 46 29 06 Fax (921) 46 04 92* – **R.A.C.E.** ✆ *900 20 00 93.*
Madrid 87 ④ – Ávila 67 ⑤ – Burgos 198 ② – Valladolid 110 ①

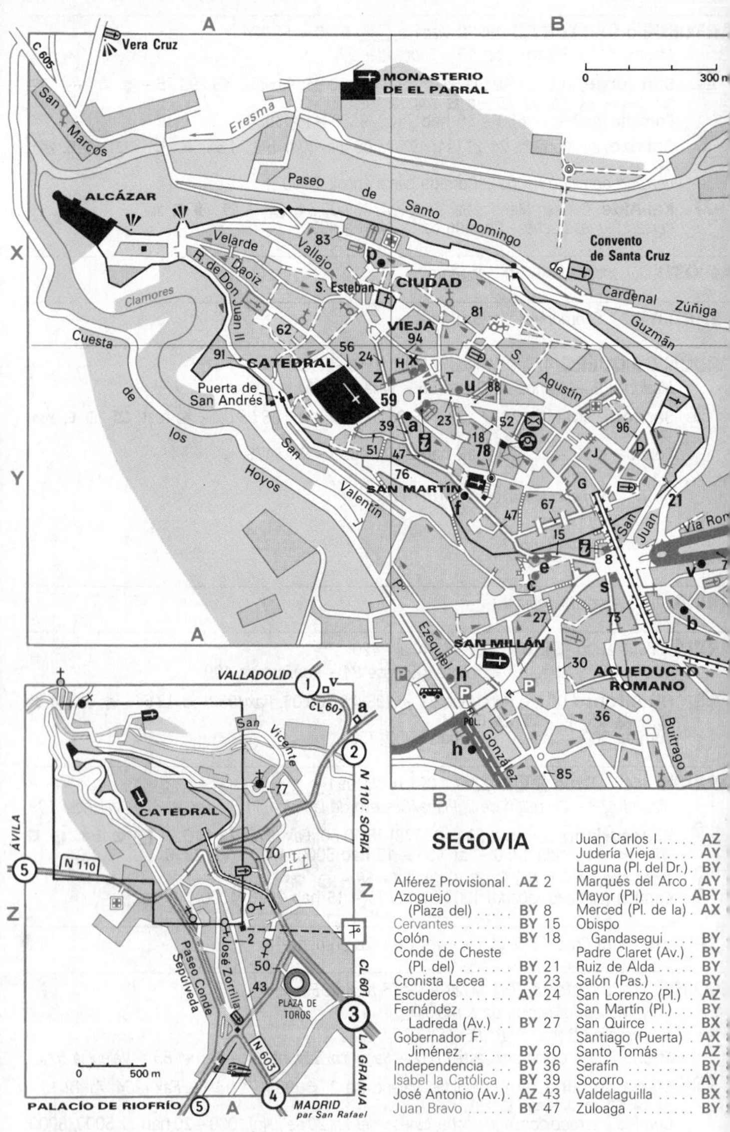

SEGOVIA

Alférez Provisional . AZ 2
Azoguejo (Plaza del) . . . . . BY 8
Cervantes . . . . . . BY 15
Colón . . . . BY 18
Conde de Cheste (Pl. del) . . . . BY 21
Cronista Lecea . . . BY 23
Escuderos . . . . AY 24
Fernández Ladreda (Av.) . . BY 27
Gobernador F. Jiménez . . . . BY 30
Independencia . . . BY 36
Isabel la Católica . . BY 39
José Antonio (Av.) . AZ 43
Juan Bravo . . . . . BY 47
Juan Carlos I . . . . . AZ
Judería Vieja . . . . . AY
Laguna (Pl. del Dr.) . BY
Marqués del Arco . AY
Mayor (Pl.) . . . . . . ABY
Merced (Pl. de la) . AX
Obispo Gandasegui . . . . BY
Padre Claret (Av.) . BY
Ruiz de Alda . . . . . BY
Salón (Pas.) . . . . . . BY
San Lorenzo (Pl.) . AZ
San Martín (Pl.) . . . BY
San Quirce . . . . BX
Santiago (Puerta) . AX
Santo Tomás . . . . . AZ
Serafín . . . . BY
Socorro . . . . AY
Valdelaguilla . . . . . BX
Zuloaga . . . . BY

Parador de Segovia ⑤, carret. CL 601, ✉ 40003, ☎ (921) 44 37 3
Fax (921) 43 73 62, ≤ Segovia y sierra de Guadarrama, ... – ... AZ
☎ & ... Ⓟ – 25/300. AE ⓓ E VISA JCB. ✻
Comida 3700 – ☐ 1300 – **106 hab** 14800/18500, 7 suites.

Los Arcos, paseo de Ezequiel González 26, ✉ 40002, ☎ (921) 43 74 6
Fax (921) 42 81 61 – ... TV ☎ ... – 25/300. AE ⓓ E VISA BY
Comida (ver rest. ***La Cocina de Segovia***) – ☐ 1200 – **59 hab** 10400/150C

Infanta Isabel ⑤ sin rest, Isabel la Católica 1, ✉ 40001, ☎ (921) 46 13 C
Fax (921) 46 22 17 – ... TV ☎ ... – 25. AE ⓓ E VISA JCB. ✻ BY
☐ 900 – **27 hab** 8150/12100.

Acueducto, av. del Padre Claret 10, ✉ 40001, ☎ (921) 42 48 00, *Fax (921) 42 84 46* – |♦| ▤ TV ☎ 🚗 – 🏠 25/200. AE ⦿ E VISA. ✂ BY v
Comida 2725 – ☕ 865 – **78 hab** 7210/10920.

Los Linajes 🔇 sin rest. con cafetería, Doctor Velasco 9, ✉ 40003, ☎ (921) 46 04 75, *Fax (921) 46 04 79,* ≤ – |♦| TV ☎ 🚗 – 🏠 25/200. AE ⦿ E VISA JCB. ✂ AX p
☕ 850 – **55 hab** 8250/11900.

Las Sirenas sin rest y sin ☕, Juan Bravo 30, ✉ 40001, ☎ (921) 46 26 63, *Fax (921) 46 26 57* – |♦| ▤ TV ☎. AE ⦿ E VISA JCB. ✂ BY f
39 hab 6000/8500.

Ruta de Castilla, carret. de Soria 25, ✉ 40003, ☎ (921) 44 10 88, *Fax (921) 44 10 09* – |♦| ▤ TV ☎ ♿ 🚗. E VISA. ✂ AZ a
Comida 1500 – ☕ 700 – **34 hab** 6500/8750.

Don Jaime sin rest, Ochoa Ondátegui 8, ✉ 40001, ☎ (921) 44 47 87 – TV ☎. E VISA JCB. ✂ – ☕ 375 – **16 hab** 3000/5500. BY b

La Cocina de Segovia, paseo de Ezequiel González 26, ✉ 40002, ☎ (921) 43 74 62, *Fax (921) 42 81 61* – ▤ 🚗. AE ⦿ E VISA. ✂ BY t
Comida carta 3950 a 4600.

Mesón de Cándido, pl. Azoguejo 5, ✉ 40001, ☎ (921) 42 59 11, *Fax (921) 42 96 33,* 🏡, « Casa del siglo XV. Decoración castellana » – ▤. AE ⦿ E VISA JCB. ✂ BY s
Comida carta 3400 a 4500.

José María, Cronista Lecea 11, ✉ 40001, ☎ (921) 46 11 11, *Fax (921) 46 02 73* – ▤. AE ⦿ E VISA JCB BY u
Comida carta 3200 a 4400.

Duque, Cervantes 12, ✉ 40001, ☎ (921) 46 24 87, *Fax (921) 46 24 82,* « Decoración castellana » – ▤. AE ⦿ E VISA JCB. ✂ BY e
Comida carta 3600 a 5200.

Maracaibo, paseo de Ezequiel González 25, ✉ 40002, ☎ (921) 46 15 45, *Fax (921) 46 23 47* – ▤. AE ⦿ E VISA JCB. ✂ BY h
Comida carta 4000 a 5600.

La Concepción, pl. Mayor 15, ✉ 40001, ☎ (921) 46 09 30 – AE E VISA. ✂ ABY z
Comida carta 4100 a 5700.

Mesón Mayor, pl. Mayor 3, ✉ 40001, ☎ (921) 46 09 15, *Fax (921) 46 18 19,* 🏡 – ▤. ✂ BY x
Comida carta 3050 a 4400.

El Bernardino, Cervantes 2, ✉ 40001, ☎ (921) 46 24 77, *Fax (921) 46 24 74,* 🏡 – ▤. AE ⦿ E VISA JCB. ✂ BY e
Comida carta 2700 a 4050.

Solaire, Santa Engracia 3, ✉ 40001, ☎ (921) 46 24 95, *Fax (921) 46 24 97* – ▤. AE ⦿ VISA. ✂ BY c
Comida carta 3050 a 4300.

La Taurina, pl. Mayor 8, ✉ 40001, ☎ (921) 46 09 02, *Fax (921) 46 08 97,* « Decoración castellana » – AE ⦿ E VISA. ✂ BY x
Comida carta 3300 a 3650.

Villena, pl. Mayor 10, ✉ 40001, ☎ (921) 46 00 77, 🏡 – ▤. AE ⦿ VISA. ✂ BY r
cerrado domingo noche y lunes – **Comida** - cocina vasco-navarra - carta 3750 a 4550.

n la carretera N 110 *por ② – ✉ 40196 La Lastrilla :*

Puerta de Segovia, 2,8 km ☎ (921) 43 71 61, *Fax (921) 43 79 63,* 🏋, 🏊, 🎾 – |♦| ▤ TV ☎ 🚗 🅟 – 🏠 25/1000. AE ⦿ E VISA. ✂
Comida 3025 – ☕ 910 – **205 hab** 7195/11790 – PA 5920.

Avenida del Sotillo, 3 km ☎ (921) 44 54 14, *Fax (921) 43 56 69* – |♦| ▤ TV ☎ 🚗 🅟. AE E VISA. ✂ rest
Comida 900 – ☕ 500 – **29 hab** 4500/6200 – PA 2300.

Venta Magullo, 2,5 km ☎ (921) 43 50 11, *Fax (921) 44 07 63* – |♦|, ▤ rest, TV ☎ 🅟. AE ⦿ E VISA. ✂
Comida *(cerrado 25 diciembre-2 enero)* 1200 – ☕ 275 – **65 hab** 4600/6800.

EGUR DE CALAFELL *43882 Tarragona* 443 I 34 – *Playa.*

Joan Maragall 30-32 ☎ (977) 16 15 11 Fax (977) 16 15 11.
Madrid 577 – Barcelona 62 – Tarragona 33.

Victoria, carret. Barcelona 98 ☎ (977) 16 20 02, *Fax (977) 16 20 08,* 🏡, 🏋, 🏊 climatizada, 🏊 – |♦|, ▤ rest, TV ☎ 🚗. E VISA. ✂ rest
Comida *(cerrado domingo noche y martes)* 1800 – ☕ 650 – **32 hab** 6000/10100 – PA 3600.

Mediterràni, pl. Mediterràni ☎ (977) 16 23 27 – ▤. AE E VISA. ✂
cerrado domingo noche, lunes y 15 diciembre-15 enero – **Comida** carta 3800 a 4500.

SELLÉS o **CELLERS** *25631 Lérida* 443 F 32 - *alt. 325.*
Madrid 551 - Lérida/Lleida 82.

Terradets, carret. C 147 ☎ (973) 65 11 20, *Fax (973) 65 13 04,* ←, ⛱ - 🛗 ▤ TV ♿ 🚗 🅿 - 🏛 25/100. ⓓ E VISA. ✗ rest
Comida 1710 - ☕ 885 - **59 hab** 5295/7970.

SENA DE LUNA *24145 León* 441 D 12 - *519 h. alt. 1 142.*
Madrid 411 - León 65 - Oviedo 64 - Ponferrada 147.

Días de Luna, carret. de Villablino ☎ (987) 59 77 67, « Casa rural de ambiente acoged en un bonito paraje » - 🅿. E VISA. ✗
Comida 2000 - **15 hab** ☕ 5500/7000, 1 apartamento.

La SÉNIA *Tarragona - ver La Cenia.*

SEO DE URGEL o **La SEU D'URGELL** *25700 Lérida* 443 E 34 - *11 195 h. alt. 700.*
Ver : *Catedral de Santa María★★ (Claustro★ : Iglesia de Sant Miquel★ - Museo diocesano Beatus★★, papirus★, retablo de la Abella de la Conca★).*
ℹ *av. Valls d'Andorra 33 ☎ (973) 35 15 11 Fax (973) 36 01 56.*
Madrid 602 - Andorra la Vella 20 - Barcelona 200 - Lérida/Lleida 133.

Parador de Seo de Urgel, Santo Domingo 6 ☎ (973) 35 20 00, *Fax (973) 35 23 (* ⛱ - 🛗 ▤ TV ☎ 🚗 - 🏛 25/60. AE ⓓ E VISA JCB. ✗
Comida 3500 - ☕ 1300 - **78 hab** 12000/15000, 1 suite - PA 7055.

Nice, av. Pau Claris 4 ☎ (973) 35 21 00, *Fax (973) 35 12 21* - 🛗 ▤ TV ☎ 🚗 🏛 25/100. AE ⓓ E VISA. ✗
Comida *(cerrado domingo noche, lunes y enero)* 1500 - ☕ 850 - **51 hab** 4675/730(5 suites - PA 3850.

Avenida, av. Pau Claris 24 ☎ (973) 35 01 04, *Fax (973) 35 35 45* - 🛗 TV ☎. AE ⓓ VISA. ✗
Comida 1300 - ☕ 800 - **47 hab** 4375/7300.

Duc d'Urgell sin rest. con cafetería, Josep de Zulueta 43 ☎ (973) 35 21 9 *Fax (973) 35 21 95* - 🛗 TV 🚗 🅿. E VISA. ✗
☕ 525 - **36 hab** 4500/6500.

Mesón Teo, av. Pau Claris 38 ☎ (973) 35 10 29 - ▤. E VISA. ✗
cerrado domingo noche y lunes - **Comida** carta aprox. 3100.

en Castellciutat *Suroeste : 1 km - ✉ 25710 Castellciutat :*

El Castell 🐚, carret. N 260, ✉ apartado 53 Seo de Urgel, ☎ (973) 36 05 1 *Fax (973) 35 15 74,* ← valle, Seo de Urgel y montañas, « ⛱ rodeada de césped » - TV ☎ 🅿 - 🏛 25/75. AE ⓓ E VISA. ✗ rest
cerrado 7 enero-7 febrero - **Comida** 7500 y carta 4550 a 6450 - **37 hab** ☕ 17000/225(1 suite
Espec. Terrina de patatas con bogavante y sabayon de caviar. Lomo de corde con terrina de escalivada y patatas confitadas. Soufflé a la mandari Napoleón.

La Glorieta 🐚, Afueras ☎ (973) 35 10 45, *Fax (973) 35 42 61,* ← valle y montañas, - 🛗 TV ☎ 🅿. AE ⓓ E VISA. ✗
Comida 1800 - ☕ 800 - **28 hab** 3700/7400 - PA 4200.

La Seu con hab, carret. N 260 ☎ (973) 35 24 00, *Fax (973) 35 34 10* - ▤ TV ☎ 🅿. VISA. ✗
cerrado 15 junio-15 julio - **Comida** carta 2275 a 3775 - ☕ 550 - **18 hab** 600(8500.

SEPÚLVEDA *40300 Segovia* 442 I 18 - *1 378 h. alt. 1 014.*
Ver : *Emplazamiento★.*
Madrid 123 - Aranda de Duero 52 - Segovia 59 - Valladolid 107.

Cristóbal, Conde Sepúlveda 9 ☎ (921) 54 01 00, *Fax (921) 54 01 00,* « Decoracio castellana » - ▤. AE ⓓ E VISA. ✗
cerrado martes, del 15 al 30 de diciembre y del 1 al 15 de septiembre - **Comida** car 2650 a 3800.

Casa Paulino, Barbacana 2 ☎ (921) 54 01 34, *Fax (921) 54 01 34* - ▤. AE ⓓ VISA. ✗
cerrado lunes (salvo agosto), 2ª quincena de junio y 2ª quincena de noviembre - **Comid** carta 2800 a 4300.

ERRADUY *22483 Huesca* 443 F 31 – *alt. 917.*

Alred. : *Roda de Isábena : enclave★ montañoso - Catedral : sepulcro de San Ramón★ (Suroeste : 6 km).*

Madrid 508 – Huesca 118 – Lérida/Lleida 100.

Casa Peix ⊗, ✆ (974) 54 44 30, *Fax (974) 54 44 60,* ☰ – ℗. AE VISA
Semana Santa-1 noviembre – **Comida** 1500 – ☐ 600 – **26 hab** 3500/5500 – PA 3000.

ETCASAS o **SETCASES** *17869 Gerona* 443 E 36 – *150 h. alt. 1 279 – Deportes de invierno en Vallter :* ≴ *7.*

Madrid 710 – Barcelona 138 – Gerona/Girona 91.

La Coma ⊗, ✆ (972) 13 60 74, *Fax (972) 13 60 73,* ←, Fб, ☰, ⌂ – TV ☎ ℗. VISA.
⊁
Comida 1800 – **20 hab** ☐ 7600/9200.

ETENIL *11692 Cádiz* 446 V 14 – *2 973 h. alt. 572.*

Madrid 543 – Antequera 86 – Arcos de la Frontera 81 – Ronda 19.

El Almendral ⊗, Sur : 1 km ✆ (956) 13 40 29, *Fax (956) 13 44 44,* ☰ – TV ☎ ℗. AE
◑ E VISA. ⊁
Comida 1575 – ☐ 315 – **28 hab** 3625/6345.

SEU D'URGELL *Lérida – ver Seo de Urgel.*

EVA *08553 Barcelona* 443 G 36 – *1 758 h. alt. 663.*

Madrid 665 – Barcelona 60 – Manresa 48 – Vic 15.

Sur : *5,5 km*

El Montanyà ⊗, av. Montseny - urb. El Montanyà ✆ (93) 884 06 06, *Fax (93) 884 05 58,* ← sierras del Montseny y del Cadí, Fб, ☰, ☰, ⅋, ⚑18 – |♦| ▤ TV ☎
℗ – ⛺ 25/500. AE ◑ VISA. ⊁
Comida 3150 – **120 hab** ☐ 13880/16400, 8 suites, 30 apartamentos.

SEVILLA

41000 **P** 446 **T 11** *y* **12** - *704 857 h. alt. 12.*

Madrid 550 ① - La Corruña/A Coruña 950 ⑥ - Lisboa 417 ⑥ - Málaga 217 ② - Valencia 682 ①.

OFICINAS DE TURISMO

av. de la Constitución 21 B ✉ 41004, ☎ (95) 422 14 04, Fax (95) 422 97 53 y paseo de Las Delicias 9, ✉ 41012, ☎ (95) 423 44 65.

R.A.C.E. *(R.A.C. de Andalucía) av. Eduardo Dato 22, ✉ 41018, ☎ (95) 463 13 50, Fax (95) 465 96 04.*

INFORMACIONES PRÁCTICAS

18 *Pineda* FS *☎ (95) 461 14 00*

9 *Las Minas (Aznalcázar) SO : 25 km por ⑤ ☎ (95) 575 09 31.*

de Sevilla-San Pablo por ① : 14 km ☎ (95) 444 90 00 - Iberia : Almirante Lobo 2, ✉ 41001, ☎ (95) 422 89 01 BX.

Santa Justa ☎ (95) 453 86 86.

CURIOSIDADES

Ver : *La Giralda★★★ (※ ★★)* BX *- Catedral★★★ (retablo Capilla Mayor★★★, Capilla Real★★)* BX - Reales Alcázares★★★ BXY *(Cuarto del Almirante : retablo de la Virgen de los Mareantes★ ; Palacio de Pedro el Cruel★★★ : cúpula★★ del Salón de Embajadores ; Palacio de Carlos V : tapices★★ ; Jardines★) - Barrio de Santa Cruz★★* BCX *(Hospital de los Venerables★) - Museo de Belias Artes★★ (sala V★★★, sala X★★)* AV *- Casa de Pilatos★★ (azulejos★★, escalera★ : cúpula★)* CX *- Parque de Maria Luisa★★* FR *(Plaza de España★* FR **112** *- Museo Arqueológico* FR **M²** *: Tesoro de Carambolo★) - Hospital de la Caridad★* BY *- Convento de Santa Paula★* CV *(portada★ iglesia) - Iglesia del Salvador★* BX *(retablos barrocos★) - Capilla de San José★* BX *- Ayuntamiento (fachada oriental★)* BX *- Isla Mágica★* FP.

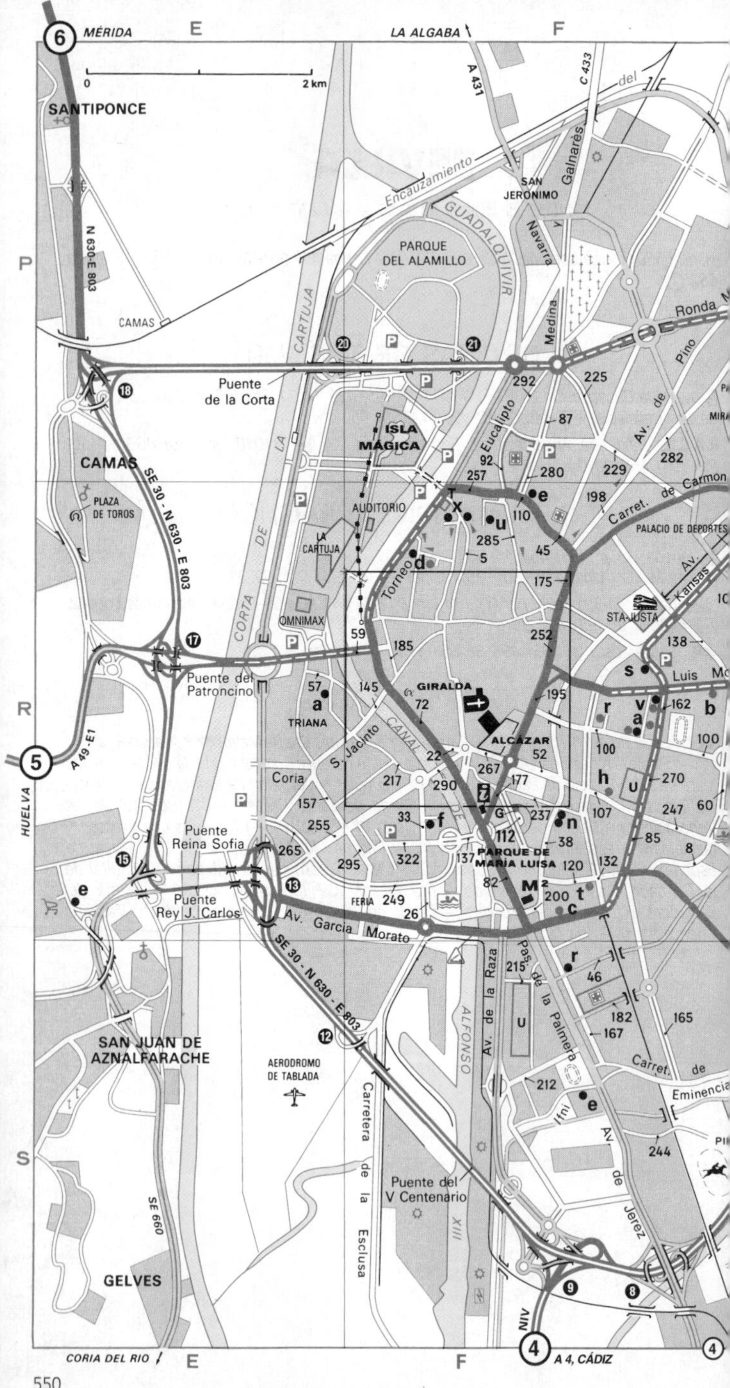
MÉRIDA
LA ALGABA
CORIA DEL RIO
HUELVA
A 4, CÁDIZ
SANTIPONCE
CAMAS
PLAZA DE TOROS
SAN JUAN DE AZNALFARACHE
GELVES
PARQUE DEL ALAMILLO
ISLA MÁGICA
AUDITORIO
LA CARTUJA
OMNIMAX
TRIANA
GIRALDA
ALCAZAR
PARQUE DE MARÍA LUISA
AERODROMO DE TABLADA
SAN JERONIMO
STA-JUSTA
PALACIO DE DEPORTES
Puente de la Corta
Puente del Patroncino
Puente Reina Sofia
Puente Rey J. Carlos
Puente del V Centenario
Encauzamiento
GUADALQUIVIR
CORTA DE LA CARTUJA
CANAL DE ALFONSO XIII
Carretera de la Esclusa
Av. Garcia Morato
Av. de la Raza
Pas. de la Palmera
Av. de Jerez
Carret. de Carmona
Carret. de Eminencia
Av. de Pino
Av. Kansas
Ronda
Galnarès
Navarra
Medina
Eucalipto
Torneo
S. Jacinto
Coria
Ifni
Luis
N 630-E 803
SE 30 - N 630 - E 803
A 49-E1
SE 660
A 431
C 433
NIV
0
2 km
FERIA

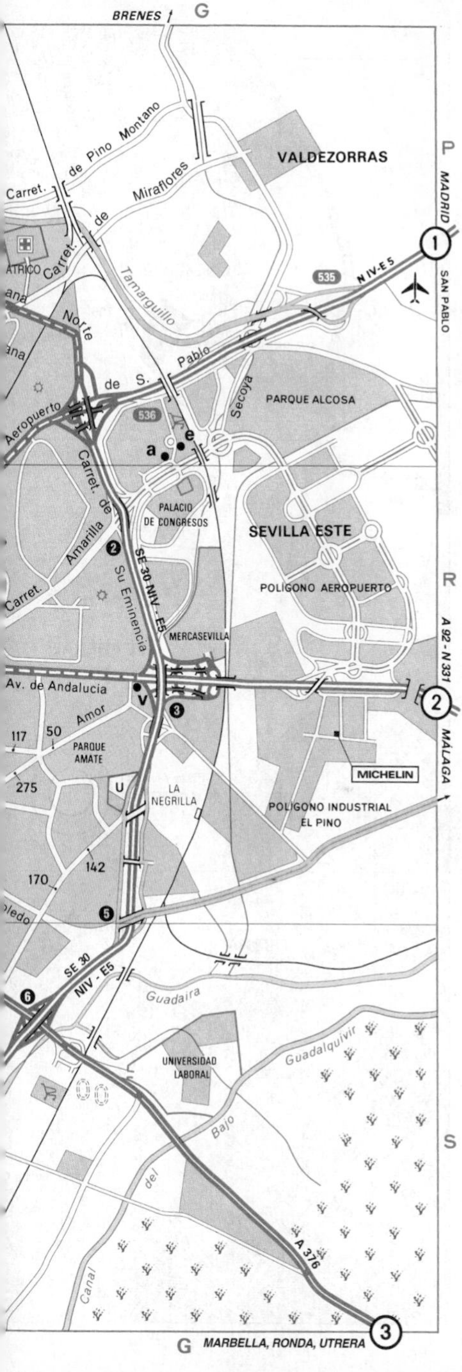

SEVILLA

Ada . . . . **FR** 2
Alameda de Hércules . . . . **FR** 5
Alcalde
  Juan Fernández . . . . **FR** 8
Almirante Lobo . . . . **FR** 22
Antonio Bienvenida . . . . . . **FR** 26
Asunción . . . . **FR** 33
Borbolla . . . . **FR** 38
Capuchinos (Ronda) . . . . . . **FR** 45
Cardenal Ilundain . . . . **FS** 46
Carlos Marx . . . . **GR** 50
Carlos V (Av.) . . . . **FR** 52
Castilla . . . . **ER** 57
Chapina (Puente) . . . . **FR** 59
Ciudad Jardín (Av.) . . . . . . **FR** 60
Cristóbal Colón (Paseo) . . . **FR** 72
Cruz del Campo (Av.) . . . . . **FR** 80
Delicias (Paseo de las) . . . . **FR** 82
Diego Martínez Barrio . . . . **FR** 85
Doctor Fedriani . . . . **FP** 87
Don Fabrique . . . . **FP** 92
Eduardo Dato (Av.) . . . . . . **FR** 100
Éfeso . . . . **FR** 102
Enramadilla . . . . **FR** 107
Eritaña (Av.) . . . . **FR** 110
España (Pl. de) . . . . **FR** 112
Federico
  Mayo Gayarre . . . . **GR** 117
Felipe II . . . . **FR** 120
Francisco Buendía . . . . **FR** 125
General Merry . . . . **FR** 132
Generalísimo
  (Puente del) . . . . **FR** 137
Greco (El Av.) . . . . **FR** 138
Ingeniero la Cierva . . . . . . **GR** 142
Isabel II (Puente) . . . . **FR** 145
López de Gomara . . . . **ER** 157
Luis de Morales . . . . **FR** 162
Manuel Fal Conde . . . . **FS** 165
Manuel Siurot (Av.) . . . . . . **FS** 167
Maqueda . . . . **GR** 170
María Auxiliadora . . . . **FR** 175
María Luisa (Av.) . . . . **FR** 177
Marqués de
  Luca de Tena . . . . **FS** 182
Marqués de Paradas . . . . . **FR** 185
Marqués de Pickman . . . . . **FR** 187
Menéndez Pelayo . . . . **FR** 195
Miraflores (Av.) . . . . **FR** 198
Muñoz León . . . . **FR** 200
Padre García Tejero (Av.) . . **FS** 212
Páez de Rivera . . . . **FS** 215
Pagés del Corro . . . . **FR** 217
Pedro Gual
  Villalbi (Av.) . . . . **FP** 225
Pío XII (Ronda) . . . . **FP** 229
Portugal (Av.) . . . . **FR** 237
Quintillo (Camino) . . . . . . **FS** 244
Ramón y Cajal (Av.) . . . . . . **FR** 247
Ramón de
  Carranza (Av.) . . . . **FR** 249
Recaredo . . . . **FR** 252
República Argentina (Av.) . **EFR** 255
Resolana . . . . **FR** 257
Rubén Darío . . . . **ER** 265
San Fernando . . . . **FR** 267
San Francisco Javier (Av.) . **FR** 270
San Juan de la Cruz (Av.) . **GR** 275
San Juan de Ribera . . . . . . **FP** 280
San Juan de la Salle . . . . . **FP** 282
San Luis . . . . **FR** 285
San Telmo (Puente de) . . . **FR** 290
Sánchez Pizjuán (Av.) . . . . **FP** 292
Santa Fé . . . . **EFR** 295
Tesalónica . . . . **GR** 305
Virgen de Luján . . . . **FR** 322

*En esta guía,
un mismo símbolo
en rojo o en* **negro**
*una misma palabra
en fino o en* **grueso**,
no significan lo mismo.

*Lea atentamente los detalles
de la introducción.*

SEVILLA

Calle	Cuadro	N.º
Alemanes	BX	12
Alfaro (Pl.)	CXY	15
Almirante Apodaca	CV	20
Almirante Lobo	BY	22
Álvarez Quintero	BX	23
Amparo	BV	25
Aposentadores	BV	28
Argote de Molina	BX	30
Armas (Pl. de)	AX	31
Banderas (Patio de)	BXY	35
Capitán Vigueras	CY	42
Cardenal Spínola	AV	47
Castelar	AX	55
Chapina (Puente)	AX	59
Cruces	CX	75
Doña Elvira	BX	95
Doña Guiomar	AX	97
Escuelas Pías	CV	114
Farmaceútico E. Murillo Herrera	AY	115
Feria	BV	123
Francisco Carrión Mejías	CV	126
Francos	BX	
Fray Ceferino González	BX	127
García de Vinuesa	BX	130
General Polavieja	BX	135
Jesús de la Vera Cruz	AV	147
José María Martínez Sánchez Arjona	AY	150
Julio César	AX	152
Luis Montoto	CX	160
Marcelino Champagnat	AY	172
Martín Villa	BV	190
Mateos Gago	BX	192
Murillo	AV	202
Museo (Pl.)	AV	205
Navarros	CVX	207
O'Donnell	BV	210
Pascual de Gayangos	AV	220
Pastor y Landero	AX	222
Pedro del Toro	AV	227
Ponce de León (Pl.)	CV	234
Puente y Pellón	BV	239
Puerta de Jerez	BY	242
República Argentina (Av.)	AY	255
Reyes Católicos	AX	260
San Gregorio	BY	272
San Juan de la Palma	BV	277
San Pedro (Pl.)	BV	286
San Sebastián (Pl.)	CY	287
Santa María La Blanca	CX	297
Santander	BY	300
Saturno	CV	302
Sierpes	BVX	
Tetuán	BX	
Triunfo (Pl.)	BX	307
Velázquez	BV	310
Venerables (Pl.)	BX	312
Viriato	BV	329

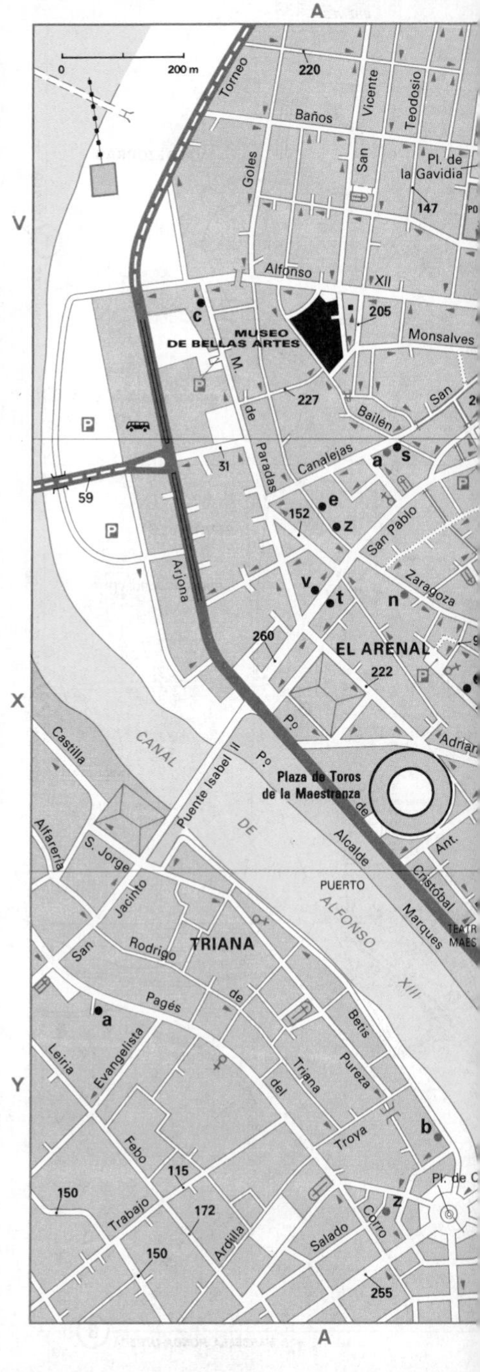

Nuestras guías de hoteles, nuestras guías turísticas y nuestros mapas de carreteras son complementarios. Utilícelos conjuntamente.

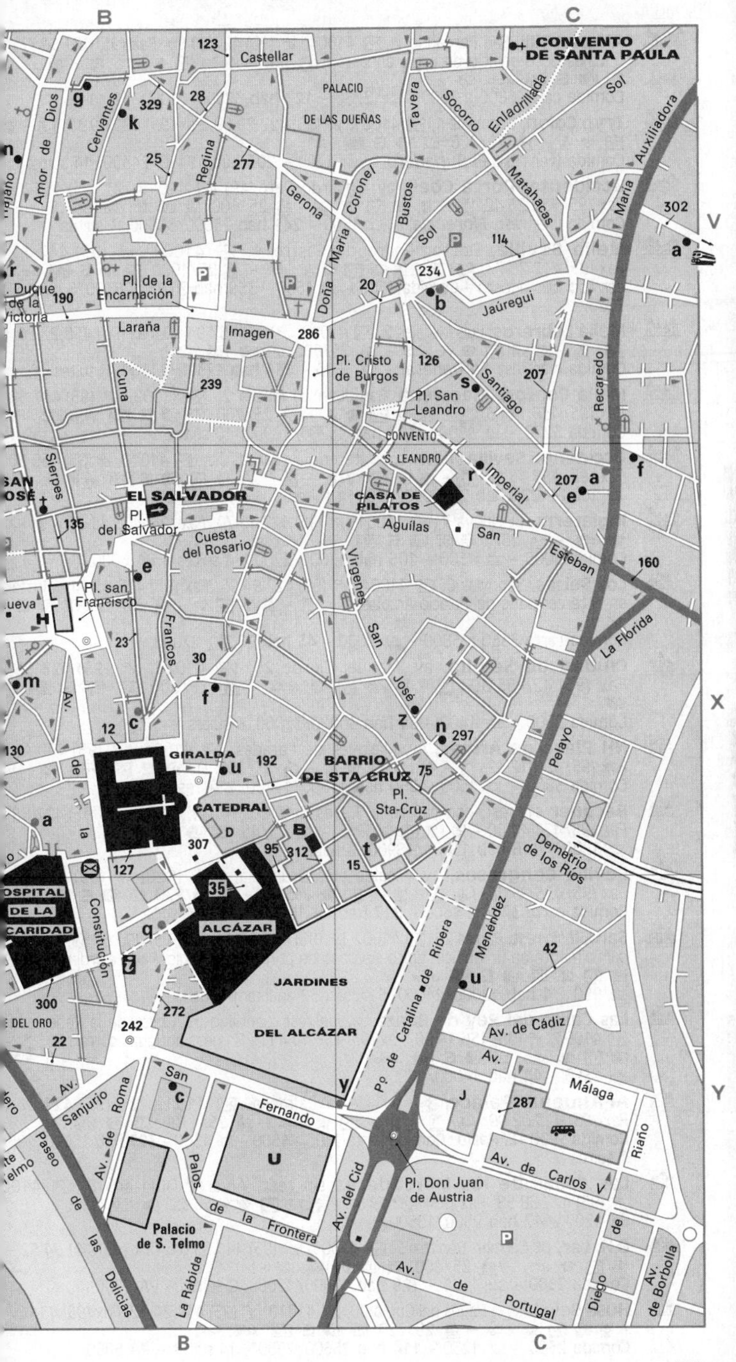

B
C
CONVENTO DE SANTA PAULA
Castellar
PALACIO DE LAS DUEÑAS
Pl. de la Encarnación
Laraña
Imagen
Pl. Cristo de Burgos
Pl. San Leandro
CONVENTO S. LEANDRO
EL SALVADOR
Pl. del Salvador
CASA DE PILATOS
Pl. san Francisco
GIRALDA
CATEDRAL
BARRIO DE STA CRUZ
Pl. Sta-Cruz
ALCÁZAR
JARDINES DEL ALCÁZAR
HOSPITAL DE LA CARIDAD
Constitución
Av. de Cádiz
Málaga
Av. de Carlos V
Pl. Don Juan de Austria
Av. de Portugal
Palacio de S. Telmo
Paseo de las Delicias
Pº de Catalina de Ribera
Menéndez
Pelayo
La Florida
Demetrio de los Ríos
Recaredo
Jaúregui
Santiago
Imperial
San Esteban
Aguílas
Virgenes
San José
Sierpes
Cuna
Francos
Cuesta del Rosario
Amor de Dios
Cervantes
Regina
Gerona
Doña María Coronel
Bustos Tavera
Socorro
Enladrillada
Sol
Matahacas
María Auxiliadora
Duque de la Victoria
Av. del Cid
Palos de la Frontera
San Fernando
La Rábida
Av. de Roma
Sanjurjo
Diego Riaño
Av. de Borbolla
V
X
Y

Alfonso XIII, San Fernando 2, ✉ 41004, ✆ (95) 422 28 50, *Fax (95) 421 60 33,* « Majestuoso edificio de estilo andaluz », – 25/5 AE VISA JCB. BY
Comida carta 6800 a 7600 – 2750 – **127 hab** 39000/51000, 19 suites.

Tryp Colón, Canalejas 1, ✉ 41001, ✆ (95) 422 29 00, *Fax (95) 422 09 38,* – 25/200. AE E VISA. AX
Comida (ver rest. ***El Burladero***) – 1700 – **204 hab** 19450/24300, 14 suites.

Occidental Porta Coeli, av. Eduardo Dato 49, ✉ 41018, ✆ (95) 453 35 *Fax (95) 453 23 42,* – 25/600. AE E VISA. FR
Comida (ver rest. ***Florencia***) – 1500 – **241 hab** 23000/30000, 3 suites.

Meliá Sevilla, Doctor Pedro de Castro 1, ✉ 41004, ✆ (95) 442 15 *Fax (95) 442 29 77,* – 25/1000. AE E VISA JCB. *cerrado julio-agosto* – Comida 3500 – 1500 – **359 hab** 25200/28300, 5 suites – 7225. FR

Meliá Lebreros, Luis Morales 2, ✉ 41018, ✆ (95) 457 94 00, *Fax (95) 458 27 26,* – 25/600. AE VISA. FR
Comida (ver rest. ***La Dehesa***) – 1500 – **431 hab** 17300/21300, 6 suites.

Meliá Confort Macarena, San Juan de Ribera 2, ✉ 41009, ✆ (95) 437 58 *Fax (95) 438 18 03,* – 25/700. AE E VISA JCB. FR
Comida 3200 – 1500 – **323 hab** 13700/16900, 10 suites.

Occidental Sevilla sin rest. con cafetería, av. Kansas City, ✉ 41018, ✆ (95) 458 20 *Fax (95) 458 46 15,* – 25/320. AE E VISA JCB. FR
1600 – **228 hab** 25000/32000, 14 suites.

Inglaterra, pl. Nueva 7, ✉ 41001, ✆ (95) 422 49 70, *Fax (95) 456 13 36* – 25/200. AE E VISA JCB. rest AX
Comida 3000 – 1500 – **105 hab** 17000/22000, 4 suites – PA 6000.

Los Seises, Segovias 6, ✉ 41004, ✆ (95) 422 94 95, *Fax (95) 422 43 34,* « Instala en el tercer patio del Palacio Arzobispal », – 25/100. AE E BX
Comida carta 3350 a 5800 – 2000 – **43 hab** 20000/27000.

Ciudad de Sevilla, av. Manuel Siurot 25, ✉ 41013, ✆ (95) 423 05 *Fax (95) 423 85 39,* – 25/300. AE E VISA FS
Comida 2800 – 1400 – **91 hab** 30000/32000, 3 suites.

NH Plaza de Armas, av. Marqués de Paradas, ✉ 41001, ✆ (95) 490 19 *Fax (95) 490 12 32,* – 25/250. AE E VISA JCB. AV
Comida 3800 – 1500 – **260 hab** 13500/14100, 2 suites.

Bécquer sin rest. con cafetería, Reyes Católicos 4, ✉ 41001, ✆ (95) 422 89 *Fax (95) 421 44 00* – 25/45. AE E VISA. AX
1200 – **116 hab** 15000/18900, 2 suites.

Sevilla Congresos, av. Alcalde Luis Uruñuela, ✉ 41020, ✆ (95) 425 90 *Fax (95) 425 95 00,* – 25/270. AE E VISA. rest GP
Comida carta 3725 a 4600 – **217 hab** 10500/13500, 1 suite.

San Gil sin rest, Parras 28, ✉ 41002, ✆ (95) 490 68 11, *Fax (95) 490 69 39,* « Instala parcialmente en un edificio típico sevillano de principios de siglo. Patio ajardinado », AE E VISA JCB. FR
950 – **4 hab** 12000/14000, 5 suites, 30 apartamentos.

Las Casas del Rey de Baeza sin rest, Santiago (pl. Cristo de la Redención ✉ 41003, ✆ (95) 456 14 96, *Fax (95) 456 14 41,* « En unas antiguas corralas », – AE E VISA JCB. CV
1350 – **44 hab** 14000/17800.

Al-Andalus Palace, av. de la Palmera, ✉ 41012, ✆ (95) 423 06 *Fax (95) 423 02 00,* – 25/1100. AE VISA. FS
Comida 1900 - ***El Patio*** : Comida carta 3100 a 4500 – 1500 – **327 hab** 15600/195 1 suite.

Las Casas de los Mercaderes sin rest, Álvarez Quintero 9, ✉ 410 ✆ (95) 422 58 58, *Fax (95) 422 98 84* – AE VISA. BX
1200 – **47 hab** 9500/15500.

G.H. Lar, pl. Carmen Benítez 3, ✉ 41003, ✆ (95) 441 03 61, *Fax (95) 441 04 52* – 25/300. AE E VISA. CX
Comida 2600 – 1125 – **129 hab** 12000/18000, 8 suites – PA 5200.

Husa Sevilla, Pagés del Corro 90, ✉ 41010, ✆ (95) 434 24 12, *Fax (95) 434 27* – 25/220. AE E VISA JCB. AY
Comida 2300 – 1250 – **114 hab** 25600/29500, 14 suites – PA 5850.

Derby sin rest, pl. del Duque 13, ✉ 41002, ☎ (95) 456 10 88, *Fax (95) 421 33 91* – |♦| ▤ TV ☎. AE ⓓ E VISA. ✂ BV r
☕ 850 – **75 hab** 9000/12000.

Doña María sin rest, Don Remondo 19, ✉ 41004, ☎ (95) 422 49 90, *Fax (95) 421 95 46*, « Terraza con ⛱ y ≤ » – |♦| ▤ TV ☎ – 🏛 25/40. AE ⓓ E VISA. ✂ BX u
☕ 1500 – **67 hab** 12000/19500, 1 suite.

Emperador Trajano, José Laguillo 8, ✉ 41003, ☎ (95) 441 11 11, *Fax (95) 453 57 02* – |♦| ▤ TV ☎ 🚗 – 🏛 25/150. AE ⓓ E VISA JCB. ✂ CV a
Comida 1900 – ☕ 1000 – **77 hab** 17300/20300.

Casa Imperial sin rest, Imperial 29, ✉ 41003, ☎ (95) 450 03 00, *Fax (95) 450 03 30*, « Residencia señorial con patios de estilo andaluz » – ▤ TV ☎. AE ⓓ E VISA. ✂ CX r
17 hab ☕ 26500/35000, 7 suites.

Monte Triana sin rest. con cafetería, Clara de Jesús Montero 24, ✉ 41010, ☎ (95) 434 31 11, *Fax (95) 434 33 28* – |♦| ▤ TV ☎ 🚗 – 🏛 25/100. AE ⓓ E VISA. ✂ ER a
☕ 900 – **117 hab** 11200/14000.

Pasarela sin rest, av. de la Borbolla 11, ✉ 41004, ☎ (95) 441 55 11, *Fax (95) 442 07 27*, Ƒδ – |♦| ▤ TV ☎ – 🏛 25. AE ⓓ E VISA. ✂ FR n
☕ 1200 – **77 hab** 13000/24000, 5 suites.

Giralda, Sierra Nevada 3, ✉ 41003, ☎ (95) 441 66 61, *Fax (95) 441 93 52* – |♦| ▤ TV ☎ – 🏛 25/250. AE ⓓ VISA. ✂ CX e
Comida 1500 – ☕ 1000 – **98 hab** 24000/28500.

Alcázar sin rest, Menéndez Pelayo 10, ✉ 41004, ☎ (95) 441 20 11, *Fax (95) 442 16 59* – |♦| ▤ TV ☎ 🚗. AE ⓓ E VISA. ✂ CY u
93 hab ☕ 15350/19700.

América sin rest. con cafetería, Jesús del Gran Poder 2, ✉ 41002, ☎ (95) 422 09 51, *Fax (95) 421 06 26* – |♦| ▤ TV ☎ – 🏛 25/150. AE ⓓ E VISA. ✂ BV h
☕ 850 – **100 hab** 8000/11000.

Hispalis, av. de Andalucía 52, ✉ 41006, ☎ (95) 452 94 33, *Fax (95) 467 53 13* – |♦| ▤ TV ☎ Ⓟ – 🏛 25/50. AE ⓓ E VISA JCB. ✂ GR v
Comida 2200 – ☕ 1000 – **99 hab** 12000/14500, 1 suite – PA 5000.

Monte Carmelo sin rest, Turia 7, ✉ 41011, ☎ (95) 427 90 00, *Fax (95) 427 10 04* – |♦| ▤ TV ☎ 🚗 – 🏛 25/35. AE E VISA. ✂ FR f
☕ 800 – **68 hab** 8000/12500.

Fernando III, San José 21, ✉ 41004, ☎ (95) 421 77 08, *Fax (95) 422 02 46*, ⛱ – |♦| ▤ TV ☎ 🚗 – 🏛 25/250. AE ⓓ E VISA JCB. ✂ rest CX z
Comida 2500 – ☕ 1200 – **156 hab** 10800/13500, 1 suite – PA 6200.

San Pablo, av. de la Innovación, ✉ 41020, ☎ (95) 425 23 25, *Fax (95) 425 31 00* – |♦| ▤ TV ☎ 🚗 – 🏛 25/35. AE ⓓ VISA. ✂ GP e
Comida *(cerrado sábado y domingo en agosto)* 1800 – **20 hab** ☕ 8500/10500, 82 suites – PA 3600.

Patio de la Alameda sin rest. y sin ☕, Alameda de Hércules 56, ✉ 41002, ☎ (95) 490 49 99, *Fax (95) 490 02 26* – ▤ TV ☎ 🚗. AE ⓓ E VISA. ✂ FR x
22 apartamentos 15000/19000.

Las Casas de la Judería sin rest, Callejón Dos Hermanas 7, ✉ 41004, ☎ (95) 441 51 50, *Fax (95) 442 21 70* – |♦| ▤ TV ☎ 🚗. AE ⓓ E VISA. ✂ CX n
☕ 1200 – **56 hab** 9500/15500.

Regina sin rest. con cafetería, San Vicente 97, ✉ 41002, ☎ (95) 490 75 75, *Fax (95) 490 75 62* – |♦| ▤ TV ☎ 🚗. AE ⓓ E VISA. ✂ FR d
☕ 1250 – **68 hab** 20700/21700, 4 suites.

Cervantes sin rest, Cervantes 10, ✉ 41003, ☎ (95) 490 05 52, *Fax (95) 490 05 36* – |♦| ▤ TV ☎ 🚗. AE ⓓ E VISA JCB. ✂ BV k
☕ 900 – **46 hab** 10000/14000.

Puerta de Triana sin rest, Reyes Católicos 5, ✉ 41001, ☎ (95) 421 54 04, *Fax (95) 421 54 01* – |♦| ▤ TV ☎. AE ⓓ E VISA JCB. ✂ AX t
65 hab ☕ 8500/12000.

Corregidor sin rest, Morgado 17, ✉ 41003, ☎ (95) 438 51 11, *Fax (95) 438 42 38* – |♦| ▤ TV ☎. AE ⓓ E VISA. ✂ BV g
☕ 800 – **82 hab** 7500/11000, 1 suite.

Patio de la Cartuja sin rest, Lumbreras 8, ✉ 41002, ☎ (95) 490 02 00, *Fax (95) 490 20 56* – ▤ TV ☎ 🚗. AE ⓓ E VISA. ✂ FR x
☕ 900 – **34 apartamentos** 15000/19000.

La Rábida, Castelar 24, ✉ 41001, ☎ (95) 422 09 60, *Telex 73062, Fax (95) 422 43 75* – |♦|, ▤ hab, TV ☎. AE ⓓ E VISA. ✂ rest AX d
Comida 1950 – ☕ 500 – **100 hab** 5900/9000 – PA 3650.

Baco, pl. Ponce de León 15, ✉ 41003, ✆ (95) 456 50 50, *Fax (95) 456 36 54* – CV
Comida (ver rest. ***El Bacalao***) – 600 – **25 hab** 6500/9000.

Montecarlo (anexo), Gravina 51, ✉ 41001, ✆ (95) 421 75 03, *Fax (95) 421 68* – VISA. AX
Comida *(cerrado enero-15 febrero)* 1950 – 650 – **51 hab** 8000/11000.

Europa sin rest y sin , Jimios 5, ✉ 41001, ✆ (95) 421 43 05, *Fax (95) 421 00 16* VISA BX
16 hab 7200/9000.

Venecia sin rest, Trajano 31, ✉ 41002, ✆ (95) 438 11 61, *Fax (95) 490 19 55* – VISA BV
750 – **24 hab** 6500/12500.

Reyes Católicos sin rest y sin , Gravina 57, ✉ 41001, ✆ (95) 421 12 0 *Fax (95) 421 63 12* – VISA. AX
27 hab 8000/11000.

Egaña Oriza, San Fernando 41, ✉ 41004, ✆ (95) 422 72 54, *Fax (95) 421 04 2* « Jardín de invierno » – VISA JCB. CY
cerrado sábado mediodía, domingo y agosto – **Comida** 6000 y carta 5000 a 6400
Espec. Caña de lomo en ensalada con láminas de patata a la vinagreta de tomate. Salmore con ostras y virutas de jamón al aceite virgen (otoño-invierno). Suprema de lubina co crema de patata y salsa de trufas.

Florencia, av. Eduardo Dato 49, ✉ 41018, ✆ (95) 453 35 00, *Fax (95) 453 23 4* « Decoración elegante » – VISA JCB. FR
cerrado agosto – **Comida** carta 3850 a 6600.

Taberna del Alabardero con hab, Zaragoza 20, ✉ 41001, ✆ (95) 456 06 3 *Fax (95) 456 36 66,* « Antigua casa palacio » – VISA JC AX
cerrado agosto – **Comida** carta 4350 a 6250 – **7 hab** 21000/30000
Espec. Ensalada de aguacate con langostinos de Sanlúcar al vinagre de Jerez. Lom de merluza con almejas en salsa verde. Solomillo de buey con tuétano al vino c Rioja.

El Burladero, Canalejas 1, ✉ 41001, ✆ (95) 422 29 00, *Telex 7272* *Fax (95) 422 09 38,* « Decoración evocando la tauromaquia » – VIS AX
cerrado agosto – **Comida** carta 6000 a 6500.

La Dehesa, Luis Morales 2, ✉ 41018, ✆ (95) 457 62 04, *Fax (95) 458 23 09,* « Decoración típica andaluza » – VISA. FR
Comida - carnes a la brasa - carta aprox. 4100.

Marea Grande, Diego Angulo Íñiguez 16 - edificio Alcázar, ✉ 41018, ✆ (95) 453 80 0 *Fax (95) 453 80 00* – VISA. FR
cerrado domingo y 2ª quincena de agosto – **Comida** - pescados y mariscos - carta 39(a 5125.

Al-Mutamid, Alfonso XI-1, ✉ 41005, ✆ (95) 492 55 04, *Fax (95) 492 25 02,* – VISA JCB. FR
Comida carta 3700 a 4700.

La Albahaca, pl. Santa Cruz 12, ✉ 41004, ✆ (95) 422 07 14, *Fax (95) 456 12 04,* « Instalado en una antigua casa señorial » – VISA JCB. CX
cerrado domingo – **Comida** carta 4100 a 5400.

Rincón de Casana, Santo Domingo de la Calzada 13, ✉ 41018, ✆ (95) 453 17 1 *Fax (95) 453 78 37,* « Decoración regional » – VISA. FR
cerrado domingo (14 junio-13 septiembre) y domingo noche resto del año – **Comida** car 3500 a 5100.

La Isla, Arfe 25, ✉ 41001, ✆ (95) 421 26 31, *Fax (95) 456 22 19* – VIS BX
cerrado agosto – **Comida** carta 4750 a 6900.

El Asador de Aranda, Luis Montoto 150, ✉ 41005, ✆ (95) 457 81 4 *Fax (95) 457 81 41,* – VISA. FR
cerrado domingo noche y agosto – **Comida** - cordero asado - carta 3175 a 4025.

Pleamar, Gustavo Bacarisas 1, ✉ 41010, ✆ (95) 427 79 80, *Fax (95) 445 01 80* – VISA. AY
cerrado domingo noche y 2ª quincena de agosto – **Comida** carta 3050 a 4300.

Ox's, Betis 61, ✉ 41010, ✆ (95) 427 95 85, *Fax (95) 427 84 65* – VISA JC AY
cerrado domingo noche, lunes y agosto – **Comida** - cocina navarra - carta 4200 a 510

XX La Dorada, av. Ramón y Cajal - edificio Viapol, ✉ 41005, ✆ (95) 492 10 66, *Fax (95) 465 05 28,* – ▤ FR h
Comida - pescados y mariscos -.

XX **Casa Robles,** Álvarez Quintero 58, ✉ 41004, ✆ (95) 456 32 72, *Fax (95) 456 44 79* – ▤. AE ⓓ E VISA JCB. ✂ BX c
Comida carta 3650 a 5400.

X **El Espigón,** Bogotá 1, ✉ 41013, ✆ (95) 462 68 51, *Fax (95) 423 53 40* – ▤. AE ⓓ E VISA. ✂ FR c
cerrado domingo – **Comida** carta 3500 a 4400.

X **El Espigón II,** Felipe II-28, ✉ 41013, ✆ (95) 423 49 24, *Fax (95) 423 53 40* – ▤. AE ⓓ E VISA. ✂ FR t
cerrado lunes y agosto – **Comida** carta 3400 a 4400.

X **El Bacalao,** pl. Ponce de León 15, ✉ 41003, ✆ (95) 421 66 70, *Fax (95) 422 49 12* – ▤. AE ⓓ E VISA. ✂ CV b
cerrado domingo noche y agosto – **Comida** - espec. en bacalaos - carta 3400 a 4600.

X **Becerrita,** Recaredo 9, ✉ 41003, ✆ (95) 441 20 57, *Fax (95) 453 37 27* – ▤. AE ⓓ E VISA JCB. ✂ CX a
cerrado domingo noche y 21 días en agosto – **Comida** carta 3400 a 4400.

X **Eslava,** Eslava 3, ✉ 41002, ✆ (95) 490 65 68 – ▤. AE ⓓ E VISA. ✂ FR d
cerrado domingo, festivos y agosto – **Comida** carta aprox. 4000.

X **Los Alcázares,** Miguel de Mañara 10, ✉ 41004, ✆ (95) 421 31 03, *Fax (95) 456 18 29,* 🏠, « Decoración regional » – ▤. E VISA. ✂ BY q
cerrado domingo – **Comida** carta 3125 a 4425.

X **Horacio,** Antonia Díaz 9, ✉ 41001, ✆ (95) 422 53 85, *Fax (95) 421 79 27* – ▤. AE ⓓ E VISA JCB. ✂ AX c
Comida carta 3075 a 4000.

San Juan de Aznalfarache ER y ES – ✉ *41920 San Juan de Aznalfarache :*

🏨 **Alcora** 🌙, carret. de Tomares ✆ (95) 476 94 00, *Fax (95) 476 94 98,* ←, « Patio con plantas », ₣₺, 🏊 – |ǂ| ▤ 📺 ☎ ♿ 🚗 🅟 – 🏛 25/1200. AE ⓓ E VISA. ✂ ER e
Comida 3300 - ***Don Aníbal*** *(cerrado agosto)* **Comida** carta aprox. 4100 – ☕ 1600 – **331 hab** 22000/27500, 70 suites.

Bellavista *por av. de Jerez* FS : 5,5 km – ✉ *41014 Sevilla :*

🏨 **Doña Carmela,** av. de Jerez 14 ✆ (95) 469 29 03, *Fax (95) 469 34 37* – |ǂ| ▤ 📺 ☎ 🚗 – 🏛 25/50. AE ⓓ E VISA. ✂ rest
Comida 1500 – ☕ 500 – **59 hab** 6800/8500.

Ver también : **Castilleja de la Cuesta** *por ⑤ : 5 km*
Guillena *por ⑥ : 21 km*
Benacazón *por ⑤ : 23 km*
Sanlúcar la Mayor *por ⑤ : 27 km.*

Neumáticos MICHELIN S.A., Sucursal polígono industrial El Pino - carretera de Málaga km 5,5, ✉ 41016 GR ✆ (95) 451 08 44, Fax (95) 452 89 00

ERRA BLANCA *Málaga – ver Ojén.*

ERRA NEVADA *18196 Granada* 446 **U 19** – *alt. 2 080 – Deportes de invierno* 🚡2 ⛷17.
Madrid 461 – Granada 32.

🏨 **Meliá Sierra Nevada,** pl. Pradollano ✆ (958) 48 04 00, *Fax (958) 48 04 58,* ←, ₣₺, 🏊 – |ǂ| 📺 ☎ 🚗 – 🏛 25/250. AE ⓓ E VISA JCB. ✂
diciembre-abril – **Comida** - sólo cena - 2825 – ☕ 1375 – **217 hab** 15225/19825, 4 suites.

🏨 **Ziryab,** pl. de Andalucía ✆ (958) 48 05 12, *Fax (958) 48 14 15,* ← – |ǂ| 📺 ☎. AE ⓓ E VISA. ✂
diciembre-mayo y julio-septiembre – **Comida** 2650 – **147 hab** ☕ 14675/19375.

🏨 **Meliá Rumaykiyya** 🌙, Dehesa San Jerónimo Par 511 ✆ (958) 48 14 00, *Fax (958) 48 00 32,* ←, « Decoración elegante », ₣₺ – |ǂ| 📺 ☎ 🚗. AE ⓓ E VISA. ✂
diciembre-abril – **Comida** 2750 – ☕ 1330 – **48 hab** 12125/17200.

🏨 **Kenia Nevada,** pl. Pradollano ✆ (958) 48 09 11, *Fax (958) 48 08 07,* ←, « Conjunto de estilo alpino », ₣₺, 🏊 – |ǂ| 📺 ☎ 🚗 – 🏛 25/90. AE ⓓ VISA. ✂
Comida - sólo buffet - 2900 – **66 hab** ☕ 20400, 1 suite.

🏨 **El Lodge** 🌙, Balcón de Pradollano ✆ (958) 48 06 00, *Fax (958) 48 13 14,* ←, « Chalet de estilo finlandés », ₣₺ – |ǂ| 📺 ☎ 🚗. AE ⓓ E VISA. ✂
Comida carta 3200 a 4550 – ☕ 1800 – **20 hab** 30000.

Meliá Sol y Nieve, pl. Pradollano ☎ (958) 48 03 00, *Telex 78507, Fax (958) 48 08 5*
diciembre-abril – **Comida** 2750 – 1330 – **186 hab** 12125/17650.

El Lodge, Balcón de Pradollano ☎ (958) 48 06 00, *Fax (958) 48 05 06*, –
Comida carta aprox. 3300 – 1800 – **23 hab** 30000.

Nevasur, Virgen de las Nieves 17 ☎ (958) 48 03 50, *Fax (958) 48 03 65*, Sie Nevada y valle, climatizada –
Comida - sólo cena buffet - 2500 – **65 hab** 12000/18000.

Ruta del Veleta Sierra Nevada, edificio Bulgaria ☎ (958) 48 12 0 *Fax (958) 48 62 93* –
noviembre-abril – **Comida** carta 3400 a 5850.

Casablanca, pl. Pradollano ☎ (958) 48 11 05
diciembre-abril – **Comida** *(cerrado lunes no festivos)* carta 2750 a 3800.

en la carretera de Granada *Noroeste : 9 km – ✉ 18196 Sierra Nevada :*

Don José, ☎ (958) 34 04 00, *Fax (958) (908) 15 94 58*, – res
***Los Jamones* : Comida** carta aprox. 3100 – **26 hab** 6000/12000.

SIERRA DE CAZORLA *Jaén – ver Cazorla.*

SIERRA DE URBIÓN ★★ *Soria* 442 **F y G 21** – *alt. 2 228.*

Ver : *Laguna Negra de Urbión★★ (carretera★★) – Laguna Negra de Neila★★ (carretera★*
Hoteles y restaurantes ver : **Soria.**

SIETE AGUAS *46392 Valencia* 445 **N 27** – *993 h. alt. 700.*

Madrid 298 – Albacete 122 – Requena 19 – Valencia 50.

junto a la autovía N III *Sureste : 5,5 km – ✉ 46360 Buñol :*

Venta l'Home, salida 294 ☎ (96) 250 35 15, « Decoración rústica en una casa postas del siglo XVII », –
Comida - carnes - carta 3750 a 4750.

SIGÜENZA *19250 Guadalajara* 444 **I 22** – *5 426 h. alt. 1 070.*

Ver : *Catedral★★ (Interior : puerta capilla de la Anunciación★, conjunto escultórico crucero★★, techo de la sacristía★, cúpula de la capilla de las Reliquias★, púlpit presbiterio★, crucifijo capilla girola★ - Capilla del Doncel : sepulcro del Doncel★★).*

paseo de la Alameda (Ermita del Humilladero) ☎ *(949) 39 32 51 Fax (949) 39 32 5*

Madrid 129 – Guadalajara 73 – Soria 96 – Zaragoza 191.

Parador de Sigüenza, ☎ (949) 39 01 00, *Fax (949) 39 13 64*, « Instalado en castillo medieval », – 25/120.
Comida 3700 – 1300 – **77 hab** 12000/15000, 4 suites.

El Doncel, paseo de la Alameda 3 ☎ (949) 39 00 01, *Fax (949) 39 10 90* – rest,
Comida 1400 – 700 – **17 hab** 5300/7300 – PA 2800.

El Motor, av. Juan Carlos I-2 ☎ (949) 39 08 27, *Fax (949) 39 00 07* –
Comida 1500 – 400 – **18 hab** 5200/6500.

Calle Mayor, Mayor 21 ☎ (949) 39 17 48, *Fax (949) 39 38 15* –
cerrado domingo noche y lunes (salvo verano) – **Comida** carta 2600 a 4300.

en Alcuneza *Noreste : 6 km – ✉ 19264 Alcuneza :*

El Molino de Alcuneza, ☎ (949) 39 15 01, *Fax (949) 39 15 08*, « Antiguo mol de ambiente rústico acogedor » –
cerrado domingo y lunes – **Comida** 2900 – 850 – **11 hab** 8000/12000.

SILLEDA *36540 Pontevedra* 441 **D 5** – *9 619 h. alt. 463.*

Madrid 574 – Chantada 50 – Lugo 84 – Orense/Ourense 73 – Pontevedra 63 – Santia de Compostela 37.

Ramos sin rest, San Isidro 24 ☎ (986) 58 12 12, *Fax (986) 58 02 83* –
– 450 – **33 hab** 5000/6000, 2 apartamentos.

Ricardo, San Isidro 15 ☎ (986) 58 08 77 –
Comida carta aprox. 3600.

LS *17410 Gerona* 443 **G 38** – *2 376 h. alt. 75.*
Madrid 689 – Barcelona 76 – Gerona/Girona 30.

Hostal de la Granota, carret. N II - Este : 1,5 km ☎ (972) 85 30 44, *Fax (972) 85 31 85,* , « Ambiente típico catalán. Antigua casa de postas » – P. AE E VISA.
cerrado miércoles y 10 julio-10 agosto – **Comida** carta 2650 a 3700.

MANCAS *47130 Valladolid* 442 **H 15** – *2 031 h. alt. 725.*
Entrepinos, carret. de Pesqueruela km 1,5 ☎ (983) 59 05 11 Fax (983) 59 07 65.
Madrid 197 – Ávila 117 – Salamanca 103 – Segovia 125 – Valladolid 11 – Zamora 85.

la carretera del pinar *Sureste : 4 km* – ✉ *47130 Simancas :*

El Bohío, ☎ (983) 59 00 55, *Fax (983) 48 02 63,* , « Lindando con un pinar al borde del Duero » – P. AE E VISA.
cerrado lunes y martes en invierno – **Comida** carta 3150 a 3900.

RESA *22790 Huesca* 443 **D 27.**
Ver : *Iglesia★ (retablos★).*
Madrid 483 – Huesca 100 – Jaca 50 – Pamplona/Iruñea 120.

Castillo d'Acher, La Virgen ☎ (974) 37 53 13 – P. VISA.
Comida 1250 – ☕ 500 – **16 hab** 5000/5500 – PA 2500.

SAMO *15106 La Coruña* 441 **C 3.**
Madrid 640 – Carballo 3 – La Coruña/A Coruña 43 – Santiago de Compostela 46.

Pazo do Souto , Torre 1 ☎ (981) 75 60 65, *Fax (981) 75 61 91,* « Antiguo pazo » – TV ☎ P. AE E VISA.
cerrado del 1 al 15 de noviembre – **Comida** *(cerrado lunes)* carta aprox. 3200 – ☕ 600 – **11 hab** 8000/11000.

SAN *Pontevedra – ver Cambados.*

TGES *08870 Barcelona* 443 **I 35** – *13 096 h. – Playa.*
Ver : *Vila Vella★★ – Museo del Cau Ferrat★★* BZ – *Museo Maricel de Mar★* BZ – *Casa Llopis★* AY.
Terramar, ☎ (93) 894 05 80 Fax (93) 894 70 51 AZ.
Sinia Morera 1 ☎ (93) 894 42 51 (93) Fax 894 43 05.
Madrid 597 ① – Barcelona 43 ② – Lérida/Lleida 135 ① – Tarragona 53 ③

Plano página siguiente

Tryp San Sebastián Playa sin rest. con cafetería, Port Alegre 53 ☎ (93) 894 86 76, *Fax (93) 894 04 30,* « Bonita decoración », – TV ☎ – 25/120. AE E VISA. BX e
☕ 1050 – **48 hab** 15000/19000, 3 suites.

Calípolis, passeig Marítim ☎ (93) 894 15 00, *Fax (93) 894 07 64,* ← – TV ☎ P – 25/300. AE E VISA JCB. rest AZ a
Comida 2250 – ☕ 1500 – **161 hab** 18250/20000, 9 suites – PA 4800.

Aparthotel Mediterráneo, av. Sofía 3 ☎ (93) 894 51 34, *Fax (93) 894 51 34,* ←, – TV ☎ – 25/100. AE E VISA. rest BX v
Comida 1700 – ☕ 1100 – **84 apartamentos** 18500/22500.

Terramar , passeig Marítim 80 ☎ (93) 894 00 50, *Fax (93) 894 56 04,* ←, , , , , – TV ☎ – 25/300. AE E VISA JCB. AX a
mayo-octubre – **Comida** 1900 – **203 hab** ☕ 10975/18135, 6 suites.

Sitges Park H., Jesús 16 ☎ (93) 894 02 50, *Fax (93) 894 08 39,* – TV ☎ – 25/90. AE E VISA. BY z
20 marzo-2 noviembre – **Comida** 1850 – ☕ 750 – **85 hab** 6500/11500 – PA 3675.

Antemare , av. Verge de Montserrat 48 ☎ (93) 894 70 00, *Fax (93) 894 63 01,* Servicios de talasoterapia, , – TV ☎ – 25/300. AE E VISA. AX s
Comida 1500 – ☕ 1300 – **117 hab** 17000/19600.

Subur Marítim , passeig Marítim ☎ (93) 894 15 50, *Fax (93) 894 04 27,* ←, « Césped con » – TV ☎ P. AE E VISA. rest AX n
Comida 2700 – **45 hab** ☕ 17200/23060, 1 suite.

Capri y Veracruz, av. Sofía 13 ☎ (93) 811 02 67, *Fax (93) 894 51 88,* – hab, TV ☎. AE E VISA BX r
Comida *(Semana Santa-octubre)* 2000 – **57 hab** ☕ 8400/14300.

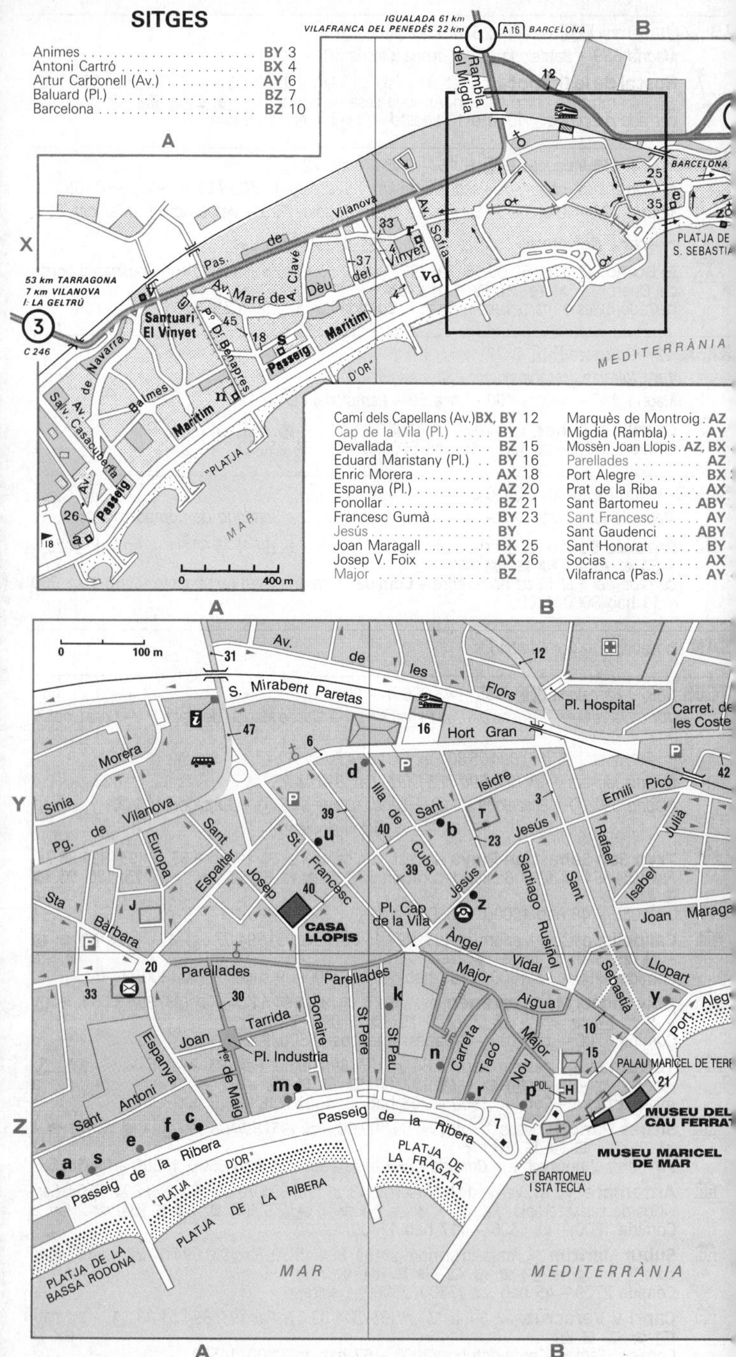
SITGES
Animes . . . . . BY 3
Antoni Cartró . . . . . BX 4
Artur Carbonell (Av.) . . . . . AY 6
Baluard (Pl.) . . . . . BZ 7
Barcelona . . . . . BZ 10
Camí dels Capellans (Av.) BX, BY 12
Cap de la Vila (Pl.) . . . . . BY
Devallada . . . . . BZ 15
Eduard Maristany (Pl.) . . BY 16
Enric Morera . . . . . AX 18
Espanya (Pl.) . . . . . AZ 20
Fonollar . . . . . BZ 21
Francesc Gumà . . . . . BY 23
Jesús . . . . . BY
Joan Maragall . . . . . BX 25
Josep V. Foix . . . . . AX 26
Major . . . . . BZ
Marquès de Montroig . AZ
Migdia (Rambla) . . . . AY
Mossèn Joan Llopis . AZ, BX
Parellades . . . . . AZ
Port Alegre . . . . . BX
Prat de la Riba . . . . . AX
Sant Bartomeu . . . . ABY
Sant Francesc . . . . . AY
Sant Gaudenci . . . . ABY
Sant Honorat . . . . . BY
Socias . . . . . AX
Vilafranca (Pas.) . . . . AY
IGUALADA 61 km
VILAFRANCA DEL PENEDÈS 22 km
A 16 BARCELONA
53 km TARRAGONA
7 km VILANOVA I LA GELTRÚ
C 246
Rambla del Migdia
Pas. de Vilanova
Av. Maré de Déu del Vinyet
Santuari El Vinyet
Av. Sofia
Passeig Marítim
Av. Salv. Casacuberta
Av. de Navarra
Balmes
P° Dr Benaprès
"PLATJA D'OR"
MAR MEDITERRÀNIA
PLATJA DE S. SEBASTIÀ
0 400 m
0 100 m
Av. de les Flors
S. Mirabent Paretas
Pl. Hospital
Hort Gran
Carret. de les Costes
Emili Picó
Isidre
Morera
Sinia
Pg. de Vilanova
Sant Espalter
Europa
Sta Bàrbara
Sant Josep
St Francesc
Illa de Cuba
Sant Isidre
Jesús
Pl. Cap de la Vila
CASA LLOPIS
Santiago Rusiñol
Sant Rafael
Isabel
Julià
Joan Maragall
Àngel Vidal
Major
Aigua
Sebastià
Llopart
Port Alegre
Parellades
Joan Tarrida
Pl. Industria
1er de Maig
Bonaire
St Pere
St Pau
Carreta
Tacó
Nou
Espanya
Sant Antoni
Passeig de la Ribera
PALAU MARICEL DE TERRA
MUSEU DEL CAU FERRAT
MUSEU MARICEL DE MAR
ST BARTOMEU I STA TECLA
"PLATJA D'OR"
PLATJA DE LA RIBERA
PLATJA DE LA FRAGATA
PLATJA DE LA BASSA RODONA
MAR MEDITERRÀNIA

Subur sin rest. con cafetería, passeig de la Ribera ✆ (93) 894 00 66, *Fax (93) 894 69 86,* - ▤ ☎ . AE ⓓ E VISA AZ c
96 hab ▭ 7900/14050.

Galeón, Sant Francesc 46 ✆ (93) 894 06 12, *Fax (93) 894 63 35,* - ▤ ☎. E VISA. AY u
mayo-octubre - **Comida** 1600 - ▭ 760 - **47 hab** 6800/9900 - PA 3400.

La Santa María, passeig de la Ribera 52 ✆ (93) 894 09 99, *Fax (93) 894 78 71,* - ▤ hab, ☎ ⓟ. AE ⓓ E VISA AZ f
cerrado 16 diciembre-14 febrero - **Comida** carta aprox. 4500 - ▭ 1200 - **60 hab** 7600/8600.

Platjador, passeig de la Ribera 35 ✆ (93) 894 50 54, *Fax (93) 894 63 35,* - ▤ ☎. E VISA. AZ m
abril-octubre - **Comida** 1600 - ▭ 750 - **59 hab** 6300/11000 - PA 3400.

Romàntic y la Renaixença sin rest, Sant Isidre 33 ✆ (93) 894 83 75, *Fax (93) 894 81 67,* « Patio-jardín con arbolado » - ☎. AE E VISA BY b
69 hab ▭ 9650/12825.

El Greco, passeig de la Ribera 70 ✆ (93) 894 29 06, *Fax (93) 811 10 69,* - ▤. AE ⓓ E VISA AZ s
cerrado martes (en verano), martes mediodía y miércoles mediodía (en invierno) y 15 días en noviembre - **Comida** carta 3250 a 6300.

El Velero, passeig de la Ribera 38 ✆ (93) 894 20 51, *Fax (93) 894 15 14* - ▤. AE ⓓ E VISA. AZ m
cerrado domingo noche y lunes (salvo junio-septiembre) - **Comida** carta 4550 a 5000.

Fragata, passeig de la Ribera 1 ✆ (93) 894 10 86, *Fax (93) 894 00 31,* - ▤. AE ⓓ E VISA. BZ p
Comida carta 3165 a 5665.

Maricel, passeig de la Ribera 6 ✆ (93) 894 20 54, *Fax (93) 894 38 96,* <, - ▤. AE ⓓ E VISA JCB BZ r
cerrado martes y 2ª quincena de noviembre - **Comida** carta 3950 a 5350.

Mare Nostrum, passeig de la Ribera 60 ✆ (93) 894 33 93, *Fax (93) 894 33 93,* - AE ⓓ E VISA. AZ e
cerrado miércoles y 15 diciembre-enero - **Comida** carta 3375 a 4550.

Oliver's, Isla de Cuba 39 ✆ (93) 894 35 16 - ▤. E VISA. AY d
cerrado lunes y 15 diciembre-15 enero - **Comida** - sólo cena salvo sábado, domingo y festivos - carta 2700 a 4150.

La Nansa, de la Carreta 24 ✆ (93) 894 19 27, *Fax (93) 894 73 31* - ▤. AE ⓓ E VISA. BZ n
cerrado martes noche en invierno, miércoles (salvo festivos) y enero - **Comida** carta 3500 a 4700.

Els 4 Gats, Sant Pau 13 ✆ (93) 894 19 15 - ▤. AE ⓓ E VISA. BZ k
15 abril-15 octubre - **Comida** *(cerrado miércoles)* carta 3300 a 4300.

La Masía, passeig Vilanova 164 ✆ (93) 894 10 76, *Fax (93) 894 61 60,* , « Decoración rústica regional » - ▤ ⓟ. AE ⓓ E VISA AX v
Comida carta 2600 a 3400.

La Torreta, Port Alegre 17 ✆ (93) 894 52 53, *Fax (93) 894 00 80,* - AE ⓓ E VISA. BZ y
cerrado martes y del 20 al 31 de diciembre - **Comida** carta 3450 a 4550.

Vivero, passeig Balmins ✆ (93) 894 21 49, *Fax (93) 894 21 49,* <, - ▤ ⓟ. AE ⓓ E VISA. BX z
cerrado martes (21 enero-Semana Santa) y 21 diciembre-21 enero - **Comida** - pescados y mariscos - carta 3750 a 4450.

en el puerto de Aiguadolç *por ② : 1,5 km* - ✉ *08870 Sitges :*

Meliá Gran Sitges, ✆ (93) 811 08 11, *Fax (93) 894 90 34,* <, , Teatro-auditorio, « Césped con », ▤ ☎ & - 25/1400. AE ⓓ E VISA JCB.
Comida 3500 - ***Noray*** **: Comida** carta 3800 a 5150 - ▭ 1650 - **294 hab** 21400/25500, 13 suites.

Estela Barcelona, av. port d'Aiguadolç ✆ (93) 894 79 18, *Fax (93) 811 04 89,* <, , « Frente al puerto deportivo », - ▤ ☎ & - 25/300. AE ⓓ E VISA JCB
Comida 3000 - **48 hab** ▭ 17500/21500, 9 suites.

ANO *Cantabria - ver Isla.*

SOBRADO DE LOS MONJES *15312 La Coruña* 441 C 5 – *2 739 h.*
Madrid 552 – La Coruña/A Coruña 64 – Lugo 46 – Santiago de Compostela 61.

San Marcus, ℘ (981) 78 75 27, ≤, ⛱, ☂ – TV ☎. AE VISA. ✂
cerrado enero-febrero – **Comida** 2200 – ☕ 500 – **12 hab** 4000/6000.

La SOLANA *13240 Ciudad Real* 444 P 20 – *13 892 h. alt. 770.*
Madrid 188 – Alcázar de San Juan 78 – Ciudad Real 67 – Manzanares 15.

San Jorge, carret. de Manzanares ℘ (926) 63 34 02, *Fax (926) 63 22 41* – ▤ TV
P. VISA. ✂
cerrado enero – **Comida** 1300 – ☕ 350 – **21 hab** 4000/7500 – PA 2800.

SOLARES *39710 Cantabria* 442 B 18 – *5 723 h. alt. 70.*
Madrid 387 – Bilbao/Bilbo 85 – Burgos 152 – Santander 16.

Don Pablo, General Mola 6 ℘ (942) 52 21 20, *Fax (942) 52 20 00*, « Casa señorial siglo XVI » – TV ☎ P – 25/300. AE ⓓ E VISA JCB. ✂
Comida 1400 – ☕ 600 – **27 hab** 8500/12000.

Casa Enrique con hab, paseo de la Estación 20 ℘ (942) 52 00 73, *Fax (942) 52 07*
– ▤ rest, TV ☎ P. AE ⓓ E VISA JCB. ✂
cerrado 20 septiembre-10 octubre – **Comida** *(cerrado domingo noche)* carta 2800 a 36
– ☕ 400 – **16 hab** 4000/7000.

SOLDEU *Andorra – ver Andorra (Principado de).*

SOLIVELLA *43412 Tarragona* 443 H 33 – *710 h.*
Alred. : *Monasterio de Vallbona de los Monges★★ (iglesia★★, claustro★).*
Madrid 525 – Lérida/Lleida 66 – Tarragona 51.

Cal Travé, carret. d'Andorra 56 ℘ (977) 89 21 65, *Fax (977) 89 20 73*, « Decorac típica » – ▤. ⓓ E VISA JCB. ✂
cerrado miércoles y del 1 al 20 de octubre – **Comida** - carnes a la brasa - carta 2700 a 445

SOLSONA *25280 Lérida* 443 G 34 – *6 601 h. alt. 664.*
Ver : *Museo Diocesano y Comarcal★★ (pinturas★★ románicas y góticas, frescos de S. Quirze de Pedret★★★, frescos de Sant Pau de Caserres★, Cena de Santa Constanza★ Catedral★ (Virgen del Claustro★).*
carret. Basella 1 ℘ (973) 48 23 10 Fax (973) 48 19 33.
Madrid 577 – Lérida/Lleida 108 – Manresa 52.

Crisami, carret. de Manresa 52 ℘ (973) 48 04 13, *Fax (973) 48 17 17* – ▤ rest, TV
🚗 P. AE E VISA
Comida 1500 – **21 hab** ☕ 4000/6000.

La Cabana d'en Geli, carret. de Sant Llorenç de Morunys ℘ (973) 48 29
Fax (973) 48 04 71, ⛱, « Masía típica » – ▤ P. AE ⓓ E VISA JCB. ✂
cerrado martes noche y miércoles (salvo festivos o vísperas), una semana en junio y t semanas en noviembre – **Comida** carta 3500 a 4600.

en la carretera de Manresa *Este : 1 km – ✉ 25280 Solsona :*

Vilaseca Gran Sol, ℘ (973) 48 10 00, *Fax (973) 48 10 00* – ▤ P. AE ⓓ E VISA
cerrado lunes y 6 enero-6 febrero – **Comida** carta 2700 a 3800.

SÓLLER *Baleares – ver Baleares (Mallorca).*

SOMIÓ *Asturias – ver Gijón.*

SON BOU *Baleares – ver Baleares (Menorca) : Alayor.*

SON SERVERA *Baleares – ver Baleares (Mallorca).*

SON VIDA *Baleares – ver Baleares (Mallorca) : Palma.*

SORBAS *04270 Almería* 446 U 23 – *2 707 h. alt. 409.*
Ver : *Emplazamiento★.*
Madrid 552 – Almería 59 – Granada 174 – Murcia 167.

ɪRIA *42000* P 442 G 22 - *35 540 h. alt. 1 050.*

Ver : *Iglesia de Santo Domingo★ (portada★★)* A – *Catedral de San Pedro (claustro★)* B – *San Juan de Duero (claustro★)* B.

pl. Ramón y Cajal ✉ 42003 ☎ (975) 21 20 52 Fax (975) 21 20 52 – **R.A.C.E.** *☎ 900 20 00 93.*

Madrid 225 ③ – Burgos 142 ④ – Calatayud 92 ② – Guadalajara 169 ③ – Logroño 106 ① – Pamplona/Iruñea 167 ②

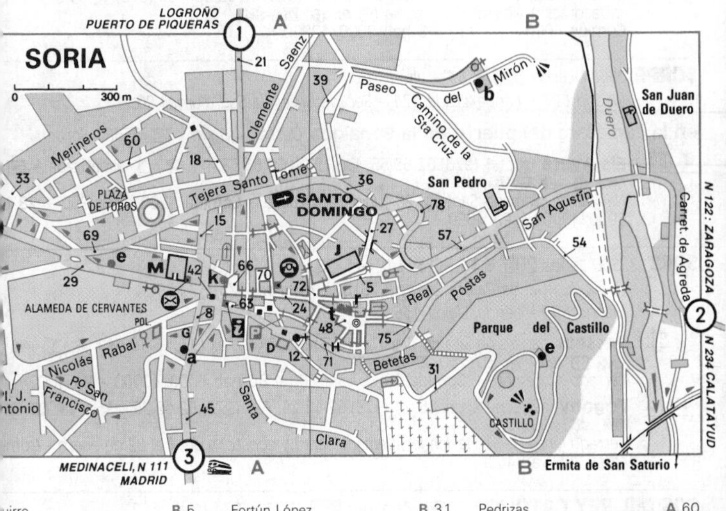

Parador de Soria , parque del Castillo, ✉ 42005, ☎ (975) 24 08 00, *Fax (975) 24 08 03*, ≤ valle del Duero y montañas – ▤ rest, TV ☎ P – 🏃 25/140. AE ◑ E VISA JCB. ✻ — B e
Comida 3500 – ☕ 1300 – **34 hab** 12000/15000 – PA 7055.

Alfonso VIII, Alfonso VIII-10, ✉ 42003, ☎ (975) 22 62 11, *Fax (975) 21 36 65* – |♦|, ▤ rest, TV ☎ 🚗 – 🏃 25/150. AE ◑ E VISA. ✻ — A a
Comida 1700 – ☕ 950 – **103 hab** 7600/9500 – PA 4350.

Mesón Leonor , paseo del Mirón, ✉ 42005, ☎ (975) 22 02 50, *Fax (975) 22 99 53*, ≤ – ▤ TV ☎ P – 🏃 25/200. AE ◑ E VISA. ✻ rest — B b
Comida 2000 – ☕ 575 – **32 hab** 6450/9785.

Maroto, paseo del Espolón 20, ✉ 42001, ☎ (975) 22 40 86, *Fax (975) 22 91 82* – ▤. AE ◑ E VISA. ✻ — A e
Comida carta 3600 a 5300.

Fogón del Salvador, pl. del Salvador 1, ✉ 42001, ☎ (975) 23 01 94, *Fax (975) 23 24 09* – ▤. AE ◑ E VISA. ✻ — A k
Comida - espec. en carnes a la brasa y asados - carta aprox. 4000.

Mesón Castellano, pl. Mayor 2, ✉ 42002, ☎ (975) 21 30 45, *Fax (975) 21 26 90* – ▤. AE ◑ E VISA. ✻ — B t
Comida carta 2800 a 4400.

Casa Augusto, pl. Mayor 5, ✉ 42002, ☎ (975) 21 30 41, *Fax (975) 21 30 41* – ▤. AE E VISA. ✻ — B r
Comida carta 2750 a 3075.

El Mesón de Isabel, pl. Mayor 4, ✉ 42002, ☎ (975) 21 19 44, *Fax (975) 21 30 41* – AE E VISA. ✻ — B r
Comida carta 2450 a 2740.

en la carretera N 122 *por ② : 6 km – ✉ 42004 Soria :*

Cadosa, ☏ (975) 21 31 43, *Fax (975) 21 31 43,* – rest, TV ☎ P – 25/2
AE ⓓ E VISA JCB. rest
Comida 1300 – 550 – **64 hab** 6850/9400 – PA 3150.

en la carretera N 234 *por ④ : 8 km y desvío a la derecha 1,2 km – ✉ 42001 Soria :*

Valonsadero, Monte Valonsadero ☏ (975) 18 00 06, *Fax (975) 18 01 01,* <,
« Decoración elegante » – TV ☎ P. VISA.
Comida 4000 – 750 – **8 hab** 9000/12000.

SORPE *25587 Lérida* 443 **E 33** – *alt. 1 113.*

Madrid 627 – Lérida/Lleida 174 – Seo de Urgel/La Seu d'urgell 90.

en la carretera del puerto de la Bonaigua *Oeste : 4,5 km – ✉ 25587 Sorpe :*

Els Avets, ☏ (973) 62 63 55, *Fax (973) 62 63 38,* <, , climatizada – TV
P. ⓓ E VISA.
Navidades, Semana Santa y 20 junio-12 octubre – **Comida** 2200 – 950 – **28 h**
6050/12100 – PA 4650.

SORT *25560 Lérida* 443 **E 33** – *1 511 h. alt. 720.*

av. Comtes de Pallars 21 ☏ (973) 62 10 02 Fax (973) 62 10 02.

Madrid 593 – Lérida/Lleida 136.

Pessets, carret. de Seo de Urgel ☏ (973) 62 00 00, *Fax (973) 62 08 19,* <, ,
– TV ☎ – 30/200. E VISA. rest
cerrado noviembre – **Comida** 1900 – 800 – **80 hab** 6000/10000 – PA 4000.

Fogony, av. Generalitat 45 ☏ (973) 62 12 25, *Fax (973) 62 12 25,* – . AE ⓓ
VISA.
cerrado lunes (salvo Navidades, Semana Santa y agosto) y del 7 al 22 de enero – **Comi**
carta 2950 a 5400.

SOS DEL REY CATÓLICO *50680 Zaragoza* 443 **E 26** – *974 h. alt. 652.*

Ver : *Iglesia de San Esteban★ (cripta★, coro★).*

Alred. : *Uncastillo (iglesia de Santa María : portada Sur★, sillería★, claustro★) Sures*
22 km.

Madrid 423 – Huesca 109 – Pamplona/Iruñea 59 – Zaragoza 122.

Parador de Sos del Rey Católico, Arquitecto Sainz de Vicuña
☏ (948) 88 80 11, *Fax (948) 88 81 00,* <, « Conjunto de estilo aragonés » – TV
P – 25/45. AE ⓓ E VISA.
Comida 3500 – 1300 – **63 hab** 12000/15000, 2 suites.

SOTO DE CANGAS *33559 Asturias* 441 **B 14** – *155 h. alt. 84.*

Madrid 439 – Oviedo 73 – Santander 134.

La Balsa sin rest, carret. de Covadonga ☏ (98) 594 00 56, *Fax (98) 594 00 56* – TV
AE ⓓ E VISA.
600 – **14 hab** 5000/8500.

SOTO DE LUIÑA *33156 Asturias* 441 **B 11.**

Madrid 520 – Avilés 37 – Gijón 60 – Luarca 30 – Oviedo 68.

al Noroeste : *1,5 km*

Cabo Vidio, acceso carret. N 632 ☏ (98) 559 61 12, – P. ⓓ E VISA.
cerrado enero – **Comida** 3000 – 400 – **12 hab** 4000/7000.

SOTO DEL REAL *28791 Madrid* 444 **J 18** – *2 697 h. alt. 921.*

Madrid 47 – El Escorial 47 – Guadalajara 92.

Suite H. Prado Real, El Prado - urb. Prado Real ☏ (91) 847 86 98, *Fax (91) 847 84*
– TV ☎ P – 25/120. AE ⓓ E VISA.
Comida *(cerrado sábado y 23 diciembre-5 enero)* 2800 – **49 hab** 8100/10100.

La Cabaña, pl. Chozas de la Sierra - urb. La Ermita ☏ (91) 847 78 82, *Fax (91) 847 78*
– P. E VISA.
cerrado martes y del 13 al 22 de octubre – **Comida** carta 3600 a 4300.

OTOGRANDE *11310 Cádiz 446 X 14 - Playa.*

18 9 Sotogrande, paseo del Parque ✆ (956) 79 50 50 Fax (956) 79 50 29 - 18 9 Valderrama, urb. Sotogrande, Suroeste : 4 km ✆ (956) 79 57 75 Fax (956) 79 60 28.
Madrid 666 - Algeciras 27 - Cádiz 148 - Málaga 111.

n el puerto deportivo *Noreste : 3 km - ✉ 11310 Sotogrande :*

Club Marítimo, sin rest, ✉ apartado 3, ✆ (956) 79 02 00, *Fax (956) 79 03 77*, ←, « Patio con plantas » - ▣ ☎ - 25. AE ⊙ E VISA
cerrado del 23 al 31 de diciembre - ☕ 1250 - **25 hab** 20000/25000, 14 suites.

Vicente, local A-8 ✆ (956) 79 02 12, - AE ⊙ E VISA.
cerrado lunes - **Comida** carta 3600 a 5650.

OTOSALBOS *40170 Segovia 442 I 18 - 94 h. alt. 1 161.*
Madrid 106 - Aranda de Duero 98 - Segovia 19.

De Buen Amor, sin rest, Eras 7 ✆ (921) 40 30 20, *Fax (921) 40 30 22*, « Antigua casa de labranza » - TV ☎. AE ⊙ E VISA.
☕ 650 - **12 hab** 6800/10500.

OTOSERRANO *37657 Salamanca 441 K 11 - 673 h. alt. 522.*
Madrid 311 - Béjar 36 - Ciudad Rodrigo 61 - Salamanca 106.

Mirador, carret. de Coria 29 ✆ (923) 42 21 55, ← - ▤ TV P. AE ⊙ E VISA.
cerrado del 4 al 19 de septiembre - **Comida** 1800 - ☕ 500 - **14 hab** 2800/5000.

UANCES *39340 Cantabria 442 B 17 - 5 842 h. - Playa.*
Madrid 394 - Bilbao/Bilbo 131 - Oviedo 182 - Santander 31.

Posada del Mar sin rest, Cuba de Arriba 2 ✆ (942) 81 12 33, *Fax (942) 81 12 53* - TV ☎. ⊙ E VISA
☕ 300 - **11 hab** 4300/7000.

n la zona de la playa :

Suances, Ceballos 45 ✆ (942) 84 42 22, *Fax (942) 84 42 11*, ←, - TV ☎ P. AE ⊙ E VISA.
Comida 2000 - ☕ 500 - **34 hab** 9000/12000.

Cuevas III, Ceballos 53 ✆ (942) 84 43 43, *Fax (942) 84 44 45* - , ▤ rest, TV ☎ P. VISA. rest
Comida 2000 - **54 hab** ☕ 9660/13800 - PA 4000.

Vivero II, Ceballos 75-A ✆ (942) 81 13 02, *Fax (942) 81 13 02* - TV ☎ P. AE ⊙ E VISA.
Semana Santa y junio-septiembre - **Comida** 1300 - **44 hab** ☕ 5500/11000.

Sito, av. de la Marina Española 3 ✆ (942) 81 04 16 - ▤. AE ⊙ E VISA.
cerrado lunes (salvo julio-septiembre) - **Comida** carta 2850 a 4550.

n la zona del faro :

Albatros, Madrid 18 B - carret. de Tagle ✆ (942) 84 41 40, *Fax (942) 84 41 12*, ←, - TV ☎ P. ⊙ E VISA. rest
Comida 2500 - ☕ 650 - **42 hab** 10000/11000.

Apart. El Caserío, av. Acacio Gutiérrez 157 ✆ (942) 81 05 75, *Fax (942) 81 05 76*, ←, - ▤ TV ☎. AE ⊙ E VISA.
cerrado 22 diciembre-22 enero - **Comida** (ver rest. ***El Caserío***) - ☕ 500 - **19 apartamentos** 7000/13500.

El Castillo sin rest, av. Acacio Gutiérrez 142 ✆ (942) 81 03 83, *Fax (942) 81 03 74*, ←, « Reproducción de un pequeño castillo » - TV ☎. ⊙ E VISA
☕ 600 - **11 hab** 9000/10000.

El Caserío con hab, av. Acacio Gutiérrez 159 ✆ (942) 81 05 75, *Fax (942) 81 05 76*, - ▤ rest, TV ☎ P. AE ⊙ E VISA.
cerrado 22 diciembre-22 enero - **Comida** carta 3400 a 4400 - ☕ 500 - **9 hab** 5000/9500.

URIA *08260 Barcelona 443 G 35 - 6 524 h. alt. 280.*
Madrid 596 - Barcelona 80 - Lérida/Lleida 127 - Manresa 15.

Guilá "Can Pau" con hab, Salvador Vancell 19 ✆ (93) 869 59 02, *Fax (93) 869 65 35* - ▤ rest,. E VISA
Comida carta 1500 a 3750 - ☕ 550 - **36 hab** 3250/4250.

TABARCA (Isla de) *03138 Alicante* 445 **R 28** – *Playa.*
Accesos desde : Alicante, Santa Pola y Torrevieja.

Casa del Gobernador sin rest, Arzola ✆ (96) 511 42 60, *Fax (96) 511 42 60*, – E VISA.
cerrado 15 enero-15 febrero – **14 hab** 6600/8500.

La Almadraba, Virgen del Carmen 3 ✆ (96) 597 05 87, *Fax (96) 596 10 39*, ≤,
AE E VISA.
cerrado lunes en invierno y enero – **Comida** carta 2400 a 4200.

TACORONTE *Santa Cruz de Tenerife – ver Canarias (Tenerife).*

TAFALLA *31300 Navarra* 442 **E 24** – *10 249 h. alt. 426.*
Alred. : *Ujué★ Este : 19 km.*
Madrid 365 – Logroño 86 – Pamplona/Iruñea 38 – Zaragoza 135.

Tubal, pl. de Navarra 4-1º ✆ (948) 70 08 52, *Fax (948) 70 00 50*, « Bonito patio est jardín de invierno » – AE E VISA.
cerrado domingo noche, lunes y 20 agosto-5 septiembre – **Comida** carta 4050 a 56
Espec. Lasagna de chipirón con aceite de cebollino. Carrillera de ternera sobre crema patatas y manitas de cerdo. Mousse y helado de queso sobre salsa de fresas y arándan

TAFIRA ALTA *Las Palmas – ver Canarias (Gran Canaria).*

TALAVERA DE LA REINA *45600 Toledo* 444 **M 15** – *69 136 h. alt. 371.*
Ronda del Cañillo (Torreón) ✆ (925) 82 63 22.
Madrid 120 – Ávila 121 – Cáceres 187 – Córdoba 435 – Mérida 227.

Beatriz, av. de Madrid 1 ✆ (925) 80 76 00, *Telex 47941, Fax (925) 81 58 08* –
– 25/1000. AE E VISA.
Comida 2350 - ***Anticuario*** *(cerrado domingo noche)* **Comida** carta 3050 a 4350 – 6
– **161 hab** 6675/9450 – PA 4550.

Perales, av. Pío XII-3 ✆ (925) 80 39 00, *Fax (925) 80 39 00* – E VISA.
Comida 1200 – 500 – **65 hab** 4800/7500.

Talavera, av. Gregorio Ruiz 1 ✆ (925) 80 02 00, *Fax (925) 82 66 06* –
AE E VISA.
Comida 1500 – 700 – **75 hab** 5500/8500 – PA 3000.

TAMARITE DE LITERA *22550 Huesca* 443 **G 31** – *3 988 h. alt. 360.*
Madrid 506 – Huesca 96 – Lérida/Lleida 36.

Casa Toro, av. Florences Gili ✆ (974) 42 03 52 – AE E VISA
cerrado domingo noche, lunes y del 1 al 15 de noviembre – **Comida** carta 2400 a 42

TAMARIU *17212 Gerona* 443 **G 39** – *Playa.*
Madrid 731 – Gerona/Girona 47 – Palafrugell 10 – Palamós 21.

Hostalillo, Bellavista 22 ✆ (972) 62 02 28, *Fax (972) 62 01 84*, « Terrazas con ≤ cala – rest, AE E VISA. rest
Semana Santa-octubre – **Comida** 2375 – **70 hab** 10300/16750.

Tamariu, passeig del Mar 3 ✆ (972) 62 00 31, – rest, E VISA.
15 mayo-septiembre – **Comida** 2400 – 650 – **54 hab** 4300/8000.

TAPIA DE CASARIEGO *33740 Asturias* 441 **B 9** – *4 282 h.* – *Playa.*
pl. Constitución ✆ (98) 547 29 68 (temp).
Madrid 578 – La Coruña/A Coruña 184 – Lugo 99 – Oviedo 143.

San Antón sin rest. con cafetería, pl. San Blas 2 ✆ (98) 562 80 00, *Fax (98) 562 84*
– AE E VISA.
15 junio-15 septiembre – 425 – **18 hab** 5000/7800.

Puente de los Santos sin rest, Primo de Rivera 31 ✆ (98) 562 81 5
Fax (98) 562 84 37 – AE E VISA.
425 – **32 hab** 5000/7500.

Palermo, Bonifacio Amago 13 ✆ (98) 562 83 70, *Fax (98) 562 83 70* – E VISA.
cerrado domingo noche (salvo julio-agosto) y 2ª quincena de noviembre – **Comida** car
2900 a 5100.

Galería el Bote, Marqués de Casariego 30 ✆ (98) 562 82 82, *Fax (98) 547 10 86* –
AE E VISA JCB.
cerrado jueves mediodía y 10 enero-20 febrero – **Comida** carta 3200 a 4500.

TARAMUNDI *33775 Asturias* 441 **B 8** – *1 015 h.*
Madrid 571 – Lugo 65 – Oviedo 195.

La Rectoral, La Villa (98) 564 67 67, *Fax (98) 564 67 77*, valle y montañas, « Rústico regional del siglo XVII », – . 25. AE E VISA.
Comida *(cerrado miércoles)* 2300 – 975 – **18 hab** 12000/15000 – PA 5575.

TARANCÓN *16400 Cuenca* 444 **L 20 y 21** – *10 891 h. alt. 806.*
Madrid 81 – Cuenca 82 – Valencia 267.

Sur, antigua carret. N III (969) 32 06 00, *Fax (969) 32 06 04* – rest, .
Comida 1450 – 500 – **29 hab** 5950.

Mesón del Cantarero, antigua carret. N III (969) 32 05 33, *Fax (969) 32 42 12*, – . AE E VISA JCB.
cerrado domingo noche y lunes noche – **Comida** carta 2975 a 4000.

Stop con hab, antigua carret. N III (969) 32 01 00, *Fax (969) 32 06 42* – . E VISA.
Comida carta 2950 a 3500 – 250 – **9 hab** 3950/5950.

TARANES *33557 Asturias* 441 **C 14**.
Madrid 437 – Gijón 116 – León 186 – Oviedo 111.

en la carretera AS 261 *Este : 3 km – 33557 Taranes :*

La Casona de Mestas, (98) 584 30 55, *Fax (98) 584 30 92*, « En un paraje montañoso » – . AE E VISA.
cerrado 20 enero-1 marzo – **Comida** 1500 – 600 – **14 hab** 5400/8000 – PA 3600.

TARAZONA *50500 Zaragoza* 443 **G 24** – *10 638 h. alt. 480.*
Ver : *Catedral (capilla★).*
Alred. : *Monasterio de Veruela★★ (iglesia abacial★★, claustro★ : sala capitular★).*
Iglesias 5 (976) 64 00 74 Fax (976) 64 00 74.
Madrid 294 – Pamplona/Iruñea 107 – Soria 68 – Zaragoza 88.

Ituri-Asso, Virgen del Río 3 (976) 64 31 96, *Fax (976) 64 04 66* – – 25/300. AE E VISA.
Comida *(cerrado domingo noche salvo vísperas de festivos)* 1200 – 700 – **17 hab** 6000/10200.

Brujas de Bécquer, carret. de Zaragoza - Sureste : 1 km (976) 64 04 04, *Fax (976) 64 01 98* – – 25/500. AE E VISA. rest
Comida 1100 – 450 – **56 hab** 4400/6400 – PA 2650.

El Galeón, av. La Paz 1 (976) 64 29 65, *Fax (976) 64 29 65* – . AE E VISA
Comida carta 2800 a 3400.

TARIFA *11380 Cádiz* 446 **X 13** – *15 528 h. – Playa.*
Ver : *Castillo de Guzmán el Bueno ★.*
para Tánger : Cia Transtour - Touráfrica, estación Marítima (956) 68 47 51 Fax (956) 68 48 35.
paseo de la Alameda (956) 68 09 93 Fax (956) 68 04 31.
Madrid 715 – Algeciras 22 – Cádiz 99.

por la carretera de Cádiz – *11380 Tarifa :*

Balcón de España, La Peña 2 - Noroeste : 8 km, apartado 57, (956) 68 09 63, *Fax (956) 68 04 72*, , « Jardín con arbolado y », – . AE E VISA. rest
abril-octubre – **Comida** 2900 – 700 – **38 hab** 9000/12000.

La Codorniz, Noroeste : 6,5 km (956) 68 47 44, *Fax (956) 68 41 01*, , , – rest, . AE E VISA.
Comida 2100 – 435 – **35 hab** 7000/10000.

San José del Valle, cruce de Bolonia - Noroeste : 15 km (956) 68 70 92, *Fax (956) 68 71 22* – . E VISA
Comida carta 1550 a 3000 – 250 – **17 hab** 5000/8000.

por la carretera de Málaga *Noreste : 11 km – 11380 Tarifa :*

Mesón de Sancho, apartado 25, (956) 68 49 00, *Fax (956) 68 47 21*, – . AE E VISA JCB. rest
Comida 2150 – 600 – **40 hab** 6250/7950.

TARRAGONA *43000* **P** **443** **I 33** – *112 801 h. alt. 49 – Playa.*

Ver : *Tarragona romana*★★ : *Passeig Arqueològic*★★ DZ, *Museu Nacional Arqueològic Tarragona*★★ DZ **M** – *Recinte Monumental del Pretori i del Circ Romà*★ DZ **M1** *Anfiteatro*★★ DZ – *Museu i Necròpolis Paleocristiana*★ AY – *Ciudad medieval : Catedral*★ *(Museo Diocesano*★★, *claustro*★★, *retablo de Santa Tecla*★★★*)* DZ.

Otras curiosidades : *El Serrallo*★ AY.

Alred. : *Acueducto romano*★★ *4 km por* ④ – *Mausoleo de Centcelles*★ *Noroeste : 5 por* ③ – *Torre de los Escipiones*★ *5 km por* ① – *Villa romana de Els Munts*★ *emplazamiento*★★, *termas*★ *12 km por* ①.

Excurs. : *Arco de Berà*★ *20 km por* ① *(Roda de Berà).*

18 Costa Dorada, Este : 8 km ✆ (977) 65 33 61 Fax (977) 65 30 28 – Iberia : rambla Nc 116 ✉ 43001 ✆ (977) 24 11 09 AZ.

Agencia Marítima Transhispánica, Apodaca 40 ✉ 43004 ✆ (977) 22 55 Telex 56613 Fax (977) 22 28 56 BY.

Fortuny 4 ✉ 43001 ✆ (977) 23 34 15 Fax (977) 24 47 02 y Major 39 ✉ 430 ✆ (977) 24 52 03 Fax (977) 24 55 07 – **R.A.C.E.** *rambla Nova 114 ✉ 430 ✆ (977) 21 19 62 Fax (977) 24 26 32.*

Madrid 555 ④ – Barcelona 109 ④ – Castellón de la Plana/Castelló de la Plana 184 ③ Lérida/Lleida 97 ④

TARRAGONA

Cuixa (Camí de la) ..... **BY** 13
Generalitat (Pl. de la) ... **AY** 15
Independència (Pg. de la) .... **AY** 16
Mallorca .... **AY** 21
President F. Macià (Av.) .... **AY** 36
President Lluís Companys (Av.) . **AY**
Rafael Canasova (Pg. Marítim de) .... **BY**
Rovira i Virgili .... **BY**
Trafalgar .... **AY**

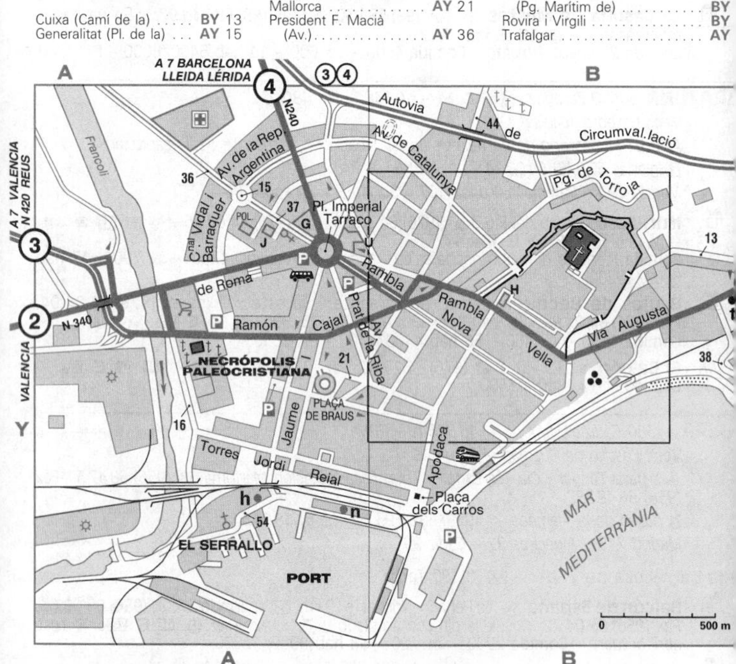

Imperial Tarraco, passeig de les Palmeres, ✉ 43003, ✆ (977) 23 30 *Fax (977) 21 65 66,* – 25/500. AE VISA. DZ
Comida 3000 – **155 hab** 15450/20600, 15 suites.

Urbis sin rest. con cafetería salvo domingo, Reding 20 bis, ✉ 43001, ✆ (977) 24 01 *Fax (977) 24 36 54* – – 25. AE VISA JCB. CZ
950 – **44 hab** 6000/10000.

Astari sin rest, Via Augusta 95, ✉ 43003, ✆ (977) 23 69 00, *Fax (977) 23 69 11,* – AE VISA. BY
875 – **80 hab** 7200/12500.

TARRAGONA

gels (Pl.) . . . . DZ 2
xada de Misericòrdia . . . . DZ 3
xada de Toro . . . . DZ 5
xada Roser . . . . DZ 8
vallers . . . . DZ 9
adería . . . . DZ 10
Coques (Les) . . . . DZ 12
Enginyer Cabestany . . . . . . CZ 14
López Peláez . . . . CZ 19
Mare de Déu del Claustre . DZ 22
Nova (Rambla) . . . . CDZ
Pau Casals (Av.) . . . . CZ 27
Pla de la Seu . . . . DZ 29
Pla de Palau . . . . DZ 32
Ponç d'Icart . . . . CZ 33
Portalet . . . . DZ 34
Ramon i Cajal (Av.) . . . . CZ 40
Roser (Portal del) . . . . DZ 43
Sant Agustí . . . . DZ
Sant Antoni (Portal de) . . . . DZ 46
Sant Hermenegild . . . . DZ 49
Sant Joan (Pl.) . . . . DZ 52
Unió . . . . CZ
William J. Bryant . . . . DZ 55

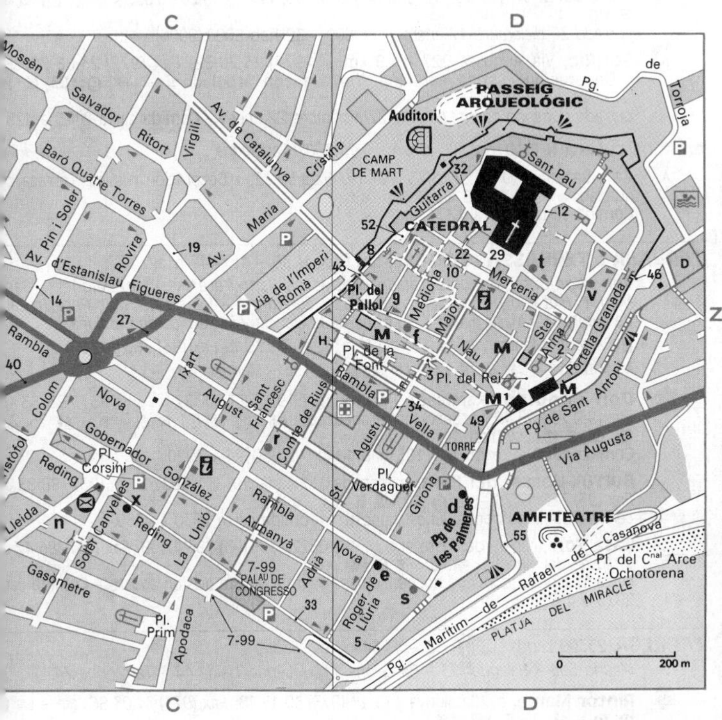

Lauria sin rest, Rambla Nova 20, ✉ 43004, ☎ (977) 23 67 12, *Fax (977) 23 67 00*, – 25/40. AE ⓓ E VISA — DZ e
700 – **72 hab** 5500/9500.

Belle Époque, Madre de Déu de la Mercè 1, ✉ 43003, ☎ (977) 24 44 04, *Fax (977) 23 80 55*, « Decoración modernista » – AE ⓓ E VISA. — DZ v
cerrado domingo y 15 días en febrero – **Comida** carta 2900 a 4250.

Merlot, Cavallers 6, ✉ 43003, ☎ (977) 22 06 52, *Fax (977) 22 81 53*, – AE VISA — DZ f
Comida carta 3800 a 4850.

Estació Marítima, Moll de Costa Tinglado 4 (puerto), ✉ 43004, ☎ (977) 22 74 18, *Fax (977) 23 21 00*, – AE ⓓ E VISA. — AY n
cerrado lunes – **Comida** - pescados y mariscos - carta 3975 a 5150.

Les Coques, Baixada Nova del Patriarca 2 bis, ✉ 43003, ☎ (977) 22 83 00, *Fax (977) 22 83 00* – AE ⓓ E VISA. — DZ t
cerrado domingo, festivos y dos semanas en julio – **Comida** carta 3900 a 5050.

La Rambla, Rambla Nova 10, ✉ 43004, ☎ (977) 23 87 29, – AE ⓓ E VISA. — DZ s
Comida carta 2500 a 3950.

Mindos, Sant Francesc 22, ✉ 43003, ☎ (977) 24 31 11 – E VISA JCB. — CZ r
cerrado del 7 al 20 de agosto – **Comida** *(cerrado por la noche de domingo a miércoles)* carta 3050 a 4150.

Cal Martí, Sant Pere 12, ✉ 43004, ☎ (977) 21 23 84 – E VISA. — AY h
cerrado domingo noche, lunes y septiembre – **Comida** carta 2725 a 4475.

en la carretera de Barcelona *por ① - ✉ 43007 Tarragona :*

Nuria, Via Augusta 217 - 1,8 km ☎ (977) 23 50 11, *Fax (977) 24 41 36,* - AE E VISA. hab
Semana Santa-octubre - **Comida** *(cerrado domingo noche y lunes mediodía salvo juli septiembre)* 1800 - **60 hab** 6000/9000 - PA 3600.

Sant Jordi sin rest, 2 km ☎ (977) 20 75 15, *Fax (977) 20 76 32,* < - E VISA
cerrado 20 diciembre-17 enero - 600 - **39 hab** 5000/8000.

Sol Ric, Via Augusta 227 - 1,9 km ☎ (977) 23 20 32, *Fax (977) 23 68 29,* « Decoración rústica catalana. Terraza con arbolado » - AE E VI JCB.
cerrado domingo noche, lunes y 22 diciembre-22 enero - **Comida** carta 2175 a 425(

en la carretera N 240 *por ④ : 2 km - ✉ 43007 Tarragona :*

Can Sala, ☎ (977) 22 85 75, *Fax (977) 23 59 22,* « Decoración rústica. Terraza co arbolado » - AE E VISA.
Comida carta 2900 a 4200.

TARRASA o **TERRASSA** *08220 Barcelona* 443 **H 36** - *157 442 h. alt. 277.*

Ver : *Conjunto Monumental de Iglesias de Sant Pere★★ : Sant Miquel★, San María★ (retablo de los Santos Abdón y Senén★★) - Iglesia de Sant Pere (retab de piedra★) - Masía Freixa★ - Museo de la Ciencia y la Técnica de Cataluña★.*

Raval de Montserrat 14 ✉ 08221 ☎ (93) 739 70 19 Fax (93) 788 60 30.

Madrid 613 - Barcelona 28 - Lérida/Lleida 156 - Manresa 41.

Don Cándido, Rambleta Pare Alegre 98, ✉ 08224, ☎ (93) 733 33 0 *Fax (93) 733 08 49,* <, Servicios terapéuticos, - 25/25 AE E VISA. rest
Comida 1700 - 1550 - **103 hab** 14400/17850 - PA 3920.

Burrull-Hostal del Fum, carret. de Moncada 19, ✉ 08221, ☎ (93) 788 83 3 *Fax (93) 788 57 79* - AE E VISA.
cerrado domingo noche, lunes y agosto - **Comida** carta 2950 a 4350.

Casa Toni, carret. de Castellar 124, ✉ 08222, ☎ (93) 786 47 08, *Fax (93) 786 47 C* « Museo del vino » - AE E VISA.
cerrado sábado, domingo noche, Semana Santa y quince días en agosto - **Comida** car 2875 a 4275.

TÀRREGA *25300 Lérida* 443 **H 33** - *11 344 h. alt. 373.*

Madrid 503 - Balaguer 25 - Barcelona 112 - Lérida/Lleida 44 - Tarragona 74.

Pintor Marsà, av. Catalunya 112 ☎ (973) 50 15 16, *Fax (973) 31 03 86,* - 25. E VISA.
Comida *(cerrado lunes)* 1400 - 700 - **24 hab** 6500/11500.

El TARTER - *ver Andorra (Principado de Andorra) : Soldeu.*

TAÜLL *25528 Lérida* 443 **E 32** - *alt. 1 630 - Deportes de invierno 1.*

Ver : *Iglesia de Sant Climent★★ - Iglesia de Santa María★.*

Madrid 567 - Lérida/Lleida 150 - Viella/Vielha 57.

en Plá de la Ermita *Este : 2 km - ✉ 25528 Taüll :*

Boí Taüll, ☎ (973) 69 60 00, *Fax (973) 69 60 33,* <, -
92 hab.

TAVERNES DE LA VALLDIGNA *46760 Valencia* 445 **O 29** - *16 062 h. alt. 7 - Playa a 4 k*

Madrid 393 - Alicante/Alacant 129 - Gandía 16 - Valencia 57.

en la carretera N 332 *Noreste : 3 km - ✉ 46760 Tavernes de la Valldigna :*

Las 5 Hermanas II, ☎ (96) 283 70 07, < campos de naranjos - AE VISA.
cerrado lunes y noviembre - **Comida** carta 2100 a 3500.

TEGUESTE *Santa Cruz de Tenerife - ver Canarias (Tenerife).*

ELDE *Las Palmas – ver Canarias (Gran Canaria).*

EMBLEQUE *45780 Toledo* 444 **M 19** – *2 141 h.*

Ver : *Plaza Mayor★.*

Madrid 92 – Aranjuez 46 – Ciudad Real 105 – Toledo 55.

ENERIFE *Santa Cruz de Tenerife – ver Canarias.*

EROR *Las Palmas – ver Canarias (Gran Canaria).*

ERRASSA *Barcelona – ver Tarrasa.*

ERRENO *Baleares – ver Baleares (Mallorca) : Palma.*

ERUEL *44000* P 443 **K 26** – *31 068 h. alt. 916.*

Ver : *Emplazamiento★ – Museo Provincial★* Y, *Torres mudéjares★* YZ – *Catedral (techo artesonado★)* Y.

Tomás Nougués 1 ✉ 44001 ☎ (978) 60 22 79 – **R.A.C.E.** *av. de Aragón 10 bajo ✉ 44002 ☎ (978) 60 34 95 Fax (978) 60 34 96.*

Madrid 301 ② – Albacete 245 ② – Cuenca 152 ② – Lérida/Lleida 334 ② – Valencia 146 ② – Zaragoza 184 ②

TERUEL

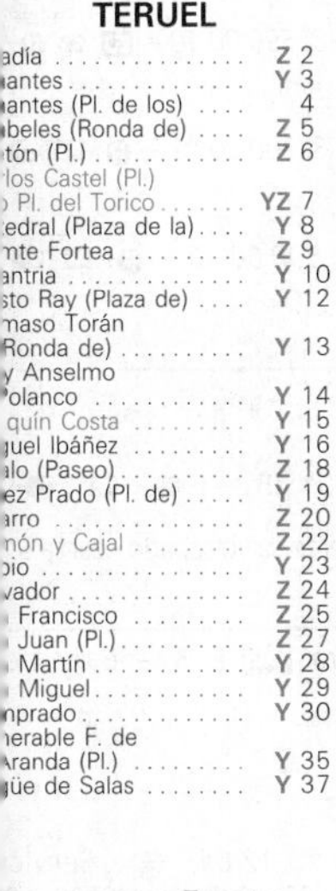

adía . . . . Z 2
antes . . . . Y 3
antes (Pl. de los) 4
beles (Ronda de) . . . . Z 5
tón (Pl.) . . . . Z 6
los Castel (Pl.)
Pl. del Torico . . . . . . YZ 7
edral (Plaza de la) . . . . Y 8
nte Fortea . . . . Z 9
antria . . . . Y 10
sto Ray (Plaza de) . . . . Y 12
maso Torán
Ronda de) . . . . Y 13
y Anselmo
olanco . . . . Y 14
quín Costa . . . . Y 15
guel Ibáñez . . . . Y 16
alo (Paseo) . . . . Z 18
ez Prado (Pl. de) . . . . Y 19
arro . . . . Z 20
nón y Cajal . . . . Z 22
bio . . . . Y 23
vador . . . . Z 24
Francisco . . . . Z 25
Juan (Pl.) . . . . Z 27
Martín . . . . Y 28
Miguel . . . . Y 29
nprado . . . . Y 30
nerable F. de
randa (Pl.) . . . . Y 35
güe de Salas . . . . Y 37

ra recorrer Europa
plee
Mapas Michelin
rincipales Carreteras»
cala 1/1 000 000.

Reina Cristina, paseo del Óvalo 1, ✉ 44001, ☎ (978) 60 68 60, *Fax (978) 60 53 63* – 🛗, ▤ rest, 📺 ☎ – 🔔 25/350. AE ⓓ E VISA. ✗ rest — Z a
Comida 3100 – ☕ 1500 – **81 hab** 9600/15950 – PA 7100.

Civera, av. de Sagunto 37, ✉ 44002, ☎ (978) 60 23 00, *Fax (978) 60 23 00* – 🛗 📺 ☎ Ⓟ – 🔔 25/150. AE ⓓ E VISA JCB — por N 234
Comida 2100 – ☕ 850 – **73 hab** 7775/12900.

Oriente sin rest, av. de Sagunto 7, ✉ 44002, ☎ (978) 60 15 50, *Fax (978) 60 10 64* – 📺 ☎. E VISA — por N 234
☕ 500 – **30 hab** 8500.

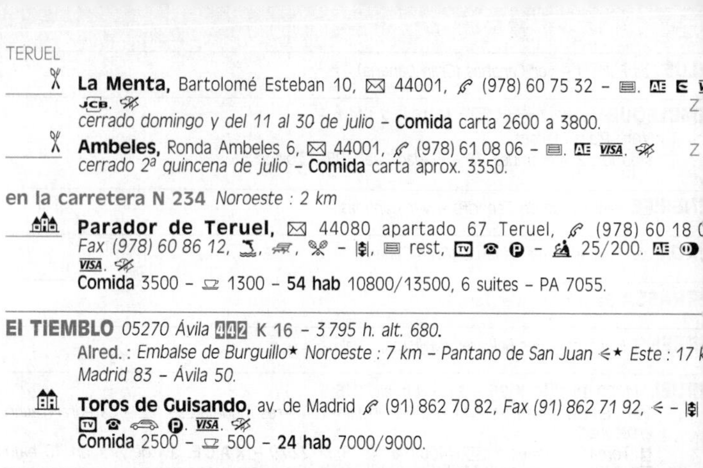

La Menta, Bartolomé Esteban 10, ✉ 44001, ℘ (978) 60 75 32 – ▤. AE E VISA JCB. 🐕
cerrado domingo y del 11 al 30 de julio – **Comida** carta 2600 a 3800.

Ambeles, Ronda Ambeles 6, ✉ 44001, ℘ (978) 61 08 06 – ▤. AE VISA. 🐕
cerrado 2ª quincena de julio – **Comida** carta aprox. 3350.

en la carretera N 234 *Noroeste : 2 km*

Parador de Teruel, ✉ 44080 apartado 67 Teruel, ℘ (978) 60 18 00, *Fax (978) 60 86 12*, ⛱, 🌳, 🎾 – 🛗, ▤ rest, TV ☎ P – 🎤 25/200. AE ⓓ VISA. 🐕
Comida 3500 – ☕ 1300 – **54 hab** 10800/13500, 6 suites – PA 7055.

El TIEMBLO *05270 Ávila* 442 K 16 – *3 795 h. alt. 680.*
Alred. : *Embalse de Burguillo★ Noroeste : 7 km – Pantano de San Juan ≤★ Este : 17 km*
Madrid 83 – Ávila 50.

Toros de Guisando, av. de Madrid ℘ (91) 862 70 82, *Fax (91) 862 71 92*, ≤ – 🛗 TV ☎ 🚗 P. VISA. 🐕
Comida 2500 – ☕ 500 – **24 hab** 7000/9000.

TINEO *33870 Asturias* 441 B 10 – *14 857 h. alt. 673.*
Ver : ✲★★.
Madrid 523 – León 185 – Lugo 184 – Oviedo 68 – Ponferrada 135.

en El Crucero *Noreste : 3,5 km* – ✉ *33877 El Crucero :*

Casa Lula sin ☕, carret. C 630 ℘ (98) 580 16 00, *Fax (98) 590 00 10* – TV ☎ P. ⓓ E VISA. 🐕
Comida (ver rest. ***Casa Lula***) – **11 hab** 3000/6000.

Casa Emburria, carret. C 630 ℘ (98) 580 01 92, *Fax (98) 580 00 12* – P. AE ⓓ VISA JCB. 🐕
cerrado lunes y octubre – **Comida** carta 3000 a 4200.

Casa Lula, carret. C 630 ℘ (98) 580 02 38, *Fax (98) 590 00 10* – P. AE ⓓ VISA. 🐕
cerrado viernes – **Comida** carta 2500 a 3500.

TITULCIA *28359 Madrid* 444 L 19 – *872 h. alt. 509.*
Madrid 31 – Aranjuez 21 – Ávila 159.

El Rincón de Luis, Grande 31 ℘ (91) 801 01 75 – ▤. AE ⓓ VISA. 🐕
cerrado lunes y 2ª quincena de agosto – **Comida** - sólo almuerzo salvo sábado - carta 31 a 4700.

La TOJA (Isla de) o TOXA (Illa da) *36991 Pontevedra* 441 E 3 – *Balneario Playa.*
Ver : *Paraje★★ – Carretera★ de La Toja a Canelas.*
⛳ *La Toja, ℘ (986) 73 08 18.*
Madrid 637 – Pontevedra 33 – Santiago de Compostela 73.

G.H. La Toja 🐦, ℘ (986) 73 00 25, *Fax (986) 73 12 01*, 🏖, Servic terapéuticos, « Suntuoso edificio en un singular paraje verde c ≤ ría de Arosa », 🏋, ⛱ climatizada, 🌳, 🎾, ⛳ – 🛗 TV ☎ P – 🎤 25/500. AE ⓓ VISA. 🐕
Comida 5700 – ☕ 1750 – **173 hab** 23000/28600, 25 suites – PA 10500.

Louxo 🐦, ℘ (986) 73 02 00, *Fax (986) 73 27 91*, 🏖, « Magnífica situación en un s gular paraje verde con ≤ ría de Arosa », ⛱, 🌳, 🎾, ⛳ – 🛗 TV ☎ ♿ P – 🎤 25/2 AE ⓓ E VISA. 🐕
Comida 4100 – ☕ 1200 – **112 hab** 15300/18500, 3 suites.

Los Hornos, ℘ (986) 73 10 32, ≤ ría de Arosa, 🏖 – P. AE ⓓ E VISA. 🐕
cerrado domingo noche y lunes salvo (junio-septiembre) – **Comida** carta 33 a 4900.

Se il nome di un albergo è stampato in carattere magro, chiedete arrivando le condizioni che vi saranno praticate.

TOLEDO *45000* P 444 M 17 - *63 561 h. alt. 529.*

Ver : *Emplazamiento★★★ - El Toledo Antiguo★★★ – Catedral★★★* BY *(Retablo de la Capilla Mayor★★, sillería del coro★★★, artesonado mudéjar de la sala capitular★, Sacristía : obras de El Greco★, Tesoro : custodia★★) - Iglesia de Santo Tomé : El Entierro del Conde de Orgaz★★★* AY *- Casa y Museo de El Greco★* AY **M1** – *Sinagoga del Tránsito★★ (decoración mudéjar★★)* AYZ – *Iglesia de Santa María la Blanca★ : capiteles★* AY – *Monasterio de San Juan de los Reyes★ (iglesia : decoración escultórica★)* AY – *Iglesia de San Román : museo de los concilios y de la cultura visigoda★* BY – *Museo de Santa Cruz★★ (fachada★, colección de pintura de los s. XVI y XVII★, obras de El Greco★, obras de primitivos★, retablo de la Asunción de El Greco★, patio plateresco★, escalera de Covarrubias★)* CXY.

Otras curiosidades : *Hospital de Tavera★ : palacio★ - Iglesia : El bautismo de Cristo de El Greco★* BX.

Puerta Bisagra ✉ 45003 ☎ (925) 22 08 43 Fax (925) 25 26 48 – **R.A.C.E.** *Colombia 10 ✉ 45004 ☎ (925) 21 16 37 Fax (925) 21 56 54.*

Madrid 70 ① – Ávila 137 ⑥ – Ciudad Real 120 ③ – Talavera de la Reina 78 ⑥

Planos páginas siguientes

Parador de Toledo 🌭, cerro del Emperador, ✉ 45002, ☎ (925) 22 18 50, *Fax (925) 22 51 66*, ← río Tajo y ciudad, 🏖, « Edificio de estilo regional », 🏊 - 🛗 ❄ 📺 ☎ 🅿 - 🏛 25/100. AE ⓓ E VISA. 🚫 BZ t
Comida 3700 - ☕ 1300 - **74 hab** 14800/18500, 2 suites - PA 7400.

María Cristina, Marqués de Mendigorría 1, ✉ 45003, ☎ (925) 21 32 02, *Fax (925) 21 26 50* – 🛗 ❄ 📺 ☎ 🚗 - 🏛 25/200. AE ⓓ E VISA. 🚫 BX s
Comida 1875 - ***El Ábside*** *(cerrado domingo)* **Comida** carta 2575 a 4725 – ☕ 830 – **73 hab** 8070/12200.

Doménico 🌭, cerro del Emperador, ✉ 45002, ☎ (925) 28 01 01, *Fax (925) 28 01 03*, ←, 🏖, 🏊 - 🛗 ❄ 📺 ☎ 🅿 - 🏛 25/150. AE VISA. 🚫 rest BZ a
Comida 3000 - ☕ 1150 - **50 hab** 10750/15600 - PA 6200.

Alfonso VI, General Moscardó 2, ✉ 45001, ☎ (925) 22 26 00, *Fax (925) 21 44 58* – 🛗 ❄ 📺 ☎ - 🏛 25/300. AE ⓓ E VISA JCB. 🚫 CY u
Comida 2900 - ☕ 1100 - **83 hab** 9560/14500.

Abacería 🌭, Pontezuelas 8, ✉ 45004, ☎ (925) 25 00 00, *Fax (925) 25 18 68*, ← - 🛗 ❄ 📺 ☎ 🚗 🅿 - 🏛 50. ⓓ E VISA. 🚫 AZ x
Comida 2500 - ☕ 775 - **40 hab** 7100/11500 - PA 4900.

Carlos V, Trastamara 1, ✉ 45001, ☎ (925) 22 21 00, *Fax (925) 22 21 05* – 🛗 ❄ 📺 ☎. AE ⓓ E VISA JCB. 🚫 BY a
Comida 2790 - ☕ 950 - **69 hab** 9225/13500.

Pintor El Greco sin rest, Alamillos del Tránsito 13, ✉ 45002, ☎ (925) 21 42 50, *Fax (925) 21 58 19* – 🛗 ❄ 📺 ☎. AE ⓓ E VISA JCB AY a
☕ 800 - **33 hab** 10960/13700.

Mayoral, av. Castilla-La Mancha 3, ✉ 45003, ☎ (925) 21 60 00, *Fax (925) 21 69 54* – 🛗 ❄ 📺 ☎ - 🏛 25/130. AE ⓓ E VISA. 🚫 CX s
Comida *(cerrado domingo)* 1950 - ☕ 725 - **110 hab** 7600/11500.

Real sin rest, Real del Arrabal 4, ✉ 45003, ☎ (925) 22 93 00, *Fax (925) 22 87 67* – 🛗 ❄ 📺 ☎ 🚗. AE ⓓ E VISA. 🚫 BX n
☕ 900 - **57 hab** 7400/11000.

Los Cigarrales sin rest, carret. de circunvalación 32, ✉ 45004, ☎ (925) 22 00 53, *Fax (925) 21 55 46*, ← - ❄ 📺 🅿. ⓓ E VISA AZ x
☕ 490 - **36 hab** 3860/6100.

Gavilanes II sin rest, Marqués de Mendigorría 14, ✉ 45003, ☎ (925) 21 16 28, *Fax (925) 22 41 06* – ❄ 📺 ☎ 🚗. E VISA BX b
☕ 350 - **15 hab** 4480/5600.

Santa Isabel sin rest, Santa Isabel 24, ✉ 45002, ☎ (925) 25 31 20, *Fax (925) 25 31 36* – 🛗 ❄ 📺 ☎ 🚗. AE ⓓ E VISA JCB. 🚫 BY e
☕ 600 - **23 hab** 3970/6075.

Martín sin rest, Covachuelas 12, ✉ 45003, ☎ (925) 22 17 33, *Fax (925) 22 17 33* – ❄ 📺 ☎. E VISA. 🚫 BX d
☕ 350 - **17 hab** 6750, 2 apartamentos.

Imperio sin rest. con cafetería, Cadenas 5, ✉ 45001, ☎ (925) 22 76 50, *Fax (925) 25 31 83* – 🛗 ❄ 📺 ☎. AE ⓓ E VISA BY v
☕ 500 - **21 hab** 4000/5880.

El Diamantista sin rest y sin ☕, pl. Retama 4, ✉ 45002, ☎ (925) 25 14 27, *Fax (925) 21 05 86* – ❄ 📺 ☎. AE ⓓ E VISA. 🚫 BCZ f
16 hab 5000/7500.

Sol sin rest, Azacanes 15, ✉ 45003, ☎ (925) 21 36 50, *Fax (925) 21 61 59* – ❄ 📺 ☎ 🚗. E VISA. 🚫 BX r
☕ 490 - **24 hab** 4500/5900.

TOLEDO

Calle	Plano	Nº
Alcántara (Puente de)	CX	
Alfileritos	BY	
Alfonso VI (Pl. de)	BX	
Alfonso X el Sabio	BY	2
Alfonso XII	BY	3
América (Av. de)	AX	
Ángel	AY	
Ave María	BZ	
Ayuntamiento (Pl. del)	BY	4
Azarquiel (Puente de)	CX	
Cabestreros (Paseo de)	CZ	
Cadenas	BY	7
Campana (Travesía)	BY	8
Cardenal Lorenzana	BY	9
Cardenal Tavera	BX	
Carlos III (Av. de)	AX	
Carlos V (Cuesta de)	BY	13
Carmelitas	AY	14
Cava (Av. dela)	AX	
Cervantes	CY	
Circo Romano (Paseo del)	AX	
Colegio de Doncellas	AY	17
Comercio	BY	
Conde (Pl. del)	AY	18
Consistorio (Pl. del)	BY	19
Cordonerías	BY	20
Cruz Verde (Paseo de la)	BZ	
Duques de Lerma (Av. de los)	BX	
El Salvador	BY	22
Esteban Illán	BY	24
Gerardo Lobo	BX	
Hombre de Palo	BY	27
Honda	BX	28
Juanelo (Ronda de)	CY	
Mas del Ribero (Av. de)	AX	
Matías Moreno	AY	
Merced	BY	
Nuncio Viejo	BY	29
Núñez de Arce	BX	32
Padilla (Pl. y Calle de)	ABY	33
Padre Mariana (Pl.)	BY	34
Pascuales (Cuesta de los)	CY	36
Plata	BY	
Pozo Amargo	BZ	
Real del Arrabal	BX	
Recaredo (Paseo de)	AX	
Reconquista (Av. de la)	ABX	
Reyes Católicos	AY	
Rosa (Paseo de la)	CX	
San Cristóbal (Paseo)	BZ	38
San Juan de Dios	AY	40
San Justo (Cuesta)	CY	
San Justo (Pl.)	BY	41
San Marcos	BY	42
San Martín (Puente)	AY	
San Román	BY	44
San Sebastián (Carreras de)	BZ	
San Torcuato	BZ	
Santo Tomé	ABY	
San Vicente (Pl. de)	BY	45
Santa Leocadia (Cuesta de)	AY	
Sillería	BX	
Sixto Ramón Parro	BY	46
Sola	BZ	
Taller del Moro	BY	48
Toledo de Ohio	BY	49
Tornerías	BY	50
Tránsito (Paseo del)	AYZ	52
Trinidad	BY	
Venancio González	CX	53
Zocodover (Pl. de)	CY	

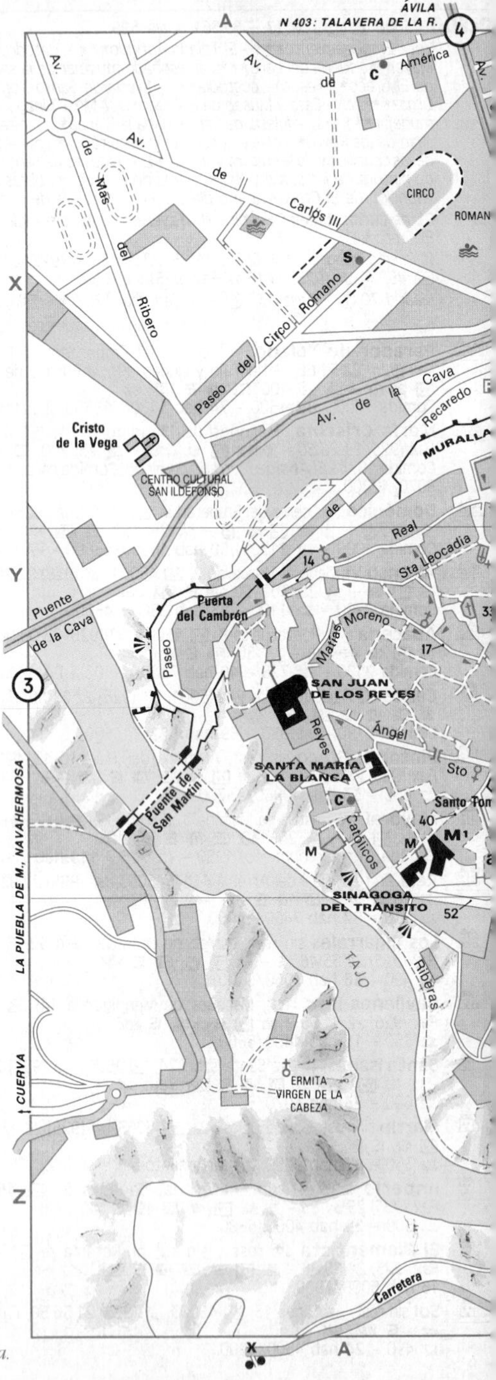

Si desea pernoctar en un Parador o en un hotel muy tranquilo, aislado, avise por teléfono, sobre todo en temporada.

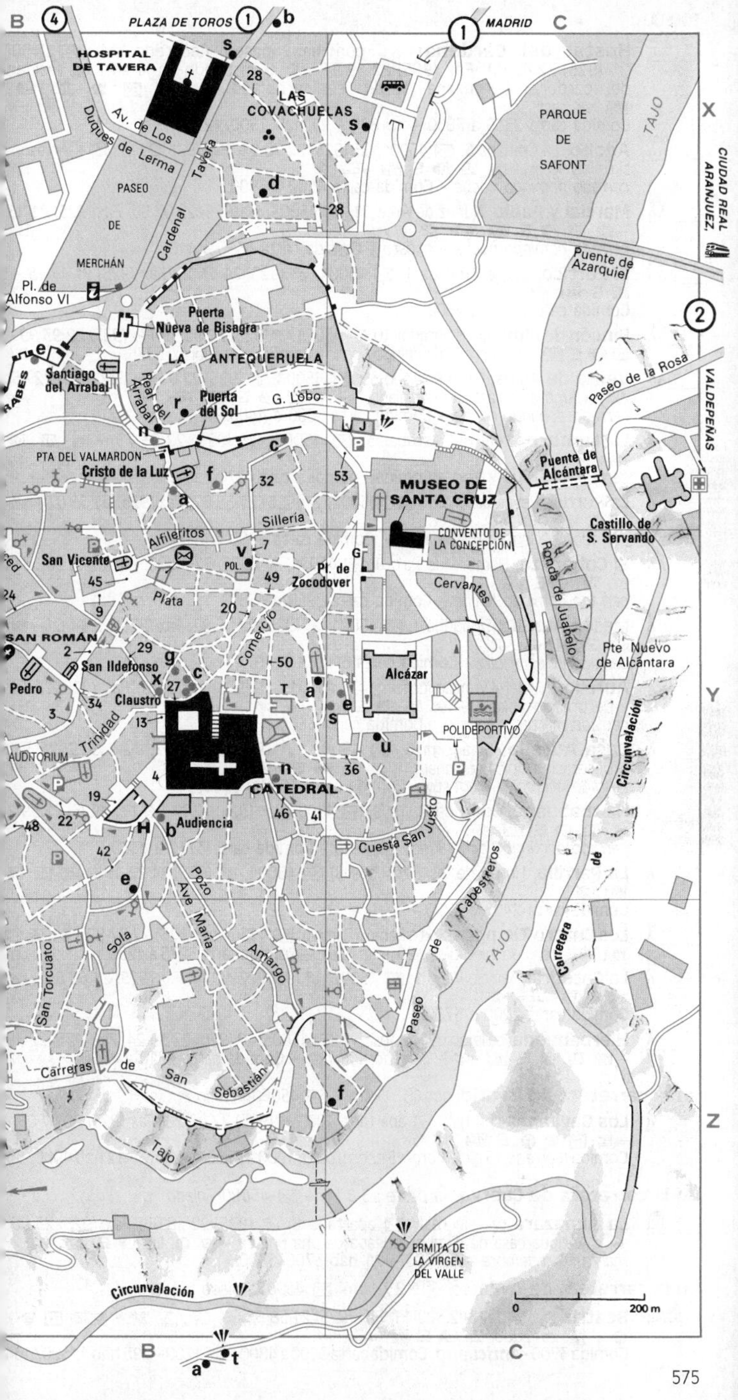

B
C
PLAZA DE TOROS
MADRID
HOSPITAL DE TAVERA
LAS COVACHUELAS
PARQUE DE SAFONT
TAJO
CIUDAD REAL ARANJUEZ
Av. de Los Duques de Lerma
Cardenal Tavera
PASEO DE MERCHÁN
Pl. de Alfonso VI
Puente de Azarquiel
Puerta Nueva de Bisagra
LA ANTEQUERUELA
Santiago del Arrabal
Real del Arrabal
Puerta del Sol
G. Lobo
Paseo de la Rosa
VALDEPEÑAS
PTA DEL VALMARDON
Cristo de la Luz
MUSEO DE SANTA CRUZ
Puente de Alcántara
Castillo de S. Servando
Sillería
Alfileritos
CONVENTO DE LA CONCEPCIÓN
San Vicente
POL.
Pl. de Zocodover
Plata
Cervantes
Ronda de Juanelo
Comercio
SAN ROMÁN
San Ildefonso
Pedro
Claustro
Alcázar
Pte Nuevo de Alcántara
Trinidad
AUDITORIUM
POLIDEPORTIVO
Circunvalación
CATEDRAL
Audiencia
Cuesta San Justo
Pozo
Ave María
Sola
San Torcuato
Amargo
Paseo de Cabestreros
TAJO
Carretera de
Carreras de San Sebastián
Tajo
ERMITA DE LA VIRGEN DEL VALLE
Circunvalación
0
200 m
X
Y
Z

XX **Hostal del Cardenal** con hab, paseo Recaredo 24, ✉ 4500 ✆ (925) 22 49 00, *Fax (925) 22 29 91*, « Instalado en la antigua residen del cardenal Lorenzana. Jardín con arbolado » – AE VISA. rest BX
Comida carta 2300 a 3800 – 875 – **27 hab** 7500/12200.

XX **Adolfo,** La Granada 6, ✉ 45001, ✆ (925) 22 73 21, *Fax (925) 21 62 63*, « Artesona siglo XIV-XV » – AE E VISA JCB. BY
cerrado domingo noche – **Comida** carta 4500 a 5900.

XX **Marcial y Pablo,** Núñez de Arce 11, ✉ 45003, ✆ (925) 22 07 00, *Fax (925) 21 15* – AE E VISA JCB. BX
cerrado domingo noche y agosto – **Comida** carta 3350 a 4100.

XX **El Pórtico,** av. de América 1, ✉ 45004, ✆ (925) 21 43 15, *Fax (925) 21 43 15* – AE E VISA. AX
Comida carta 3300 a 4600.

XX **Rincón de Eloy,** Juan Labrador 10, ✉ 45001, ✆ (925) 22 93 99, *Fax (925) 22 93 99* – AE E VISA. – *cerrado domingo noche* – **Comida** carta aprox. 3975. BY

XX **Venta de Aires,** Circo Romano 35, ✉ 45004, ✆ (925) 22 05 45, *Fax (925) 22 45*, « Amplia terraza con arbolado » – AE E VISA JCB. AX
cerrado domingo noche – **Comida** carta 3300 a 4400.

XX **La Lumbre,** Real del Arrabal 3, ✉ 45003, ✆ (925) 22 03 73 – AE VISA. BX
cerrado domingo y julio – **Comida** - asados - carta 3700 a 4250.

XX **La Perdiz,** Reyes Católicos 7, ✉ 45002, ✆ (925) 21 58 07, *Fax (925) 21 58 07* – E VISA JCB. AY
cerrado domingo noche y lunes – **Comida** carta 3600 a 4500.

XX **El Cobertizo,** Hombre de Palo 9, ✉ 45001, ✆ (925) 22 38 09, *Fax (925) 25 53 7* AE E VISA JCB. BY
cerrado domingo noche – **Comida** carta 2850 a 4550.

X **Mesón Aurelio,** Sinagoga 1, ✉ 45001, ✆ (925) 22 13 92, *Fax (925) 25 34 61* – E VISA JCB. BY
cerrado lunes y julio – **Comida** carta 3600 a 5250.

X **Aurelio,** pl. del Ayuntamiento 4, ✉ 45001, ✆ (925) 22 77 16, *Fax (925) 25 34* « Decoración típica » – AE E VISA JCB. BY
cerrado martes y agosto – **Comida** carta 3600 a 5250.

X **Casa Aurelio,** Sinagoga 6, ✉ 45001, ✆ (925) 22 20 97, *Fax (925) 25 34* « Decoración típica regional » – AE E VISA JCB. BY
cerrado miércoles y agosto – **Comida** carta 3600 a 5250.

X **Hierbabuena,** Cristo de la Luz 9, ✉ 45003, ✆ (925) 22 34 63, *Fax (925) 22 39 2* AE E VISA. BX
cerrado domingo noche, lunes y agosto – **Comida** carta 3710 a 4330.

X **La Parrilla,** Horno de los Bizcochos 8, ✉ 45001, ✆ (925) 21 22 45 – AE VISA. CY
Comida carta 2425 a 3250.

X **Los Cuatro Tiempos,** Sixto Ramón Parro 5, ✉ 45001, ✆ (925) 22 37 82 – AE VISA. – *cerrado miércoles y 20 junio-5 julio* – **Comida** carta 3275 a 4250. BY

X **La Catedral,** Nuncio Viejo 1, ✉ 45002, ✆ (925) 22 42 44, *Fax (925) 21 62 63* – E VISA JCB. BY
Comida carta 2900 a 3700.

X **Hierbabuena,** callejón de San José 17, ✉ 45003, ✆ (925) 22 39 24, *Fax (925) 22 39* – AE E VISA. – *cerrado domingo* – **Comida** carta 3510 a 4330. BX

en la carretera de Madrid *por ① : 5 km – ✉ 45080 Toledo :*

X **Los Gavilanes** con hab, ✉ apartado 400, ✆ (925) 22 46 22, *Fax (925) 22 41 06*, – E VISA.
Comida *(cerrado 15 diciembre-15 enero)* carta 1900 a 2750 – 350 – **12 hab** 4000/50

en la carretera de Cuerva *Suroeste : 3,5 km – ✉ 45080 Toledo :*

La Almazara sin rest, ✉ apartado 6, ✆ (925) 22 38 66, *Fax (925) 25 05* ←, « Antigua casa de campo rodeada de una finca » – AE E VISA.
marzo-10 diciembre – 500 – **21 hab** 3700/6300.

en la carretera de Ávila *por ④ : 2,7 km – ✉ 45005 Toledo :*

Beatriz , ✆ (925) 22 22 11, *Fax (925) 21 58 65*, ←, – 25/2000. AE E VISA JCB.
Comida 3700 - ***Anticuario*:** **Comida** carta 3600 a 4800 – 1200 – **295 hab** 11500/164

OLOSA *20400 Guipúzcoa* 442 **C 23** – *18 085 h. alt. 77.*

Madrid 444 – Pamplona/Iruñea 64 – San Sebastián/Donostia 27 – Vitoria/Gasteiz 89.

Oria, Oria 2 ☎ (943) 65 46 88, *Fax (943) 65 36 12* – |♦|, ▤ rest, TV ☎ ♿ – 🏛 25/40. AE ⓓ E VISA. ✗
cerrado 24 diciembre-3 enero – **Comida** 1700 – ☕ 850 – **34 hab** 6400/9400 – PA 3610.

Fronton, San Francisco 4-1º ☎ (943) 65 29 41, *Fax (943) 65 29 41,* ☂ – |♦| ▤. ⓓ E VISA
cerrado domingo noche, lunes noche y Navidades – **Comida** carta aprox. 3800.

Sausta, Belate Pasalekua 7-8 ☎ (943) 65 54 53 – ▤. AE E VISA. ✗
cerrado domingo noche, lunes, 15 días en febrero y 15 días en agosto – **Comida** carta 2825 a 3700.

Hernialde, Martín José Iraola 10 ☎ (943) 67 56 54 – ▤. AE E VISA. ✗
cerrado lunes noche, martes noche, miércoles noche y agosto – **Comida** carta 3500 a 4100.

Casa Nicolás, av. Zumalakarregi 6 ☎ (943) 65 47 59 – ▤. AE ⓓ E VISA. ✗
cerrado domingo y festivos – **Comida** carta 3250 a 4800.

n Ibarra *Este : 1,5 km* – ✉ *20400 Tolosa :*

Eluska, Euskal Herria 12 ☎ (943) 67 13 74 – ▤. AE ⓓ E VISA. ✗
cerrado lunes – **Comida** carta 3000 a 4950.

OLOX *29109 Málaga* 446 **V 15** – *2 931 h. alt. 315 – Balneario.*

Madrid 600 – Antequera 81 – Málaga 54 – Marbella 46 – Ronda 53.

Balneario ⛰, ☎ (95) 248 70 91, *Fax (95) 248 74 62,* ☂ – Ⓟ. E VISA. ✗
julio-15 octubre – **Comida** 1400 – ☕ 350 – **53 hab** 2600/3800 – PA 2800.

OMELLOSO *13700 Ciudad Real* 444 **O 20** – *27 936 h. alt. 662.*

Madrid 179 – Alcázar de San Juan 31 – Ciudad Real 96 – Valdepeñas 67.

Ramomar, Concordia 17 ☎ (926) 50 59 94, *Fax (926) 50 53 65,* ⛱ – |♦| ▤ TV ☎ 🚗 – 🏛 25/400. AE ⓓ E VISA. ✗ rest
Comida 1500 – ☕ 530 – **42 hab** 6000/8000.

Paloma sin rest y sin ☕, Campo 10 ☎ (926) 51 33 00, *Fax (926) 51 33 08* – |♦| TV ☎ 🚗 Ⓟ. E VISA. ✗
40 hab 3500/6500.

OMIÑO *36740 Pontevedra* 441 **G 3** – *10 130 h.*

Madrid 616 – Orense/Ourense 117 – Pontevedra 60 – Vigo 41.

la carretera C 550 *Sur : 2,5 km* – ✉ *36740 Tomiño :*

O'Miñoteiro, Vilar de Matos - Forcadela ☎ (986) 62 24 33 – Ⓟ. AE ⓓ E VISA. ✗
Comida carta 1700 a 2800.

ONA *08551 Barcelona* 443 **G 36** – *5 505 h. alt. 600.*

Alred. : *Sierra de Montseny★ : Carretera★ de Tona a San Celoni por Montseny.*

Madrid 627 – Barcelona 56 – Manresa 42.

Aloha, carret. de Manresa 6 ☎ (93) 887 02 77, *Fax (93) 887 07 11,* ☂ – |♦|, ▤ rest, TV ☎ Ⓟ – 🏛 25/130. AE ⓓ E VISA. ✗ – *cerrado 24 diciembre-4 enero* – **Comida** *(cerrado domingo noche)* 1700 – ☕ 700 – **36 hab** 4000/7800 – PA 3900.

4 Carreteras, carret. N 152 - km 58 ☎ (93) 887 04 00, *Fax (93) 887 04 00* – ▤ rest, TV ☎ Ⓟ. AE ⓓ E VISA. ✗
Comida 1500 – ☕ 700 – **21 hab** 3500/6000 – PA 3700.

La Ferrería, antigua carret. de Vic ☎ (93) 887 00 92, *Fax (93) 772 16 64,* ☂, « Masía del siglo XIV. Decoración rústica » – Ⓟ. E VISA. ✗
cerrado domingo noche, lunes y del 1 al 15 de septiembre – **Comida** carta 3500 a 4500.

ORÀ *25750 Lérida* 443 **G 34** – *1 130 h. alt. 448.*

Madrid 542 – Barcelona 110 – Lérida/Lleida 83 – Manresa 49.

Hostal Jaumet con hab, carret. C 1412 ☎ (973) 47 30 77, *Fax (973) 47 30 77* – |♦| ▤ TV ☎ 🚗 Ⓟ. E VISA. ✗
Comida *(cerrado 10 días en enero y 10 días en noviembre)* carta 2650 a 3250 – ☕ 650 – **19 hab** 7500.

TORDESILLAS *47100 Valladolid* 442 **H 14 y 15** – *7 637 h. alt. 702.*

Ver : *Convento de Santa Clara★ (artesonado★★, patio★).*

Madrid 179 – Ávila 109 – León 142 – Salamanca 85 – Segovia 118 – Valladolid 30 – Zamora 67.

Parador de Tordesillas, carret. de Salamanca - Suroeste : 2 km ☎ (983) 77 00 5 *Fax (983) 77 10 13,* « En un pinar », – 25/100. AE E VISA JCB.
Comida 3500 – 1300 – **71 hab** 12000/15000 – PA 7055.

Doña Carmen, carret. de Salamanca ☎ (983) 77 01 12, *Fax (983) 77 19 54,* – . AE E VISA.
Comida 2200 – 500 – **15 hab** 5500/9500.

Los Toreros, av. de Valladolid 26 ☎ (983) 77 19 00, *Fax (983) 77 19 54* – rest, – 25/60. AE E VISA. rest
Comida 1600 – 400 – **27 hab** 4000/6500 – PA 3500.

Los Duques, av. de Valladolid 34 ☎ (983) 77 19 92 – . AE E VISA.
Comida carta 4200 a 4900.

Mesón Valderrey, antigua carret. N VI ☎ (983) 77 11 72, *Fax (983) 77 11 7* « Decoración castellana » – . AE E VISA.
Comida carta 2200 a 3500.

en la autovía N 620 *Este : 5 km* – *47080 Tordesillas :*

El Montico, apartado 12, ☎ (983) 79 50 00, *Fax (983) 79 50 08,* « En un pinar », – 25/500. AE E VISA. rest
Comida carta 2750 a 4300 – 1000 – **51 hab** 8500/12000, 4 suites.

TORLA *22376 Huesca* 443 **E 29** – *363 h. alt. 1 113.*

Ver : *Paisaje★★.*

Alred. : *Parque Nacional de Ordesa y Monte Perdido★★★ Noreste : 8 km.*

Madrid 482 – Huesca 92 – Jaca 54.

Edelweiss, av. de Ordesa 1 ☎ (974) 48 61 73, *Fax (974) 48 63 72,* – . AE E VISA.
10 marzo-15 diciembre – **Comida** 1500 – 1000 – **57 hab** 3300/5700 – PA 3400

Abetos sin rest, carret. de Ordesa ☎ (974) 48 64 48, *Fax (974) 48 64 00,* – . AE E VISA.
Semana Santa-15 octubre – 800 – **22 hab** 6000/9000.

Villa de Torla, pl. Nueva 1 ☎ (974) 48 61 56, *Fax (974) 48 63 65,* – , res . E VISA.
cerrado 7 enero-20 marzo – **Comida** 1600 – 550 – **38 hab** 4500/6750 – PA 320

Bujaruelo, av. de Ordesa ☎ (974) 48 61 74, *Fax (974) 48 63 30,* – . AE VISA.
cerrado 10 enero-14 marzo – **Comida** 1700 – 550 – **27 hab** 4200/6500 – PA 300

Bella Vista sin rest, av. de Ordesa 6 ☎ (974) 48 62 07, *Fax (974) 48 61 53,* – . VISA.
abril-septiembre – 550 – **16 hab** 4000/6000.

en la carretera del Parque de Ordesa *Norte : 1,5 km* – *22376 Torla :*

Ordesa, ☎ (974) 48 61 25, *Fax (974) 48 63 81,* alta montaña, – . E VISA. rest
Semana Santa-6 enero – **Comida** *(cerrado noviembre)* 1650 – 550 – **69 hab** 5000/72 – PA 3500.

TORO *49800 Zamora* 441 **H 13** – *9 649 h. alt. 745.*

Ver : *Colegiata★ (portada occidental★★ - Interior : cúpula★, cuadro de la Virgen de Mosca★).*

Madrid 210 – Salamanca 66 – Valladolid 63 – Zamora 33.

Juan II, paseo del Espolón 1 ☎ (980) 69 03 00, *Fax (980) 69 23 76,* – , re . AE E VISA
Comida 1500 – 600 – **42 hab** 5000/8000 – PA 3060.

María de Molina, pl. San Julián de los Caballeros 1 ☎ (980) 69 14 14, *Fax (467) 69 14* – – 25/400. AE VISA.
Comida 1000 – 500 – **33 hab** 5500/7500 – PA 2000.

TORÓ (Playa de) *Asturias* – *ver Llanes.*

ORQUEMADA *34230 Palencia* 442 **F 17** – *1 305 h. alt. 740.*
Madrid 253 – Burgos 63 – Palencia 26 – Valladolid 61.

la carretera N 620 *Este : 6,5 km – ✉ 34230 Torquemada :*

Las Lagunas, ✆ (979) 80 04 06, *Fax (979) 80 01 11* – **40 hab.**

ORRE BARONA *Barcelona – ver Castelldefels.*

ORRE DEL MAR *29740 Málaga* 446 **V 17** – *Playa.*
av. de Andalucía 119 ✆ (95) 254 11 04.
Madrid 570 – Almería 190 – Granada 141 – Málaga 31.

Las Yucas sin rest, av. de Andalucía ✆ (95) 254 09 01, *Fax (95) 254 22 72* – . E VISA
350 – **36 hab** 5500/7000.

Mediterráneo sin rest y sin , av. de Andalucía 65 ✆ (95) 254 08 48 – .
18 hab 3500/5500.

El Jardín, paseo Marítimo de Levante 5 ✆ (95) 254 48 31, – AE E VISA
cerrado martes (salvo julio-septiembre) y noviembre – **Comida** carta 2100 a 3200.

ORRE DE LA REINA *Sevilla – ver Guillena.*

ORREBAJA *46143 Valencia* 445 **L 26** – *455 h. alt. 760.*
Madrid 276 – Cuenca 113 – Teruel 37 – Valencia 140.

Emilio, carret. N 420 ✆ (978) 78 30 04, *Fax (978) 78 30 19* – rest, . E VISA.
Comida *(cerrado domingo noche y lunes noche)* 1400 – 550 – **20 hab** 3500/5500 – PA 2800.

ORRECABALLEROS *40160 Segovia* 442 **J 17** – *296 h. alt. 1 152.*
Madrid 97 – Segovia 10.

Burgos sin rest, carret. N 110 ✆ (921) 40 12 18 – . AE E VISA.
500 – **26 hab** 3000/6000.

La Portada de Mediodía, San Nicolás de Bari 31 ✆ (921) 40 10 11, *Fax (921) 40 10 88*, – AE E VISA. – *cerrado lunes* – **Comida** carta 3750 a 5600.

Posada de Javier, carret. N 110 ✆ (921) 40 11 36, , « Decoración rústica »
Comida - sólo cena salvo viernes, sábado y agosto -.

El Rancho de la Aldegüela, carret. N 110 ✆ (921) 40 10 60, *Fax (921) 40 10 60*, , Granja escuela, « Conjunto rústico con agradable terraza y arboleda » – AE VISA.
cerrado domingo noche y lunes – **Comida** carta 3350 a 4300.

ORRECILLA EN CAMEROS *26100 La Rioja* 442 **F 22** – *467 h. alt. 774.*
Madrid 306 – Burgos 174 – Logroño 29 – Soria 78 – Vitoria/Gasteiz 116.

Sagasta sin rest, San Juan 4 ✆ (941) 46 02 92, *Fax (941) 46 02 91*, « Decoración castellana » – . E VISA.
450 – **17 hab** 5000/7550.

ORREDELCAMPO *23640 Jaén* 446 **S 18** – *11 144 h.*
Madrid 343 – Córdoba 99 – Granada 106 – Jaén 10.

Torrezaf, carret. de Córdoba 90 ✆ (953) 56 71 00, *Fax (953) 41 00 86* – – 25/100. AE E VISA.
Comida 1200 – 400 – **52 hab** 4000/5400 – PA 2800.

ORREDEMBARRA *43830 Tarragona* 443 **I 34** – *6 218 h.* – *Playa.*
av. Pompeu Fabra 3 ✆ (977) 64 45 80 Fax (977) 64 38 35.
Madrid 566 – Barcelona 94 – Lérida/Lleida 110 – Tarragona 12.

Le Brussels, Antoni Roig 56 ✆ (977) 64 05 10, – AE E VISA.
Semana Santa-septiembre – **Comida** *(cerrado lunes)* carta 3090 a 4400.

la zona de la playa :

Morros, Pérez Galdós 15 ✆ (977) 64 02 25, *Fax (977) 64 18 64* – . AE E VISA
Comida (ver rest. ***Morros***) – 800 – **76 hab** 5750/8750.

Costa Fina, av. Montserrat 33 ☎ (977) 64 00 75, *Fax (977) 64 35 59* – |‡|, ▤ rest, ☎ 🚗. E VISA. ⚔
abril-octubre – **Comida** 1600 – ☕ 700 – **48 hab** 4400/8000 – PA 3400.

Morros, pl. Narcis Monturiol ☎ (977) 64 00 61, *Fax (977) 64 33 03*, ≤, 🏖, « Terraza – ▤. AE ⊙ E VISA
cerrado domingo noche y lunes (salvo en verano) – **Comida** carta 4450 a 6325.

La Quilla, puerto deportivo ☎ (977) 64 50 91, ≤, 🏖 – ▤. E VISA. ⚔ – *cerrado lun (salvo verano) y noviembre* – **Comida** - pescados y mariscos - carta 3375 a 6675.

Can Cues, Tamarit 14 ☎ (977) 64 05 73 – ▤. AE ⊙ E VISA. ⚔
Comida carta 3500 a 5000.

TORREDONJIMENO *23650 Jaén* 446 **S 18** – *13 003 h. alt. 589.*
Madrid 343 – Andújar 40 – Córdoba 91 – Granada 115 – Jaén 19.

Twist, carret. de Jaén 132 ☎ (953) 34 42 54, *Fax (953) 34 42 55* – |‡| ▤ TV ☎ P. ⊙ E VISA. ⚔
Comida 1000 – ☕ 350 – **23 hab** 3350/4700 – PA 2350.

TORREGUADIARO *11312 Cádiz* 446 **X 14** – *Playa.*
La Cañada, Oeste : 3 km ☎ (956) 79 41 00 Fax (956) 79 42 41.
Madrid 650 – Algeciras 29 – Cádiz 153 – Málaga 104.

Patricia sin rest, carret. N 340 ☎ (956) 61 53 00, *Fax (956) 61 58 50*, ≤ – TV ☎ AE ⊙ E VISA
☕ 525 – **30 hab** 4150/7250.

TORREJÓN DE ARDOZ *28850 Madrid* 444 **K 19** – *82 807 h. alt. 585.*
Madrid 22.

Aida, av. de la Constitución 167 ☎ (91) 677 65 53, *Fax (91) 675 15 54* – |‡| ▤ TV ☎ – 🏛 25/300. AE ⊙ E VISA. ⚔
Comida *(cerrado viernes, sábado, domingo y agosto)* 1900 – ☕ 900 – **68 h** 11000/17000 – PA 4400.

Torre Hogar, av. de la Constitucion 96 ☎ (91) 677 59 75, *Fax (91) 656 85 25* – |‡| TV ☎ 🚗 – 🏛 25/120. AE ⊙ E VISA. ⚔
Comida *(cerrado domingo y agosto)* 2300 – ☕ 1000 – **82 hab** 11600/13400 – PA 44

Torrejón, av. de la Constitución 173 ☎ (91) 675 26 44, *Fax (91) 677 34 44* – |‡| ▤ ☎ P – 🏛 25/350. AE ⊙ E VISA. ⚔
Comida 1650 - ***Grill Don José*** : **Comida** carta 3050 a 4250 – ☕ 450 – **64 h** 8000/10000.

Don Sancho sin rest, Cristo 2-2° ☎ (91) 675 26 15, *Fax (91) 675 25 64* – |‡| ▤ TV 🚗. AE E VISA. ⚔
☕ 300 – **16 hab** 7500/9500.

Henares, av. de la Constitución 128 ☎ (91) 677 59 95, *Fax (91) 677 03 82* – |‡| ▤ ☎ P. AE ⊙ E VISA. ⚔
cerrado agosto – **Comida** *(cerrado sábado y domingo)* 1000 – ☕ 550 – **32 hab** 6000/750

La Casa Grande con hab, Madrid 2 ☎ (91) 675 39 00, *Fax (91) 675 06 91*, « Instalado en una Casa de Labor del siglo XVI. Museo de Iconos. Lagar » – ▤ TV ☎ – 🏛 25/100. AE ⊙ E VISA. ⚔
cerrado agosto – **Comida** carta 3500 a 5000 – **8 hab** ☕ 15000/18000.

Vaquerín, ronda del Poniente 2 ☎ (91) 675 66 20 – ▤. AE ⊙ VISA. ⚔
cerrado sábado y domingo noche – **Comida** carta aprox. 4900.

Colón, Canto 1 ☎ (91) 675 64 15 – ▤.

TORRELAGUNA *28180 Madrid* 444 **J 19** – *2 575 h. alt. 744.*
Madrid 58 – Guadalajara 47 – Segovia 108.

Nuevo Pontón, San Francisco 3 ☎ (91) 843 00 03 – ▤ P. VISA. ⚔
cerrado lunes noche – **Comida** carta 2400 a 3500.

TORRELAVEGA *39300 Cantabria* 442 **B 17** – *59 520 h. alt. 23.*
Ruiz Tagle 6 ☎ (942) 89 29 82 Fax (942) 88 40 83.
Madrid 384 – Bilbao/Bilbo 121 – Oviedo 178 – Santander 27.

Torrelavega, av. Julio Hauzeur 12 ☎ (942) 80 31 20, *Fax (942) 80 27 00* – |‡| ▤ ☎ – 🏛 25/450. AE ⊙ E VISA. ⚔
Comida *(cerrado domingo salvo verano)* 1600 – ☕ 1100 – **116 hab** 13000/17500

Marqués de Santillana sin rest. con cafetería, Marqués de Santillana 8 ℘ (942) 89 29 34, *Fax (942) 89 29 34* – AE E VISA
38 hab 9000/12000.

Saja sin rest. con cafetería, Alcalde del Río 22 ℘ (942) 89 27 50, *Fax (942) 89 24 51* – 25/200. AE E VISA
400 – **45 hab** 6900/9900.

Villa de Santillana, Julián Ceballos 11 ℘ (942) 88 30 73 – AE E VISA.
cerrado lunes, 10 días en febrero y 25 junio-15 julio – **Comida** carta 2025 a 4100.

TORREMOLINOS *29620 Málaga* **446** **W 16** – *35 309 h.* – *Playa.*

pl. de las Comunidades Autónomas ℘ *(95) 237 19 09 Fax (95) 237 95 51* – **R.A.C.E.** *pl. de la Costa del Sol (edificio Entreplazas Ofc. 195)* ℘ *(95) 238 77 42 Fax (95) 237 64 14.*
Madrid 569 ① – *Algeciras 124* ② – *Málaga 14* ①

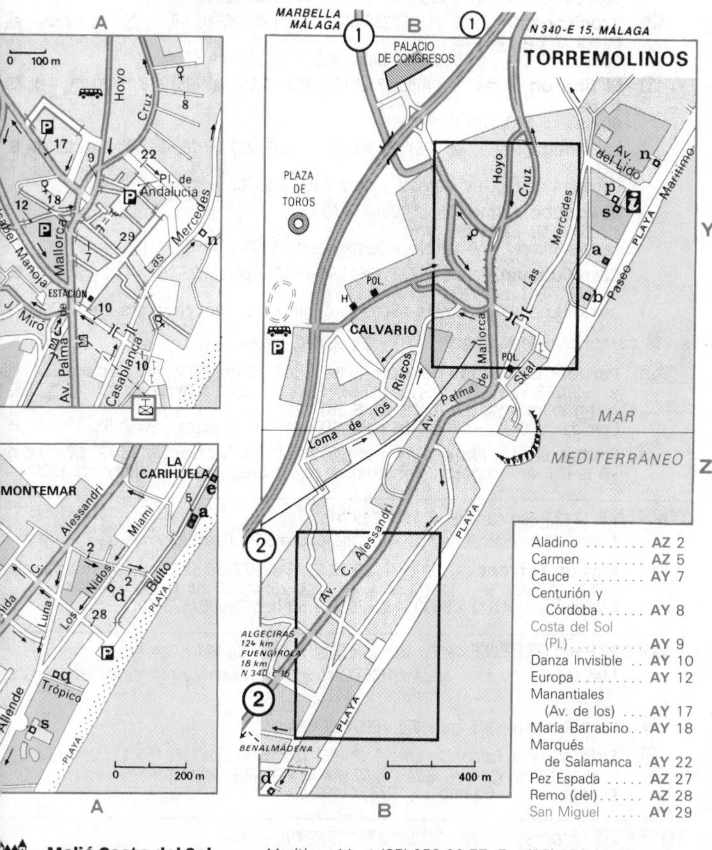

Meliá Costa del Sol, paseo Marítimo 11 ℘ (95) 238 66 77, *Fax (95) 238 64 17,* ⋖, Servicios de talasoterapia, – 25/250. AE VISA JCB. BY b
Comida 2750 – 1400 – **522 hab** 11000/17100, 18 suites.

Sol Don Pablo, paseo Marítimo ℘ (95) 238 38 88, *Telex 77252, Fax (95) 238 37 83,* ⋖, climatizada, – 25/200. AE E VISA JCB. BY s
Comida - sólo buffet - 2650 – 1300 – **443 hab** 12400/16800 – PA 5610.

Sol Don Pedro, av. del Lido ℘ (95) 238 68 44, *Fax (95) 238 69 35,* – 25/40. AE E VISA JCB. BY p
Comida - sólo buffet - 1600 – 700 – **295 hab** 9150/13650.

Isabel sin rest, paseo Marítimo 97 ☏ (95) 238 17 44, *Fax (95) 238 11 98*, ≤, 🏊 - 🛗 📺 ☎ 🚗. AE ⓓ E VISA. ✗ BY
marzo-noviembre – **40 hab** ☕ 8710/13420.

Fénix, Las Mercedes 24 ☏ (95) 237 52 68, *Fax (95) 238 71 83*, 🏊 - 🛗 ▤ 📺 ☎ AY
Comida - sólo buffet - **85 hab.**

Cetus, paseo Marítimo ☏ (95) 237 41 18, *Fax (95) 238 24 55*, ≤, 🏖 - ▤. AE E
✗ – *cerrado domingo salvo (julio-agosto)* – **Comida** carta 3700 a 4500. BY

al Suroeste : *barrios de La Carihuela y Montemar* – ✉ *29620 Torremolinos* :

Pez Espada, Salvador Allende 11 ☏ (95) 238 03 00, *Fax (95) 237 28 01*, ≤, 🏋, 🏊, 🌳, 🎾 - 🛗 ▤ 📺 ☎ P - 🏛 25/250. AE ⓓ E VISA. ✗ AZ
Comida 3000 – ☕ 1600 – **192 hab** 11800/16500, 13 suites – PA 6200.

Sol Élite Aloha Puerto, Salvador Allende 45 ☏ (95) 238 70 66, *Fax (95) 238 57* ≤, 🏊 climatizada, 🎾 - 🛗 ▤ 📺 ☎ - 🏛 25/500. AE ⓓ E VISA. ✗ BZ
Comida - sólo cena - 2500 – ☕ 1000 – **372 hab** 25000.

Tropicana, Trópico 6 ☏ (95) 238 66 00, *Fax (95) 238 05 68*, ≤, 🏊 - 🛗 ▤ ☎ - 🏛 AE ⓓ E VISA JCB. ✗ AZ
Comida 2800 – ☕ 1300 – **84 hab** 13000/18000 – PA 5500.

El Tiburón sin rest, Los Nidos 7 ☏ (95) 238 13 11, *Fax (95) 238 13 20*, 🏊 - 🛗. AE E VISA AZ
40 hab ☕ 4100/6000.

La Jábega, Mar 17 ☏ (95) 238 63 75, *Fax (95) 237 08 16*, ≤, 🏖 - ▤. AE ⓓ E JCB. ✗ AZ
Comida - pescados y mariscos - carta 2450 a 3850.

El Roqueo, Carmen 35 ☏ (95) 238 49 46,
≤, 🏖 - AE ⓓ E VISA. ✗ AZ
cerrado martes y noviembre – **Comida** carta 3150 a 4450.

Casa Guaquín, Carmen 37 ☏ (95) 238 45 30, *Fax (95) 237 57 54*, ≤, 🏖 - AE E
✗ AZ
cerrado lunes y 15 diciembre-15 enero – **Comida** - pescados y mariscos - carta 2700 a 40

en la carretera de Málaga *por ① – ✉ 29620 Torremolinos* :

Parador de Málaga del Golf, junto al golf - 5 km, ✉ 29080 apartado 324 Mála
☏ (95) 238 12 55, *Fax (95) 238 89 63*, ≤, 🏖, « Junto al campo de golf », 🏊, 🎾,
▤ 📺 ☎ P - 🏛 25/70. AE ⓓ E VISA. ✗
Comida 3500 – ☕ 1300 – **56 hab** 14000/17500, 4 suites – PA 7055.

Frutos, urb. Los Álamos - 3 km ☏ (95) 238 14 50, *Fax (95) 237 13 77*, 🏖 - ▤ P
ⓓ E VISA. ✗ – *cerrado domingo noche de octubre a junio* – **Comida** carta 3300 a 48

TORRENT *17123 Gerona* 443 **G 39** – *219 h.*

Madrid 744 – Barcelona 133 – Gerona/Girona 36 – Palafrugell 4.

Mas de Torrent 🐦, ☏ (972) 30 32 92, *Fax (972) 30 32 93*, ≤, 🏖, « Masía del s XVIII », 🏊, 🌳, 🎾 - ▤ 📺 ☎ ♿ P - 🏛 25/40. AE ⓓ E VISA JCB. ✗
Comida carta 4100 a 6100 – ☕ 2000 – **30 hab** 29600/37000.

TORRENTE o TORRENT *46900 Valencia* 445 **N 28** – *56 191 h. alt. 63.*

Madrid 345 – Alicante/Alacant 182 – Castellón de la Plana/Castelló de la Plana 86 – Vale 11.

en El Vedat *Suroeste : 4,5 km – ✉ 46901 El Vedat* :

Lido 🐦, Juan Ramón Jiménez 5 ☏ (96) 155 15 00, *Fax (96) 155 12 02*, ≤, 🏋, 🏊, - 🛗 ▤ 📺 ☎ P - 🏛 25/500. AE ⓓ E VISA JCB. ✗ rest
Comida 2420 – **60 hab** ☕ 10285/14944.

TORREVIEJA *03180 Alicante* 445 **S 27** – *25 891 h. – Playa.*

⛳18 ⛳18 *Villamartín, Suroeste : 7,5 km ☏ (96) 676 51 70 Fax (96) 676 51 58* – ⛳18 *Campoa Dehesa de Campoamor, Suroeste : 10 km ☏ (96) 532 13 66 Fax (96) 532 24 54.*

ℹ *pl. Capdepón ☏ (96) 570 34 33 Fax (96) 571 59 36.*

Madrid 435 – Alicante/Alacant 50 – Cartagena 60 – Murcia 45.

Cano sin rest, Zoa 53 ☏ (96) 670 09 58, *Fax (96) 571 87 31* – 🛗 📺. E VISA. ✗
☕ 450 – **28 hab** 4200/6000.

Miramar, paseo Vista Alegre ☏ (96) 571 34 15, *Fax (96) 571 07 65*, ≤, 🏖 – AE ⓓ E
✗ – *cerrado del 2 al 26 de noviembre* – **Comida** carta 2625 a 4250.

XX **Río Nalón,** Clemente Gosálvez 22 ☏ (96) 571 19 08 – ▤. ◑ E VISA. ✂
cerrado domingo noche y lunes (salvo julio-15 septiembre) y 15 días en febrero – **Comida** carta 3200 a 4400.

Suroeste *por la carretera de Cartagena :*

Montepiedra ⛭ sin rest, Saavedra Fajardo 1 - Dehesa de Campoamor : 11 km, ✉ 03192 Dehesa de Campoamor, ☏ (96) 532 03 00, *Fax (96) 532 06 34*, ⛱, « ⛱ rodeada de césped y plantas », ⛱, ✂ – ☎ ⓟ – 🏛 25/100. AE ◑ E VISA. ✂
☕ 625 – **64 hab** 10350/11750.

Motel Las Barcas sin rest, 4,5 km, ✉ 03180 Torrevieja, ☏ (96) 571 00 81, *Fax (96) 571 00 81*, ⇐ – TV ☎ ⓟ. ◑ E VISA. ✂
☕ 700 – **30 hab** 4700/5900.

X **Palmera Beach,** urb. Las Mil Palmeras : 13 km, ✉ 03190 Pilar de la Horadada, ☏ (96) 532 13 65, ⛱ – ▤ ⓟ. E VISA. ✂
cerrado del 15 al 30 de diciembre – **Comida** carta 3000 a 4000.

X Asturias, 5,5 km, ✉ 03180 Torrevieja, ☏ (96) 532 80 44, *Fax (96) 532 80 44*, ⛱ – ⓟ.

X **Las Villas,** Dehesa de Campoamor : 11 km, ✉ 03192 Dehesa de Campoamor, ☏ (96) 532 00 05, ⛱ – ▤ ⓟ. AE E VISA. ✂
Comida carta 2150 a 3600.

X **Don Sandy,** 9,5 km, ✉ 03180 Torrevieja, ☏ (96) 532 12 17, ⛱ – ▤ ⓟ. AE ◑ E VISA. ✂
cerrado noviembre – **Comida** carta 2600 a 3800.

...RRIJOS *45500 Toledo* 444 M 17 – *9 522 h. alt. 529.*

Madrid 87 – Ávila 113 – Toledo 29.

Castilla, carret. de Toledo ☏ (925) 76 18 00, *Fax (925) 77 00 00*, ⛱ – ⇅ ▤ TV ☎ 🚗 ⓟ – 🏛 25/250. AE ◑ E VISA JCB. ✂
Comida 1700 – ☕ 300 – **61 hab** 4500/6000 – PA 3145.

El Mesón, carret. de Toledo ☏ (925) 76 04 00, *Fax (925) 76 08 56* – ⇅, ▤ rest, TV ☎ – 🏛 25/400. VISA. ✂ rest
Comida 1400 – ☕ 350 – **44 hab** 3500/6000.

X **Tinín,** Puente 62 ☏ (925) 76 11 65 – ▤. AE E VISA. ✂
cerrado miércoles y del 1 al 21 de agosto – **Comida** carta 2600 a 3500.

...RROELLA DE MONTGRÍ *17257 Gerona* 443 F 39 – *6 723 h. alt. 20.*

Ver : *Castillo* ⇐★★.
⛳18 ⛳9 *Empordá, Sur : 1,5 km* ☏ *(972) 76 04 50 Fax (972) 75 71 00.*
ℹ *av. Lluís Companys 51* ☏ *(972) 75 83 00.*
Madrid 740 – Barcelona 127 – Gerona/Girona 31.

Coll sin rest, carret. de Estartit ☏ (972) 75 81 99, *Fax (972) 75 85 12*, ⛱ – ⇅ TV ☎ ⓟ. E VISA. ✂
☕ 550 – **24 hab** 8000.

...la playa de La Gola *Sureste : 7,5 km* – ✉ *17257 Torroella de Montgrí :*

Picasso, carret. de Pals y desvío a la izquierda ☏ (972) 75 75 72, *Fax (972) 76 11 00*, ⛱, ⛱ – ▤ rest, ⓟ. AE ◑ E VISA
cerrado enero-febrero – **Comida** *(cerrado miércoles)* 1650 – **20 hab** ☕ 3000/5500 – PA 3000.

...RROX COSTA *29793 Málaga* 446 V 18 – *Playa.*

Madrid 529 – Almería 159 – Granada 115 – Málaga 45 – Motril 48.

...r la carretera N 340 *Oeste : 1,5 km y desvío a la derecha 1 km* – ✉ *29793 Torrox Costa :*

Cortijo Amaya ⛭, ☏ (95) 253 02 45, *Fax (95) 253 02 45*, « Casa de estilo regional en pleno campo », ⛱, ⛱, ✂ – TV ☎ ⓟ. AE ◑ E VISA. ✂
Comida 1600 – **14 hab** ☕ 5500/8500.

...RTOSA *43500 Tarragona* 443 J 31 – *29 717 h. alt. 10.*

Ver : *Catedral★★* BY – *Palacio Episcopal★ : capilla gótica★* BY – *Reales Colegios de Tortosa★ (Colegio Sant Lluís★ patio★★)* CY – *Llotja de Mar★* BZ – *Iglesia de Sant Domingo (Arxiu d'História Comarcal de les Terres de l'Ebre★)* CY.
ℹ *pl. del Bimil.lenari por* ② ☏ *(977) 51 08 22.*
Madrid 486 ① – *Castellón de la Plana/Castelló de la Plana 123* ③ – *Lérida/Lleida 129* ① – *Tarragona 83* ③ – *Zaragoza 204* ①

TORTOSA

Agustí Querol (Pl.) . . . . . . BY 3
Alacant . . . . AY 4
Alfara de Carles . . . . . . ABY 6
Alfons XII (Pl.) . . . . BZ 7
Àngel (Pl. de l') . . . . BY 8
Bisbe Aznar . . . . BY 9
Cabrera Grignon (Pl. de) . BZ 12
Canonge Macip . . . . ABZ 13
Capellans (Costa dels) . . . BY 15
Capellans (Carreró dels) . CY 17
Castell (Costa) . . . . CY 18
Ciutat . . . . BY 20
Comte Banyuelos . . . . . . BZ 21
Constitució (Pl.) . . . . BY 23
Cruera . . . . BY 27
Emili Sanz (Pl.) . . . . BZ 29
Escorxadors (Pl. dels) . . . BY 30
Espanya (Pl. d') . . . . BZ 32
Felip Neri . . . . CY 33
Francesc Pizarro . . . . AY 34
Hernán Cortés . . . . AY 35
Historiador Cristòfol
Despuig . . . . BZ 36
Immaculada Concepció . . CX 37
Jerusalem (Trav.) . . . . . . CX 38
Joan Moreira Ramos
(Pas.) . . . . BZ 39
Joan Sebastián Elcano . . AY 40
Joaquim Bau Nolla (Pl.) . . AY 42
Jordi Besuldo i Terol . . . . AX 44
Major de Remolins . . . . . CX 45
Major de Sant Jaume . . . CX 47
Marqués de Bellet . . . . . . BZ 49
Mas de Barberans . . . . . . AZ 50
Mercaders . . . . BYZ 52
Mercè . . . . CY 54
Metge Vilà . . . . BZ 56
Naprons . . . . BZ 57
Paiolet (Pl.) . . . . BY 59
Pau (Pl. de la) . . . . BZ 61
Pere Alberni . . . . BY 62
Pintor Gimeno . . . . BY 64
Providència . . . . CY 65
Puríssima . . . . CY 67
Ramon Berenguer IV . . . BCZ 68
Ronda (Pas.) . . . . CY 70
Rosa . . . . BY 71
Sant Blai (Pda de) . . . . . . BZ 73
Sant Domènec . . . . CY 74
Sant Francesc . . . . CYZ 75
Sant Francesc (Pda de) . . BY 76
Sant Jaume (Pl. de) . . . . BCY 78
Sant Jaume (Ratila de) . . BY 80
Sant Joan Bta.
de la Salle . . . . CZ 81
Santa Teresa . . . . BZ 83
Tamarit i Gil . . . . AX 85
Teodor González
Cabanes . . . . BZ 86

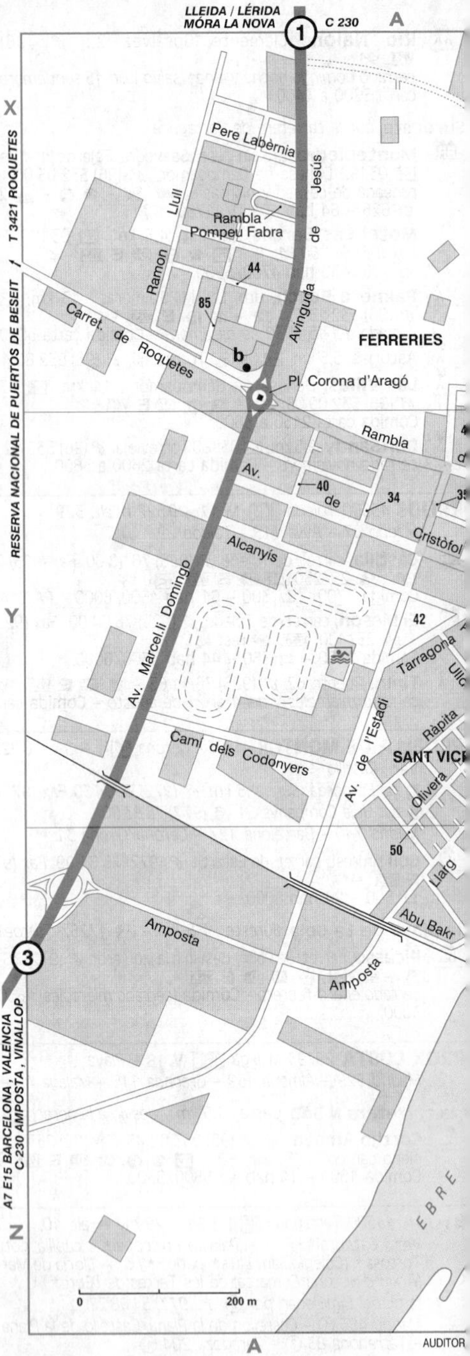

LLEIDA / LÉRIDA
MÓRA LA NOVA
1
C 230
A
X
Y
Z
T 3421 ROQUETES
RESERVA NACIONAL DE PUERTOS DE BESEIT
Pere Labèrnia
Llull
Rambla
Pompeu Fabra
Ramon
Avinguda de Jesús
44
85
Carret. de Roquetes
b
FERRERIES
Pl. Corona d'Aragó
Rambla
Av. de Cristòfol
40
34
35
Alcanyís
Av. Marcel.li Domingo
42
Tarragona
Ràpita
Camí dels Codonyers
Av. de l'Estadi
SANT VIC
Olivera
50
Llarg
Abu Bakr
Amposta
Amposta
3
A7 E15 BARCELONA, VALENCIA
C 230 AMPOSTA, VINALLOP
EBRE
0
200 m
A
AUDITOR

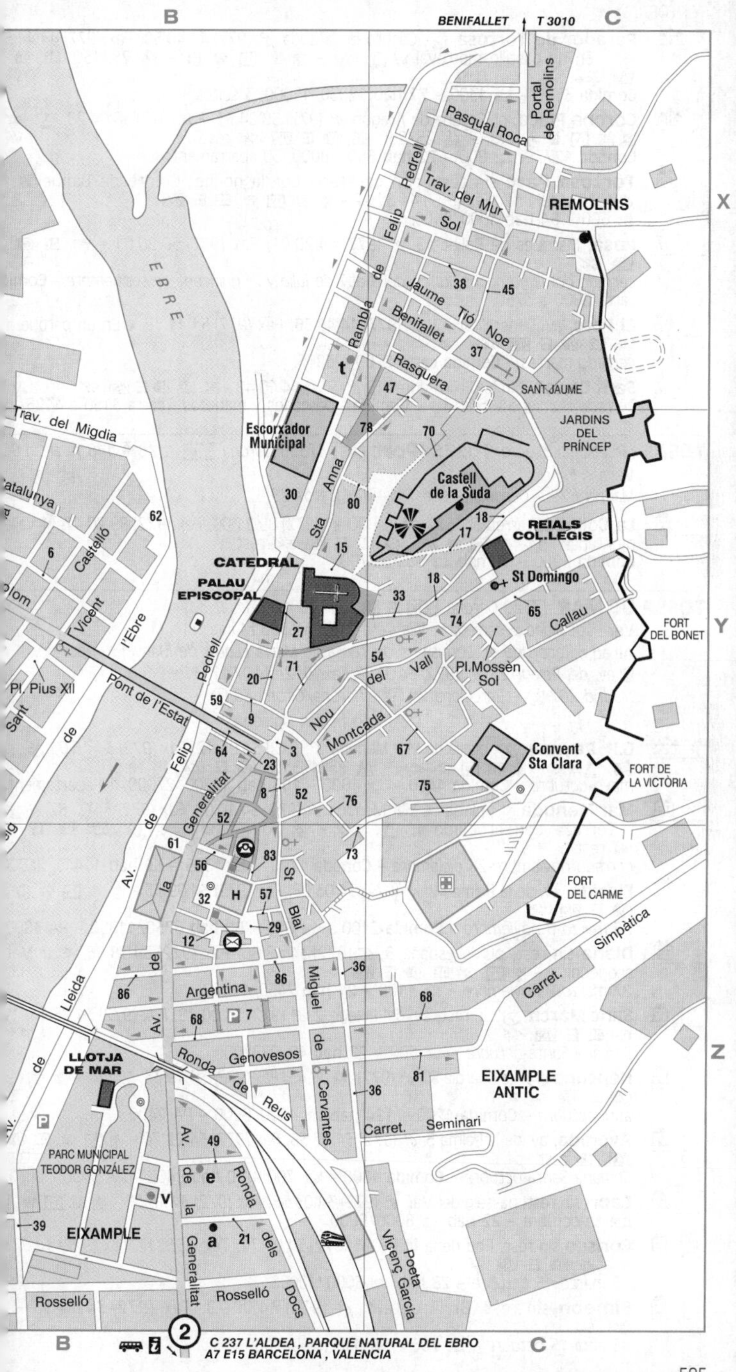
B
C
X
Y
Z
BENIFALLET
T 3010
Portal de Remolins
Pasqual Roca
Pedrell
Trav. del Mur
REMOLINS
Sol
Felip
de
Rambla
38
45
Jaume Tió
Benifallet
Noe
37
Rasquera
SANT JAUME
47
EBRE
Escorxador Municipal
78
70
JARDINS DEL PRÍNCEP
Castell de la Suda
Sta Anna
80
30
18
REIALS COL.LEGIS
17
15
CATEDRAL
PALAU EPISCOPAL
St Domingo
18
33
65
74
27
Callau
FORT DEL BONET
54
Trav. del Migdia
Catalunya
62
6
Castelló
Vicent
l'Ebre
Pl. Pius XII
Sant
de
Pont de l'Estat
Pedrell
20
71
Nou
del
Vall
Pl.Mossèn Sol
59
9
Montcada
3
64
23
67
Convent Sta Clara
FORT DE LA VICTÒRIA
Felip
de
8
52
76
75
Generalitat
52
61
56
83
73
Av.
la
32
H
57
St Blai
12
29
FORT DEL CARME
Simpàtica
Carret.
36
86
86
Argentina
Miguel
68
Lleida
de
Av.
P 7
68
Ronda
Genovesos
de
LLOTJA DE MAR
81
EIXAMPLE ANTIC
de
Reus
Cervantes
36
Carret.
Seminari
P
PARC MUNICIPAL TEODOR GONZÁLEZ
49
Av.
de
e
Ronda
la
V
39
EIXAMPLE
a
21
dels
Generalitat
Poeta
Vicenç Garcia
Rosselló
Rosselló
Docs
2
C 237 L'ALDEA, PARQUE NATURAL DEL EBRO
A7 E15 BARCELONA, VALENCIA

Parador de Tortosa ⑤, Castillo de la Zuda ☎ (977) 44 44 50, *Fax (977) 44 44 5* ≤, « En un castillo medieval », ⛱, ⛲ - |‡| ▤ TV ☎ P - 🏟 25/150. AE ⓓ VISA JCB. ✂ CY
Comida 3500 - ☐ 1300 - **72 hab** 12000/15000, 3 suites.

Corona Plaça, pl. Corona de Aragón ☎ (977) 58 04 33, *Fax (977) 58 04 28*, ⛱, ⛲ |‡| ▤ TV ☎ ♿ 🚗 - 🏟 25/250. AE ⓓ E VISA. ✂ rest AV
Comida 1275 - ☐ 800 - **72 hab** 6500/8000, 30 apartamentos.

Tortosa Parc sin rest. con cafetería por la noche, Comte de Bañuelos ☎ (977) 44 61 12, *Fax (977) 44 61 12* - |‡| ▤ TV ☎. AE E VISA BZ
☐ 600 - **84 hab** 3000/5400.

Rosa, Marqués de Bellet 13 ☎ (977) 44 20 01, *Fax (977) 50 20 01* - ▤. AE ⓓ VISA. ✂ BZ
cerrado domingo noche, lunes, del 1 al 7 de julio y 2ª quincena de septiembre - **Comi** carta 2800 a 3750.

El Parc, av. Generalitat 72 ☎ (977) 44 48 66, *Fax (977) 51 11 19*, « En un parque » ▤. AE ⓓ E VISA JCB. ✂ BZ
cerrado martes - **Comida** carta 2700 a 3965.

Sant Carles, Rambla Felip Pedrell 13 ☎ (977) 44 10 48 - ▤. AE ⓓ E VISA. ✂ BV
cerrado domingo y festivos - **Comida** - pescados y mariscos - carta 3150 a 4125.

TOSAS (Puerto de) o TOSES (Port de) *17536 Gerona* 443 E 36 - *148 h. alt. 180*

Ver : ≤★.
Madrid 679 - Gerona/Girona 131 - Puigcerdà 26.

La Collada, carret. N 152 - alt. 1 800 ☎ (972) 89 21 00, *Fax (972) 89 20 47*, ≤ valle montañas, ⛱ - |‡| TV ☎ 🚗 P. AE E VISA. ✂ rest
Comida 1900 - **30 hab** ☐ 5850/9700.

TOSSA DE MAR *17320 Gerona* 443 G 38 - *3 406 h.* - *Playa.*

Ver : *Localidad veraniega*★, *Vila Vella*★ BZ, Museo Municipal★ M.
Alred. : *Recorrido en cornisa*★★ *de Tossa de Mar a LLoret de Mar 11 km por* ②.
ℹ *av. del Pelegrí 25* ☎ *(972) 34 01 08 Fax (972) 34 07 12.*
Madrid 707 ③ *- Barcelona 79* ③ *- Gerona/Girona 39* ①

Plano página siguiente

G.H. Reymar ⑤, platja de Mar Menuda ☎ (972) 34 03 12, *Fax (972) 34 15 04*, ≤, Lō, ⛱, 🎾 - |‡| ▤ TV ☎ 🚗 - 🏟 25/175. AE ⓓ E VISA. ✂ rest BY
mayo-octubre - **Comida** 4400 - ☐ 1800 - **156 hab** 15200/27000, 10 apartament

Mar Menuda ⑤, platja de Mar Menuda ☎ (972) 34 10 00, *Fax (972) 34 00 87*, ≤, « Terraza con arbolado », ⛱, 🎾 - |‡| ▤ TV ☎ 🚗 P. AE ⓓ E VI ✂ rest BY
cerrado noviembre-26 diciembre - **Comida** 1790 - ☐ 1365 - **50 hab** 11445/2100

Florida, av. de la Palma 12 ☎ (972) 34 03 08, *Fax (972) 34 09 53* - |‡| ▤ TV ☎ P. ⓓ E VISA. ✂ BZ
26 marzo-8 noviembre - **Comida** 2100 - ☐ 800 - **50 hab** 6750/11850 - PA 3800

Diana sin rest, pl. de España 6 ☎ (972) 34 18 86, *Fax (972) 34 18 86*, ≤, « Mar acogedor » - |‡| TV ☎. AE ⓓ E VISA BZ
27 marzo-2 noviembre - ☐ 1100 - **21 hab** 7450/12400.

Sant March ⑤ sin rest, av. del Pelegrí 2 ☎ (972) 34 00 78, *Fax (972) 34 25 34*, P. AE E VISA. ✂ AZ
Semana Santa-octubre - ☐ 500 - **29 hab** 4800/8100.

Neptuno ⑤, La Guàrdia 52 ☎ (972) 34 01 43, *Fax (972) 34 19 33*, ⛱, ⛲ - |‡|, ▤ re ⓓ E VISA. ✂ rest AZ
abril-octubre - **Comida** 1200 - **124 hab** ☐ 4600/8200 - PA 2400.

Avenida, av. de la Palma 5 ☎ (972) 34 07 56, *Fax (972) 34 22 70* - |‡| TV ☎. AE ⓓ VISA. ✂ rest BZ
Semana Santa-octubre - **Comida** 1800 - ☐ 700 - **50 hab** 8400 - PA 3400.

Capri sin rest, passeig del Mar ☎ (972) 34 03 58, *Fax (972) 34 15 52* - |‡| ▤ TV ☎.
marzo-octubre - **22 hab** ☐ 6000/9000. BZ

Corisco sin rest, Pou de la Vila 8 ☎ (972) 34 01 74, *Telex 56317*, *Fax (972) 34 07* ≤ - |‡|. ⓓ E VISA BZ
15 marzo-15 octubre - **28 hab** ☐ 5000/10000.

Simeón sin rest, Dr. Trueta 1 ☎ (972) 34 00 79, *Fax (972) 34 14 98* - VISA. ✂ BZ
15 abril-15 octubre - ☐ 700 - **38 hab** 6000/7000.

TOSSA DE MAR

odolar . . . . BZ 3
oncòrdia (Pl.) . . . . AY 4
osta Brava (Av. de la) . . . . AYZ 6
r Trueta . . . . ABZ 7
nric Claudi Girbal . . . . BY 9
nric Granados . . . . BYZ 10
scultor Casanova . . . . BY 12
stolt . . . . BZ 13
iverola . . . . AZ 15
Isaac Albéniz . . . . BY 16
Joaquim-Esteve Llach . . . . . BY 18
La Guàrdia . . . . AZ
Mar (Passeig del) . . . . BZ 21
María Auxiliadora . . . . AZ 22
Nacions Sense Estat (Pl. de les) . . . . AZ 24
Ntra. Sra. de Montserrat . . BY 25
Palma (Av. de la) . . . . BYZ 26
Pelegrí (Av. del) . . . . AZ 27
Pintor Fortuny . . . . BZ 28
Pintor Oscar Zügel . . . . BY 30
Pintor Ramon Reig . . . . BY 31
Portal . . . . BZ 33
Pou de la Vila . . . . BZ 34
Sant Antoni . . . . AZ 36
Sant Josep . . . . AZ 37
Sant Ramon de Penyafort (Av.) . . . . BZ 39
Socors . . . . BZ 40
Sot de Ses Pomeres . . . . . . AZ 42
Tarull . . . . AZ 43
Torrent d'En Bou . . . . AZ 45
Víctor Català . . . . AY 46

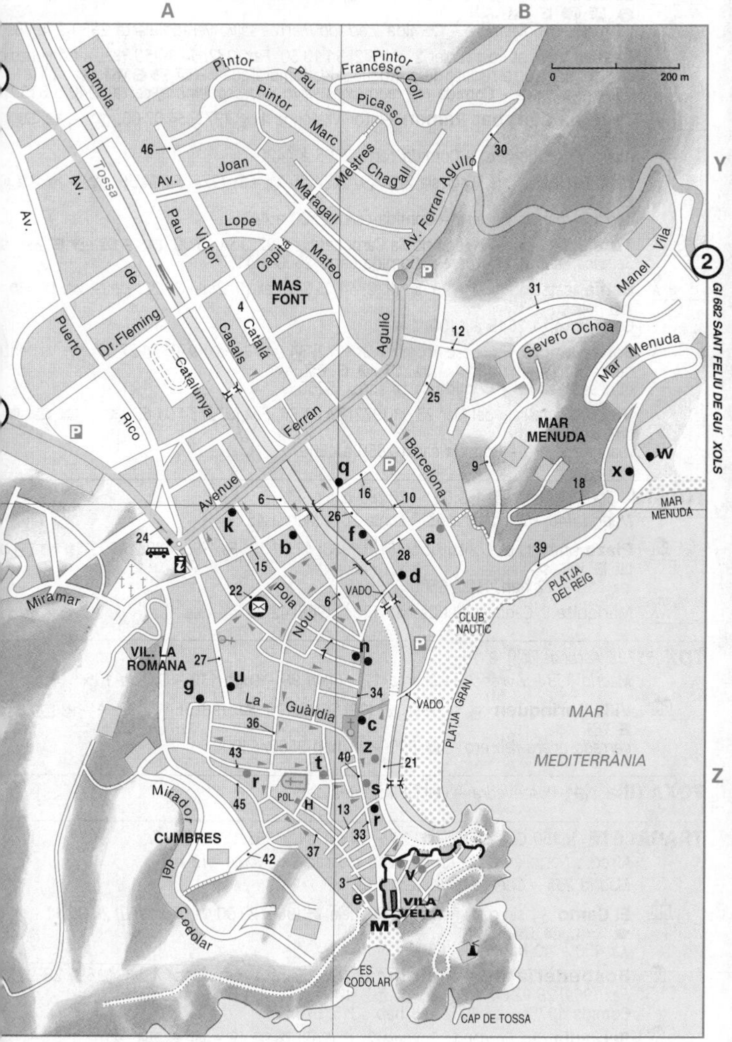

Mar Bella sin rest, av. Costa Brava 21 ☎ (972) 34 13 63, *Fax (972) 34 13 63* – TV. AE ① E VISA AZ b
mayo-15 octubre – ☐ 600 – **36 hab** 4000/8000.

Canaima sin rest, av. de la Palma 24 ℘ (972) 34 09 95, *Fax (972) 34 26 26* – VISA. ⋟
junio-septiembre – **17 hab** ☐ 6650. BY

Horta Rosel sin rest, Pola 29 ℘ (972) 34 04 32 – Ⓟ AZ
junio-septiembre – ☐ 400 – **29 hab** 3600/4700.

La Cuina de Can Simon, Portal 24 ℘ (972) 34 12 69, « Rústico elegante junto a antigua ciudad amurallada » – ▤. AE ⓞ E VISA JCB. ⋟ BZ
cerrado domingo noche, lunes y enero – **Comida** carta 4075 a 5975.

Es Molí, Tarull 5 ℘ (972) 34 14 14, 〠, « Bajo los porches de un patio ajardinado » Ⓟ. AE ⓞ E VISA JCB AZ
13 marzo-2 noviembre – **Comida** *(cerrado martes salvo verano)* carta 2950 a 4975.

Castell Vell, pl. Roig i Soler 2 ℘ (972) 34 10 30, *Fax (972) 34 10 30*, 〠, « Conjunto estilo regional en el recinto de la antigua ciudad amurallada » – AE ⓞ E VISA. ⋟ BZ
25 abril-octubre – **Comida** *(cerrado lunes salvo julio-septiembre)* carta 2940 a 5150.

Taverna de l'abat Ramon, Pintor Vilallonga 1 ℘ (972) 34 07 08, 〠 – ▤. AE ⓞ E VISA. ⋟ BZ
mayo-15 septiembre – **Comida** carta 2695 a 4420.

Can Tonet, pl. de l'Església 2 ℘ (972) 34 05 11, *Fax (972) 34 14 59*, 〠 – ▤. AE ⓞ E VISA AZ
cerrado martes y enero – **Comida** carta 2500 a 4475.

Tursia, Barcelona 3 - edificio Sa Carbonera ℘ (972) 34 15 00, 〠 – AE ⓞ E VISA. ⋟
Semana Santa-25 octubre – **Comida** carta 2600 a 4100. BZ

Bahía, passeig del Mar 19 ℘ (972) 34 03 22, *Fax (972) 34 03 22*, 〠 – ▤. AE ⓞ VISA. ⋟ BZ
Comida carta 2615 a 4100.

Santa Marta, Francesc Aromir 2 ℘ (972) 34 04 72, *Fax (972) 34 27 57*, 〠, « Dentro del recinto amurallado » – ▤. AE ⓞ E VISA. ⋟ BZ
abril-septiembre – **Comida** carta aprox. 3250.

Victoria, passeig del Mar 23 ℘ (972) 34 01 66, *Fax (972) 34 01 66*, 〠 – ▤. AE ⓞ VISA JCB. ⋟ BZ
marzo-octubre – **Comida** carta 2650 a 4800.

TOTANA *30850 Murcia* 445 S 25 – *20 288 h. alt. 232.*
Madrid 440 – Cartagena 63 – Lorca 20 – Murcia 45.

Plaza sin rest, pl. Constitución 5 ℘ (968) 42 31 12, *Fax (968) 42 25 30* – |‡| ▤ TV AE E VISA. ⋟
☐ 350 – **12 hab** 4300/6500.

Mariquita II, Cánovas del Castillo 12 ℘ (968) 42 25 54 – ▤.

TOX *33793 Asturias* 441 B 10.
Madrid 558 – Avilés 75 – Luarca 11 – Gijón 98 – Lugo 132 – Oviedo 106.

Villa Borinquen ⛶ sin rest, ℘ (98) 564 82 20, *Fax (98) 564 82 22*, ≤ – |‡| TV ☎ E VISA. ⋟
cerrado enero-febrero – ☐ 800 – **11 hab** 9500/11000.

TOXA (Illa da) *Pontevedra – ver La Toja (Isla de).*

TRAGACETE *16150 Cuenca* 444 K 24 – *345 h. alt. 1 283.*
Alred. : *Nacimiento del río Cuervo★ (cascadas★) Norte : 12 km.*
Madrid 235 – Cuenca 71 – Teruel 89.

El Gamo ⛶ sin rest, Fernando Royuela ℘ (969) 28 90 11, *Fax (969) 28 90 11* – |‡| ☎ ⛟. ⓞ VISA
☐ 450 – **40 hab** 3000/6500.

Hospedería Real del Júcar ⛶, Muñoz Grandes 7 ℘ (969) 28 92 0 *Fax (969) 28 92 04* – TV ☎ Ⓟ. VISA. ⋟ rest
Comida 1975 – ☐ 495 – **25 hab** 5015/6765.

Serranía ⛶, Fernando Royuela 2 ℘ (969) 28 90 19 – AE E VISA. ⋟
cerrado Navidades – **Comida** 1700 – ☐ 400 – **24 hab** 3000/5000.

TRASVÍA *Santander – ver Comillas.*

TREDÓS *Lérida – ver Salardú.*

:MP *25620 Lérida* 443 **F 32** – *6 514 h. alt. 432.*

Ver : *Iglesia de Santa María (Santa María de Valldeflors★).*

Alred. : *Pantano de Sant Antoni★ Este : carretera a Coll de Nargó (collado de Bòixols★★).*

Excurs. : *Norte : Vall Fosca★ – Noreste : Desfiladero de Collegats★★ (roca de l'Argenteria★).*

pl. de la Creu 1 ☎ (973) 65 00 09 Fax (973) 65 20 36.

Madrid 546 – Huesca 156 – Lérida/Lleida 93.

Siglo XX, pl. de la Creu 8 ☎ (973) 65 00 00, *Fax (973) 65 26 12,* – . VISA. rest
Comida 1400 – 600 – **50 hab** 4400/6800 – PA 3000.

Alegret, pl. de la Creu 30 ☎ (973) 65 01 00, *Fax (973) 65 17 28* – . VISA
Comida *(cerrado martes)* 1500 – 500 – **25 hab** 3000/5000 – PA 3500.

:ES CANTOS *28760 Madrid* 444 **K 18** – *22 301 h. alt. 802.*

Madrid 26.

Jardín de Tres Cantos, av. de los Encuartes 17 ☎ (91) 806 49 99, *Fax (91) 806 49 80* – – 25/90. AE VISA.
Comida 1800 – 980 – **54 hab** 11800/13500.

Holiday Inn Express Madrid-Tres Cantos sin rest. con cafetería por la noche, parque empresarial Euronova ☎ (91) 803 99 00, *Fax (91) 803 59 99* – – 20/45. AE VISA JCB.
61 hab 10900.

Latores, av. de Viñuelas 17 (2ª fase) ☎ (91) 803 95 73, *Fax (91) 804 08 45,* – .
AE VISA.
cerrado domingo y 15 días en agosto – **Comida** carta 2800 a 4100.

:ESGRANDAS *33598 Asturias* 441 **B 16.**

Madrid 421 – Gijón 101 – Oviedo 111 – Santander 77.

El Molino de Tresgrandas , ☎ (98) 541 11 91, *Fax (98) 541 11 57,* ≤, « Instalado en un antiguo molino », – . VISA.
Comida 2100 – 750 – **8 hab** 8000/9500.

:EVÉLEZ *18417 Granada* 446 **U 20** – *823 h. alt. 1 476.*

Madrid 507 – Almería 130 – Granada 91 – Málaga 154.

la carretera de Juviles *Sur : 4 km – ✉ 18416 Busquístar :*

Alcazaba de Busquístar , ☎ (958) 85 86 87, *Fax (958) 85 86 93,* ≤, , « Conjunto de estilo alpujarreño », – rest, – 25/200. VISA.
Comida 1820 – 450 – **44 apartamentos** 7000/10500.

:IGUEROS *21620 Huelva* 446 **T 9** – *7 016 h. alt. 78.*

Madrid 612 – Huelva 19 – Sevilla 84.

Los Arcos 2, carret. N 435 ☎ (959) 30 52 11,
– . AE VISA.
Comida carta 2250 a 3700.

:INTXERPE *Guipúzcoa – ver Pasajes de San Pedro.*

:UJILLO *10200 Cáceres* 444 **N 12** – *8 919 h. alt. 564.*

Ver : *Pueblo histórico★★. Plaza Mayor★★ (palacio de los Duques de San Carlos★, palacio del Marqués de la Conquista : balcón de esquina★) – Iglesia de Santa María★ (retablo★).*

pl. Mayor ☎ (927) 32 26 77.

Madrid 254 – Cáceres 47 – Mérida 89 – Plasencia 80.

Parador de Trujillo , pl. de Santa Beatriz de Silva 1 ☎ (927) 32 13 50, *Fax (927) 32 13 66,* « Instalado en el antiguo convento de Santa Clara » – – 25/90. AE VISA JCB.
Comida 3700 – 1300 – **45 hab** 12000/15000, 1 suite.

Victoria, pl. del Campillo 22 ☎ (927) 32 18 19, *Fax (927) 32 30 84,* – . AE VISA.
Comida 1800 – 900 – **27 hab** 10000.

X **Pizarro,** pl. Mayor 13 ✆ (927) 32 02 55 – ▤. AE ⓓ E VISA. ✗
Comida - cocina regional - carta 2800 a 5200.

X Mesón La Cadena con hab, pl. Mayor 8 ✆ (927) 32 14 63 – ▤
8 hab.

junto a la autovía N V *Suroeste : 6 km – ✉ 10200 Trujillo :*

X **La Majada,** salida 259 ✆ (927) 32 11 88, *Fax (927) 32 03 49,* – ▤ P. AE ⓓ E VISA
Comida carta 2800 a 4800.

TUDELA *31500 Navarra* 442 **F 25** – *26 163 h. alt. 275.*
Ver : *Catedral★ (claustro★★, portada del Juicio Final★, interior – capilla de Nuestra Señ de la Esperanza★).*
🅘 *pl. Vieja ✆ (948) 882 15 39 Fax (948) 82 15 39.*
Madrid 316 – Logroño 103 – Pamplona/Iruñea 84 – Soria 90 – Zaragoza 81.

Tudela Bardenas, av. de Zaragoza 60 ✆ (948) 41 08 02, *Fax (948) 41 09 72* – |⇕|
TV ☎ – 25/130. AE ⓓ E VISA
Comida *(cerrado domingo noche)* carta 3200 a 3600 – ☕ 800 – **51 hab** 7800/91

NH Delta, av. de Zaragoza 29 ✆ (948) 82 14 00, *Fax (948) 82 14 00* – |⇕| ▤ TV
25/40. AE ⓓ E VISA JCB. ✗
Comida 1350 - ***Ino*** *(cerrado domingo)* **Comida** carta 3400 a 4600 – ☕ 800 – **43**
6200/8000.

Santamaría, San Marcial 14 ✆ (948) 82 12 00, *Fax (948) 82 12 00* – |⇕| ▤ TV
25/200. AE ⓓ E VISA. ✗ rest
Comida *(cerrado sábado, domingo, festivos y agosto)* 1400 – ☕ 600 – **52 hab** 6000/85

Nueva Parrilla, Carlos III el Noble 6 ✆ (948) 82 24 00, *Fax (948) 82 25 45* – ▤ TV
. E VISA JCB. ✗
Comida 1500 – ☕ 700 – **22 hab** 4000/6600.

XX **Morase** con hab, paseo de Invierno 2 ✆ (948) 82 17 00, *Fax (948) 82 17 04* – ▤ TV
AE ⓓ E VISA. ✗ rest
cerrado 24 diciembre-2 enero y del 1 al 10 de agosto – **Comida** *(cerrado domingo noc*
carta 3800 a 5100 – ☕ 950 – **7 hab** 7900/8900.

XX **33,** Pablo Sarasate ✆ (948) 82 76 06, *Fax (948) 41 10 08* – ▤. AE E VISA. ✗
cerrado domingo y del 1 al 21 de agosto – **Comida** carta 3700 a 4700.

XX **Choko,** pl. de los Fueros 5 ✆ (948) 82 10 19 – ▤. AE ⓓ E VISA. ✗
cerrado lunes salvo festivos – **Comida** carta 2750 a 4800.

X **Iruña,** Muro 11 ✆ (948) 82 10 00 – ▤. AE E VISA. ✗
cerrado jueves – **Comida** carta aprox. 3500.

X Mesón Julián, Merced 9 ✆ (948) 82 20 28 – ▤.

en la carretera N 232 *Sureste : 3 km – ✉ 31512 Fontellas :*

XX **Beethoven,** ✆ (948) 82 52 60, *Fax (948) 82 52 60* – ▤ P. AE ⓓ E VISA. ✗
cerrado domingo y agosto – **Comida** carta 3200 a 4850.

TUDELA DE DUERO *47320 Valladolid* 442 **H 16** – *4 842 h. alt. 701.*
Madrid 188 – Aranda de Duero 77 – Segovia 107 – Valladolid 16.

Jaramiel, carret. N 122 - Noroeste : 1 km ✆ (983) 52 20 12, *Fax (983) 52 21 12,*
TV ☎ P. E VISA. ✗
Comida 1500 – ☕ 400 – **21 hab** 3300/5500.

TURÉGANO *40370 Segovia* 442 **I 17** – *1 082 h. alt. 935.*
Madrid 130 – Aranda de Duero 72 – Segovia 35 – Valladolid 96.

XX **El Zaguán** con hab, pl. de España 16 ✆ (921) 50 11 65, *Fax (921) 50 11 56,* « Decorac rústica-regional » – |⇕| ▤ TV ☎. E VISA. ✗
Comida *(cerrado lunes noche y del 15 al 31 de enero)* carta 3100 a 4300 – ☕ 600 – **15 h**
6000/10000.

TUY o TUI *36700 Pontevedra* 441 **F 4** – *15 346 h. alt. 44.*
Ver : *Emplazamiento★, Catedral★ (portada★).*
🅘 *Puente Tripes - av. de Portugal ✆ (986) 60 17 89.*
Madrid 604 – Orense/Ourense 105 – Pontevedra 48 – Porto 124 – Vigo 29.

Parador de Tuy , av. de Portugal ✆ (986) 60 03 00, *Fax (986) 60 21 63,* ≤,
« Reproducción de una casa señorial gallega », , , – |⇕| TV ☎ P. AE ⓓ E VISA JCB.
Comida 3500 – ☕ 1300 – **29 hab** 12000/15000, 1 suite – PA 7055.

Colón Tuy, Colón 11 ☎ (986) 60 02 23, *Fax (986) 60 03 27,* ≤, ⛱, ⚘ – 🛗 ▤ TV ☎ 🚗 – 🏃 25/100. AE ⓓ E VISA. ✂
Comida *(cerrado domingo)* 1200 – ☕ 600 – **45 hab** 6200/10500.

O Cabalo Furado, pl. Generalísimo ☎ (986) 60 12 15, *Fax (986) 60 12 15* – AE E VISA. ✂
cerrado domingo de julio-octubre, domingo noche y lunes resto del año, 23 diciembre-7 enero y del 15 al 30 de junio – **Comida** carta 2600 a 3500.

ÚBEDA *23400 Jaén* **446** R 19 – *31 962 h. alt. 757.*

Ver : *Barrio Antiguo*★★ *: plaza Vázquez de Molina*★★ BZ, *iglesia de El Salvador*★★ *(sacristía*★★, *interior*★*)* BZ – *Iglesia de Santa María (capilla*★, *rejas*★*)* BZ – *Iglesia de San Pablo (capillas*★*)* BY.

av. Cristo Rey 2 ☎ *(953) 75 08 97 Fax (953) 75 08 97* AY.

Madrid 323 – Albacete 209 – Almería 227 – Granada 141 – Jaén 57 – Linares 27 – Lorca 277.

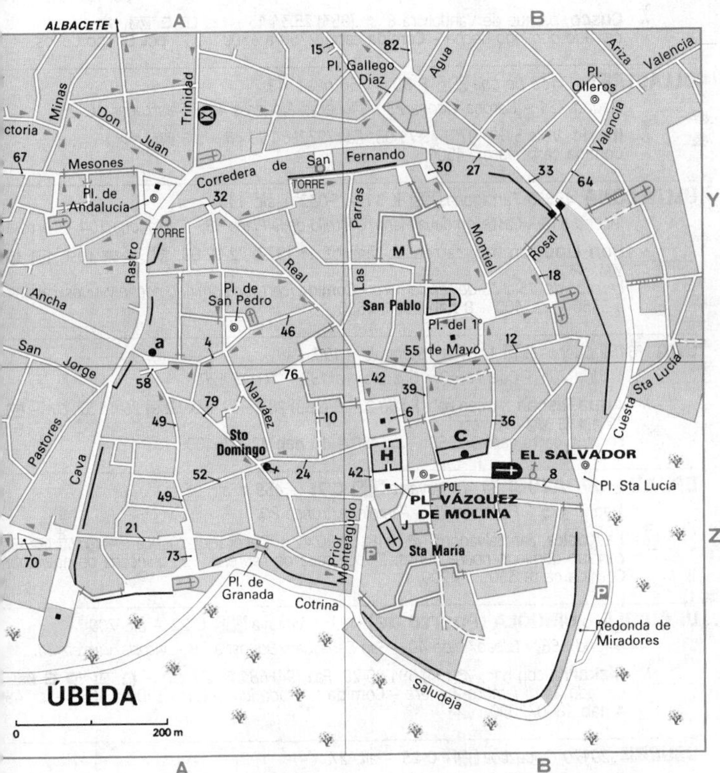

...aminos	AY 2	Cruz de Hierro	BY 27	Marqués (Pl. del)	AZ 58
...tonio Medina	AY 4	Descalzas (Pl.)	BY 30	Merced (Cuesta de la)	BY 64
...untamiento (Pl.)	BZ 6	Doctor Quesada	AY 32	Mesones	AY
...a del Salvador	BZ 8	Fuente Seca	BY 33	Obispo Cobos	AY 67
...a Marqués	AZ 10	Horno Contador	BZ 36	Real	AY
...trán de la Cueva	BY 12	Juan González	BZ 39	San Francisco (Pl.)	AZ 70
...mpanario	AY 15	Juan Montilla	BZ 42	San Lorenzo (Pl.)	AZ 73
...men	BY 18	Juan Pasquau	AY 46	Santa Clara (Pl. de)	AZ 76
...ndestable Dávalos	AZ 21	Jurado Gómez	AZ 49	Santo Domingo	AZ 79
...razón de Jesús	AZ 24	Luna y Sol	AZ 52	Trillo	BY 82
...rredera de S. Fernando	ABY	María de Molina	BYZ 55		

Parador de Úbeda , pl. Vázquez Molina ☎ (953) 75 03 45, *Fax (953) 75 12* « Instalado en un palacio del siglo XVI » – ▤ TV ☎ – 25/90. AE ① E VISA JCB. BZ
Comida 3700 – ☕ 1300 – **31 hab** 13200/16500 – PA 7395.

Meliá Confort Ciudad de Úbeda, antigua carret. de circunvalac ☎ (953) 79 10 11, *Fax (953) 79 10 12*, – ▤ TV ☎ P – 25/450. AE E VISA. ✻ por Obispo Cobos AY
Comida 1775 – ☕ 900 – **62 hab** 10800/13500, 4 suites – PA 4400.

Palacio de la Rambla sin rest, pl. del Marqués 1 ☎ (953) 75 01 96, *Fax (953) 75 02* « Antiguo palacete con mobiliario de época » – TV ☎. AE VISA. ✻ AY
cerrado 15 julio-15 agosto – **8 hab** ☕ 10000/14000.

La Paz sin rest, Andalucía 1 ☎ (953) 75 21 40, *Fax (953) 75 08 48* – ▤ TV ☎ – 25/40. AE ① E VISA JCB por Minas AY
☕ 450 – **46 hab** 4600/7200.

Dos Hermanas sin rest, Risquillo Bajo 1 ☎ (953) 75 21 24, *Fax (953) 79 13 15* – TV ☎. E VISA. ✻ por Minas AY
☕ 475 – **30 hab** 3100/5000.

Victoria sin rest y sin ☕, Alaminos 5 ☎ (953) 79 17 18 – ▤ TV. VISA. ✻
15 hab 2700/4900. por Alaminos AY

Cusco, parque de Vandelvira 8 ☎ (953) 75 34 13 – ▤. AE E VISA. ✻
cerrado domingo noche – **Comida** carta 2750 a 3500. por Obispo Cobos AY

ULLASTRET *17133 Gerona* 443 **F 39** – *256 h. alt. 49.*
Madrid 731 – Gerona/Girona 23 – Figueras/Figueres 40 – Palafrugell 16.

Iberic, Valls 5 ☎ (972) 75 71 08, *Fax (972) 64 13 46* – ▤. VISA. ✻
Comida carta aprox. 4500.

ULLDECONA *43550 Tarragona* 443 **K 31** – *5 032 h. alt. 134.*
Madrid 510 – Castellón de la Plana/Castelló de la Plana 88 – Tarragona 104 – Tortosa

Bon Lloc con hab, carret. de Vinaroz ☎ (977) 72 02 09, – ▤ rest, TV P. VISA. ✻
cerrado del 15 al 30 de septiembre – **Comida** *(cerrado domingo noche y lunes)* carta 17 a 3350 – ☕ 400 – **8 hab** 2500/4500.

UÑA *16152 Cuenca* 444 **L 24** – *166 h. alt. 1 190.*
Madrid 201 – Cuenca 40 – Guadalajara 183 – Teruel 120.

Agua-Riscas con hab, Egido 23 ☎ (969) 28 13 32, *Fax (969) 28 13 32*, – TV AE ① E VISA. ✻ rest
Comida carta aprox. 2950 – ☕ 450 – **10 hab** 4200/6100.

URDAX o **URDAZUBI** *31711 Navarra* 442 **C 25** – *459 h. alt. 95.*
Madrid 475 – Bayonne 26 – Pamplona/Iruñea 80.

La Koska, San Salvador 3 ☎ (948) 59 90 42, « Decoración rústica » – P. AE ① E
cerrado domingo noche, lunes, 2ª quincena de febrero y 2ª quincena de noviembr
Comida carta 3300 a 4200.

URQUIOLA o **URKIOLA (Puerto de)** *48211 Vizcaya* 442 **C 22** – *alt. 700.*
Madrid 386 – Bilbao/Bilbo 40 – San Sebastián/Donostia 79 – Vitoria/Gasteiz 31.

Bizkarra con hab, ☎ (94) 681 20 26, *Fax (94) 681 20 26*, – P. AE ① E VISA.
cerrado 24 diciembre-7 enero – **Comida** *(cerrado lunes)* carta 3100 a 4050 – ☕ 45
4 hab 1800/2000.

USURBIL *20170 Guipúzcoa* 442 **C 23** – *alt. 27.*
Madrid 485 – Bilbao/Bilbo 97 – Pamplona/Iruñea 88 – San Sebastián/Donostia 8.

por la carretera de Bilbao *Oeste : 3 km y desvío a la izquierda 0,5 km* – ✉ *20170 Usur*

Saltxipi, Txoko Alde 23 ☎ (943) 36 11 27, *Fax (943) 36 55 54*, « Decoración regiona – ▤ P. AE ① E VISA. ✻
cerrado domingo noche, lunes, 20 junio-6 julio y del 1 al 15 de noviembre – **Comida** ca 4200 a 5800.

Zumeta, Txoko Alde 34 ☎ (943) 36 27 13 – ▤. E VISA. ✻
cerrado martes noche y miércoles noche – **Comida** carta 2600 a 3300.

TEO *50180 Zaragoza* 443 **G 27** - *7766 h.*

Madrid 334 - Pamplona/Iruñea 157 - Zaragoza 13.

n la antigua carretera N 232 *Oeste : 2 km - ✉ 50180 Utebo :*

El Águila, ✆ (976) 77 03 14, *Fax (976) 77 11 05* - ▯ ▤ TV ☎ P - 25/200. AE ⓓ VISA. ✻ rest
Comida *(cerrado domingo)* 1300 - ☕ 450 - **50 hab** 4450/7200 - PA 3000.

n la carretera N 232 *Sureste : 2,5 km - ✉ 50180 Utebo :*

Las Ventas, ✆ (976) 77 04 82, *Fax (976) 77 04 82,* ⛱, ✂ - ▯ ▤ TV ☎ P - 25/200. AE ⓓ E VISA. ✻
Comida 1500 - ☕ 600 - **58 hab** 6500/8500.

TIEL *46300 Valencia* 445 **N 26** - *11392 h. alt. 720.*

Madrid 269 - Albacete 117 - Almansa 97 - Valencia 82.

El Carro, Héroes del Tollo 25 ✆ (96) 217 11 31 - ▤. AE E VISA. ✻
cerrado domingo, miércoles noche y del 9 al 22 de agosto - **Comida** carta 3675 a 4875.

ACARISSES *08225 Barcelona* 443 **H 35** - *871 h. alt. 382.*

Madrid 595 - Barcelona 41 - Lérida/Lleida 130 - Manresa 22 - Tarrasa/Terrassa 10.

El Cingle, pl. Major ✆ (93) 835 96 42, *Fax (93) 835 96 42* - ▤. AE ⓓ E VISA
cerrado del 1 al 7 de enero y 7 días en agosto - **Comida** - sólo almuerzo de domingo a miércoles - carta 4600 a 5300.

ADILLOS *16892 Cuenca* 444 **K 23.**

Madrid 234 - Cuenca 70 - Teruel 164.

Caserío de Vadillos, av. San Martín de Porres ✆ (969) 31 32 39, *Fax (969) 31 32 01,* ⋞ - TV P. VISA. ✻
Comida 1600 - ☕ 450 - **22 hab** 4700/6400 - PA 3100.

El Batán ⛰, carret. de Solán de Cabras - Sureste : 1 km ✆ (969) 31 31 42 - P
19 hab.

ADOCONDES *09491 Burgos* 442 **H19** - *493 h. alt. 831.*

Madrid 167 - Aranda de Duero 11 - Burgos 94 - Soria 101 - Valladolid 104.

Dos Escudos, carret. N 122 - Suroeste : 1 km ✆ (947) 52 80 12 - ▤ rest, TV ☎ 🚗 P. E VISA. ✻
Comida 1400 - ☕ 350 - **17 hab** 4200/6000.

ALCARLOS *31660 Navarra* 442 **C 26** - *582 h. alt. 365.*

Madrid 464 - Pamplona/Iruñea 65 - St-Jean-Pied-de-Port 11.

Maitena con hab, Elizaldea ✆ (948) 79 02 10, *Fax (948) 79 02 10,* ⋞ - ▤ rest,. E VISA. ✻ rest
cerrado 10 enero-10 febrero - **Comida** carta 2350 a 3250 - ☕ 475 - **7 hab** 4950/6200.

ALDELAGRANA *Cádiz - ver El Puerto de Santa María.*

ALDELATEJA *09145 Burgos* 442 **D 18** - *alt. 772.*

Madrid 293 - Bilbao/Bilbo 106 - Burgos 57 - Santander 95 - Vitoria/Gasteiz 128.

La Posada del Balneario ⛰, ✆ (947) 15 02 20, *Fax (947) 15 02 71,* « Bonito paraje junto al río Rudrón », ⛱, 🌳 - ▯ TV P - 25/70. AE VISA. ✻
cerrado 11 enero-11 febrero - **Comida** 1800 - ☕ 700 - **21 hab** 7000/9000 - PA 4200.

ALDEMORO *28340 Madrid* 444 **L 18** - *17954 h.*

Madrid 27 - Aranjuez 21 - Toledo 53.

Rus sin rest y sin ☕, Estrella de Elola 8 ✆ (91) 895 67 11, *Fax (91) 895 24 83* - TV
16 hab.

Chirón, Alarcón 27 ✆ (91) 895 69 74, *Fax (91) 895 69 60* - ▤. AE ⓓ E VISA. ✻
cerrado domingo noche - **Comida** carta 3700 a 4850.

ALDEMOSA o VALLDEMOSSA *Baleares - ver Baleares (Mallorca).*

VALDEPEÑAS *13300 Ciudad Real* 444 **P 19** – *25 067 h. alt. 720.*

Alred. : *San Carlos del Valle★ (plaza Mayor★) Noreste : 22 km.*

Madrid 203 – Albacete 168 – Alcázar de San Juan 87 – Aranjuez 156 – Ciudad Real – Córdoba 206 – Jaén 135 – Linares 96 – Toledo 153 – Úbeda 122.

en la autovía N IV – ✉ *13300 Valdepeñas :*

Sol Inn El Hidalgo, Norte : 7 km ☏ (926) 31 30 88, *Fax (926) 31 33 36,* « rodea de césped », – – **54 hab** 25/150. AE ◑ E VISA JCB. ✖ rest
Comida 2585 – ☕ 975 – **54 hab** 9950/12500 – PA 5100.

Vista Alegre, Norte : 3 km ☏ (926) 32 22 04, *Fax (926) 31 00 55* – ✖ rest
Comida 1175 – ☕ 350 – **17 hab** 4500/5500.

La Aguzadera, Norte : 4 km ☏ (926) 32 32 08, *Fax (926) 31 14 02,* – AE ◑ E VISA. ✖
cerrado domingo noche, lunes noche, martes noche, del 15 al 28 de febrero y del 8 29 de noviembre – **Comida** carta 3100 a 3800.

VALDERROBRES *44580 Teruel* 443 **J 30** – *1 870 h. alt. 508.*

Madrid 421 – Lérida/Lleida 141 – Teruel 195 – Tortosa 56 – Zaragoza 141.

Querol, av. Hispanidad 14 ☏ (978) 85 01 92, *Fax (978) 85 01 92* – E VISA.
Comida *(cerrado domingo)* 1600 – ☕ 650 – **19 hab** 3500/5500 – PA 2760.

VALDEVIMBRE *24230 León* 441 **E 13** – *1 275 h. alt. 811.*

Madrid 332 – León 25 – Palencia 123 – Ponferrada 104 – Valladolid 133.

La Cueva del Cura, Cuesta de la Horca ☏ (987) 30 40 37, « Rest. típico en una cueva

VALÈNCIA

46000 **P** **445** **N 28** *y* **29** *- 777 427 h. alt. 13.*

Madrid 351 ④ - Albacete 183 ③ - Alicante/Alacant (por la costa) 174 ③ - Barcelona 361 ① - Bilbao/Bilbo 606 ① - Castellón de la Plana/Castelló de la Plana 75 ① - Málaga 651 ③ - Sevilla 682 ④ - Zaragoza 330 ①.

OFICINAS DE TURISMO

Pl. del Ayuntamiento 1, ✉ 46002. ☎ (96) 351 04 17, Fax (96) 352 58 12, Paz 48, ✉ 46003, ☎ (96) 398 64 22 y Xàtiva 24 (Estación del Norte), ✉ 46007, ☎ (96) 352 85 73, Fax (96) 352 85 73.

R.A.C.E. *(R.A.C. de Valencia) Av. Regne de València 64 ✉ 46005. ☎ (96) 374 94 05, Fax (96) 373 71 06.*

INFORMACIONES PRÁCTICAS

9 *Manises por ④ : 12 km ☎ (96) 152 38 04.*
18 *Club Escorpión NO : 19 km por carretera de Liria ☎ (96) 160 12 11.*
18 *El Saler (Parador de El Saler) por ② : 15 km ☎ (96) 161 11 86.*

de Valencia-Manises por ④ : 9,5 km ☎ (96) 159 85 00 - Iberia : Paz 14, ✉ 46003, ☎ 902 400 500 EFY.

para Baleares : Cia. Trasmediterránea, Estación Maritima, ✉ 46024, ☎ (96) 367 65 12, Fax (96) 367 06 44 CV.

CURIOSIDADES

Ver : *La Ciudad Vieja★ : Catedral★ (El Miguelete★, Capilla del Santo Cáliz★)* EX, *Palacio de la Generalidad★ (artesonado★ del Salón dorado)* EX **D** ; *Lonja★ (sala de la contratación★★)* DY.

Otras curiosidades : *Museo de Cerámica★★ (Palacio del Marqués de Dos Aguas★)* EY **M¹** *- Museo San Pio V★ (primitivos valencianos★★)* FX *- Colegio del Patriarca o del Corpus Christi★ (triptico de la Pasión★)* EY **N** *- Torres de Serranos★* EX.

Meliá Valencia Palace, paseo de la Alameda 32, ✉ 46023, ✆ (96) 337 50 37, *Fax (96) 337 55 32*, ≤, ⅟, 🏊 – |♦| ☰ TV ☎ ♿ 🚗 – 🏛 25/800. AE ⊙ E VISA JCB. ⚡ BU t
Comida carta 4100 a 5050 – ☕ 1605 – **183 hab** 19155/21295, 16 suites.

Meliá Rey Don Jaime, av. Baleares 2, ✉ 46023, ✆ (96) 337 50 30, *Fax (96) 337 15 72*, 🏊 – |♦| ☰ TV ☎ P – 🏛 25/250. AE ⊙ E VISA JCB. ⚡ BU r
Comida carta 3600 a 4650 – ☕ 1500 – **318 hab** 19350/24200.

Astoria Palace, pl. Rodrigo Botet 5, ✉ 46002, ✆ (96) 352 67 37, *Fax (96) 352 80 78* – |♦| ☰ TV ☎ ♿ – 🏛 25/500. AE ⊙ E VISA JCB. ⚡ EY p
Vinatea : Comida carta 3900 a 6200 – ☕ 1600 – **196 hab** 21500/27000, 7 suites.

Acteón Plaza sin rest, Islas Canarias 102, ✉ 46023, ✆ (96) 331 07 07, *Fax (96) 330 22 30*, ⅟ – |♦| ☰ TV ☎ 🚗 – 🏛 25/400. AE ⊙ E VISA. ⚡ BUV a
☕ 1400 – **182 hab** 18400/23000, 5 suites.

Turia, Profesor Beltrán Baguena 2, ✉ 46009, ✆ (96) 347 00 00, *Fax (96) 347 32 44* – |♦| ☰ TV ☎ 🚗 – 🏛 25/300. AE E VISA. ⚡ AU r
Comida 3000 – ☕ 600 – **160 hab** 10000/14500, 10 suites – PA 6000.

Mercure Conqueridor, Cervantes 9, ✉ 46007, ✆ (96) 352 29 10, *Fax (96) 352 28 83* – |♦| ☰ TV ☎ 🚗 – 🏛 25/80. AE ⊙ E VISA. ⚡ DZ b
Comida 2700 – ☕ 1500 – **55 hab** 14600/22800, 4 suites – PA 5600.

Inglés, Marqués de Dos Aguas 6, ✉ 46002, ✆ (96) 351 64 26, *Fax (96) 394 02 51*, « Instalado en el palacio de los Duques de Cardona-siglo XVIII » – |♦| ☰ TV ☎ – 🏛 25/60. AE ⊙ E VISA JCB. ⚡ EY e
Comida 1925 – ☕ 1000 – **63 hab** 15000/19000 – PA 4120.

Dimar sin rest. con cafetería, Gran Vía Marqués del Turia 80, ✉ 46005, ✆ (96) 395 10 30, *Fax (96) 395 19 26* – |♦| ☰ TV ☎ – 🏛 25/50. AE ⊙ E VISA. ⚡ FZ q
☕ 1300 – **103 hab** 13800/22900, 1 suite.

Reina Victoria, Barcas 4, ✉ 46002, ✆ (96) 352 04 87, *Fax (96) 352 27 21* – |♦| ☰ TV ☎ – 🏛 25/75. AE ⊙ E VISA. ⚡ EY s
Comida 3000 – ☕ 1200 – **94 hab** 13000/20500, 3 suites – PA 6120.

NH Center, Ricardo Micó 1, ✉ 46009, ✆ (96) 347 50 00, *Fax (96) 347 62 52*, ⅟, 🏊 climatizada – |♦| ☰ TV ☎ ♿ 🚗 – 🏛 25/400. AE ⊙ E VISA JCB. ⚡ AU r
Comida 2500 – ☕ 1500 – **190 hab** 15500, 3 suites – PA 6000.

NH Ciudad de Valencia, av. del Puerto 214, ✉ 46023, ✆ (96) 330 75 00, *Fax (96) 330 98 64* – |♦| ☰ TV ☎ 🚗 – 🏛 30/80. AE ⊙ VISA JCB. ⚡ BU d
Comida *(cerrado domingo)* 2800 – ☕ 1000 – **147 hab** 12000, 2 suites.

Cónsul del Mar, av. del Puerto 39, ✉ 46021, ✆ (96) 362 54 32, *Fax (96) 362 16 25*, « Antigua casa señorial » – |♦| ☰ TV ☎ P – 🏛 25/50. AE ⊙ E VISA BU e
Comida 1250 – ☕ 700 – **45 hab** 10500/16000.

NH Abashiri, av. Ausias March 59, ✉ 46013, ✆ (96) 373 28 52, *Fax (96) 373 49 66* – |♦| ☰ TV ☎ 🚗 – 🏛 30/250. AE ⊙ E VISA JCB. ⚡ BV e
Comida 2500 – ☕ 1100 – **105 hab** 10500/12600 – PA 4800.

NH Villacarlos sin rest, av. del Puerto 60, ✉ 46023, ✆ (96) 337 50 25, *Fax (96) 337 50 74* – |♦| ☰ TV ☎ 🚗. AE ⊙ E VISA. ⚡ BU e
☕ 1200 – **51 hab** 14500/18125.

Ad-Hoc, Boix 4, ✉ 46003, ✆ (96) 391 91 40, *Fax (96) 391 36 67*, « Bonito edificio del siglo XIX » – |♦| ☰ TV ☎. AE ⊙ E VISA FX a
Comida (ver rest. ***Chust Godoy***) – ☕ 850 – **28 hab** 11900/16700.

Renasa sin rest. con cafetería, av. de Cataluña 5, ✉ 46010, ✆ (96) 369 24 50, *Fax (96) 393 18 24* – |♦| ☰ TV ☎ – 🏛 25/75. AE ⊙ E VISA BU x
69 hab ☕ 6800/11000, 4 suites.

Expo H., av. Pío XII-4, ✉ 46009, ✆ (96) 347 09 09, *Telex 63212*, *Fax (96) 348 31 81*, 🏊 – |♦| ☰ TV ☎ – 🏛 25/500. AE ⊙ E VISA JCB. ⚡ AU e
Comida 3000 – ☕ 950 – **400 hab** 13200/16500.

Serrano, General Urrutia 48, ✉ 46013, ✆ (96) 334 78 00, *Fax (96) 334 78 01*, 🌳 – |♦| ☰ TV ☎ 🚗 P – 🏛 25/300. AE ⊙ E VISA. ⚡ BV s
Comida *(cerrado sábado, domingo y festivos)* 1700 – ☕ 950 – **105 hab** 10300/12900 – PA 3695.

Llar sin rest, Colón 46, ✉ 46004, ✆ (96) 352 84 60, *Fax (96) 351 90 00* – |♦| ☰ TV ☎ – 🏛 25/30. AE ⊙ E VISA. ⚡ FZ u
☕ 1000 – **50 hab** 10200/12750.

VALÈNCIA

Alcade Reig .... BV 3
Ángel Guimerà .... AU 4
Burjassot (Av. de) ..... AU 6
Campanar (Av.) .... AU 7
Cataluña (Av. de) ...... BU 9
Cavanilles .... BU 10
Constitución (Av. de la) . BU 12
Doctor Peset
Alexandre (Av.) ...... BU 13
Fernando el Católico
(G. Vía) .... AU 15
Filipinas .... BV 16
Gaspar Aguilar (Av. de) . AV 18
General Avilés (Av.) .... AU 19
Giorgeta (Av.) .... AV 21
Guadalaviar .... BU 22
Ingeniero Manuel
Soto (Av.) .... CV 24
José Soto Mico .... AV 25
Liano de la Zaidia ...... BU 27
Maestro Rodrigo (Av.) .. AU 28
Manuel de Falla (Av.) ... AU 30
Menéndez Pidal (Av.) ... AU 31
Moreras (Camino) ...... CV 33
Pérez Galdós (Av. de) ... AU 34
Peris y Valero (Av. de) .. BV 36
Primado Reig (Av. del) .. BU 37
San José de Calasanz .. AU 39
San Vincente Mártir (Av.) . AV 40
Tirso de Molina (Av.) ... AU 42
9 de Octubre .... AU 43

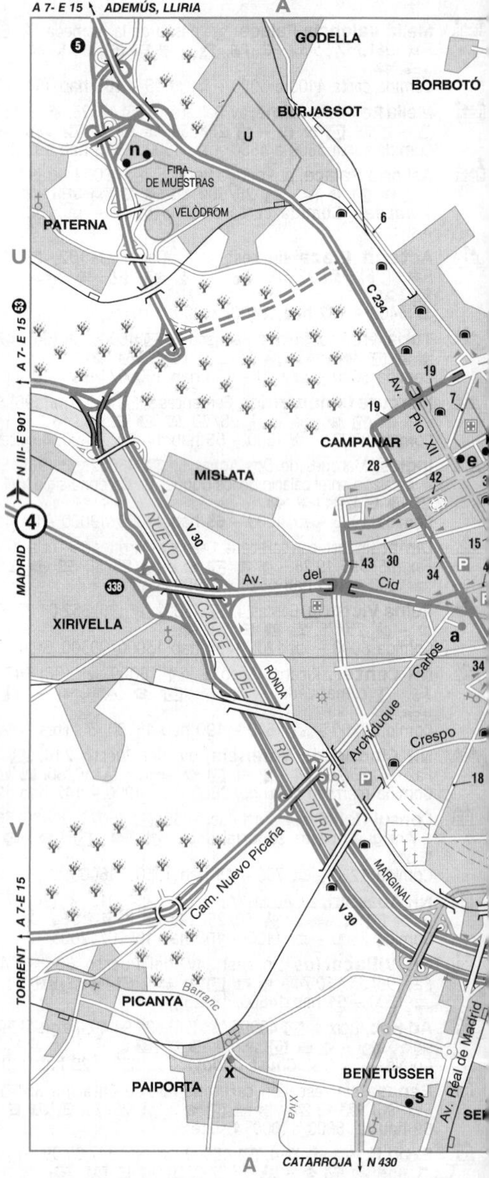

*Un Consejo **Michelin**:*
*Para que sus viajes sean un éxito, prepárelos de antemano. Los **mapas** y las **guías Michelin** le proporcionan todas las indicaciones útiles sobre: itinerarios, visitas de curiosidades, alojamiento, precios, etc...*

Mediterráneo sin rest, Barón de Cárcer 45, ✉ 46001, ☎ (96) 351 01 4
Fax (96) 351 01 42 – ☐ ☐ ☐ ☎. AE ① E VISA JCB DY
☐ 700 – **34 hab** 7800/11500.

Sorolla sin rest y sin ☐, Convento de Santa Clara 5, ✉ 46002, ☎ (96) 352 33 9
Fax (96) 352 14 65 – ☐ ☐ ☐ ☎. AE ① E VISA JCB. ☐ EZ
50 hab 6700/11700.

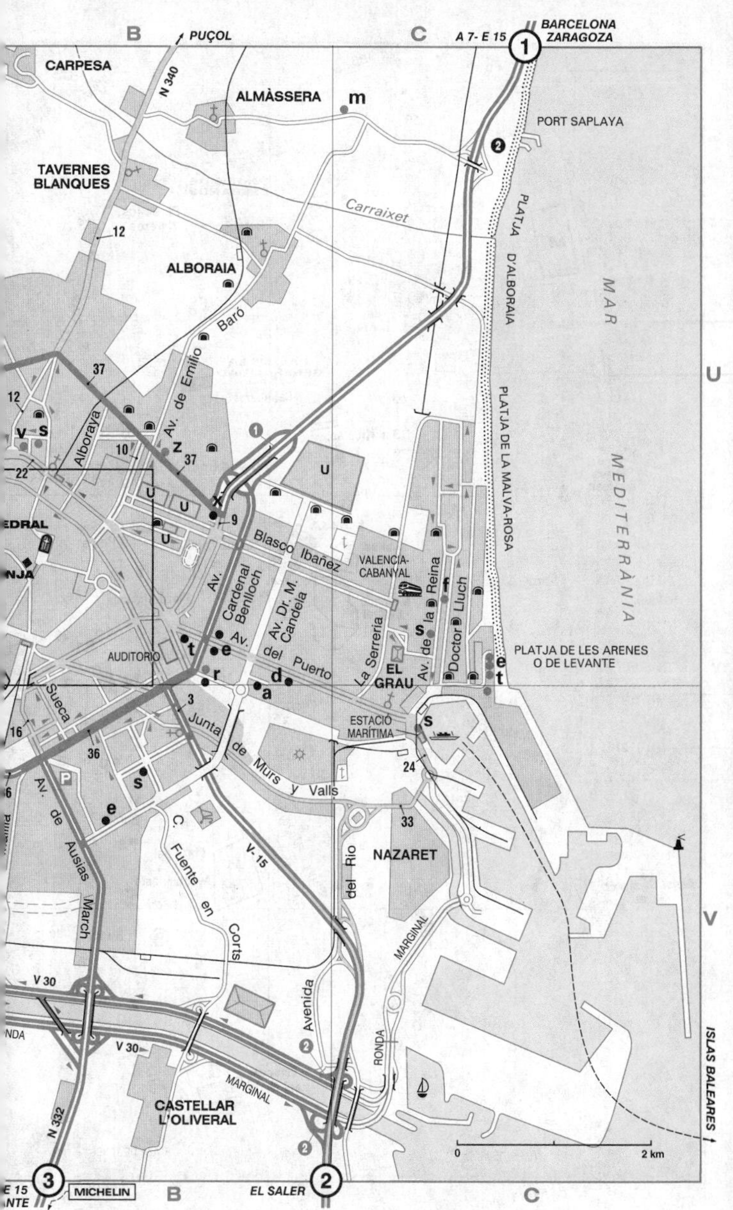

XXX ✿ **Rías Gallegas,** Cirilo Amorós 4, ✉ 46004, ☎ (96) 352 51 11, *Fax (96) 351 99 10* – ▤ P. AE ① E VISA JCB EZ r

cerrado domingo y del 9 al 22 de agosto – **Comida** 4650 y carta 4650 a 6500

Espec. Lamprea estilo Arbo (enero-abril). Merluza a la gallega. Solomillo de buey al queso Cabrales.

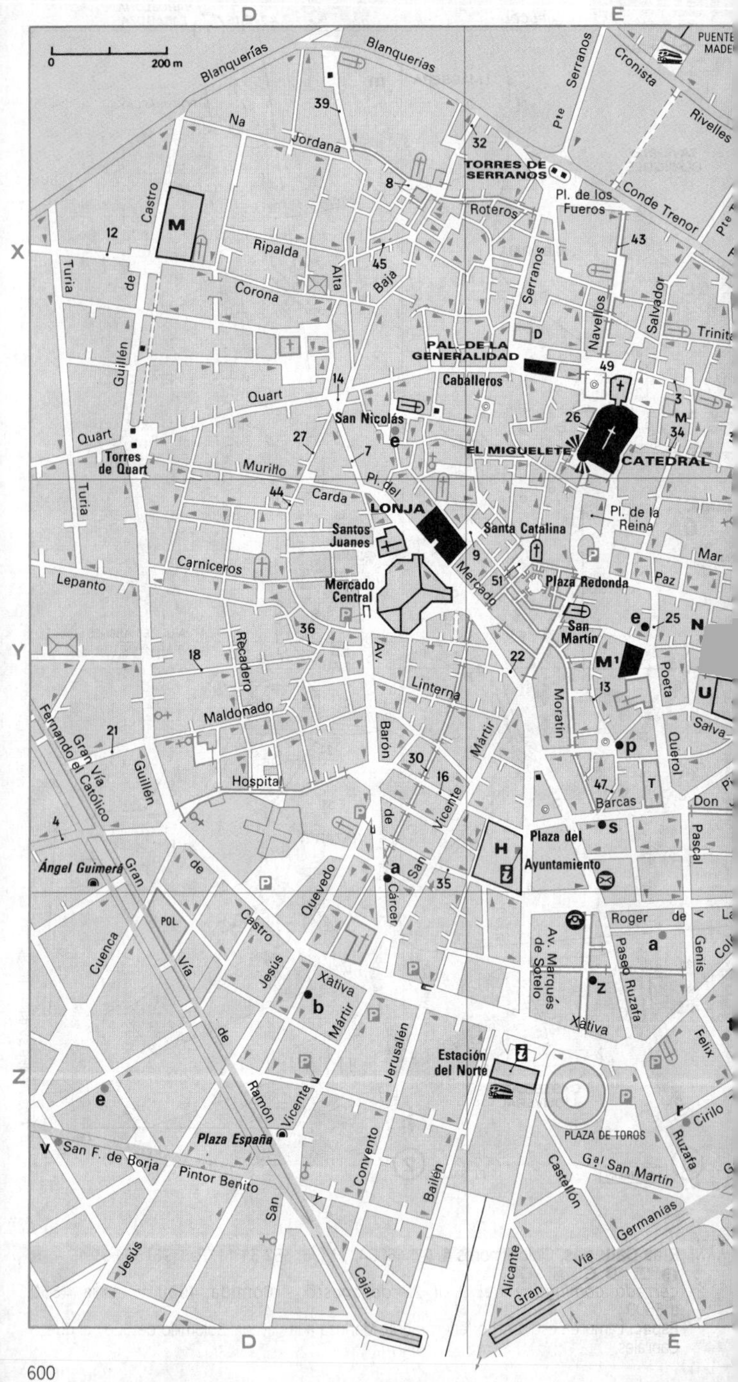
D
E
0
200 m
Blanquerías
Blanquerías
Na
Jordana
39
32
TORRES DE SERRANOS
Pl. de los Fueros
Pte Serranos
Cronista
Rivelles
Conde Trenor
PUENTE MADE
Castro
M
12
X
Turia
de
Guillén
Ripalda
Corona
Alta
Baja
45
8
Roteros
Serranos
43
Navellos
Salvador
Trinita
D
PAL. DE LA GENERALIDAD
Caballeros
49
3
M
34
14
Quart
Quart
San Nicolás
e
Torres de Quart
27
7
26
EL MIGUELETE
CATEDRAL
Murillo
Pl. del
44
Carda
LONJA
Pl. de la Reina
Santos Juanes
Santa Catalina
9
Mar
Carniceros
Lepanto
Mercado
51
Plaza Redonda
Paz
Mercado Central
San Martín
e
25
N
Y
36
18
Recadero
Av.
Linterna
22
M1
13
Poeta
U
Maldonado
Moratín
Salva
21
Gran Vía Fernando el Católico
Guillén
Barón
Mártir
p
Querol
30
16
Hospital
de
Vicente
47
Barcas
T
Don
4
s
Pascal
Ángel Guimerá
Gran
H
Plaza del Ayuntamiento
a
San
35
de
Castro
Quevedo
Cárcel
POL
Roger
de
y
Cuenca
Vía
Jesús
Av. Marqués de Sotelo
Paseo Ruzafa
a
Genis
Xàtiva
b
Mártir
z
Xàtiva
Felix
de
Estación del Norte
Jerusalén
Z
e
Ramón
Vicente
r
Cirilo
PLAZA DE TOROS
Plaza España
v
San F. de Borja
Pintor Benito
Convento
Bailén
Castellón
Gal San Martín
Ruzafa
San
y
Germanías
Vía
Jesús
Cajal
Alicante
Gran

VALÈNCIA

Almirante	EX 2
Almudín	EX 3
Ángel Guimerà	DY 4
Ayuntamiento (Pl. del)	EY
Bolsería	DX 7
Carmen (Pl. del)	DX 8
Dr. Collado (Pl.)	EY 9
Dr. Sanchís Bergón	DX 12
Embajador Vich	EY 13
Esparto (Pl. del)	DX 14
Garrigues	DY 16
General Palanca	FY 17
Guillém Sorolla	DY 18
Maestres	FX 20
Maestro Palau	DY 21
María Cristina (Av.)	EY 22
Marqués de Dos Aguas	EY 25
Marqués de Sotelo (Av.)	EZ
Micalet	EX 26
Moro Zeit	DX 27
Músico Peydro	DY 30
Nápoles y Sicilia (Pl.)	EX 31
Padre Huérfanos	Ex 32
Palau	EX 34
Pascual y Genís	EYZ
Paz	EFY
Periodista Azzati	DY 35
Pie de la Cruz	DY 36
Poeta Quintana	FY 38
Salvador Giner	DX 39
San Vicente Ferrer (Pl.)	EY 40
Santa Ana (Muro)	EX 43
Santa Teresa	DY 44
Santo Tomás	DX 45
San Vicente Mártir	DY
Transits	EY 47
Universidad	EY 48
Virgen (Pl. de la)	EX 49
Virgen de la Paz (Pl.)	EY 51

Para que sus viajes sean un éxito, prepárelos de antemano. Los mapas y las guías Michelin *le proporcionan todas las indicaciones útiles sobre: itinerarios, visitas de curiosidades, alojamiento, precios, etc...*

XXX **Eladio,** Chiva 40, ✉ 46018, ☎ (96) 384 22 44, *Fax (96) 384 22 44* – ▤. AE ⓓ VISA. ✂ AU
cerrado domingo y agosto – **Comida** carta 4050 a 5150.

XXX ✿ **Óscar Torrijos,** Dr. Sumsi 4, ✉ 46005, ☎ (96) 373 29 49 – ▤. AE ⓓ VISA. ✂ FZ
cerrado domingo y 15 agosto-15 septiembre – **Comida** 6500 y carta 51(a 5900
Espec. Arroz con pintada y alcachofas (noviembre-mayo). Tartaleta de bacalao con truf (diciembre-marzo). Crujiente de chocolate con salsa suzette.

XXX **Albacar,** Sorní 35, ✉ 46004, ☎ (96) 395 10 05, *Fax (96) 395 10 05* – ▤. AE ⓓ VISA. ✂ FY
cerrado sábado mediodía, domingo, festivos, Semana Santa y 7 agosto-7 septiembre **Comida** carta 4400 a 5500.

XX **La Sucursal,** av. Navarro Reverter 16, ✉ 46004, ☎ (96) 374 66 65, *Fax (96) 374 66* – ▤. AE ⓓ E VISA. ✂ FY
cerrado sábado mediodía, domingo y del 15 al 30 de agosto – **Comida** carta 32 a 5050.

XX **El Ángel Azul,** Conde de Altea 33, ✉ 46005, ☎ (96) 374 56 56, *Fax (96) 374 56* – ▤. ⓓ E VISA. ✂ FZ
cerrado domingo, lunes mediodía, Semana Santa y 15 agosto-15 septiembre – **Comi** carta aprox. 4200.

XX **Kailuze,** Gregorio Mayáns 5, ✉ 46005, ☎ (96) 374 39 99 – ▤. AE VISA. ✂ FZ
cerrado sábado mediodía, domingo, Semana Santa y agosto – **Comida** - cocina vasc navarra - carta 5050 a 5850.

XX **El Gastrónomo,** av. Primado Reig 149, ✉ 46020, ☎ (96) 369 70 36 – ▤. AE VISA. ✂ BU
cerrado domingo, lunes noche, Semana Santa y agosto – **Comida** carta 36 a 4650.

XX **Joaquín Schmidt,** Visitación 7, ✉ 46009, ☎ (96) 340 17 10, *Fax (96) 340 17 10*, « En una antigua casa con patio » – ▤. ⓓ E VISA. ✂ BU
cerrado domingo, lunes mediodía y del 5 al 19 de abril – **Comida** carta 47 a 5950.

XX **El Gourmet,** Martí 3, ✉ 46005, ☎ (96) 395 25 09 – ▤. AE ⓓ E V JCB. ✂ FZ
cerrado domingo y Semana Santa – **Comida** carta 2550 a 3600.

XX **El Timonel,** Félix Pizcueta 13, ✉ 46004, ☎ (96) 352 63 00, *Fax (96) 351 17 32* – AE ⓓ E VISA JCB. ✂ EZ
cerrado lunes – **Comida** carta 3500 a 4800.

XX **Civera,** Lérida 11, ✉ 46009, ☎ (96) 347 59 17, *Fax (96) 348 46 38* – ▤. AE ⓓ VISA. ✂ BU
cerrado domingo noche, lunes y agosto – **Comida** - pescados y mariscos - carta 420(5500.

XX **Rio Sil Civera,** Mosén Femades 10, ✉ 46002, ☎ (96) 352 97 64, *Fax (96) 351 38* – ▤. AE ⓓ E VISA. ✂ EZ
cerrado 15 junio-15 julio – **Comida** - pescados y mariscos - carta 3400 a 5800.

XX **El Cabanyal,** Reina 128, ✉ 46011, ☎ (96) 356 15 03, *Fax (96) 356 15 03* – ▤. AE E VISA. ✂ CU
cerrado domingo y 15 agosto-15 septiembre – **Comida** carta 3900 a 5250.

XX **Don Manuel,** paseo Alameda 5, ✉ 46010, ☎ (96) 361 53 96, – E VISA FX
cerrado domingo y 15 agosto-5 septiembre – **Comida** carta 3025 a 3525.

XX **Chust Godoy,** Boix 6, ✉ 46003, ☎ (96) 391 38 15, *Fax (96) 391 36 67* – ▤. AE VISA. ✂ FX
cerrado sábado mediodía, domingo y agosto – **Comida** carta 3400 a 5200.

XX **José Mari,** Estación Marítima 1º, ✉ 46024, ☎ (96) 367 20 15, ≤ – ▤. AE ⓓ VISA. ✂ CV
cerrado domingo y agosto – **Comida** - cocina vasca - carta 3200 a 4800.

X **Alghero,** Burriana 52, ✉ 46005, ☎ (96) 333 35 79 – ▤. AE E VISA. ✂ FZ
cerrado sábado mediodía, domingo y Semana Santa – **Comida** carta 38 a 4200.

X **Montes,** pl. Obispo Amigó 5, ✉ 46007, ☎ (96) 385 50 25 – ▤. AE ⓓ VISA. ✂ DZ
cerrado domingo noche, lunes y agosto – **Comida** carta 2740 a 4450.

X **Los Cuentos,** Ciscar 52, ✉ 46005, ☎ (96) 334 34 22 – ▤. AE ⓓ E VISA. ⚒ FZ c
cerrado domingo, Semana Santa y del 15 al 30 de septiembre – **Comida** carta 4100 a 5200.

X **Mey Mey,** Historiador Diago 19, ✉ 46007, ☎ (96) 384 07 47 – ▤. AE VISA. ⚒ DZ e
cerrado Semana Santa y tres últimas semanas de agosto – **Comida** - rest. chino - carta 2180 a 3650.

X **El Plat,** Ciscar 3, ✉ 46005, ☎ (96) 374 12 54 – ▤. AE E VISA FZ w
cerrado Semana Santa – **Comida** carta 3850 a 4500.

X **Eguzki,** av. Baleares 1, ✉ 46023, ☎ (96) 337 50 33 – ▤. E VISA. ⚒ BU r
cerrado domingo y agosto – **Comida** - cocina vasca - carta 3100 a 5650.

X **Meninas,** Joaquín Costa 61, ✉ 46005, ☎ (96) 395 90 54 – ▤. AE ⓓ E VISA. ⚒ FZ f
cerrado sábado mediodía, domingo y del 1 al 15 de septiembre – **Comida** carta aprox. 4450.

X **Palace Fesol,** Hernán Cortés 7, ✉ 46004, ☎ (96) 352 93 23, *Fax (96) 352 93 23*, « Decoración regional » – ▤. AE ⓓ E VISA. ⚒ FZ s
cerrado sábado y domingo en verano, lunes resto del año, Semana Santa y 15 días en agosto – **Comida** carta 2400 a 4400.

X **Bazterretxe,** Maestro Gozalbo 25, ✉ 46005, ☎ (96) 395 18 94 – ▤. AE VISA. ⚒ FZ a
cerrado domingo noche y agosto – **Comida** - cocina vasca - carta 2300 a 3550.

X **El Romeral,** Gran Vía Marqués del Turia 62, ✉ 46005, ☎ (96) 395 15 17 – ▤. AE ⓓ E VISA. ⚒ FZ z
cerrado lunes, Semana Santa y agosto – **Comida** carta 3600 a 4600.

X **Gure-Etxea,** Almirante Cadarso 6, ✉ 46005, ☎ (96) 395 30 09 – ▤. AE ⓓ E VISA. ⚒ FZ k
Comida - cocina vasca - carta aprox. 3380.

X San Nicolás, pl. Horno de San Nicolás 8, ✉ 46001, ☎ (96) 391 59 84, *Fax (96) 391 59 84* – ▤ DX e

X **Olabarrieta,** La Barraca 35, ✉ 46011, ☎ (96) 367 07 79 – ▤. VISA. ⚒ CU s
cerrado domingo y agosto – **Comida** carta aprox. 3500.

X **Alameda 5,** paseo de la Alameda 5, ✉ 46010, ☎ (96) 369 58 88, 🏖 – ▤. AE ⓓ E VISA. ⚒ FX t
cerrado sábado mediodía y domingo – **Comida** carta aprox. 4200.

en la playa de Levante (Les Arenes) CUV – ✉ *46011 Valencia* :

XX **La Rosa,** av. de Neptuno 70 ☎ (96) 371 20 76, *Fax (96) 371 25 65*, ≤ mar, 🏖 – ▤. AE E VISA. ⚒ CU e
cerrado sábado y domingo (en verano) y 15 agosto-8 septiembre – **Comida** *(sólo almuerzo en invierno)* - arroces, pescados y mariscos - carta aprox. 4200.

X **L'Estimat,** av. de Neptuno 16 ☎ (96) 371 10 18, *Fax (96) 372 73 85*, ≤, 🏖 – AE E VISA. ⚒ CU t
cerrado domingo noche, lunes noche, martes y 15 agosto-15 septiembre – **Comida** carta 3000 a 4300.

X **La Pepica,** av. de Neptuno 6 ☎ (96) 371 03 66, *Fax (96) 371 42 00*, ≤, 🏖 – AE ⓓ E VISA. ⚒ CU t
cerrado domingo noche, festivos noche y del 16 al 30 de noviembre – **Comida** carta 3300 a 4950.

X **Chicote** con hab, av. de Neptuno 34 ☎ (96) 371 61 51, ≤, 🏖 – ▤ rest, ☎. AE ⓓ E VISA. ⚒ CU e
cerrado del 1 al 15 de septiembre – **Comida** *(cerrado lunes)* carta 2100 a 3500 – ☕ 400 – **19 hab** 3750/5750.

en la Feria de Muestras *por la carretera C 234 - Noroeste : 8,5 km* – ✉ *46035 Valencia* :

🏨 **Feria,** av. de las Ferias 2 ☎ (96) 364 44 11, *Fax (96) 364 54 83* – |☰| ▤ 📺 ☎ 🚗 – 🎤 25/200. AE ⓓ E VISA. ⚒ rest AU n
Comida carta 3250 a 4450 – **136 suites** ☕ 16750/28750.

🏨 **Vora Fira,** Cullera 67 ☎ (96) 364 00 52, *Fax (96) 364 14 95* – |☰| ▤ 📺 ☎ 🅟 – 🎤 25/150. AE ⓓ E VISA. ⚒ rest AU n
Comida 1500 – **110 hab** ☕ 17000/21000 – PA 3000.

en Almàssera *Noreste : 9 km – ✉ 46132 Almàssera :*

XX **Lluna de València,** Camí del Mar 56 ☎ (96) 185 10 86, *Fax (96) 185 10 06,* « Antig alquería » – ▤ P. AE ◑ E VISA. ✂ CU
cerrado sábado mediodía, domingo y Semana Santa – **Comida** carta 27 a 3775.

en Benetússer *Sur : 6 km – ✉ 46910 Benetússer :*

Benetússer, av. de Paiporta 54 ☎ (96) 375 11 44, *Fax (96) 376 00 11* – |‡| ▤ TV 🚗 – 🏛 25/50. E VISA. ✂ AV
Comida 1500 – ☕ 550 – **63 hab** 4950/8900.

en Paiporta *Suroeste : 6 km – ✉ 46200 Paiporta :*

X **Machado Dotze,** Antonio Machado 12 ☎ (96) 397 22 27 – ▤. AE VISA. ✂ AV
cerrado domingo, lunes noche y del 1 al 30 de agosto – **Comida** carta apr 3700.

Ver también : **Manises** *por ④ : 9,5 km*
El Saler *por ② : 8 km*
Puzol *por ① : 25 km.*

Neumáticos MICHELIN S.A., Sucursal carret. Valencia - Alicante km 5,4 - MASANA por José Soto Mico, ✉ 46470 AV ☎ 902 23 88 35,Fax 902 23 90 62

VALENCIA DE ANEU o **VALÈNCIA D'ÀNEU** *25587 Lérida* 443 **E 33** – *alt. 1 075.*
Madrid 626 – Lérida/Lleida 170 – Seo de Urgel/La Seu d'Urgell 86.

La Morera 🐦, ☎ (973) 62 61 24, *Fax (973) 62 61 07,* ←, 🏊 – |‡| TV ☎ P. AE E V ✂ rest
cerrado 15 enero-febrero y noviembre – **Comida** 1950 – ☕ 800 – **27 hab** 4500/70 – PA 3900.

VALENCIA DE DON JUAN *24200 León* 441 **F 13** – *3 920 h. alt. 765.*
Madrid 285 – León 38 – Palencia 98 – Ponferrada 116 – Valladolid 105.

Villegas, Palacio 10 ☎ (987) 75 01 61, 🏊 – TV
Comida 1500 – ☕ 500 – **17 hab** 4500/8000 – PA 3000.

X **Casa Alcón,** pl. Mayor ☎ (987) 75 21 90 – ▤. ◑ VISA. ✂
cerrado lunes noche, martes noche y miércoles noche (en invierno) – **Comida** carta 24 a 4200.

La VALL DE BIANYA *17858 Gerona* 443 **F 37** – *1 025 h.*
Madrid 706 – Figueras/Figueres 48 – Gerona/Girona 74 – Vic 74.

en la carretera de Olot *Sureste : 2,5 km – ✉ 17858 La Vall de Bianya :*

X **Cala Nàsia,** ☎ (972) 29 02 00 – P. AE E VISA. ✂
cerrado domingo noche, lunes, Navidades y 24 julio-7 agosto – **Comida** carta 20 a 3100.

en la carretera de Camprodón *Norte : 3 km – ✉ 17858 La Vall de Bianya :*

XX **Ca l'Enric,** ☎ (972) 29 00 15, *Fax (972) 29 12 06* – ▤ P. AE E VISA. ✂
cerrado domingo noche, lunes, 24 diciembre-7 enero y del 15 al 30 de julio – **Comida** ca 3500 a 4550.

VALL DE UXÓ o La VALL D'UIXÓ 12600 Castellón 445 M 29 – 27 387 h. alt. 122.

Madrid 389 – Castellón de la Plana/Castelló de la Plana 26 – Teruel 118 – Valencia 39.

en las grutas de San José *Oeste : 2 km – ✉ 12600 Vall de Uxó :*

✗ **La Gruta,** ✆ (964) 66 00 08, *Fax (964) 66 08 61,* « En una gruta » – AE ⓓ E VISA. ✗
cerrado lunes – **Comida** carta aprox. 3575.

VALLADOLID 47000 P 442 H 15 – 345 891 h. alt. 694.

Ver : *Valladolid isabelino★ : Museo Nacional de Escultura Policromada★★★ en el colegio de San Gregorio (portada ★★, patio★★, capilla★)* CX – *Iglesia de San Pablo (fachada★★)* CX.

Otras curiosidades : *Catedral★* CY- *Iglesia de las Angustias (Virgen de los siete cuchillos★)* CYL.

✈ *de Valladolid 14 km por ⑥ ✆ (983) 41 54 00 – Iberia : Gamazo 17 ✉ 47004 ✆ (983) 56 01 62* BYZ.

ℹ *pl. de Zorrilla 3 ✉ 47001 ✆ (983) 35 18 01 y Correos ✉47001 ✆ (983) 37 20 85 Fax (983) 35 47 31* – **R.A.C.E.** *Miguel Íscar 6 ✉ 47004 ✆ (983) 39 20 99 Fax (983) 39 68 95.*

Madrid 188 ④ – Burgos 125 ① – León 139 ⑥ – Salamanca 115 ⑤ – Zaragoza 420 ①

Planos páginas siguientes

Olid Meliá, pl. San Miguel 10, ✉ 47003, ✆ (983) 35 72 00, *Fax (983) 33 68 28* – 🛗 ▤ 📺 ☎ 🚗 – 🏛 25/270. AE ⓓ E VISA. ✗ — BX a
Comida 3175 – ☕ 1300 – **204 hab** 9350/16300, 7 suites.

Felipe IV, Gamazo 16, ✉ 47004, ✆ (983) 30 70 00, *Fax (983) 30 86 87* – 🛗 ▤ 📺 ☎ 🚗 – 🏛 25/500. AE ⓓ E VISA. ✗ rest — BZ d
Comida 1700 – ☕ 1100 – **129 hab** 9350/14850, 2 suites.

NH Ciudad de Valladolid, av. Ramón Pradera 10, ✉ 47009, ✆ (983) 35 11 11, *Fax (983) 33 50 50* – 🛗 ▤ 📺 ☎ 🚗 – 🏛 25/500. AE ⓓ E VISA. ✗ — AX a
Comida 2200 – ☕ 1300 – **80 hab** 11500/13000.

Parque, Joaquín García Morato 17 bis, ✉ 47007, ✆ (983) 22 00 00, *Fax (983) 47 50 29* – 🛗 ▤ 📺 ☎ ♿ 🚗 – 🏛 25/450. AE ⓓ E VISA. ✗ — BZ a
Comida 2130 – ☕ 1270 – **178 hab** 9100/14650 – PA 4410.

Lasa sin rest, Acera de Recoletos 21, ✉ 47004, ✆ (983) 39 02 55, *Fax (983) 30 25 61* – 🛗 ▤ 📺 ☎ – 🏛 25/60. AE ⓓ E VISA. ✗ — BZ t
☕ 450 – **62 hab** 6500/12900.

Mozart sin rest. con cafetería, Menéndez Pelayo 7, ✉ 47001, ✆ (983) 29 77 77, *Fax (983) 29 21 90* – 🛗 ▤ 📺 ☎ 🚗 – 🏛 25/50. AE E VISA. ✗ — BY q
☕ 1000 – **42 hab** 10400/12800.

Tryp Sofía-Parquesol, Hernando de Acuña 35, ✉ 47014, ✆ (983) 37 28 93, *Fax (983) 37 70 27* – 🛗 ▤ 📺 ☎ 🚗. AE ⓓ E VISA — por Doctor Villacián AZ
Comida 1600 – ☕ 950 – **58 apartamentos** 9000/10500 – PA 3750.

Roma, Héroes del Alcázar de Toledo 8, ✉ 47001, ✆ (983) 35 46 66, *Fax (983) 35 54 61* – 🛗 ▤ 📺 ☎ 🚗. E VISA. ✗ — BY f
Comida 1800 – ☕ 350 – **38 hab** 6000/9000 – PA 3600.

Imperial, Peso 4, ✉ 47001, ✆ (983) 33 03 00, *Fax (983) 33 08 13* – 🛗, ▤ rest, 📺 ☎. AE E VISA JCB — BY e
Comida 2000 – ☕ 500 – **81 hab** 7250/9000 – PA 4000.

Feria, av. Ramón Pradera (Feria de Muestras), ✉ 47009, ✆ (983) 33 32 44, *Fax (983) 33 33 00,* ☂ – ▤ 📺 ☎ – 🏛 25/400. AE VISA. ✗ — AX
Comida 1600 - ***El Horno*** *(cerrado domingo noche y lunes noche)* **Comida** carta 3200 a 4350 – ☕ 225 – **34 hab** 4800/7800.

Catedral sin rest, Núñez de Arce 11, ✉ 47002, ✆ (983) 29 88 11, *Fax (983) 29 89 11* – 🛗 ▤ 📺 ☎ – 🏛 25/40. AE ⓓ E VISA JCB — CY v
☕ 500 – **27 hab** 6500/8500.

El Nogal, Conde Ansurez 10, ✉ 47003, ✆ (983) 34 02 33, *Fax (983) 35 49 65* – 🛗 ▤ 📺 ☎. AE ⓓ E. ✗ — BY s
Comida *(cerrado domingo noche)* 1575 – ☕ 375 – **14 hab** 4600/7000.

París sin rest, Especería 2, ✉ 47001, ✆ (983) 37 06 25, *Fax (983) 35 83 01* – 🛗 📺 ☎. AE ⓓ E VISA. ✗ — BY u
☕ 300 – **37 hab** 5600/7600.

✗✗✗ **Cervantes,** Rastro 6, ✉ 47001, ✆ (983) 30 61 38, *Fax (983) 30 85 53* – ▤. AE ⓓ E VISA JCB — BY r
Comida carta 3800 a 4700.

VALLADOLID

Arco de Ladrillo
(Paseo del) .... BZ 2
Arzobispo Gandásegui ... CY 3
Bailarín
Vicente Escudero ..... CY 5
Bajada de la Libertad .... BCY 6
Cadenas de
San Gregorio .... CX 8
Cánovas del Castillo .... BCY 9
Cardenal Mendoza ...... CY 10
Chancillería .... CX 13
Claudio Moyano .... BY 14
Doctrinos .... BY 16
Duque de la Victoria .... BY 17
España (Pl. de) .... BY 18
Fuente Dorada (Pl. de) ... BY 20
Gondomar .... CX 21
Industrias .... CY 24
Maldonado .... CY 25
Marqués del Duero ..... CXY 26
Miguel Iscar .... BY 29
Pasión .... BY 30
Portillo de Balboa .... CX 32
San Agustín .... BXY 35
San Ildefonso .... BY 36
San Pablo (Pl. de) .... BX 37
Santa Cruz (Pl. de) ...... CY 40
Santiago .... BY 41
Santuario .... CY 42
Sanz y Forés .... CXY 45
Teresa Gil .... BY
Zorrilla (Paseo de) ...... ABZ 47

Para circular en ciudad,
utilice los planos
de la Guía Michelin:
vías de penetración
y circunvalación,
cruces y plazas
importantes,
nuevas calles,
aparcamientos,
calles peatonales...
un sinfín de
datos puestos
al día cada año.

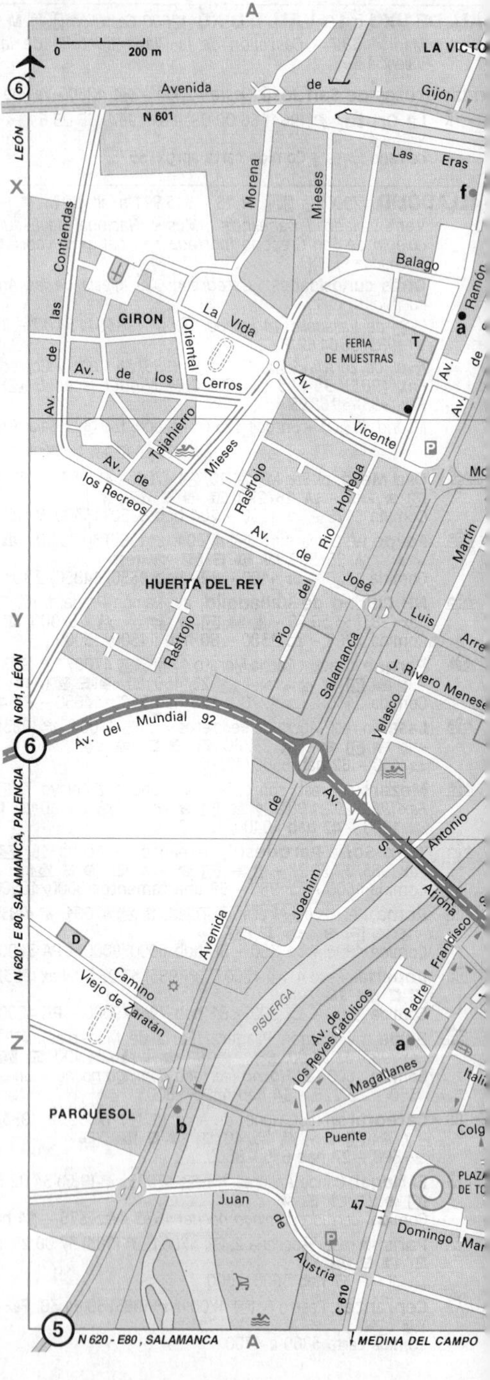

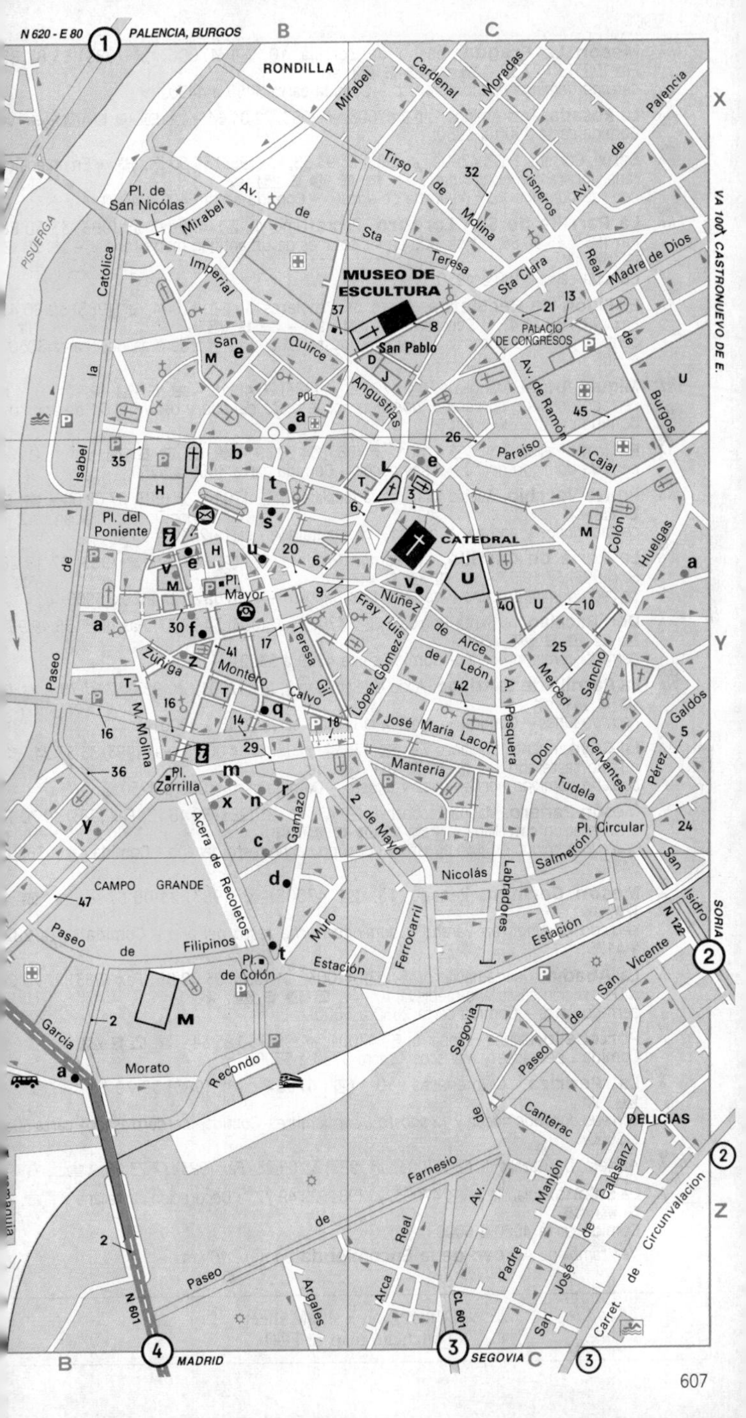
N 620 - E 80
PALENCIA, BURGOS
RONDILLA
MUSEO DE ESCULTURA
San Pablo
PALACIO DE CONGRESOS
CATEDRAL
Pl. de San Nicólas
Pl. del Poniente
Pl. Mayor
Pl. Zorrilla
Pl. Circular
Pl. de Colón
CAMPO GRANDE
DELICIAS
PISUERGA
VA 100 CASTRONUEVO DE E.
SORIA
MADRID
SEGOVIA
N 601
N 122
CL 601
Paseo de Isabel la Católica
Av. de Mirabel
Imperial
San Quirce
Angustias
Av. de Sta Teresa
Cardenal Mirabel
Tirso de Molina
Moradas
Cisneros
Av. de Palencia
Sta Clara
Real de Burgos
Madre de Dios
Av. de Ramón y Cajal
Paraiso
Colón
Huelgas
Núñez de Arce
Fray Luis de León
López Gómez
Teresa Gil
Montero Calvo
Zúñiga
M. Molina
José María Lacort
Mantería
A. Pesquera
Merced
Sancho
Don Tudela
Cervantes
Pérez Galdós
Gamazo
2 de Mayo
Acera de Recoletos
Paseo de Filipinos
Muro
Estación
Ferrocarril
Nicolás Salmerón
Labradores
San Isidro
Paseo de San Vicente
Paseo de Segovia
Canterac
Manjón
Calasanz
Av. Padre
San José
Carret. de Circunvalacion
Farnesio
Paseo de Real
Arca
Argales
García Morato
Recondo
PÓL

XX **Mesón La Fragua,** paseo de Zorrilla 10, ✉ 47006, ✆ (983) 33 87 8[illegible] *Fax (983) 34 27 38* – ▤. AE ⓓ E VISA. ⚹ BY
cerrado domingo noche y agosto – **Comida** carta 3450 a 4450.

XX **La Rosada,** Tres Amigos 1, ✉ 47006, ✆ (983) 22 01 64 – ▤. AE ⓓ E VISA JCB. ⚹
Comida carta 2600 a 3850. AZ

XX **Santi,** Correos 1, ✉ 47001, ✆ (983) 33 93 55, *Fax (983) 35 00 31,* ⛱, « En un edific[illegible] renacentista con bonito patio » – ▤. AE ⓓ E VISA. ⚹ BY
cerrado domingo y 2ª quincena de agosto – **Comida** carta 3400 a 4650.

XX **La Parrilla de San Lorenzo,** Pedro Niño 1, ✉ 47001, ✆ (983) 33 50 8[illegible] *Fax (983) 33 50 88,* « Instalado en los sótanos de un antiguo monasterio » – ▤. AE ⓓ E VISA. ⚹ BY
Comida carta 3150 a 4950.

XX **El Figón de Recoletos,** Acera de Recoletos 3, ✉ 47004, ✆ (983) 39 60 4[illegible] *Fax (983) 39 60 43,* « Decoración castellana » – ▤. E VISA. ⚹ BY
cerrado domingo noche y 21 julio-18 agosto – **Comida** - cordero asado - carta 3050 4050.

XX **Miguel Ángel,** Mantilla 1, ✉ 47001, ✆ (983) 20 46 15 – ▤. E VISA. ⚹ BY
cerrado domingo en verano, domingo noche resto del año y del 16 al 31 de agosto
Comida carta 3500 a 4400.

XX **Fátima,** Pasión 3-1º, ✉ 47001, ✆ (983) 34 28 39 – ▤. AE ⓓ E VISA. ⚹ BY
cerrado domingo noche y lunes noche – **Comida** carta 3500 a 5250.

XX **Ponte Vecchio,** Adolfo Miaja de la Muela 14, ✉ 47014, ✆ (983) 37 02 00 – ▤. [illegible] E VISA. ⚹ por Doctor Villacián AZ
cerrado lunes y agosto – **Comida** - cocina italiana - carta 2430 a 3530.

XX **La Perla de Castilla,** av. Ramón Pradera 15, ✉ 47009, ✆ (983) 37 18 2[illegible] *Fax (983) 37 39 07* – ▤. AE ⓓ E VISA. ⚹ AX
cerrado domingo noche y del 2 al 16 de agosto – **Comida** carta aprox. 3900.

XX **Don Bacalao,** pl. Santa Brígida 5, ✉ 47003, ✆ (983) 34 39 37, *Fax (983) 35 49 96* ▤. AE ⓓ E VISA JCB. ⚹ BX
cerrado domingo noche – **Comida** carta 4300 a 5300.

XX **La Parrilla de Santiago,** Atrio de Santiago 7, ✉ 47001, ✆ (983) 37 67 76 – ▤. [illegible] ⓓ E VISA. ⚹ BY
cerrado lunes – **Comida** - carnes a la brasa - carta 3050 a 4200.

X **La Goya,** puente Colgante 79, ✉ 47014, ✆ (983) 34 00 23, *Fax (983) 35 57 24,* ⛱ « Patio castellano » – Ⓟ. AE E VISA JCB. ⚹ AZ
cerrado domingo noche, lunes y agosto – **Comida** carta 3050 a 4250.

X **Mesón Panero,** Marina Escobar 1, ✉ 47001, ✆ (983) 30 16 73, *Fax (983) 30 70 1[illegible]* « Decoración castellana » – ▤. AE ⓓ E VISA. ⚹ BY
cerrado domingo en julio-agosto y domingo noche resto del año – **Comida** carta 3650 5450.

X **Mesón Germán,** Renedo 13, ✉ 47005, ✆ (983) 21 06 67 – ▤. AE [illegible] VISA. ⚹ CY
cerrado domingo en verano y domingo noche resto del año – **Comida** carta 282[illegible] a 4175.

X **La Abadía,** Guadamacileros 5, ✉ 47003, ✆ (983) 33 02 99, *Fax (983) 37 73 2[illegible]* « Decoración castellano-medieval » – ▤. AE ⓓ E VISA. ⚹ BY
cerrado lunes – **Comida** carta 2650 a 3600.

X **Portobello,** Marina Escobar 5, ✉ 47001, ✆ (983) 30 95 31 – ▤. AE E VISA. ⚹ BY
Comida - pescados y mariscos - carta 3750 a 5500.

X **La Pedriza,** Colmenares 10, ✉ 47004, ✆ (983) 39 79 51 – ▤. [illegible] VISA. ⚹ BY
cerrado domingo noche y 12 agosto-6 septiembre – **Comida** - cordero asado - carta 305[illegible] a 3650.

X Ángela, Dr. Cazalla 1, ✉ 47003, ✆ (983) 35 06 23, *Fax (983) 37 73 26* – ▤ BY

X **La Solana,** Solanilla 9, ✉ 47003, ✆ (983) 29 49 72, « Decoración castellana » – ▤. [illegible] E VISA. ⚹ CY
Comida carta 4000 a 6000.

Ver también: **Arroyo de la Encomienda** *por* ⑤ *: 10 km.*

ALLE - *ver el nombre propio del valle.*

ALLE *39815 Cantabria* 442 **C 19** - *alt. 138.*
Madrid 364 - Bilbao/Bilbo 84 - Burgos 130 - Santander 54.

Torre de Ruesga, *(942) 64 10 60, Fax (942) 64 11 72,* « Palacete de siglo XVIII » - . AE E VISA.
cerrado del 15 al 31 de enero - **Comida** *(cerrado domingo noche)* 3000 - **10 hab** 11000/16000.

ALLE DE CABUÉRNIGA *39510 Cantabria* 442 **C 17** - *1 091 h. alt. 260.*
Madrid 389 - Burgos 154 - Oviedo 163 - Palencia 172 - Santander 51.

La Casona del Peregrino, Terán - Sur : 1 km (942) 70 63 43, *Fax (942) 70 63 44,* « Antigua casa de campo » - . E VISA. rest
Comida carta 2850 a 3900 - **14 hab** 8000/9500.

ALLE DE LAGO *Asturias - ver Pola de Somiedo.*

ALLFOGONA DE RIUCORP o **VALLFOGONA DE RIUCORB** *43427 Tarragona* 443 **H 33** - *101 h. alt. 698 - Balneario.*
Madrid 523 - Barcelona 106 - Lérida/Lleida 64 - Tàrrega 20 - Tarragona 74.

Hostal del Rector, av. del Riu Corb 13 (977) 88 13 48, « Antiguo café » - . VISA.
cerrado domingo noche, lunes, martes y enero-20 marzo - **Comida** carta 2900 a 3650.

ALLROMANAS o **VALLROMANES** *08188 Barcelona* 443 **H 36** - *654 h. alt. 153.*
Vallromanes, Afueras (93) 572 90 64 Fax (93) 572 93 30.
Madrid 643 - Barcelona 22 - Tarragona 123.

Sant Miquel, pl. de l'Església 12 (93) 572 90 29, *Fax (93) 572 96 43* - . AE E VISA
cerrado noches de domingo a martes, miércoles y 16 agosto-10 septiembre - **Comida** carta 3300 a 4700.

El Petit Mont Bell, carret. de Granollers - Oeste : 1 km (93) 572 94 54, *Fax (93) 572 93 61,* ≤ - . AE VISA.
cerrado lunes y del 1 al 21 de agosto - **Comida** carta 4850 a 5350.

Mont Bell, carret. de Granollers - Oeste : 1 km (93) 572 90 96, *Fax (93) 572 93 61* - . AE VISA.
cerrado domingo y del 1 al 21 de agosto - **Comida** carta 3100 a 5100.

ALLS *43800 Tarragona* 443 **I 33** - *20 124 h. alt. 215.*
pl. del Blat 1 (977) 60 10 50 Fax (977) 61 28 72.
Madrid 535 - Barcelona 100 - Lérida/Lleida 78 - Tarragona 19.

Gourmet, carret. de Lleida (977) 60 61 58, *Fax (977) 60 61 58* - . AE E VISA
cerrado domingo noche, lunes y del 16 al 31 de agosto - **Comida** carta aprox. 3600.

n la carretera N 240 *Sur : 1,5 km - 43800 Valls :*

Félix, (977) 60 90 90, *Fax (977) 60 50 07,* - - 25/100. AE E VISA.
Comida (ver rest. ***Casa Félix***) - 850 - **56 hab** 5200/9200.

Casa Félix, (977) 60 13 50, *Fax (977) 60 00 14* - . AE E VISA.
Comida carta 3150 a 3900.

n la antigua carretera N 240 *Noroeste : 1,8 km - 43800 Valls :*

Masía Bou, (977) 60 04 27, *Fax (977) 61 32 94,* , « Terrazas bajo los árboles » - . AE E VISA JCB.
cerrado martes en verano - **Comida** carta 3750 a 4500.

ALMASEDA o **BALMASEDA** *48800 Vizcaya* 442 **C 20** - *7 307 h. alt. 147.*
Madrid 411 - Bilbao/Bilbo 29 - Santander 107.

San Roque, av. de las Encartaciones 1 (94) 610 22 68, *Fax (94) 610 24 64,* « En el antiguo monasterio de Santa Clara » - . E VISA.
Comida 2500 - 850 - **17 hab** 6000/8000 - PA 5850.

Abellaneda, La Cuesta 21 (94) 680 16 74, *Fax (94) 680 16 74* - AE E VISA.
Comida - sólo almuerzo salvo viernes y sábado - carta 3450 a 4300.

VALSAIN *Segovia – ver La Granja.*

VALTIERRA *31514 Navarra* 442 F 25 *– 2 377 h. alt. 265.*
Madrid 335 – Pamplona/Iruñea 80 – Soria 106 – Zaragoza 100.

en la carretera N 121 *Noroeste : 3 km – ✉ 31514 Valtierra :*

Los Abetos, ✆ (948) 86 70 00, *Fax (948) 40 75 12,* ← – ▤ TV ☎ P – 🏔 25/7
VISA. ✂
Comida 1500 – ☕ 600 – **32 hab** 5200/7500.

VALVANERA (Monasterio de) *26323 La Rioja* 442 **F 21.**
Madrid 359 – Burgos 120 – Logroño 63.

Hospedería Nuestra Señora de Valvanera ⛰, ✆ (941) 37 70 4
Fax (941) 37 70 44, ←, « Instalado en un antiguo monasterio » – P. ✂
cerrado 22 diciembre-7 enero – **Comida** 1500 – ☕ 600 – **28 hab** 3950/5750
PA 3000.

Percorra os países da ***Europa*** *com os* ***mapas Michelin***
da série vermelha correspondentes aos números 980 *a* 991.

VALVERDE *Santa Cruz de Tenerife – ver Canarias (El Hierro).*

VALVERDE DEL FRESNO *10890 Cáceres* 444 L 9 *– 2 618 h. alt. 498.*
Madrid 328 – Alcántara 81 – Cáceres 130 – Castelo Branco 82 – Salaman
156.

La Palmera, av. de Santos Robledo ✆ (927) 51 03 23, *Fax (927) 51 03 65* – ▤ rest,
🚗. VISA. ✂
Comida 1200 – ☕ 350 – **22 hab** 3500/6000.

VARADERO (Playa del) *Alicante – ver Santa Pola.*

El VEDAT *Valencia – ver Torrente.*

VEGA *39694 Cantabria* 442 C 18.
Madrid 380 – Bilbao/Bilbo 107 – Burgos 143 – Santander 39.

en la carretera S 561 *Norte : 3,5 km – ✉ 39694 Vega :*

XX La Presa, ✆ (942) 59 33 43, *Fax (942) 59 33 43,* 🌳, « Decoración rústica » – P.

VEGA DE SAN MATEO *Las Palmas – ver Canarias (Gran Canaria).*

VEGA DE VALCARCE *24520 León* 441 E 9 *– 1 141 h.*
Madrid 422 – León 143 – Lugo 85 – Ponferrada 36.

en La Portela de Valcarce *Sureste : 3 km – ✉ 24524 La Portela de Valcarce :*

Valcarce, carret. N VI ✆ (987) 54 31 80, *Fax (987) 54 31 08* – ▤ rest, TV P. AE E VI
✂ hab
Comida 1450 – ☕ 325 – **42 hab** 3500/6500.

VEGA DEL CODORNO *16150 Cuenca* 444 K 24 *– 271 h. alt. 1 450.*
Madrid 253 – Cuenca 71 – Teruel 114.

Río Cuervo ⛰, barrio de la Cueva ✆ (969) 28 32 40, *Fax (969) 28 32 40* –
☎ P
20 hab.

VEGUELLINA DE ÓRBIGO *24350 León* 441 E 12.
Madrid 314 – Benavente 57 – León 32 – Ponferrada 79.

X **La Herrería** con hab, Pío de Cela 27 ✆ (987) 37 63 35, *Fax (987) 37 64 27,* 🌳, 🏊
pago, 🎾 – ▤ TV ☎ P. AE E VISA. ✂
Comida carta aprox. 3100 – ☕ 300 – **13 hab** 2500/6000.

EJER DE LA FRONTERA *11150 Cádiz* 446 **X 12** - *12773 h. alt. 193.*

Ver : ≤★ *del valle de Barbate.*

Marqués de Tamarón 10 (956) 45 01 91 Fax (956) 45 11 49.

Madrid 667 - Algeciras 82 - Cádiz 50.

Convento de San Francisco, La Plazuela (956) 45 10 01, *Fax (956) 45 10 04,* « Antiguo convento » - 25/40. AE E VISA.
El Refectorio *(cerrado martes)* **Comida** carta 2500 a 4350 - 525 - **25 hab** 7820/10425.

LATE (Puerto de) *Navarra* 442 **C 25** - *alt. 847 - 31797 Arraitz.*

Madrid 432 - Bayonne 85 - Pamplona/Iruñea 33.

la antigua carretera N 121-A *Sur : 2 km - 31797 Arraitz :*

Venta de Ulzama con hab, (948) 30 51 38, *Fax (948) 30 51 38,* ≤ - AE E VISA.
cerrado noviembre - **Comida** carta 2350 a 3900 - 600 - **15 hab** 4500/7500.

LEZ BLANCO *04830 Almería* 446 **S 23** - *2251 h. alt. 1070.*

Madrid 506 - Almería 148 - Granada 168 - Lorca 52 - Murcia 122.

El Molino, Curtidores (950) 41 50 70, - E VISA JCB.
cerrado jueves - **Comida** carta 2850 a 3550.

LEZ MÁLAGA *29700 Málaga* 446 **V 17** - *52150 h. alt. 67.*

Madrid 530 - Almería 180 - Granada 100 - Málaga 36.

Dila sin rest y sin, av. Vivar Téllez 3 (95) 250 39 00, *Fax (95) 250 39 08* - VISA.
18 hab 5350/8560.

VELILLA *40173 Segovia* 442 **I 18.**

Madrid 130 - Aranda de Duero 80 - Segovia 50.

La Farola, (921) 50 99 23, - E VISA
cerrado lunes - **Comida** carta 3050 a 4600.

LILLA (Playa de) *Granada - ver Almuñécar.*

NDRELL o El VENDRELL *43700 Tarragona* 443 **I 34** - *15456 h.*

Dr Robert 33 (977) 66 02 92 Fax (977) 66 59 24.

Madrid 570 - Barcelona 75 - Lérida/Lleida 113 - Tarragona 27.

Pí, Rambla 2 (977) 66 00 02, « Estilo 1900 » - E VISA.
cerrado domingo noche salvo verano y del 16 al 31 de octubre - **Comida** carta 2835 a 4310.

El Molí de Cal Tof, av. de Santa Oliva 2 (977) 66 26 51, « Decoración rústica » - AE E VISA.
cerrado lunes en verano, domingo noche y lunes en invierno (salvo festivos y vísperas) - **Comida** carta 3125 a 4050.

la playa de San Salvador *Sur : 3,5 km - 43880 San Salvador :*

Europe San Salvador, Llobregat 11 (977) 68 40 41, *Fax (977) 68 27 70,* - , rest, AE E VISA. rest
Semana Santa-octubre - **Comida** - sólo buffet - 2100 - 1000 - **155 hab** 11250/15000 - PA 5200.

L'Ermita, carret. Sant Salvador (977) 68 07 10, *Fax (977) 68 17 05,* - , rest, E VISA. rest
marzo-octubre - **Comida** - sólo buffet - 1500 - 600 - **57 hab** 9565/12750 - PA 3600.

la carretera N 340 *Suroeste : 6,5 km - 43700 Vendrell :*

La Tenalla, (977) 68 34 34, *Fax (977) 68 34 34,* - AE E VISA.
cerrado lunes noche, martes y 15 octubre-15 noviembre - **Comida** carta 2750 a 4325.

VENTAS DE ARRAIZ o **VENTAS DE ARRAITZ** *31797 Navarra* 442 **C 25** – *alt. 588.*
Madrid 427 – Bayonne 90 – Pamplona/Iruñea 28.

Juan Simón con hab, carret. N 121-A ☎ (948) 30 50 52, « Decoración rústica » – P. E VISA. ✻ rest
cerrado 15 septiembre-12 octubre – **Comida** *(cerrado miércoles en verano, domingo festivos noche resto del año)* carta 3250 a 4300 – 400 – **9 hab** 3500 5500.

VERA *04620 Almería* 446 **U 24** – *5 931 h. alt. 102.*
pl. Mayor 1 ☎ (950) 39 12 14 Fax (950) 39 12 14.
Madrid 512 – Almería 95 – Murcia 126.

Terraza Carmona, Manuel Giménez 1 ☎ (950) 39 07 60, *Fax (950) 39 13 14* – TV ☎ P – 25/150. AE E VISA. ✻
Comida (ver rest. ***Terraza Carmona***) – 500 – **38 hab** 6200/9200.

Terraza Carmona, Manuel Giménez 1 ☎ (950) 39 07 60, *Fax (950) 39 13 14* – AE E VISA. ✻
cerrado lunes y del 1 al 15 de septiembre – **Comida** carta 3250 a 3775.

en la carretera de Garrucha *Sureste : 2 km – ✉ 04620 Vera :*

Vera Hotel, ☎ (950) 39 03 82, *Fax (950) 39 03 61,* – TV ☎ P. AE E VISA. ✻
Comida 1200 – 450 – **20 hab** 4500/6800 – PA 2700.

VERA DE BIDASOA o **BERA** *31780 Navarra* 442 **C 24** – *3 471 h. alt. 56.*
Madrid 470 – Pamplona/Iruñea 75 – San Sebastián/Donostia 35.

Euskalduna con hab, Eztegara 2 ☎ (948) 63 03 92 – TV P. E VISA. ✻ hab
cerrado octubre – **Comida** *(cerrado miércoles)* carta 1950 a 3650 – 400 – **5 h** 5000/6000.

VERGARA o **BERGARA** *20570 Guipúzcoa* 442 **C 22** – *15 121 h. alt. 155.*
Madrid 399 – Bilbao/Bilbo 54 – San Sebastián/Donostia 62 – Vitoria/Gasteiz 44.

Ormazabal sin rest, Barrenkale 11 ☎ (943) 76 36 50, *Fax (943) 76 36 50,* « Casa antig con mobiliario de época » – TV ☎. AE E VISA
500 – **14 hab** 6500/8000.

Ariznoa sin rest, Telesforo de Aranzadi 3 ☎ (943) 76 18 46, *Fax (943) 76 18 48* – ☎. AE E VISA
450 – **26 hab** 5000/6000.

Lasa, Zubiaurre 35 ☎ (943) 76 10 55, *Fax (943) 76 20 29,* « Antiguo palace señorial » – P. AE E VISA. ✻
cerrado domingo noche, 24 diciembre-8 enero y del 10 al 20 de agosto – **Comida** ca 5550 a 6600
Espec. Surtido de ahumados caseros. Merluza Lasa. Bizcocho de arroz con leche con hela de canela.

Zumelaga, San Antonio 5 ☎ (943) 76 20 21 – . AE E VISA. ✻
cerrado domingo noche, lunes noche, martes noche, Semana Santa y agosto – **Comi** carta 3600 a 5250.

VERÍN *32600 Orense* 441 **G 7** – *11 018 h. alt. 612 – Balneario.*
Alred. : *Castillo de Monterrey (✻★ - Iglesia : portada★) Oeste : 6 km.*
Madrid 430 – Orense/Ourense 69 – Vila Real 90.

Villa de Verín, Monte Mayor 14 ☎ (988) 41 19 81, *Fax (988) 41 17 70* – TV ☎ AE E VISA. ✻
Comida 1500 – 500 – **25 hab** 3500/7500 – PA 3500.

San Luis, av. de Castilla ☎ (988) 41 09 00, *Fax (988) 41 09 00* – VISA. ✻ rest
cerrado 18 diciembre-11 enero – **Comida** *(cerrado sábado)* 1200 – 350 – **13 hab** 35 – PA 2500.

junto al castillo *Noroeste : 4 km – ✉ 32600 Verín :*

Parador de Verín , ☎ (988) 41 00 75, *Fax (988) 41 20 17,* < casti y valle, « Edificio de estilo regional », , – TV ☎ P. AE VISA. ✻
Comida 3200 – 1200 – **23 hab** 10800/13500 – PA 6460.

ı la carretera N 525 *Noroeste : 4,5 km* – ✉ *32611 Albarellos de Monterrei :*

Gallego, ✉ 32680 apartado 82 Verín, ✆ (988) 41 82 02, *Fax (988) 41 82 02*, ≤, ⛱ – |$|, ▤ rest, TV ☎ ⇔ P. AE ⓓ E VISA
Comida carta aprox. 3700 – ☕ 750 – **35 hab** 5565/8650.

ANA *31230 Navarra* 442 **E 22** – *3 276 h. alt. 470.*
Madrid 341 – Logroño 10 – Pamplona/Iruñea 82.

Borgia, Serapio Urra ✆ (948) 64 57 81 – AE ⓓ E VISA
cerrado domingo, lunes noche y agosto – **Comida** 4500 y carta 4600 a 6200
Espec. Tomate confitado con salsa de melaza sobre puré de anchoas. Pichón asado con zanahoria, cilantro y salsa de canela. Charlotte de chocolate sobre salsa de café.

AVÉLEZ *33750 Asturias* 441 **B 9.**
Madrid 600 – Lugo 109 – Oviedo 128 – Vivero/Viveiro 80.

Taberna Viavélez Puerto, puerto ✆ (98) 547 83 39, *Fax (98) 547 83 39*, ⛱, « En una terraza acristalada frente a un pintoresco puerto pesquero » – ▤. AE ⓓ E VISA. ✂
cerrado martes noche y miércoles (salvo verano) y 15 enero-1 marzo – **Comida** carta 3400 a 4875
Espec. Sopa de patata y bacon con raviolis de foie y manzana. Merluza en salsa verde con almejas y hongos. Aros de chocolate con crema de coco y sorbete de frutas.

IC *08500 Barcelona* 443 **G 36** – *29 113 h. alt. 494.*
Ver : *Museo episcopal**** BY – *Catedral* (pinturas*, retablo**)* BCY – *Plaça Major** BY.
🅘 *pl. Major 1* ✆ *(93) 886 20 91 Fax (93) 889 26 37.*
Madrid 637 ④ – *Barcelona 66* ④ – *Gerona/Girona 79* ③ – *Manresa 52* ④

Planos páginas siguientes

NH Ciutat de Vic, passatge Can Mastrot ✆ (93) 889 25 51, *Fax (93) 889 14 47* – |$| ▤ TV ☎ ⇔ – 🎤 25/120. AE ⓓ E VISA JCB. ✂ BV a
Comida *(cerrado domingo noche)* 2500 – ☕ 1000 – **36 hab** 10000/12500.

Balmes sin rest, Francesc Pla 6 ✆ (93) 889 12 72, *Fax (93) 889 29 15* – |$| TV ☎. AE ⓓ E VISA. ✂ CV a
☕ 700 – **50 hab** 6000/8000.

Ausa sin rest, pl. Major 3 ✆ (93) 885 53 11 – |$| TV ☎. AE ⓓ E VISA. ✂ BY c
☕ 700 – **26 hab** 5000/7000.

Jordi Parramon, Cardona 7 ✆ (93) 886 38 15 – ▤. ⓓ E VISA JCB. ✂ BY b
cerrado domingo noche, lunes, 15 febrero-4 marzo y del 1 al 16 de septiembre – **Comida** carta 4250 a 5250
Espec. Salteado de espardenyes con setas (temp). Mar y montaña de rape con magret de pato, estofado de tallarines y chorizo. Crujiente de chocolate caliente con helado de turrón y regaliz.

Mamma Meva, rambla del Passeig 61 ✆ (93) 886 39 98, *Fax (93) 889 03 25* – ▤. AE ⓓ E VISA. ✂ CY d
cerrado miércoles, del 15 al 28 de febrero y del 13 al 28 de octubre – **Comida** - cocina italiana - carta 1920 a 3785.

La Taula, pl. de Don Miquel de Clariana 4 ✆ (93) 886 32 29 – AE E VISA CY e
cerrado domingo, lunes de junio a septiembre, domingo noche resto del año, 21 días en febrero y 7 días en agosto – **Comida** carta 3350 a 3950.

Basset, Sant Sadurní 4 ✆ (93) 889 02 12, *Fax (93) 889 28 70* – ▤. AE ⓓ E VISA. ✂ BY n
cerrado domingo, festivos y una semana en agosto – **Comida** carta 2950 a 4600.

ı la carretera de Roda de Ter *por* ② *: 15 km :*

Parador de Vic 🐦, ✉ 08500 apartado oficial de Vic, ✆ (93) 812 23 23, *Fax (93) 812 23 68*, ≤ pantano de Sau y montañas, ⛱, 🎾 – |$| ▤ TV ☎ ⇔ P – 🎤 25/100. AE ⓓ E VISA. ✂
Comida 3500 – ☕ 1300 – **35 hab** 12000/15000, 1 suite.
Ver también : **Santa Eugenia de Berga** *por* ③ *: 4 km.*

VIC

Adoberies . . . . CY 3
Aluders . . . . CY 4
Argenters . . . . BY 6
Bisbat (Rambla del) . . . . . BY 8
Bisbe Casadevall . . . . CY 9
Bisbe Oliba (Pl. del) . . . . . BY 12
Canyelles . . . . BY 14
Catedral (Pl. de la) . . . . . . BY 17
Davallades
(Rambla de les) . . . . . . BY 18
Dues Soles . . . . CY 20
Escales . . . . BY 22
Estret de Sant Cristòfol . . BY 24
Estudiant de Vic . . . . BZ 25
Font de Sant Pere . . . . . . CZ 27
Jaume Balmes (Pl. de) . . BY 29
Josep Maria Pericas
(Pl. de) . . . . CZ 30
Josep Tarradellas
(Rambla de) . . . . BZ 32
Manuel Carrasco i
Formigera . . . . CZ 34
Mare de Déu de la Guia . CZ 35
Mare de Déu de les Neus . BY 36
Mastrot (Pl.) . . . . BX 38
Miquel S. Salarich i
Torrents . . . . AY 40
Misericòrdia . . . . CY 41
Montcada (Rambla dels) . CY 42
Montserrat . . . . CY 43
Mossèn Llorenç Vilacís . . CX 45
Narcís Verdaguer i Callís . BZ 46
Pare Gallisà . . . . AX 47
Passeig (Rambla del) . . . . CY 48
Pietat (Pl. de la) . . . . CY 49
Pont . . . . BY 51
Puig dels Jueus . . . . CX 52
Queralt (Pont de) . . . . BY 54
Rafael Subirachs i Ricart . CZ 55
Ramon Sala i Saçala . . . . CX 57
Remei (Pont) . . . . AZ 58
Sant Antoni M. Claret . . . BY 60
Sant Domènec
(Rambla de) . . . . BY 61
Sant Felip (Pl. de) . . . . . . BY 63
Sant Miquel Arcángel . . . BY 64
Sant Miquel dels Sants . . BY 66
Sant Sadurní . . . . BY 67
Sant Sebastiá . . . . CXY 69
Santa Clara (Pl. de) . . . . . BY 71
Santa Joaquima
de Vedruna . . . . CY 72
Santa Maria . . . . BY 74
Sants Màrtirs (Pl. dels) . . CY 75

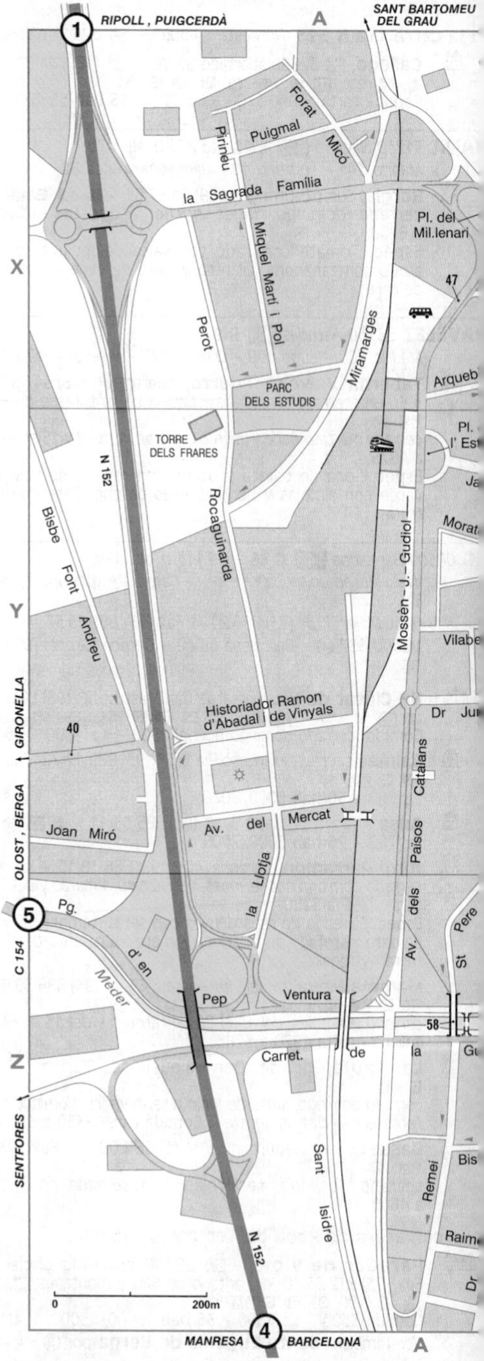

Avise immediatamente
al hotelero
si Vd. no puede ocupar
la habitación
que ha reservado.

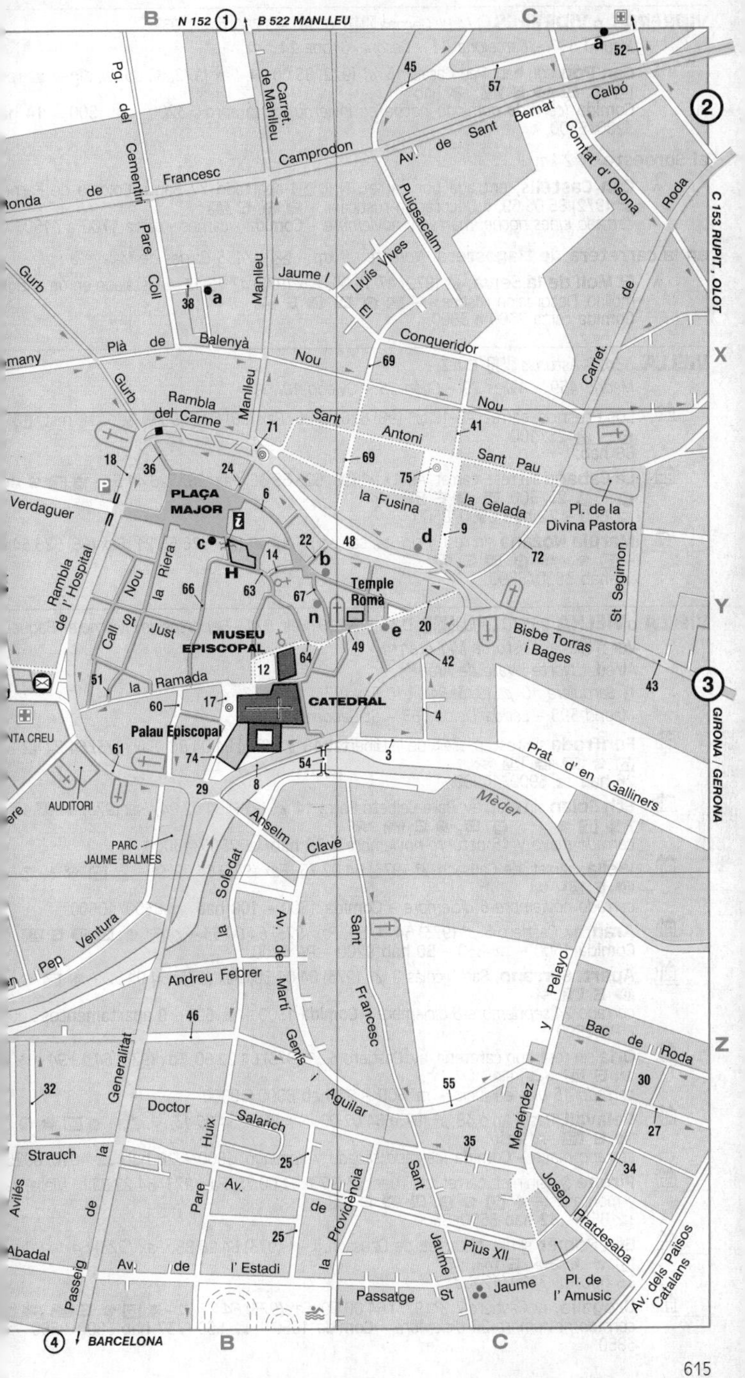

B
N 152
1
B 522 MANLLEU
C
a
52
45
57
Calbó
2
Pg. del Cementiri
Carret. de Manlleu
Av. de Sant Bernat
Camprodon
Comtat d' Osona
Roda
Ronda de Francesc
C 153 RUPIT, OLOT
Puigsacalm
Pare Coll
Manlleu
Jaume I
Lluís Vives
El Conqueridor
Gurb
38
a
Carret. de
Plà de Balenyà
Nou
X
69
Rambla del Carme
Sant Antoni
Nou
41
71
18
36
24
PLAÇA MAJOR
6
Sant Pau
75
la Fusina
la Gelada
Verdaguer
Pl. de la Divina Pastora
d
9
48
22
72
c
b
14
H
Temple Romà
Rambla de l' Hospital
66
63
67
St Segimon
Y
n
Nou
la Riera
Call
St Just
MUSEU EPISCOPAL
e
20
49
Bisbe Torras i Bages
42
64
12
43
3
51
la Ramada
CATEDRAL
60
17
4
GIRONA / GERONA
Palau Episcopal
NTA CREU
Prat d' en Galliners
61
74
54
3
8
29
Mèder
AUDITORI
Anselm Clavé
PARC JAUME BALMES
la Soledat
Sant Francesc
Pep Ventura
Av. de Martí Genís i Aguilar
Andreu Febrer
Menéndez y Pelayo
46
Bac de Roda
Z
30
55
32
Generalitat
Doctor Salarich
Huix
27
35
Strauch
25
34
Josep Pratdesaba
Avilés
Pare
Av. de la Providència
Sant Jaume
25
Pius XII
Abadal
Av. de l' Estadi
Passeig de la Generalitat
Av. dels Països Catalans
Pl. de l' Amusic
Passatge St Jaume
4
BARCELONA
B
C

VIDRERAS o **VIDRERES** *17411 Gerona* **443** **G 38** – *3 780 h. alt. 93.*
Madrid 687 – Barcelona 74 – Gerona/Girona 24.

X **Can Pou** con hab, Pau Casals 15 ☎ (972) 85 00 14, *Fax (972) 85 05 76,* – ▤ res
TV P. AE ① E VISA. ⚔ hab
Comida *(cerrado domingo noche en invierno)* carta aprox. 3200 – ☕ 500 – **14 h**
3200/5500.

al Suroeste : *2 km*

X **Can Castells,** entrada por carret. N II, ✉ apartado 77 Santa Coloma de Farné
☎ (972) 85 03 69, « Decoración rústica » – ▤ P. E VISA
cerrado lunes noche, martes y noviembre – **Comida** - carnes - carta 1700 a 3150.

en la carretera de Llagostera *Noreste : 5 km – ✉ 17455 Caldes de Malavella :*

X **El Molí de la Selva,** ☎ (972) 47 15 00, *Fax (972) 47 15 13,* « Instalado en un antig
molino. Decoración rústica » – ▤ P. AE ① E VISA
Comida carta 2300 a 3800.

VIELLA *33429 Asturias* **441** **B 12**.
Madrid 459 – Avilés 29 – Gijón 25 – Oviedo 10.

Los Fresnos, carret. AS-17 ☎ (98) 526 59 26, *Fax (98) 526 49 79,* – ▤ rest, TV
P – 🏛 25/100
68 hab.

La Cabaña sin rest, carret. AS-17 ☎ (98) 526 53 36, *Fax (98) 526 41 57* – ▮ TV ☎
P – 🏛 25/300. AE ① E VISA. ⚔
☕ 600 – **22 hab** 6500/8500.

Maruja Nozana sin rest y sin ☕, carret. AS-17 ☎ (98) 526 55 21, *Fax (98) 526 54*
– TV ☎ 🚗 P. AE E. ⚔
16 hab 3500/6500.

VIELLA o **VIELHA** *25530 Lérida* **443** **D 32** – *3 220 h. alt. 971 – Deportes de invierno en Baquei*
Ver : *Iglesia (Cristo de Mig Arán★).*
Alred. : *Norte : Valle de Arán★★.*
ℹ *Sarriulera 10 ☎ (973) 64 01 10 Fax (973) 64 05 37.*
Madrid 595 – Lérida/Lleida 163 – St-Gaudens 70.

Fonfreda sin rest, passeig de la Llibertat 18 ☎ (973) 64 04 86, *Fax (973) 64 24 42* –
TV ☎. AE ① VISA. ⚔
26 hab ☕ 6900/10900.

Eth Solan sin rest, av. Baile Calbetó Barra 14 ☎ (973) 64 02 04, *Fax (973) 64 03 17,*
– ▮ TV ☎ 🚗 P. AE ① E VISA. ⚔
cerrado mayo y 15 octubre-noviembre – **39 hab** ☕ 7500/13000.

Viella, carret. de Gausach ☎ (973) 64 02 75, *Fax (973) 64 09 34* – ▮ TV ☎ ♿ P.
① E VISA. ⚔
cerrado noviembre-6 diciembre – **Comida** 1500 – **108 hab** ☕ 6300/10600.

Arán, av. Castiero 5 ☎ (973) 64 00 50, *Fax (973) 64 00 53* – ▮ TV ☎. AE ① E VISA.
Comida 1600 – ☕ 850 – **50 hab** 9200 – PA 3200.

Apart. Serrano, San Nicolás 2 ☎ (973) 64 01 50, *Fax (973) 64 01 52* – ▮ TV ☎.
① E VISA. ⚔
cerrado 24 septiembre-8 diciembre – **Comida** 1300 – ☕ 600 – **9 apartamentos** 200
– PA 2800.

Orla sin rest. con cafetería, av. Castiero 3 ☎ (973) 64 22 60, *Fax (973) 64 19 94* – ▮
☎. E VISA JCB. ⚔
cerrado 15 días en junio – ☕ 500 – **22 hab** 6000/10000.

Delavall, Pas d'Arró 38 ☎ (973) 64 02 00, *Fax (973) 64 00 13,* ≤, 🏊 – ▮ TV ☎ P.
① E VISA. ⚔ rest
cerrado mayo – **Comida** *(cerrado sábado y domingo)* 1500 – **28 hab** ☕ 4010/8025

Pirene sin rest, carret. del Túnel ☎ (973) 64 00 75, *Fax (973) 64 22 95,* ≤ Viella, va
y montañas – ▮ TV ☎ P. AE ① E VISA
☕ 650 – **32 hab** 5500/8500.

Eth Pomèr sin rest, carret. de Gausach 4 ☎ (973) 64 28 88, *Fax (973) 64 14 80* –
TV ☎ ♿ 🚗. E VISA. ⚔
33 hab ☕ 7200/12400.

Urogallo, av. Castiero 7 ☎ (973) 64 00 00, *Fax (973) 64 21 61* – ▮ TV ☎. E VISA. ⚔ h
cerrado noviembre-20 diciembre – **Comida** 1650 – ☕ 550 – **37 hab** 5800/9550 –
3850.

Ribaeta, Sarriulera 5 ✆ (973) 64 20 36, *Fax (973) 64 01 21* – ▮ TV ☎. E VISA. ✂
Comida 1500 – ☕ 550 – **27 hab** 6110/9400 – PA 3550.

D'Òc sin rest, Castèth 13 ✆ (973) 64 15 97 – ▮ TV ☎. ◑ E VISA
☕ 500 – **15 hab** 4800/6000.

Baricauba y Riu Nere, Mayor 4 ✆ (973) 64 01 50, *Fax (973) 64 01 52* – ▮ TV ☎. AE ◑ E VISA. ✂
cerrado 24 septiembre-8 diciembre – **Comida** (en el ***Apart. Serrano***) – ☕ 600 – **48 hab** 6000/11000.

La Bonaigua sin rest, Castèth 9 bis ✆ (973) 64 01 44, *Fax (973) 64 12 18* – ▮ TV ☎ 🚗. AE E VISA. ✂
☕ 600 – **23 hab** 5000/7000.

Antonio, carret. del Túnel ✆ (973) 64 08 87 – AE ◑ E VISA
cerrado lunes y 11 noviembre-20 diciembre – **Comida** carta 3000 a 4300.

Era Lucana, av. Alcalde Calbetó 1 ✆ (973) 64 17 98 – ◑ E VISA JCB. ✂
cerrado lunes salvo festivos y del 1 al 15 de junio – **Comida** carta 3000 a 3950.

Gustavo-María José (Era Mola), Marrec 14 ✆ (973) 64 24 19, « Decoración rústica » – VISA
diciembre-2 mayo y 12 julio-15 septiembre – **Comida** - sólo cena en invierno salvo fines de semana - carta aprox. 4050.

Nicolás, Castèth 10 ✆ (973) 64 18 20 – VISA. ✂
cerrado miércoles y del 1 al 15 de julio – **Comida** carta 3400 a 4500.

Deth Gorman, Met Dia 8 ✆ (973) 64 04 45 – E VISA. ✂
cerrado martes y 2ª quincena de junio – **Comida** carta 1975 a 3975.

en Betrén *por la carretera de Salardú - Este : 1 km* – ✉ *25539 Betrén :*

Tuca 🕭, ✆ (973) 64 07 00, *Fax (973) 64 07 54*, ≤, 🏊 climatizada – ▮ TV ☎ 🚗 P – 🏛 25/160. AE ◑ E VISA. ✂
cerrado 15 octubre-15 diciembre – **Comida** - sólo cena en invierno - 2700 – ☕ 900 – **117 hab** 9000/18000, 1 suite.

La Borda de Betrén, Mayor ✆ (973) 64 00 32, « Decoración rústica » – AE ◑ E VISA
cerrado junio – **Comida** carta 2800 a 4200.

en Escunhau *por la carretera de Salardú - Este : 3 km* – ✉ *25539 Escunhau :*

Es Pletieus, carret. C 142 ✆ (973) 64 07 90, *Fax (973) 64 10 04*, ≤ – ▮ TV ☎ P. AE ◑ E VISA JCB. ✂
cerrado noviembre – **Comida** (ver rest. ***Es Pletieus***) – **18 hab** ☕ 5000/8000.

Casa Estampa 🕭, Sortaus 9 ✆ (973) 64 00 48, *Fax (973) 64 00 48*, ≤ – P. VISA. ✂
Comida carta 1900 a 2890 – ☕ 550 – **26 hab** 4100/6500.

Es Pletieus, carret. C 142 ✆ (973) 64 04 85, *Fax (973) 64 10 04*, ≤ – P. AE ◑ E VISA JCB. ✂
cerrado martes (salvo invierno y verano) y noviembre – **Comida** carta 3100 a 3900.

Casa Turnay, San Sebastián ✆ (973) 64 02 92, *Fax (973) 69 02 92*, « Decoración rústica »
15 julio-abril y fines de semana en otoño – **Comida** carta 2450 a 3300.

en la carretera N 230 *Sur : 2,5 km* – ✉ *25530 Viella :*

Parador de Viella 🕭, ✆ (973) 64 01 00, *Fax (973) 64 11 00*, ≤ valle y montañas, 🏊 – ▮ TV ☎ 🚗 P – 🏛 25/50. AE ◑ E VISA JCB. ✂
Comida 3500 – ☕ 1300 – **135 hab** 12000/15000 – PA 7055.

en Garós *por la carretera de Salardú - Este : 5 km* – ✉ *25539 Garós :*

Vilagarós 🕭, ✆ (973) 64 12 50, *Fax (973) 64 22 20*, 🏊 – ▮ TV ☎ 🚗 – 🏛 25/100. E VISA. ✂
Comida 3300 – ☕ 1500 – **32 hab** 24000/30000, 21 apartamentos.

en Pont d'Arrós *Noroeste : 6 km* – ✉ *25537 Pont d'Arrós :*

Peña, carret. N 230 ✆ (973) 64 08 86, *Fax (973) 64 23 29*, ≤, 🏋 – ▤ rest, TV ☎ P. AE E VISA. ✂
cerrado noviembre – **Comida** *(cerrado lunes)* 1600 – ☕ 700 – **24 hab** 5500/8500 – PA 3600.

Cal Manel, carret. N 230 ✆ (973) 64 11 68 – ▤ P. E VISA. ✂
cerrado lunes (salvo festivos, agosto y septiembre) 24 junio-8 julio y del 1 al 20 de noviembre – **Comida** carta 2200 a 3500.

VIGO *36200 Pontevedra* **441** F 3 – *278 050 h. alt. 31.*

Ver : *Emplazamiento★ – El Castro ⋞★★* AZ.

Alred. : *Ría de Vigo★★ – Mirador de la Madroa★★ ⋞★★ por carret. del aeropuerto : 6 km* B

Vigo, por ② : 11 km ✆ (986) 48 66 45 Fax (986) 48 66 43.

de Vigo por N 550 : 9 km BZ *✆ (986) 26 82 00 – Iberia : Marqués de Valladares*

✉ *36201 ✆ (986) 22 70 05* AY *– Aviaco : aeropuerto ✆ (986) 48 76 25.*

✆ (986) 22 35 97.

Cia. Trasmediterránea, Luis Taboada 6 ✉ *36201 ✆ (986) 43 03 11 Fax (98 43 14 30.*

Estación Marítima de Trasatlánticos ✉ *36202 ✆ (986) 43 05 77 Fax (986) 43 05 7*

Madrid 600 ② – La Coruña/A Coruña 156 ① – Orense/Ourense 101 ② – Pontevedr 27 ① – Porto 157 ②

VIGO

Meliá Confort Los Galeones, av. de Madrid 21, ✉ 36204, ✆ (986) 48 04 0 *Fax (986) 48 06 66* – |♦| ▤ TV ☎ – 25/270. AE ⓓ E VISA. BZ
Comida 3100 – ☕ 1400 – **76 hab** 13000/17500, 4 suites – PA 6460.

Bahía de Vigo, av. Cánovas del Castillo 24, ✉ 36202, ✆ (986) 22 67 00, *Telex 8301 Fax (986) 43 74 87*, ⋞ – |♦| ▤ TV ☎ – 25/400. AE ⓓ E VISA JCB. AY
Comida 3200 – ☕ 1300 – **108 hab** 14300/17900, 2 suites.

Ciudad de Vigo, Concepción Arenal 5, ✉ 36201, ☎ (986) 22 78 20, *Telex 83307, Fax (986) 43 98 71* – 25/220. AE O E VISA. BY z
Comida 2500 – 1200 – **99 hab** 13400/16800, 2 suites – PA 4960.

Coia, Sanxenxo 1, ✉ 36209, ☎ (986) 20 18 20, *Telex 83462, Fax (986) 20 95 06* – 25/600. AE O E VISA. por ③
Comida 2300 – 900 – **111 hab** 10290/13500, 15 suites.

Tres Luces, Cuba 19, ✉ 36204, ☎ (986) 48 02 50, *Fax (986) 48 33 27* – 25/150. AE O E VISA. BZ e
Comida 2400 – 850 – **70 hab** 8400/11800, 2 suites – PA 4800.

Vigo, av. de la Florida 60 A, ✉ 36210, ☎ (986) 29 66 00, *Fax (986) 29 18 00* – 25/220. AE O E VISA. por ③
Comida 2000 – 1000 – **122 hab** 12800/16000, 1 suite.

Lisboa, Gran Vía 1, ✉ 36204, ☎ (986) 41 72 55, *Telex 83736, Fax (986) 48 26 48* – 25/120. AE O E VISA. rest BZ m
Comida 1500 – 850 – **100 hab** 8000/10320, 1 suite.

Ipanema, Vázquez Varela 31, ✉ 36204, ☎ (986) 47 13 44, *Telex 83671, Fax (986) 48 20 80* – 25/60. AE O E VISA. BZ n
Comida 1600 – 750 – **54 hab** 7500/11400, 6 suites – PA 3300.

México sin rest. con cafetería, Vía del Norte 10, ✉ 36204, ☎ (986) 43 16 66, *Fax (986) 43 55 53*, ← – 25/60. AE O E VISA. BZ f
900 – **112 hab** 7200/11000.

América sin rest, Pablo Morillo 6, ✉ 36201, ☎ (986) 43 89 22, *Fax (986) 43 70 56* – VISA. AY r
500 – **45 hab** 10000/12000.

Compostela sin rest. con cafetería, García Olloqui 5, ✉ 36201, ☎ (986) 22 82 27, *Fax (986) 22 59 04* – AE O E VISA. AY e
650 – **30 hab** 6800/9200.

Galicia sin rest. con cafetería, Colón 11, ✉ 36201, ☎ (986) 43 40 22, *Fax (986) 22 32 28* – 25/60. AE O E VISA. BY a
600 – **53 hab** 6200/9000.

Canaima sin rest. con cafetería, av. de García Barbón 42, ✉ 36201, ☎ (986) 43 09 34, *Fax (986) 22 13 85* – AE O E VISA. BYZ c
450 – **56 hab** 4200/7000.

Puerta del Sol sin rest, Porta do Sol 14, ✉ 36202, ☎ (986) 22 71 53, *Fax (986) 22 23 64* – AE O E VISA. AY c
450 – **16 hab** 5000/7000.

Nilo sin rest, Marqués de Valladares 8, ✉ 36201, ☎ (986) 43 28 99, *Fax (986) 43 44 74* – AE O E VISA. AY v
600 – **52 hab** 4500/7800.

Celta sin rest, México 22, ✉ 36204, ☎ (986) 41 46 99, *Fax (986) 48 06 56* – AE E VISA. BZ t
600 – **45 hab** 5700/7300.

Princesa sin rest. y sin , Fermín Penzol 14, ✉ 36202, ☎ (986) 43 37 00 – AE O E VISA. AY s
16 hab 3800/5800.

El Castillo, paseo de Rosalía de Castro, ✉ 36203, ☎ (986) 42 11 11, *Fax (986) 42 12 99*, ← ría de Vigo y ciudad, « En un parque » – AE O E VISA. AZ s
cerrado domingo noche, lunes y Semana Santa – **Comida** carta 3900 a 5550.

Puesto Piloto Alcabre, av. Atlántida 98, ✉ 36208, ☎ (986) 24 15 24, *Fax (986) 24 03 85*, ← – AE O E VISA JCB. por av. Beiramar : 5 km AY
cerrado domingo noche y 15 días en noviembre – **Comida** carta 3000 a 4550.

Las Bridas, Ecuador 56, ✉ 36203, ☎ (986) 43 00 37, *Fax (986) 43 13 91* – AE O E VISA. BZ d
cerrado domingo y Semana Santa – **Comida** carta 3400 a 4700.

La Oca, Purificación Saavedra 8 (frente mercado de Teis), ✉ 36207, ☎ (986) 37 12 55 – AE E VISA. por av. de García Barbón BY
cerrado sábado, domingo, Semana Santa y del 15 al 30 de agosto – **Comida** carta 3125 a 4450.

La Espuela, Teófilo Llorente 2, ✉ 36202, ☎ (986) 43 73 07 – AE E VISA. AY a
cerrado 22 diciembre-7 enero – **Comida** carta 3100 a 3700.

José Luis, av. de la Florida 34, ✉ 36210, ☎ (986) 29 95 22 – AE O E VISA JCB. por ③
cerrado domingo – **Comida** carta aprox. 4200.

X **El Mosquito,** pl. da Pedra 4, ✉ 36202, ☎ (986) 43 35 70 – ▤. AE ⓓ VISA. ⚘ AY
cerrado domingo y 20 agosto-10 septiembre – **Comida** - pescados y mariscos - carta 360 a 6000.

X **Laxeiro,** Ecuador 80, ✉ 36204, ☎ (986) 42 52 04 – ▤. AE E VISA. ⚘ BZ
cerrado domingo noche y lunes – **Comida** carta 2900 a 3500.

en Bembrive *por ② : 6 km – ✉ 36613 Bembrive :*

XX **Soriano,** Chans 2 ☎ (986) 48 13 73, *Fax (986) 48 13 73,* ≤ ciudad y alrededores, – ▤ Ⓟ. AE ⓓ E VISA. ⚘
Comida carta 2500 a 4450.

en la playa de Samil *por av. Beiramar : 6,5 km* AY – ✉ *36208 Vigo :*

G.H. Samil, av. de Samil 15 ☎ (986) 24 00 00, *Telex 83263, Fax (986) 24 19 00,* ≤, ⛱, ✂ – |♦| TV ☎ Ⓟ – 🏛 25/600. AE ⓓ E VISA. ⚘
Comida 2950 – **135 hab** ☕ 15100/19800, 2 suites – PA 5900.

en la playa de La Barca *por av. Beiramar : 7,5 km* AY – ✉ *36330 Corujo :*

X **Timón Playa,** Canido 8 ☎ (986) 49 08 15, *Fax (986) 49 11 26,* ≤, – Ⓟ. AE VISA. ⚘
cerrado domingo y 22 diciembre-22 enero – **Comida** carta 3500 a 4300.

Ver también : **Chapela** *por av. de García Barbón :* BY *7 km.*
Canido por av. Beiramar : AY *10 km.*

La VILA JOIOSA *Alicante – ver Villajoyosa.*

VILA-REAL *Castellón – ver Villarreal.*

VILABOA *36141 Pontevedra* 441 E 4 – *5 785 h. alt. 50.*
Madrid 618 – Pontevedra 9 – Vigo 27.

El Edén sin rest. con cafetería, carret. N 550 ☎ (986) 70 83 22, *Fax (986) 70 88 77,* ⛱, ✂ – |♦| ▤ TV ☎ 🚗 Ⓟ. E VISA. ⚘
☕ 600 – **73 hab** 9500/13000.

en Paredes *Sureste : 2 km – ✉ 36141 Vilaboa :*

Las Islas sin rest, ☎ (986) 70 88 92, *Fax (986) 70 84 84,* ≤, ⛱, ✂ – TV ☎ 🚗 E VISA. ⚘
☕ 475 – **26 hab** 3000/5200.

VILADRAU *17406 Gerona* 443 G 37 – *883 h. alt. 821.*
ℹ *pl. Mayor 4 local B ☎ (93) 884 80 35 Fax (93) 884 80 35 (temp).*
Madrid 647 – Barcelona 76 – Gerona/Girona 61.

Xalet La Coromina, carret. de Vic ☎ (93) 884 92 64, *Fax (93) 884 81 60,* « Antigua casa señorial », – TV ☎ Ⓟ. AE E VISA. ⚘ rest
cerrado del 8 al 31 de enero – **Comida** 1850 – ☕ 900 – **8 hab** 7800/9750 PA 3925.

De la Gloria 🐎, Torreventosa 12 ☎ (93) 884 90 34, *Fax (93) 884 94 65,* ⛱ – TV 🚗 – 🏛 25/200. AE ⓓ E VISA. ⚘
cerrado 22 diciembre-10 enero – **Comida** 1850 – **23 hab** ☕ 6400/10000.

VILAFRAMIL *Lugo – ver Villaframil.*

VILAFRANCA DEL PENEDÈS *Barcelona – ver Villafranca del Panadés.*

VILAGRASSA *25330 Lérida* 443 H 33 – *392 h. alt. 355.*
Madrid 510 – Barcelona 119 – Lérida/Lleida 41 – Tarragona 78.

Del Carme, antigua carret. N II ☎ (973) 31 10 00, *Fax (973) 31 07 77,* ⛱, ✂ – ▤ rest, TV ☎ Ⓟ – 🏛 25/300. E VISA. ⚘ rest
Comida 1550 – ☕ 600 – **40 hab** 3850/7150 – PA 3600.

X **Cataluña,** Mayor 2 ☎ (973) 31 14 65 – ▤. VISA. ⚘
cerrado domingo noche y lunes salvo festivos o vísperas – **Comida** - carnes a la brasa carta aprox. 3500.

VILALBA *Lugo – ver Villalba.*

LALONGA *Pontevedra – ver Villalonga.*

LALLONGA *Valencia – ver Villalonga.*

LANOVA DEL VALLÈS *Barcelona – ver Granollers.*

LANOVA I LA GELTRÚ *Barcelona – ver Villanueva y Geltrú.*

LLA DEL PRADO *28630 Madrid 444 L 17 – 3 290 h. alt. 510.*
Madrid 61 – Ávila 80 – Toledo 78.

El Extremeño, av. del Generalísimo 78 (91) 862 24 28, – rest, . E VISA.
Comida 1200 – 225 – **16 hab** 3600/5000 – PA 2500.

LLABALTER *24191 León 441 E 13.*
Madrid 348 – León 6 – Ponferrada 109 – Palencia 134 – Oviedo 113.

La Tahona de Ambrosia, carret. C 623 - Noreste : 1,5 km (987) 23 08 18, *Fax (987) 27 05 04,* , « Decoración rústica » – . AE VISA.
cerrado lunes y del 1 al 15 de septiembre – **Comida** carta aprox. 3500.

LLABONA *20150 Guipúzcoa 442 C 23 – 5 295 h. alt. 61.*
Madrid 451 – Pamplona/Iruñea 71 – San Sebastián/Donostia 20 – Vitoria/Gasteiz 96.

Amasa *Este : 1 km – 20150 Villabona :*

Arantzabi, (943) 69 12 55, , , « Típico caserío vasco » – . AE E VISA
cerrado domingo noche, lunes y 15 diciembre-15 enero – **Comida** - sólo almuerzo de octubre a junio salvo viernes y sábado - carta 3100 a 4400.

LLACAÑAS *45860 Toledo 444 N 19 – 8 711 h. alt. 668.*
Madrid 109 – Alcázar de San Juan 35 – Aranjuez 48 – Toledo 72.

Quico, av. de La Mancha 34 (925) 16 04 50 – rest,
Comida 1500 – 350 – **23 hab** 2100/3400.

Montes, carret. de Tembleque 1 (925) 16 02 05 – .

LLACARRILLO *23300 Jaén 446 R 20 – 10 925 h. alt. 785.*
Madrid 349 – Albacete 172 – Úbeda 32.

Las Villas, carret. N 322 (953) 44 09 57, *Fax (953) 44 01 25* – TV . E VISA.
Comida 1200 – 400 – **37 hab** 3500/6000.

LLACASTÍN *40150 Segovia 442 J 16 – 1 600 h. alt. 1 100.*
Madrid 79 – Ávila 29 – Segovia 36 – Valladolid 105.

la autopista A 6 *Sureste : 4,5 km – 40150 Villacastín :*

Las Chimeneas, apartado 11, (921) 19 86 40, *Fax (921) 19 81 69* – .

LLADANGOS DEL PÁRAMO *24392 León 441 E 12 – 1 019 h. alt. 894.*
Madrid 331 – León 18 – Ponferrada 87.

Avenida III, carret. N 120 - Noreste : 1,5 km (987) 39 03 11, *Fax (987) 39 03 12,* – TV – 25/75. AE E VISA.
Comida (ver rest. ***Avenida II***) – 500 – **28 hab** 4800/7000.

Avenida II con hab, carret. N 120 - Noreste : 1,5 km (987) 39 00 81, *Fax (987) 39 03 11* – rest, TV . AE E VISA.
Comida carta aprox. 2900 – 500 – **10 hab** 4800/7000.

LLADIEGO *09120 Burgos 442 E 17 – 2 125 h. alt. 842.*
Madrid 282 – Burgos 39 – Palencia 84 – Santander 150.

El Condestable, av. Reyes Católicos 2 (947) 36 17 32, *Fax (947) 36 17 02* – . VISA.
cerrado del 15 al 30 de septiembre – **Comida** 2100 – 650 – **24 hab** 5200/6700 – PA 4700.

VILLAFRAMIL o **VILAFRAMIL** *27797 Lugo* 441 **B 8.**

Madrid 604 – La Coruña/A Coruña 14 – Lugo 98 – Ribadeo 5 – Oviedo 150.

XX **La Villa,** carret. N 634 ✆ (982) 12 30 01 – P. AE O E VISA. ✱
cerrado martes (salvo julio-agosto) y 2ª quincena de noviembre – **Comida** carta 235
4050.

VILLAFRANCA DEL BIERZO *24500 León* 441 **E 9** – *4 136 h. alt. 511.*

Madrid 403 – León 130 – Lugo 101 – Ponferrada 21.

Parador de Villafranca del Bierzo, av. de Calvo Sotelo ✆ (987) 54 01
Fax (987) 54 00 10 – ≡ rest, TV ☎ P – 25/40. AE O E
JCB. ✱
cerrado 20 diciembre-enero – **Comida** 3200 – ☕ 1200 – **40 hab** 10800/1350
PA 6450.

San Francisco sin rest, pl. Mayor 6 ✆ (987) 54 04 65, *Fax (987) 54 05 44* – TV ☎
VISA. ✱
☕ 500 – **20 hab** 5200/7350.

Casa Méndez, pl. de la Concepción ✆ (987) 54 24 08 – ≡ rest,. VISA. ✱
Comida 1300 – ☕ 400 – **12 hab** 2700/4500 – PA 2800.

VILLAFRANCA DEL PANADÉS o **VILAFRANCA DEL PENEDÈS** *08720 Barcel*
443 **H 35** – *28 018 h. alt. 218.*

Cort 14 ✆ (93) 892 03 58 Fax (93) 818 14 79.

Madrid 572 – Barcelona 54 – Tarragona 54.

Domo, Francesc Macià 2 ✆ (93) 817 24 26, *Fax (93) 817 08 53* – ≡ TV ☎ ♿
– 25/200. AE O E VISA. ✱
Comida 1800 – ☕ 1100 – **44 hab** 10900/14000 – PA 4700.

Pedro III el Grande, pl. del Penedès 2 ✆ (93) 890 31 00, *Fax (93) 890 39 21* –
TV ☎ P. AE O E VISA. ✱ rest
Comida *(cerrado domingo)* 1500 – ☕ 750 – **52 hab** 6800/8500 – PA 3000.

XX **Cal Ton,** Casal 8 ✆ (93) 890 37 41 – ≡. AE O E VISA
cerrado domingo noche, festivos noche, lunes, Semana Santa y 1ª quincena de agost
Comida carta 3360 a 5100.

X **Casa Joan,** pl. de l'Estació 8 ✆ (93) 890 31 71 – ≡. AE E VISA. ✱
cerrado domingo, Navidades, Semana Santa y del 16 al 31 de agosto – **Comida** - s
almuerzo salvo sábado - carta 3125 a 4800.

por la carretera N 340 *Suroeste : 2,5 km – ✉ 08720 Villafranca del Panadés :*

Alfa Penedès, ✆ (93) 817 20 26, *Fax (93) 817 22 45* – ≡ TV ☎ ♿ P – 25/2
AE O E VISA. ✱ rest
Gran Mercat : **Comida** carta 2500 a 4100 – ☕ 1100 – **58 hab** 11100/139
1 suite.

VILLAGARCÍA DE AROSA o **VILAGARCÍA DE AROUSA** *36600 Pontevedra* 441 **E**
31 760 h. – Playa.

Alred. : *Mirador de Lobeira★ Sur : 4 km.*

Juan Carlos I-37 ✆ (986) 51 01 44 Fax (986) 51 01 44.

*Madrid 632 – Orense/Ourense 133 – Pontevedra 25 – Santiago de Compost
42.*

San Luis sin rest, av. de la Marina 16 ✆ (986) 50 73 18, *Fax (986) 50 73 18* – TV ☎.
E VISA. ✱
27 hab ☕ 4000/5500.

XXX **Paco Feixó** con hab, av. Rosalía de Castro 81 ✆ (986) 51 26 91, *Fax (986) 50 80 70*
– ≡ TV ☎. AE O E VISA
Comida *(cerrado domingo noche y lunes en invierno, 15 enero-15 febr
y del 15 al 31 de octubre)* carta 4450 a 6600 – **14 hab** ☕ 550
10000.

VILLAGONZALO-PEDERNALES *09195 Burgos* 442 **F 18** – *456 h. alt. 900.*

Madrid 231 – Aranda de Duero 76 – Burgos 8 – Palencia 81.

Rey Arturo, autovía N 620 - salida 6 ó 7 ✆ (947) 29 42 51, *Fax (947) 29 42 54,*
TV ☎ ♿ P. AE E VISA. ✱ rest
Comida 1600 – ☕ 600 – **52 hab** 5800/9100.

ILLAJOYOSA o **La VILA JOIOSA** *03570 Alicante* 445 Q 29 - *23 160 h.*

Costera del Mar ☎ (96) 685 13 71 Fax (96) 589 13 01.
Madrid 450 - Alicante/Alacant 32 - Gandía 79.

or la carretera de Alicante *Suroeste : 3 km - ✉ 03570 Villajoyosa :*

Montíboli ⛱, ☎ (96) 589 02 50, *Fax (96) 589 38 57*, ←, 🌴, 🏊, 🏖, 🎾 - 🛗 ▤ TV ☎ 🅿 - 🏛 25/65. AE ⓓ E VISA. ⅋ rest
Emperador : **Comida** carta 5400 a 6600 - ***Minarete*** *(sólo almuerzo, cerrado lunes, y octubre-marzo)* **Comida** carta 2700 a 3950 - **49 hab** ☕ 15000/26000, 4 suites.

Eurotennis, ☎ (96) 589 12 50, *Fax (96) 589 11 94*, ←, Fø, 🏊, 🏖, 🎾 - 🛗 ▤ TV ☎ 🅿 - 🏛 50/200. AE ⓓ E VISA. ⅋ rest
Comida carta aprox. 3775 - ☕ 1200 - **98 hab** 10000/13000.

ILLALBA o **VILALBA** *27800 Lugo* 441 C 6 - *15 643 h. alt. 492.*

Madrid 540 - La Coruña/A Coruña 87 - Lugo 36.

Villamartín, av. Tierra Llana ☎ (982) 51 12 15, *Fax (982) 51 11 35*, Fø, 🏊, 🎾 - 🛗, ▤ rest, TV ☎ 🚗 🅿 - 🏛 25/200. AE ⓓ E VISA. ⅋
Comida 1900 - ☕ 600 - **60 hab** 6300/7800.

ILLALBA DE LA SIERRA *16140 Cuenca* 444 L 23 - *535 h. alt. 950.*

Alred. : *Este : Ventano del Diablo (← garganta del Júcar★).*
Madrid 183 - Cuenca 21.

El Tablazo ⛱, camino de la Noria ☎ (969) 28 14 88, *Fax (969) 28 14 88*, 🌴, Pesca deportiva, « Integrado en plena naturaleza junto al río Júcar » - 🛗 TV ☎ 🅿. E VISA. ⅋
marzo-10 diciembre - **Comida** 1600 - ☕ 475 - **28 hab** 5100/7200.

Mesón Nelia, carret. de Cuenca ☎ (969) 28 10 21, *Fax (969) 28 10 78* - ▤ 🅿. AE E VISA. ⅋
cerrado miércoles y 12 enero-15 febrero - **Comida** carta 2500 a 3600.

ILLALONGA o **VILALONGA** *36990 Pontevedra* 441 E 3.

Madrid 629 - Pontevedra 23 - Santiago de Compostela 66.

Pazo El Revel ⛱ sin rest, camino de la Iglesia ☎ (986) 74 30 00, *Fax (986) 74 33 90*, « Pazo del siglo XVII con jardín », 🏊, 🎾 - ☎ 🅿. VISA. ⅋
junio-15 septiembre - **22 hab** ☕ 7800/12600.

n la carretera de Sangenjo *Sureste : 3 km - ✉ 36990 Villalonga :*

Nuevo Astur, Gondar 38 ☎ (986) 74 30 06, *Fax (986) 74 43 92*, 🏊, 🎾 - 🛗, ▤ rest, TV ☎ 🅿. VISA. ⅋
Comida 3450 - ☕ 850 - **143 hab** 9150/10875.

ILLALONGA *46720 Valencia* 445 P 29 - *3 564 h. alt. 92.*

Madrid 427 - Alicante/Alacant 112 - Gandía 11 - Valencia 79.

Tarsan, Partida Reprimala - Oeste : 2 km ☎ (96) 280 50 79, ←, 🌴 - ▤ 🅿. AE ⓓ E VISA JCB. ⅋
Comida - sólo almuerzo de octubre a junio - carta 1825 a 3500.

ILLALONQUÉJAR *Burgos - ver Burgos.*

ILLAMAYOR *33583 Asturias* 441 B 14.

Madrid 508 - Avilés 74 - Gijón 70 - Oviedo 52 - Ribadesella 29.

or la carretera de Cereceda *Noreste : 5 km - ✉ 33583 Villamayor :*

Palacio de Cutre ⛱, La Goleta ☎ (98) 570 80 72, *Fax (98) 570 80 19*, « Antigua casa señorial decorada en estilo rústico, en un pintoresco paraje con ← valles y montañas », 🏖 - TV ☎ 🅿. AE ⓓ E VISA JCB. ⅋
cerrado 25 enero-16 marzo - **Comida** *(cerrado lunes noche)* 3750 - ☕ 975 - **12 hab** 10950/14850.

VILLAMAYOR *37185 Salamanca* 441 J 12 – *1 175 h. alt. 782.*

Madrid 212 – Ávila 103 – Ciudad Rodrigo 96 – Salamanca 3 – Zamora 62.

XX **La Caserna,** Larga ☎ (923) 28 95 03, *Fax (923) 28 95 03*, « Interior castellano c patio » – ▤. AE ⓓ E VISA. ✻
cerrado domingo noche – **Comida** carta 3600 a 3900.

VILLAMAYOR DEL RÍO *09259 Burgos* 442 E 20.

Madrid 294 – Burgos 51 – Logroño 63 – Vitoria/Gasteiz 80.

X **León,** carret. N 120 ☎ (947) 58 02 37, *Fax (947) 58 02 37* – ▤ P. AE ⓓ VISA. ✻
cerrado domingo noche, lunes y 15 junio-15 julio – **Comida** carta 2575 a 3600.

VILLAMOROS DE LAS REGUERAS *24195 León* 441 E 13.

Madrid 350 – León 6 – Oviedo 120 – Ponferrada 105.

X **Mesón el Gallego,** Real 77 ☎ (987) 24 59 22 – ▤. ⓓ E VISA. ✻
cerrado lunes y 2ª quincena de agosto – **Comida** - carnes a la brasa - carta 27 a 3900.

VILLANÚA *22870 Huesca* 443 D 28 – *268 h. alt. 953.*

Madrid 496 – Huesca 106 – Jaca 15.

Faus Hütte sin rest, carret. N 330 ☎ (974) 37 81 36, *Fax (974) 37 81 98*, ← – TV AE ⓓ E VISA
10 hab ☐ 6000/10200.

Reno, carret. N 330 ☎ (974) 37 80 66, *Fax (974) 37 81 30* – TV ☎ P. AE ⓓ VISA. ✻
cerrado del 15 al 30 de junio y noviembre – **Comida** *(cerrado domingo noche y lunes)* 18 – ☐ 500 – **15 hab** 4500/7500 – PA 4100.

VILLANUEVA DE ARGAÑO *09132 Burgos* 442 E 18 – *124 h. alt. 838.*

Madrid 264 – Burgos 21 – Palencia 78 – Valladolid 115.

XX **Las Postas de Argaño** con hab, av. Rodríguez de Valcarce ☎ (947) 45 01 5 *Fax (947) 45 01 66*, 🏊 – ▤ rest, TV ☎ 🚗 P. E VISA. ✻
cerrado febrero – **Comida** *(cerrado domingo noche)* carta 2100 a 3375 – ☐ 600 – **11 h** 4000/5000.

VILLANUEVA DE CÓRDOBA *14440 Córdoba* 446 R 16 – *9 534 h. alt. 724.*

Madrid 340 – Ciudad Real 143 – Córdoba 67.

Demetrius sin rest y sin ☐, av. de Cardeña ☎ (957) 12 02 94 – E VISA. ✻
23 hab 1800/3500.

VILLANUEVA DE GÁLLEGO *50830 Zaragoza* 443 G 27 – *2 460 h. alt. 243.*

Madrid 333 – Huesca 57 – Lérida/Lleida 156 – Pamplona/Iruñea 179 Zaragoza 14.

XXX **La Val d'Onsella,** Pilar Lorengar 1 ☎ (976) 18 03 88, *Fax (976) 18 61 13* – ▤ P. ⓓ VISA. ✻
cerrado domingo noche, lunes y Semana Santa – **Comida** carta 3500 4500.

VILLANUEVA DE LA PEÑA *39509 Cantabria* 442 C 17.

Madrid 386 – Burgos 154 – Oviedo 163 – Palencia 172 – Santander 51.

El Palacio de Bracho 🐌, ☎ (942) 70 85 16, *Fax (942) 70 85 16*, ←, « Antigua c de campo » – TV P. E VISA. ✻
Comida 1200 – **8 hab** ☐ 3000/6500 – PA 2400.

VILLANUEVA DE LOS INFANTES *13320 Ciudad Real* 444 P 21 – *5 664 alt. 840.*

Madrid 219 – Albacete 126 – Ciudad Real 100 – Valdepeñas 35.

Hospedería Real El Buscón de Quevedo, Frailes 1 ☎ (926) 36 17 *Fax (926) 36 17 97*, « Instalado en un convento del siglo XVI » – ▤ TV ☎ 🚗 P 🏛 25/400. AE ⓓ E VISA. ✻
Comida 1975 – ☐ 495 – **24 hab** 5375/8680 – PA 3775.

VILLANUEVA Y GELTRÚ o VILANOVA I LA GELTRÚ 08800 Barcelona 443 I 35 – 45 883 h. – Playa.

Ver : *Museo romántico-Casa Papiol★ – Biblioteca-Museo Balaguer★, Museo del Ferrocarril★.*

Parc de Ribes Roges ☎ (93) 815 45 17 Fax (93) 815 26 93.

Madrid 589 – Barcelona 50 – Lérida/Lleida 132 – Tarragona 46.

en la zona de la playa :

César, Isaac Peral 4 ☎ (93) 815 11 25, *Fax (93) 815 67 19,* , « Terraza con arbolado » – , hab, – 25/120. AE E VISA. rest
Comida 2500 - ***La Fitorra*** *(cerrado domingo noche y lunes salvo julio-agosto)* **Comida** carta 3670 a 5795 – 1000 – **28 hab** 9760/11860, 2 suites – PA 4795.

Ceferino, passeig Ribes Roges 2 ☎ (93) 815 17 19, *Fax (93) 815 89 31,* – . AE E VISA.
Comida 1900 – 700 – **30 hab** 8000/10000.

Solvi 70, passeig Ribes Roges 1 ☎ (93) 815 12 45, *Fax (93) 815 70 02,* ← – . E VISA.
cerrado 10 octubre-10 noviembre – **Comida** 1600 – 600 – **30 hab** 5000/9000 – PA 3100.

Ricard sin rest, passeig Marítim 88 ☎ (93) 815 71 00, *Fax (93) 815 99 57* – . AE E VISA
cerrado del 1 al 15 de enero – 550 – **12 hab** 9000.

Ribes Roges sin rest, Joan d'Austria 7 ☎ (93) 815 03 61, *Fax (93) 814 39 04* – . E VISA
12 hab 6500/8000.

XX **Peixerot,** passeig Marítim 56 ☎ (93) 815 06 25, *Fax (93) 815 04 50,* – . AE E VISA.
cerrado domingo noche salvo verano – **Comida** - pescados y mariscos - carta 3150 a 4500.

X **Pere Peral,** Isaac Peral 15 ☎ (93) 815 29 96, *Fax (93) 815 26 02,* , « Terraza bajo los pinos » – E VISA
cerrado lunes y noviembre – **Comida** carta 3250 a 4650.

X **La Botiga,** passeig Marítim 75 ☎ (93) 815 60 78, – . E VISA.
Comida - pescados y mariscos - carta 3375 a 4800.

X Chez Bernard, Ramón Llull 4 ☎ (93) 815 56 04,
Comida - cocina francesa -.

X **Avi Pep,** Llibertat 128 ☎ (93) 815 17 36 – . E VISA.
Comida carta aprox. 3600.

en Racó de Santa Llúcia *Oeste : 2,5 km – ✉ 08800 Villanueva y Geltrú :*

XX **La Cucanya,** ☎ (93) 815 19 34, *Fax (93) 815 43 54,* ←, – . AE E VISA.
cerrado del 1 al 15 de noviembre – **Comida** - cocina italiana - carta 3250 a 3625.

VILLARCAYO *09550 Burgos* 442 D 19 – *4 121 h. alt. 615.*

Madrid 321 – Bilbao/Bilbo 81 – Burgos 78 – Santander 100.

Plati, Nuño Rasura 20 ☎ (947) 13 10 15, – . E VISA
cerrado 21 diciembre-enero – **Comida** 3100 – 375 – **27 hab** 4500/6900.

Mini-Hostal sin rest. con sólo en verano, Dr. Albiñana 70 ☎ (947) 13 15 40 – .
300 – **17 hab** 4500/5500.

en Horna *Sur : 1 km – ✉ 09554 Horna :*

Doña Jimena, ☎ (947) 13 05 63, *Fax (947) 13 05 70* – . VISA.
Comida (ver rest ***Mesón El Cid***) – **21 hab** 6000/9000, 1 suite.

XX **Mesón El Cid,** ☎ (947) 13 11 71, *Fax (947) 13 05 70* – . VISA.
cerrado noviembre – **Comida** carta 2700 a 5925.

VILLARLUENGO *44559 Teruel* 443 K 28 – *245 h. alt. 1119.*
Madrid 370 – Teruel 94.

en la carretera de Ejulve *Noroeste : 7 km – ✉ 44559 Villarluengo :*

La Trucha, Las Fábricas ☎ (974) 77 30 08, Telex 62614, *Fax (974) 77 31 00*, – ☎ P. AE ⓓ E VISA
Comida 2100 – ☐ 850 – **56 hab** 8975/11230 – PA 5050.

VILLARREAL o **VILA-REAL** *12540 Castellón* 445 M 29 – *37660 h.*
Madrid 416 – Castellón de la Plana/Castelló de la Plana 17 – Valencia 61.

Ihintza, av. Pius XII-31 ☎ (964) 52 75 41 – ▤. AE E VISA.
cerrado domingo y del 14 al 25 de agosto – **Comida** carta aprox. 5200.

VILLARREAL DE ÁLAVA o **LEGUTIANO** *01170 Álava* 442 D 22 – *1214 h. alt. 975.*
Madrid 370 – Bilbao/Bilbo 51 – Vitoria/Gasteiz 15.

El Crucero, Kurutxalde (carret. N 240) ☎ (945) 45 50 33 – E VISA.
Comida carta aprox. 2800.

VILLARROBLEDO *02600 Albacete* 444 O 22 – *20396 h. alt. 724.*
Madrid 183 – Albacete 84 – Alcázar de San Juan 82.

Castillo sin rest, av. Reyes Católicos 20 ☎ (967) 14 33 11, *Fax (967) 14 33 11* – ▤ ☎ P. VISA.
☐ 300 – **28 hab** 3500/6000.

en la carretera N 310 *Suroeste : 6 km – ✉ 02600 Villarrobledo :*

Gran Sol, ☎ (967) 14 02 45, *Fax (967) 14 70 97* – ▤ TV ☎ P. E VISA.
Comida 1500 – ☐ 500 – **33 hab** 2500/5000 – PA 3500.

VILLARRODIS *La Coruña – ver Arteijo.*

VILLASANA DE MENA *09580 Burgos* 442 C 20 – *alt. 312.*
Madrid 358 – Bilbao/Bilbo 44 – Burgos 115 – Santander 101.

Cadagua, Ángel Nuño 26 ☎ (947) 12 61 25, *Fax (947) 12 61 26*, ←, – ⓓ VISA.
Comida 1600 – ☐ 500 – **27 hab** 5000/7000 – PA 3100.

VILLASOBROSO *36879 Pontevedra* 441 F 4.
Madrid 560 – Orense/Ourense 66 – Pontevedra 40 – Vigo 34.

O'Rianxo, carret. N 120 ☎ (986) 65 44 34 – ▤.

VILLATOBAS *45310 Toledo* 444 M 20 – *2451 h. alt. 723.*
Madrid 80 – Albacete 169 – Cuenca 129 – Toledo 71.

Seller con hab, carret. N 301 - Noroeste : 1,7 km ☎ (925) 15 20 67, *Fax (925) 15 20* – ▤ TV ☎ P. AE ⓓ E VISA JCB.
Comida carta 2000 a 3800 – ☐ 450 – **17 hab** 4000/5500.

VILLAVERDE DE PONTONES *39793 Cantabria* 442 B 18.
Madrid 387 – Bilbao/Bilbo 86 – Burgos 153 – Santander 14.

Cenador de Amós, pl. del Sol ☎ (942) 50 82 43, *Fax (942) 50 82 43*, « Antigua casc señorial » – P. VISA.
cerrado domingo noche, lunes, del 6 al 31 de enero y del 1 al 10 de octubre – **Comi** carta 3695 a 5145
Espec. Gambas al ajillo con alcachofa frita y jugo de pollo (primavera). Lomo cordero al estragón con pilaf de trigo. Sopa de pera con crema de calabaza y guirlac de galleta.

VILLAVICIOSA *05130 Ávila* 444 K 15.
Madrid 136 – Ávila 27 – Béjar 90 – Salamanca 123 – Talavera de la Reina 100.

Sancho de Estrada, ☎ (920) 29 10 82, *Fax (920) 29 10 82*, « Castillo medieva – TV ☎ P. AE ⓓ E VISA.
Comida 2500 – ☐ 650 – **12 hab** 6450/9775.

VILLAVICIOSA *33300 Asturias* 441 **B 13** – *15 093 h. alt. 4.*

Alred. : *Iglesia y Monasterio de San Salvador de Valdediós★ Suroeste : 7 km.*

Madrid 493 – Gijón 30 – Oviedo 41.

Casa España sin rest, pl. Carlos I-3 ☎ (98) 589 20 30, *Fax (98) 589 26 82* – TV ☎. AE ⊙ E VISA. ✻
☕ 600 – **12 hab** 8000/10000.

Carlos I sin rest, pl. Carlos I-4 ☎ (98) 589 01 21, *Fax (98) 589 00 51* – TV ☎. AE ⊙ E VISA. ✻
☕ 470 – **14 hab** 8000.

Avenida sin rest, Carmen 10 ☎ (98) 589 15 09, *Fax (98) 589 15 09* – TV ☎. AE ⊙ E VISA. ✻
9 hab ☕ 5500/8000.

Ver también : **Amandi** *Sur : 1,5 km.*

VILLAVIEJA DEL LOZOYA *28739 Madrid* 444 **I 18** – *157 h. alt. 1 066.*

Madrid 86 – Guadalajara 92 – Segovia 85.

XX **Hospedería El Arco** con hab, El Arco 6 ☎ (91) 868 09 11, *Fax (91) 868 13 20*, ←, « Arco mudéjar original » – TV. AE E VISA. ✻ rest
15 junio-15 septiembre y fines de semana resto del año (salvo 24 diciembre-6 enero) – **Comida** carta 3150 a 4400 – ☕ 700 – **8 hab** 5000/7200.

VILLENA *03400 Alicante* 445 **Q 27** – *31 141 h. alt. 503.*

Ver : *Museo Arqueológico (tesoro de Villena★★).*

Madrid 361 – Albacete 110 – Alicante/Alacant 58 – Valencia 122.

Salvadora, av. de la Constitución 102 ☎ (96) 580 09 50, *Fax (96) 581 34 66* – |‡| ▤ TV ☎. AE ⊙ E VISA. ✻
Comida carta 2700 a 4000 – ☕ 450 – **45 hab** 3800/5700.

XX **Wary Nessy,** Isabel la Católica 13-A ☎ (96) 580 10 47 – ▤. AE ⊙ E VISA. ✻
cerrado lunes, Semana Santa y 2ª quincena de julio – **Comida** carta 2850 a 4475.

VILLOLDO *34131 Palencia* 442 **F 16** – *558 h. alt. 790.*

Madrid 253 – Burgos 96 – Palencia 27.

XX **Estrella del Bajo Carrión** ⛰ con hab, antigua carret. C 615 ☎ (979) 82 70 05, *Fax (979) 82 72 69* – ☎ Ⓟ. ⊙ E VISA. ✻
Comida *(cerrado lunes salvo junio-septiembre y festivos)* carta 3000 a 4500 – ☕ 450 – **20 hab** 4000/6000.

VILVIESTRE DEL PINAR *09690 Burgos* 442 **G 20** – *764 h. alt. 1 139.*

Madrid 213 – Aranda de Duero 93 – Burgos 78 – Logroño 106 – Soria 75.

X **Mesón El Molino,** Norte : 2,5 km ☎ (947) 39 06 76 – Ⓟ. ✻
Comida carta 2700 a 3700.

VINAROZ o **VINARÒS** *12500 Castellón* 445 **K 31** – *19 902 h. – Playa.*

ℹ *pl. Jovellar ☎ (964) 64 91 16 Fax (964) 64 91 16.*

Madrid 498 – Castellón de la Plana/Castelló de la Plana 76 – Tarragona 109 – Tortosa 48.

Teruel, av. de Madrid 32 ☎ (964) 40 04 24, *Fax (964) 40 04 24* – ▤ TV ☎. E VISA. ✻
Comida *(cerrado del 1 al 15 de septiembre)* 1350 – ☕ 400 – **20 hab** 4600/6500 – PA 3000.

Miramar sin rest y sin ☕, paseo Blasco Ibáñez 12 ☎ (964) 45 14 00, ← – |‡|. VISA. ✻
17 hab 4000/6000.

El Pino sin rest y sin ☕, San Pascual 47 ☎ (964) 45 05 53 – ✻
7 hab 2485/3980.

X **El Langostino de Oro,** San Francisco 31 ☎ (964) 45 12 04, *Fax (964) 45 17 93* – ▤. AE ⊙ E VISA. ✻
cerrado martes – **Comida** - pescados y mariscos - carta 4000 a 4775.

X **La Cuina,** paseo Blasco Ibáñez 12 ☎ (964) 45 47 36 – AE ⊙ E VISA. ✻
cerrado domingo noche en invierno y Navidades – **Comida** carta 3300 a 4700.

X **La Isla,** San Pedro 5 ☎ (964) 45 23 58, ← – ▤. AE ⊙ E VISA. ✻
cerrado lunes, del 15 al 30 de enero y del 15 al 30 de octubre – **Comida** carta 2700 a 5050.

X **Voramar,** av. Colón 34 ☎ (964) 45 00 37 – ▤. E VISA. ✻
cerrado noviembre – **Comida** carta 2900 a 3800.

en la carretera N 340 *Sur : 2 km – ✉ 12500 Vinaroz :*

Roca, ✆ (964) 40 13 12, *Fax (964) 40 08 16*, ⛱, ❀ – ▤ rest, 📺 ☎ 🚗 🅟. E VISA
rest
Comida *(cerrado domingo noche en invierno)* 1300 – ☕ 450 – **36 hab** 3900
5800.

VINYOLES *Barcelona – ver Masias de Voltregá.*

VIÑUELA *29712 Málaga* 446 **V 17** – *1 149 h. alt. 150.*
Madrid 500 – Almería 188 – Granada 114 – Málaga 48 – Motril 77.

por la carretera A 335 *Noroeste : 1,5 km y desvío a la izquierda 1,5 km – ✉ 29712 Viñuel*

La Viñuela ⛵, ✆ (95) 251 91 93, *Fax (95) 251 92 82*, ≤, « Conjunto acogedor jun al embalse de la Viñuela », ⛱, ❀ – ▤ 📺 ☎ 🅟. AE E VISA.
Comida carta aprox. 2900 – ☕ 550 – **14 hab** 5655/7710.

VIRGEN DEL CAMINO *24198 León* 441 **E 13**.
Madrid 333 – Burgos 198 – León 6 – Palencia 134.

Las Redes, av. Astorga 40 ✆ (987) 30 01 64 – ▤. AE ⓓ E VISA.
cerrado lunes y del 1 al 20 de julio – **Comida** - pescados y mariscos - carta aprc 3700.

EL VISO DEL ALCOR *41520 Sevilla* 446 **T 12** – *15 107 h. alt. 143.*
Madrid 524 – Córdoba 117 – Granada 252 – Sevilla 31.

Picasso sin rest, av. del Trabajo 11 ✆ (95) 574 09 00, *Fax (95) 594 63 67* – |‡| ▤ ☎ 🅟. ⓓ E VISA.
☕ 625 – **44 hab** 9000/12000.

VISO DEL MARQUÉS *13770 Ciudad Real* 444 **Q 19** – *3 075 h. alt. 776.*
Madrid 236 – Ciudad Real 72 – Córdoba 166 – Puertollano 66 – Úbeda 107 – Valdepeñ 39.

Hospedería La Almazara del Marqués, Almagro ✆ (926) 33 71 5 *Fax (926) 33 71 56*, ⛱, « Antigua almazara de aceite » – 📺 ☎ 🅟. E VISA
Comida 1800 – ☕ 500 – **15 hab** 5200/7000.

VITORIA o GASTEIZ *01000* P *Álava* 442 **D 21 y 22** – *209 704 h. alt. 524.*

Ver : *Museo de Arqueología (estela del jinete★)* BY**M1** – *Museo del Naipe "Fournier"* BY**M4***Museo de Armería★* AZ**M3.**

Alred. : *Gaceo★ (iglesia : frescos góticos★) 21 km por ②.*

✈ *de Vitoria, por ④ : 8 km* ✆ *(945) 16 35 00* – *Iberia : av. Gasteiz 84* ✉ *010* ✆ *(945) 16 36 37* AY.

ℹ *parque de la Florida* ✉ *01008* ✆ *(945) 13 13 21 Fax (945) 13 02 93* – **R.A.C.V.N.** *pl. S Martín 4* ✉ *01009* ✆ *(945) 22 86 00 Fax (945) 22 32 07.*

Madrid 352 ③ – Bilbao/Bilbo 64 ④ – Burgos 111 ③ – Logroño 93 ③ – Pamplona/Iruñ 93 ② – San Sebastián/Donostia 115 ② – Zaragoza 260 ③

Plano página siguiente

Gasteiz, av. Gasteiz 45, ✉ 01009, ✆ (945) 22 81 00, *Fax (945) 22 62 58* – |‡| ▤ 📺 🚗 – 🏛 25/250. AE ⓓ E VISA. AY
Comida *(cerrado domingo y 2ª quincena de agosto)* 2200 – ☕ 1300 – **146 h** 12000/17500, 4 suites.

Ciudad de Vitoria, Portal de Castilla 8, ✉ 01008, ✆ (945) 14 11 0 *Fax (945) 14 36 16*, 🏋 – |‡| ▤ 📺 ☎ ♿ 🚗 – 🏛 25/500. AE ⓓ VISA. AZ
Comida 1900 – ☕ 1350 – **148 hab** 14700/16700, 1 suite.

NH Canciller Ayala, Ramón y Cajal 5, ✉ 01007, ✆ (945) 13 00 00, *Fax (945) 13 35* – |‡| ▤ 📺 ☎ 🚗 – 🏛 25/250. AE ⓓ E VISA. AZ
Comida 2500 - ***Quejana*** **: Comida** carta 4000 a 5200 – ☕ 1300 – **174 hab** 13700/1590 10 suites – PA 5300.

General Álava sin rest. con cafetería, av. Gasteiz 79, ✉ 01009, ✆ (945) 22 22 C *Fax (945) 24 83 95* – |‡| 📺 ☎ 🚗 – 🏛 25/150. AE ⓓ E VISA. AY
☕ 1150 – **113 hab** 8800/15000, 1 suite.

GASTEIZ VITORIA

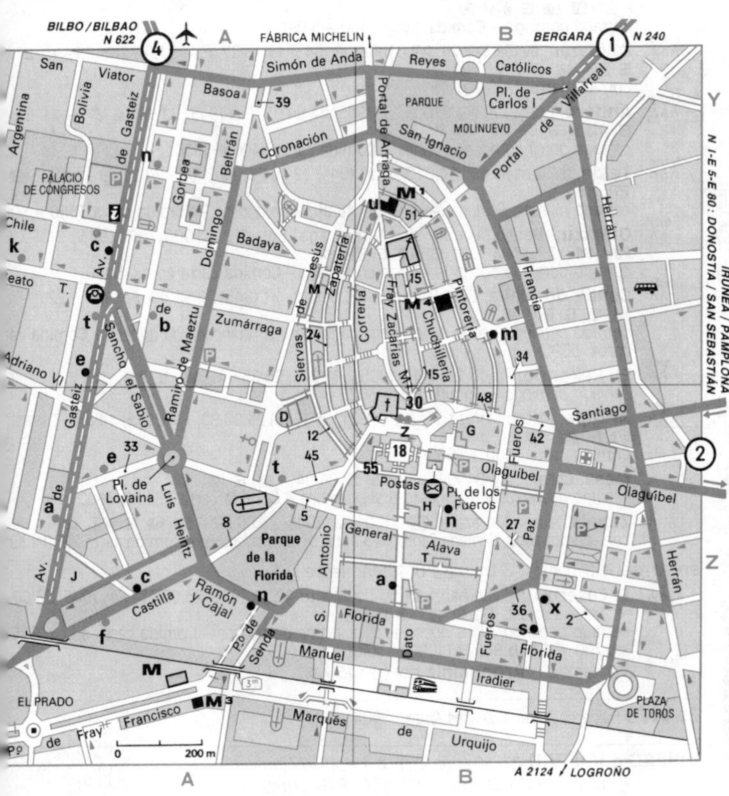

🏠 **Dato** sin rest y sin ☕, Dato 28, ✉ 01005, ☎ (945) 14 72 30, *Fax (945) 23 23 20*, « Decoración original » – TV ☎. AE ① E VISA BZ a
14 hab 3725/5130.

🏠 **Páramo** sin rest, General Álava 11 (pasaje), ✉ 01005, ☎ (945) 14 02 40, *Fax (945) 14 04 92* – ⇕ TV ☎. AE E VISA BZ n
cerrado 22 diciembre-7 enero – **40 hab** ☕ 5000/8000.

🏠 **Achuri** sin rest, Rioja 11, ✉ 01005, ☎ (945) 25 58 00, *Fax (945) 26 40 74* – ⇕ TV ☎. ① E VISA. ✂ BZ x
☕ 475 – **40 hab** 4100/6500.

🏠 **Desiderio** sin rest, Colegio de San Prudencio 2, ✉ 01001, ☎ (945) 25 17 00, *Fax (945) 25 17 22* – ⇕ TV ☎. AE ① VISA. ✂ BY m
cerrado 24 diciembre-2 enero – ☕ 550 – **21 hab** 3900/6300.

🏠 **Iradier** sin rest y sin ☕, Florida 49, ✉ 01005, ☎ (945) 27 90 66, *Fax (945) 14 53 29* – ⇕ TV ☎. AE ① E VISA. ✂ BZ s
19 hab 4500/7000.

XXX **Ikea,** Portal de Castilla 27, ✉ 01007, ☎ (945) 14 47 47, *Fax (945) 23 35 07*, « Instalado en una villa » – ▤ P. AE ① E VISA. ✂ AZ f
cerrado domingo noche, lunes y 9 agosto-3 septiembre – **Comida** carta 4900 a 6700.

XXX **El Portalón,** Correría 151, ✉ 01001, ☎ (945) 14 27 55, *Fax (945) 14 42 01,* « Posa del siglo XV » – ▤. AE ⓓ VISA. ✂ BY
cerrado domingo, 24 diciembre-3 enero y 10 agosto-3 septiembre – **Comida** carta 41 a 6550.

XXX **Dos Hermanas,** Madre Vedruna 10, ✉ 01008, ☎ (945) 13 29 34, *Fax (945) 13 16* – ▤. AE ⓓ E VISA. ✂ AZ
cerrado domingo – **Comida** carta 4300 a 5150.

XXX **Zaldiarán,** av. Gasteiz 21, ✉ 01008, ☎ (945) 13 48 22, *Fax (945) 13 45 95* – ▤. AE E VISA. ✂ AZ
Comida carta 4725 a 6175.

XXX **Andere,** Gorbea 8, ✉ 01008, ☎ (945) 24 54 05, *Fax (945) 22 88 44,* ☂ – ▤. AE E VISA JCB. ✂ AY
cerrado domingo noche y lunes – **Comida** carta 3400 a 5350.

XXX **Teide,** av. Gasteiz 61, ✉ 01008, ☎ (945) 22 10 23, *Fax (945) 24 21 49* – ▤. AE ⓓ VISA. ✂ AY
cerrado martes, Semana Santa y del 16 al 31 de agosto – **Comida** carta 3350 a 50

XX **Olárizu,** Beato Tomás de Zumárraga 54, ✉ 01009, ☎ (945) 24 77 *Fax (945) 22 88 46* – ▤. AE ⓓ E VISA. ✂ AY
cerrado domingo noche y 15 días en agosto – **Comida** carta aprox. 5200.

XX **Conde de Álava,** Cruz Blanca 8, ✉ 01012, ☎ (945) 22 50 40, *Fax (945) 22 71 7* ▤. AE E VISA. ✂ AY
cerrado domingo noche, lunes, Semana Santa y 2ª quincena de agosto – **Comida** ca aprox. 3500.

XX **Eli Rekondo,** Prado 28, ✉ 01005, ☎ (945) 28 25 84 – ▤. E VISA. ✂ AZ
cerrado domingo – **Comida** carta 3025 a 4050.

XX **Arkupe,** Mateo Moraza 13, ✉ 01001, ☎ (945) 23 00 80, *Fax (945) 14 54 67* – ▤. ⓓ E VISA. ✂ BZ
Comida carta 3300 a 4600.

X **Mesa,** Chile 1, ✉ 01009, ☎ (945) 22 84 94 – ▤. E VISA. ✂ AY
cerrado miércoles y 10 agosto-8 septiembre – **Comida** carta 2850 a 3600.

X **Zabala,** Mateo Moraza 9, ✉ 01001, ☎ (945) 23 00 09 – AE ⓓ E VISA. ✂ BZ
cerrado domingo, Semana Santa y 13 agosto-13 septiembre – **Comida** carta 2850 a 39

en Armentia *por ③ : 3 km* – ✉ *01195 Armentia :*

XX **El Caserón** ⊗ con hab, camino del Monte 49 ☎ (945) 23 00 48, *Fax (945) 23 00* ←, ⛱ – ▤ rest, TV ☎ P. ⓓ E VISA. ✂
cerrado domingo, lunes noche y 2ª quincena de agosto – **Comida** carta aprox. 525
☕ 700 – **4 hab** 9000/11000, 1 suite.
Ver también : **Argómaniz** *por ② : 15 km.*

Es VIVÉ *Baleares – ver Baleares (Ibiza) : Ibiza.*

VIVERO o **VIVEIRO** *27850 Lugo* **441** **B 7** – *14 877 h.*
ℹ *av. de Ramón Canosa* ☎ *(982) 56 08 79 (temp).*
Madrid 602 – La Coruña/A Coruña 119 – Ferrol 88 – Lugo 98.

🏨 **Orfeo** sin rest, J. García Navia Castrillón 2 ☎ (982) 56 21 01, *Fax (982) 56 04 53,* ← – TV ☎. AE ⓓ E VISA. ✂
☕ 500 – **32 hab** 5000/7500.

en la playa de Area *por la carretera C 642 - Norte : 4 km* – ✉ *27850 Vivero :*

🏨 **Ego** ⊗, ☎ (982) 56 09 87, *Fax (982) 56 17 62,* ← – TV ☎ P. AE E VISA. ✂
Comida (ver rest. ***Nito***) – ☕ 855 – **29 hab** 8560/12840.

XXX **Nito,** ☎ (982) 56 09 87, *Fax (982) 56 17 62,* ← ría y playa – P. AE E VISA. ✂
Comida carta 4000 a 6300.

XÀBIA *Alicante – ver Jávea.*

XARA (La) *Alicante – ver La Jara.*

XARES *32365 Orense* **441** **F 9.**
Madrid 455 – Benavente 184 – Orense/Ourense 160 – Ponferrada 107 – Verin 91.

🏨 **El Ciervo** ⊗, ☎ (988) 29 48 78, *Fax (988) 29 45 23,* ⛱, ✂ – ▤ rest, TV ☎ P VISA. ✂
Comida 1400 – ☕ 600 – **20 hab** 5000/8000 – PA 3300.

ÀTIVA *Valencia - ver Játiva.*

UBIA *La Coruña - ver Jubia.*

AIZA *Las Palmas - ver Canarias (Lanzarote).*

OS YÉBENES *45470 Toledo 444 N 18 - 6 720 h. alt. 819.*
Madrid 113 - Toledo 43.

Montes de Toledo, antigua carret. N 401 - Noreste : 1,6 km (925) 32 01 75, *Fax (925) 32 01 75,* olivares y sierra de las Alberquillas - rest, . AE E VISA.
Comida 1200 - 400 - **39 hab** 6500/9500.

Apelio con hab, Real Arriba 1 (925) 32 00 05, *Fax (925) 32 04 19* - rest, AE E VISA JCB
cerrado del 15 al 31 de agosto - **Comida** carta 1800 a 3700 - 300 - **13 hab** 1800/4000.

ÉQUEDA *22193 Huesca 443 F 28.*
Madrid 398 - Huesca 6 - Sabiñánigo 48.

Fetra, carret. N 330 (974) 27 11 08, *Fax (974) 27 12 23,* - . E VISA
cerrado del 1 al 25 de noviembre - **Comida** 1500 - 800 - **21 hab** 3500/6000 - PA 3800.

ESA *31410 Navarra 442 E 26 - 296 h. alt. 492.*
Madrid 419 - Jaca 64 - Pamplona/Iruñea 47.

Señorio de Monjardín, carret. de Leyre - Oeste : 1 km (948) 88 41 88, *Fax (948) 88 42 00,* - , rest, - 25/300. AE E VISA.
Comida 3100 - 900 - **40 hab** 9600/12000.

El Jabalí, carret. de Jaca 48 (948) 88 40 86, *Fax (948) 88 40 42,* , - . E VISA. rest
marzo-noviembre y fines de semana resto del año - **Comida** 1400 - 450 - **21 hab** 3500/5200 - PA 3200.

Arangoiti, Don Rene Petit 17 (948) 88 41 22 - . AE E VISA.
cerrado del 15 al 30 de septiembre - **Comida** carta 2500 a 4150.

URRE o **IGORRE** *48140 Vizcaya 442 C 21 - 3 872 h. alt. 90.*
Madrid 390 - Bilbao/Bilbo 23 - Vitoria/Gasteiz 44.

Arantza, carret. Bilbao-Vitoria-km 22 (94) 673 63 28, *Fax (94) 631 90 85* - rest, . AE E VISA JCB.
cerrado 20 diciembre-3 enero - **Comida** 1400 - 600 - **34 hab** 6000/8500 - PA 2800.

USO (Monasterio de) *La Rioja - ver San Millán de la Cogolla.*

AFRA *06300 Badajoz 444 Q 10 - 14 065 h. alt. 509.*
Ver : *Las Plazas*★.
pl. de España 30 (924) 55 10 36.
Madrid 401 - Badajoz 76 - Mérida 58 - Sevilla 147.

Parador de Zafra, pl. Corazón de María 7 (924) 55 45 40, *Fax (924) 55 10 18,* « Instalado en un castillo del siglo XV. Patio de estilo renacentista », - - 25/150. AE E VISA JCB.
Comida 3500 - 1300 - **45 hab** 12000/15000 - PA 7055.

Huerta Honda, López Asme 32 (924) 55 41 00, *Fax (924) 55 25 04,* « Ambiente acogedor » - - 25/200. AE E VISA.
Comida (ver rest. ***Barbacana***) - 700 - **39 hab** 15200/19000.

El Ancla sin rest y sin , pl. España 8 (924) 55 43 82 - . AE E VISA.
15 hab 2500/5000.

Barbacana, López Asme 30 (924) 55 41 00, *Fax (924) 55 25 04,* « Decoración rústica elegante » - . E VISA.
cerrado domingo noche - **Comida** carta aprox. 3850.

Josefina, López Asme 1 (924) 55 17 01
- . E VISA.
cerrado domingo noche, lunes noche y agosto - **Comida** carta 2700 a 3700.

ZAGRILLA *Córdoba – ver Priego de Córdoba.*

ZAHARA DE LA SIERRA *11688 Cádiz* 446 **V 13** – *1 586 h. alt. 511.*
Madrid 548 – Cádiz 116 – Ronda 34.

Arco de la Villa, paseo Nazarí (956) 12 32 54, *Fax (956) 12 32 44*, « Magnífica situación con ≤ embalse, montañas y pueblos » – AE VISA JCB.
Comida 1970 – 525 – **17 hab** 5215/8470.

Marqués de Zahara, San Juan 3 (956) 12 30 61, *Fax (956) 12 30 61* – E VISA.
Comida 1500 – 500 – **10 hab** 3750/5650 – PA 3150.

ZAHARA DE LOS ATUNES *11393 Cádiz* 446 **X 12** – *1 591 h. – Playa.*
Madrid 687 – Algeciras 62 – Cádiz 70 – Sevilla 179.

Gran Sol, Dr. Sánchez Rodríguez (956) 43 93 01, *Fax (956) 43 91 97*, ≤, – AE E VISA JCB. rest
Comida 1800 – 600 – **51 hab** 10000/12500 – PA 4200.

Pozo del Duque, carret. Atlanterra 32 (956) 43 90 97, *Fax (956) 43 94 00*, ≤, – – 25/140. E VISA.
Comida 1800 – **35 hab** 10000/12500.

en la carretera de Atlanterra – *11393 Zahara de los Atunes :*

Sol Club Atlanterra, Sureste : 4 km (956) 43 90 00, *Fax (956) 43 90* – – 25/250. AE E JCB.
30 marzo-30 octubre – **Comida** 2100 - ***Oasis*** *(sólo cena)* **Comida** carta 2950 a 4200
275 hab 13700/21300, 5 suites.

Antonio, Sureste : 1 km (956) 43 91 41, *Fax (956) 43 91 35*, ≤, – AE E VISA JCB.
Comida 2000 – **30 hab** 8000/11500.

ZALDIVIA o **ZALDIBIA** *20247 Guipúzcoa* 442 **C 23** – *1 518 h. alt. 164.*
Madrid 428 – Pamplona/Iruñea 73 – San Sebastián/Donostia 45 – Vitoria/Gasteiz 71

Arrese, pl. Iztueta (943) 88 17 14, – VISA.
Comida carta 3100 a 4500.

ZALLA *48860 Vizcaya* 442 **C 20** – *7 253 h.*
Madrid 380 – Bilbao/Bilbo 23 – Burgos 132 – Santander 92.

Asador Zalla, Juan F. Estefanía y Prieto 5 (94) 667 06 15 – . AE VISA.
cerrado domingo noche, lunes noche y agosto – **Comida** carta 2650 a 4400.

ZAMORA *49000* P 441 **H 12** – *68 202 h. alt. 650.*

Ver : *Catedral★ (cimborrio★, sillería★★)* A- *Museo Catedralicio (tapices flamencos★★) Iglesias románicas★ (La Magdalena, Santa María la Nueva, San Juan, Santa María de la O, Santo Tomé, Santiago del Burgo)* AB.

Alred. : *Arcenillas (Iglesia : Tablas de Fernando Gallego★) Sureste : 7 km - Iglesia visigoda de San Pedro de la Nave★ Noroeste : 19 km por ④.*

Santa Clara 20 49014 (980) 53 18 45 Fax (980) 53 38 13 – **R.A.C.E.** *av. Requejo 34 49003 (980) 51 59 72 Fax (980) 51 59 72.*

Madrid 246 ③ – Benavente 66 ① – Orense/Ourense 266 ① – Salamanca 62 ③ – Tordesillas 67 ②

Plano página siguiente

Parador de Zamora, pl. de Viriato 5, 49001, (980) 51 44 *Fax (980) 53 00 63*, « Instalado en un palacio renacentista », – – 25/80. AE E VISA JCB. rest B
Comida 3500 – 1300 – **47 hab** 14000/17500, 5 suites – PA 7055.

II Infantas sin rest, Cortinas de San Miguel 3, 49015, (980) 53 28 *Fax (980) 53 35 48* – – 25/50. AE E VISA B
600 – **68 hab** 7400/10800.

Sayagués, pl. Puentica 2, 49005, (980) 52 55 11, *Fax (980) 51 34 51* – . AE VISA. A
Comida 1600 – 550 – **52 hab** 6500/11000, 4 suites.

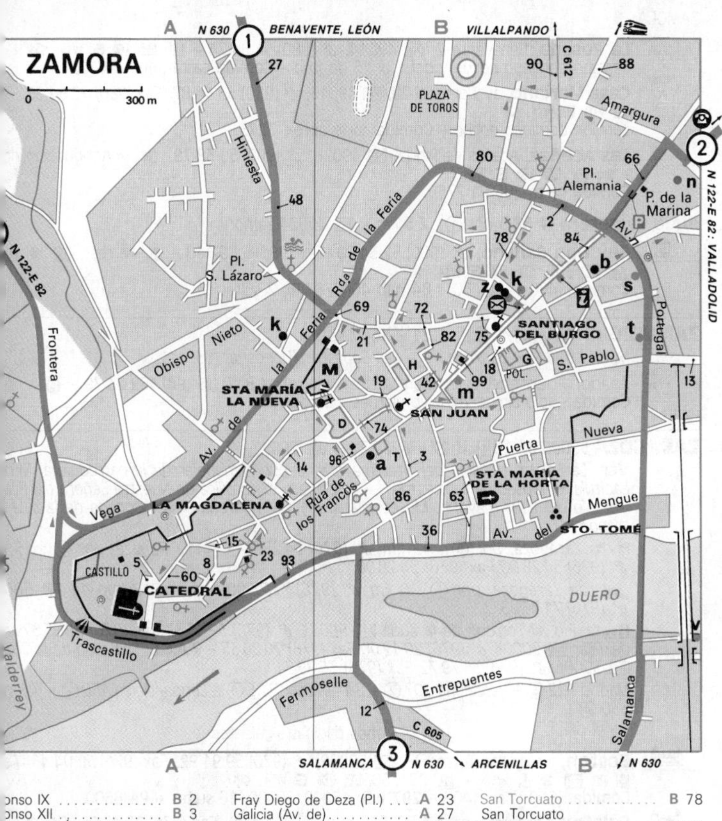

onso IX . . . . B 2
onso XII . . . . B 3
tonio del Águila (Pl.) . . . . A 5
as Gonzalo . . . . A 8
bañales . . . . B 12
ndelaria
Ruiz del Árbol . . . . B 13
niceros . . . . A 14
nto (Pl. de los) . . . . A 15
nstitución . . . . B 18
mas . . . . B 19
a . . . . B 21

Fray Diego de Deza (Pl.) . . . A 23
Galicia (Av. de) . . . . A 27
Ignacio Gazapo . . . . B 36
Mayor (Pl.) . . . . B 42
Morana (Cuesta de la) . . . . . A 48
Notarios . . . . A 60
Plata . . . . B 63
Príncipe de Asturias (Av.) . . B 66
Puebla (Pl. de la) . . . . B 69
Riego . . . . B 72
Sacramento . . . . B 74
Santiago . . . . B 75

San Torcuato . . . . B 78
San Torcuato (Ronda de) . . . . B 80
San Vicente . . . . B 82
Santa Clara . . . . B 84
Santa Lucía (Pl.) . . . . B 86
Tres Cruces (Av. de las) . . . . B 88
Víctor Gallego . . . . B 90
Vigo (Av. de) . . . . A 93
Viriato (Pl. de) . . . . B 96
Zorrilla (Pl. de) . . . . B 99

Luz y Sol sin rest y sin ☕, Benavente 2-3º, ✉ 49014, ☎ (980) 53 31 52, *Fax (980) 53 31 52* – 🛗 📺. **E** VISA. ⚘ B z
29 hab 3210/4600.

Chiqui sin rest y sin ☕, Benavente 2-2º, ✉ 49014, ☎ (980) 53 14 80 – 🛗 📺. ⚘ B z
10 hab 3000/4800.

París, av. de Portugal 14, ✉ 49015, ☎ (980) 51 43 25, *Fax (980) 53 25 81* – ▤. AE ⦿ **E** VISA B s
Comida carta 2650 a 4200.

Sancho 2, parque de la Marina Española, ✉ 49014, ☎ (980) 52 60 54, *Fax (980) 52 54 52*, 🏕 – ▤. AE ⦿ **E** VISA. ⚘ B n
Comida carta 3400 a 4700.

Serafín, pl. Maestro Haedo 10, ✉ 49003, ☎ (980) 53 14 22, *Fax (980) 52 49 56*, 🏕 – ▤. AE ⦿ **E** VISA JCB. ⚘ B m
Comida carta 2975 a 4700.

Valderrey, Benavente 9, ✉ 49014, ☎ (980) 53 02 40 – ▤. AE ⦿ **E** VISA. ⚘ B k
Comida carta 2600 a 3400.

XX **La Posada,** Benavente 2, ✉ 49014, ✆ (980) 51 64 74 – ▤. AE ⊕ E VISA. ✻ B
cerrado domingo noche y del 1 al 15 de julio – **Comida** carta 3400 a 4400.

XX **Casa Mariano,** av. Portugal 28, ✉ 49016, ✆ (980) 53 44 87, *Fax (980) 52 54 52* –
AE ⊕ E VISA. ✻ B
cerrado domingo noche – **Comida** carta aprox. 3275.

X **Las Aceñas,** Aceñas de Pinilla, ✉ 49028, ✆ (980) 53 38 78, ☂, « Antiguo molino
– ▤ Ⓟ. AE ⊕ E VISA B
Comida carta 2050 a 2750.

en la carretera N 630 *por ① : 2,5 km – ✉ 49024 Zamora :*

Rey Don Sancho, ✆ (980) 52 34 00, *Fax (980) 51 97 60* – |✦|, ▤ rest, TV ☎ Ⓟ
25/350. AE ⊕ E VISA. ✻
Comida 1400 – ☕ 480 – **84 hab** 4065/6740, 2 suites.

ZAMUDIO *48170 Vizcaya* 442 **C 21** – *3 501 h.*

Madrid 396 – Bilbao/Bilbo 9 – San Sebastián/Donostia 103.

X Asador Fuentene, barrio San Martín 1 (carret. N 637) ✆ (94) 452 23 79 – Ⓟ
Comida - sólo almuerzo salvo viernes y sábado -.

ZARAGOZA *50000* P 443 **H 27** – *622 371 h. alt. 200.*

Ver : *La Seo★★ (retablo del altar mayor★, cúpula★ mudéjar de la parroquieta, Mus capitular★, Museo de tapices★★* Y – *La Lonja★* Y – *Basílica de Nuestra Señora del Pila (retablo del altar mayor★, Museo pilarista★)* Y – *Aljafería★ : artesonado de la sala trono★* AU.

⛳9 ⛳9 *Zaragoza, por ⑤ : 12 km ✆ (976) 34 28 00* – ⛳18 *La Peñaza, por ⑤ : 15* *✆ (976) 34 28 00 Fax (976) 34 28 00.*

✈ *de Zaragoza, por ⑥ : 9 km ✆ (976) 71 23 00 – Iberia : Bilbao 11 ✉ 500 ✆ (976) 71 23 88* Z.

ℹ *gta. Pio XII-Torreón de la Zuda ✉ 50003 ✆ (976) 39 35 37 Fax (976) 39 35 37 y del Pilar ✉ 50003 ✆ (976) 20 12 00 Fax (976) 20 06 35* – **R.A.C.E.** *San Juan de la Cru ✉ 50006 ✆ (976) 35 79 72 Fax (976) 35 89 51.*

Madrid 322 ⑤ – Barcelona 307 ② – Bilbao/Bilbo 305 ⑥ – Lérida/Lleida 150 ② – Valen 330 ④

Planos páginas siguientes

Boston, av. de Las Torres 28, ✉ 50008, ✆ (976) 59 91 92, *Fax (976) 59 04 46,*
|✦| ▤ TV ☎ ♿ 🚗 – 25/700. AE ⊕ E VISA. ✻ BV
Comida 3600 – ☕ 1400 – **297 hab** 15000/20000, 16 suites – PA 8600.

Palafox, Casa Jiménez, ✉ 50004, ✆ (976) 23 77 00, *Fax (976) 23 47 05,* –
▤ TV ☎ 🚗 – 25/600. AE ⊕ E VISA. ✻ Z
Comida 3200 – ☕ 1500 – **180 hab** 15200/19000, 4 suites – PA 6700.

NH Gran Hotel, Joaquín Costa 5, ✉ 50001, ✆ (976) 22 19 01, *Fax (976) 23 67 13,*
– |✦| ▤ TV ☎ – 25/450. AE ⊕ E VISA. ✻ BU
Comida (ver rest. ***La Ontina***) – ☕ 1400 – **114 hab** 15900, 20 suites.

Meliá Zaragoza Corona, av. César Augusto 13, ✉ 50004, ✆ (976) 43 01
Fax (976) 44 07 34, – |✦| ▤ TV ☎ – 25/300. AE ⊕ E VISA JCB. ✻ Z
***El Bearn* : Comida** carta 3700 a 4300 – ☕ 1350 – **237 hab** 14300/17800, 8 suite

Goya, Cinco de Marzo 5, ✉ 50004, ✆ (976) 22 93 31, *Fax (976) 23 21 54* – |✦| ▤
☎ 🚗 – 25/300. AE ⊕ E VISA. ✻ Z
Comida 2500 – ☕ 1000 – **148 hab** 10300/14750 – PA 5100.

Don Yo, Juan Bruil 4 y 6, ✉ 50001, ✆ (976) 22 67 41, *Fax (976) 21 99 56* – |✦| ▤
☎ – 25/100. AE ⊕ E VISA. ✻ rest BU
Comida 1875 - ***Doña Taberna* : Comida** carta 2750 a 3550 – ☕ 800 – **177 h** 11000/14000, 4 suites.

Reino de Aragón, Coso 80, ✉ 50001, ✆ (976) 46 82 00, *Fax (976) 46 82 11* – |✦|
TV ☎ 🚗 – 25/400. AE ⊕ E VISA. ✻ rest Z
Comida carta aprox. 5050 – ☕ 1300 – **112 hab** 14500/16500, 6 suites.

Zaragoza Royal, Arzobispo Doménech 4, ✉ 50006, ✆ (976) 21 46
Fax (976) 22 03 59 – |✦| ▤ TV ☎ 🚗 – 25/200. AE ⊕ E VISA. ✻ BV
Comida 1450 - ***Ascot*** *(cerrado domingo)* **Comida** carta 3000 a 3800 – ☕ 950 – **92 h** 8500/13200.

Hesperia, Conde de Aranda 48, ✉ 50003, ✆ (976) 28 45 00, *Fax (976) 28 27 17* –
▤ TV ☎ 🚗 – 25/300. AE ⊕ E VISA. ✻ rest BU
Comida 1500 - ***Borsao*** *(cerrado domingo noche)* **Comida** carta 2375 a 4500 – ☕ 10
– **86 hab** 11125/13900.

NH Ciudad de Zaragoza, av. César Augusto 125, ✉ 50003, ☎ (976) 44 21 00, *Fax (976) 44 33 61* – ☰ 🅣 ☎ 🚗 – 🅐 25/200. AE ① E VISA. ※ rest Y u
Comida *(cerrado domingo)* 2000 – ☐ 1300 – **123 hab** 12000/13000, 2 suites.

NH Sport, Moncayo 5, ✉ 50010, ☎ (976) 31 11 14, *Fax (976) 33 06 89* – ☰ 🅣 ☎ 🚗 – 🅐 25/110. AE ① E VISA JCB AU c
Comida 1700 – ☐ 1000 – **64 hab** 9000/11000 – PA 4200.

Tibur, pl. de La Seo 2, ✉ 50001, ☎ (976) 20 20 00, *Fax (976) 20 20 02* – ☰ 🅣 ☎. AE ① E VISA. ※ Y d
Comida 2000 - ***Foro Romano*** : Comida carta 2350 a 3700 – ☐ 900 – **50 hab** 9800/13000.

Rey Alfonso I, Coso 17, ✉ 50003, ☎ (976) 39 48 50, *Fax (976) 39 96 40* – ☰ 🅣 ☎ – 🅐 25/75. AE ① E VISA. ※ Z v
Comida *(cerrado domingo)* 1350 – ☐ 875 – **117 hab** 7750/9750 – PA 3575.

Romareda, Asín y Palacios 11, ✉ 50009, ☎ (976) 35 11 00, *Fax (976) 35 19 50* – ☰ 🅣 ☎ 🚗 – 🅐 25/200. AE ① E VISA JCB. ※ rest AV a
Comida 1750 – ☐ 950 – **85 hab** 11340/15750, 5 suites.

Ramiro I sin rest. con cafetería, Coso 123, ✉ 50001, ☎ (976) 29 82 00, *Fax (976) 39 89 52* – ☰ 🅣 ☎ 🚗 – 🅐 25/200. AE ① E VISA JCB. ※ Z m
☐ 915 – **104 hab** 8900/12500.

Vía Romana, Don Jaime I-54, ✉ 50001, ☎ (976) 39 82 15, *Fax (976) 29 05 11* – ☰ 🅣 ☎. AE ① VISA JCB. ※ rest Y r
Comida 1300 – **66 hab** ☐ 6200/8500.

Conquistador sin rest, Hernán Cortés 21, ✉ 50005, ☎ (976) 21 49 88, *Fax (976) 23 80 21* – ☰ 🅣 ☎ 🚗. AE ① E VISA JCB. ※ BU y
☐ 560 – **44 hab** 6500/11500.

NH Orús, Escoriaza y Fabro 45, ✉ 50010, ☎ (976) 53 66 00, *Fax (976) 53 61 63* – ☰ 🅣 ☎ 🚗 – 🅐 25/140. AE ① E VISA JCB AU a
cerrado 21 diciembre-1 enero y agosto – **Comida** 1700 – ☐ 1000 – **53 hab** 9000/11000 – PA 4200.

Cesaraugusta sin rest, av. Anselmo Clavé 45, ✉ 50004, ☎ (976) 28 27 27, *Fax (976) 28 28 28* – ☰ 🅣 ☎ 🚗. AE ① E VISA JCB AU n
☐ 1000 – **54 hab** 7000/9500.

París sin rest. con cafetería, Pedro María Ric 14, ✉ 50008, ☎ (976) 23 65 37, *Fax (976) 22 53 97* – ☰ 🅣 ☎ – 🅐 25/150. AE ① E VISA BV r
☐ 850 – **62 hab** 8000/12000.

Sauce sin rest, Espoz y Mina 33, ✉ 50003, ☎ (976) 39 01 00, *Fax (976) 39 85 97* – ☰ 🅣 ☎ 🚗. AE E VISA. ※ YZ s
☐ 900 – **37 hab** 7500/10900.

El Príncipe, Santiago 12, ✉ 50003, ☎ (976) 29 41 01, *Fax (976) 29 90 47* – ☰ 🅣 ☎ – 🅐 25/200. AE E VISA. ※ Y e
Comida 1975 – ☐ 800 – **45 hab** 6000/7900.

Gran Vía sin rest, Gran Vía 38, ✉ 50005, ☎ (976) 22 92 13, *Fax (976) 22 07 07* – ☰ 🅣 ☎. AE ① E VISA JCB. ※ BV f
☐ 700 – **43 hab** 7500/9000, 1 suite.

Las Torres sin rest, pl. del Pilar 11, ✉ 50003, ☎ (976) 39 42 50, *Fax (976) 39 42 54* – ☰ 🅣 ☎ 🚗. VISA Y v
☐ 500 – **54 hab** 5000/7500.

Conde Blanco sin rest. con cafetería, Predicadores 84, ✉ 50003, ☎ (976) 44 14 11, *Fax (976) 28 03 39* – ☰ 🅣 ☎ 🚗. AE E VISA. ※ BU h
☐ 490 – **87 hab** 5790/7755.

Avenida sin rest, av. César Augusto 55, ✉ 50003, ☎ (976) 43 93 00, *Fax (976) 43 93 64* – ☰ 🅣 ☎. AE ① E VISA Y a
☐ 400 – **81 hab** 5000/7500.

Río Arga sin rest, Contamina 20, ✉ 50003, ☎ (976) 39 90 65, *Fax (976) 39 90 92* – ☰ 🅣 ☎ 🚗. AE ① E VISA. ※ Y n
☐ 450 – **31 hab** 5400/8000.

Los Molinos, San Miguel 28, ✉ 50001, ☎ (976) 22 49 80, *Fax (976) 21 10 32* – ☰ 🅣 ☎. AE ① E VISA JCB. ※ Z e
Comida *(cerrado domingo noche)* 975 – ☐ 450 – **42 hab** 5100/7500.

Maza sin rest, pl. de España 7, ✉ 50001, ☎ (976) 22 93 55, *Fax (976) 21 39 01* – ☰ 🅣 ☎. AE ① VISA Z u
☐ 500 – **55 hab** 6500/8000.

Paraíso sin rest y sin ☐, paseo Pamplona 23-3º, ✉ 50004, ☎ (976) 21 76 08, *Fax (976) 21 76 07* – ☰ 🅣 ☎. AE E VISA. ※ BU a
39 hab 4990/5990.

ZARAGOZA

Calle	Cuadrícula	Nº
Alcalde Gómez Laguna (Av.)	AV	2
América (Av. de)	BV	5
Alonso V	BU	6
Aragón (Pl.)	BU	7
Autonomía (Av.)	AT	8
Batalla de Lepanto	BV	9
Capitán Oroquieta	BV	12
Clavé (Av. de)	AU	16
Colón (Paseo de)	BV	19
Constitución (Pas. de la)	BU	22
Damas (Paseo de las)	BV	24
Fernando el Católico (Paseo de)	AV	26
Francia (Av. de)	AT	27
Franco y López	AUV	28
Jaime Ferrán	BT	30
José Galiay	BV	31
José García Sánchez	AUV	32
Juan Pablo Bonet	BV	36
Lapuyade	BV	37
Luis Aula	BV	39
Mariano Barbasán	AV	46
Marqués de la Cadena	BT	47
Mina (Paseo de la)	BU	50
Paraíso (Pl.)	BUV	51
Pintor Marín Bagüés	BV	52
Privilegio de la Unión	BV	53
Puente del Pilar (Av. de)	BU	56
Rodrigo Rebolledo	BV	57
San Fernando (Vía de)	BV	60
San Juan Bosco (Av.)	AV	61
San Juan de la Cruz	AV	62
Silvestre Pérez	BU	64
Sobrarbe	BT	66
Tomás Higuera	BV	68
Vado (Camino del)	BU	69
Yolanda de Bar	BV	70

Para viajar más rápido,
utilice los
mapas Michelin
"principales carreteras":

920 Europa
980 Grecia
984 Alemania
985 Escandinavia-Finlandia
986 Gran-Bretaña-Irlanda
987 Alemania-Austria-Benelux
988 Italia
989 Francia
990 España-Portugal
991 Yugoslavia.

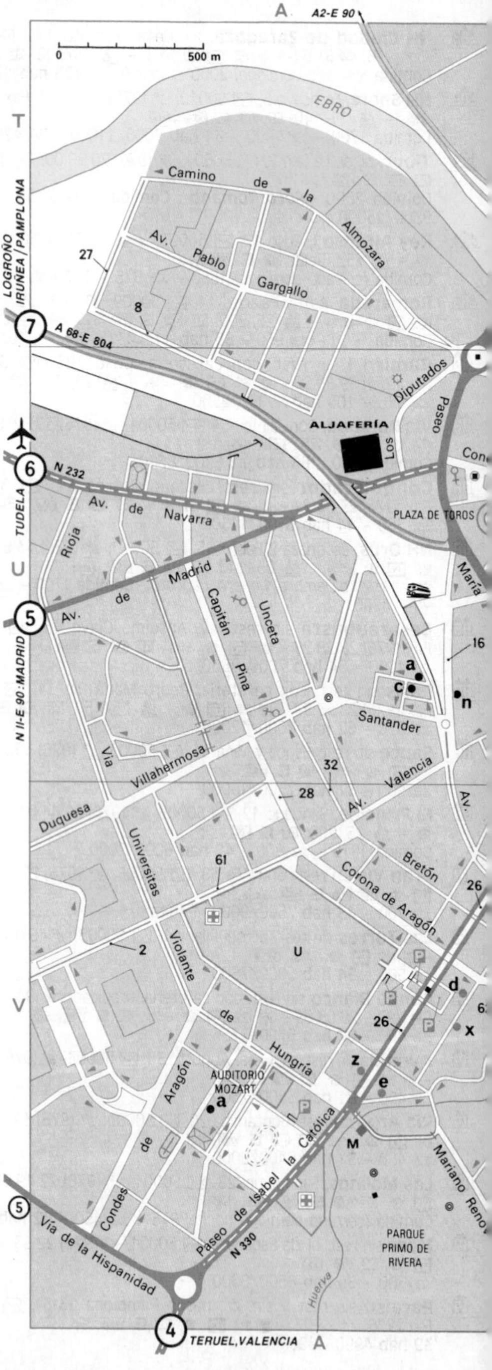

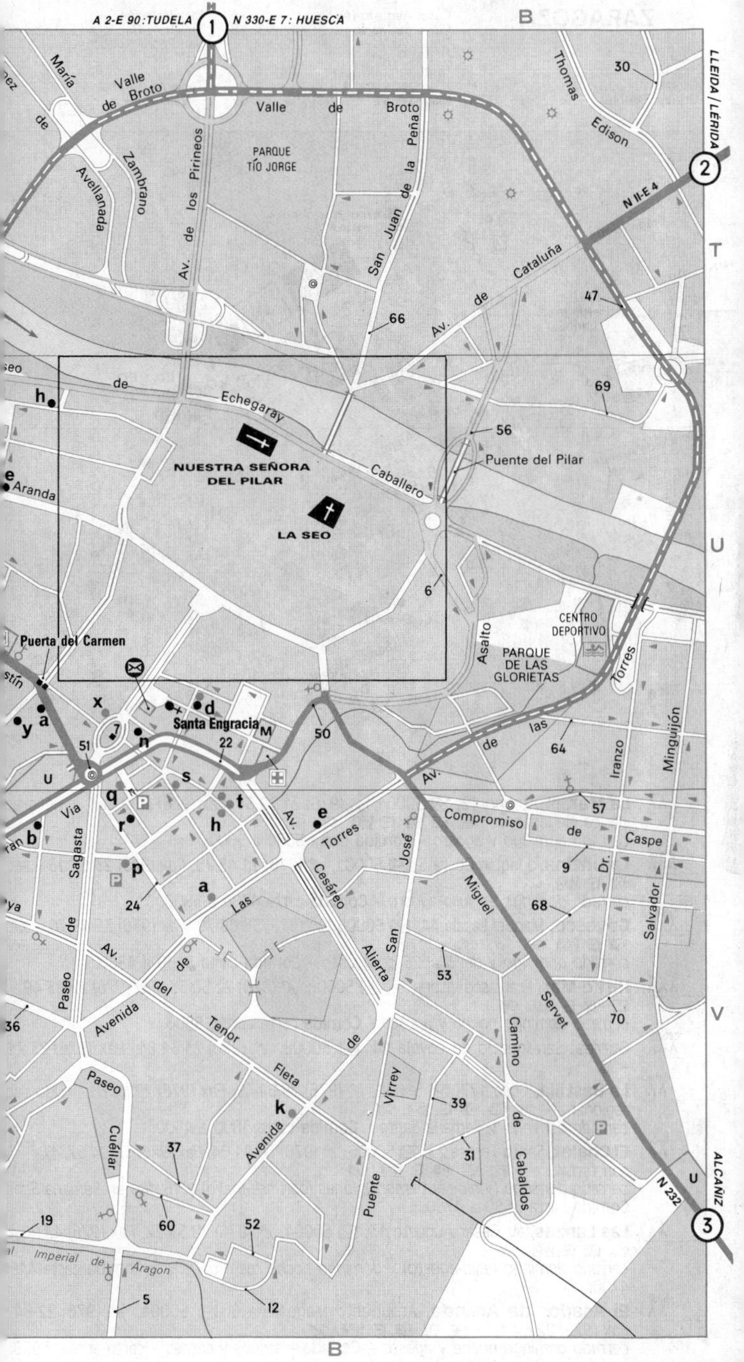
A 2-E 90: TUDELA
N 330-E 7: HUESCA
LLEIDA / LÉRIDA
N II-E 4
ALCAÑIZ
N 232
NUESTRA SEÑORA DEL PILAR
LA SEO
PARQUE TÍO JORGE
Puente del Pilar
CENTRO DEPORTIVO
PARQUE DE LAS GLORIETAS
Puerta del Carmen
Santa Engracia
Valle de Broto
Av. de los Pirineos
San Juan de la Peña
Av. de Cataluña
Thomas Edison
Echegaray Caballero
Av. de Compromiso de Caspe
Miguel Servet
Camino de Cabaldos
Paseo Cuéllar
Avenida del Tenor Fleta
Av. Cesáreo Alierta
Imperial de Aragon

ZARAGOZA

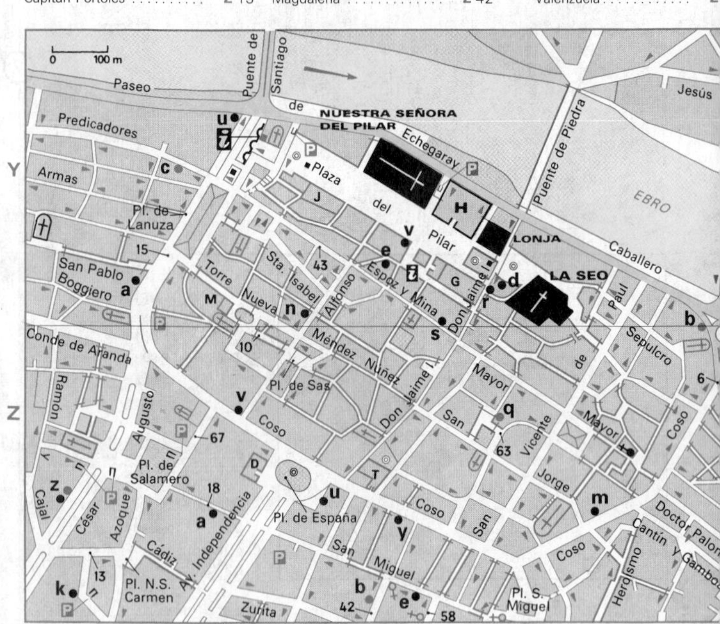

XXX **La Mar,** pl. Aragón 12, ✉ 50004, ☎ (976) 21 22 64, *Fax (976) 21 22 64,* « Decorac clásica elegante » – ▤. AE ⓓ E VISA. ✂ BU
cerrado domingo y agosto – **Comida** carta 5000 a 5600.

XXX **La Ontina,** Joaquín Costa 5, ✉ 50001, ☎ (976) 21 45 75, *Fax (976) 23 67 13* – ▤. ⓓ E VISA. ✂ BU
cerrado domingo en julio-agosto – **Comida** carta 4700 a 5800.

XXX **Goyesco,** Manuel Lasala 44, ✉ 50006, ☎ (976) 35 68 70, *Fax (976) 35 68 70* – ▤. ⓓ E VISA. ✂ AV
cerrado domingo y del 3 al 25 de agosto – **Comida** carta 3450 a 4800.

XXX **Risko-Mar,** Francisco Vitoria 16, ✉ 50008, ☎ (976) 22 50 53, *Fax (976) 22 63 49* – AE ⓓ E VISA. ✂ BV
cerrado domingo noche y agosto – **Comida** carta aprox. 5500.

XXX Gurrea, San Ignacio de Loyola 14, ✉ 50008, ☎ (976) 23 31 61, *Fax (976) 23 71* – ▤ BUV

XX **La Bastilla,** Coso 177, ✉ 50001, ☎ (976) 29 84 49, *Fax (976) 29 10 81,* « Decorac regional » – ▤. AE ⓓ E VISA. ✂ YZ
cerrado domingo y Semana Santa – **Comida** carta 3800 a 4500.

XX **El Chalet,** Santa Teresa 25, ✉ 50006, ☎ (976) 56 91 04, *Fax (976) 32 94 97,* 𝄐, « V con terraza » – ▤. AE ⓓ E VISA. ✂ AV
cerrado domingo (junio-septiembre), lunes (octubre-mayo) y 15 días en Semana Sant **Comida** carta 3550 a 4750.

XX **Las Lanzas,** av. César Augusto 13, ✉ 50004, ☎ (976) 28 55 22, *Fax (976) 43 20 4* ▤. AE E VISA. ✂ Z
cerrado domingo (julio-agosto) y domingo noche resto del año – **Comida** carta 415 4700.

XX **El Asador de Aranda,** Arquitecto Magdalena 6, ✉ 50001, ☎ (976) 22 64 *Fax (976) 22 64 17* – ▤. AE ⓓ E VISA. ✂ Z
cerrado domingo noche y agosto – **Comida** – asados y carnes – carta aprox. 3950.

XX **Txalupa,** paseo Fernando el Católico 62, ✉ 50009, ✆ (976) 56 61 70 – ▤. AE E VISA. 🚫 AV z
cerrado domingo noche, Semana Santa y 15 días en agosto – **Comida** carta 3100 a 4200.

XX **El Flambé,** José Pellicer 7, ✉ 50007, ✆ (976) 27 87 31 – ▤. AE ◑ E VISA. 🚫 BV k
cerrado domingo noche, lunes y 1ª quincena de agosto – **Comida** carta 2500 a 3750.

XX **Antonio,** pl. San Pedro Nolasco 5, ✉ 50001, ✆ (976) 39 74 74 – ▤. AE ◑ E VISA JCB. 🚫 Z q
cerrado domingo noche – **Comida** carta 3300 a 4200.

XX **La Matilde,** Predicadores 7, ✉ 50003, ✆ (976) 43 34 43 – ▤. AE ◑ E VISA. 🚫 Y c
cerrado domingo, festivos, Navidades, Semana Santa y agosto – **Comida** carta 3250 a 4250.

XX **Aldaba,** Santa Teresa 26, ✉ 50006, ✆ (976) 35 63 79, *Fax (976) 35 63 79* – ▤. AE ◑ E VISA. 🚫 AV d
cerrado domingo noche – **Comida** carta 3450 a 4200.

XX **Churrasco,** Francisco Vitoria 19, ✉ 50008, ✆ (976) 22 91 60, *Fax (976) 22 63 49* – ▤. AE ◑ E VISA. 🚫 BV t
cerrado domingo en agosto – **Comida** carta aprox. 5000.

XX **Guetaria,** Madre Vedruna 9, ✉ 50008, ✆ (976) 21 53 16, *Fax (976) 23 70 28*, Asador vasco – ▤. AE ◑ E VISA. 🚫 BUV s
Comida carta 3300 a 3700.

X **Alberto,** Pedro María Ric 35, ✉ 50008, ✆ (976) 23 65 03, *Fax (976) 58 00 48* – ▤ 🚗. AE ◑ E VISA. 🚫 BV a
Comida carta 2850 a 4050.

X **Don Pascual,** paseo de Las Damas-residencial Paraíso (interior), ✉ 50008, ✆ (976) 21 87 14 – ▤. AE ◑ VISA. 🚫 BV p
cerrado domingo y del 1 al 15 de agosto – **Comida** carta 3125 a 4025.

X **El Mangrullo,** Francisco Vitoria 19, ✉ 50008, ✆ (976) 21 49 29, *Fax (976) 23 70 95* – ▤. AE ◑ E VISA. 🚫 BV t
Comida - carnes, rest. argentino - carta 2800 a 3350.

n la carretera N II *por ⑤ : 8 km – ✉ 50012 Zaragoza :*

XX **Venta de los Caballos,** ✆ (976) 33 23 00, *Fax (976) 33 23 00* – ▤ P. AE ◑ E VISA. 🚫
cerrado domingo noche, lunes (salvo festivos) y del 15 al 30 de agosto – **Comida** carta 3075 a 4200.

n la carretera N 232 *por ⑥ : 4,5 km – ✉ 50011 Zaragoza :*

XX **El Cachirulo,** ✆ (976) 46 01 46, *Fax (976) 46 01 52*, « Conjunto típico aragonés » – ▤ P. AE ◑ VISA. 🚫
cerrado domingo noche y del 1 al 15 de agosto – **Comida** carta 3850 a 4700.

n la carretera del aeropuerto *por ⑥ : 8 km – ✉ 50011 Zaragoza :*

XXX **Gayarre,** ✆ (976) 34 43 86, *Fax (976) 31 16 86*, « En una villa con jardín » – ▤ P. AE ◑ E VISA. 🚫
cerrado domingo noche y lunes – **Comida** carta 3200 a 4450.
Ver también : **Alfajarín** *por ② : 23 km.*

ARAUZ o **ZARAUTZ** *20800 Guipúzcoa* 442 C 23 – *18 154 h. – Playa.*
Alred. : *Carretera en cornisa★★ de Zarauz a Guetaria.*
Zarauz, Este : 1 km ✆ (943) 83 01 45 Fax (943) 13 15 68.
Nafarroa ✆ (943) 83 09 90 Fax (943) 83 56 28.
Madrid 482 – Bilbao/Bilbo 85 – Pamplona/Iruñea 103 – San Sebastián/Donostia 22.

Zarauz, Nafarroa 26 ✆ (943) 83 02 00, *Fax (943) 83 01 93* – |♦|, ▤ rest, TV ☎ P. AE ◑ E VISA. 🚫 rest
cerrado 21 diciembre-7 enero – **Comida** *(cerrado domingo noche)* 1400 – ☕ 1100 – **82 hab** 10700/13750.

Alameda, Gipuzkoa ✆ (943) 83 01 43, *Fax (943) 13 24 74*, 🌳 – |♦|, ▤ rest, TV ☎ 🚗 – 🏛 25/70. AE ◑ E VISA. 🚫
cerrado 23 diciembre-8 enero – **Comida** 1925 – ☕ 730 – **39 hab** 10300/12700 – PA 3890.

Txiki Polit, pl. de la Musika ☏ (943) 83 53 57, *Fax (943) 83 37 31* – rest, . VISA. rest
Comida 1000 – 500 – **31 hab** 4000/6900 – PA 2500.

Karlos Arguiñano con hab, Mendilauta 13 ☏ (943) 13 00 00, *Fax (943) 13 34 50*, mar – . AE VISA.
cerrado Navidades – **Comida** *(cerrado noches de lunes a jueves en invierno, domingo noc y miércoles resto del año, 10 días en mayo, 10 días en junio y Navidades)* carta aprox. 65 – 1500 – **12 hab** 20500/27000.

Aiten Etxe, carret. de Guetaria 3 ☏ (943) 83 18 25, *Fax (943) 13 35 13*, ← mar y población – . AE VISA JCB
cerrado domingo noche, martes, 15 días en febrero y 15 días en noviembre – **Comida** ca 3600 a 6800.

Otzarreta, Santa Klara 5 ☏ (943) 13 12 43, *Fax (943) 83 26 80*, « Decoración rúst elegante » – . AE VISA.
cerrado domingo noche y lunes – **Comida** carta aprox. 5200.

Gure Txokoa, Gipuzkoa 22 ☏ (943) 83 59 59, *Fax (943) 13 35 13* – . AE VISA
cerrado domingo noche, lunes, 15 días en febrero y 15 días en noviembre – **Comida** ca 3500 a 4600.

en el alto de Meagas *Oeste : 4 km – ✉ 20800 Zarauz :*

Azkue, ☏ (943) 83 05 54, *Fax (943) 13 05 00*, – . AE VISA
cerrado martes y diciembre – **Comida** carta 2250 a 3600.

ZARZALEJO *28293 Madrid* 444 K 17 – *864 h. alt. 1 104.*
Madrid 58 – Ávila 59 – Segovia 69.

al Este : *2,7 km*

Duque, av. de la Estación 65 ☏ (91) 899 23 60, – . AE VISA.
cerrado miércoles y 2ª quincena de septiembre – **Comida** carta 2800 a 3600.

ZESTOA *Guipúzcoa – ver Cestona.*

ZIERBENA *Vizcaya – ver Ciérvana.*

ZIORDIA *Navarra – ver Ciordia.*

ZORNOTZA *Vizcaya – ver Amorebieta.*

LA ZUBIA *18140 Granada* 446 U 19 – *8 741 h. alt. 760.*
Madrid 438 – Granada 8 – Málaga 135 – Murcia 294 – Sevilla 269 – Valencia 549.

La Zubia sin rest, Murcia 23 ☏ (958) 59 03 54, *Fax (958) 59 03 54*, – . VISA.
300 – **11 hab** 5000/7000.

al Sureste : *4,5 km*

Cumbres Verdes sin rest, Cerro del Caballo - parcela 128 (Cumbres Verd ☏ (958) 89 10 58, *Fax (958) 59 01 06*, ←, – . AE VISA.
10 hab 4500/7000, 1 apartamento.

ZUERA *50800 Zaragoza* 443 G 27 – *5 206 h. alt. 279.*
Madrid 349 – Huesca 46 – Zaragoza 26.

Las Galias, carret. N 330 - Este : 1 km ☏ (976) 68 02 24, *Fax (976) 68 00 26*, , – – 25/60. AE VISA. rest
Comida 2100 – 600 – **25 hab** 6500/8500.

ZUHEROS *14870 Córdoba* 446 T 17 – *942 h. alt. 622.*
Madrid 389 – Antequera 82 – Córdoba 81 – Granada 103 – Jaén 65.

Zuhayra, Mirador 10 ☏ (957) 69 46 93, *Fax (957) 69 47 02*, ← – . AE
Comida 1500 – **18 hab** 4500/7000.

MÁRRAGA *20700 Guipúzcoa* 442 **C 23** – *10 899 h. alt. 354.*
Madrid 410 – Bilbao/Bilbo 65 – San Sebastián/Donostia 57 – Vitoria/Gasteiz 55.

Etxe-Berri, barrio de Etxe Berri - Norte : 1 km (943) 72 02 68, *Fax (943) 72 44 94*, « Decoración elegante » – , rest, – 25/100. JCB
Comida *(cerrado domingo noche)* 2000 – 650 – **38 hab** 6000/7975 – PA 4500.

Portugal

As estrelas
Las estrellas
Les étoiles
Le stelle
Die Sterne
The stars

"Bib Gourmand"

Refeição 2800/3500

Refeições cuidadas a preços moderados
Buenas comidas a precios moderados
Repas soignés à prix modérés
Pasti accurati a prezzi contenuti
Sorgfältig zubereitete, preiswerte Mahlzeiten
Good food at moderate prices

Atractivos e tranquilidade
Atractivo y tranquilidad
L'agrément
Amenità e tranquillità
Annehmlichkeit
Peaceful atmosphere and setting

Río Miño
N 13
Gondarém
Monte do Faro
Caminha
Paredes de Coura
Santa Luzia
Viana do Castelo
Chaves
Bragança
Vila Verde
Carvalhelhos
Barcelos
A 3
Bom Jesus do M.
Vidago
IP 4
Póvoa de Varzim
Laundos
Guimarães
Romeu
Macedo de Cavaleiros
Vila Nova
de Famalicão
Mondim de Basto
A 4
Vila Real
PORTO
Mogadouro
Entre-os-Rios
OCEANO
ATLÂNTICO
Carvalhos
RIO
DOURO
Sta Maria da Feira
N 102
A 1
Oliveira de Azeméis
Torreira
IP 5
São Pedro do Sul
Viseu
Aveiro
Fermentelos
Cabanões
Aguada
de Cima
Mangualde
IP 5
Sangalhos
Guarda
Curia
Buçaco
Nelas
Cantanhede
Caceira de Cima
Manteigas
Figueira da Foz
COIMBRA
Lavos
N 18
Montemor-o-Velho
A 1
Cernache do Bonjardim
Marrazes
Monfortinho (Termas de)
Sertã
Leiria
Ferreira do Zêzere
Tomar
Castelo Branco
Aljubarrota
IP 2
Ladoeiro
Castelo de Bode
Retaxo
Alcobaça
Alferrarede
TEJO
Alto da Serra
Rio Maior
RIO
Outeiro
da Cortiçada
N 118
Ribeira de São João
Folgados
Flor da Rosa
A 1
N 18
ESPAÑA
Bucelas
Vila Franca de Xira
Sousel
Sintra
Elvas
Estremoz
LISBOA
N 4
Arraiolos
Palmela
Montemor-
o-Novo
Vila-Viçosa
A 6
A 6
Aldeia
da Serra
Alandroal
SETUBAL
Évora
A 2
Alcácer do Sal
Monsaraz
Torrão
Alvito
IP 2
RIO GUADIANA
IP 8
IP 1
IP 8
Madrid
Lisboa
Beja
N 260
IP 8
IP 2
Casablanca
N 120
IP 1
ILHA DO
PORTO SANTO
ILHA DA MADEIRA
Vila Baleira
N 125
IP 1
Pico do Arieiro
Caniçal
Caniço de Baixo
Estreito de Câmara
de Lobos
Funchal

Símbolos essenciais

(lista completa p. 13 a 22)

O conforto

🏨🏨🏨🏨🏨	XXXXX	*Grande luxo e tradição*
🏨🏨🏨🏨	XXXX	*Grande conforto*
🏨🏨🏨	XXX	*Muito confortável*
🏨🏨	XX	*Confortável*
🏨	X	*Simples, mas confortável*
		Simples, mas aceitável
sem rest		*O hotel não tem restaurante*
	com qto	*O restaurante tem quartos*

As boas mesas

✿✿	**Uma mesa excelente, merece um desvio** *Especialidades e vinhos seleccionados : deve estar preparado para uma despesa em concordância.*
✿	*Uma muito boa mesa na sua categoria*
Refeição	*O* **"Bib Gourmand":** *Refeições cuidadas a preços moderados*

Atractivos e tranquilidade

🏨🏨🏨🏨🏨 ... 🏨	*Hotéis agradáveis*
XXXXX ... X	*Restaurantes agradáveis*
« Parque »	*Elemento particularmente agradável*
	Hotel muito tranquilo ou isolado e tranquilo
	Hotel tranquilo
⩽ mar	*Vista excepcional*

As curiosidades

★★★	*De interesse excepcional*
★★	*Muito interessante*
★	*Interessante*

Os vinhos
Los vinos
Les vins
I vini
Weine
Wines

①	*Vinhos Verdes*	⑨ *a* ⑫	*Lagoa, Lagos, Portimão, Tavira*
②, ③	*Porto e Douro, Dão*		
④	*Bairrada*	⑬ *a* ⑮	*Borba, Redondo, Reguengos*
⑤ *a* ⑧	*Bucelas, Colares, Carcavelos, Setúbal*	⑯	*Madeira*

Vinhos e especialidades regionais

Portugal possui uma tradição vitivinícola muito antiga. A diversidade das regiõ vinícolas tem determinado a necessidade de regulamentar os seus vinhos com Denominações de Origem, indicadas no mapa correspondente.

Regiões e localização no mapa	Características dos vinhos	Especialidades regionais
Minho, Douro Litoral, Trás-Os-Montes, Alto Douro ① *e* ②	**Tintos** *encorpados, novos, ácidos* **Brancos** *aromáticos, suaves, frutados, delicados, encorpados* **Portos** *(Branco, Tinto, Ruby, Tawny) ricos em álcool*	*Caldo verde, Lampreia, Salmão, Bacalhau, Presun Cozido, Feijoada, Tripas*
Beira Alta, Beira Baixa, Beira Litoral ③ *e* ④	**Tintos** *aromáticos, suaves, aveludados, equilibrados, encorpados* **Brancos** *cristalinos, frutados, delicados, aromáticos*	*Queijo da Serra, Papos de Anjo, Mariscos, Caldeirada Ensopado de enguias, Leit assado, Queijo de Tomar, Aguardentes*
Estremadura, Ribatejo ⑤ *a* ⑧	**Tintos** *de cor rubí, persistentes, secos, encorpados* **Brancos** *novos, delicados, aromáticos, frutados, elevada acidêz* **Moscatel de Setúbal,** *rico em álcool, de pouca acidêz*	*Amêijoas à bulhão pato, Mariscos, Caldeiradas, Queijadas de Sintra, Fatia de Tomar*
Algarve ⑨ *a* ⑫	**Tintos** *aveludados, suaves, frutados* **Brancos** *suaves*	*Peixes e mariscos na cataplana, Figos, Amêndo*
Alentejo ⑬ *a* ⑮	**Tintos** *robustos e elegantes*	*Migas, Sericaia, Porco à Alentejana, Gaspacho, Açordas, Queijo de Serpa*
Madeira ⑯	*Ricos em álcool, secos, de subtil aroma*	*Espetadas (carne, peixe), Bolo de mel*

ʼinos y especialidades regionales

rtugal posee una tradición vinícola muy antigua. La diversidad las regiones vinícolas ha determinado la necesidad de regular s vinos con Denominaciones de Origen (Denominações de Origem), dicadas en el mapa correspondiente.

Regiones y localização en el mapa	Características de los vinos	Especialidades regionales
Minho, Douro Litoral, Trás-Os-Montes, Alto Douro ① *y* ②	**Tintos** *con cuerpo, jóvenes, ácidos* **Blancos** *aromáticos, suaves, afrutados, delicados, con cuerpo* **Oportos** *(Blanco, Tinto, Ruby, Tawny) ricos en alcohol*	*Caldo verde (Sopa de berza), Lamprea, Salmón, Bacalao, Jamón, Cocido, Feijoada (Fabada), Callos*
Beira Alta, Beira Baixa, Beira Litoral ③ *y* ④	**Tintos** *aromáticos, suaves, aterciopelados, equilibrados, con cuerpo* **Blancos** *cristalinos, afrutados, delicados, aromáticos*	*Queso de Serra, Papos de Anjo (Repostería), Mariscos, Calderetas, Guiso de pan y anguilas, Cochinillo asado, Queso de Tomar, Aguardientes*
Estremadura, Ribatejo ⑤ *al* ⑧	**Tintos** *de color rubí, persistentes, secos, con cuerpo* **Blancos** *jóvenes, delicados, aromáticos, afrutados, elevada acidez* **Moscatel de Setúbal,** *rico en alcohol, bajo en acidez*	*Almejas al ajo, Mariscos, Calderetas, Queijadas (Tarta de queso) de Sintra, Torrijas de Tomar*
Algarve ⑨ *al* ⑫	**Tintos** *aterciopelados, suaves* **Blancos** *suaves*	*Pescados y mariscos « na cataplana », Higos, Almendras*
Alentejo ⑬ *al* ⑮	**Tintos** *robustos y elegantes*	*Migas, Sericaia (Repostería), Cerdo a la Alentejana, Gaspacho (Sopa fría de tomate y cebolla), Açordas (Sopa de pan y ajo), Queso de Serpa*
Madeira ⑯	*Ricos en alcohol, secos, de sutil aroma*	*Brochetas (carne, pescado), Pastel de miel*

Vins et spécialités régionales

La tradition viticole portugaise remonte aux temps les plus anciens. La diversité des régions rendit nécessaire la réglementation de ses vins. Les Appelations d'Origine (Denominações de Origem), sont indiquées sur la carte.

Régions et localisation sur la carte	Caractéristiques des vins	Spécialités régionales
Minho, Douro Litoral, Trás-Os-Montes, Alto Douro ① *et* ②	**Rouges** *corsés, jeunes, acidulés* **Blancs** *aromatiques, doux, fruités, délicats, corsés* **Portos** *(Blanc, Rouge, Ruby, Tawny) riches en alcool*	*Caldo verde (Soupe aux choux), Lamproie, Saumo[n], Morue, Jambon, Pôt-au-feu, Feijoada (Cassoulet au lar[d]), Tripes*
Beira Alta, Beira Baixa, Beira Litoral ③ *et* ④	**Rouges** *aromatiques, doux, veloutés, équilibrés, corsés* **Blancs** *cristalins, fruités, délicats, aromatiques*	*Fromage de Serra, Papos de Anjo (Gâteau), Fruits de mer, Bouillabaisse, Ensopado de enguias (Bouillabaisse d'anguilles), Cochon de lait rôti, Fromage de Tomar, Eaux de vie*
Estremadura, Ribatejo ⑤ *à* ⑧	**Rouges** *couleur rubis, amples, secs, corsés* **Blancs** *jeunes, délicats, aromatiques, fruités, acidulés* **Moscatel de Setúbal,** *riche en alcool, faible acidité*	*Palourdes à l'ail, Fruits de mer, Bouillabaisse, Queijadas de Sintra (Gâte[au] au fromage), Fatias de Tom[ar] (Pain perdu)*
Algarve ⑨ *à* ⑫	**Rouges** *veloutés, légers, fruités* **Blancs** *doux*	*Poissons et fruits de mer « na cataplana », Figues, Amandes*
Alentejo ⑬ *à* ⑮	**Rouges** *robustes et élégants*	*Migas (Pain et lardons frits), Sericaia (Gâteau), Porc à l'Alentejana, Gaspacho (Soupe froide à la tomate et oignons), Açordas (Soupe au pain et ail), Fromage de Serpa*
Madeira ⑯	*Riches en alcool, secs, arôme délicat*	*Brochettes (viande, poisson[)], Gâteau au miel*

ini e specialità regionali

Portogallo possiede una tradizione vinicola molto antica. La diversità delle ·ioni ha reso necessaria la regolamentazione dei vini attraverso ·nominazioni d'Origine (Denominações de Origem), indicate sulla carta ·rispondente.

Regioni e localizzazione sulla carta	Caratteristiche dei vini	Specialità regionali
Minho, Douro Litoral, Trás-Os-Montes, Alto Douro ① *e* ②	**Rossi** *corposi, giovani, aciduli* **Bianchi** *aromatici, dolci, fruttati, delicati, corposi* **Porto** *(Bianco, Rosso Ruby, Tawny) ricchi in alcool*	*Caldo verde (Zuppa di cavolo), Lampreda, Salmone, Merluzzo, Prosciutto, Bollito, Feijoada (Stufato di lardo), Trippa*
Beira Alta, Beira Baixa, Beira Litoral ③ *e* ④	**Rossi** *aromatici, dolci, vellutati, equilibrati, corposi* **Bianchi** *cristallini, fruttati, delicati, aromatici*	*Formaggio di Serra, Papos de Anjo (Torta), Frutti di mare, Zuppa di pesce, Ensopado de enguias (Zuppa di anguilla), Maialino da latte arrosto, Formaggio di Tomar, Acquavite*
Estremadura, Ribatejo ⑤ *a* ⑧	**Rossi** *rubino, ampi, secchi, corposi* **Bianchi** *giovani, delicati, aromatici, fruttati, aciduli* **Moscatel de Setúbal,** *ricco in alcool, di bassa acidità*	*Vongole all'aglio, Frutti di mare, Zuppa di pesce, Queijadas de Sintra (Torta al formaggio), Fatias de Tomar (Frittella di pane)*
Algarve ⑨ *a* ⑫	**Rossi** *vellutati, leggeri, fruttati* **Bianchi** *dolci*	*Pesci e frutti di mare « na cataplana », Fichi, Mandorle*
Alentejo ⑬ *a* ⑮	**Rossi** *robusti ed eleganti*	*Migas (Pane e pancetta fritta), Sericaia (Torta), Maiale a l'Alentejana, Gaspacho (Zuppa fredda di pomodoro e cipolle), Açordas (Zuppa di pane ed aglio), Formaggio di Serpa*
Madeira ⑯	*Ricchi in alcool, secchi, aroma delicato*	*Spiedini (carne, pesce), Dolce al miele*

Weine und regionale Spezialitäten

Portugal besitzt eine sehr alte Weinbautradition. Die Vielzahl der Regionen, in denen Wein angebaut wird, macht eine Reglementierung der verschiedenen Weine durch geprüfte und und gesetzlich geschützte Herkunftsbezeichnungen (Denominaçoes de Origem) erforderlich.

Regionen und Lage auf der Karte	Charakteristik der Weine	Regionale Spezialitäten
Minho, Douro Litoral, Trás-Os-Montes, Alto Douro ① *und* ②	*Vollmundige, junge, säuerliche* **Rotweine** *Aromatische, liebliche, fruchtige, delikate, vollmundige* **Weißweine** **Portweine** *(Weiß, Rot, Ruby, Tawny), mit hohem Alkoholgehalt*	*Caldo verde (Krautsuppe), Neunauge, Lachs, Stockfis[ch], Schinken, Rindfleischeinto[pf], Feijoada (Bohneneintopf), Kutteln*
Beira Alta, Beira Baixa, Beira Litoral ③ *und* ④	*Aromatische, liebliche, volle und milde, ausgeglichene, körperreiche* **Rotweine** *Kristallklare, fruchtige, delikate, aromatische* **Weißweine**	*Käse von Serra, Papos de Anjo (Kuchen), Meeresfrüchte, Fischsuppe, Ensopado de enguias (Fischsuppe mit Aal), Gebratenes Spanferkel, Käse von Tomar, Schnaps*
Estremadura, Ribatejo ⑤ *bis* ⑧	**Rotweine** *von rubinroter Farbe, reich, trocken, vollmundig* *Junge, delikate, aromatische, fruchtige, säuerliche* **Weißweine** **Muskatwein von Setúbal,** *mit hohem Alkohol- und geringem Säuregehalt*	*Venusmuscheln mit Knoblauch, Meeresfrüchte, Fischsuppe, Queijadas (Käsekuchen) von Sintra, Fatias (in Eiermilch ausgebackenes Brot) von Tomar*
Algarve ⑨ *bis* ⑫	*Volle und milde, leichte, fruchtige* **Rotweine** *Liebliche* **Weißweine**	*Fische und Meeresfrüchte « na cataplana », Feigen, Mandeln*
Alentejo ⑬ *bis* ⑮	*Kräftige und elegante* **Rotweine**	*Migas (Brot und frischer Speck), Sericaia (Kuchen), Schweinefleisch nach der Art von Alentejo, Gaspach[o] (Kalte Tomaten und Zwiebelsuppe), Açordas (Knoblauch-Brot-Suppe), Käse von Serpa*
Madeira ⑯	*Weine mit hohem Alkoholgehalt, trocken, mit delikatem Aroma*	*Spieße (Fleisch, Fisch), Honigkuchen*

Vines and regional specialities

ortugal has a very old wine producing tradition. The diversity of the wine rowing regions made it necessary to regulate those wines by the Appellation Origine (Denominações de Origem) indicated on the corresponding map.

Regions and location on the map	Wine's characteristics	Regional Specialities
Minho, Douro Litoral, Trás-Os-Montes, Alto Douro ① *and* ②	**Reds** *full bodied, young, acidic* **Whites** *aromatic, sweet, fruity, delicate, full bodied* **Port** *(White, Red, Ruby, Tawny), strong in alcohol*	*Caldo verde (Cabbage soup), Lamprey, Salmon, Codfish, Ham, Stew, Feijoada (Pork and bean stew), Tripes*
Beira Alta, Beira Baixa, Beira Litoral ③ *and* ④	**Reds** *aromatic, sweet, velvety, well balanced, full bodied* **Whites** *crystal-clear, fruity, delicate, aromatic*	*Serra Cheese, Papos de Anjo (Cake), Seafood, Fishsoup, Ensopado de enguias (Eel stew), Roast pork, Tomar Cheese, Aguardentes (distilled grape skins and pips)*
Estremadura, Ribatejo ⑤ *to* ⑧	*Ruby coloured* **reds,** *big, dry, full bodied* **Young whites** *delicate, aromatic, fruity, acidic* **Moscatel from Setúbal,** *strong in alcohol, slightly acidic*	*Clams with garlic, Seafood, Fish soup, Queijadas (Cheesecake) from Sintra, Fatias (Sweet bread) from Tomar*
Algarve ⑨ *to* ⑫	*Velvety* **reds,** *light, fruity* *Sweet* **whites**	*Fish and Seafood « na cataplana », Figs, Almonds*
Alentejo ⑬ *to* ⑮	*Robust elegant* **reds**	*Migas (Fried breadcrumbs), Sericaia (Cake), Alentejana pork style, Gaspacho (Cold tomato and onion soup), Açordas (Bread and garlic soup), Serpa Cheese*
Madeira ⑯	*Strong in alcohol, dry with a delicate aroma*	*Kebab (Meat, Fish), Honey cake*

LÉXICO NA ESTRADA	LÉXICO EN LA CARRETERA	LEXIQUE SUR LA ROUTE	LESSICO LUNGO LA STRADA	LEXIKON AUF DER STRASSE	LEXICON ON THE ROAD
acender as luzes	encender las luces	allumer les veilleuses	accendere le luci	Licht einschalten	switch on lights
à direita	a la derecha	à droite	a destra	nach rechts	to the right
à esquerda	a la izquierda	à gauche	a sinistra	nach links	to the left
atenção ! perigo !	¡ atención, peligro !	attention ! danger !	attenzione ! pericolo !	Achtung ! Gefahr !	caution ! danger !
auto-estrada	autopista	autoroute	autostrada	Autobahn	motorway
bifurcação	bifurcación	bifurcation	bivio	Gabelung	road fork
cruzamento perigoso	cruce peligroso	croisement dangereux	incrocio pericoloso	gefährliche Kreuzung	dangerous crossing
curva perigosa	curva peligrosa	virage dangereux	curva pericolosa	gefährliche Kurve	dangerous bend
dê passagem	ceda el paso	cédez le passage	dare la precedenza	Vorfahrt achten	yield right of way
descida perigosa	bajada peligrosa	descente dangereuse	discesa pericolosa	gefährliches Gefälle	dangerous descent
esperem	esperen	attendez	attendete	warten	wait, halt
estacionamento proibido	prohibido aparcar	stationnement interdit	divieto di sosta	Parkverbot	no parking
estrada	carretera	route	strada	Straße	road
estrada escarpada	carretera en cornisa	route en corniche	strada panoramica	Höhenstraße	coastal road
estrada interrompida	carretera cortada	route coupée	strada interrotta	gesperrte Straße	road closed
estrada em mau estado	carretera en mal estado	route en mauvais état	strada in cattivo stato	Straße in schlechtem Zustand	road in poor condition
estrada nacional	carretera nacional	route nationale	strada statale	Staatsstraße	Primary road
gelo	hielo	verglas	ghiaccio	Glatteis	ice (on roads)
lentamente	despacio	lentement	adagio	langsam	slowly
neve	nieve	neige	neve	Schnee	snow
nevoeiro	niebla	brouillard	nebbia	Nebel	fog

paragem obrigatória	parada obligatoria	arrêt obligatoire	fermata obbligatoria	Halt !	compulsory stop
passagem de gado	paso de ganado	passage de troupeaux	passaggio di mandrie	Viehtrieb	cattle crossing
passagem de nível sem guarda	paso a nivel sin barreras	passage à niveau non gardé	passaggio a livello incustodito	unbewachter Bahnübergang	unattended level crossing
piso escorregadio	calzada resbaladiza	chaussée glissante	fondo sdrucciolevole	Rutschgefahr	slippery road
peões	peatones	piétons	pedoni	Fußgänger	pedestrians
perigo !	¡ peligro !	danger !	pericolo !	Gefahr !	danger !
perigoso atravessar	travesía peligrosa	traversée dangereuse	attraversamento pericoloso	gefährliche Durchfahrt	dangerous crossing
ponte estreita	puente estrecho	pont étroit	ponte stretto	enge Brücke	narrow bridge
portagem	peaje	péage	pedaggio	Gebühr	toll
proibido	prohibido	interdit	vietato	verboten	prohibited
proibido ultrapassar	prohibido el adelantamiento	défense de doubler	divieto di sorpasso	Überholverbot	no overtaking
pronto socorro	puesto de socorro	poste de secours	pronto soccorso	Unfall-Hilfsposten	first aid station
prudência	precaución	prudence	prudenza	Vorsicht	caution
queda de pedras	desprendimientos	chute de pierres	caduta sassi	Steinschlag	falling rocks
rebanhos	cañada	troupeaux	greggi	Viehherde	cattle
saída de camiões	salida de camiones	sortie de camions	uscita camion	LKW-Ausfahrt	lorry exit
sentido proibido	dirección prohibida	sens interdit	senso vietato	Einfahrt verboten	no entry
sentido único	dirección única	sens unique	senso unico	Einbahnstraße	one way

PALAVRAS DE USO CORRENTE	PALABRAS DE USO CORRIENTE	MOTS USUELS	PAROLE D'USO CORRENTE	ALLGEMEINER WORTSCHATZ	COMMON WORDS
abadía	abadía	abbaye	abbazia	Abtei	abbey
aberto	abierto	ouvert	aperto	offen	open
abismo	abismo	gouffre	abisso	Abgrund, Tiefe	gulf, abyss
abóbada	bóveda	voûte	volta	Gewölbe, Wölbung	vault, arch
Abril	abril	avril	aprile	April	April
adega	bodega	chais, cave	cantina	Keller	cellar

agência de viagens	agencia de viajes	agence de voyages	agenzia viaggi	Reisebüro	travel bureau
Agosto	agosto	août	agosto	August	August
água potável	agua potable	eau potable	acqua potabile	Trinkwasser	drinking water
albergue	albergue	auberge	albergo	Gasthof	inn
aldeia	pueblo	village	villaggio	Dorf	village
alfândega	aduana	douane	dogana	Zoll	customs
almoço	almuerzo	déjeuner	colazione	Mittagessen	lunch
andar	piso	étage	piano (di casa)	Etage	floor
antigo	antiguo	ancien	antico	alt	ancient
aqueduto	acueducto	aqueduc	acquedotto	Aquadukt	aqueduct
arquitectura	arquitectura	architecture	architettura	Architektur	architecture
arredores	alrededores	environs	dintorni	Umgebung	surroundings
artificial	artificial	artificiel	artificiale	Künstlich	artificial
árvore	árbol	arbre	albero	Baum	tree
avenida	avenida	avenue	viale, corso	Boulevard, breite Straße	avenue
bagagem	equipaje	bagages	bagagli	Gepäck	luggage
baía	bahía	baie	baia	Bucht	bay
bairro	barrio	quartier	quartiere	Stadtteil	quarter, district
baixo-relevo	bajorrelieve	bas-relief	bassorilievo	Flachrelief	low relief
balaustrada	balaustrada	balustrade	balaustrata	Balustrade, Geländer	balustrade
barco	barco	bateau	battello	Schiff	boat
barragem	embalse	barrage	sbarramento	Talsperre	dam
beco	callejón sin salida	impasse	vicolo cieco	Sackgasse	no through road
beira-mar	orilla del mar	bord de mer	riva, litorale	Ufer, Küste	shore, strand
biblioteca	biblioteca	bibliothèque	biblioteca	Bibliothek	library
bilhete postal	tarjeta postal	carte postale	cartolina	Postkarte	postcard
bosque	bosque	bois	bosco	Wald	wood
botânica	botánico	botanique	botanico	botanisch	botanical
cabeleireiro	peluquería	coiffeur	parrucchiere	Friseur	hairdresser, barber
caça	caza	chasse	caccia	Jagd	hunting, shooting
cadeiras de coro	sillería del coro	stalles	stalli	Chorgestühl	choir stalls
caixa	caja	caisse	cassa	Kasse	cash-desk

campanario	campanario	clocher	campanile	Glockenturm	belfry, steeple
campo	campo	campagne	campagna	auf dem Lande	country, countryside
capela	capilla	chapelle	cappella	Kapelle	chapel
capitel	capitel	chapiteau	capitello	Kapitell	capital (of column)
casa	casa	maison	casa	Haus	house
casa de jantar	comedor	salle à manger	sala da pranzo	Speisesaal	dining room
cascata	cascada	cascade	cascata	Wasserfall	waterfall
castelo	castillo	château	castello	Schloß	castle
casula	casulla	chasuble	pianeta	Meßgewand	chasuble
catedral	catedral	cathédrale	duomo	Dom. Münster	cathedral
centro urbano	centro urbano	centre ville	centro città	Stadtzentrum	town centre
chave	llave	clé	chiave	Schlüssel	key
cidade	ciudad	ville	città	Stadt	town
cinzeiro	cenicero	cendrier	portacenere	Aschenbecher	ashtray
claustro	claustro	cloître	chiostro	Kreuzgang	cloisters
climatizada (piscina)	climatizada (piscina)	chauffée (piscine)	riscaldata (piscina)	geheizt (Freibad)	heated (swimming pool)
climatizado	climatizado	climatisé	con aria condizionata	klimatisiert	air conditioned
colecção	colección	collection	collezione	Sammlung	collection
colher	cuchara	cuillère	cucchiaio	Löffel	spoon
colina	colina	colline	colle, collina	Hügel	hill
confluência	confluencia	confluent	confluenza	Zusammenfluß	confluence
conforto	confort	confort	confort	Komfort	comfort
conta	cuenta	note	conto	Rechnung	bill
convento	convento	couvent	convento	Kloster	convent
copo	vaso	verre	bicchiere	Glas	glass
correios	correos	bureau de poste	ufficio postale	Postamt	post offlce
cozinha	cocina	cuisine	cucina	Kochkunst	kitchen
criado, empregado	camarero	garçon, serveur	cameriere	Ober, Kellner	waiter
crucifixo, cruz	crucifijo, cruz	crucifix, croix	crocifisso, croce	Kruzifix, Kreuz	crucifix, cross
cúpulo	cúpula	coupole, dôme	cupola	Kuppel	dome, cupola
curiosidade	curiosidad	curiosité	curiosità	Sehenswürdigkeit	sight
decoração	decoración	décoration	decorazione	Schmuck, Ausstattung	decoration

dentista	dentista	dentiste	dentista	Zahnarzt	dentist
descida	bajada, descenso	descente	discesa	Gefälle	downward slope
desporto	deporte	sport	sport	Sport	sport
Dezembro	diciembre	décembre	dicembre	Dezember	December
Domingo	domingo	dimanche	domenica	Sonntag	Sunday
edifício	edificio	édifice	edificio	Bauwerk	building
encosta	ladera	versant	versante	Abhang	hillside
engomagem	planchado	repassage	stiratura	bügeln	pressing, ironing
envelopes	sobres	enveloppes	buste	Briefumschläge	envelopes
episcopal	episcopal	épiscopal	vescovile	bischöflich	episcopal
equestre	ecuestre	équestre	equestre	reiten	equestrian
escada	escalera	escalier	scala	Treppe	stairs
escultura	escultura	sculpture	scultura	Skulptur	carving
esquadra de polícia	comisaría	commissariat de police	commissariato di polizia	Polizeistation	police headquarters
estação	estación	gare	stazione	Bahnhof	station
estância balnear	estación balnearia	station balnéaire	stazione balneare	Seebad	seaside resort
estátua	estatua	statue	statua	Standbild	statue
estilo	estilo	style	stile	Stil	style
estuário	estuario	estuaire	estuario	Mündung	estuary
faca	cuchillo	couteau	coltello	Messer	knife
fachada	fachada	façade	facciata	Vorderseite	façade
faiança	loza	faïence	maiolica	Fayence	china
falésia	acantilado	falaise	scogliera	Klippe, Steilküste	cliff, c'face
farmácia	farmacia	pharmacie	farmacia	Apotheke	chemist
fechado	cerrado	fermé	chiuso	geschlossen	closed
2ª feira	lunes	lundi	lunedì	Montag	Monday
3ª feira	martes	mardi	martedì	Dienstag	Tuesday
4ª feira	miércoles	mercredi	mercoledì	Mittwoch	Wednesday
5ª feira	jueves	jeudi	giovedì	Donnerstag	Thursday

ferro forjado	hierro forjado	fer forgé	ferro battuto	Schmiedeeisen	wrought iron
Fevereiro	febrero	février	febbraio	Februar	February
floresta	bosque	forêt	foresta	Wald	forest
florido	florido	fleuri	fiorito	blühend	in bloom
folclore	folclore	folklore	folclore	folklore	folklore
fonte, nascente	fuente	source	sorgente	Quelle	source, stream
fortificação	fortificación	fortification	fortificazione	Befestigung	fortification
fortaleza	fortaleza	forteresse, château fort	fortezza	Festung, Burg	fortress, fortified castle
fósforos	cerillas	allumettes	fiammiferi	Zündhölzer	matches
foz	desembocadura	embouchure	foce	Mündung	mouth
fronteira	frontera	frontière	frontiera	Grenze	frontier
garagem	garaje	garage	garage	Garage	garage
garfo	tenedor	fourchette	forchetta	Gabel	fork
garganta	garganta	gorge	gola	Schlucht	gorge
gasolina	gasolina	essence	benzina	Benzin	petrol
gorjeta	propina	pourboire	mancia	Trinkgeld	tip
gracioso	encantador	charmant	delizioso	reizend	charming
igreja	iglesia	église	chiesa	Kirche	church
ilha	isla	île	isola, isolotto	Insel	island
imagem	imagen	image	immagine	Bild	picture
informações	informaciones	renseignements	informazioni	Auskünfte	information
instalação	instalación	installation	installazione	Einrichtung	arrangement
interior	interior	intérieur	interno	Inneres	interior
Inverno	invierno	hiver	inverno	Winter	winter
Janeiro	enero	janvier	gennaio	Januar	January
janela	ventana	fenêtre	finestra	Fenster	window
jantar	cena	dîner	cena	Abendessen	dinner
jardim	jardín	jardin	giardino	Garten	garden
jornal	diario	journal	giornale	Zeitung	newspaper
Julho	julio	juillet	luglio	Juli	July
Junho	junio	juin	giugno	Juni	June

lago, lagoa	lago, laguna	lac, lagune	lago, laguna	See, Lagune	lake, lagoon
lavagem de roupa	lavado	blanchissage	lavanderia	Wäscherei	laundry
local	paraje	site	posizione	Lage	site
localidade	localidad	localité	località	Ortschaft	locality
loiça de barro, olaría	alfarería	poterie	stoviglie	Tongeschirr	pottery
luxuoso	lujoso	luxueux	sfarzoso	luxuriös	luxurious
Maio	mayo	mai	maggio	Mai	May
mansão	mansión	manoir	maniero	Gutshaus	country house
mar	mar	mer	mare	Meer	sea
Março	marzo	mars	marzo	März	March
marfim	marfil	ivoire	avorio	Elfenbein	ivory
margem	ribera	rive, bord	riva, banchina	Ufer	shore (of lake), bank (of river)
mármore	mármol	marbre	marmo	Marmor	marble
médico	médico	médecin	medico	Arzt	doctor
medieval	medieval	médiéval	medioevale	mittelalterlich	mediaeval
miradouro	mirador	belvédère	belvedere	Aussichtspunkt	belvedere
mobiliário	mobiliario	ameublement	arredamento	Einrichtung	furniture
moinho	molino	moulin	mulino	Mühle	mill
montanha	montaña	montagne	montagna	Berg	mountain
mosteiro	monasterio	monastère	monastero	Kloster	monastery
muralha	muralla	muraille	muraglia	Mauer	walls
museu	museo	musée	museo	Museum	museum
Natal	Navidad	Noël	Natale	Weihnachten	Christmas
nave	nave	nef	navata	Kirchenschiff	nave
Novembro	noviembre	novembre	novembre	November	November
obra de arte	obra de arte	œuvre d'art	opera d'arte	Kunstwerk	work of art
oceano	océano	océan	oceano	Ozean	ocean
oliveira	olivo	olivier	ulivo	Olivenbaum	olive-tree
órgão	órgano	orgue	organo	Orgel	organ
orla	linde	lisière	confine	Waldrand	forest boundary
ourivesaria	orfebrería	orfèvrerie	oreficeria	Goldschmiedekunst	goldsmith's work

Outubro	octubre	octobre	ottobre	Oktober	October
ovelha	oveja	brebis	pecora	Schaf	ewe
pagar	pagar	payer	pagare	bezahlen	to pay
paisagem	paisaje	paysage	paesaggio	Landschaft	landscape
palácio, paço	palacio	palais	palazzo	Palast	palace
palmar	palmeral	palmeraie	palmeto	Palmenhain	palm grove
papel de carta	papel de carta	papier à lettre	carta da lettera	Briefpapier	writing paper
paragem	parada	arrêt	fermata	Haltestelle	stopping place
parque	parque	parc	parco	Park	park
parque de estacionamento	aparcamiento	parc à voitures	parcheggio	Parkplatz	car park
partida	salida	départ	partenza	Abfahrt	departure
Páscoa	Pascua	Pâques	Pasqua	Ostern	Easter
passageiros	pasajeros	passagers	passeggeri	Fahrgäste	passengers
passeio	paseo	promenade	passeggiata	Spaziergang, Promenade	walk, promenade
pelourinho	picote	pilori	gogna	Pranger	pillory
percurso	recorrido	parcours	percorso	Strecke	course
perspectiva	perspectiva	perspective	prospettiva	Perspektive	perspective
pesca, pescador	pesca, pescador	pêche, pêcheur	pesca, pescatore	Fischfang, Fischer	fishing, fisherman
pia baptismal	pila de bautismo	fonts baptismaux	fonte battisimale	Taufbecken	font
pinhal	pinar, pineda	pinède	pineta	Pinienhain	pine wood
pinheiro	pino	pin	pino	Kiefer	pine-tree
planície	llanura	plaine	pianura	Ebene	plain
poço	pozo	puits	pozzo	Brunnen	well
polícia	policía	gendarme	poliziotto	Polizist	policeman
ponte	puente	pont	ponte	Brücke	bridge
porcelana	porcelana	porcelaine	porcellana	Porzellan	porcelain
portal	portal	portail	portale	Tor	doorway
porteiro	conserje	concierge	portiere	Portier	porter
porto	puerto	port	porto	Hafen	harbour, port
povoação	burgo	bourg	borgo	kleiner Ort, Flecken	market town
praça de touros	plaza de toros	arènes	arena	Stierkampfarena	bull ring
praia	playa	plage	spiaggia	Strand	beach

prato	plato	assiette	piatto	Teller	plate
Primavera	primavera	printemps	primavera	Frühling	spring (season)
proibido fumar	prohibido fumar	défense de fumer	vietato fumare	Rauchen verboten	no smoking
promontório	promontorio	promontoire	promontorio	Vorgebirge	promontory
púlpito	púlpito	chaire	pulpito	Kanzel	pulpit
quadro, pintura	cuadro, pintura	tableau, peinture	quadro, pittura	Gemälde, Malerei	painting
quarto	habitación	chambre	camera	Zimmer	room
quinzena	quincena	quinzaine	quindicina	2 Wochen	fortnight
recepção	recepción	réception	ricevimento	Empfang	reception
recife	arrecife	récif	scoglio	Klippe	reef
registado	certificado	recommandé (objet)	raccomandato	Einschreiben	registered
relógio	reloj	horloge	orologio	Uhr	clock
relvado	césped	pelouse	prato	Rasen	lawn
renda	encaje	dentelle	pizzo	Spitze	lace
retábulo	retablo	retable	pala d'altare	Altaraufsatz	altarpiece, retable
retrato	retrato	portrait	ritratto	Bildnis	portrait
rio	río	fleuve	fiume	Fluß	river
rochoso	rocoso	rocheux	roccioso	felsig	rocky
rua	calle	rue	via	Straße	street
ruinas	ruinas	ruines	ruderi	Ruinen	ruins
rústico	rústico	rustique	rustico	ländlich	rustic, rural
Sábado	sábado	samedi	sabato	Samstag	Saturday
sacristia	sacristía	sacristie	sagrestia	Sakristei	sacristy
saída de socorro	salida de socorro	sortie de secours	uscita di sicurezza	Notausgang	emergency exit
sala capitular	sala capitular	salle capitulaire	sala capitolare	Kapitelsaal	chapterhouse
salão, sala	salón	salon	salone	Salon	drawing room, sitting room
santuário	santuario	sanctuaire	santuario	Heiligtum	shrine
século	siglo	siècle	secolo	Jahrhundert	century
selo	sello	timbre-poste	francobollo	Briefmarke	stamp
sepúlcro, túmulo	sepulcro, tumba	sépulcre, tombeau	sepolcro, tomba	Grabmal	tomb
serviço incluido	servicio incluido	service compris	servizio compreso	Bedienung inbegriffen	service included

Setembro	septiembre	septembre	settembre	September	September
sob pena de multa	bajo pena de multa	sous peine d'amende	passibile di contravvenzione	bei Geldstrafe	under penalty of fine
solar	casa solariega	manoir	maniero	Herrenhaus	manor
tabacaria	estanco	bureau de tabac	tabaccaio	Tabakladen	tobacconist
talha	tallas en madera	bois sculpté	sculture lignee	Holzschnitzerei	wood carving
tapeçarias	tapices	tapisseries	tappezzerie, arazzi	Wandteppiche	tapestries
tecto	techo	plafond	soffitto	Zimmerdecke	ceiling
telhado	tejado	toit	tetto	Dach	roof
termas	balneario	station thermale	stazione termale	Thermalbad	health resort, Spa
terraço	terraza	terrasse	terrazza	Terrasse	terrace
tesouro	tesoro	trésor	tesoro	Schatz	treasure, treasury
toilette, casa de banho	servicios	toilettes	gabinetti	Toiletten	toilets
tríptico	tríptico	triptyque	trittico	Triptychon	triptych
túmulo	tumba	tombe	tomba	Grab	tomb
vale	valle	val, vallée	valle, vallata	Tal	valley
ver	ver	voir	vedere	sehen	see
Verão	verano	été	estate	Sommer	summer
vila	pueblo	village	villaggio	Dorf	village
vinhedos, vinhas	viñedos	vignes, vignoble	vigne, vigneto	Reben, Weinberg	vines, vineyard
vista	vista	vue	vista	Aussicht	view
vitral	vidriera	verrière, vitrail	vetrata	Kirchenfenster	stained glass windows
vivenda	morada	demeure	dimora	Wohnsitz	residence

COMIDAS E BEBIDAS	COMIDA Y BEBIDAS	NOURRITURE ET BOISSONS	CIBI E BEVANDE	SPEISEN UND GETRÄNKE	FOOD AND DRINK
açúcar	azúcar	sucre	zucchero	Zucker	sugar
água gaseificada	agua con gas	eau gazeuse	acqua gasata	Sprudel	soda water
água mineral	agua mineral	eau minérale	acqua minerale	Mineralwasser	mineral water
alcachofra	alcachofa	artichaut	carciofo	Artischocke	artichoke
alho	ajo	ail	aglio	Knoblauch	garlic

ameixas	ciruelas	prunes	prugne	Pflaumen	plums
amêndoas	almendras	amandes	mandorle	Mandeln	almonds
anchovas	anchoas	anchois	acciughe	Sardellen	anchovies
arroz	arroz	riz	riso	Reis	rice
assado	asado	rôti	arrosto	gebraten	roast
atum	atún	thon	tonno	Thunfish	tunny
aves, criação	ave	volaille	pollame	Geflügel	poultry
azeite	aceite de oliva	huile d'olive	olio d'oliva	Olivenöl	olive oil
azeitonas	aceitunas	olives	olive	Oliven	olives
bacalhau fresco	bacalao	morue fraîche, cabillaud	merluzzo	Kabeljau, Dorsch	cod
bacalhau salgado	bacalao en salazón	morue salée	baccalà, stoccafisso	Stockfisch	dried cod
banana	plátano	banane	banana	Banane	banana
bebidas	bebidas	boissons	bevande	Getränke	drinks
beringela	berenjena	aubergine	melanzana	Aubergine	aubergine
besugo, dourada	besugo, dorada	daurade	orata	Goldbrassen	sea bream
batatas	patatas	pommes de terre	patate	Kartoffeln	potatoes
bolachas	galletas	gâteaux secs	biscotti secchi	Gebäck	biscuits
bolos	pasteles	pâtisseries	dolci, particceria	Süßigkeiten	pastries
cabrito	cabrito	chevreau	capretto	Zicklein	kid
café com leite	café con leche	café au lait	caffelatte	Milchkaffee	coffee with milk
café simples	café solo	café nature	caffè nero	schwarzer Kaffee	black coffee
caldo	caldo	bouillon	brodo	Fleischbrühe	clear soup
camarões	gambas	crevettes roses	gamberetti	Granat	shrimps
camarões grandes	gambas	crevettes (bouquets)	gamberetti	Garnelen	prawns
carne	carne	viande	carne	Fleisch	meat
carne de vitela	ternera	veau	vitello	Kalbfleisch	veal
carneiro	cordero	mouton	montone	Hammelfleisch	mutton
carnes frias	fiambres	viandes froides	carni fredde	kaltes Fleisch	cold meat
castanhas	castañas	châtaignes	castagne	Kastanien	chestnuts
cebola	cebolla	oignon	cipolla	Zwiebel	onion
cerejas	cerezas	cerises	ciliegie	Kirschen	cherries
cerveja	cerveza	bière	birra	Bier	beer

cherne	mero	mérou	cernia	Zackenbarsch	brill
chouriço	chorizo	saucisses au piment	salsicce piccanti	Pfefferwurst	spiced sausages
cidra	sidra	cidre	sidro	Apfelwein	cider
cogumelos	setas	champignons	funghi	Pilze	mushrooms
cordeiro	cordero lechal	agneau de lait	agnello	Lammfleisch	lamb
costeleta	costilla, chuleta	côtelette	costoletta	Kotelett	chop, cutlet
couve	col	chou	cavolo	Kohl, Kraut	cabbage
enguia	anguila	anguille	anguilla	Aal	eel
entrada	entremeses	hors-d'œuvre	antipasti	Vorspeise	hors d'œuvre
espargos	espárragos	asperges	asparagi	Spargel	asparagus
espinafres	espinacas	épinards	spinaci	Spinat	spinach
ervilhas	guisantes	petits pois	piselli	junge Erbsen	garden peas
faisão	faisán	faisan	fagiano	Fasan	pheasant
feijão verde	judías verdes	haricots verts	fagiolini	grüne Bohnen	French beans
fígado	hígado	foie	fegato	Leber	liver
figos	higos	figues	fichi	Feigen	figs
frango	pollo	poulet	pollo	Hähnchen	chicken
fricassé	pepitoria	fricassée	fricassea	Frikassee	fricassée
fruta	frutas	fruits	frutta	Früchte	fruit
fruta em calda	frutas en almíbar	fruits au sirop	frutta sciroppata	Früchte in Sirup	fruit in syrup
gamba	gamba	crevette géante	gamberone	große Garnele	prawns
gelado	helado	glace	gelato	Speiseeis	ice cream
grão	garbanzos	pois chiches	ceci	Kichererbsen	chick peas
grelhado	a la parrilla	à la broche, grillé	allo spiedo	am Spieß, gegrillt	grilled
lagosta	langosta	langouste	aragosta	Languste	crawfish
lagostins	cigalas	langoustines	scampi	Meerkrebse, Langustinen	crayfish
lavagante	bogavante	homard	astice	Hummer	lobster
legumes	legumbres	légumes	verdura	Gemüse	vegetables
laranja	naranja	orange	arancia	Orange	orange
leitão assado	cochinillo, tostón	cochon de lait grillé	maialino grigliato, porchetta	Spanferkel gegrillt	roast suckling pig

lentilhas	lentejas	lentilles	lenticchie	Linsen	lentils
limão	limón	citron	limone	Zitrone	lemon
língua	lengua	langue	lingua	Zunge	tongue
linguado	lenguado	sole	sogliola	Seezunge	sole
lombo de porco	lomo	échine	lombata, lombo	Rückenstück	loin, chine
lombo de vaca	filete, solomillo	filet	filetto	Filetsteak	fillet
lota	rape	lotte	rana pescatrice, coda di rospo	Seeteufel	monkfish, angler fish
lulas, chocos	calamares	calmars	calamari	Tintenfische	squid
maçã	manzana	pomme	mela	Apfel	apple
manteiga	mantequilla	beurre	burro	Butter	butter
mariscos	mariscos	fruits de mer	frutti di mare	Meeresfrüchte	seafood
mel	miel	miel	miele	Honig	honey
melancia	sandía	pastèque	cocomero	Wassermelone	water melon
mexilhões	mejillones	moules	cozze	Muscheln	mussels
miolos, mioleira	sesos	cervelle	cervella	Hirn	brains
molho	salsa	sauce	salsa	Sauce	sauce
morangos	fresas	fraises	fragole	Erdbeeren	strawberries
nata	nata	crème fraîche	panna	Sahne	cream
omelete	tortilla	omelette	frittata	Omelett	omelette
ostras	ostras	huîtres	ostriche	Austern	oysters
ovo cozido	huevo duro	œuf dur	uovo sodo	hartes Ei	hard boiled egg
ovo quente	huevo pasado por agua	œuf à la coque	uovo à la coque	weiches Ei	soft boiled egg
ovos estrelados	huevos al plato	œufs au plat	uova fritte	Spiegeleier	fried eggs
pão	pan	pain	pane	Brot	bread
pato	pato	canard	anitra	Ente	duck
peixe	pescado	poisson	pesce	Fisch	fish
pepino	pepino, pepinillo	concombre, cornichon	cetriolo, cetriolino	Gurke, Essiggürkchen	cucumber, gherkin
pêra	pera	poire	pera	Birne	pear

pescada	merluza	colin, merlan	nasello	Kohlfisch, Weißling	hake
pêssego	melocotón	pêche	pesca	Pfirsich	peach
pimenta	pimienta	poivre	pepe	Pfeffer	pepper
pimento	pimiento	poivron	peperone	Pfefferschote	pimento
pombo, borracho	paloma, pichón	palombe, pigeon	piccione	Taube	pigeon
porco	cerdo	porc	maiale	Schweinefleisch	pork
pregado, rodovalho	rodaballo	turbot	rombo	Steinbutt	turbot
presunto, fiambre	jamón (serrano, cocido)	jambon (cru ou cuit)	prosciutto (crudo o cotto)	Schinken (roh, gekocht)	ham (raw or cooked)
queijo	queso	fromage	formaggio	Käse	cheese
raia	raya	raie	razza	Rochen	skate
rins	riñones	rognons	rognoni	Nieren	kidneys
robalo	lubina	bar	spigola	Barsch	bass
sal	sal	sel	sale	Salz	salt
salada	ensalada	salade	insalata	Salat	green salad
salmão	salmón	saumon	salmone	Lachs	salmon
salpicão	salchichón	saucisson	salame	Hartwurst, Salami	salami, sausage
salsichas	salchichas	saucisses	salsicce	Würstchen	sausages
sopa	potaje, sopa	potage, soupe	minestra, zuppa	Suppe	soup
sobremesa	postre	dessert	dessert	Nachspeise	dessert
sumo de frutas	zumo de frutas	jus de fruits	succo di frutta	Fruchtsaft	fruit juice
torta, tarte	tarta	tarte, grand gâteau	torta	Torte, Kuchen	tart, pie
truta	trucha	truite	trota	Forelle	trout
uva	uva	raisin	uva	Traube	grapes
vaca	vaca	bœuf	manzo	Rindfleisch	beef
vinagre	vinagre	vinaigre	aceto	Essig	vinegar
vinho branco doce	vino blanco dulce	vin blanc doux	vino bianco amabile	süßer Weißwein	sweet white wine
vinho branco seco	vino blanco seco	vin blanc sec	vino bianco secco	trockener Weißwein	dry white wine
vinho « rosé »	vino rosado	vin rosé	vino rosato	Roséwein	rosé wine
vinho de marca	vino de marca	grand vin	vino pregiato	Prädikatswein	fine wine
vinho tinto	vino tinto	vin rouge	vino rosso	Rotwein	red wine

MAPAS E GUIAS MICHELIN

MAPAS Y GUÍAS MICHELIN

CARTES ET GUIDES MICHELIN

CARTE E GUIDE MICHELIN

MICHELIN KARTEN UND REISEFÜHRER

MICHELIN MAPS AND GUIDES

Cidades

Poblaciones

Villes

Città

Städte

Towns

ABRANTES *2200 Santarém* 940 N 5 – *19 410 h. alt. 188.*
Ver : *Sítio★.*
Largo 1º de Maio ✆ (041) 225 55.
Lisboa 142 – Santarém 61.

De Turismo, Largo de Santo António ✆ (041) 212 61, *Fax (041) 252 18,* ≤ Abrant e vale do Tejo, – 25/35. AE E VISA JCB.
Refeição 2900 – **41 qto** 11000/13600 – PA 5800.

AGUADA DE CIMA *Aveiro – ver Águeda.*

ÁGUEDA *3750 Aveiro* 940 **K 4** – *6 726 h.*
Largo Dr. João Elisio Sucena ✆ (034) 60 14 12.
Lisboa 250 – Aveiro 22 – Coimbra 42 – Porto 85.

em Aguada de Cima *Sudeste : 9,5 km – ✉ 3750 Águeda :*

Adega do Fidalgo, Almas da Areosa ✆ (034) 66 62 26, *Fax (034) 66 72 26,* « Res típico » – AE E VISA.
Refeição - grelhados - lista 3100 a 3800.

ALANDROAL *7250 Évora* 940 **P 7** – *7 346 h.*
Lisboa 192 – Badajoz 53 – Évora 56 – Portalegre 86 – Setúbal 160.

A Maria, Rua João de Deus 12 ✆ (068) 43 11 43, *Fax (068) 44 93 37,* « Decoraç regional » – . AE VISA.
fechado 2ª feira e do 17 ao 31 de agosto – **Refeição** lista 2200 a 3800.

ALBERGARIA-A-VELHA *3850 Aveiro* 940 **J 4** – *4 031 h. alt. 126.*
Lisboa 259 – Aveiro 19 – Coimbra 57.

na estrada N 1 *Sul : 4 km – ✉ 3750 Serém-Águeda :*

Pousada de Santo António ✆ (034) 52 32 30, *Fax (034) 52 31 92,* ≤ vale Vouga e montanha, . AE E VISA.
Refeição 3650 – **12 qto** 13500/15600.

ALBUFEIRA *8200 Faro* 940 **U 5** – *4 324 h. – Praia.*
Ver : *Sítio★.*
Vale Parra, Oeste : 8,5 km Golf Salgados ✆ (089) 59 11 11 Fax (089) 59 11 12.
Rua 5 Outubro ✆ (089) 58 52 79 e Estrada de Sta. Eulália ✆ (089) 54 20 47.
Lisboa 326 – Faro 38 – Lagos 52.

Alísios, Av. Infante Dom Henrique ✆ (089) 58 92 84, *Fax (089) 58 92 88,* ≤, – . AE E VISA.
março-outubro – **Refeição** - só jantar - 4200 – **100 qto** 20000/30000.

Cerro Alagoa, Cerro da Alagoa ✆ (089) 580 21 00, *Telex 58290, Fax (089) 580 21 9* – 25/150. AE E VISA.
Refeição lista 2500 a 4250 – **242 qto** 20250/27000, 15 suites.

Brisa Sol, Cerro da Alagoa ✆ (089) 58 94 18, *Telex 58283, Fax (089) 58 82 54,* – 25/260
Refeição (só jantar) – **94 qto**, 71 apartamentos.

O Cabaz da Praia, Praça Miguel Bombarda 7 ✆ (089) 51 21 37, – AE E VISA.
fechado 5ª feira e janeiro – **Refeição** lista 4150 a 6550.

em Areias de São João *Este : 2,5 km – ✉ 8200 Albufeira :*

Ondamar, ✆ (089) 58 67 74, *Fax (089) 58 79 68,* – 25/50. AE E VISA.
Refeição 2800 – **16 qto** 19700/27800, 76 apartamentos.

Três Palmeiras, Av. Infante D. Henrique 51 ✆ (089) 51 54 23, *Fax (089) 51 54 23* . AE E VISA.
fechado domingo e janeiro – **Refeição** lista 2350 a 3850.

em Montechoro *Nordeste : 3,5 km – ✉ 8200 Albufeira :*

Montechoro, Av. Francisco Sà Carneiro ✆ (089) 58 94 24, *Telex 5628 Fax (089) 58 99 47,* ≤, – 25/1200. AE E V JCB.
Grill das Amendoeiras *(só jantar)* **Refeição** lista 6900 a 8000 – **322 q** 23400/28300, 40 suites.

na Praia da Galé *Oeste : 6,5 km – ✉ 8200 Albufeira :*

Vila Galé Praia, ☎ (089) 59 10 50, *Fax (089) 59 14 36*, ⛱, 🎾 – |♦| ▤ 📺 ☎ P. AE ⓓ E VISA. ✂
Refeição - só jantar salvo verão - 3650 – **40 qto** ☕ 18100/24200.

Vila Joya ⛵ com qto, ☎ (089) 59 17 95, *Fax (089) 59 12 01*, ⛱, « Belo jardim e ⛱ climatizada numa elegante vila com ← mar » – ☎. AE ⓓ E VISA. ✂
fechado 11 janeiro-6 fevereiro e 15 novembro-19 dezembro – **Refeição** lista 6700 a 10100 – **15 qto** ☕ 54000/88000, 2 suites
Espec. Pregado com puré de batata, caviar e molho de champagne. Bife de vitela com galette, frutas e alho francês. Soufflé de queijo batido com baunilha e framboesas.

na Praia da Falésia *Este : 10 km – ✉ 8200 Albufeira :*

Sheraton Algarve ⛵, ☎ (089) 50 01 00, *Telex 58524, Fax (089) 50 19 50*, ← mar e campo de golfe, ⛱, «No alto de uma falésia rodeado de zonas verdes », 🏋, ⛱, ▣, ⛺, 🏖, 🎾, ⛳ – |♦| ▤ 📺 ☎ ♿ P – 🎤 25/230. AE ⓓ E VISA JCB. ✂
Além-Mar (só jantar) **Refeição** lista 6500 a 8000 - ***O Pescador*** *(peixes e mariscos, fechado no inverno)* **Refeição** lista 5800 a 6400 – **182 qto** ☕ 59000/64000, 33 suites.

Falésia H. ⛵, Pinhal, ✉ apartado 785, ☎ (089) 50 12 37, *Telex 58204, Fax (089) 50 12 70*, ←, ⛱, ▣, 🏖, 🎾 – |♦| ▤ 📺 ☎ P – 🎤 25/300. AE E VISA. ✂
Refeição 2900 – **169 qto** ☕ 17200/22000 – PA 5200.

ALCABIDECHE *Lisboa* 940 **P 1** – *25 178 h.* – ✉ *2765 Estoril.*
Lisboa 36 – Cascais 4 – Sintra 12.

Pingo, Rua Conde Barão 1016 ☎ (01) 469 01 37 – ▤. AE ⓓ E VISA. ✂
fechado 3ª feira, 28 fevereiro-15 março e do 15 ao 30 de setembro – **Refeição** lista 1600 a 4700.

na estrada de Sintra *Nordeste : 2 km – ✉ 2765 Estoril :*

Atlantis Sintra-Estoril, junto ao autódromo ☎ (01) 469 07 20, *Fax (01) 469 07 40*, ←, 🏋, ⛱, 🏖, 🎾 – |♦| ▤ 📺 ☎ ♿ P – 🎤 25/250. AE ⓓ E VISA. ✂
Refeição 3500 – **185 qto** ☕ 18500/26000, 2 suites – PA 7000.

ALCÁCER DO SAL *7580 Setúbal* 940 **Q 4** – *14 391 h.*
Lisboa 97 – Beja 94 – Évora 75 – Setúbal 55 – Sines 70.

Pousada D. Afonso II ⛵, Castelo de Alcácer ☎ (065) 61 30 70, *Fax (065) 61 30 74*, ←, Museu Arqueológico. Igreja, «Antigo castelo-convento numa colina com o rio Sado ao fundo », ⛱ – |♦| ▤ 📺 ☎ ♿ P. AE ⓓ E VISA. ✂
Refeição lista 3400 a 5100 – **33 qto** ☕ 29000/31000, 2 suites.

na Barrosinha *Sudeste : 2,5 km – ✉ 7580 Alcácer do Sal :*

Albergaria da Barrosinha, ☎ (065) 61 20 32, *Fax (065) 61 28 33* – |♦| ▤ 📺 ☎ ♿ 🚗 P. AE ⓓ E VISA. ✂
Refeição lista 2500 a 3800 – **17 qto** ☕ 10000/15000.

ALCOBAÇA *2460 Leiria* 940 **N 3** – *11 093 h. alt. 42.*
Ver : *Mosteiro de Santa Maria★★ : igreja★★ (túmulo de D. Inês de Castro★★, túmulo de D. Pedro★★), edifícios da abadia★★ (sala capitular★★, sala dos monges★★).*
ℹ *Praça 25 de Abril ☎ (062) 423 77.*
Lisboa 110 – Leiria 32 – Santarém 60.

Santa Maria sem rest, Rua Dr. Francisco Zagalo 20 ☎ (062) 59 73 95, *Fax (062) 59 67 15* – |♦| 📺 🚗. AE ⓓ E VISA
30 qto ☕ 9500/12000.

O Telheiro, Rua da Levadinha - Quinta do Telheiro - Sul : 1 km ☎ (062) 59 60 29, ⛱ – ▤ P.

pela estrada da Nazaré *Noroeste : 3,5 km – ✉ 2460 Alcobaça :*

Termas da Piedade ⛵, ☎ (062) 58 20 65, *Fax (062) 59 69 71*, ⛱, 🎾 – |♦| ▤ 📺 ☎ P – 🎤 25/250. AE ⓓ E VISA JCB. ✂
Refeição 2000 – **60 qto** ☕ 6500/12000, 3 suites – PA 4000.

em Aljubarrota *Nordeste : 6,5 km – ✉ 2460 Alcobaça :*

Casa da Padeira sem rest, Estrada N 8 ☎ (062) 50 82 72, *Fax (062) 50 82 72*, « Situa no campo com ≤ », 🏊 – Ⓟ. AE E VISA
8 qto ☕ 10000/13000.

Casa da Sofía, Rua Misericórdia 8 ☎ (062) 50 86 45
– ▤. AE E VISA. ✈
fechado 2ª feira – **Refeição** lista 3370 a 3850.

ALCOCHETE *2890 Setúbal* 940 **P 3.**
Lisboa 59 – Évora 101 – Santarém 81 – Setúbal 29.

Al Foz, Av. D. Manuel I ☎ (01) 234 11 79, *Fax (01) 234 11 90* – |‡| ▤ TV ☎ ♿ 🚗
🏃 25/50
Refeição (ver rest. ***Al Foz***) – **32 qto.**

Al Foz, Av. D. Manuel I ☎ (01) 234 19 37, *Fax (01) 234 21 32*, ≤, 🏖 – ▤ Ⓟ. AE
VISA. ✈
fechado 2ª feira – **Refeição** lista 4100 a 6000.

ALDEIA DA SERRA *Évora – ver Redondo.*

ALFERRAREDE *Santarém* 940 **N 5** – *4 302 h.* – ✉ *2200 Abrantes.*
Lisboa 145 – Abrantes 2 – Santarém 79.

Cascata, Rua Manuel Lopes Valente Junior 19 A-1º ☎ (041) 210 11, *Fax (041) 210*
– ▤. VISA. ✈
fechado domingo noite e 2ª feira – **Refeição** lista 2650 a 3700.

Europe

Si le nom d'un hôtel figure en petits caractères demandez, à l'arrivée, les conditions à l'hôtelier.

ALIJÓ *5070 Vila Real* 940 **I 7** – *2 829 h.*
Lisboa 411 – Bragança 115 – Vila Real 44 – Viseu 117.

Pousada do Barão de Forrester, ☎ (059) 95 92 15, *Fax (059) 95 93 04*, 🏖, 🏊,
🎾 – ▤ TV ☎ Ⓟ
21 qto.

Ribadouro sem rest, Av. Dr. Francisco Sá Carneiro 16 ☎ (059) 95 94 5
Fax (059) 95 99 37 – ▤ TV ☎. E VISA. ✈
fechado do 1 ao 15 de maio – **12 qto** ☕ 5000/7000.

ALJEZUR *8670 Faro* 940 **U 3** – *5 059 h.*
Lisboa 249 – Faro 110.

no Vale da Telha *Sudoeste : 7,5 km – ✉ 8670 Aljezur :*

Vale da Telha sem rest, ☎ (082) 99 81 80, *Fax (082) 99 81 76*, 🏊 – TV ☎ Ⓟ. AE
VISA. ✈
fechado dezembro-janeiro – **26 qto** ☕ 6500/8600.

ALJUBARROTA *Leiria – ver Alcobaça.*

ALJUSTREL *7600 Beja* 940 **S 5** – *11 899 h.*
Lisboa 169 – Beja 39 – Faro 119 – Setúbal 137 – Sines 78.

O Guerreiro, Av. 25 de Abril 12 ☎ (084) 614 91 – ▤.

ALMANCIL *8135 Faro* 940 **U 5** – *5 945 h.*
Ver : *Igreja de S. Lourenço★ (azulejos★★).*
⛳ ⛳ *Vale do Lobo, Sudoeste : 6 km ☎ (089) 39 44 44* – ⛳ ⛳ *Quinta do Lag*
☎ (089) 39 07 00 Fax (089) 39 40 13.
Lisboa 306 – Faro 12 – Huelva 115 – Lagos 68.

Pequeno Mundo, Pereiras - Oeste : 1,5 km ☎ (089) 39 98 66, *Fax (089) 39 98 67*, 🏖
« Antiga quinta » – ▤ Ⓟ. AE E VISA. ✈
fechado 2ª feira e 15 novembro-dezembro – **Refeição** lista 5450 7050.

XX **O Tradicional,** Estrada da Fonte Santa ✆ (089) 39 90 93, *Fax (089) 59 15 86* – ▤ Ⓟ. AE E VISA. ✂
fechado domingo e janeiro – **Refeição** - só jantar - lista aprox. 7400.

XX **Aux Bons Enfants,** Estrada a Quinta do Lago - Sul : 1,5 km ✆ (089) 39 68 40, *Fax (089) 39 68 40,* ☂ – ▤ Ⓟ. ✂
fechado domingo e do 15 ao 30 de novembro – **Refeição** *(só jantar)* - cozinha francesa - lista 3750 a 4800.

XX **Golfer's Inn,** Rua 25 de Abril 35 ✆ (089) 30 27 55, ☂ – ▤. AE ⓓ E VISA JCB. ✂
Refeição - só jantar - lista 3800 a 4400.

X **Couleur France,** Rua da República 15 ✆ (089) 39 95 15 – ▤. AE E VISA
fechado sábado, domingo mei-odia, do 9 ao 30 de janeiro e 8 novembro-12 dezembro – **Refeição** - cozinha francesa - lista 3350 a 6200.

X **Dom Gonçalves,** Rua Duarte Pacheco 39 ✆ (089) 39 53 41, ☂ – ▤ Ⓟ. AE ⓓ E VISA JCB. ✂
fechado domingo e janeiro – **Refeição** lista 2300 a 5000.

X **Bistro des Z'Arts,** Rua do Calvário 69 ✆ (089) 39 51 14, *Fax (089) 39 51 14,* ☂, Bistro francês – ▤. AE VISA. ✂
fechado domingo e 15 dezembro-29 janeiro – **Refeição** - só jantar - lista 3500 a 5140.

o Sudoeste :

XXX ✿ **Ermitage,** 3 km ✆ (089) 39 43 29, *Fax (089) 39 43 29,* ☂, « Bela decoração. Terraço com plantas » – ▤ Ⓟ. AE E VISA. ✂
fechado 2ª feira, do 25 ao 29 de dezembro, do 12 ao 26 de janeiro e do 12 ao 26 de junho – **Refeição** - só jantar - lista 5600 a 8300
Espec. Terrina de fígado de ganso com molho de amores. Simfonia de cinco massas caseiras. Ravioli aberto com peixe galo, gambas e molho de majaricão.

XXX ✿ **São Gabriel,** Estrada de Vale do Lobo a Quinta do Lago - 4 km ✆ (089) 39 45 21, *Fax (089) 39 64 08,* ☂, « Vila com terraço » – Ⓟ. AE E VISA. ✂
fechado domingo, 2ª feira e 10 janeiro-20 fevereiro – **Refeição** - só jantar - lista 5800 a 8400
Espec. Massa caseira al pesto com salmão, pregado e camarões. Medalhões de tamboril com molho de mostarda e rosti. Parfait de nogado com molho de canela.

XX **Casa dos Pinheiros,** 3,5 km ✆ (089) 39 48 32, ☂ – ▤ Ⓟ. AE E VISA. ✂
fechado domingo e do 1 ao 26 de dezembro – **Refeição** - peixes e mariscos - lista 4200 a 6400.

n Vale do Lobo *Sudoeste : 6 km – ✉ 8135 Almancil :*

🏨 **Le Meridien Dona Filipa** ⑤, ✆ (089) 39 41 41, *Telex 56848, Fax (089) 39 42 88,* ← pinhal, campo de golfe e mar, ☂, ⛱ climatizada, ⛳, ⛳, ✂ – |‡| ▤ TV ☎ Ⓟ – 🎤 25/110. AE ⓓ E VISA JCB. ✂
Refeição lista 5700 a 7400 – ☕ 3000 – **141 qto** 37000/45000, 6 suites.

X **O Favo,** ✆ (089) 39 46 53, *Fax (089) 39 46 53,* ☂ – ▤. AE E VISA. ✂
fechado 15 novembro-15 dezembro – **Refeição** lista 5050 a 6180.

a Quinta do Lago *Sul : 8,5 km – ✉ 8135 Almancil :*

🏨 **Quinta do Lago** ⑤, ✆ (089) 39 66 66, *Fax (089) 39 63 93,* ← o Atlântico e ria Formosa, ☂, ⛳, ⛱ climatizada, ⛱, ⛳, ⛳, ✂ – |‡| ▤ TV ☎ ♿ Ⓟ – 🎤 25/200. AE ⓓ E VISA. ✂
Ca d'Oro *(Cozinha italiana, só jantar, fechado 3ª feira de novembro a fevereiro)* **Refeição** lista 8100 a 9200 - ***Navegadores*** : **Refeição** lista 6600 a 8000 – **132 qto** ☕ 57000/66000, 9 suites.

XXXX **Casa Velha,** ✆ (089) 39 49 83, *Fax (089) 59 15 86,* ☂, « Antiga quinta com bela esplanada » – ▤ Ⓟ. AE E VISA JCB. ✂
fechado domingo e dezembro-janeiro – **Refeição** *(só jantar)* - cozinha francesa - lista 7000 a 8050.

LMEIDA *6350 Guarda* 940 **J 9** – *1 487 h.*
Lisboa 410 – Ciudad Rodrigo 43 – Guarda 49.

🏨 **Pousada Senhora das Neves** ⑤, ✆ (071) 57 42 90, *Fax (071) 57 43 20,* ← – ▤ TV ☎ Ⓟ. AE ⓓ E VISA. ✂
Refeição lista 2900 a 4350 – **21 qto** ☕ 21000/22500.

LMEIRIM *2080 Santarém* 940 **O 4** – *21 307 h.*
Lisboa 88 – Santarém 7 – Setúbal 116.

🏨 **O Novo Príncipe** sem rest, Timor 1 ✆ (043) 524 38, *Fax (043) 513 23* – |‡| ▤ TV ☎ ♿ Ⓟ – 🎤 25/100. AE E VISA. ✂
40 qto ☕ 8800/10000.

ALMOUROL (Castelo de) *Santarém* 940 N 4.
Ver : *Castelo*★★ *(sítio*★★, ≤★*).*
Hotéis e restaurantes ver : **Abrantes** *Este : 18 km.*

ALTE *Faro* 940 U 5 – ✉ *8100 Loulé.*
Lisboa 314 – Albufeira 27 – Faro 46 – Lagos 63.

Alte H. ⛰, Montinho - Nordeste : 1 km ✆ (089) 685 23, *Fax (089) 686 46,* ≤, 🏊, - |‡| ▤ TV ☎ ♿ P - 🏢 25/150. AE ⊙ E VISA. ✻
Refeição 2400 – **24 qto** ☕ 10000/12720, 2 suites – PA 4500.

ALTO DA SERRA *Santarém – ver Rio Maior.*

ALTURA *Faro* 940 U 7 – ✉ *8950 Castro Marim – Praia.*
Lisboa 352 – Ayamonte 6,5 – Faro 47.

Azul Praia sem rest, Sítio da Alagoa - Sul : 1 km ✆ (081) 95 68 71, *Fax (081) 95 68 8* 🏊 - |‡| ▤ ☎ P. AE ⊙ E VISA. ✻
27 qto ☕ 10200/12800.

O Infante, Estrada N 125 - Este : 1 km ✆ (081) 95 68 17 – ▤ P. AE ⊙ VISA. ✻
fechado 4ª feira e do 15 ao 30 de março – **Refeição** lista 1860 a 3050.

A Chaminé, Sítio da Alagoa - Sul : 1 km ✆ (081) 95 01 00, *Fax (081) 95 01 02* – ▤. ⊙ E VISA. ✻
fechado 3ª feira e do 15 ao 30 de novembro – **Refeição** lista 2800 a 4000.

Fernando, Sítio da Alagoa - Sul : 1 km ✆ (081) 95 64 55, 🍴 – ▤ P. AE VISA. ✻
fechado 2ª feira – **Refeição** lista aprox. 3550.

Ti-Zé, Estrada N 125 ✆ (081) 95 61 61, 🍴 – ▤. E VISA. ✻
fechado 3ª feira e 15 outubro-novembro – **Refeição** lista 2100 a 3400.

pela estrada da Manta Rota *Sudoeste : 3 km – ✉ 8900 Vila Real de Santo António :*

Estalagem Oásis ⛰, Praia da Lota ✆ (081) 95 16 60, *Fax (081) 95 16 44,* ≤, 🏊 – TV ☎ P. AE ⊙ E VISA. ✻
12 fevereiro-outubro – **Refeição** 2600 – **20 qto** ☕ 19500/24500, 2 suites.

ALVITO *7920 Beja* 940 R 6 – *1 403 h.*
Lisboa 161 – Beja 39 – Grândola 73.

Pousada Castelo de Alvito ⛰, Largo do Castelo ✆ (084) 48 53 4 *Fax (084) 48 53 83,* « Antigo castelo. Belo jardim con 🏊 » – |‡| ▤ TV ☎ ♿ – 🏢 25/4 AE ⊙ E VISA JCB. ✻
Refeição lista aprox. 3350 – **20 qto** ☕ 29000/31000.

AMARANTE *4600 Porto* 940 I 5 – *10 738 h. alt. 100.*
Ver : *Local*★, *Igreja do convento de S. Gonçalo (órgão*★*) – Igreja de S. Pedro (tecto*★
Arred. : *Travanca : Igreja (capitéis*★*) Noroeste : 18 km por N 15, Estrada de Amarante Vila Real* ≤★, *Picão de Marão*★★.
ℹ *Rua Cândido dos Reis* ✆ *(055) 43 29 80 e Alameda Teixeira de Pascoa* ✆ *(055) 43 22 59.*
Lisboa 372 – Porto 64 – Vila Real 49.

Navarras, Rua António Carneiro ✆ (055) 43 10 36, *Fax (055) 43 29 91,* 🏊 – |‡| ▤ ☎ P – 🏢 25/150. AE ⊙ E VISA JCB. ✻ rest
Refeição 2200 – **61 qto** ☕ 8500/10500 – PA 4400.

Albergaria Dona Margaritta sem rest, Rua Cândido dos Reis 53 ✆ (055) 43 21 *Fax (055) 43 79 77,* ≤ – |‡| ▤ TV ☎. ✻
22 qto ☕ 6500/10000.

Zé da Calçada com qto, Rua 31 de Janeiro ✆ (055) 42 20 23, ≤, 🍴, « Decoraç rústica e agrádavel terraço » – TV. ✻
Refeição lista aprox. 5000 – **7 qto** ☕ 7500/8500.

na estrada N 15 *Sudeste : 19,5 km – ✉ 4600 Amarante :*

Pousada de S. Gonçalo, Serra do Marão - alt. 885 ✆ (055) 46 11 2 *Fax (055) 46 13 53,* ≤ Serra do Marão – ▤ rest, TV ☎ P. AE ⊙ E VISA. ✻
Refeição 4000 – **15 qto** ☕ 16000/17500 – PA 8000.

APÚLIA *Braga - ver Fão.*

ARCOS DE VALDEVEZ *4970 Viana do Castelo* 940 **G 4.**

Av. Marginal ☎ (058) 660 01 Fax (058) 660 01.

Lisboa 416 - Braga 36 - Viana do Castelo 45.

Costa do Vez, Estrada de Monção ☎ (058) 52 12 26, *Fax (058) 52 11 57* - TV ☎ P. AE E VISA.
Refeição (ver rest. ***Grill Costa do Vez***) - **15 qto** 4500/7000.

Grill Costa do Vez, Estrada de Monção ☎ (058) 661 22 - P. AE E VISA.
fechado 2ª feira e do 15 ao 30 de outubro - **Refeição** - grelhados - lista 3650 a 3850.

AREIAS DE PORCHES *Faro - ver Armação de Pêra.*

AREIAS DE SÃO JOÃO *Faro - ver Albufeira.*

ARGANIL *3300 Coimbra* 940 **L 5** - *3 163 h. alt. 115.*

Av. das Forças Armadas - Edifício do Museu Regional de Arqueologia e Etnografia ☎ (035) 248 23 Fax (035) 248 23.

Lisboa 260 - Coimbra 60 - Viseu 80.

De Arganil sem rest, Av. das Forças Armadas ☎ (035) 20 59 59, *Fax (035) 20 51 23* - TV ☎ - 25/150. AE E VISA.
34 qto 6000/9000.

Canário sem rest, Rua Oliveira Matos ☎ (035) 224 57, *Fax (035) 253 68* - TV ☎. AE VISA.
24 qto 6500/8500.

ARMAÇÃO DE PÊRA *8365 Faro* 940 **U 4** - *2 894 h. - Praia.*

Ver : *passeio de barco★★ : grutas marinhas★★.*

Av. Marginal ☎ (082) 31 21 45.

Lisboa 315 - Faro 47 - Lagos 41.

Náutico, Vale do Olival ☎ (082) 310 60 00, *Fax (082) 310 60 60*, - TV ☎ P - 25/140. AE E VISA.
Refeição 3750 - **189 qto** 22950/27000, 22 suites.

Garbe, Av. Marginal ☎ (082) 31 51 87, *Fax (082) 31 50 87*, ←, climatizada - TV ☎ P. AE.
Refeição 2900 - **152 qto** 19600/32600 - PA 5800.

Algar sem rest, Av. Beira Mar ☎ (082) 31 47 32, *Fax (082) 31 47 33*, ←, - TV ☎. AE E VISA.
1000 - **47 apartamentos** 16800/21000.

Santola, Largo da Fortaleza ☎ (082) 31 23 32, *Fax (082) 31 36 51*, ←, - AE E VISA JCB.
Refeição lista 2600 a 3800.

a Oeste :

Vila Vita Parc, Alporchinhos - 2 km ☎ (082) 31 53 10, *Fax (082) 31 53 33*, ←, Serviços de terapêutica, « Conjunto em bela harmonia rodeado de jardins junto ao mar », climatizada, - TV ☎ P - 25/500. AE E VISA.
Aladin Grill *(só jantar)* **Refeição** lista aprox. 9000 - ***Atlântico*** *(só jantar, fechado novembro-fevereiro)* **Refeição** lista aprox. 8000 - ***Bela Vita*** *(só jantar salvo novembro-março, fechado 6ª feira no verão)* **Refeição** lista aprox. 7500 - **151 qto** 51000/64600, 19 suites, 24 apartamentos.

Vilalara, Praia das Gaivotas - 2,5 km ☎ (082) 310 70 00, *Fax (082) 31 49 56*, Serviços de talassoterapia, « Num complexo de luxo rodeado de magníficos jardins floridos junto ao mar », climatizada, - TV ☎ P. AE E VISA.
Refeição lista aprox. 7000 - **89 qto** 36000/51000, 2 suites, 68 apartamentos.

Albergaria N. Senhora da Rocha sem rest, Praia Nossa Senhora da Rocha - 3 km ☎ (082) 31 57 52, *Fax (082) 31 57 54* - TV ☎ P. AE E VISA.
30 qto 17500/20000.

Casa Bela Moura sem rest, Estrada de Porches - 2 km ☎ (082) 31 34 22, *Fax (082) 31 30 25*, - P
fechado novembro - **13 qto** 9650/11400.

em Areias de Porches *Noroeste : 4 km – ✉ 8400 Lagoa :*

Albergaria D. Manuel, ☎ (082) 31 38 03, *Fax (082) 31 32 66*, ⛱, 🏊 – ▤ 📺 ☎ 🅿. AE ⦿ E VISA. ⛔
Refeição *(fechado 3ª feira e dezembro-janeiro)* 2000 – **43 qto** ☕ 9000/12000 – PA 360

ARRAIOLOS *7040 Évora* 940 **P 6** – *3 479 h.*
Lisboa 125 – Badajoz 102 – Évora 22 – Portalegre 103 – Setubal 94.

Pousada Nossa Senhora da Assunção 🐎, Quinta dos Loios - Norte : 1 k ☎ (066) 41 93 40, *Fax (066) 41 92 80*, « Antigo convento dos Loios decorado num est alentejano em pleno campo », 🏊, 🎾 – |‡| ▤ 📺 ☎ 🅿 – 🎪 25/120. AE ⦿ E VISA.
Refeição lista 3850 a 5200 – **30 qto** ☕ 31000/38600, 2 suites.

Se cercate un albergo tranquillo,
oltre a consultare le carte dell'introduzione,
rintracciate nell'elenco degli stabilimenti quelli con il simbolo 🐎 o 🐎.

AVEIRO *3800* 🅿 940 **K 4** – *39 079 h.*
Ver : *Bairro dos canais★ (canal Central, canal de São Roque)* Y – *Antigo Convento Jesus★ : igreja★ (capela-mor★★, túmulo da princesa Santa Joana★), Museu★ (retrato princesa Santa Joana★)* Z.
Arred. : *Ria de Aveiro★.*
🚗 ☎ *(034) 244 85.*
ℹ *Rua João Mendonça 8 ☎ (034) 236 80 Fax (034) 283 26* – **A.C.P.** *Av. Dr. Lourenço P xinho 89 - D ☎ (034) 225 71 Fax (034) 252 20.*
Lisboa 252 ② – Coimbra 56 ② – Porto 70 ① – Vila Real 170 ① – Viseu 96 ①

Plano página seguinte

Imperial, Rua Dr. Nascimento Leitão, ✉ 3810, ☎ (034) 221 41, *Fax (034) 241 48* – ▤ 📺 ☎ – 🎪 25/250. AE ⦿ E VISA JCB. ⛔ rest Z
Refeição 2600 – **103 qto** ☕ 11000/14000, 4 suites – PA 5200.

Afonso V 🐎, Rua Dr. Manuel das Neves 65, ✉ 3810, ☎ (034) 251 9 *Fax (034) 38 11 11* – |‡| ▤ 📺 ☎ 🚗 – 🎪 25/450. ⦿ E VISA Z
Refeição (ver rest. ***A Cozinha do Rei***) – **76 qto** ☕ 9200/12600, 4 suites.

As Américas 🐎 sem rest, Rua Eng. Von Hafe 20 ☎ (034) 38 46 40, *Fax (034) 38 42* – |‡| ▤ 📺 ☎ 🚗 – 🎪 25/150. AE ⦿ E VISA. ⛔ Y
68 qto ☕ 11500/14700, 2 suites.

Paloma Blanca sem rest, Rua Luís Gomes de Carvalho 23 ☎ (034) 38 19 9 *Fax (034) 38 18 44* – |‡| ▤ 📺 ☎ 🚗 🅿. AE ⦿ E VISA. ⛔ X
50 qto ☕ 10650/14200.

Jardim Afonso V 🐎, Praceta D. Afonso V, ✉ 3810, ☎ (034) 265 42, *Fax (034) 241* – |‡| ▤ 📺 ☎ 🚗 – 🎪 25/70. ⦿ E VISA Z
Refeição (ver rest. ***A Cozinha do Rei***) – **48 qto** ☕ 9950/14200.

Arcada sem rest, Rua Viana do Castelo 4 ☎ (034) 230 01, *Fax (034) 218 86* – |‡| 📺 AE ⦿ E VISA Y
43 qto ☕ 7950/9800, 6 suites.

Do Alboi sem rest, Rua da Arrochela 6 ☎ (034) 251 21, *Fax (034) 220 63* – 📺 ☎. E VISA Z
22 qto ☕ 6200/10200.

A Cozinha do Rei, Rua Dr. Manuel das Neves 66 ☎ (034) 268 02, *Fax (034) 288 2* ▤. ⦿ E VISA. ⛔ Z
Refeição lista aprox. 3500.

Salpoente, Rua Canal São Roque 83 ☎ (034) 38 26 74, *Fax (034) 252 10*, « Antigo arm zém de sal » – ▤. E VISA. ⛔ X
fechado domingo e do 16 ao 22 de novembro – **Refeição** lista 2200 a 3100.

Centenário, Praça do Mercado 9 ☎ (034) 227 98, *Fax (034) 37 13 58*, ⛱ – ▤. VISA. ⛔ Y
fechado 3ª feira – **Refeição** lista aprox. 3150.

Alho Porro, Rua da Arrochela 23 ☎ (034) 202 85 – ▤. AE ⦿ E VISA. ⛔ Z
Refeição lista 1670 a 3650.

O Moliceiro, Largo do Rossio 6 ☎ (034) 208 58, *Fax (034) 208 58* – ⦿ E VISA. ⛔ Y
fechado 5ª feira, do 15 ao 30 de junho e do 15 ao 31 de outubro – **Refeição** lista 21 a 3300.

AVEIRO

Street	Grid	No.
tónia Rodrigues (R.)	Y	3
resentação (Largo da)	Y	4
lém do Pará	Y	6
urges (Rua de)	X	7
pitão Sousa Pizarro (R.)	Z	9
ube dos Galitos (R.)	Y	10
imbra (R.)	Y	12
mb. da Grande Guerra (R.)	Z	13
Francisco Sá Carneiro (R.)	X	14
Lourenço Peixinho (Av.)	Y	
a de Queirós (R.)	Z	15
g. Adelino Anaro da Costa (R.)	X	16
g. Pereira da Silva (R.)	Y	17
stavo F.P.-Basto (R.)	Z	18
ntze Ribeiro (R.)	X	19
mberto Delgado (Praça)	Y	21
rge de Lencastre (R.)	Y	22
sé Estêvão (R.)	Y	24
sé Luciano de Castro (R.)	X	25
sé Rabumba (R.)	Y	27
s de Magalhães (R. do C.)	Y	28
rio Sacramento (R.)	X	30
arquês de Pombal (Praça)	Z	31
enário (Praça do)	Z	33
pública (Praça da)	Y	34
(Rua de)	X	36
nta Joana (Rua)	Z	37
nto António (Largo de)	Z	39
na do Castelo (R.)	Y	40
de Outubro (Av.)	Y	42
de Julho (Praça)	Y	

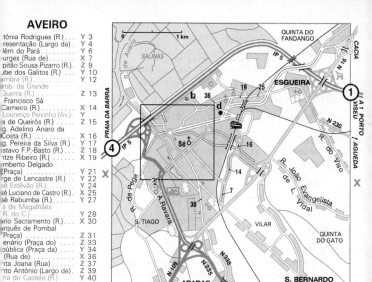

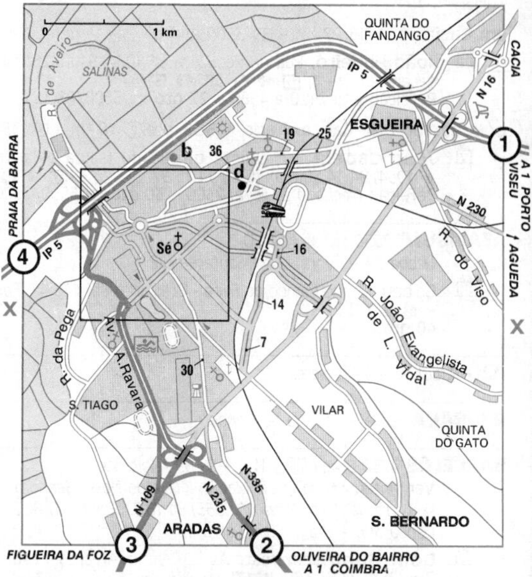

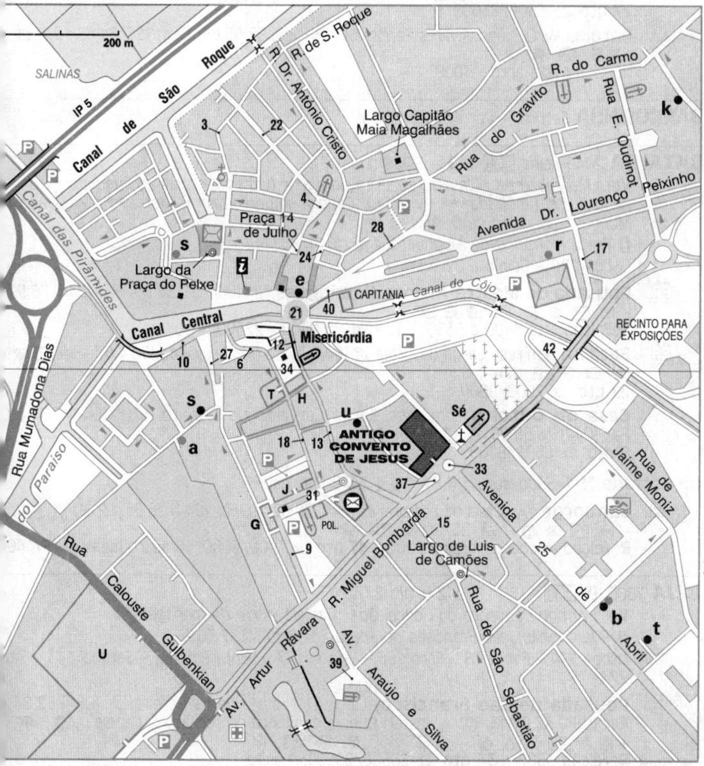

em Cacia *por N 16 : 7 km – ✉ 3800 Aveiro :*

João Padeiro, Rua da República ☎ (034) 91 13 26, *Fax (034) 91 27 51*, « Elegant decoração » – ⊞ TV ☎ P. AE ⊙ E VISA
Refeição lista 2120 a 4960 – **27 qto** ☐ 5500/8800.

pela estrada de Cantanhede N 335 *por ② : 8 km – ✉ 3810 Costa do Valado :*

João Capela ⟡, Quinta do Picado (saída pela Rua Dr. Mario Sacrament ☎ (034) 94 14 50, *Fax (034) 94 15 97*, ⛱, ✂ – TV ☎ P. AE ⊙ E VISA JCB. ✂
Refeição *(fechado 2ª feira)* 2300 – **30 qto** ☐ 5500/7500.

AZAMBUJA *2050 Lisboa* 940 **Q 3.**
Lisboa 51 – Évora 134 – Santarém 28.

Gaibéu, Antigo Campo da Feira - E.N.3 ☎ (063) 416 41, *Fax (063) 417 47* – ▤ TV ☎ – 25/150
40 qto.

AZÓIA *Lisboa – ver Colares.*

AZURARA *Porto – ver Vila do Conde.*

BARCELOS *4750 Braga* 940 **H 4** – *9689 h. alt. 39.*
Ver : *Interior★ da Igreja Matriz, Igreja de Nossa Senhora do Terço★, (azulejos★).*
Torre da Porta Nova ☎ (053) 81 18 82 Fax (053) 82 21 88.
Lisboa 366 – Braga 18 – Porto 48.

Dom Nuno sem rest, Av. D. Nuno Álvares Pereira 141 ☎ (053) 81 28 1 *Fax (053) 81 63 36* – ⊞ TV. AE VISA. ✂
27 qto ☐ 5500/8500.

XX **Pérola,** Av. D. Nuno Álvares Pereira 50 ☎ (053) 82 13 63, *Fax (053) 81 63 12* – ▤. ⊙ E VISA. ✂
Refeição lista aprox. 3000.

BARROSINHA *Setúbal – ver Alcácer do Sal.*

BATALHA *2440 Leiria* 940 **N 3** – *3209 h. alt. 71.*
Ver : *Mosteiro★★★ : Claustro Real★★★, igreja★★ (vitrais★, capela do Fundador★), Sala Capítulo★★ (abóbada★★★, vitral★), Capelas imperfeitas★★ (portal★★) – Lavabo c Monges★, Claustro de D. Afonso V★.*
Praça Mouzinho de Albuquerque ☎ (044) 961 80.
Lisboa 120 – Coimbra 82 – Leiria 11.

Pousada do Mestre Afonso Domingues, ☎ (044) 76 52 60, *Fax (044) 76 52* – ▤ TV ☎ P. AE ⊙ E VISA. ✂
Refeição lista 3100 a 5350 – **19 qto** ☐ 21000/22500, 2 suites.

Batalha sem rest, Largo da Igreja ☎ (044) 76 75 00, *Fax (044) 76 74 67* – ▤ TV ☎ AE ⊙ E VISA JCB
22 qto ☐ 7000/9000.

Casa do Outeiro sem rest, Largo Carvalho do Outeiro 4 ☎ (044) 76 58 C *Fax (044) 76 58 06*, ≤, ⛱ – TV P
8 qto ☐ 6500/8000.

na estrada N 1 *Sudoeste : 1,7 km – ✉ 2440 Batalha :*

São Jorge ⟡, Casal da Amieira ☎ (044) 76 52 10, *Fax (044) 76 53 13*, ≤, ⛱, – ▤ TV ☎ P – 25/90. E VISA. ✂
Refeição *(fechado 3ª feira)* 2000 – **47 qto** ☐ 7000/9000, 10 apartamentos – PA 40

BEJA *7800* P 940 **R 6** – *19212 h. alt. 277.*
Ver : *Antigo Convento da Conceição★, Castelo (torre de menagem★).*
Rua Capitão João Francisco de Sousa 25 ☎ (084) 32 36 93.
Lisboa 194 – Évora 78 – Faro 186 – Huelva 177 – Santarém 182 – Setúbal 143 – Sev 223.

Pousada de São Francisco, Largo D. Nuno Álvares Pereira ☎ (084) 32 84 *Fax (084) 32 91 43*, « Instalado num convento do século XIII. Capela », ⛱, – ⊞ ▤ TV ☎ ♿ P – 25/350. AE ⊙ VISA. ✂
Refeição 3500 – **34 qto** ☐ 26500/29600, 1 suite.

Melius, Av. Fialho de Almeida ✆ (084) 32 18 22, *Fax (084) 32 18 25,* – ▤ ☎ – 25/200. AE E VISA.
Refeição (ver rest. ***Melius***) – **54 qto** 8500/10500, 6 suites.

Cristina sem rest, Rua de Mértola 71 ✆ (084) 32 30 35, *Fax (084) 32 04 60* – ▤ ☎. AE E VISA.
31 qto 6900/8900.

Santa Bárbara sem rest, Rua de Mértola 56 ✆ (084) 32 20 28, *Fax (084) 32 12 31* – ▤ ☎. AE E VISA.
26 qto 5000/7500.

Melius, Av. Fialho de Almeida 68 ✆ (084) 32 98 69, *Fax (084) 32 18 25* – ▤. AE E VISA.
fechado domingo noite, 2ª feira e do 15 ao 31 de agosto – **Refeição** lista 2300 a 3300.

Os infantes, Rua dos Infantes 14 ✆ (084) 227 89 – ▤. AE E VISA.
Refeição lista 3500 a 3800.

ELMONTE *6250 Castelo Branco* 940 **K 7.**

Ver : *Castelo (✻★)- Torre romana de Centum Cellas★ Norte : 4 km.*
Praça da República 18 ✆ (075) 91 14 88.
Lisboa 338 – Castelo Branco 82 – Guarda 20.

a estrada N 18 *Noroeste : 3 km – ✉ 6250 Belmonte :*

Belsol, ✆ (075) 91 22 06, *Fax (075) 91 23 15,* ←, – ▤ ☎ – 25/300. AE E VISA JCB.
Refeição 1800 – 500 – **55 qto** 6000/8600 – PA 3600.

OAVISTA *2410 Leiria* 940 **M 3.**

Lisboa 136 – Coimbra 64 – Fátima 52 – Leiria 7.

Morgatões, Estrada N I - Norte : 1,5 km ✆ (044) 72 31 02, *Fax (044) 72 31 03* – ▤ .
fechado 2ª feira e julho – **Refeição** lista aprox. 2850.

OLEIROS *Santarém – ver Fátima.*

OM JESUS DO MONTE *Braga – ver Braga.*

OMBARRAL *2540 Leiria* 940 **O 2** – *4 623 h.*

Largo do Município (Palácio Gorjão) ✆ (062) 60 90 53 Fax (062) 60 90 41.
Lisboa 76 – Leira 84 – Óbidos 12 – Santarém 58.

Comendador sem rest, Largo Comendador João Ferreira dos Santos ✆(062) 60 16 38, *Fax (062) 60 16 39* – ▤ ☎ – 25/200. AE VISA.
51 qto 7500/10500.

Dom José, Rua Dr. Alberto Martins dos Santos 4 ✆ (062) 613 84 – ▤. AE E VISA.
fechado 2ª feira e Natal – **Refeição** lista 2450 a 3250.

OTICAS *5460 Vila Real* 940 **G 7** – *852 h. alt. 490 – Termas.*

Lisboa 471 – Vila Real 62.

n Carvalhelhos *Oeste : 8 km – ✉ 5460 Boticas :*

Estalagem de Carvalhelhos , ✆ (076) 41 51 50, *Fax (076) 41 51 74,* « Num quadro de verdura », – ☎ . E VISA.
Refeição 2000 – **20 qto** 6000/7000 – PA 4000.

OURO *Braga* 940 **H 5** – ✉ *4720 Amares.*

Lisboa 370 – Braga 35 – Guimarães 43 – Porto 85.

Pousada de Santa Maria do Bouro, ✆ (053) 37 19 70, *Fax (053) 37 19 76,* « Antigo convento beneditino », , , – ▤ ☎ – 25/150. AE E VISA.
Refeição lista aprox. 4300 – **30 qto** 29000/31000, 2 suites.

BRAGA *4700* 🅿 940 H 4 – *86 316 h. alt. 190.*

Ver : *Sé Catedral★* Z : *estátua da Senhora do Leite★, interior★ (abóbada★, alt flamejante★, caixas de órgãos★) – Tesouro★, capela da Glória★ (túmulo★) - Capela d Coimbras (esculturas★)* Z**B**.

Arred. : *Santuário de Bom Jesus do Monte★★ (perpectiva★) 6 km por ① – Capela de S Fructuoso de Montélios★ 3,5 km por ⑥ -Monte Sameiro★ (✳★★) 9 km por ①.*

Excurs. : *Nordeste : Cávado (Vale superior do)★ 171 km por ①.*

Av. da Liberdade 1 ✆ (053) 225 50 – **A.C.P.** *Av. Infante D. Henrique 72 ✆ (053) 21 70 Fax (053) 61 67 00.*

Lisboa 368 ③ – Bragança 223 ⑤ – Pontevedra 122 ① – Porto 54 ③ – Vigo 103 ⑤

BRAGA

Abade Loureira (Rua) Y 3
Biscainhos (Rua dos) Y 4
Caetano Brandão (Rua) Z 6
Capelistas (R. dos) Y 7
Carmo (Rua do) Y 9
Central (Avenida) Y 10
Chãos (Rua dos) Y 12
Conde de Agrolongo (Praça) Y 13
Dom Afonso Henriques (Rua) Z 15
Dom Diogo de Sousa (Rua) YZ 16
Dom Gonç. Pereira (Rua) Z 18
Dom Paio Mendes (Rua) Z 19
Dr. Gonçalo Sampaio (Rua) Z 21
Franc. Sanches (Rua) Z 2
General Norton de Matos (Av.) Y 2
Nespereira (Avenida) Y 2
São João do Souto (Praça) Z 2
São Marcos (Rua) YZ 2
São Martinho (Rua de) Y 3
São Tiago (Largo de) Z 3
Souto (Rua do) YZ 3

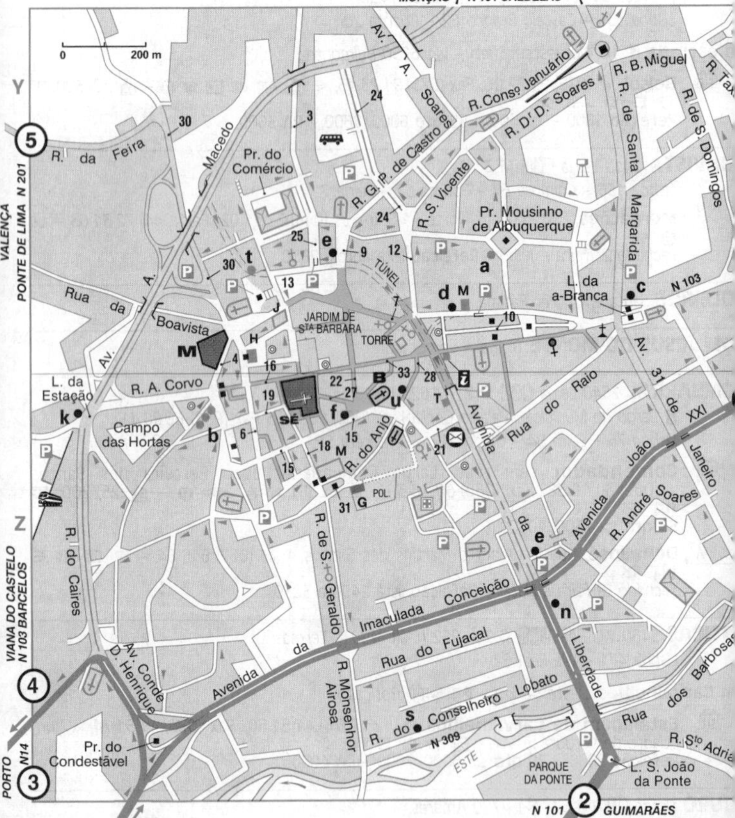

Turismo, Praceta João XXI ✆ (053) 61 22 00, *Fax (053) 61 22 11,* – 25/300. – **Refeição** 2800 – **110 qto** 11000/14000, 22 suites – PA 5600. Z

Estação, Largo da Estação 13 ☎ (053) 21 83 81, *Fax (053) 27 68 10* – AE E VISA. Z k
Petrópolis *(fechado domingo noite e 2ª feira)* **Refeição** lista aprox. 4500 – 750 – **52 qto** 7500/8000.

D. Sofia sem rest, Largo S. João do Souto 131 ☎ (053) 26 31 60, *Fax (053) 61 12 45* – 25/60. AE E VISA. Z f
34 qto 9000/12000.

Albergaria Senhora-a-Branca sem rest, Largo da Senhora-a-Branca 58 ☎ (053) 299 38, *Fax (053) 299 37* – AE E VISA. Y c
20 qto 6500/8500.

Dom Vilas sem rest, Rua Conselheiro Lobato 434 ☎ (053) 61 68 18, *Fax (053) 61 68 19* – E VISA. Z s
32 qto 8000/11500.

Carandá sem rest, Av. da Liberdade 96 ☎ (053) 61 45 00, *Fax (053) 61 45 50* – AE E VISA JCB. Z n
100 qto 8500/10500.

São Marcos sem rest, Rua de São Marcos 80 ☎ (053) 771 77, *Fax (053) 771 77* – AE E VISA. Z u
13 qto 6500/8000.

Ibis Braga sem rest, Rua do Carmo 13 ☎ (053) 61 08 60, *Fax (053) 61 08 63* – 25/50. AE E VISA. Y e
850 – **72 qto** 7800.

Centro Avenida sem rest, Av. Central 27 ☎ (053) 27 57 22, *Fax (053) 61 63 63* – E VISA. Y d
48 qto 5500/7500.

Pópulo, Praça Conde de Agrolongo 116 ☎ (053) 21 51 47, – AE E VISA. Y t
fechado 2ª feira – **Refeição** lista aprox. 3500.

Brito's, Praça Mouzinho de Alburquerque 49-A ☎ (053) 61 75 76 – AE E VISA. Y a
fechado 4ª feira e do 1 ao 15 de setembro – **Refeição** lista 2850 a 4000.

Inácio, Campo das Hortas 4 ☎ (053) 61 32 35, « Rest. típico » – AE E VISA. Z b
fechado 3ª feira, 6 dias em Natal, 9 dias em Pascoa e 6 dias em setembro – **Refeição** lista 3250 a 3600.

Cruz Sobral, Campo das Hortas 7-8 ☎ (053) 61 66 48, *Fax (053) 61 66 48* – E VISA. Z b
fechado 2ª feira e do 10 ao 23 de maio – **Refeição** lista 3200 a 3950.

O Alexandre, Campo das Hortas 10 ☎ (053) 61 40 03 – VISA. Z b
fechado do 15 ao 30 de setembro – **Refeição** lista aprox. 4200.

Bom Jesus do Monte *por ① : 6 km – ✉ 4710 Braga :*

Elevador, ☎ (053) 60 34 00, *Fax (053) 67 66 79,* vale e Braga – rest, AE E VISA.
Refeição 2900 – **22 qto** 13200/15800.

Parque sem rest, ☎ (053) 67 65 48, *Fax (053) 67 66 79* – AE E VISA.
45 qto 13200/15800, 4 suites.

Castelo do Bom Jesus, ☎ (053) 67 65 66, *Fax (053) 67 76 91,* vale e Braga, « Belo palacete do século XVIII rodeado de jardins », – AE E VISA JCB.
Refeição *(fechado 2ª feira)* - só jantar - 4500 – **13 qto** 15000/19000.

Comfort Inn Mãe d'Água, Lugar da Mãe d'Água ☎ (053) 67 65 81, *Fax (053) 67 67 64* – AE E VISA.
Refeição lista aprox. 2550 – **30 apartamentos** 10000/12000.

Sameiro *por Avenida 31 de Janeiro : 9 km – ✉ 4710 Braga :*

Sameiro, ☎ (053) 67 51 14, « Ao lado do Santuário » –

estrada N 14 *por ③ : 2,5 km – ✉ 4700 Braga :*

Comfort Inn, Ferreiros ☎ (053) 67 38 65, *Fax (053) 67 38 72* – 25/50. AE E VISA.
Refeição 2250 – **72 qto** 9500/11000 – PA 4500.

BRAGANÇA *5300* Ⓟ 940 G 9 – *15 624 h. alt. 660.*
Ver : *Cidadela medieval*★.
Av. *Cidade de Zamora* ✆ *(073) 38 12 73 Fax (073) 272 52* – **A.C.P.** *Av. Dr. Francisco Carneiro, edifício Montezinho 81, loja A-K* ✆ *(073) 250 70 Fax (073) 250 71.*
Lisboa 521 – Ciudad Rodrigo 221 – Guarda 206 – Orense/Ourense 189 – Vila Real 14C Zamora 114.

Pousada de São Bartolomeu 🐦, Estrada de Turismo - Sudeste : 0,5 k ✆ (073) 33 14 93, *Fax (073) 32 34 53*, ≤ cidade, castelo e arredores, 🌳, ⛱ climatiza – |‡| ▤ TV ☎ P. AE ⓓ E VISA. ✗
Refeição 3650 – **27 qto** ⊏ 18200/20300, 1 suite – PA 7300.

Classis sem rest, Av. João da Cruz 102 ✆ (073) 33 16 31, *Fax (073) 234 58* – |‡| ▤
☎. AE ⓓ E VISA. ✗
20 qto ⊏ 6500/9000.

São Roque sem rest, Rua Miguel Torga ✆ (073) 38 14 81, *Fax (073) 32 69 37*, ≤ –
TV ☎
36 qto ⊏ 5000/7500.

Santa Isabel sem rest, Rua Alexandre Herculano 67 ✆ (073) 33 14 2 *Fax (073) 32 69 37* – |‡| TV ☎
14 qto ⊏ 5000/7500.

Solar Bragançano, Praça da Sé 34-1º ✆ (073) 32 38 75, 🌳, « Edifício do sécu XVIII » – ▤. AE ⓓ E VISA JCB. ✗
Refeição lista 1980 a 3420.

Lá em Casa, Marquês de Pombal 7 ✆ (073) 32 21 11 – ▤.

na estrada de Chaves N 103 *Oeste : 1,7 km – ✉ 5300 Bragança :*

Nordeste Shalom sem rest, Av. Abade de Baçal 39 ✆ (073) 33 16 6 *Fax (073) 33 16 28* – |‡| TV ☎ 🚗. AE ⓓ E VISA. ✗
30 qto ⊏ 6300/9000.

ao Sudeste : *2 km*

Santa Apolónia sem rest, Av. Sá Carneiro ✆ (073) 31 20 73 – |‡| ▤ TV ☎ P
13 qto.

BUARCOS *Coimbra – ver Figueira da Foz.*

BUÇACO *Aveiro* 940 K 4 – *alt. 545 – ✉ 3050 Mealhada.*
Ver : *Mata*★★ : *Cruz Alta* ✻★★, *Via Sacra*★, *Obelisco* ≤★.
Rua Emidio Navarro ✆ *(031) 93 91 33 Fax (031) 93 91 33.*
Lisboa 233 – Aveiro 47 – Coimbra 31 – Porto 109.

Palace H. do Buçaco 🐦, Floresta do Buçaco - alt. 380 ✆ (031) 93 01 (*Fax (031) 93 05 09*, ≤, 🌳, « Luxuosas instalações num imponente palácio de est manuelino no centro de uma magnífica floresta », 🌲, 🎾 – |‡| ▤ TV ☎ 🚗 P 🏛 25/100. AE ⓓ E VISA JCB. ✗ rest
Refeição 6500 – **64 qto** ⊏ 30500/35000 – PA 11000.

BUCELAS *Lisboa* 940 P 2 – *5 097 h. alt. 100 – ✉ 2670 Loures.*
Lisboa 24 – Santarém 62 – Sintra 40.

Barrete Saloio, Rua Luís de Camões 28 ✆ (01) 969 40 04, « Decoração regional »
E VISA. ✗
fechado 3ª feira e agosto – **Refeição** lista 2230 a 3950.

BUDENS *8650 Faro* 940 U 3 – *1 709 h.*
Lisboa 305 – Faro 97 – Lagos 15.

na Praia da Salema *Sul : 4 km – ✉ 8650 Vila do Bispo :*

Salema sem rest, Rua 28 de Janeiro ✆ (082) 69 53 28, *Fax (082) 69 53 29*, ≤ – |‡|
☎. AE ⓓ E VISA. ✗
março-outubro – **32 qto** ⊏ 11000/12900.

Estalagem Infante do Mar 🐦, ✆ (082) 69 01 00, *Fax (082) 69 01 09*, ≤ mar, – ☎ P. AE ⓓ E VISA. ✗
fechado dezembro-19 janeiro – **Refeição** lista 2200 a 4000 – **30 qto** ⊏ 10500/135

CABANÕES *Viseu – ver Viseu.*

ACEIRA DE CIMA *Coimbra – ver Figueira da Foz.*

ACIA *Aveiro – ver Aveiro.*

ALDAS DA FELGUEIRA *Viseu 940 K 6 – 2 204 h. alt. 200 – ✉ 3525 Canas de Senhorim – Termas.*
Lisboa 284 – Coimbra 82 – Viseu 40.

Grande Hotel ⑤, ✆ (032) 94 90 99, *Telex 52677, Fax (032) 94 94 87*, – rest, TV ☎ P – 25/50. AE ⊕ E VISA. ✻
Refeição 2750 – **80 qto** ☐ 12150/17200, 7 apartamentos – PA 5100.

ALDAS DA RAINHA *2500 Leiria 940 N 2 – 21 070 h. alt. 50 – Termas.*
Ver : *Grande Parque das Termas★, Igreja de N. S. do Pópulo (tríptico★).*
Praça 25 de Abril (Câmara Municipal) ✆ (062) 83 10 03 Fax (062) 84 23 20 e Praça da República ✆ (062) 83 10 07 Fax (062) 345 11 (temp).
Lisboa 92 – Leiria 59 – Nazaré 29.

Caldas Internacional H., Rua Dr. Figueirôa Rego 45 ✆ (062) 83 23 07, *Fax (062) 84 44 82*, – TV ☎ ♿ P – 25/180. AE ⊕ E VISA JCB. ✻
Refeição 2500 – **80 qto** ☐ 8200/11500, 3 suites.

Cristal Caldas, Rua António Sérgio 31 ✆ (062) 84 02 60, *Fax (062) 84 26 21*, – TV ☎ . AE ⊕ E VISA JCB. ✻
Refeição 2200 – ☐ 750 – **113 qto** 9300/13000.

Dona Leonor sem rest, Hemiciclo João Paulo II-9 ✆ (062) 84 21 71, *Fax (062) 84 21 72* – TV ☎ P – 25/50. AE ⊕ E VISA JCB. ✻
30 qto ☐ 6000/8000.

Europeia sem rest, Centro Comercial Rua das Montras ✆ (062) 83 15 08, *Fax (062) 83 15 09* – TV ☎. AE ⊕ E VISA JCB. ✻
☐ 750 – **52 qto** 6000/9000.

Sabores d'Itália, Rua Eng. Duarte Pacheco 17 ✆ (062) 84 56 00, *Fax (062) 84 55 99* – . AE E VISA. ✻
Refeição - cozinha italiana - lista 3850 a 4750.

Supatra, Rua General Amílcar Mota ✆ (062) 84 29 20, *Fax (062) 84 29 20* – . AE E VISA. ✻
fechado 2ª feira, 15 dias em dezembro e 15 dias em maio – **Refeição** - rest. tailandês - lista 2100 a 3600.

ALDAS DE MONCHIQUE *Faro – ver Monchique.*

ALDAS DE VIZELA *4815 Braga 940 H 5 – 2 234 h. alt. 150 – Termas.*
Rua Dr. Alfredo Pinto ✆ (053) 48 12 68.
Lisboa 358 – Braga 33 – Porto 40.

Sul Americano, Rua Dr. Abílio Torres 855 ✆ (053) 460 03 60, *Fax (053) 460 03 61* – TV P. AE VISA. ✻
fechado do 15 ao 31 de dezembro – **Refeição** lista aprox. 2500 – **64 qto** ☐ 6000/8000.

ALDELAS *Braga 940 G 4 – 1 120 h. alt. 150 – ✉ 4720 Amares – Termas.*
Av. Afonso Manuel Azevedo ✆ (053) 36 11 24.
Lisboa 385 – Braga 17 – Porto 67.

Grande H. da Bela Vista, ✆ (053) 36 15 02, *Fax (053) 36 11 36*, « Amplo terraço com árvores e ‹ », , , – TV ☎ P. AE ⊕ E VISA JCB. ✻
Refeição 2600 – **70 qto** ☐ 10200/20000.

De Paços, Av. Afonso Manuel ✆ (053) 36 11 01, *Fax (053) 36 11 01* – P. ✻
maio-outubro – **Refeição** 2000 – **50 qto** ☐ 4900/7800 – PA 4000.

Universal, Av. Afonso Manuel ✆ (053) 36 12 36, *Fax (053) 36 12 45* – TV ☎ P
22 qto.

Nascimento sem rest, Lugar do Pereiro ✆ (053) 36 11 27 – P
junho-setembro – **22 qto** ☐ 3500/6000.

CAMINHA *4910 Viana do Castelo* 940 G 3 – *1870 h.*

Ver : *Igreja Matriz (tecto★).*

Rua Ricardo Joaquim de Sousa (058) 92 19 52 Fax (058) 92 19 52.

Lisboa 411 – Porto 93 – Vigo 60.

Porta do Sol, Av. Marginal (058) 72 23 40, *Fax (058) 72 23 47,* < foz do Minho monte de Santa Tecla, – – 25/200. AE E VISA.

Refeição 2750 – **84 qto** 13000/16000, 4 suites – PA 5500.

O Barão, Rua Barão de São Roque 33 (058) 72 11 30 – . AE VISA.

fechado 2ª feira noite, 3ª feira e 15 janeiro-15 fevereiro – **Refeição** lista 265 a 3850.

Solar do Pescado, Rua Visconde Sousa Rego 85 (058) 92 27 94 – AE VISA.

fechado domingo noite, 2ª feira (outubro-maio), do 15 ao 30 de maio e do 15 ao 30 novembro – **Refeição** - peixes e mariscos - lista 3200 a 4530.

em Seixas – *4910 Caminha :*

São Pedro , Nordeste : 2,5 km (058) 72 74 86, *Fax (058) 72 74 75,* , – . AE E VISA.

Refeição *(julho-setembro)* 1800 – **34 qto** 7000/8500.

Napoleon, Seara - Coura de Seixas - Nordeste : 2 km (058) 72 71 1 *Fax (058) 72 76 38* – . AE E VISA.

fechado domingo noite, 2ª feira, do 15 ao 31 de dezembro e 15 dias em maio – **Refeiç** lista 3800 a 4900.

em Lanhelas *Nordeste : 5 km* – *4910 Caminha :*

A Adega, Lugar da Aldeia (058) 72 73 55, *Telex 60700, Fax (058) 72 73 55,* – E VISA.

fechado 3ª feira e outubro – **Refeição** lista 3200 a 5200.

CAMPO MAIOR *7370 Portalegre* 940 O 8 – *6 940 h.*

Lisboa 244 – Badajoz 16 – Évora 105 – Portalegre 50.

Santa Beatriz, Av. Combatentes da Grande Guerra (068) 690 10 4 *Fax (068) 68 81 09,* – – 25/30. AE E VISA.

Refeição 2800 – **32 qto** 7000/9500, 2 suites – PA 5500.

CANAS DE SENHORIM *Viseu – ver Nelas.*

CANIÇADA *Braga – ver Vieira do Minho.*

CANIÇAL *Madeira – ver Madeira (Arquipélago da).*

CANIÇO *Madeira – ver Madeira (Arquipélago da).*

CANIÇO DE BAIXO *Madeira – ver Madeira (Arquipélago da) : Caniço.*

CANO *7470 Portalegre* 940 P 6 – *1 641 h.*

Lisboa 183 – Badajoz 77 – Évora 63 – Portalegre 68.

O Lagar, Rua da Misericórdia 2-4 (068) 54 96 21 – . AE E VISA.

fechado 2ª feira – **Refeição** lista 2050 a 3800.

CANTANHEDE *3060 Coimbra* 940 K 4 – *6 330 h.*

Arred. : *Varziela : retábulo★ Nordeste : 4 km.*

Lisboa 222 – Aveiro 42 – Coimbra 23 – Porto 112.

Marquês de Marialva, Largo do Romal (031) 42 00 10, *Fax (031) 42 91 83,* AE E VISA.

fechado domingo noite e feriados noite – **Refeição** lista aprox. 4000.

Gandarez com snack-bar, Rua Dr. Jaime Cortesão 6 (031) 42 01 44 – AE VISA.

fechado domingo – **Refeição** lista 3000 a 4300.

ARAMULO *3475 Viseu* 940 K 5 – *1546 h. alt. 800.*

Ver : *Museu de Caramulo★ (Exposição de automóveis★).*

Arred. : *Caramulinho★★ (miradouro) Sudoeste : 4 km – Pinoucas★ : ※ Noroeste : 3 km.*

Estrada Principal do Caramulo ☎ (032) 86 14 37.

Lisboa 280 – Coimbra 78 – Viseu 38.

Pousada de São Jerónimo ⑤, ☎ (032) 86 12 91, *Fax (032) 86 16 40*, ≤ vale e Serra da Estrela, « Jardim », ⛱ – ▤ TV ☎ P. AE ⦿ E VISA. ✂
Refeição lista 3000 a 4000 – **12 qto** ☐ 13500/15600.

a estrada N 230 *Este : 1,5 km – ✉ 3475 Caramulo :*

Quality H. ⑤, Av. Dr. Abel Lacerda ☎ (032) 86 01 00, *Fax (032) 86 12 00*, ≤ vale e Serra da Estrela, « Actividades de lazer e desportivas », Lб, ⛱, ⛱, ⛳ – |≑| ▤ TV ☎ ♿ P – 🔔 25/180. AE ⦿ E VISA. ✂
Refeição 3500 – **83 qto** ☐ 14000/18800, 4 suites – PA 7000.

ARCAVELOS *Lisboa* 940 P 1 – *12717 h.* – ✉ *2775 Parede – Praia.*

Lisboa 21 – Sintra 15.

a praia :

Praia-Mar, Rua do Gurué 16 ☎ (01) 457 31 31, *Fax (01) 457 31 30*, ≤ mar, ⛱ – |≑| ▤ TV ☎ P – 🔔 25/170. AE ⦿ E VISA. ✂
Refeição 3000 – **153 qto** ☐ 17000/21000, 5 suites – PA 5500.

XX **A Pastorinha,** Av. Marginal ☎ (01) 457 18 92, *Fax (01) 458 05 32*, ≤, ⛱, « Decorado com plantas frente ao mar » – ▤ P. AE E VISA. ✂
fechado 3ª feira – **Refeição** - peixes e mariscos - lista 4900 a 8200.

ARTAXO *2070 Santarém* 940 O 3 – *21692 h.*

Lisboa 65 – Évora 132 – Santarém 14.

m Ereira *Noroeste : 8,5 km – ✉ 2070 Cartaxo :*

XX **Condestável,** Travessa do Olival ☎ (043) 71 97 86, *Fax (043) 71 97 86*, « Decoração rústica » – ▤. AE VISA. ✂
fechado domingo noite, 3ª feira e agosto – **Refeição** - aconselha-mos reservar ao jantar - lista aprox. 3500.

ARVALHAL *Viseu* 940 J 6 – ✉ *3600 Castro Daire – Termas.*

Lisboa 331 – Aveiro 114 – Viseu 30 – Vila Real 76.

Montemuro ⑤, nas Termas ☎ (032) 311 54, *Fax (032) 311 12*, ≤ – |≑| ▤ TV ☎ ♿ P – 🔔 25/300. AE E VISA. ✂
Refeição 1800 – **77 qto** ☐ 6000/9000, 3 suites – PA 3600.

ARVALHELHOS *Vila Real – ver Boticas.*

ARVALHOS *4415 Porto* 940 I 4.

Lisboa 310 – Amarante 72 – Braga 62 – Porto 8.

XX **Mario Luso,** Largo França Borges 308 ☎ (02) 784 21 11, *Fax (02) 783 28 45* – ▤. AE ⦿ E VISA. ✂
fechado domingo noite, 2ª feira e do 1 ao 17 de setembro – **Refeição** lista aprox. 3500.

ASCAIS *2750 Lisboa* 940 P 1 – *29882 h. – Praia.*

Arred. : *Estrada de Cascais a Praia do Guincho★ - Sudoeste : Boca do Inferno★ (precipício★)* AY- *Praia do Guincho★ por ③ : 9 km.*

Quinta da Marinha, Oeste : 3 km ☎ (01) 486 98 81 Fax (01) 486 90 32.

Alameda Combatentes da Grande Guerra 25 ☎ (01) 486 82 04.

Lisboa 30 ② – Setúbal 72 ② – Sintra 16 ④

Plano página seguinte

Estoril Sol, Parque Palmela ☎ (01) 483 90 00, *Fax (01) 483 22 80*, ≤ baía e Cascais, Lб, ⛱ – |≑| ▤ TV ☎ ♿ 🚗 P – 🔔 25/550. AE ⦿ E VISA. ✂ BX h
Refeição 5000 - ***Grill* : Refeição** lista 5500 a 6700 – **293 qto** ☐ 35300/38500, 17 suites.

Albatroz, Rua Frederico Arouca 100 ☎ (01) 483 28 21, *Fax (01) 484 48 27*, ≤ baía e Cascais, ⛱ – |≑| ▤ TV ☎ ♿ – 🔔 25. AE ⦿ E VISA JCB. ✂ AZ e
Refeição lista 4900 a 7330 – **37 qto** ☐ 37500/45000, 3 suites.

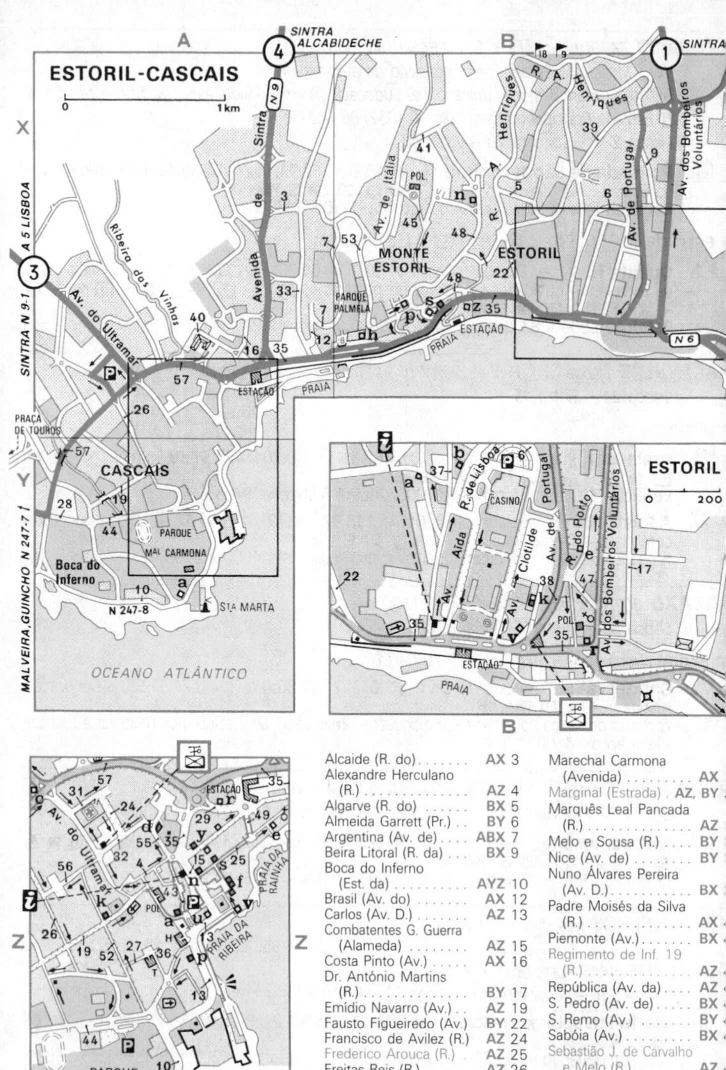

Alcaide (R. do)	AX	3
Alexandre Herculano (R.)	AZ	4
Algarve (R. do)	BX	5
Almeida Garrett (Pr.)	BY	6
Argentina (Av. de)	ABX	7
Beira Litoral (R. da)	BX	9
Boca do Inferno (Est. da)	AYZ	10
Brasil (Av. do)	AX	12
Carlos (Av. D.)	AZ	13
Combatentes G. Guerra (Alameda)	AZ	15
Costa Pinto (Av.)	AX	16
Dr. António Martins (R.)	BY	17
Emídio Navarro (Av.)	AZ	19
Fausto Figueiredo (Av.)	BY	22
Francisco de Avilez (R.)	AZ	24
Frederico Arouca (R.)	AZ	25
Freitas Reis (R.)	AZ	26
Gomes Freire (R.)	AZ	27
Guincho (Estrada do)	AY	28
Iracy Doyle (R.)	AZ	29
José Maria Loureiro (R.)	AZ	31
Manuel J. Avelar (R.)	AZ	32
Marechal Carmona (Avenida)	AX	
Marginal (Estrada)	AZ, BY	
Marquês Leal Pancada (R.)	AZ	
Melo e Sousa (R.)	BY	
Nice (Av. de)	BY	
Nuno Álvares Pereira (Av. D.)	BX	
Padre Moisés da Silva (R.)	AX	
Piemonte (Av.)	BX	
Regimento de Inf. 19 (R.)	AZ	
República (Av. da)	AZ	
S. Pedro (Av. de)	BX	
S. Remo (Av.)	BY	
Sabóia (Av.)	BX	
Sebastião J. de Carvalho e Melo (R.)	AZ	
Vasco da Gama (Av.)	AZ	
Venezuela (Av. da)	BX	
Visconde da Luz (R.)	AZ	
Vista Alegre (R. da)	AZ	
25 de Abril (Av.)	AYZ	

Village Cascais, Rua Frei Nicolau de Oliveira - Parque da Gandarinha ☎ (01) 483 70 4 *Fax (01) 483 73 19*, ≤, 🏠, 🏊 - 🛗 ≡ 📺 ☎ 🅿 - 🏛 25/80. AE ⓓ E VISA JCB. 🚫 AY
Refeição 3900 - **163 qto** ☕ 21950/25820, 70 suites - PA 7050.

Cidadela, Av. 25 de Abril ☎ (01) 482 76 00, *Fax (01) 486 72 26*, ≤, 🏊 - 🛗 ≡ 📺 🅿 - 🏛 25/100. AE ⓓ E VISA. 🚫 AZ
Refeição 3600 - **110 qto** ☕ 20000/26000, 4 suites, 14 apartamentos - PA 7000.

Atlantic Gardens, Av. Manuel Julio Carvalho e Costa 115 ☎ (01) 483 37 3 *Fax (01) 483 52 26*, ≤, 🏋, 🏊, 🏊, 🌳, 🎾 - 🛗 ≡ 📺 ☎ ♿ 🅿 - 🏛 15/300. AE ⓓ VISA JCB. 🚫 perto da Praça de Touros AY
Refeição 3500 - ☕ 1340 - **142 qto** 22400/25000, 7 suites - PA 7000.

Estalagem Cascais Villa D. Pedro, Rua Fernandes Tomaz 1 (01) 486 34 10, *Fax (01) 484 46 80,* « Antiga moradia senhorial » - AE E VISA. AZ
Refeição 5000 - **10 qto** 35000.

Baía, Av. Marginal (01) 483 10 33, *Fax (01) 483 10 95,* - 25/180. AE E VISA. AZ u
Refeição 3500 - **105 qto** 15500/17500, 8 suites - PA 6000.

Casa da Pérgola sem rest, Av. Valbom 13 (01) 484 00 40, *Fax (01) 483 47 91,* « Moradia senhorial », - AZ y
fechado 3 janeiro-28 fevereiro - **10 qto** 17000/19500.

Nau, Rua Dra. Iracy Doyle 14 (01) 483 28 61, *Telex 42289, Fax (01) 483 28 66* - AE E VISA JCB. AZ r
Refeição 2900 - **59 qto** 18000/22000 - PA 5800.

Albergaria Valbom sem rest, Av. Valbom 14 (01) 486 58 01, *Fax (01) 486 58 05* - AE VISA. AZ y
40 qto 9500/12500.

Visconde da Luz, Jardim Visconde da Luz (01) 486 68 48, *Fax (01) 486 85 08,* - AE E VISA JCB. AZ d
fechado 3ª feira - **Refeição** - peixes e mariscos - lista 5580 a 8080.

Reijos, Rua Frederico Arouca 35 (01) 483 03 11, *Fax (01) 482 19 60,* - AE E VISA JCB. AZ s
fechado domingo e do 2 ao 16 de janeiro - **Refeição** lista 3900 a 4900.

Pimentão, Rua das Flores 16 (01) 484 09 94, *Fax (01) 482 26 28* - AE E VISA JCB. AZ f
Refeição - peixes e mariscos - lista aprox. 6500.

Casa Velha, Av. Valbom 1 (01) 483 25 86, *Fax (01) 486 67 51,* « Decoração rústica » - AE E VISA. AZ y
fechado 4ª feira - **Refeição** lista 2450 a 4250.

O Pipas, Rua das Flores 18 (01) 486 45 01, *Fax (01) 484 07 80* - AE E VISA. AZ f
Refeição - peixes e mariscos - lista 4700 a 6600.

Novomar, Beco Torto 1 (01) 484 42 96, *Fax (01) 482 10 54,* - AZ a

Os Morgados, Praça de Touros (01) 486 87 51, *Fax (01) 486 87 51,* « Nos pórticos da Praça de Touros » - AE E VISA JCB. por AY
fechado 2ª feira - **Refeição** lista aprox. 5500.

Dom Leitão, Av. Vasco da Gama 36 (01) 486 54 87, *Fax (01) 484 21 09* - AE E VISA. AZ k
fechado 4ª feira - **Refeição** - espec. em carnes - lista 2850 a 3600.

Beira Mar, Rua das Flores 6 (01) 483 01 52, *Fax (01) 483 52 73* - AE E VISA. AZ f
fechado 3ª feira - **Refeição** lista 4700 a 8200.

Luzmar, Av. Marginal 48 (01) 484 57 04, *Fax (01) 486 85 08,* - AE E VISA JCB. AZ n
fechado 2ª feira - **Refeição** lista 3480 a 6180.

Sol e Mar, Av. D. Carlos I-48 (01) 484 02 58, AZ p

Sagres, Rua das Flores 10-A (01) 483 08 30, - AE E VISA JCB. AZ f
fechado 4ª feira e janeiro - **Refeição** lista 3900 a 5400.

na estrada do Guincho *por Av. 25 de Abril* AYZ - *2750 Cascais :*

Estalagem Sra. da Guia, 3,5 km (01) 486 92 39, *Fax (01) 486 92 27,* « Bonita decoração », - qto, - 25/80. AE E VISA JCB.
Refeição lista 5000 a 7100 - **41 qto** 28000/30000, 2 suites.

Cascais Atrium sem rest, Edifício Cascais Atrium - 2,5 km (01) 483 00 11, *Fax (01) 483 52 70,* -
25 apartamentos.

Monte-Mar, 5 km (01) 486 92 70, *Fax (01) 486 93 56,* - AE E VISA JCB.
fechado 2ª feira e do 8 ao 30 de outubro - **Refeição** lista 5100 a 9800.

Furnas do Guincho, 3,5 km (01) 486 92 43, *Fax (01) 486 90 70,* - AE E VISA JCB.
Refeição lista 4000 a 5000.

na Praia do Guincho *por Av. 25 de Abril : 9 km* AYZ – ✉ *2750 Cascais* :

Do Guincho ♨, ☎ (01) 487 04 91, *Fax (01) 487 04 31*, ≤, « Antiga fortaleza num promontorio rochoso » – |‡| ▤ ☑ ☎ Ⓟ – 🏔 25/200 – **29 qto.**

Porto de Santa Maria, ☎ (01) 487 02 40, *Fax (01) 485 09 49*, ≤ – ▤ Ⓟ. AE ⓓ VISA JCB
fechado 2ª feira – **Refeição** - peixes e mariscos - lista 8850 a 12000
Espec. Peixe assado em sal ou no pão. Misto de mariscos ao natural ou grelhado. Arroz de marisco.

Panorama, ☎ (01) 487 00 62, *Fax (01) 485 09 49*, ≤, 🏖 – ▤ Ⓟ. AE ⓓ E VISA JCB. ✗
fechado 3ª feira – **Refeição** - peixes e mariscos - lista 5400 a 8100.

Mar do Guincho, ☎ (01) 485 82 80, *Fax (01) 485 82 80*, ≤ – ▤ Ⓟ. AE ⓓ E VISA JCB. ✗
Refeição lista 4300 a 5500.

Mestre Zé, ☎ (01) 487 02 75, *Fax (01) 485 16 33*, ≤, 🏖 – ▤ Ⓟ. AE ⓓ E VISA JCB ✗
Refeição lista 4000 a 5400.

O Faroleiro, ☎ (01) 487 02 25, *Fax (01) 487 02 25*, ≤ – ▤ Ⓟ. AE ⓓ E VISA JCB. ✗
Refeição - peixes e mariscos - lista 3000 a 5900.

CASTELO BRANCO *6000* P 940 *M 7 – 30 624 h. alt. 375.*

Ver : *Jardim do Antigo Paço Episcopal★.*

🚗 ☎ *(072) 222 83.*

ℹ *Alameda da Liberdade* ☎ *(072) 210 02 Fax (072) 33 03 24.*

Lisboa 256 ③ – Cáceres 137 ② – Coimbra 155 ① – Portalegre 82 ③ – Santarém 176 ③

CASTELO BRANCO

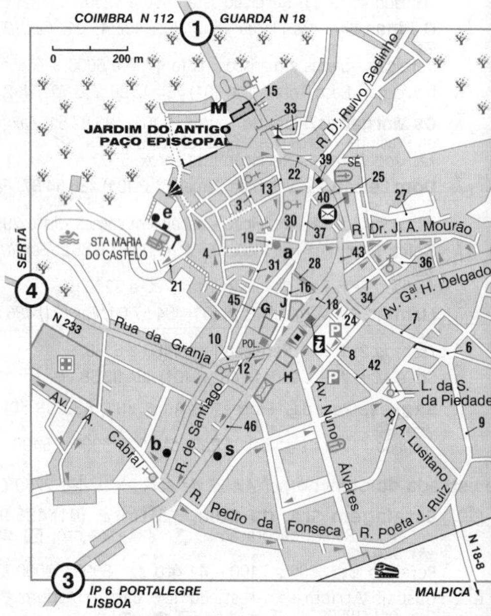

Rainha D. Amélia, Rua de Santiago 15 ☎ (072) 32 63 15, *Fax (072) 32 63 90* – |‡| ▤ ☑ ☎ ♿ 🚗 – 🏔 25/350. AE E VISA. ✗
Refeição lista aprox. 2500 – **64 qto** ☕ 10300/13100.

Meliá Confort Colina do Castelo ♨, Rua da Piscina ☎ (072) 32 98 5.., *Fax (072) 32 97 59*, ≤ campo e serra, 🏋, 🏊, 🎾 – |‡| ▤ ☑ ☎ ♿ 🚗 Ⓟ – 🏔 25/40.. AE ⓓ E VISA. ✗
Refeição 2300 – **97 qto** ☕ 11300/13400, 6 suites.

Arraiana sem rest, Av. 1º de Maio 18 ✆ (072) 34 16 34, *Fax (072) 33 18 84* – ▤ TV ☎. AE E VISA s
31 qto ☕ 4500/7500.

Praça Velha, Largo Luís de Camões 17 ✆ (072) 32 86 40, *Fax (072) 32 86 20,* « Decoração rústica » – ▤ P. AE O E VISA. ✻ a
fechado 2ª feira – **Refeição** lista 2400 a 3600.
Ver também : **Retaxo** *por* ③ *: 10 km.*

ASTELO DE BODE *Santarém – ver Tomar.*

ASTELO DE VIDE *7320 Portalegre* 940 N 7 – *2 663 h. alt. 575 – Termas.*

Ver : *Castello* ≤★ – *Judiaria*★.
Arred. : *Capela de Na. Sra. de Penha* ≤★ *Sul : 5 km – Estrada*★ *escarpada de Castelo de Vide a Portalegre por Carreiras, Sul : 17 km.*
Rua Bartolomeu Álvares da Santa 81 ✆ (045) 90 13 50 Fax (045) 901 92 06.
Lisboa 213 – Cáceres 126 – Portalegre 22.

Garcia d'Orta, Estrada de São Vicente ✆ (045) 90 11 00, *Fax (045) 90 12 00,* ≤, ⛱ – |‡| ▤ TV ☎ ♿ P – 🏛 25/80. AE O E VISA
Refeição (ver rest. ***A Castanha***) – **52 qto** ☕ 14500/16500, 1 suite.

Sol e Serra, Estrada de São Vicente ✆ (045) 90 13 01, *Fax (045) 90 13 73,* ⛱ – |‡| ▤ TV ☎ P – 🏛 25/120. AE O E VISA. ✻
Refeição 2600 – **50 qto** ☕ 9500/13000 – PA 5200.

Casa do Parque ⊗, Av. da Aramenha 37 ✆ (045) 90 12 50, *Fax (045) 90 12 28* – ▤ TV. VISA. ✻
Refeição *(fechado 3ª feira, 15 días em junho e 15 días em outubro)* 2100 – **26 qto** ☕ 6000/9500.

Isabelinha sem rest, Paço Novo ✆ (045) 90 18 96, *Fax (045) 90 12 28* – ▤ TV ☎
11 qto ☕ 5000/7000.

A Castanha, Estrada de São Vicente ✆ (045) 90 11 00, *Fax (045) 90 12 00,* ≤ – ▤ P. AE O E VISA. ✻
Refeição lista aprox. 4850.

D. Pedro V, Praça D. Pedro V-10 ✆ (045) 90 12 36, *Fax (045) 91 92 31* – ▤. E VISA. ✻
fechado 2ª feira e julho – **Refeição** lista aprox. 3100.

En haute saison, et surtout dans les stations,
il est prudent de retenir à l'avance.

AXIAS *Lisboa* 940 P 2 – *4 907 h. – ✉ 2780 Oeiras – Praia.*

Lisboa 13 – Cascais 17.

Mónaco, Rua Direita 9 (Estrada Marginal) ✆ (01) 443 23 39, *Fax (01) 443 12 17,* ≤, ☂, Música ao jantar – ▤ P. O VISA. ✻
fechado domingo – **Refeição** lista 3400 a 5700.

ELORICO DA BEIRA *6360 Guarda* 940 K 7 – *2 750 h.*

Estrada N 17 ✆ (071) 721 09.
Lisboa 337 – Coimbra 138 – Guarda 27 – Viseu 54.

Mira Serra, Estrada N 17 ✆ (071) 74 26 04, *Telex 53192, Fax (071) 74 13 82,* ≤ – |‡| ▤ TV ☎ 🚗 P – 🏛 25/100. AE O E VISA. ✻ rest
Refeição 2500 – **42 qto** ☕ 8000/11000.

Parque sem rest, Rua Andrade Corvo 48 ✆ (071) 74 21 97, *Fax (071) 74 37 98* – TV ☎ P. AE E VISA
27 qto ☕ 4000/6000.

ERNACHE DO BONJARDIM *Castelo Branco* 940 M 5 – *3 627 h. – ✉ 6100 Sertã.*

Lisboa 187 – Castelo Branco 81 – Santarém 110.

la estrada N 238 *Sudoeste : 10 km – ✉ 6100 Sertã :*

Estalagem Vale da Ursa ⊗, ✆ (074) 80 29 81, *Fax (074) 80 29 82,* ≤, ☂, « Na margem do rio Zêzere », ⛱, 🎾 – |‡| ▤ TV ☎ P. E VISA. ✻ rest
Refeição 2800 – **17 qto** ☕ 10000/17000 – PA 5500.

CHAMUSCA *2140 Santarém* 940 N 4 – *3 497 h.*
Lisboa 121 – Castelo Branco 136 – Leiria 79 – Portalegre 118 – Santarém 31.

no cruzamento das estradas N 118 e N 243 *Nordeste : 3,5 km – ✉ 2140 Chamusc*

Paragem da Ponte, Ponte da Chamusca ☎ (049) 76 04 06 – ▤ Ⓟ. AE E VISA.
Refeição lista aprox. 3500.

CHAVES *5400 Vila Real* 940 G 7 – *13 759 h. alt. 350 – Termas.*
Ver : *Igreja da Misericórdia★ - Museu da Região Flaviense★.*
Excurs. : *Oeste : Vale Alto do rio Cávado★ : estrada de Chaves a Braga pelas barrage do Alto Rabagão★), da Paradela★ (local★), da Caniçada (≤★) – e ≤★★ do Vale e Serra Gerês - Montalegre (local★).*
Vidago, Sudoeste : 20 km ☎ (076) 996 62 Fax (076) 996 62.
Terreiro de Cavalaría ☎ (076) 33 30 29 Fax (076) 214 19.
Lisboa 475 – Orense/Ourense 99 – Vila Real 66.

Forte de S. Francisco ♨, Alto da Pedisqueira ☎ (076) 33 37 00, *Fax (076) 33 37 C*, « Fortaleza do século XVII », 🏊, 🎾 – |₿| ▤ TV ☎ ♿ Ⓟ – 25/200. AE ⓓ VISA.
Refeição lista aprox. 3500 – **56 qto** ☐ 16000/19000, 2 suites.

Aquae Flaviae, Praça do Brasil ☎ (076) 330 90 00, *Telex 25078, Fax (076) 330 90* ≤, 🏊, 🎾 – |₿| ▤ TV ☎ 🚗 Ⓟ – 25/1000. AE ⓓ E VISA.
Refeição 2600 - ***O Rodízio*** *(carnes)* **Refeição** lista 2700 a 4400 – **159 q** ☐ 13000/16000, 7 suites.

Trajano, Travessa Cândido dos Reis ☎ (076) 33 24 15, *Fax (076) 32 70 02* – |₿|, ▤ re TV ☎. AE E VISA.
O Nosso Restaurante *(fechado dezembro-janeiro)* **Refeição** lista 2500 a 3500 – **39 q** ☐ 6500/7500.

Brites sem rest, Av. Duarte Pacheco (Estrada de Espanha) ☎ (076) 33 27 7 *Fax (076) 33 22 21* – ▤ TV ☎ Ⓟ. AE ⓓ E VISA.
28 qto ☐ 6000/8000.

São Neutel sem rest, Estrada de Outeiro Seco (junto ao Estadio Municip ☎ (076) 33 36 32, *Fax (076) 33 36 20* – ▤ TV ☎ 🚗 Ⓟ. AE E VISA.
45 qto ☐ 5000/7000.

Jardim das Caldas, Alameda do Tabolado 5 ☎ (076) 33 11 89 – ▤ rest, TV ☎. E VISA.
fechado 20 dezembro-5 janeiro – - ***Chave d'Ouro 2 :*** **Refeição** lista 1500 a 2500 – **27 q** ☐ 5000/7000.

Carvalho, Alameda do Tabolado ☎ (076) 32 17 27, *Fax (076) 32 17 27* – ▤. VISA.
fechado 5ª feira – **Refeição** lista 2250 a 3100.

A Talha, Bairro da Trindade ☎ (076) 34 21 91, – ▤. E VISA.
fechado sábado, do 15 ao 30 de abril e do 1 ao 15 de setembro – **Refeição** lista apro 2600.

COIMBRA *3000* P 940 L 4 – *89 639 h. alt. 75.*
Ver : *Sítio★ – Sé Velha★★ (retábulo★, Capela do Sacramento★) Z – Museu Nacional Mach do de Castro★★ (cavaleiro medieval★) Z* **M1** *– Velha Universidade★★ (balcão ≤★) : capel (caixa de órgão★★), biblioteca★★ Z – Mosteiro de Santa Cruz★ : igreja★ (púlpito★), claust do Silêncio★, coro (cadeiral★) Y* **L** *– Mosteiro de Celas (púlpito★) V – Mosteiro de Sar Clara a Nova (túmulo★) X.*
Arred. : *Miradouro do Vale do Inferno★ 4 km por ③ – Ruinas de Conimbriga★ (Casa Cantaber★, casa dos Repuxos★★ : mosaicos★★) 17 km por ③.*
🚗 ☎ *(039) 349 98.*
Largo da Portagem ☎ (039) 238 86 Fax (039) 255 76 Largo D. Dinis ☎ (039) 83 25 Fax (039) 70 24 96 e Praça da República ☎ (039) 83 32 02 Fax (039) 70 24 96 – **A.C.P.** *Navarro 6 ☎ (039) 85 20 20 Fax (039) 350 03.*
Lisboa 200 ③ – Cáceres 292 ② – Porto 118 ① – Salamanca 324 ②

Planos páginas seguintes

Quinta das Lágrimas ♨, Santa Clara, ✉ 3040, ☎ (039) 44 16 1 *Fax (039) 44 16 95*, « Palácio do século XVIII com parque florestal », 🏊 – |₿| ▤ ☎ ♿ Ⓟ – 25/100. AE ⓓ E VISA JCB. X
Refeição 4000 – **35 qto** ☐ 22500/28000, 4 suites – PA 8000.

Tivoli Coimbra, Rua João Machado 4 ☎ (039) 82 69 34, *Fax (039) 82 68 27*, – |₿| ▤ TV ☎ 🚗 – 25/120. AE ⓓ E VISA. V
Refeição 4500 – **55 qto** ☐ 16000/20000, 5 suites.

COIMBRA

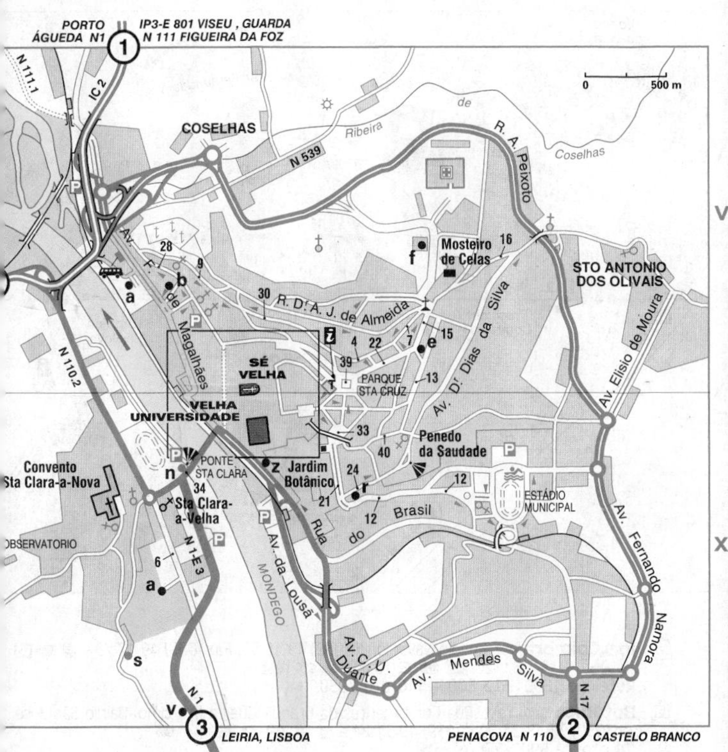

Dona Inês, Rua Abel Dias Urbano 12 ☎ (039) 82 57 91, *Fax (039) 82 56 11*, ≤, – – 25/300. AE ⓓ E VISA. V a
Refeição *(fechado domingo meio-día)* 2500 – **72 qto** 10400/11900, 12 suites – PA 5000.

Meliá Confort Coimbra, Av. Armando Gonçalves-Lote 20 ☎ (039) 48 45 00, *Fax (039) 48 43 00* – – 25/150. AE ⓓ E VISA. V f
Refeição 2800 – **140 qto** 16000/18000 – PA 6000.

D. Luís, Santa Clara ☎ (039) 44 25 10, *Fax (039) 44 51 96*, ≤ cidade e rio Mondego – – 25/200. AE ⓓ E VISA. X v
Refeição 2500 – 1000 – **98 qto** 10500/11500, 2 suites – PA 5000.

Almedina Coimbra H. sem rest, Av. Fernão de Magalhães 199 ☎ (039) 82 91 61, *Fax (039) 82 99 06* – – 25/70. AE ⓓ E VISA Y b
75 qto 9500/12000.

Bragança, Largo das Ameias 10 ☎ (039) 82 21 71, *Fax (039) 83 61 35* – . AE ⓓ E VISA. Z t
Refeição 1800 – **83 qto** 8000/10000 – PA 3600.

Astória, Av. Emídio Navarro 21 ☎ (039) 82 20 55, *Telex 42859, Fax (039) 82 20 57*, ≤ – , rest, Z v
64 qto.

Oslo sem rest, Av. Fernão de Magalhães 25 ☎ (039) 82 90 71, *Fax (039) 82 06 14* – . AE ⓓ E VISA JCB. YZ e
33 qto 7500/10000.

COIMBRA

Ameias (Largo das) . . . . Z 3
Antero de Quental (Rua) . . . Y 4
Borges Carmeiro (Rua de) . . . . Z 10
Comércio (Praça do) . . . . . . Z
Dr João Jacinto (Rua do) . . . . Y 18
Dr José Falcão (Rua) . . . . . . Z 19
Fernandes Tomás (Rua de) . Z 25
Fernão de Magalhães (Avenida) Y
Ferreira Borges (Rua) . . . . . . Z 27
Guilherme Moreira (Rua) . . . Z 31
Portagem (Largo da) . . . . . . Z 3
Quebra-Costas (Escadas de) . . . . Z 3
Sobre-Ripas (Rua de) . . . . . . Z 4
Sofia (Rua da) . . . . Y
Visconde da Luz (Rua) . . . . . Y 4
8 de Maio (Praça) . . . . Y 4

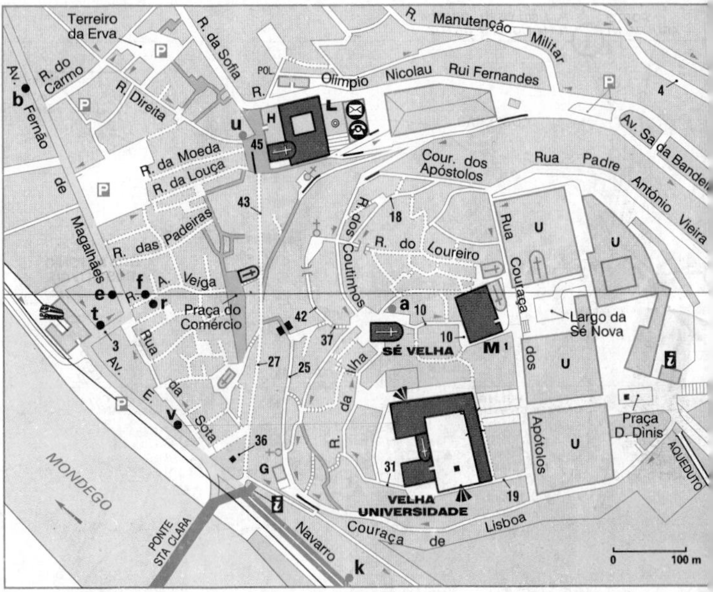

Ibis Coimbra, Av. Emídio Navarro ☏ (039) 49 15 59, *Fax (039) 49 17 73* – 25/120. VISA JCB. rest X
Refeição 1600 – 800 – **110 qto** 7950.

Botánico sem rest, Rua Combatentes da Grande Guerra (Ao cimo)-Bairro São José ☏ (039) 71 48 24, *Fax (039) 40 51 24* – VISA. X
24 qto 5900/7500.

Alentejana sem rest, Rua Dr. António Henriques Seco 1 ☏ (039) 259 0 *Fax (039) 40 51 24* – VISA. V
15 qto 4500/5900.

Moderna sem rest, Rua Adelino Veiga 49-2º ☏ (039) 82 54 13, *Fax (039) 82 54 13* – Z
350 – **18 qto** 4000/6700.

Domus sem rest, Rua Adelino Veiga 62 ☏ (039) 82 85 84, *Fax (039) 83 88 18* – VISA. YZ
300 – **20 qto** 6200/7100.

Dom Pedro, Av. Emídio Navarro 58 ☏ (039) 82 91 08, *Fax (039) 82 46 11* – VISA. Z
Refeição lista 5450 a 9500.

Trovador, Largo da Sé Velha 17 ☏ (039) 254 75 – VISA. Z
fechado domingo e do 13 ao 27 de dezembro – **Refeição** lista 2500 a 5100.

Real das Canas, Vila Méndes 7 ☏ (039) 81 48 77, *Fax (039) 524 25*, ≤ – VISA X
fechado 4ª feira e do 1 ao 15 de agosto – **Refeição** lista 1720 a 3100.

O Alfredo, Av. João das Regras 32 ☏ (039) 44 15 22, *Fax (039) 44 15 00* – VISA. X
Refeição lista 2500 a 3500.

Carmina de Matos, Praça 8 de Maio 2 ☏ (039) 82 35 10 – VISA Y
fechado 2ª feira e outubro – **Refeição** lista aprox. 2450.

LARES *Lisboa* 940 **P 1** – *6 921 h. alt. 50 – ✉ 2710 Sintra.*

Arred. : Azenhas do Mar★ (sítio★) Noroeste : 7 km.

Lisboa 36 – Sintra 8.

Estalagem de Colares, Estrada N 247 ☎ (01) 928 29 42, Fax (01) 928 29 83 – ▤ TV ☎ P. AE ◑ E VISA. ✂ rest
Refeição 2750 – **13 qto** ☕ 14000/16000.

Colares Velho, Largo Dr. Carlos França 1-4 ☎ (01) 929 24 06 – AE E VISA
fechado 2ª feira e fevereiro – **Refeição** lista 4040 a 4660.

Praia Grande *Noroeste : 3,5 km – ✉ 2710 Sintra :*

Arribas ⛰, ☎ (01) 929 21 45, *Fax (01) 929 24 20,* ≤, ⛱, ⛱ – |‡| ▤ TV ☎ P – 🏛 25/200. AE E VISA. ✂
Refeição 2500 – **58 qto** ☕ 12000/16000 – PA 5000.

n Azóia *estrada do Cabo da Roca - Sudoeste : 10 km – ✉ 2710 Sintra :*

Aldeia da Roca ⛰, ☎ (01) 928 00 01, *Fax (01) 928 01 63,* ⛱, ✂ – ▤ TV ☎ P – 🏛 25/45. AE ◑ E VISA. ✂
Refeição (ver rest. ***Da Aldeia***) – **7 qto** ☕ 13500/16000, 7 suites.

Da Aldeia, ☎ (01) 928 00 01, *Fax (01) 928 01 63,* ⛱ – ▤ P. AE ◑ E VISA. ✂
fechado 4ª feira – **Refeição** lista 3700 a 5450.

Refúgio da Roca, ☎ (01) 929 08 98, *Fax (01) 929 17 52,* « Decoração rústica. Rest. típico » – ▤. AE ◑ E VISA. ✂
fechado 3ª feira – **Refeição** - grelhados - lista 4200 a 6200.

ONDEIXA-A-NOVA *3150 Coimbra* 940 **L 4** – *2 759 h.*

Lisboa 192 – Coimbra 15 – Figueira da Foz 34 – Leiria 62.

Pousada de Santa Cristina ⛰, ☎ (039) 94 40 25, *Fax (039) 94 30 97,* ≤, « Relvado con ⛱ », ✂ – |‡| ▤ TV ☎ P – 🏛 25/50. AE ◑ E VISA. ✂
Refeição 3650 – **45 qto** ☕ 18200/20300.

ONSTÂNCIA *2250 Santarém* 940 **N 4** – *4 160 h. alt. 74.*

i Av. das Forças Armadas ☎ (049) 996 11.

Lisboa 131 – Castelo Branco 124 – Leiria 70.

Casa João Chagas ⛰ sem rest, Rua João Chagas ☎ (049) 73 94 03, *Fax (049) 73 94 58* – ▤ TV ☎. AE ◑ E VISA. ✂
7 qto ☕ 7500/8500.

OSTA DA CAPARICA *Setúbal* 940 **Q 2** – *9 796 h. – ✉ 2825 Monte da Caparica – Praia.*

i Av. da República 18 ☎ (01) 290 00 71 Fax (01) 290 02 10.

Lisboa 21 – Setúbal 51.

Costa da Caparica, Av. General Humberto Delgado 47 ☎ (01) 291 03 10, *Fax (01) 291 06 87,* ≤, ⛱ – |‡| ▤ TV ☎ ♿ 🚗 P – 🏛 25/400. AE ◑ E VISA. ✂
Refeição lista 4700 a 5700 – **340 qto** ☕ 18000/26000, 13 suites.

Praia do Sol sem rest, Rua dos Pescadores 12 ☎ (01) 290 00 12, *Fax (01) 290 25 41* – |‡| ▤ TV ☎. AE ◑ E VISA JCB. ✂
54 qto ☕ 8000/10000.

Maniés, Av. General Humberto Delgado 7-E ☎ (01) 290 33 98, *Fax (01) 290 33 98,* ⛱ – AE ◑ E VISA. ✂
fechado 2ª feira no inverno, 2ª feira meio-dia e 3ª feira meio-dia no verão – **Refeição** lista aprox. 3500.

m São João da Caparica *Norte : 2,5 km – ✉ 2825 Monte da Caparica :*

Centyonze, Estrada N 10-1,111 ☎ (01) 290 39 68, ⛱ – ▤. E VISA. ✂
fechado domingo noite, 2ª feira e 15 dias em setembro – **Refeição** lista 2850 a 4000.

OSTA NOVA *Aveiro* 940 **K 3** – *✉ 3830 Ilhavo – Praia.*

Lisboa 256 – Aveiro 11 – Coimbra 68.

Azevedo sem rest, Rua Arrais Ançã 16 ☎ (034) 39 01 70, *Fax (034) 39 01 71* – |‡| TV ☎ ♿ 🚗. ◑ E VISA. ✂
16 qto ☕ 8000/10000.

OVA DA IRIA *Santarém – ver Fátima.*

COVILHÃ *6200 Castelo Branco* 940 L 7 – *30 224 h. alt. 675 – Desportos de inverno na Serr... Estrela : ⛷3.*

Arred. : *Estrada★★ da Covilhã a Seia (≤★, Torre ★★ 49 km – Estrada★★ da Covil... Gouveia (vale glaciário de Zêzere★★ (≤★), Poço do Inferno★ : cascata★, (≤★) por M... teigas : 65 km – Unhais da Serra (sítio★) Sudoeste : 21 km.*

Av. Frei Heitor Pinto ☎ (075) 310 15 60 Fax (075) 310 15 69.

Lisboa 301 – Castelo Branco 62 – Guarda 45.

ao Sudeste :

Turismo da Covilhã, Acesso à Estrada N 18 - 3,5 km ☎ (075) 32 45 ... *Fax (075) 32 46 30,* ≤ – 🏢 ▤ TV ☎ ♿ 🚗 P – 🎤 25/60. AE E VISA. ✈
Refeição 2100 - ***Piornos*** **:** **Refeição** lista 2200 a 3300 – **55 qto** ☕ 8000/12000, 5 su... – PA 4000.

Santa Eufêmia sem rest, Sítio da Palmatória - 2 km ☎ (075) 31 33 ... *Fax (075) 31 41 84,* ≤ – 🏢 ▤ TV P. ✈
77 qto ☕ 6500/10000.

na estrada das Penhas da Saúde *Noroeste : 5 km – ✉ 6200 Covilhã :*

Estalagem Varanda dos Carquejais 🐦, ☎ (075) 31 91 20, *Fax (075) 31 91 24* ... montanhas e vale, 🏊, 🎾 – TV ☎ ♿ P – 🎤 25/50. AE ① E VISA. ✈
Refeição 2600 – **50 qto** ☕ 15800/19750.

CRATO *7430 Portalegre* 940 O 7 – *2 123 h.*

Ver : *Mosteiro de Flor da Rosa★ : igreja★ Norte : 2km.*

Lisboa 206 – Badajoz 84 – Estremoz 61 – Portalegre 20.

em Flor da Rosa *Norte : 2 km – ✉ 7430 Crato :*

Pousada Flor da Rosa 🐦, ☎ (045) 99 72 10, *Fax (045) 99 72 12,* ≤, « Num moste... do século XIV », 🏊, 🌲 – 🏢 ▤ TV ☎ P. AE ① E VISA. ✈
Refeição lista aprox. 4500 – **24 qto** ☕ 29000/31000.

CURIA *Aveiro* 940 K 4 – *2 704 h. alt. 40 – ✉ 3780 Anadia – Termas.*

Largo da Rotunda ☎ (031) 51 22 48 Fax (031) 51 29 66.

Lisboa 229 – Coimbra 27 – Porto 93.

Das Termas 🐦, ☎ (031) 51 21 85, *Fax (031) 51 58 38,* « Num parque com árvores... 🏊, 🎾 – 🏢 ▤ TV ☎ P – 🎤 25/100. AE ① E VISA. ✈
Refeição 3350 – **57 qto** ☕ 12500/18000 – PA 5500.

Grande H. da Curia 🐦, ☎ (031) 51 57 20, *Fax (031) 51 53 17,* « Instalado num s... gular edifício de fins do século XIX », 🏋, 🏊, 🏊, 🌲 – 🏢 ▤ TV ☎ P – 🎤 25/200. ① E VISA. ✈
Refeição lista 2350 a 3900 – **81 qto** ☕ 15500/18000, 3 suites.

Do Parque 🐦 sem rest, ☎ (031) 51 20 31 – P. AE ① E VISA
junho-setembro – **22 qto** ☕ 4500/6000.

DOMINGUISO *Castelo Branco* 940 L 7 – *1 137 h. – ✉ 6205 Tortosendo.*

Lisboa 304 – Castelo Branco 65 – Covilhã 10 – Guarda 55.

Fonte Velha sem rest, Rua Pinhos Mansos ☎ (075) 95 97 77, *Fax (075) 95 97 77* – TV ☎. ✈
16 qto ☕ 7000/10000.

ELVAS *7350 Portalegre* 940 P 8 – *13 187 h. alt. 300.*

Ver : *Muralhas★★ – Aqueduto da Amoreira★ – Largo de Santa Clara★ (pelourinho★) – Igr... de N. S. da Consolação★ (azulejos★).*

Praça da República ☎ (068) 62 22 36 Fax (068) 62 90 60.

Lisboa 222 – Portalegre 55.

Pousada de Santa Luzia, Av. de Badajoz (Estrada N 4) ☎ (068) 62 21 ... *Fax (068) 62 21 27,* 🌲, 🏊, 🎾 – ▤ TV ☎ P
25 qto.

D. Luís, Av. de Badajoz (Estrada N 4) ☎ (068) 62 27 56, *Fax (068) 62 07 33* – 🏢 ▤ ☎ – 🎤 25/50. AE ① E VISA. ✈ rest
Refeição 2600 – **90 qto** ☕ 11000/12000 – PA 5200.

Flor do Jardim, Jardim Municipal (Estrada N 4) ☎ (068) 62 31 74, *Fax (068) 62 31...* 🌲 – ▤. AE ① E VISA. ✈
Refeição lista 3380 a 3410.

na estrada de Portalegre – ✉ *7350 Elvas* :

Estalagem Quinta de Santo António, Noroeste : 3,5 km e desvio a esquerda pela estrada de Barbacena 4,5 km ☎ (068) 62 84 06, *Fax (068) 62 50 50*, « Antiga quinta com capela e amplo jardim », – 25/120.
Refeição 2500 – **29 qto** 14500/17000, 1 suite.

Luso-Espanhola sem rest. e sem , Rui de Melo - Norte : 2 km ☎ (068) 62 30 92, *Fax (068) 62 30 92* – . E VISA.
14 qto 5000/8000.

na estrada N 4 – ✉ *7350 Elvas* :

Varchotel, Varche - Oeste : 5,5 km ☎ (068) 62 16 21, *Fax (068) 62 15 96*, – . AE E VISA JCB.
Refeição lista 2500 a 3500 – **41 qto** 6000/9500, 2 suites.

Albergaria Elxadai Parque, Varche - Oeste : 5 km ☎ (068) 62 13 97, *Fax (068) 62 19 21*, ← Elvas, Badajoz e Olivença, – . AE VISA.
Refeição (ver rest. ***Guadicaia***) – **28 qto** 9300/11600, 13 apartamentos.

Albergaria Jardim com qto, Sítio das Pias - Este : 3km ☎ (068) 62 10 50, *Fax (068) 62 10 51*, – . AE E VISA.
Refeição lista aprox. 4410 – **11 qto** 6500/8500.

Guadicaia, Varche - Oeste : 5 km ☎ (068) 62 13 76, *Fax (068) 62 96 72*, ← – . AE E VISA.
Refeição lista aprox. 3800.

Dom Quixote, Oeste : 3 km ☎ (068) 62 20 14, – . AE E VISA.
Refeição lista aprox. 5000.

ENTRE-OS-RIOS *4575 Porto* 940 **I 5** – *alt. 50 – Termas.*
Lisboa 331 – Porto 49 – Vila Real 96.

Miradouro, Estrada N 108 ☎ (055) 61 34 22, *Fax (055) 61 42 14*, ←, – . AE E VISA.
fechado 2ª feira e do 15 ao 31 de dezembro – **Refeição** - lampreia - lista aprox. 4200.

ENTRONCAMENTO *2330 Santarém* 940 **N 4** – *13 925 h.*
Praça da República ☎ (049) 71 92 29 Fax (049) 71 86 15.
Lisboa 127 – Castelo Branco 132 – Leiria 55 – Portalegre 114 – Santarém 45.

Gameiro sem rest, Rua Abílio César Afonso (frente à Estação dos Caminhos de Ferro) ☎ (049) 72 68 34, *Fax (049) 71 87 08* – – 25/50. AE E VISA.
34 qto 5500/8000.

Refeitório O Barriga's, Praça Comunidade Europeia-Casal Saldanha ☎ (049) 71 76 31, *Fax (049) 71 95 80*, « Rest. típico » – . AE E VISA.
fechado domingo noite e 2ª feira – **Refeição** lista 2000 a 2500.

EREIRA *Santarém – ver Cartaxo.*

ERICEIRA *2655 Lisboa* 940 **P 1** – *4 604 h. – Praia.*
Ver : *Pitoresco porto piscatório★.*
Parque Santa Marta ☎ (061) 629 20 Fax (061) 86 59 09.
Lisboa 51 – Sintra 24.

Vilazul, Calçada da Baleia 10 ☎ (061) 86 00 00, *Fax (061) 86 29 27* – . AE E VISA.
O Poço : **Refeição** lista 2350 a 3850 – **21 qto** 8500/13000.

Pedro o Pescador, Rua Dr. Eduardo Burnay 22 ☎ (061) 86 40 32, *Fax (061) 623 21* – , rest,. AE E VISA. rest
Refeição 2000 – **25 qto** 9000/12000.

O Barco, Capitão João Lopes ☎ (061) 86 27 59, *Fax (061) 86 27 59*, ← – . AE E VISA.
fechado 5ª feira e dezembro – **Refeição** lista 3000 a 5150.

na estrada N 247 *Norte : 2 km* – ✉ *2655 Ericeira* :

César, ☎ (061) 86 29 26, *Fax (061) 86 21 33*, ←, Viveiro próprio – . AE E VISA.
fechado 3ª feira, 15 dias em maio e 15 dias em outubro – **Refeição** - mariscos - lista aprox. 4500.

ESPINHO *4500 Aveiro* 940 I 4 - *33 414 h. - Praia.*
Oporto, (02) 734 20 08 Fax (02) 734 68 95.
Ângulo das Ruas 6 e 23 (02) 72 09 11 Fax (02) 731 10 53.
Lisboa 308 - Aveiro 54 - Porto 16.

Praiagolfe H., Rua 6 (02) 731 33 85, *Telex 23727, Fax (02) 731 33 97,* - 25/300. AE VISA.
Refeição 2950 - **133 qto** 18000/20000, 6 suites - PA 5200.

Solverde sem rest, Rua 21-77 (02) 731 31 44, *Fax (02) 731 31 53,* - AE VISA.
1100 - **83 apartamentos** 15900.

Néry sem rest, Avenida 8-826 (02) 734 73 64, *Fax (02) 734 85 96,* - AE VISA.
43 qto 8000/10000.

A Cabana com snack-bar, Avenida 8 - Rotunda da Praia Seca (02) 734 19
Fax (02) 734 13 22, - AE VISA.
Refeição lista 4600 a 5700.

Aquário, Rua 4-540 (02) 733 03 70, *Fax (02) 733 03 71,* - AE VISA.
Refeição lista 2400 a 3600.

ESPOSENDE *4740 Braga* 940 H 3 - *2 789 h. - Praia.*
Av. Arantes de Oliveira (053) 970 00 00 Fax (053) 96 13 54.
Lisboa 367 - Braga 33 - Porto 49 - Viana do Castelo 21.

Suave Mar, Av. Eng. Arantes e Oliveira (053) 96 54 45, *Fax (053) 96 52 49,* - AE VISA.
Refeição 2500 - **84 qto** 15000/16000.

Nélia, Av. Valentin Ribeiro (053) 96 55 28, *Fax (053) 96 48 20,* - VISA.
Refeição 2500 - **42 qto** 7000/10000.

Estalagem Zende, Estrada N 13 (053) 96 46 64, *Fax (053) 96 50 18* - 25/60. AE VISA
Martins : Refeição lista 1800 a 3000 - **25 qto** 10000/12000.

Acropole sem rest, Praça D. Sebastião (053) 96 19 41, *Fax (053) 96 42 38* - AE VISA.
30 qto 6000/8000.

ESTEFÂNIA *Lisboa - ver Sintra.*

ESTÓI *Faro - ver Faro.*

ESTORIL *2765 Lisboa* 940 P 1 - *25 230 h. - Praia.*
Ver : *Estância balnear★.*
Estoril, (01) 468 01 76 Fax (01) 468 27 16 BX.
Arcadas do Parque (01) 466 38 13 Fax (01) 467 22 80.
Lisboa 28 ② - Sintra 13 ①

Ver plano de Cascais

Palácio, Rua do Parque (01) 468 04 00, *Fax (01) 468 48 67,* - 25/400. AE VISA JCB. BY
Refeição (ver rest. ***Four Seasons***) - **131 qto** 40000/44000, 31 suites.

Amazonia Lennox Estoril, Rua Eng. Álvaro Pedro de Sousa 5 (01) 468 04
Fax (01) 467 08 59, « Terraços floridos », climatizada - AE VISA.
Refeição 3800 - **30 qto** 18800/21500, 2 suites, 2 apartamentos - PA 7600. BY

Inglaterra, Rua do Porto 1 (01) 468 44 61, *Fax (01) 468 21 08,* - 25/80. AE VISA. BY
Refeição 3650 - **50 qto** 12000/18800, 2 suites - PA 7300.

Vila Galé Estoril, Av. Marginal (01) 468 18 11, *Fax (01) 468 18 15,* - 25/140. AE VISA JCB. BY
Refeição 3500 - **126 qto** 26000/31000 - PA 7000.

Paris, Av. Marginal 7034 (01) 467 03 22, *Fax (01) 467 11 71,* - 25/130. AE VISA. BY
Refeição 2800 - **97 qto** 18000/20000.

Alvorada sem rest, Rua de Lisboa 3 (01) 468 00 70, *Fax (01) 468 72 50* - AE VISA. BY
54 qto 8300/17000.

Four Seasons, Rua do Parque (01) 468 04 00, *Fax (01) 468 48 67* – . AE E VISA JCB. BY k
Refeição lista 4800 a 7600.

o Monte Estoril BX – *2765 Estoril :*

Aparthotel Clube Mimosa, Av. do Lago 4 (01) 467 00 37, *Telex 44308, Fax (01) 467 03 74*, , , , – – 25/100. AE E VISA. BX n
Refeição 2500 – **58 apartamentos** 21100/22700.

Estoril Eden, Av. Sabóia 209 (01) 467 05 73, *Fax (01) 467 08 48*, <, , – – 25/180. AE E VISA. BX s
Refeição 3250 – **162 apartamentos** 22000/26500 – PA 6500.

Atlântico, Av. Marginal 8023 (01) 468 02 70, *Telex 18125, Fax (01) 468 36 19*, <, – – 25/180 BX z
175 qto.

Saboia, Rua Belmonte 1 (01) 468 02 02, *Fax (01) 468 11 17*, , – – 25/30. AE E VISA. BX p
Refeição 2000 – **48 qto** 16000/17000 – PA 4000.

English-Bar, Av. Marginal (01) 468 04 13, *Fax (01) 468 12 54*, <, « Decoração inglesa » – . AE E VISA BX s
fechado domingo e do 9 ao 21 de agosto – **Refeição** lista 4500 a 6550.

m São João do Estoril *por ② : 2 km – 2765 Estoril :*

A Choupana, Av. Marginal 5579 (01) 468 30 99, *Fax (01) 467 43 44*, < – .

STREITO DE CÂMARA DE LOBOS *Madeira – ver Madeira (Arquipélago da).*

STREMOZ *7100 Évora* 940 P 7 – *7 869 h. alt. 425.*

Ver : *A Vila Velha★ - Sala de Audiência de D. Dinis (colunata gótica★).*

Arred. : *Évoramonte : Sítio★, castelo★ (★) Sudoeste : 18 km.*

Largo da República 26 (068) 33 35 41.

Lisboa 179 – Badajoz 62 – Évora 46.

Pousada da Rainha Santa Isabel, Largo D. Diniz - Castelo de Estremoz (068) 33 20 75, *Fax (068) 33 20 79*, <, , « Luxuosa pousada instalada num belo castelo medieval », – – 25. AE E VISA.
Refeição lista 4350 a 4650 – **32 qto** 33000/35000, 1 suite.

D. Dinis sem rest, Rua 31 de Janeiro 46 (068) 33 27 17, *Fax (068) 226 10* – . E VISA
1500 – **8 qto** 10000/12500.

Águias d'Ouro, Rossio Marquês de Pombal 27 (068) 33 33 26, *Fax (068) 33 32 21* – . AE E VISA JCB.
Refeição lista 3000 a 4300.

São Rosas, Largo D. Dinis 11 (068) 33 33 45, , « Decoração regional » – . AE E VISA.
fechado 2ª feira, do 15 ao 30 de janeiro e do 1 ao 15 de julho – **Refeição** lista 3000 a 4000.

a estrada N 4 *Oeste : 2,5 km – 7100 Estremoz :*

Imperador, Fonte do Imperador (068) 33 99 50, *Fax (068) 33 99 58*, < – . AE E VISA.
Bife na Pedra : **Refeição** lista 2200 a 3100 – **65 qto** 8000/12000, 3 suites.

VORA *7000* P 940 Q 6 – *37 965 h. alt. 301.*

Ver : *Sé★★* BY *: interior★ (cúpula★, cadeiral★,) Museu de Arte sacra★ (Virgem do Paraíso★★), Claustro★ – Museu de Évora★* BY **M1** *(Baixo-relevo★, Anuncição★) – Templo romano★* BY *– Convento dos Lóios★* BY *: Igreja★, Edifícios conventuais (portal★) – Largo da Porta de Moura (fonte★)* BCZ *– Igreja de São Francisco (interior★, capela dos Ossos★)* BZ *– Fortificações★ – Antiga universidade dos Jesuítas (claustro★)* CY.

Arred. : *Convento de São Bento de Castris (claustro★) 3 km por N 114-4.*

Praça do Giraldo 73 (066) 226 71 – **A.C.P.** *Rua Alcarcova de Baixo 7 (066) 275 33 Fax (066) 296 96.*

Lisboa 153 ⑤ – Badajoz 102 ② – Portalegre 105 ② – Setúbal 102 ⑤

ÉVORA

Rua	Quadrícula
Álvaro Velho (Largo)	BZ 3
Aviz (Rua de)	BY 4
Bombeiros Voluntários de Évora (Av.)	CZ 6
Caraça (Trav. da)	BZ 7
Cenáculo (Rua do)	BY 9
Combatentes da Grande Guerra (Av. dos)	BZ 10
Conde de Vila-Flor (Largo)	BY 12
Diogo Cão (Rua)	BZ 13
Freiria de Baixo (Rua da)	BY 15
Giraldo (Praça do)	BZ
João de Deus (Rua)	AY 16
José Elias Garcia (Rua)	AY 18
Lagar dos Dizimos (Rua do)	BZ 19
Luís de Camões (Largo)	AY 21
Marquês de Marialva (Largo)	BY 22
Menino Jesus (R. do)	BY 24
Misericórdia (Largo)	BZ 25
Penedos (Largo dos)	AY 28
República (Rua da)	BZ
Santa Clara (R. de)	AZ 30
São Manços (Rua de)	BZ 31
Senhor da Pobreza (Largo)	CZ 33
Torta (Trav.)	AZ 34
Vasco da Gama (Rua)	BY 36
1º de Maio (Praça)	BZ
5 de Outubro (Rua)	BYZ 37

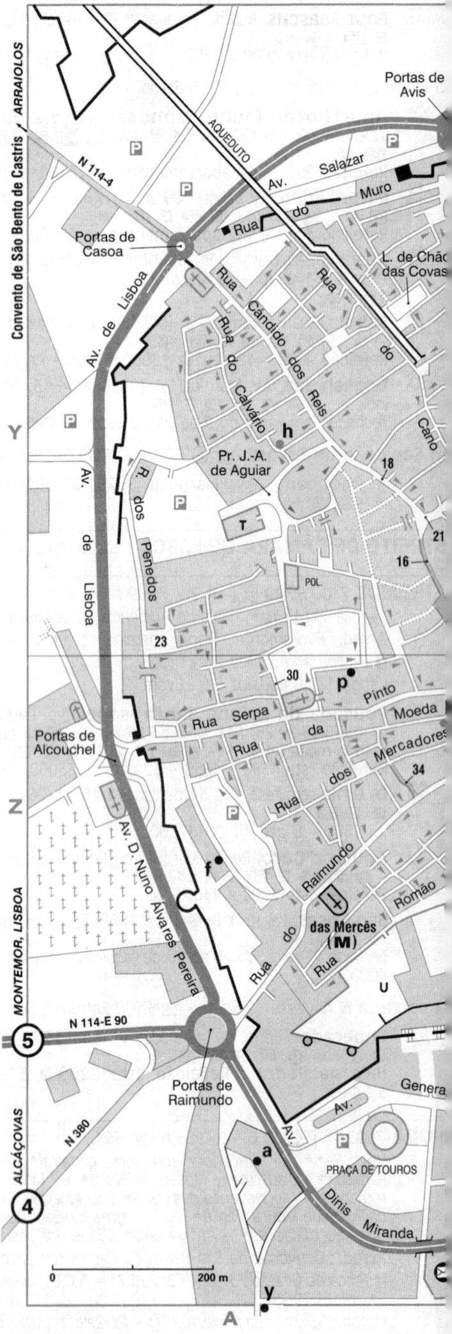

Este guia não é uma lista de todos os hotéis e restaurantes, nem sequer de todos os bons hotéis e restaurantes de Espanha e Portugal.

Como procuramos servir todos os turistas, vemo-nos obrigados a indicar estabelecimentos de todas as categorias e a citar apenas alguns de cada uma delas.

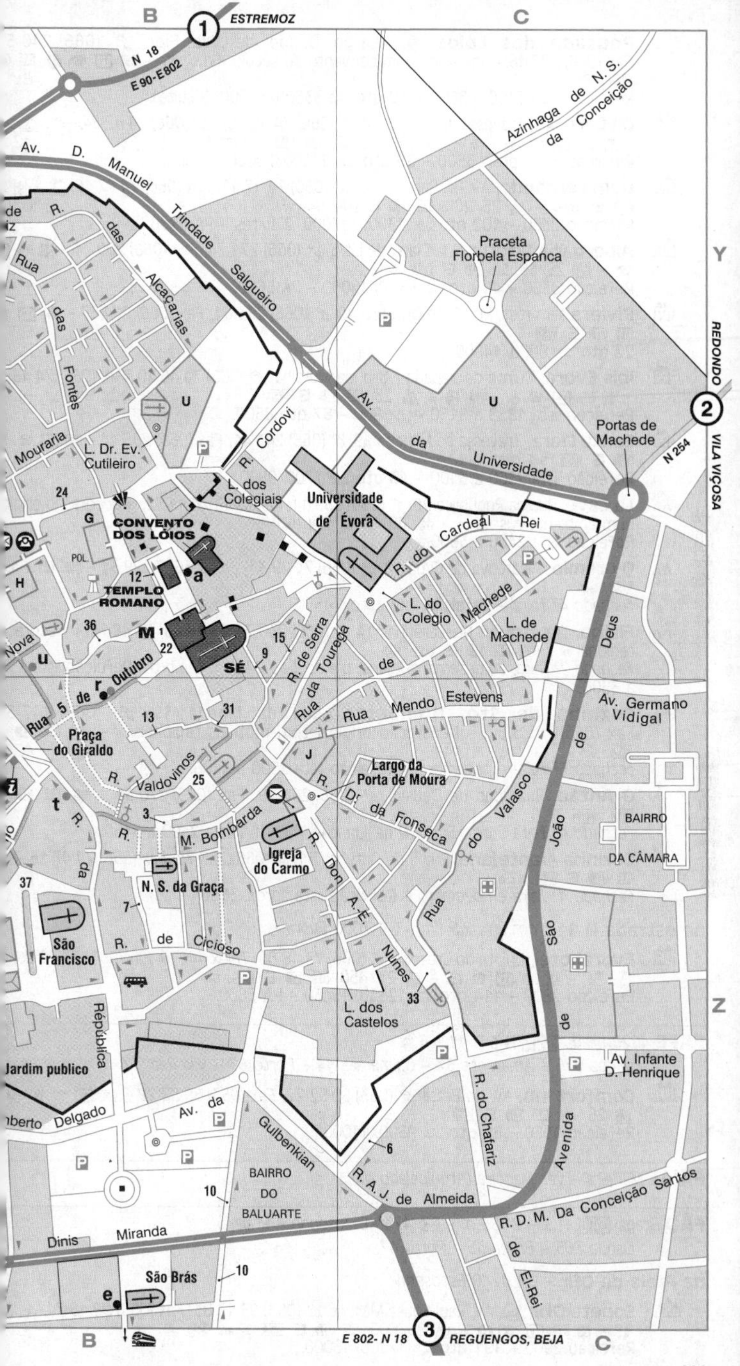
B
C
ESTREMOZ
N 18
E 90-E 802
Azinhaga de N. S. da Conceição
Av. D. Manuel Trindade Salgueiro
R. das Alcaçarias
Rua das Fontes
Mouraria
Praceta Florbela Espanca
Y
REDONDO
VILA VIÇOSA
N 254
Portas de Machede
Av. da Universidade
R. Cordovi
L. Dr. Ev. Cutileiro
L. dos Colegiais
Universidade de Évora
R. do Cardeal Rei
CONVENTO DOS LÓIOS
POL.
TEMPLO ROMANO
SÉ
L. do Colegio
Machede
L. de Machede
Rua de Deus
R. de Serra
Rua da Tourega
Rua Mendo Estevens
Av. Germano Vidigal
Rua 5 de Outubro
Nova
Praça do Giraldo
R. Valdovinos
Largo da Porta de Moura
R. Dr. da Fonseca
Rua do Valasco
João
BAIRRO DA CÂMARA
R. M. Bombarda
Igreja do Carmo
R. Don A. E. Nunes
N. S. da Graça
São Francisco
R. de Cicioso
R. da República
São João de Deus
L. dos Castelos
Z
Jardim publico
Av. Infante D. Henrique
Humberto Delgado
Av. da
Gulbenkian
R. do Chafariz
Avenida
BAIRRO DO BALUARTE
R. A. J. de Almeida
R. D. M. Da Conceição Santos
de El-Rei
Dinis Miranda
São Brás
E 802- N 18
REGUENGOS, BEJA

Pousada dos Lóios, Largo Conde de Vila Flor (066) 240 5 *Fax (066) 272 48*, « Instalada num convento do século XVI », – . AE VISA. BY
Refeição lista 3300 a 5600 – **30 qto** 33500/35000, 2 suites.

Da Cartuxa, Travessa da Palmeira 4 (066) 74 30 30, *Fax (066) 74 42 84*, – 25/300. AE VISA. rest AZ
Refeição lista aprox. 3500 – **85 qto** 20000/22000, 6 suites.

Dom Fernando, Av. Dr. Barahona 2 (066) 74 17 17, *Fax (066) 74 17 16*, – 25/200. AE E VISA. BZ
Refeição 2350 – **102 qto** 13000/17000, 2 suites – PA 4700.

Albergaria Vitória, Rua Diana de Lis 5 (066) 271 74, *Fax (066) 209 74* – 25/55. AE E VISA. AZ
Refeição 3300 – **48 qto** 9500/12000 – PA 5650.

Riviera sem rest, Rua 5 de Outubro 49 (066) 233 04, *Fax (066) 204 67* – AE E VISA BZ
22 qto 8000/14000.

Ibis Évora, Quinta da Tapada - Urb. da Muralha (066) 74 46 20, *Fax (066) 74 46* – 25. AE E VISA AZ
Refeição lista 1850 a 3150 – 800 – **87 qto** 8500.

Santa Clara, Travessa da Milheira 19 (066) 241 41, *Fax (066) 265 44* – E VISA. rest AZ
Refeição lista 2300 a 3100 – **43 qto** 7700/9800.

La Cave, Rua da República 26 (066) 239 11, *Fax (066) 74 11 32*, « Decoração origir num ambiente rústico » – . AE E VISA. BZ
Refeição lista 2400 a 3900.

O Grémio, Alcárcova de Cima 10 (066) 74 29 31, *Fax (066) 74 29 31* – . AE VISA. BY
fechado 4ª feira – **Refeição** lista aprox. 4550.

Fialho, Travessa das Mascarenhas 14 (066) 230 79, *Fax (066) 74 48 73*, « Decoraç regional » – . AE E VISA. AY
fechado 2ª feira, 24 dezembro-2 janeiro e do 1 ao 22 de setembro – **Refeição** lista 35 a 5500.

Cozinha de Sto. Humberto, Rua da Moeda 39 (066) 242 5 *Fax (066) 74 23 67*, « Decoração original com motivos regionais » – . AE VISA. AZ
fechado 5ª feira e novembro – **Refeição** lista 3500 a 4500.

O Antão, Rua João de Deus 5 (066) 264 59, *Fax (066) 270 36* – . AE VISA JCB BY
fechado 4ª feira e do 15 ao 30 de junho – **Refeição** lista 2300 a 3450.

Cozinha Alentejana, Rua 5 de Outubro 51 (066) 227 72, *Fax (066) 74 47 16* – AE E VISA JCB BZ
fechado 4ª feira e novembro – **Refeição** lista aprox. 3530.

na estrada N 114 *por ⑤ : 2,5 km – 7000 Évora :*

Évorahotel, Quinta do Cruzeiro (066) 73 48 00, *Telex 44279*, *Fax (066) 73 48 06*, – 25/450. AE E VISA.
Refeição 2800 – **114 qto** 12550/15450 – PA 5600.

FAFE *4820 Braga* 940 H 5 – *11 713 h.*
Lisboa 375 – Amarante 37 – Guimarães 14 – Porto 67 – Vila Real 72.

Comfort Inn, Av. do Brasil (053) 59 52 22, *Fax (053) 59 52 29* – 25/70. AE E VISA
Refeição 1950 – **60 qto** 9500/11000.

FAIAL *Madeira – ver Madeira (Arquipélago da).*

FÃO *Braga* 940 H 3 – *2 185 h.* – *4740 Esposende – Praia.*
Lisboa 365 – Braga 35 – Porto 47.

na Praia de Ofir – *4740 Esposende :*

Sopete Ofir, Av. Raul Sousa Martins (053) 98 13 83, *Fax (053) 98 18 71*, – 25/600. AE E VISA JCB.
Refeição 2900 – **191 qto** 12200/15000.

em Apúlia *pela estrada N 13 - Sul : 6,3 km – ✉ 4740 Esposende :*

San Remo sem rest, Av. da Praia 45 ☎ (053) 98 15 85, *Fax (053) 98 15 86* – ☎. E VISA. ✻
29 qto ☐ 5500/7000.

Camelo, Rua do Facho ☎ (053) 98 76 00 – ▤. AE VISA. ✻
fechado 2ª feira e do 15 ao 31 de outubro – **Refeição** lista 2500 a 4100.

FARO *8000* P 940 U 6 – *33 664 h. – Praia.*
Ver : *Vila-a-dentro*★*-Miradouro de Santo António* ✳★ B.
Arred. : *Praia de Faro* ≤★ *9 km por* ① – *Olhão (campanário da igreja* ✳★*) 8 km por* ③.
18 18 9 9 9 *Vilamoura, 23 km por* ① ☎ *(089) 38 07 22 Fax (089) 38 07 26* – 18 18 *Vale do Lobo, 20 km por* ① ☎ *(89) 39 39 39 (ext. 5612) Fax (089) 39 47 12* – 18 18 *Quinta do Lago, 16 km por* ① ☎ *(089) 39 07 00 Fax (089 39 40 13* – 18 *Ria Formosa* ☎ *(089) 39 47 82.*
✈ *de Faro 7 km por* ① ☎ *(089) 80 08 00* – *T.A.P., Rua D. Francisco Gomes 8* ☎ *(089) 80 02 00.*
🚗 ☎ *(089) 82 27 69.*
ℹ *Rua da Misericórdia 8* ☎ *(089) 80 36 04* – **A.C.P.** *Rua Francisco Barreto 26 A* ☎ *(089) 80 57 53 Fax (089) 80 21 32.*
Lisboa 309 ② – *Huelva 105* ③ – *Setúbal 258* ②

FARO

Alex. Herculano (Praça) .... A 3
Alaide de Oliveira (Rua) B 4
Alcage (Rua do) .... A 6
Carmo (Largo de) .... A 7
Conselheiro Bivar (Rua) .... A 9
Cruz das Mestras (Rua) .... A 10
D. F. Gomes (Pr. e Rua) .... A 12
Dr Teixeira Guedes (Rua) ... B 13
Eça de Queirós .... B 15
Ferreira de Almeida (Praça) . A 16
Filipe Alistão (Rua) .... A 18
Francisco Barreto (Rua) .... A 19
Ivens (Rua) .... A 20
Lethes (Rua) .... A 21
Miguel Bombarda (Rua) .... A 22
Mouras Velhas (Largo das) . A 23
Pé da Cruz (Largo do) ..... B 24
S. Pedro (Largo de) .... A 25
Santo António (Rua de) .... A 27
São Sebastião (Largo de) .. A 28
1° de Maio (Rua) .... A 31

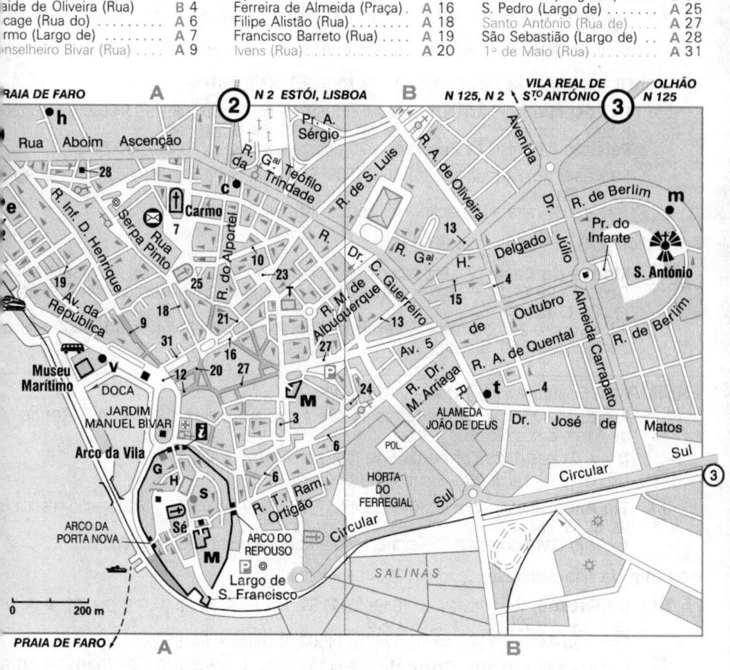

Eva, Av. da República 1 ☎ (089) 80 33 54, *Telex 56254, Fax (089) 80 23 04,* ≤, 🏊 – 🛗 ▤ TV ☎ – 🏃 25/300. AE ⦿ E VISA. ✻ A v
Refeição 4000 - ***Griséus*** : **Refeição** lista 4250 a 7200 – **135 qto** ☐ 20700/24100, 13 suites – PA 7100.

Dom Bernardo sem rest, Rua General Teófilo da Trindade 20 (089) 80 68 C
Fax (089) 80 68 00 – – 25/40. VISA A
43 qto 9300/13000.

Alnacir sem rest, Estrada da Senhora da Saúde 24 (089) 80 36 78, *Fax (089) 80 35*
– – 25/70. VISA. A
53 qto 8500/10000.

Afonso III sem rest, Rua Miguel Bombarda 64 (089) 80 35 42, *Fax (089) 80 51 85* –
A
40 qto.

York sem rest, Rua de Berlim 39 (089) 82 39 73, – B
21 qto 7000/9000.

Alameda sem rest, Rua Dr. José de Matos 31 (089) 80 19 62 – B
14 qto 6000/8000.

Cidade Velha, Rua Domingos Guieiro 19 (089) 82 71 45 – . VISA. A
fechado domingo e do 15 ao 31 de dezembro – **Refeição** lista 2550 a 3760.

na estrada N 125 *por ① : 2,5 km – 8000 Faro :*

Ibis Faro, Pontes de Marchil (089) 80 67 71, *Fax (089) 80 69 30*, , –
– 25/75. VISA JCB
Refeição 2450 – 800 – **81 qto** 9500 – PA 4900.

na estrada do aeroporto *por ① : 4 km – 8000 Faro :*

Mónaco, (089) 81 81 06, *Fax (089) 81 89 23*, – – 25/150.
VISA.
Refeição 2750 – **61 qto** 15000/20000, 3 suites – PA 5500.

na Praia de Faro *por ① : 9 km – 8000 Faro :*

Camané, Av. Nascente (089) 81 75 39, *Fax (089) 81 72 36*, , – .
VISA.
fechado 2ª feira – **Refeição** - peixes e mariscos - lista aprox. 7500.

em Santa Bárbara de Nexe *por ① : 12 km – 8000 Faro :*

La Réserve , Estrada de Esteval (089) 99 94 74, *Fax (089) 99 94 02*, , « Exten
e belo jardim com », – . VISA.
Refeição (ver rest. ***La Réserve***) – **20 apartamentos** 30000/40000.

La Réserve, Estrada de Esteval (089) 99 92 34, *Fax (089) 99 94 02*, – .
VISA.
fechado 3ª feira – **Refeição** - só jantar - lista 5400 a 7300.

em Estói *por ② : 11 km – 8000 Faro :*

Monte do Casal , Estrada de Moncarapacho - Sudeste : 3 km (089) 99 01 4
Fax (089) 99 13 41, , , « Antiga casa de campo », climatizada, – qto,
. VISA.
12 fevereiro-26 novembro – **Refeição** *(fechado janeiro-11 fevereiro)* 6400 – **8 q**
23850/31800, 5 suites.

FÁTIMA *2495 Santarém* 940 **N 4** – *7 298 h. alt. 346.*

Arred. : *Parque natural das serras de Aire e de Candeeiros★ : Sudoeste Grutas de M de Aire★ o dos Moinhos Velhos.*

Av. D. José Alves Correia da Silva (Cova da liria) (049) 53 11 39.

Lisboa 135 – Leiria 26 – Santarém 64.

Tia Alice, Rua do Adro (049) 53 17 37, *Fax (049) 53 43 70*, « Decoração rústica »
. VISA.
fechado domingo noite, 2ª feira e julho – **Refeição** lista 3600 a 5400.

na Cova da Iria *Noroeste : 2 km – 2495 Fátima :*

De Fátima, João Paulo II (049) 53 33 51, *Fax (049) 53 26 91* –
– 25/500. VISA.
Refeição 3400 – **117 qto** 12400/14500, 9 suites – PA 6800.

Estalagem Dom Gonçalo, Rua Jacinta Marto 100 (049) 53 30 6
Fax (049) 53 20 88 – – 25/250. VISA. rest
Refeição lista aprox. 4200 – **42 qto** 9900/12100.

Cinquentenário, Rua Francisco Marto 175 (049) 53 34 65, *Fax (049) 53 29 92* –
– 25/80. VISA.
Refeição 2600 – **132 qto** 8900/12400 – PA 5200.

Santa Maria, Rua de Santo António (049) 53 30 15, *Telex 43108, Fax (049) 53 21 97* - ...
Refeição 2700 - **59 qto** 8500/10000 - PA 5400.

São José, Av. D. José Alves Correia da Silva (049) 53 22 15, *Fax (049) 53 21 97*, - ... 25/250.
Refeição 2700 - **80 qto** 8500/10000 - PA 5400.

Regina, Rua Dr. Cónego Manuel Formigão (049) 53 23 03, *Fax (049) 53 26 63* - ... - 25/50.
Refeição 3000 - 1000 - **100 qto** 8000/10500.

Casa das Irmãs Dominicanas, Rua Francisco Marto 50 (049) 53 33 17, *Fax (049) 53 26 88* - ... - 25/100.
Refeição 1800 - **103 qto** 8000/13000 - PA 3400.

Estrela de Fátima, Rua Dr. Cónego Manuel Formigão (049) 53 11 50, *Fax (049) 53 21 60* - ... - 25/150.
Refeição 1950 - **57 qto** 8000/9000.

Santo António, Rua de São José 10 (049) 53 36 37, *Fax (049) 53 36 34* - ..., rest, ...
Refeição 2000 - **39 qto** 8500/10500 - PA 4000.

Alecrim, Rua Francisco Marto 84 (049) 53 13 76, *Fax (049) 53 28 17* - ... rest
fechado janeiro - **Refeição** *(fechado domingo no inverno e janeiro-fevereiro)* 2000 - **53 qto** 7500/12000 - PA 4000.

Casa Beato Nuno, Av. Beato Nuno 271 (049) 53 30 69, *Fax (049) 53 27 57* - ..., rest, ... - 25/200.
Refeição 2300 - **135 qto** 7000/8000.

Cruz Alta sem rest, Rua Dr. Cónego Manuel Formigão (049) 53 14 81, *Fax (049) 53 21 60* - ...
22 qto 8000/9000.

Floresta, Estrada da Batalha (049) 53 14 66, *Fax (049) 53 31 38* - ..., rest, ...
Refeição lista 2400 a 3390 - **31 qto** 8000/12000.

Arcos de Fátima, Av. D. José Alves Correia da Silva 58 (049) 53 37 80, *Fax (049) 53 37 80*, - ...
Refeição lista 2150 a 3200.

O Recinto, Av. D. José Alves Correia da Silva (Galerias do Parque) (049) 53 30 55, *Fax (049) 53 30 28*, - ...
Refeição lista 2650 a 3450.

n Boleiros *Sul : 5 km - 2495 Fátima :*

O Truão, Largo da Capela (049) 52 15 42, *Fax (049) 52 11 95*, Rest. típico, « Decoração rústica » - ...
Refeição lista aprox. 3950.

...LGUEIRAS *4610 Porto 940 H 5.*

Lisboa 379 - Braga 38 - Porto 65 - Vila Real 57.

Horus sem rest, Av. Dr. Leonardo Coimbra (055) 31 24 00, *Fax (055) 31 23 22*, ... - ... - 25/100.
46 qto 7800/10900, 12 apartamentos.

...RMENTELOS *3750 Aveiro 940 K 4 - 2 183 h.*

Lisboa 244 - Aveiro 20 - Coimbra 42.

Ferpenta, Largo do Cruzeiro (034) 72 20 92, *Fax (034) 72 13 40* - ...
Refeição lista 1650 a 2450 - **42 qto** 4000/6000.

... margem do lago *Nordeste : 1 km - 3750 Fermentelos :*

Estalagem da Pateira, Rua da Pateira 84 (034) 72 12 05, *Fax (034) 72 21 81*, ...
Refeição 2600 - **66 qto** 9500/12500.

...RNÃO FERRO *Setúbal 940 Q 2 - 2840 Seixal.*

Lisboa 26 - Sesimbra 16 - Setúbal 34.

Orión, Estrada N 378 (01) 212 18 34, *Fax (01) 212 20 13*, ... - ... - 25/80
34 qto.

FERRAGUDO *8400 Faro* 940 U 4 – *1 911 h. – Praia.*
Lisboa 288 – Faro 65 – Lagos 21 – Portimão 3 – Portimão 3.

em Vale de Areia *Sul : 2 km – ✉ 8400 Ferragudo :*

Casabela H. , Praia Grande ℘ (082) 46 15 80, *Telex 57100, Fax (082) 46 15 81,* Praia da Rocha e mar, climatizada, – 25/30
Refeição - só jantar - 3500 – **63 qto** 27000/30000.

FERREIRA DO ZÊZERE *2240 Santarém* 940 M 5 – *1 974 h.*
Lisboa 166 – Castelo Branco 107 – Coimbra 61 – Leiria 66.

na margem do rio Zêzere *pela estrada N 348 - Sudeste : 8 km – ✉ 2240 Ferreira do Zêze*

Estalagem Lago Azul , ℘ (049) 36 14 45, *Fax (049) 36 16 64,* , « Na m gem do rio Zêzere », – 25/90. AE E VISA.
Refeição 4000 – **18 qto** 15000/20000, 2 suites.

FIGUEIRA DA FOZ *3080 Coimbra* 940 L 3 – *25 929 h. – Praia.*
Ver : *Localidade*★.
℘ *(033) 28316.*
Av. 25 de Abril ℘ (033) 40 28 20 Fax (033) 40 28 28 – **A.C.P.** *Av. Saraiva de Carva 40 ℘ (033) 241 08 Fax (033) 293 18.*
Lisboa 181 ② – Coimbra 44 ②

Mercure Figueira da Foz, Av. 25 de Abril 22 ℘ (033) 42 21 46, *Fax (033) 42 24* – AE E VISA. A
Refeição lista aprox. 3200 – **102 qto** 20300/22300.

Ibis sem rest, Rua da Liberdade 20 ℘ (033) 42 20 51, *Fax (033) 42 24 20* – – 25/100. AE E VISA A
800 – **50 qto** 9300.

Wellington sem rest, Rua Dr. Calado 25 ℘ (033) 42 67 67, *Fax (033) 42 75 93* – . AE E VISA A
34 qto 8000/9500.

Bela Vista sem rest, Rua Joaquim Sotto Maior 6 ℘ (033) 42 24 64 – A
junho-outubro – **18 qto** 5000/6500.

em Buarcos A – ✉ *3080 Figueira da Foz :*

Atlântida Sol, Estrada do Cabo Mondego - Noroeste : 4,5 km ☎ (033) 219 97, *Fax (033) 210 67,* ←, ⛱, 🎾 – ▮ ▤ TV ☎ P – 🏛 25/400. AE ⓓ E VISA. ✈
Refeição 2000 – **138 qto** ☕ 10000/11500, 8 suites – PA 4000.

Tamargueira, Estrada do Cabo Mondego - Noroeste : 3 km ☎ (033) 43 25 14, *Fax (033) 43 37 54,* ←, ⛱ – ▮ ▤ TV P. AE VISA. ✈
Refeição 2200 – **86 qto** ☕ 11000/12000.

Teimoso com qto, Estrada do Cabo Mondego - Noroeste : 5 km ☎ (033) 40 27 20, *Fax (033) 40 27 29,* ← – ▤ rest, TV ☎ P. AE E VISA. ✈
Refeição lista aprox. 4500 – **14 qto** ☕ 7500/9000.

em Caceira de Cima *Nordeste : 5,5 km* – ✉ *3080 Figueira da Foz :*

Casa da Azenha Velha sem rest, Antiga Estrada de Coimbra ☎ (033) 250 41, *Fax (033) 297 04,* « Instalado num agradável âmbito rural », ⛱, 🐎, 🎾 – ▤ TV P
6 qto ☕ 9000/12000, 1 apartamento.

em Lavos *ao Sul por ① : 11 km* – ✉ *3080 Figueira da Foz :*

O Solar de Lavos, ☎ (033) 94 67 87, *Fax (033) 94 71 68,* ⛱ – ▤ P. E
fechado domingo noite de outubro-maio – **Refeição** lista 2800 a 3450.

FIGUEIRÓ DOS VINHOS *3260 Leiria* 940 **M 5** – *4 662 h. alt. 450.*

Arred. : *Percurso★ de Figueiró dos Vinhos a Pontão 16 km.*

Av. Padre Diogo de Vasconcelos ☎ (036) 521 78 Fax (036) 525 96.

Lisboa 205 – Coimbra 59 – Leiria 74.

Panorama, Rua Major Neutel de Abreu 24 ☎ (036) 521 15, *Fax (036) 528 87* – ▤. AE E VISA. ✈
fechado 3ª feira – **Refeição** lista 2650 a 3350.

FLOR DA ROSA *Portalegre – ver Crato.*

FOLGADOS *Lisboa – ver Sobral de Monte Agraço.*

FOZ DO ARELHO *2500 Leiria* 940 **N 2** – *1 086 h.*

Lisboa 101 – Leiria 62 – Nazaré 27.

Penedo Furado sem rest, Rua dos Camarções 3 ☎ (062) 97 96 10, *Fax (062) 97 98 32* – TV ☎ P. AE E VISA. ✈
28 qto ☕ 7500/9000.

FOZ DO DOURO *Porto – ver Porto.*

FUNCHAL *Madeira – ver Madeira (Arquipélago da).*

FUNDÃO *6230 Castelo Branco* 940 **L 7** – *5 900 h.*

Av. da Liberdade ☎ (075) 527 70.

Lisboa 303 – Castelo Branco 44 – Coimbra 151 – Guarda 63.

Samasa, Rua Vasco da Gama ☎ (075) 75 12 99, *Fax (075) 75 18 09* – ▮ ▤ TV ☎. AE ⓓ E VISA
Refeição (ver rest. ***Hermínia***) – **50 qto** ☕ 8500/11500.

Hermínia, Av. da Liberdade 123 ☎ (075) 75 25 37 – ▤. AE ⓓ E VISA. ✈
Refeição lista aprox. 3500.

na estrada N 18 *Norte : 2,5 km* – ✉ *6230 Fundão :*

O Alambique de Ouro, ☎ (075) 77 41 69, *Fax (075) 77 40 21,* ⛱ – ▮ ▤ TV ☎ P. AE E VISA. ✈
Refeição *(fechado do 22 ao 30 de junho e do 1 ao 7 de outubro)* lista 2750 a 3650 – **111 qto** ☕ 5500/8500.

GANDRA *Porto* 940 I 4 – ✉ *4580 Paredes.*
Lisboa 334 – Braga 69 – Porto 34 – Vila Real 62.

Albergaria Dom Leal sem rest, Av. Central de Gandra 1460 ✆ (02) 415 62 8 *Fax (02) 411 05 80* – ⇅ ▤ TV ☎ ♿ ⇔ P – 25/120. AE ◑ E VISA. ✂
24 qto ☕ 6000/8000.

GERÊS *4845 Braga* 940 G 5 – *alt. 400 – Termas.*
Excurs. : *Parque Nacional da Peneda-Gerês★★ : estrada de subida para Campo de Gerês★ – Miradouro de Junceda★, represa de Vilarinho das Furnas★, Vestígios da via romana*
Av. Manuel Ferreira da Costa ✆ (053) 39 11 33 Fax (053) 39 12 82.
Lisboa 412 – Braga 44.

Universal e Termas, Av. Manuel Ferreira da Costa ✆ (053) 39 11 70, *Fax (053) 39 11 (*
– ⇅ ▤ TV ☎ P
80 qto.

GONDARÉM *Viana do Castelo – ver Vila Nova de Cerveira.*

GONDOMAR *4420 Porto* 940 I 4.
Lisboa 306 – Braga 52 – Porto 7 – Vila Real 86.

na estrada N 108 *Sul : 5 km* – ✉ *4420 Gondomar :*

Estalagem Santiago, Aboínha ✆ (02) 454 00 34, *Fax (02) 450 36 75* – ⇅ ▤ TV
P. ◑ E VISA. ✂
Refeição 2950 – **20 qto** ☕ 8500/9900.

GOUVEIA *6290 Guarda* 940 K 7 – *3 738 h. alt. 650.*
Arred. : *Estrada★★ de Gouveia a Covilhã (⩤★, Poço do Inferno★ : cascata★, vale glaciár do Zêzere★★, ⩤★) por Manteigas : 65 km.*
Lisboa 310 – Coimbra 111 – Guarda 59.

De Gouveia, Av. 1º de Maio ✆ (038) 49 10 10, *Fax (038) 413 70*, ⩤ – ⇅, ▤ rest,
☎ P – 25. AE ◑ E VISA. ✂
O Foral : Refeição *(fechado 3ª feira)* lista aprox. 3100 – **31 qto** ☕ 8000/10800.

GRANJA *Porto* 940 I 4 – ✉ *4405 Valadares – Praia.*
Lisboa 317 – Amarante 79 – Braga 69 – Porto 17.

Solverde, Estrada N 109 ✆ (02) 731 31 62, *Fax (02) 731 32 00*, ⩤,
⇅ ▤ TV ☎ ⇔ P – 25/500. AE ◑ E VISA. ✂
Refeição 4000 – **170 qto** ☕ 23000/26000, 4 suites – PA 8000.

GUARDA *6300* P 940 K 8 – *17 481 h. alt. 1 000.*
Ver : *Sé★ (interior★).*
✆ *(071) 21 15 65.*
Praça Luís de Camões ✆ (071) 22 22 51.
Lisboa 361 – Castelo Branco 107 – Ciudad Rodrigo 74 – Coimbra 161 Viseu 85.

De Turismo, Praça do Município ✆ (071) 22 33 66, *Fax (071) 22 33 99*,
– ⇅, ▤ rest, TV ☎ ⇔ – 25/300. AE ◑ E VISA. ✂
Refeição 3000 – **103 qto** ☕ 12600/15600, 2 suites – PA 6000.

O Telheiro, Estrada N 16 - Este : 1,5 km ✆ (071) 21 13 56, *Fax (071) 22 17 27*, ⩤,
– ▤ P. AE ◑ E VISA. ✂
Refeição lista 2600 a 3650.

D'Oliveira, Rua do Encontro 1-1º ✆ (071) 21 44 46 – ▤. AE E VISA
fechado dezembro – **Refeição** lista aprox. 2500.

na estrada N 16 *Nordeste : 7 km* – ✉ *6300 Guarda :*

Pombeira, ✆ (071) 23 96 95, *Fax (071) 23 09 91* – ▤ P. E VISA
fechado 2ª feira – **Refeição** lista aprox. 3300.

GUARDEIRAS *Porto* 940 I 4 – ✉ *4470 Maia.*
Lisboa 326 – Amarante 76 – Braga 43 – Porto 12.

Estalagem Lidador com qto, Estrada N 13 ✆ (02) 944 91 09, *Fax (02) 941 53 44*
▤ rest, TV ☎ P
7 qto.

UIMARÃES *4800 Braga* 940 H 5 – *54 069 h. alt. 175.*

Ver : *Castelo★ – Paço dos Duques★ (tectos★, tapeçarias★) – Museu Alberto Sampaio★ (estátua jacente★, ourivesaria★, tríptico★, cruz processional★) – Praça de San Tiago★ – Igreja de São Francisco (azulejos★, sacristia★).*

Arred. : *Penha (※★) SE : 8 km - Trofa★ (SE : 7,5 km).*

Alameda de S. Dâmaso 83 ℘ (053) 41 24 50 Fax (053) 51 51 34 Praça de Santiago ℘ (053) 51 87 90.

Lisboa 364 – Braga 22 – Porto 49 – Viana do Castelo 70.

De Guimarães, Rua Eduardo de Almeida 189 ℘ (053) 51 58 88, *Fax (053) 51 62 34*, ←, – P – 25/250. AE ① E VISA JCB.
Refeição lista 2950 a 4350 – **68 qto** ⊐ 17000/19000, 4 suites.

Pousada de Nossa Senhora da Oliveira, Rua de Santa Maria ℘ (053) 51 41 57, *Fax (053) 51 42 04* – rest, P. AE ① E VISA.
Refeição 3650 – **9 qto** ⊐ 17100/19200, 6 suites – PA 7300.

Fundador sem rest, Av. Afonso Henriques 740, ✉ 4810, ℘ (053) 51 37 81, *Fax (053) 51 37 86*, ← – – 25/100. AE ① E VISA
63 qto ⊐ 10500/12600.

Toural sem rest, Largo do Toural ℘ (053) 51 71 84, *Fax (053) 51 71 49* – P. AE ① E VISA.
30 qto ⊐ 11000/13000.

Albergaria Palmeiras sem rest, Rua Gil Vicente (Centro Comercial das Palmeiras) ℘ (053) 41 03 24, *Fax (053) 41 72 61* – . AE ① E VISA.
22 qto ⊐ 9000/12000.

estrada da Penha *Este : 2,5 km – ✉ 4800 Guimarães :*

Pousada de Santa Marinha ℘ (053) 51 44 53, *Fax (053) 51 44 59*, ← Guimarães, « Instalada num antigo convento », – P. AE ① E VISA. rest
Refeição lista 4800 a 5100 – **49 qto** ⊐ 29000/31000, 2 suites.

la estrada N 101 *Noroeste : 4 km – ✉ 4810 Guimarães :*

Quinta de Castelães com qto e sem ⊐, Lugar de Castelães ℘ (053) 55 70 02, *Fax (053) 55 70 11*, , « Decoração rústica numa antiga quinta » – P. AE ① E VISA.
Refeição *(fechado domingo noite e 2ª feira)* lista 2900 a 4200 – **6 qto** 8000/12000.

ADOEIRO *Castelo Branco* 940 M 8 – *1 617 h.* – ✉ *6060 Idanha-a-Nova.*

Lisboa 269 – Cáceres 115 – Castelo Branco 26 – Coimbra 172 – Portalegre 107.

estrada N 240 *Este : 3,7 km – ✉ 6060 Idanha-a-Nova :*

Idanhacaça ℘ (077) 92 71 30, *Fax (077) 92 75 15*, ←, – P – 25/150. E VISA.
Refeição 2000 – **44 qto** ⊐ 6500/9000, 6 suites – PA 4000.

AGOA *8400 Faro* 940 U 4 – *3 483 h. – Praia.*

Arred. : *Carvoeiro : Algar Seco (sítio marinho★★) Sul : 6 km.*

Largo da Praia do Carvoeiro 2 ℘ (082) 35 77 28.

Lisboa 300 – Faro 54 – Lagos 26.

Praia do Carvoeiro – ✉ *8400 Lagoa :*

Almansor, Vale Covo - Sul : 6 km ℘ (082) 35 80 26, *Telex 57194, Fax (082) 35 87 70*, ←, « Relvado com e belos socalcos ajardinados », – P – 25/700. AE ① E VISA.
A Varanda *(só jantar)* **Refeição** lista 3100 a 4250 – **289 qto** ⊐ 23850/28000, 4 suites.

Cristal, Vale Centianes - Sul : 6,5 km ℘ (082) 35 86 01, *Fax (082) 35 86 48*, ←, – P. AE ① E VISA.
Refeição - só jantar - 2700 – **120 qto** ⊐ 25500/30000.

Centianes, Vale Centianes - Sul : 6,5 km ℘ (082) 35 87 24, *Fax (082) 35 81 00*, – . AE ① E VISA JCB
fechado domingo e 15 janeiro-15 fevereiro – **Refeição** - só jantar - lista 2260 a 5640.

O Castelo, Rua do Casino 63 - Sul : 5 km ℘ (082) 35 72 18, *Fax (082) 35 74 16*, ←, – AE ① E VISA.
fechado 2ª feira (salvo junho-setembro) e 15 janeiro-15 fevereiro – **Refeição** - só jantar - lista 2400 a 5150.

O Pátio, Largo da Praia 6 - Sul : 5 km (082) 35 62 46, *Fax (082) 35 92 14,* « Decoração rústica » - . AE E VISA.
Refeição lista 3320 a 5470.

Togi, Rua das Flores 12 - Algar Sêco - Sul : 5 km (082) 35 85 17, « Decoração regional » -
março-15 novembro – **Refeição** - só jantar - lista 2700 a 3500.

LAGOS *8600 Faro* 940 U 3 – *11 746 h.* – *Praia.*
Ver : *Sítio* ≤★ – *Igreja de Santo António*★ *(decoração barroca*★*)* ZB.
Arred. : *Ponta da Piedade*★★ *(sítio*★★, ≤★*), Praia de Dona Ana*★ *Sul : 3 km – Barragem da Bravura*★ *15 km por* ②.
Campo de Palmares Meia Praia, por ② (082) 76 29 53 *Fax (082) 76 25 34.*
Largo Marquês de Pombal (082) 76 30 31.
Lisboa 290 ① – *Beja 167* ① – *Faro 82* ② – *Setúbal 239* ①

Plano página seguinte

De Lagos, Rua Nova da Aldeia (082) 76 99 67, *Fax (082) 76 99 20,* climatizada, - 25/150. AE E VISA. rest Y
Lacóbriga (só jantar) **Refeição** 3400 - ***Cantinho Italiano :*** **Refeição** lista 3480 a 428
Pateo Velho *(só jantar)* **Refeição** lista 3800 a 4650 – **304 qto** 17875/26500, 11 suite

Marina Rio sem rest, Av. dos Descobrimentos (082) 76 98 59, *Fax (082) 76 99* ≤, - . AE E VISA. Y
36 qto 15500/16000.

Montemar sem rest, Rua da Torraltinha-Lote 33 (082) 76 20 85, *Fax (082) 76 20* - Z
65 qto.

Sol a Sol sem rest, Rua Lançarote de Freitas 22 (082) 76 12 90, *Fax (082) 76 19* - Z
15 qto.

Lagosmar sem rest, Rua Dr. Faria e Silva 13 (082) 76 37 22, *Fax (082) 76 73 24* – . AE Y
45 qto 8000/12000.

Cidade Velha sem rest, Rua Dr. Joaquim Tello 7 (082) 76 20 41, *Fax (082) 76 19* - Z
17 qto.

Marazul sem rest, Rua 25 de Abril 13 (082) 76 97 49, *Fax (082) 76 99* - . Y
março-outubro – **18 qto** 8700/9000.

O Castelo, Rua 25 de Abril 47 (082) 76 09 57 – . AE E VISA JCB. Y
fechado do 5 ao 31 de janeiro – **Refeição** lista 1600 a 3000.

Dom Sebastião, Rua 25 de Abril 20 (082) 76 27 95, *Fax (082) 76 99 60,* « Decoração rústica » – . AE E VISA JCB. Y
Refeição lista 2580 a 3440.

No Pátio, Rua Lançarote de Freitas 46 (082) 76 37 77, *Fax (082) 76 37 77,* – E VISA. Z
fechado domingo, 2ª feira, janeiro-março e novembro – **Refeição** - só jantar - lista 39 a 5400.

O Galeão, Rua da Laranjeira 1 (082) 76 39 09 – . AE E VISA. Z
fechado domingo e 25 novembro-28 dezembro – **Refeição** lista 2000 a 3180.

A Lagosteira, Rua 1º de Maio 20 (082) 76 24 86, *Fax (082) 76 04 27* – . AE E VISA. Y
fechado sábado meio-dia, domingo meio-dia e 10 janeiro-10 fevereiro – **Refeição** lis 2740 a 3400.

na estrada da Meia Praia *por* ② – 8600 *Lagos :*

Marina São Roque, 1,5 km (082) 77 02 20, *Fax (082) 77 02 29,* ≤, - . AE E VISA. qto
Refeição 3000 – **23 qto** 9000/15500, 3 suites – PA 6000.

Atlântico, 3 km (082) 79 20 86, *Fax (082) 79 20 86,* – AE E VISA
fechado 2ª feira (novembro-março) e 15 novembro-28 dezembro – **Refeição** lista 38 a 5400.

na Praia de Dona Ana *Sul : 2 km* – 8600 *Lagos :*

Golfinho, (082) 76 99 00, *Fax (082) 76 99 99,* ≤, - 25/400. AE E VISA JCB.
Refeição 3400 – **262 qto** 18200/22750 – PA 6800.

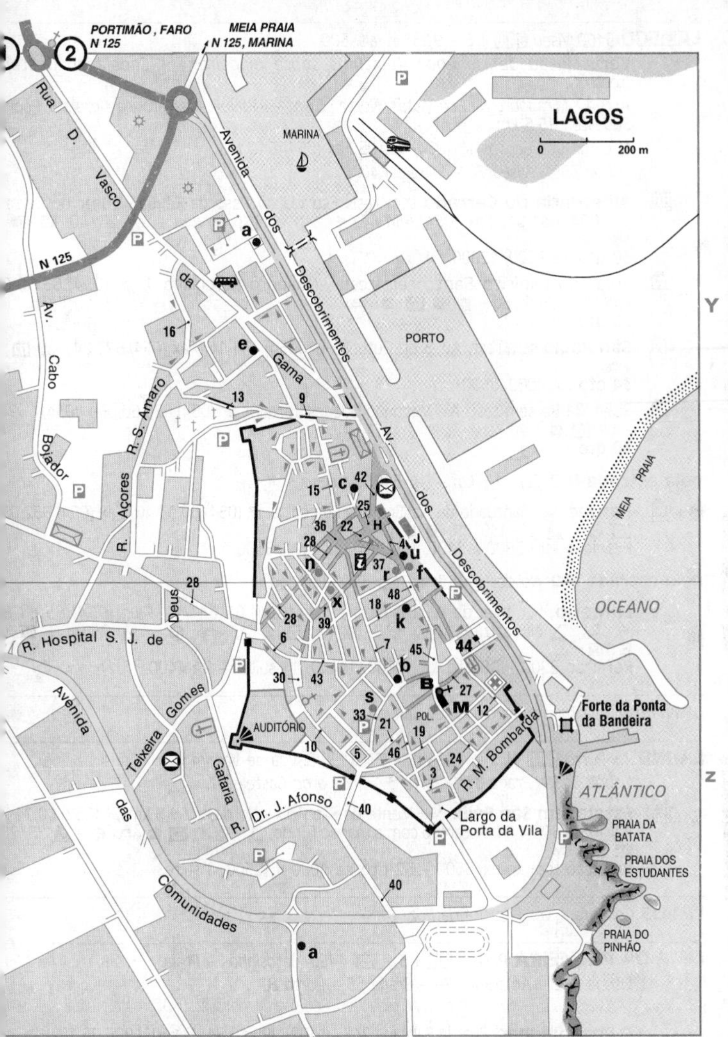

ro (Rua do) . . . . Z 3
nso de Almeida (Rua) . . Y 4
mas (Praça d') . . . . Z 5
alaia (Rua da) . . . . Z 6
ndido dos Reis (Rua) . . . Z 7
belinha (Rua da) . . . . Y 9
rdeal Netto (Rua) . . . . . . Z 10
stelo dos Governadores . Z 12
mitério (Rua do) . . . . . . Y 13
nselheiro
J. Machado (Rua) . . . . . . Y 15

Conv. da Sra da Glória (Rua) . Y 16
Dr. Joaquim Tello (Rua) . . . Z 18
Dr. Mendonça (Rua) . . . . . . Z 19
Forno (Travessa do) . . . . . Z 21
Garrett (Rua) . . . . Y 22
Gen. Alberto Silveira (Rua) . Z 24
Gil Eanes (Praça) . . . . Y 25
Henrique C. da Silva
(Rua) . . . . Z 27
Infante de Sagres (Rua) . . . YZ 28
João Bonança (Rua) . . . . . . Z 30

Lançarote de Freitas (Rua) . Z 33
Luís de Camões (Praça) . . . Y 36
Marquês de Pombal (Rua) . Y 37
Marreiros Netto (Rua) . . . . . YZ 39
Ponta da Piedade (Estr. da) . Z 40
Porta de Portugal (Rua da) . Y 42
Prof. Luís de Azevedo (R.) . Z 43
República (Praça da) . . . . . Z 44
Silva Lopes (Rua) . . . . Z 45
5 de Outubro (Rua) . . . . . . Z 46
25 de Abril (Rua) . . . . Z 48

*n conselho da **Michelin**:*

ra ser bem sucedido nas suas viagens, prepare-as com antecedência.
*s **mapas** e **guias Michelin** dão-lhe todas as indicações úteis sobre:*
nerários, visitas aos pontos com interesse, alojamento, preços, etc...

LAMEGO *5100 Viseu* 940 I 6 – *9 233 h. alt. 500.*

Ver : *Museu de Lamego★ (pinturas sobre madeira★) – Capela do Dester (tecto★).*

Arred. : *Miradouro da Boa Vista★ Norte : 5 km – São João de Tarouca : Igreja S. Pedro Sudeste : 15,5 km.*

Largo dos Bancos ℘ (054) 620 05 Fax (054) 640 14.

Lisboa 369 – Viseu 70 – Vila Real 40.

Albergaria do Cerrado sem rest, Estrada do Peso da Régua - Lugar do Cerra ℘ (054) 631 64, *Fax (054) 654 64,* ← – 25/40. AE VISA.
30 qto 9500/12000.

Solar do Espírito Santo sem rest, Alexandro Herculano 1 ℘ (054) 65 50 6 *Fax (054) 65 50 60* –
28 qto.

São Paulo sem rest, Av. 5 de Outubro ℘ (054) 631 14, *Fax (054) 623 04* –
34 qto 4000/6500.

Solar da Sé sem rest, Av. Visconde Guedes Teixeira ℘ (054) 620 60, *Fax (054) 659* –
30 qto.

pela estrada N 2 *Sul : 1,5 km – ✉ 5100 Lamego :*

Parque , Santuário de Na. Sra. dos Remédios ℘ (054) 60 91 40, *Fax (054) 652 0* – 25/130. AE E VISA. rest
Refeição lista 3800 a 5400 – **42 qto** 6000/8500.

pela estrada N 2 *Nordeste : 2 km – ✉ 5100 Lamego :*

Lamego, Quinta da Vista Alegre ℘ (054) 65 61 71, *Fax (054) 65 61 8* ←, climatizada, – 25/400. AE E VISA
Refeição 2200 – **86 qto** 10800/13400, 14 suites – PA 4400.

LANHELAS *Viana do Castelo – ver Caminha.*

LAUNDOS *Porto* 940 H 3 – *1 679 h. – ✉ 4490 Póvoa de Varzim.*

Lisboa 343 – Braga 35 – Porto 37 – Viana do Castelo 47.

Estalagem São Félix , Monte de São Félix - Nordeste : 1,5 km ℘ (052) 60 71 7 *Fax (052) 60 74 44,* ← campo com o mar ao fundo, – – 25/2 AE VISA.
Refeição lista aprox. 3500 – **32 qto** 10000/12500, 1 suite.

LAVOS *Coimbra – ver Figueira da Foz.*

LEÇA DA PALMEIRA *Porto* 940 I 3 – *✉ 4450 Matosinhos – Praia.*

Lisboa 322 – Amarante 76 – Braga 55 – Porto 8.

ver plano de Porto aglomeração

O Chanquinhas, Rua de Santana 243 ℘ (02) 995 18 84, *Fax (02) 996 06 19,* – . AE E VISA. AU
fechado domingo, 8 dias em Natal e 15 dias em agosto – **Refeição** lista 44 a 6800.

Garrafão, Rua António Nobre 53 ℘ (02) 995 17 35, *Fax (02) 995 16 60,* – . E VISA JCB. AU
fechado domingo e agosto – **Refeição** - peixes e mariscos - lista 4200 8900.

Boa Nova, Praia de Boa Nova - Oeste : 1 km ℘ (02) 995 17 85, *Fax (02) 995 21 8* ← mar – . AE E VISA. AU
fechado domingo – **Refeição** lista 4850 a 6650.

O Bem Arranjadinho, Travessa do Matinho 2 ℘ (02) 995 21 06, *Fax (02) 996 13* – . AE E VISA. AU
fechado domingo – **Refeição** lista 3850 a 5475.

A Cozinha da Maria, Rua Fresca 187 ℘ (02) 995 55 35 – . AE VISA. AU
fechado domingo e agosto – **Refeição** lista aprox. 3200.

ÇA DO BALIO *Porto* 940 I 4 – ✉ *4465 São Mamede de Infesta.*

Ver : *Igreja do Mosteiro★ : pia baptismal★.*

Lisboa 312 – Amarante 58 – Braga 48 – Porto 7.

a estrada N 13 *Oeste : 2 km – ✉ 4465 São Mamede de Infesta :*

Estalagem Via Norte, ☎ (02) 944 82 94, *Fax (02) 944 83 22*, – 25/200
47 qto, 3 suites.

uando os nomes dos hotéis e restaurantes
uram em caracteres destacados,
gnifica que os hoteleiros comunicaram todos os seus preços
comprometeram-se a aplicá-los aos turistas de passagem
ossuidores do nosso guia.
tes preços, estabelecidos no final do ano de 1998,
o, não obstante, susceptíveis de serem modificados
o custo de vida sofrer variações importantes.

EIRIA *2400* P 940 M 3 – *29 808 h. alt. 50.*

Ver : *Castelo★ (sítio★)* BY.

Jardim Luís de Camões ☎ (044) 82 37 73 Fax (044) 83 35 33 – **A.C.P.** *Rua do Municipio, Lote B 1, Loja C ☎ (044) 82 36 32 Fax (044) 81 22 22.*

Lisboa 129 ④ – Coimbra 71 ② – Portalegre 176 ③ – Santarém 83 ③

Planos páginas seguintes

Eurosol e Eurosol Jardim, Rua D. José Alves Correia da Silva ☎ (044) 81 22 01, *Telex 42031, Fax (044) 81 12 05*, ≤, – 25/400. AE VISA JCB. BZ a
Refeição 3500 – 1000 – **134 qto** 8000/12400, 1 suite – PA 7000.

Dom João III, Av. D. João III ☎ (044) 81 25 00, *Fax (044) 81 22 35*, ≤ – – 25/350. AE VISA. rest CY b
Refeição 2750 – **54 qto** 10250/12500, 10 suites.

S. Luís sem rest, Rua Henrique Sommer ☎ (044) 81 31 97, *Fax (044) 81 38 97* – AE VISA. CZ d
47 qto 7000/8500.

S. Francisco sem rest, Rua São Francisco 26-9º ☎ (044) 82 31 10, *Fax (044) 81 26 77*, ≤ – AE VISA. CY e
18 qto 6500/8500.

Ramalhete sem rest, Rua Dr. Correia Mateus 30-2º ☎ (044) 81 28 02, *Fax (044) 81 50 99* – AE VISA. BZ f
28 qto 6000/8000.

O Marquês, Edifício Nerlei-Arrabalde d'Aquém ☎ (044) 82 54 93, *Fax (044) 82 37 00* – AE VISA. AX k
fechado domingo – **Refeição** lista 2400 a 4400.

m Marrazes *na estrada N 109 por ① : 1 km – ✉ 2400 Leiria :*

Tromba Rija, Rua Professores Portelas 22 ☎ (044) 85 50 72, *Fax (044) 85 64 21*, « Rest. típico » – AE VISA.
fechado domingo, 2ª feira meio-dia e do 10 ao 17 de agosto – **Refeição** lista aprox. 3800.

a estrada N I *por ④ : 4,5 km – ✉ 2400 Leiria :*

O Casarão, Cruzamento de Azóia ☎ (044) 87 10 80, *Fax (044) 87 21 55* – AE VISA JCB.
fechado 2ª feira – **Refeição** lista 3300 a 3800.

m Quintas do Sirol *por ③ : 5,5 km – ✉ 2410 Quintas do Sirol :*

Ares de Província, Estrada de Caranguejeira ☎ (044) 80 10 90, Rest. típico – .

LEIRIA

Afonso Henriques (Rua D.) . . BY 3
Alcobaça (Rua de) . . . . BZ 4
Alfredo Keil (Rua) . . . . BYZ
Barão de Viamonte (Rua) . . . BY 6
Beneficiência (Rua da) . . . . . BY 7
Camões (Largo de) . . . . CZ 9
Cândido dos Reis (Largo) . . BYZ 10
Capitão Mouzinho Albuquerque (R.) . . . . BCY 12
Cidade de Maringá (Avenida de) . . . . BCY 13
Cidade Tokushima (Rua) . . . AZ 15
Comandante João Belo (R.) . BZ 16
Combatentes da Grande Guerra (Av. dos) . . . . BZ 18
Comendador José L. Silva (Largo) . . . . CY 19
Comissão de Iniciativa (Rua) . CY
Comissão Municipal de Turismo (largo da) . . . . . . BZ 21
Conde Ferreira (Rua) . . . . . . CZ
Cristiano Cruz (Rua) . . . . BY
Dom Dinis (Rua) . . . . BY 22
Dom João III (Av.) . . . . CY 23
Dr. Américano Cortês Pinto (Rua) . . . . CY 24
Dr. Correia Mateus (Rua) . . . BZ 25
Dr. João Soares (Rua) . . . . ABZ
Dr. José Jardim (Av.) . . . . . . BZ
Dr. José Lopes Vieira (Alameda) . . . . BCY 27
Dr. Magalhães Pessoa (Rua) . BZ 30
Dr. Manuel Arriaga (Largo) . BY 31
Ernesto Korrodi (Av.) . . . . . . BY
Estação (Estrada da) . . . . . . AX
Fabrica do Papel (Rua da) . . CZ 33
Forças Armadas (Largo das) . BY 34
Francisco Pereira da Silva (R.) . . . . BZ 36
Glória Barata Rodrigues (Rua) . . . . BCX
Goa Damão e Diu (Praça) . . BZ 37
Henrique Sommer (Rua) . . . CZ 39
Heróis de Angola (Av.) . . . . BCY
João de Deus (Rua) . . . . BZ 40
José Alves Correia da Silva (R.D.) . . . . BZ 42
Manuel Simões Maia (Rua) ABX 43
Marinha Grande (Estrada da) AYZ
Marinheiros (Estrada dos) . . BCX
Marquês de Pombal (Av.) . . BCZ
Marrazes (Estrada dos) . . . . . BX
Mártires (Rua dos) . . . . BZ 45
Mártires do Tarrafal (Rua dos) . . . . AY 46
Mestre de Avis (Rua) . . . . . . BY 48
Municipio (Rua do) . . . . BZ 49
N. Sra da Encarnação (Rua da) . . . . CZ
N. Sra de Fátima (Av.) . . . . . CZ
Nuno Alvares Pereira (Rua D.) . . . . BZ 51
Padre António (Rua) . . . . BY 52
Paio Guterres (Largo) . . . . . . BY 54
Paulo VI (Praça) . . . . BCY
Pero Alvito (Rua) . . . . BY
Rainha Santa Isabel (Largo) . . . . CZ 55
Restauração (Rua da) . . . . . . CZ 57
Rodrigues Lobo (Praça) . . . . BY 58
S. Francisco (Rua de) . . . . . . CY
Santana (Largo de) . . . . BZ 60
Santo António (Rua de) . . . . CY 61
Santos (Rua dos) . . . . BZ
Tomar (Rua de) . . . . CZ
5 de Outubro de 1910 (Largo) . . . . BY 63
25 de Abril (Av.) . . . . ABY

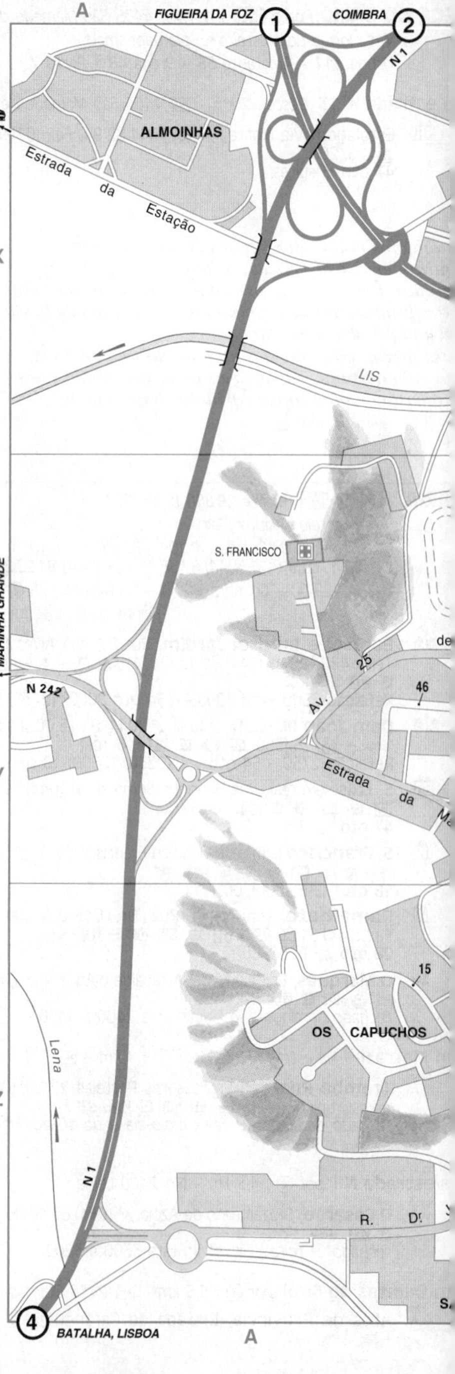

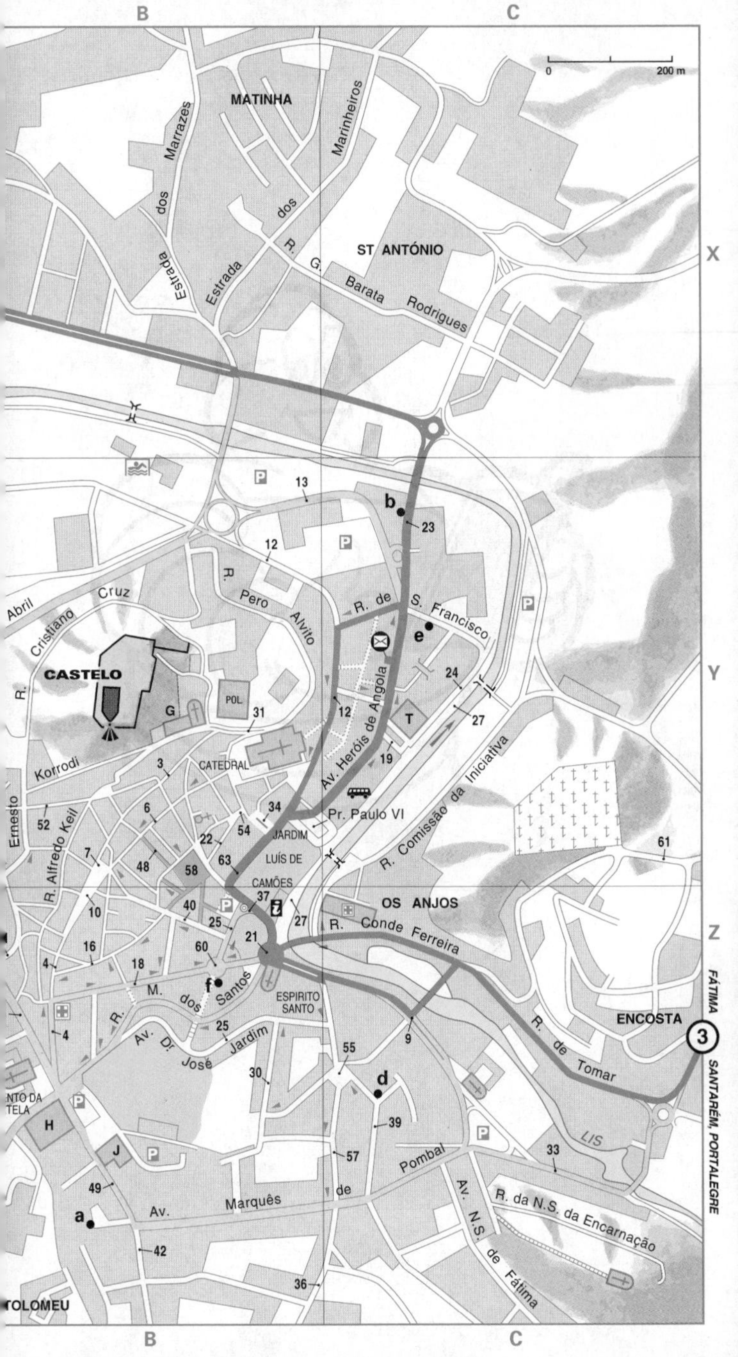
B
C
0
200 m
MATINHA
Estrada dos Marrazes
R. dos Marinheiros
Estrada
ST ANTÓNIO
G. Barata Rodrigues
X
P
13
b
23
12
R. Pero Alvito
R. de S. Francisco
Abril
Cruz
R. Cristiano
e
CASTELO
POL
G
31
12
Av. Heróis de Angola
24
27
T
Y
19
R. Comissão da Iniciativa
Korrodi
3
CATEDRAL
Ernesto
52
R. Alfredo Keil
6
34
Pr. Paulo VI
54
JARDIM
LUÍS DE
CAMÕES
22
63
7
48
58
61
10
40
37
27
OS ANJOS
R. Conde Ferreira
25
21
Z
16
60
4
18
R. M. dos Santos
f
ESPIRITO
SANTO
9
FÁTIMA
ENCOSTA
3
SANTARÉM, PORTALEGRE
R. de Tomar
4
25
Av. Dr. José Jardim
55
30
d
NTO DA
TELA
H
39
LIS
J
57
33
Pombal
49
Av. Marquês de
Av. N.S. de Fátima
R. da N.S. da Encarnação
a
42
36
TOLOMEU
B
C

LISBOA

1100 🅿 440 P 2 - 662 782 h. alt. 111.

Madrid 658 ① - Bilbao/Bilbo 907 ① - Paris 1820 ① - Porto 314 ① - Sevilla 417 ②.

POSTOS DE TURISMO

Palácio Foz, Praça dos Restauradores, ✉ 1200, ☎ (01) 346 63 07, Fax (01) 346 87 72.

Rua Jardim do Regedor 50, ✉ 1200, ☎ (01) 343 36 72, Fax (01) 343 36 73.

Aeroporto, ☎ (01) 849 43 23, Fax (01) 848 59 74.

INFORMAÇÕES PRÁTICAS

BANCOS E CASAS DE CÂMBIO

Todos os bancos : *Abertos de 2ª a 6ª feira das 8,30 h. às 15 h. Encerram aos sábados, domingos e feriados.*
Para câmbio está aberta ao sábado a dependência do Banco Espírito Santo e Comercial de Lisboa (Rossio) : ☎ (01) 321 00 24.

TRANSPORTES

Taxi : *Dístico com a palavra « Táxi » iluminado sempre que está livre. Companhias de rádio-táxi, ☎ (01) 815 50 61 e (01) 793 27 56.*

Metro, carro eléctrico e autocarros : *Rede de metro, eléctricos e autocarros que ligam as diferentes zonas de Lisboa.*
Para o aeroporto existe uma linha de autocarros -aerobus- com terminal no Cais do Sodré.

Aeroporto e Companhias Aéreas :
Aeroporto de Lisboa, N : 8 km, ☎ (01) 841 35 00 CDU.
T.A.P., Praça Marquês de Pombal 3, ✉ 1200, ☎ (01) 317 91 00 e no aeroporto, ☎ (01) 841 50 00.

ESTAÇÕES DE COMBÓIOS

Santa Apolónia, ☎ (01) 888 40 25 MX.
Rossio, ☎ (01) 343 37 47/8 KX.
Cais do Sodré, ☎ (01) 347 01 81 (Lisboa-Cascais) JZ.

COMPANHIAS MARÍTIMAS

para a Madeira : E.N.M., Rua de São Julião 5 - 1º, ✉ 1100, ☎ (01) 887 01 21.

ACP *(Automóvel Club de Portugal)*

Rua Rosa Araújo 24, ✉ 1200, ☎ (01) 356 39 31, Fax (01) 357 47 32.

CAMPOS DE GOLF

18 *Lisbon Sports Club 20 km por ⑤, ☎ (01) 431 00 77*
18 *Club de Campo da Aroreira 15 km por ②, ☎ (01) 297 13 14 Aroeira, Monte da Caparica.*

ALUGUER DE VIATURAS

AVIS, ☎ (01) 346 11 71 – EUROPCAR, ☎ (01) 940 77 90 – HERTZ, ☎ 0800 20 12 31 – BUDGET, ☎ (01) 994 24 02.

CURIOSIDADES

PANORÂMICAS DE LISBOA

Ponte 25 de Abril★ por ② : ≤ ★★ – Cristo Rei por ② : ✳ ★★ – Castelo de São Jorge★★ : ≤ ★★★ LX *– Miradouro de Santa Luzia★ : ≤ ★★* LY C *– Elevador de Santa Justa★ : ≤ ★* KY *– Miradouro de São Pedro de Alcântara★ : ≤★★* JX A *– Miradouro do Alto de Santa Catarina★* JZ N *– Miradouro da Senhora do Monte : ≤★★★* LV *– Largo das Portas do Sol★ : ≤★★* LY.

MUSEUS

Museu Nacional de Arte Antiga★★★ (políptico da Adoração de S. Vicente★★★, Tentação de Santo Antão★★★, Biombos japoneses★★, Doze Apóstolos★, Anunciação★, Capela★) EU **M7** *– Fundação Gulbenkian (Museu Calouste Gulbenkian★★★* FR*, Centro de Arte Moderna★* FR **M4***) – Museu da Marinha★★ (modelos★★★ de embarcações)* AQ **M5** *– Museu Nacional dos Coches★★* AQ **M6** *– Museu Nacional do Azulejo (Convento da Madre de Deus)★★ : igreja★★, sala do capítulo★* DP **M9** *– Museu da Água da EPAL★* HT **M8** *– Museu Nacional do Traje★* BN **M14** *– Museu Nacional do Teatro★* BN **M15** *– Museu Militar (tectos★)* MY **M10** *– Museu de Artes Decorativas★ (Fundação Ricardo do Espírito Santo Silva)★★* LY **M3** *– Museu Arqueológico – Igreja do Carmo★* KY **M1** *– Museu de Arte Sacra de São Roque★ (ornamentos sacerdotais★)* JKX **M2** *– Museu Nacional do Chiado★* KZ **M16** *– Museu da Música★* BN **M18** *– Museu Rafael Bordalo Pinheiro (cerámicas★)* CN **M12**.

IGREJAS E MOSTEIROS

Sé★★ (túmulos góticos★, grade★, tesouro★) LY *– Mosteiro dos Jerónimos★★★ (Igreja de Santa Maria★★★ : abóbada★★, claustro★★★ ; Museu Nacional de Arqueologia : tesouro★)* AQ *– Igreja de São Roque★ (capela de São João Baptista★★, interior★)* JX *– Igreja de São Vicente de Fora (azulejos★)* MX *– Igreja de Nossa Senhora de Fátima (vitrais★)* FR K *– Basílica da Estrela★ (jardim★)* EU L *– Igreja da Conceição Velha (fachada sul★)* LZ V *– Igreja de Santa Engrácia★* MX.

BAIRROS HISTÓRICOS

Belém★★ (Centro Cultural★) AQ *– A Baixa pombalina★★* JKXYZ *– Alfama★★* LY *– Chiado e Bairro Alto★* JKY.

LUGARES PITORESCOS

Praça do Comércio (ou Terreiro do Paço★★) KZ *– Torre de Belém★★★* AQ *– Palacio dos Marqueses de Fronteira★★ (azulejos★★)* ER *– Rossio★ (estação : fachada★ neo-manuelina)* KX *– Rua do Carmo e Rua Garrett★* KY *– Avenida da Liberdade★* JV *– Parque Eduardo VII★ (≤★, Estufa fria★)* FS *– Jardim Zoológico★★* ER *– Aqueduto das Águas Livres★* ES *– Jardim Botânico★* JV *– Parque Florestal de Monsanto★ (≤★)* APQ *– Campo de Santa Clara★* MX *– Escadinhas de Santo Estêvão★ (≤★)* MY *– Palacio da Ajuda★* AQ *– Fundação Arpad Szenes-Vieira da Silva★* EFS *– Passeio no Tejo★ (≤★★).*

COMPRAS

Bairros comerciais : *Baixa (Rua Augusta), Chiado (Rua Garrett).*

Antiguidades : *Rua D. Pedro V, Rua da Escola Politécnica, Feira da Ladra (3ª feira e sábado).*

Centro comercial : *Torres Amoreiras, Colombo.*

Desenhadores : *Bairro Alto.*

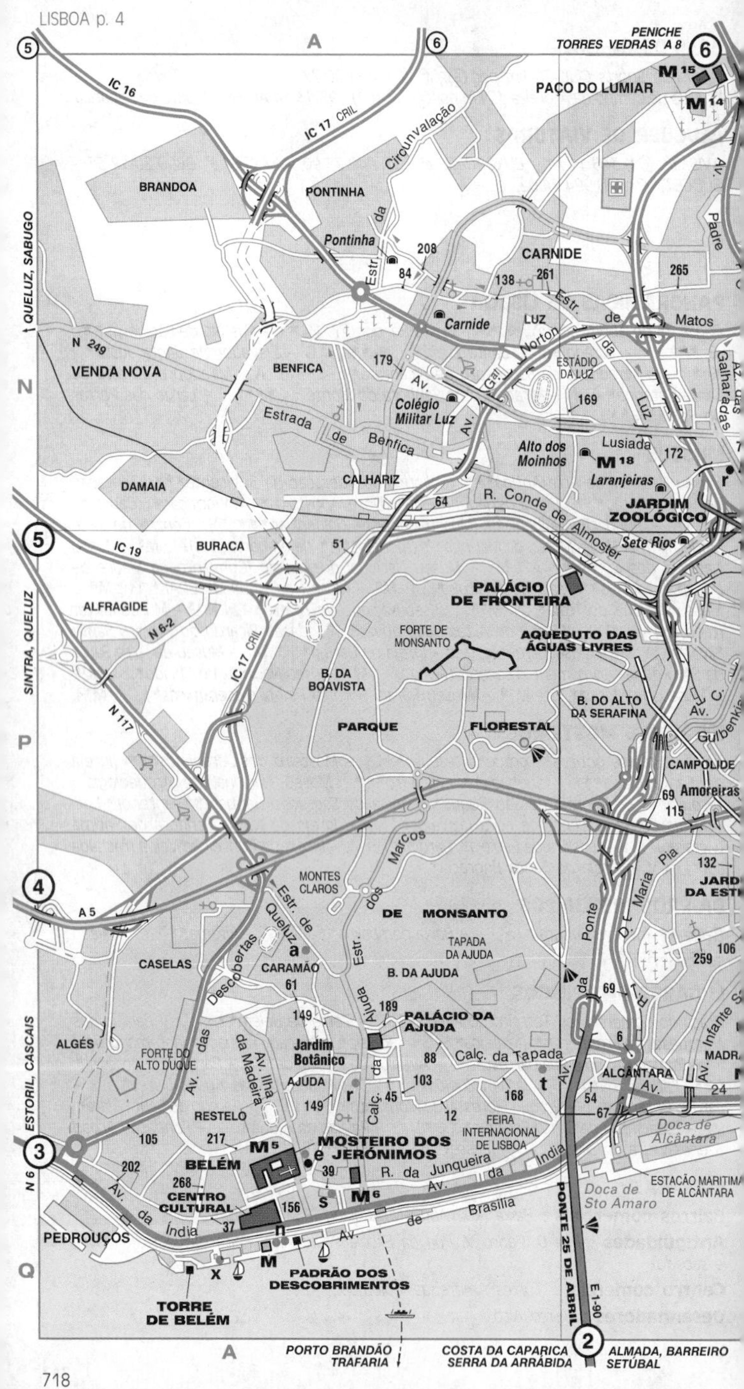

PENICHE
TORRES VEDRAS A 8
PAÇO DO LUMIAR
IC 16
IC 17 CRIL
Estr. da Circunvalação
BRANDOA
PONTINHA
Pontinha
CARNIDE
Carnide
LUZ
QUELUZ, SABUGO
N 249
VENDA NOVA
BENFICA
Av. Gal. Norton de Matos
ESTÁDIO DA LUZ
Colégio Militar Luz
Estrada de Benfica
Alto dos Moinhos
Lusíada
Laranjeiras
DAMAIA
CALHARIZ
R. Conde de Almoster
JARDIM ZOOLÓGICO
Sete Rios
IC 19
BURACA
PALÁCIO DE FRONTEIRA
ALFRAGIDE
N 6-2
FORTE DE MONSANTO
AQUEDUTO DAS ÁGUAS LIVRES
SINTRA, QUELUZ
B. DA BOAVISTA
B. DO ALTO DA SERAFINA
N 117
PARQUE FLORESTAL DE MONSANTO
CAMPOLIDE
Amoreiras
Av. C. Gulbenkian
MONTES CLAROS
Estr. dos Marcos
Estr. de Queluz
A 5
CASELAS
CARAMÃO
TAPADA DA AJUDA
B. DA AJUDA
Av. das Descobertas
PALÁCIO DA AJUDA
ESTORIL, CASCAIS
ALGÉS
FORTE DO ALTO DUQUE
Av. Ilha da Madeira
Jardim Botânico
Calç. da Tapada
AJUDA
ALCÂNTARA
RESTELO
FEIRA INTERNACIONAL DE LISBOA
Doca de Alcântara
MOSTEIRO DOS JERÓNIMOS
BELÉM
R. da Junqueira
CENTRO CULTURAL
Av. da Índia
Av. de Brasília
ESTAÇÃO MARITIMA DE ALCÂNTARA
Doca de Sto Amaro
PEDROUÇOS
PONTE 25 DE ABRIL
PADRÃO DOS DESCOBRIMENTOS
TORRE DE BELÉM
E 1-90
PORTO BRANDÃO TRAFARIA
COSTA DA CAPARICA SERRA DA ARRÁBIDA
ALMADA, BARREIRO SETÚBAL

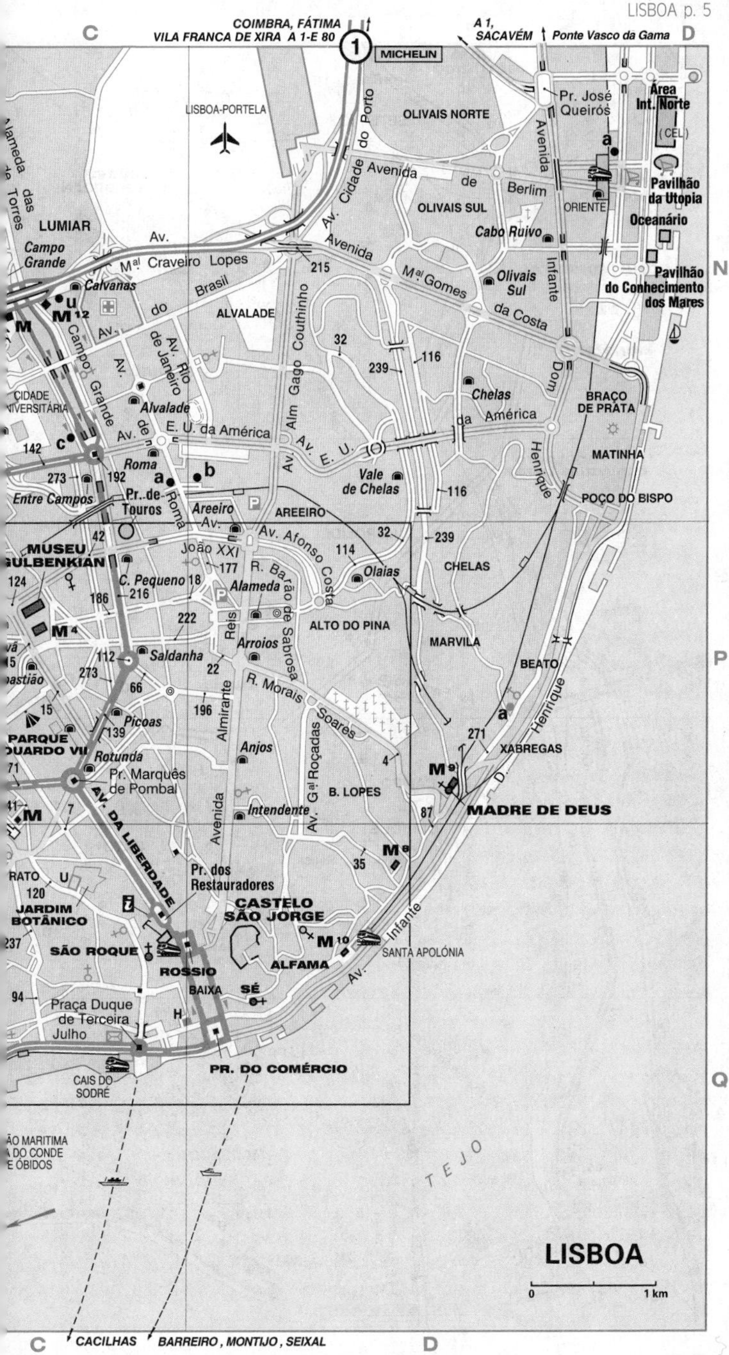

C D

COIMBRA, FÁTIMA VILA FRANCA DE XIRA A 1-E 80

A 1, SACAVÉM Ponte Vasco da Gama

MICHELIN

LISBOA-PORTELA

OLIVAIS NORTE

Pr. José Queirós

Área Int. Norte (CEL)

Pavilhão da Utopia

Oceanário

Pavilhão do Conhecimento dos Mares

ORIENTE

OLIVAIS SUL

Cabo Ruivo

Olivais Sul

LUMIAR

Campo Grande

Calvanas

ALVALADE

Chelas

BRAÇO DE PRATA

MATINHA

Alvalade

CIDADE UNIVERSITÁRIA

Roma

Entre Campos

Pr. de Touros

Areeiro

AREEIRO

Vale de Chelas

POÇO DO BISPO

MUSEU GULBENKIAN

C. Pequeno

Alameda

Olaias

CHELAS

ALTO DO PINA

MARVILA

Saldanha

Arroios

BEATO

Picoas

PARQUE EDUARDO VII

Rotunda

Pr. Marquês de Pombal

Anjos

XABREGAS

B. LOPES

Intendente

MADRE DE DEUS

AV. DA LIBERDADE

Pr. dos Restauradores

JARDIM BOTÂNICO

CASTELO SÃO JORGE

SÃO ROQUE

ROSSIO

ALFAMA

SANTA APOLÓNIA

BAIXA

SÉ

Praça Duque de Terceira

PR. DO COMÉRCIO

CAIS DO SODRÉ

ESTAÇÃO MARITIMA DO CONDE DE ÓBIDOS

TEJO

LISBOA

0 1 km

CACILHAS BARREIRO, MONTIJO, SEIXAL

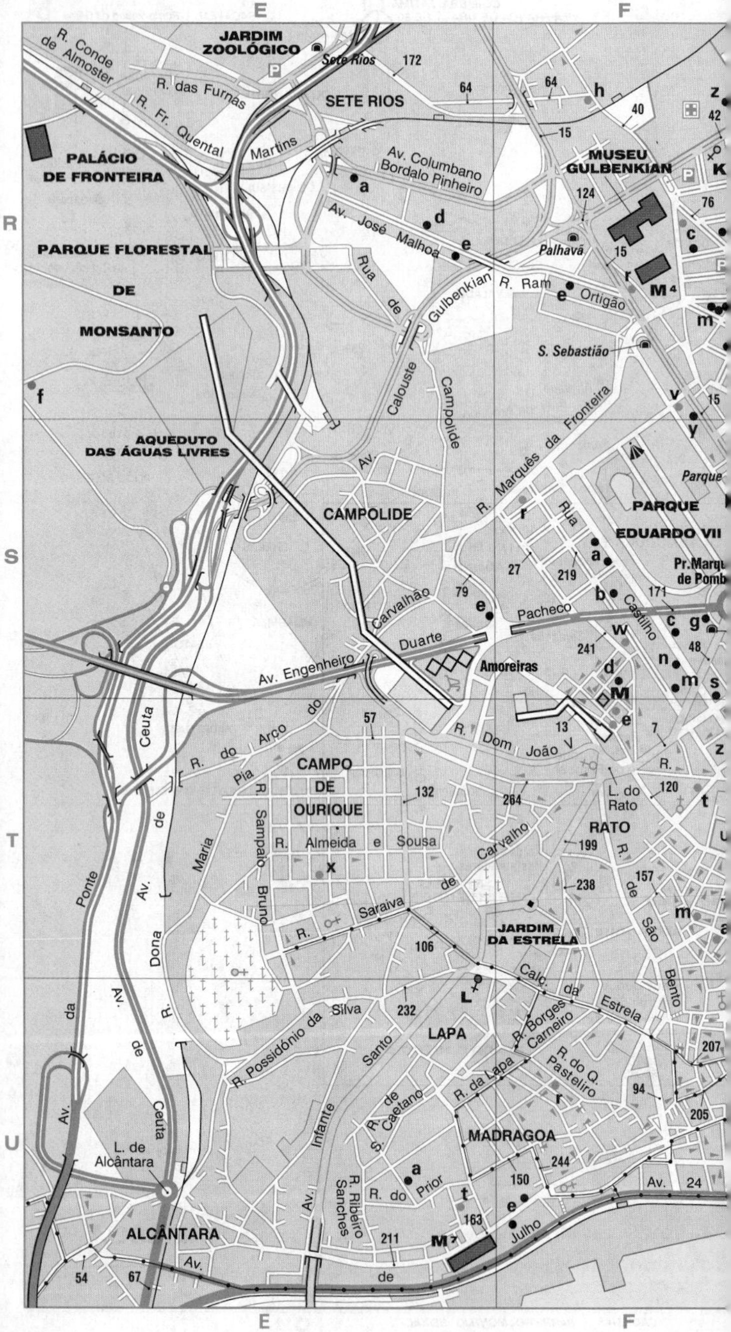

E F

R S T U

JARDIM ZOOLÓGICO
Sete Rios
SETE RIOS
R. Conde de Almoster
R. das Furnas
R. Fr. Quental
Martins
PALÁCIO DE FRONTEIRA
PARQUE FLORESTAL DE MONSANTO
Av. Columbano Bordalo Pinheiro
Av. José Malhoa
MUSEU GULBENKIAN
Palhavã
Rua de Gulbenkian
R. Ramalho Ortigão
S. Sebastião
Calouste
Campolide
R. Marquês da Fronteira
AQUEDUTO DAS ÁGUAS LIVRES
CAMPOLIDE
Parque
PARQUE EDUARDO VII
Pr. Marquês de Pombal
Rua Castilho
Carvalhão
Pacheco
Duarte
Av. Engenheiro
Amoreiras
R. Dom João V
L. do Rato
RATO
R. do Arco do
Pia
CAMPO DE OURIQUE
R. Almeida e Sousa
R. Sampaio Bruno
R. Saraiva de Carvalho
R. de São Bento
JARDIM DA ESTRELA
Av. Dona Maria
Av. de Ceuta
Ponte
Av. da
Calç. da Estrela
R. Borges Carneiro
R. do Q. Pasteleiro
R. Possidónio da Silva
LAPA
R. da Lapa
R. de S. Caetano
Av. Infante Santo
MADRAGOA
L. de Alcântara
R. Ribeiro Sanches
R. do Prior
Julho
ALCÂNTARA
Av. de
Av. 24

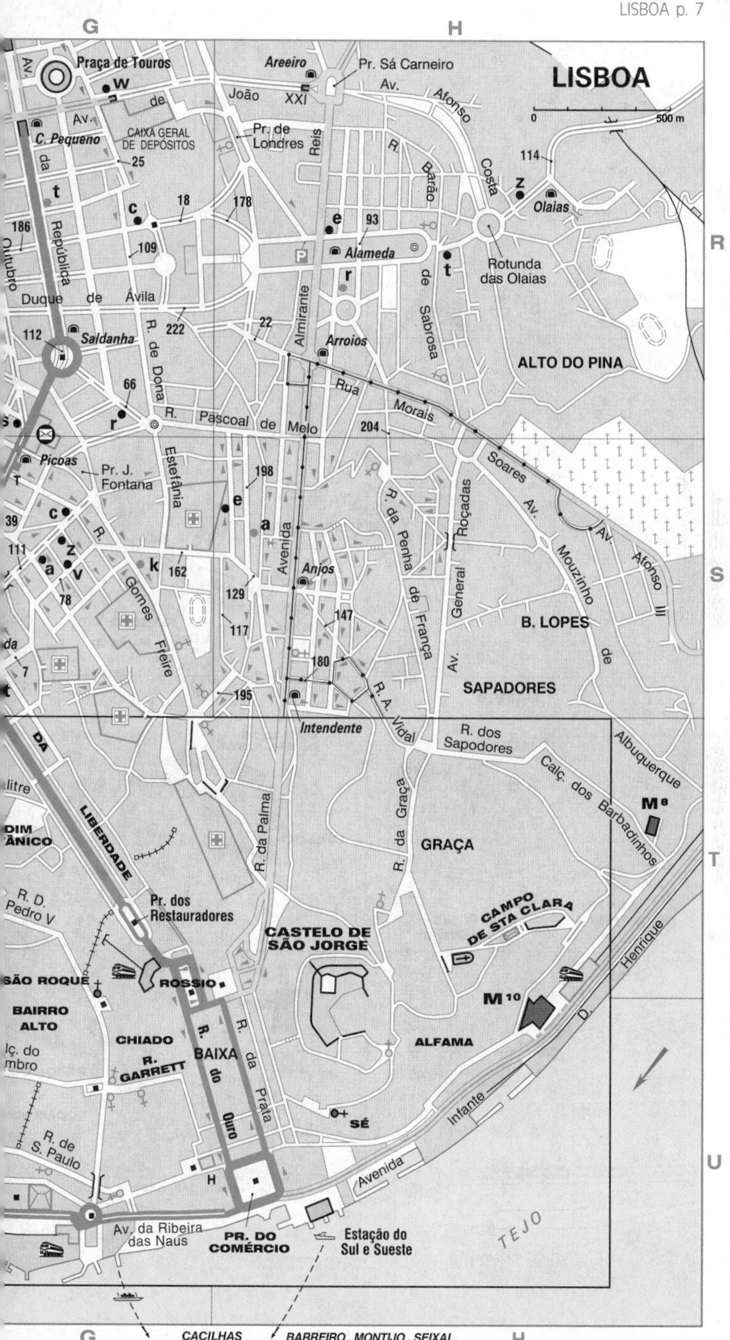
LISBOA
Praça de Touros
Areeiro
Pr. Sá Carneiro
Av. João XXI
Av. Afonso Costa
C. Pequeno
CAIXA GERAL DE DEPÓSITOS
Pr. de Londres
Av. República
Alameda
Rotunda das Olaias
Olaias
Duque de Ávila
Saldanha
Arroios
Almirante Reis
R. Barão de Sabrosa
ALTO DO PINA
R. de Dona Estefânia
R. Pascoal de Melo
Rua Morais Soares
Picoas
Pr. J. Fontana
Avenida
Anjos
R. da Penha de França
Av. General Roçadas
Av. Mouzinho de Albuquerque
Av. Afonso III
B. LOPES
SAPADORES
R. Gomes Freire
Intendente
R. A. Vidal
R. dos Sapadores
Calç. dos Barbadinhos
Av. da Liberdade
R. da Palma
R. da Graça
GRAÇA
Pr. dos Restauradores
CASTELO DE SÃO JORGE
CAMPO DE STA CLARA
SÃO ROQUE
ROSSIO
BAIRRO ALTO
CHIADO
R. GARRETT
BAIXA
R. do Ouro
R. da Prata
ALFAMA
SÉ
Av. Infante D. Henrique
R. de S. Paulo
R. D. Pedro V
Av. da Ribeira das Naus
PR. DO COMÉRCIO
Estação do Sul e Sueste
TEJO
CACILHAS
BARREIRO, MONTIJO, SEIXAL
500 m

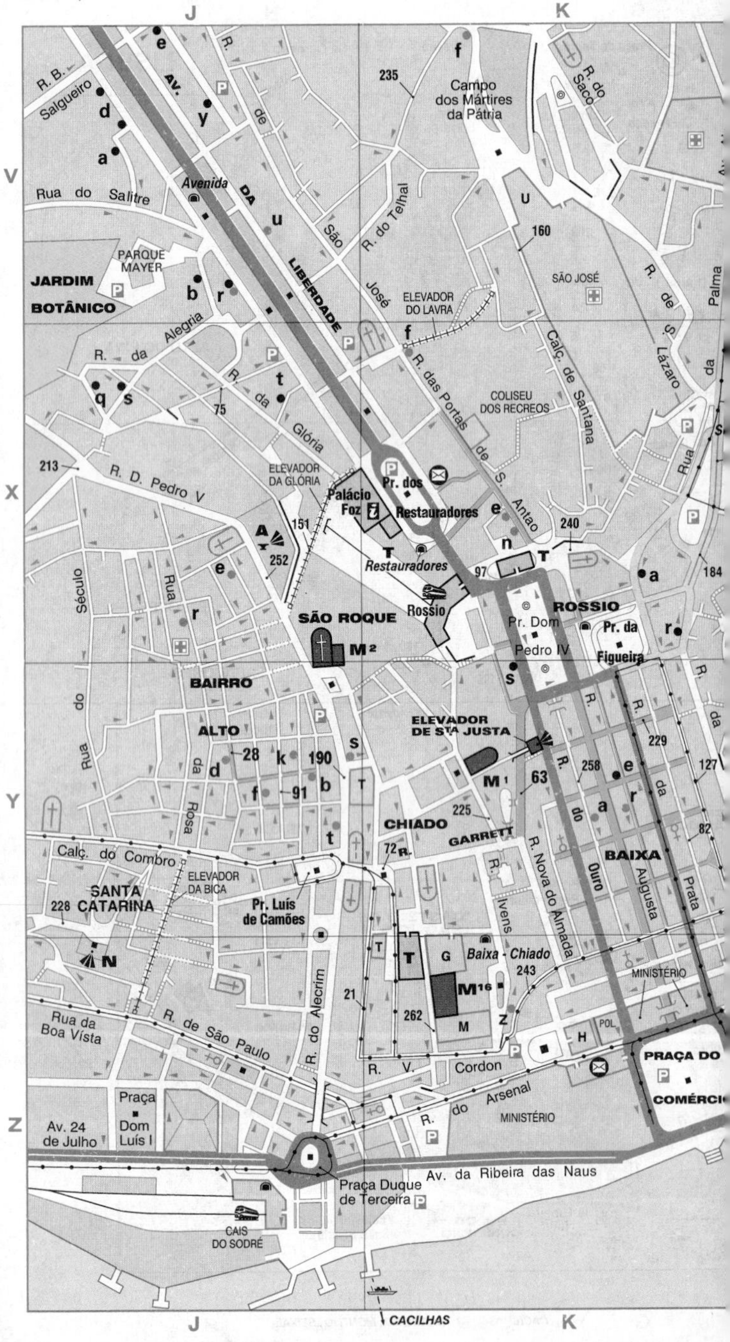

J
K
V
X
Y
Z
R. B. Salgueiro
Av.
R. de São José
Campo dos Mártires da Pátria
R. do Saco
235
Rua do Salitre
Avenida
AV. DA LIBERDADE
R. do Telhal
160
PARQUE MAYER
JARDIM BOTÂNICO
SÃO JOSÉ
R. de S. Lázaro
Palma
ELEVADOR DO LAVRA
R. da Alegria
R. das Portas de S. Antão
Calç. de Santana
R. da Glória
75
COLISEU DOS RECREIOS
213
R. D. Pedro V
ELEVADOR DA GLÓRIA
Palácio Foz
Pr. dos Restauradores
Restauradores
151
252
240
184
97
Rua Século
Rua
SÃO ROQUE
M2
Rossio
ROSSIO
Pr. Dom Pedro IV
Pr. da Figueira
BAIRRO ALTO
Rua do
ELEVADOR DE STA JUSTA
28
190
91
R. da Rosa
M1
63
258
229
127
225
CHIADO
GARRETT
72 R.
82
Calç. do Combro
ELEVADOR DA BICA
SANTA CATARINA
228
Pr. Luís de Camões
R. Ivens
R. Nova do Almada
R. do Ouro
R. Augusta
R. da Prata
BAIXA
Baixa - Chiado
243
M16
MINISTÉRIO
21
262
Rua da Boa Vista
R. de São Paulo
R. do Alecrim
R. V. Cordon
POL.
PRAÇA DO COMÉRCIO
R. do Arsenal
MINISTÉRIO
Praça Dom Luís I
Av. 24 de Julho
Av. da Ribeira das Naus
Praça Duque de Terceira
CAIS DO SODRÉ
CACILHAS

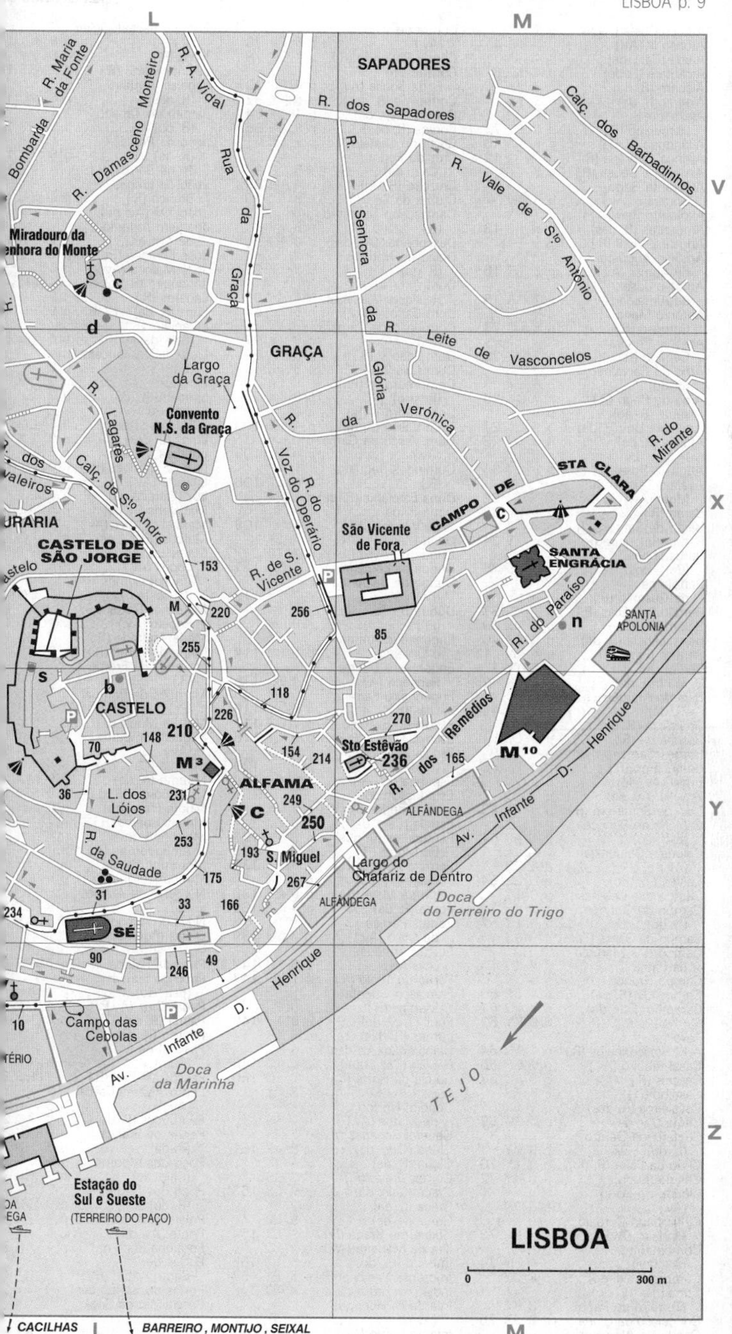

L
M
SAPADORES
R. dos Sapadores
Calç. dos Barbadinhos
R. Maria da Fonte
R. Damasceno Monteiro
R. A. Vidal
Rua da Graça
R. Senhora da Glória
R. Vale de Sto António
Miradouro da Senhora do Monte
GRAÇA
R. Leite de Vasconcelos
Largo da Graça
Convento N.S. da Graça
R. Lagares
R. da Verónica
R. do Mirante
R. Voz do Operário
R. do Operário
Calç. de Sto André
CAMPO DE STA CLARA
São Vicente de Fora
SANTA ENGRÁCIA
CASTELO DE SÃO JORGE
R. de S. Vicente
R. do Paraíso
SANTA APOLÓNIA
CASTELO
R. dos Remédios
ALFAMA
Sto Estêvão
S. Miguel
L. dos Lóios
R. da Saudade
Largo do Chafariz de Dentro
ALFÂNDEGA
Av. Infante D. Henrique
Doca do Terreiro do Trigo
SÉ
Campo das Cebolas
Doca da Marinha
TEJO
Estação do Sul e Sueste
(TERREIRO DO PAÇO)
LISBOA
0
300 m
CACILHAS
BARREIRO, MONTIJO, SEIXAL
V
X
Y
Z

Lista alfabética de hotéis e restaurantes
Lista alfabética de hoteles y restaurantes
Liste alphabétique des hôtels et restaurants
Elenco alfabetico degli alberghi e ristoranti
Alphabetisches Hotel-und Restaurantverzeichnis
Alphabetical list of hotels and restaurants

XXX **Gambrinus,** Rua das Portas de Santo Antão 25, ✉ 1150, ☎ (01) 342 14 66, *Fax (01) 346 50 32* – ▤. AE ⓓ E VISA. ⁂ KX n
Refeição lista 11000 a 14000.

XXX **Escorial,** Rua das Portas de Santo Antão 47, ✉ 1100, ☎ (01) 346 44 29, *Fax (01) 346 37 58* – ▤. AE ⓓ E VISA JCB. ⁂ KX e
Refeição lista aprox. 5840.

XXX **Cais da Avenida,** Av. da Liberdade 123, ✉ 1250, ☎ (01) 342 92 24, *Fax (01) 342 92 22* – ▤ 🚗. AE ⓓ E VISA JCB. ⁂ JV r
Refeição lista 4050 a 5600.

XXX **Jardim Tropical,** Av. da Liberdade 144, ✉ 1250, ☎ (01) 346 88 39, *Fax (01) 342 31 24*, « Jardim interior de inspiração tropical » – ▤ 🚗. AE ⓓ E VISA JCB. ⁂ JV u
Refeição lista 3350 a 7300.

XXX **Casa do Leão,** Castelo de São Jorge, ✉ 1100, ☎ (01) 887 59 62, *Fax (01) 887 63 29*, ≼ – ▤. AE ⓓ VISA. ⁂ LXY s
Refeição lista 5800 a 7400.

XX **Via Graça,** Rua Damasceno Monteiro 9-B, ✉ 1170, ☎ (01) 887 08 30, *Fax (01) 887 03 05*, ≼ Castelo de São Jorge, cidade e rio Tejo – ▤. AE ⓓ E VISA JCB. ⁂
fechado sábado meio-dia e domingo – **Refeição** lista 3300 a 4980. LV d

XX **O Faz Figura,** Rua do Paraíso 15-B, ✉ 1100, ☎ (01) 886 89 81, ≼, 🏖 – ▤. AE ⓓ E VISA JCB. ⁂ MX n
fechado domingo – **Refeição** lista 4000 a 5500.

XX **Verdemar,** Rua das Portas de Santo Antão 142, ✉ 1150, ☎ (01) 346 44 01 – ▤. AE ⓓ E VISA. ⁂ KX f
fechado sábado – **Refeição** lista aprox. 4200.

X Pap'Açorda, Rua da Atalaia 57, ✉ 1200, ☎ (01) 346 48 11, *Fax (01) 342 97 05* – ▤ JY d

X **Porta Branca,** Rua do Teixeira 35, ✉ 1250, ☎ (01) 342 10 24, *Fax (01) 347 92 57* – ▤. AE E VISA. ⁂ JX e
fechado domingo – **Refeição** lista 3480 a 5980.

X **Paris,** Rua dos Sapateiros 126, ✉ 1100, ☎ (01) 346 97 97 – ▤. AE ⓓ E VISA. ⁂ KY a
Refeição lista 2700 a 4100.

X **Mercado de Santa Clara,** Campo de Santa Clara (no mercado), ✉ 1170, ☎ (01) 887 39 86, *Fax (01) 887 39 86*, ≼ – ▤. AE ⓓ E VISA. ⁂ MX c
fechado domingo noite e 2ª feira – **Refeição** lista 4000 a 5000.

X **O Múni,** Rua dos Correeiros 115, ✉ 1100, ☎ (01) 342 89 82 – ▤. AE ⓓ E VISA. ⁂ KY r
fechado sábado, domingo e setembro – **Refeição** lista 2900 a 3650.

Este : Av. da Liberdade, Av. Almirante Reis, Av. Estados Unidos de América, Av. de Roma, Av. João XXI, Av. da República, Praça Marquês de Pombal (planos p. 5 e 7)

Radisson SAS, Av. Marechal Craveiro Lopes 390, ✉ 1700, ☎ (01) 759 96 39, *Telex 61170, Fax (01) 758 66 05*, Fō – |‡| ▤ 📺 ☎ ♿ 🚗 – 🏛 25/200. AE ⓓ E VISA JCB. ⁂ CN u
Refeição lista 4800 a 7300 – ☕ 1800 – **205 qto** 35000/37000, 16 suites.

Altis Park H., Av. Engenheiro Arantes e Oliveira 9, ✉ 1900, ☎ (01) 846 08 66, *Fax (01) 846 08 38* – |‡| ▤ 📺 ☎ ♿ 🚗 – 🏛 25/600. AE ⓓ E VISA JCB. ⁂ rest HR z
Refeição 3100 – **285 qto** ☕ 22000/24500, 15 suites.

Meliá Confort Lisboa, Av. Duque de Loulé 45, ✉ 1050, ☎ (01) 353 21 08, *Fax (01) 353 18 65*, 🏊 – |‡| ▤ 📺 ☎ ♿ 🚗 – 🏛 25/50. AE ⓓ E VISA JCB. ⁂ GS z
Refeição *(fechado domingo)* lista 2800 a 5400 – **80 qto** ☕ 28000/30000, 4 suites.

Holiday Inn Lisboa, Av. António José de Almeida 28-A, ✉ 1000, ☎ (01) 793 52 22, *Fax (01) 793 66 72*, Fō – |‡| ▤ 📺 ☎ ♿ 🚗 – 🏛 25/300. AE ⓓ E VISA JCB. ⁂ GR c
Refeição lista 4650 a 6100 – **161 qto** ☕ 35000/40000, 8 suites.

Lutécia, Av. Frei Miguel Contreiras 52, ✉ 1700, ☎ (01) 840 31 21, *Telex 12457, Fax (01) 840 78 18*, ≼ – |‡| ▤ 📺 ☎ – 🏛 25/100. AE ⓓ E VISA JCB. ⁂ DN b
Refeição lista 3700 a 5450 – **143 qto** ☕ 18000/21000, 8 suites.

Alif sem rest, Campo Pequeno 51, ✉ 1000, ☎ (01) 795 24 64, *Telex 64460, Fax (01) 795 41 16* – |‡| ▤ 📺 ☎ ♿ 🚗 – 🏛 25/40. AE ⓓ E VISA. ⁂ GR w
107 qto ☕ 12900/14900, 8 suites.

Roma, Av. de Roma 33, ✉ 1700, ☎ (01) 796 77 61, *Fax (01) 793 29 81*, ≼, 🏊 – |‡| ▤ 📺 ☎ ♿ – 🏛 25/230. AE ⓓ E VISA. ⁂ CN a
Refeição 2900 – **263 qto** ☕ 12500/15000 – PA 5800.

A.S. Lisboa sem rest, Av. Almirante Reis 188, ✉ 1000, ☎ (01) 847 30 25, *Fax (01) 847 30 34* – |‡| ▤ 📺 ☎ – 🏛 25/80. AE ⓓ E VISA. ⁂ HR e
75 qto ☕ 15000/17000.

Madrid sem rest, Rua do Conde de Redondo 24, ✉ 1150, ☎ (01) 319 17 6 *Fax (01) 315 75 75* – |‡| ▤ TV ☎ ♿ 🚗 – 🏛 25/100. AE ⊙ E VISA JCB. ⚘ GS
86 qto ☕ 20000/22000.

Presidente sem rest. com snack-bar, Rua Alexandre Herculano 13, ✉ 115 ☎ (01) 353 95 01, *Fax (01) 352 02 72* – |‡| ▤ TV ☎ – 🏛 25/40. AE ⊙ E VISA JCB. ⚘ GS
59 qto ☕ 16200/18800.

Embaixador sem rest, Av. Duque de Loulé 73, ✉ 1050, ☎ (01) 353 01 7 *Fax (01) 355 75 96* – |‡| ▤ TV ☎ – 🏛 25/80 GS
96 qto.

Meliá Confort Oriente, Av. D. João II (recinto da EXPO), ✉ 1800, ☎ (01) 893 00 0 *Fax (01) 893 00 93*, ≤, « Frente ao esturário do Tejo » – |‡| ▤ TV ☎ ♿ 🚗 – 🏛 25/10 AE ⊙ E VISA JCB. ⚘ DN
Refeição 2000 – **115 qto** ☕ 17500/19500, 1 suite.

Dom Carlos sem rest. com snack-bar, Av. Duque de Loulé 121, ✉ 105 ☎ (01) 353 90 71, *Fax (01) 352 07 28* – |‡| ▤ TV ☎ – 🏛 25/40. AE ⊙ E VISA JCB. ⚘ GS
76 qto ☕ 17500/20800.

Capitol sem rest. com snack-bar, Rua Eça de Queiroz 24, ✉ 1050, ☎ (01) 353 68 1 *Fax (01) 352 61 65* – |‡| ▤ TV ☎ – 🏛 25/75. AE ⊙ E VISA. ⚘ GS
57 qto ☕ 20000/22000.

Ibis Lisboa-Saldanha, Av. Casal Ribeiro 23-25, ✉ 1100, ☎ (01) 319 16 9 *Fax (01) 319 16 99* – |‡| ▤ TV ☎ ♿ 🚗 – 🏛 25/150. AE ⊙ E VISA. ⚘ GR
Refeição 2500 – ☕ 800 – **116 qto** 9800.

D. Afonso Henriques sem rest, Rua Cristóvão Falcão 8, ✉ 1900, ☎ (01) 814 65 7 *Fax (01) 812 33 75* – |‡| ▤ TV ☎ 🚗 – 🏛 25/80. AE ⊙ E VISA JCB HR
39 qto ☕ 9500/11000.

Dom João sem rest, Rua José Estêvão 43, ✉ 1150, ☎ (01) 314 41 7 *Fax (01) 352 45 69* – |‡| ▤ TV ☎. AE ⊙ E VISA. ⚘ HS
18 qto ☕ 8000/10000.

Alicante sem rest, Av. Duque de Loulé 20, ✉ 1050, ☎ (01) 353 05 1 *Fax (01) 352 02 50* – |‡| TV ☎. AE ⊙ E VISA. ⚘ GS
42 qto ☕ 8900/10990.

Antonio Clara-Clube de Empresários, Av. da República 38, ✉ 105 ☎ (01) 796 63 80, *Fax (01) 797 41 44*, « Instalado num antigo palacete » – ▤ P. AE E VISA JCB. ⚘ GR
fechado domingo e do 23 ao 31 de agosto – **Refeição** lista aprox. 6200.

Chez Armand, Rua Carlos Mardel 38, ✉ 1900, ☎ (01) 847 57 70, *Fax (01) 887 19* – ▤. AE E VISA. ⚘ HR
fechado domingo e agosto – **Refeição** - cozinha francesa - lista aprox. 4700.

D'Avis, Rua do Grilo 98, ✉ 1900, ☎ (01) 868 13 54, *Fax (01) 868 13 54*, « Rest. típico – ▤. E VISA. ⚘ DP
fechado domingo e do 1 ao 15 de agosto – Refeição - cozinha alentejana - lista 215 3600.

Vasku's Grill, Rua Passos Manuel 30, ✉ 1150, ☎ (01) 352 22 93, *Fax (01) 315 54* – ▤. AE ⊙ E VISA JCB. ⚘ HS
fechado domingo – **Refeição** - grelhados - lista 3600 a 5200.

Celta, Rua Gomes Freire 148, ✉ 1150, ☎ (01) 357 30 69, *Fax (01) 357 30 69* – ▤. E VISA GS
fechado domingo – **Refeição** lista 1980 a 3840.

Oeste : Av. da Liberdade, Av. 24 de Julho, Av. da India, Av. Infante Santo, Av. de Ber Av. António Augusto de Aguiar, Largo de Alcântara, Praça Marquês de Pombal, Praça Espanha (planos p. 4 e 6)

Four Seasons H. The Ritz Lisbon, Rua Rodrigo da Fonseca 88, ✉ 109 ☎ (01) 383 20 20, *Fax (01) 383 17 83*, ≤, 🏋, 𝐹𝑠 – |‡| ▤ TV ☎ ♿ 🚗 P – 🏛 25/6 AE ⊙ E VISA JCB. ⚘ rest FS
Varanda **: Refeição** lista 6950 a 13850 – ☕ 2800 – **262 qto** 46200/5060 20 suites.

Sheraton Lisboa H., Rua Latino Coelho 1, ✉ 1069, ☎ (01) 312 00 00, *Telex 127 Fax (01) 354 71 64*, ≤, 𝐹𝑠, 🏊 climatizada – |‡| ▤ TV ☎ ♿ 🚗 – 🏛 25/550. AE ⊙ VISA JCB. ⚘ GR
Alfama Grill *(fechado sábado, domingo e agosto)* **Refeição** lista 8100 a 12000 - ***Ca vela*** **: Refeição** lista 5250 a 7900 – ☕ 3000 – **374 qto** 36000/390 7 suites.

Da Lapa, Rua do Pau de Bandeira 4, ✉ 1200, ☎ (01) 395 00 05, *Fax (01) 395 06 65*, ←, « Belo jardim entre árvores com cascata e ⛱ », - |♦| ▤ TV ☎ ♿ 🚗 Ⓟ - 25/250. AE ⓓ E VISA. ✕ EU a
Embaixada : **Refeição** lista 6150 a 7550 - ☕ 2350 - **86 qto** 45000/47500, 8 suites.

Dom Pedro Lisboa, Av. Engenheiro Duarte Pacheco 24, ✉ 1070, ☎ (01) 389 66 00, *Fax (01) 389 66 01*, ←, - |♦| ▤ TV ☎ 🚗 - 25/500. AE ⓓ E VISA JCB. ✕ ES e
Refeição lista 4000 a 5700 - ☕ 2500 - **254 qto** 45000/50000, 9 suites.

Le Meridien Park Atlantic Lisboa, Rua Castilho 149, ✉ 1070, ☎ (01) 381 87 00, *Fax (01) 383 32 31*, ← - |♦| ▤ TV ☎ ♿ 🚗 - 25/550. AE ⓓ E VISA JCB. ✕ FS a
Brasserie des Amis : **Refeição** lista 4450 a 5470 - ☕ 2300 - **313 qto** 41000/44000, 17 suites.

Altis, Rua Castilho 11, ✉ 1250, ☎ (01) 314 24 96, *Telex 13314*, *Fax (01) 354 86 96*, - |♦| ▤ TV ☎ 🚗 - 25/700. AE ⓓ E VISA JCB. ✕ FT z
Girassol : **Refeição** lista aprox. 7500 - *Grill Dom Fernando* : **Refeição** lista 4700 a 8000 - **290 qto** ☕ 32000/35000, 13 suites, 40 apartamentos.

Alfa Lisboa, Av. Columbano Bordalo Pinheiro, ✉ 1070, ☎ (01) 726 21 21, *Telex 18477*, *Fax (01) 726 30 31*, ←, - |♦| ▤ TV ☎ 🚗 - 25/700. AE ⓓ E VISA JCB. ✕
A Aldeia : **Refeição** lista 3200 a 6150 - **440 qto** ☕ 55000/57000. ER a

Holiday Inn Lisboa-Continental, Rua Laura Alves 9, ✉ 1050, ☎ (01) 793 50 05, *Telex 65632*, *Fax (01) 797 36 69* - |♦| ▤ TV ☎ 🚗 - 25/180. AE ⓓ E VISA JCB. ✕ FR q
Refeição 3900 - ☕ 1700 - **210 qto** 30000/35000, 10 suites - PA 7800.

Real Parque, Av. Luís Bívar 67, ✉ 1050, ☎ (01) 357 01 01, *Fax (01) 357 07 50* - |♦| ▤ TV ☎ ♿ 🚗 - 25/100. AE ⓓ E VISA JCB. ✕ FR a
Refeição 4900 -*Cozinha do Real* : **Refeição** lista 4900 a 6800 - **147 qto** ☕ 34000/38000, 6 suites.

Lisboa Penta, Av. dos Combatentes, ✉ 1600, ☎ (01) 726 40 54, *Fax (01) 726 42 81*, ←, - |♦| ▤ TV ☎ 🚗 Ⓟ - 25/600. AE ⓓ E VISA JCB. ✕ rest BN r
Grill Passarola : **Refeição** lista aprox. 6600 - *Verde Pino* : **Refeição** lista aprox. 3750 - **588 qto** ☕ 22000/26000, 4 suites.

Metropolitan Lisboa H., Rua Soeiro Gomes-parcela 2, ✉ 1600, ☎ (01) 798 25 00, *Fax (01) 795 08 64* - |♦| ▤ TV ☎ ♿ 🚗 - 25/250. AE ⓓ E VISA. ✕ CN v
Refeição 4200 - **315 qto** ☕ 19000/23000.

Fénix, Praça Marquês de Pombal 8, ✉ 1250, ☎ (01) 386 21 21, *Telex 12170*, *Fax (01) 386 01 31* - |♦| ▤ TV ☎ ♿ - 25/100. AE ⓓ E VISA. ✕ rest FS g
Bodegón : **Refeição** lista 4050 a 6100 - **119 qto** ☕ 22000/25000, 4 suites.

Do Reno sem rest. com snack-bar, Av. Duque d'Ávila 195-197, ✉ 1050, ☎ (01) 313 50 00, *Fax (01) 313 50 01*, - |♦| ▤ TV ☎ ♿ 🚗 - 25/115. AE ⓓ E VISA. ✕ FR m
89 qto ☕ 40000, 3 suites.

Zurique, Rua Ivone Silva 18, ✉ 1050, ☎ (01) 793 71 11, *Fax (01) 793 72 90*, - |♦| ▤ TV ☎ 🚗 - 25/150. AE ⓓ E VISA. ✕ FR s
Refeição 3000 - **248 qto** ☕ 15000/17000, 4 suites.

Diplomático, Rua Castilho 74, ✉ 1250, ☎ (01) 386 20 41, *Fax (01) 386 21 55* - |♦| ▤ TV ☎ - 25/80. AE ⓓ E VISA JCB. ✕ rest FS c
Refeição lista 3000 a 4250 - **90 qto** ☕ 17500/20000.

Novotel Lisboa, Av. José Malhoa 1642, ✉ 1070, ☎ (01) 726 60 22, *Fax (01) 726 64 96*, ←, - |♦| ▤ TV ☎ ♿ 🚗 - 25/300. AE ⓓ E VISA JCB ER e
Refeição 3100 - ☕ 1200 - **246 qto** 12400.

Flórida sem rest, Rua Duque de Palmela 32, ✉ 1250, ☎ (01) 357 61 45, *Fax (01) 354 35 84* - |♦| ▤ TV ☎ - 25/100 FS x
108 qto.

Barcelona sem rest, Rua Laura Alves 10, ✉ 1050, ☎ (01) 795 42 73, *Fax (01) 795 42 81* - |♦| ▤ TV ☎ ♿ 🚗 - 25/230. AE ⓓ E VISA JCB. ✕ FR z
120 qto ☕ 17000/19000, 5 suites.

Quality H., Campo Grande 7, ✉ 1700, ☎ (01) 795 75 55, *Fax (01) 795 75 00*, - |♦| ▤ TV ☎ ♿ 🚗 - 25/70. AE ⓓ E VISA JCB. ✕ CN c
Refeição 3200 - **80 qto** ☕ 15000/16000, 2 suites - PA 6400.

Amazónia Lisboa sem rest, Travessa Fábrica dos Pentes 12, ✉ 1250, ☎ (01) 387 70 06, *Telex 66361*, *Fax (01) 387 90 90*, climatizada - |♦| ▤ TV ☎ ♿ 🚗 - 25/200. AE ⓓ E VISA. ✕ FS d
192 qto ☕ 14000/16000.

Dom Rodrigo Suite H. sem rest. com snack-bar, Rua Rodrigo da Fonseca 44, ✉ 1250, ☎ (01) 386 38 00, *Fax (01) 386 30 00*, - |♦| ▤ TV ☎ 🚗. AE ⓓ E VISA JCB. ✕ FS m
☕ 900 - **57 apartamentos** 21000/26000.

York House, Rua das Janelas Verdes 32, ✉ 1200, ☎ (01) 396 25 4 *Fax (01) 397 27 93*, « Instalado num convento do século XVI decorado num est português » – TV ☎. AE ⓓ E VISA JCB. ✈ FU
Refeição lista 3650 a 5800 – **31 qto** 27500/38500, 3 suites.

Dom Manuel I sem rest, Av. Duque d'Ávila 189, ✉ 1050, ☎ (01) 357 61 6 *Fax (01) 357 69 85* – TV ☎. AE ⓓ E VISA. ✈ FR
64 qto 12500/15000.

Executive Inn sem rest, Av. Conde Valbom 56, ✉ 1050, ☎ (01) 795 11 5 *Fax (01) 795 11 66* – TV ☎ – 25/55. AE ⓓ E VISA. ✈ FR
72 qto 20000/22000.

Miraparque, Av. Sidónio Pais 12, ✉ 1050, ☎ (01) 352 42 86, *Fax (01) 357 89 20* – TV ☎. AE ⓓ E VISA. ✈ FS
Refeição 3200 – **101 qto** 13000/14000 – PA 6400.

Eduardo VII, Av. Fontes Pereira de Melo 5, ✉ 1050, ☎ (01) 353 01 4 *Fax (01) 353 38 79*, ≤ – TV ☎ – 25/120. AE ⓓ E VISA. ✈ FS
Varanda : Refeição lista 3500 a 4500 – **127 qto** 16800/1920 2 suites.

Marquês de Sá, Av. Miguel Bombarda 130, ✉ 1050, ☎ (01) 791 10 1 *Fax (01) 793 69 86* – TV ☎ – 25/150. AE ⓓ E VISA. ✈ FR
Refeição 3250 – **97 qto** 16000/18000.

Amazónia Jamor, Av. Tomás Ribeiro 129 Queijas, ✉ 2795 Linda-A-Pastor ☎ (01) 417 56 38, *Fax (01) 417 56 30*, ≤, – TV ☎ ♿ Ⓟ – 25/2C AE ⓓ E VISA. ✈ por ④: 10 k
Refeição 3500 – **93 qto** 14700, 4 suites – PA 7000.

As Janelas Verdes sem rest, Rua das Janelas Verdes 47, ✉ 1200, ☎ (01) 396 81 4 *Fax (01) 396 81 44*, « Mansão de fim do século XVIII com belo patio » – TV ☎. AE E VISA JCB. ✈ FU
17 qto 27600/29900.

Nacional sem rest, Rua Castilho 34, ✉ 1250, ☎ (01) 355 44 33, *Fax (01) 356 11 22* TV ☎. AE ⓓ E VISA. ✈ FST
59 qto 12900/15100, 2 suites.

Rex, Rua Castilho 169, ✉ 1070, ☎ (01) 388 21 61, *Fax (01) 388 75 81* – TV – 25/50. AE ⓓ E VISA. ✈ FS
Refeição 4500 – **68 qto** 20000/22000.

Da Torre, Rua dos Jerónimos 8, ✉ 1400, ☎ (01) 363 62 62, *Fax (01) 364 59 95* – TV ☎ – 25/50. AE ⓓ E VISA JCB AQ
Refeição (ver rest. ***São Jerónimo***) – **50 qto** 13000/15500.

Berna sem rest, Av. António Serpa 13, ✉ 1050, ☎ (01) 793 67 6 *Telex 62516, Fax (01) 793 62 78* – TV ☎ – 25/180. AE ⓓ VISA. ✈ GR
240 qto 10000/12000.

Jorge V sem rest, Rua Mouzinho da Silveira 3, ✉ 1250, ☎ (01) 356 25 2 *Fax (01) 315 03 19* – TV ☎. AE ⓓ E VISA JCB. ✈ FT
49 qto 14000/16000.

Real Residência, Rua Ramalho Ortigão 41, ✉ 1070, ☎ (01) 382 29 0 *Fax (01) 382 29 30* – TV ☎ – 25/70. AE ⓓ E VI JCB. ✈ FR
Refeição 3600 – 1000 – **24 apartamentos** 28000 – PA 7000.

Flamingo, Rua Castilho 41, ✉ 1250, ☎ (01) 386 21 91, *Fax (01) 386 12 16* – TV ☎ FS
39 qto.

Comfort Príncipe, Av. Duque d'Ávila 201, ✉ 1050, ☎ (01) 353 61 5 *Fax (01) 353 43 14* – TV ☎ Ⓟ. AE ⓓ E VISA JCB. ✈ rest FR
Refeição lista 1950 a 3150 – **67 qto** 12650/14300.

Avenida Alameda sem rest, Av. Sidónio Pais 4, ✉ 1050, ☎ (01) 353 21 8 *Fax (01) 352 67 03* – TV ☎. E VISA FS
28 qto 8500/10000.

Ibis José Malhoa, Av. José Malhoa-Lote H, ✉ 1070, ☎ (01) 727 31 8 *Fax (01) 727 32 87* – TV ☎ ♿ – 25/100. AE ⓓ E VIS ✈ rest ER
Refeição lista 2000 a 3900 – 800 – **211 qto** 9100.

Nazareth sem rest, Av. António Augusto de Aguiar 25-4º, ✉ 1050, ☎ (01) 354 20 1 *Fax (01) 356 08 36* – TV ☎. AE ⓓ E VISA. ✈ FRS
32 qto 8500/10500.

XXX **Casa da Comida,** Travessa das Amoreiras 1, ✉ 1250, ☎ (01) 388 53 76, *Fax (01) 387 51 32,* « Patio com plantas » – ▤. AE ⓓ E VISA JCB. ❀ FT e
fechado sábado meio-dia e domingo – **Refeição** lista 5700 a 11200.

XXX **Pabe,** Rua Duque de Palmela 27-A, ✉ 1250, ☎ (01) 353 74 84, *Fax (01) 353 64 37,* « Pub inglês » – ▤. AE ⓓ E VISA. ❀ FS x
Refeição lista 5600 a 7700.

XXX **Conventual,** Praça das Flores 45, ✉ 1200, ☎ (01) 390 91 96, *Fax (01) 390 91 96* – ▤. AE ⓓ E VISA FT m
fechado sábado meio-dia, domingo, feriados meio-dia e 2ª feira meio-dia – **Refeição** lista 4100 a 6300.

XXX **São Jerónimo,** Rua dos Jerónimos 12, ✉ 1400, ☎ (01) 364 87 97, *Fax (01) 363 26 92,* « Decoração moderna » – ▤. AE ⓓ E VISA JCB. ❀ AQ e
Refeição lista 4950 a 6350.

XXX **Chester,** Rua Rodrigo da Fonseca 87-D, ✉ 1250, ☎ (01) 385 73 47, *Fax (01) 388 78 11* – ▤. AE ⓓ E VISA JCB. ❀ FS w
fechado sábado meio-dia e domingo – **Refeição** - carnes - lista 4200 a 6200.

XXX **T Clube,** Av. de Brasília, ✉ 1400, ☎ (01) 301 66 52, *Fax (01) 301 58 81* – ▤. AE ⓓ E VISA. ❀ AQ n
fechado domingo – **Refeição** lista 5250 a 11100.

XX **Quinta dos Frades,** Rua Luís Freitas Branco 5-D, ✉ 1600, ☎ (01) 759 89 80, *Fax (01) 758 67 18* – ▤ Ⓟ. AE ⓓ E VISA JCB. ❀ CN r
fechado domingo, feriados e agosto – **Refeição** lista aprox. 3800.

XX **Vela Latina,** Doca do Bom Sucesso, ✉ 1400, ☎ (01) 301 71 18, *Fax (01) 301 93 11,* « Agradável terraço com ≤ » – ▤. AE ⓓ E VISA. ❀ AQ x
fechado domingo – **Refeição** lista 4550 a 6100.

XX **Saraiva's,** Rua Engenheiro Canto Resende 3, ✉ 1050, ☎ (01) 354 06 09, *Fax (01) 353 19 87,* « Decoração moderna » – ▤. AE ⓓ E VISA JCB. ❀ FR v
fechado sábado e feriados – **Refeição** lista 3500 a 5650.

XX **Espelho d'Água,** Av. de Brasília, ✉ 1400, ☎ (01) 301 73 73, *Fax (01) 363 26 92,* ≤, 🏠, « Situado num pequeno lago artificial » – ▤. AE ⓓ E VISA JCB. ❀ AQ n
fechado sábado meio-dia e domingo – **Refeição** lista 5350 a 6650.

XX **Adega Tía Matilde,** Rua da Beneficência 77, ✉ 1600, ☎ (01) 797 21 72, *Fax (01) 793 90 00* – ▤. AE ⓓ E VISA. ❀ FR h
fechado sábado noite e domingo – **Refeição** lista 4000 a 6173.

XX **O Nobre,** Rua das Mercês 71, ✉ 1300, ☎ (01) 363 38 27, *Fax (01) 362 21 06* – ▤. E VISA. ❀ AQ r
fechado sábado meio-dia e domingo – **Refeição** lista 4840 a 6440.

XX **Gatsby,** Av. António Augusto de Aguiar 150-C, ✉ 1050, ☎ (01) 387 56 47, *Fax (01) 387 43 08* – ▤. AE ⓓ E VISA. ❀ FR r
Refeição lista aprox. 5500.

XX **O Mercado do Peixe,** Estrada do Casal Pedro Teixeira-Caramão da Ajuda, ✉ 1400, ☎ (01) 362 31 40, *Fax (01) 362 30 23* – ▤. AE ⓓ E VISA. ❀ AQ a
fechado domingo noite e 2ª feira – **Refeição** - peixes e mariscos - lista aprox. 8900.

XX **O Polícia,** Rua Marquês Sá da Bandeira 112, ✉ 1050, ☎ (01) 796 35 05, *Fax (01) 796 02 19* – ▤. AE E VISA. ❀ FR c
fechado sábado noite e domingo – **Refeição** lista 3450 a 4100.

XX **Papagaio da Serafina,** Parque Recreativo do Alto da Serafina-Monsanto, ✉ 1500, ☎ (01) 774 28 88, *Fax (01) 778 80 81,* ≤, 🏠, « Pavilhão moderno num belo parque » – ▤ Ⓟ. AE E VISA. ❀ ER f
Refeição lista 3800 a 5400.

X **Frei Papinhas,** Rua D. Francisco Manuel de Melo 32, ✉ 1070, ☎ (01) 385 87 57, *Fax (01) 383 14 59,* « Decoração rústica » – ▤. AE ⓓ E VISA JCB. ❀ FS r
Refeição lista 2500 a 5000.

X **Mãe d'Água,** Travessa das Amoreiras 10, ✉ 1250, ☎ (01) 388 28 20, *Fax (01) 387 12 66* – ▤. AE ⓓ E VISA. ❀ FT e
fechado sábado meio-dia e domingo – **Refeição** lista 4850 a 6850.

X **Solar dos Nunes,** Rua dos Lusíadas 68-72, ✉ 1300, ☎ (01) 364 73 59 – ▤. AE ⓓ E VISA. ❀ AQ t
fechado domingo e do 8 ao 22 de agosto – **Refeição** lista 3280 a 4480.

X **Coelho da Rocha,** Rua Coelho da Rocha 104-A, ✉ 1350, ☎ (01) 390 08 31 – ▤. AE E VISA. ❀ ET x
fechado domingo, feriados e agosto – **Refeição** lista 3000 a 6000.

X **Sua Excelência,** Rua do Conde 34, ✉ 1200, ☎ (01) 390 36 14, *Fax (01) 396 75 85* EU
▤. AE ⓓ E VISA JCB
fechado sábado meio-dia, domingo meio-dia, 4ª feira e setembro – **Refeição** lista 400 a 7000.

X **O Funil,** Av. Elias Garcia 82-A, ✉ 1050, ☎ (01) 796 60 07, *Fax (01) 793 30 51* – ▤. ⓓ GR
E VISA. ✱
fechado domingo noite e 2ª feira – **Refeição** lista 2250 a 4250.

X **Frei Contente,** Rua de São Marçal 94, ✉ 1200, ☎ (01) 347 59 22 – ▤. AE FT
VISA. ✱
fechado sábado meio-dia, domingo e agosto – **Refeição** lista 2800 3500.

X **Caseiro,** Rua de Belém 35, ✉ 1300, ☎ (01) 363 88 03, « Rest. típico » – ▤. AE ⓓ AQ
VISA JCB. ✱
fechado domingo e agosto – **Refeição** lista 4960 a 5760.

X **Delfim,** Rua Nova de São Mamede 25, ✉ 1250, ☎ (01) 383 05 32, *Fax (01) 383 05 3* FT
– ▤. AE ⓓ E VISA. ✱
fechado sábado – **Refeição** lista 4080 a 5760.

RESTAURANTES DE FADOS

XX **O Faia,** Rua da Barroca 56, ✉ 1200, ☎ (01) 342 67 42, *Fax (01) 342 19 23* – ▤. AE ⓓ JY
E VISA JCB. ✱
fechado domingo – **Refeição** - só jantar - lista 5300 a 8500.

XX **Sr. Vinho,** Rua do Meio-à-Lapa 18, ✉ 1200, ☎ (01) 397 74 56, *Fax (01) 395 20 72* – ▤ FU
ⓓ E VISA JCB. ✱
fechado domingo – **Refeição** - só jantar - lista 5980 a 8940.

XX **A Severa,** Rua das Gáveas 51, ✉ 1200, ☎ (01) 342 83 14, *Fax (01) 346 40 06* – ▤. JY
ⓓ E VISA JCB. ✱
fechado 5ª feira – **Refeição** lista 6300 a 9100.

X **Adega Machado,** Rua do Norte 91, ✉ 1200, ☎ (01) 322 46 40, *Fax (01) 346 75 0* JY
– ▤. AE ⓓ E VISA JCB. ✱
fechado 2ª feira – **Refeição** - só jantar - lista 5850 a 7600.

X **O Forcado,** Rua da Rosa 221, ✉ 1200, ☎ (01) 346 85 79, *Fax (01) 347 48 87* – ▤. JX
ⓓ E VISA JCB. ✱
fechado 4ª feira – **Refeição** - só jantar - lista 5400 a 8000.

Ver também : **Cascais** *por ④ : 30 km*
Estoril *por ④ : 28 km*
Queluz *por ⑤ : 12 km*
Sintra *por ⑤ : 28 km.*

MICHELIN, **Companhia Luso-Pneu, Lda.** Av. Severiano Falcão 6/6 A, Zona Industrial do Prior Velho, ✉ 2685 PRIOR VELHO por ①, ☎ (01) 940 49 00, Fax (01) 941 12 90

LOMBO DE BAIXO *Madeira – ver Madeira (Arquipélago da) : Faial.*

LOULÉ *8100 Faro* 940 U 5 – *19 398 h..*
Edifício do Castelo ☎ (089) 46 39 00.
Lisboa 299 – Faro 16.

Loulé Jardim H. sem rest, Praça Manuel de Arriaga ☎ (089) 41 30 9 *Fax (089) 46 31 77*, – ▤ TV ☎ – 25/100. AE ⓓ E VISA
52 qto ☕ 9000/11000.

Ibérica sem rest, Av. Marçal Pacheco 157 ☎ (089) 41 41 00 – TV ☎ P. ✱
54 qto ☕ 5500/8500.

X **O Avenida,** Av. José da Costa Mealha 13 ☎ (089) 46 21 06 – ▤. AE ⓓ
VISA. ✱
fechado domingo e novembro – **Refeição** lista aprox. 2500.

X **Bica Velha,** Rua Martin Moniz 17 ☎ (089) 46 33 76, *Fax (089) 46 33 76*, « Decoração rústica » – AE ⓓ E VISA. ✱
fechado domingo e do 11 ao 25 de novembro – **Refeição** lista 2970 3440.

na estrada de Quartos a Almancil *Sul : 4,5 km – ✉ 8100 Loulé :*

X **Jardim do Vale,** Vale Formoso ☎ (089) 39 34 44, *Fax (089) 39 37 84*, – ▤ P.
E VISA. ✱
fechado domingo e fevereiro – **Refeição** - só jantar - lista 3250 a 5690.

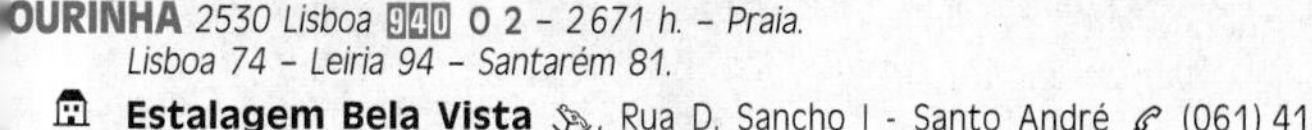

OURINHÃ *2530 Lisboa* 940 **O 2** *– 2 671 h. – Praia.*
Lisboa 74 – Leiria 94 – Santarém 81.

Estalagem Bela Vista, Rua D. Sancho I - Santo André (061) 41 41 61, *Fax (061) 41 41 38*, – .
Refeição 2500 – **31 qto** 11000/13000.

Figueiredo sem rest, Largo Mestre Anacleto Marcos da Silva (061) 42 25 37 –
18 qto 5000/6000.

OUSÃ *3200 Coimbra* 940 **L 5** *– alt. 200.*
Lisboa 212 – Coimbra 36 – Leiria 83.

Martinho sem rest, Rua Movimento das Forças Armadas (039) 99 13 97, *Fax (039) 99 43 35* – .
13 qto 3500/5800.

USO *Aveiro* 940 **K 4** *– 2 726 h. alt. 200 – 3050 Mealhada – Termas.*
Rua Emídio Navarro (031) 93 91 33 Fax (031) 93 91 33.
Lisboa 230 – Aveiro 44 – Coimbra 28 – Viseu 69.

Grande H. de Luso, (031) 93 04 50, *Fax (031) 93 03 50*, – – 25/205. AE E VISA.
Refeição 3250 – **143 qto** 13000/15800 – PA 6400.

Eden, Rua Emídio Navarro (031) 93 01 91, *Fax (031) 93 01 93* – – 25/150. AE E VISA. rest
Refeição 1900 – **57 qto** 7000/9000 – PA 3800.

IACEDO DE CAVALEIROS *5340 Bragança* 940 **H 9** *– 4 435 h. alt. 580.*
Lisboa 510 – Bragança 42 – Vila Real 101.

Estalagem do Caçador, Largo Manuel Pinto de Azevedo (078) 42 63 54, *Fax (078) 42 63 81*, – . AE VISA. rest
Refeição lista aprox. 3500 – **25 qto** 12000/16000.

Muchacho, Pereira Charula 29 (078) 42 16 40 – rest,
20 qto.

a estrada de Mirandela *Noroeste : 1,7 km – 5340 Macedo de Cavaleiros :*

Costa do Sol, (078) 42 63 75, *Fax (078) 42 63 76* – rest, . AE E VISA.
Refeição *(fechado 2ª feira)* 2200 – **30 qto** 4000/7000 – PA 4400.

IACHICO *Madeira – ver Madeira (Arquipélago da).*

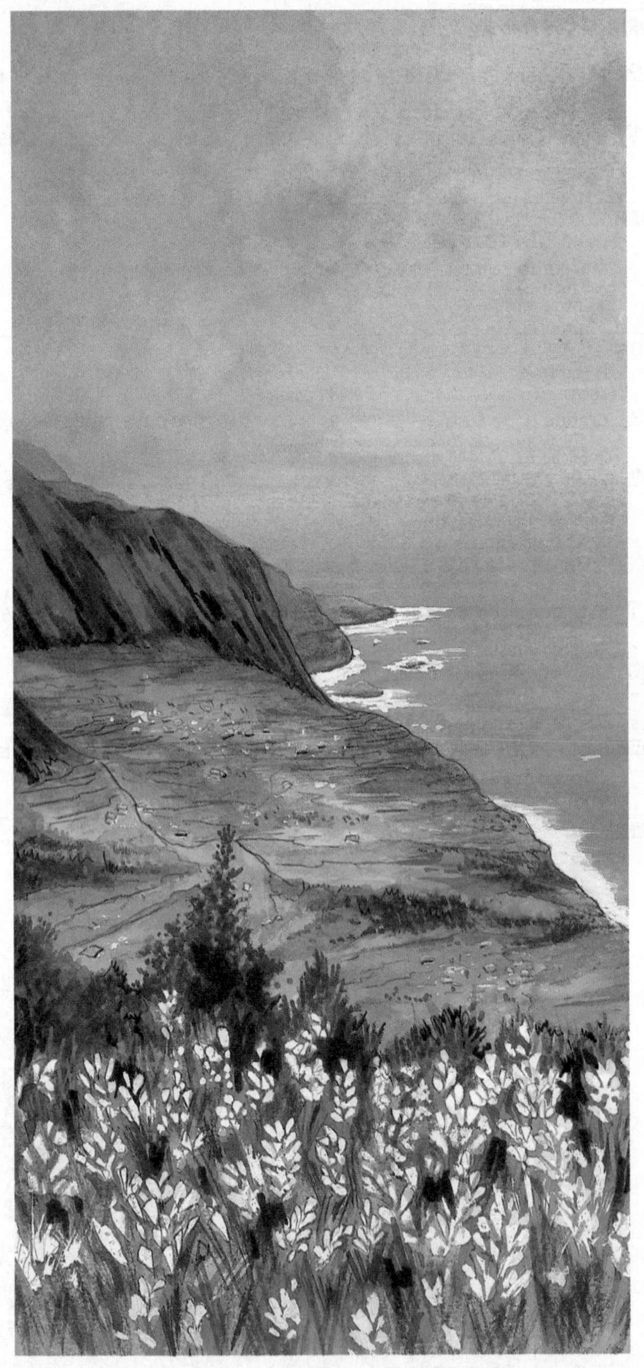

MADEIRA (Arquipélago da)★★★

940 – 255 427 h.

● *O arquipélago da Madeira, com uma superficie de 782 km², é composto de duas ilhas (Madeira e Porto Santo) e dois grupos de ilhotas inabitadas (ilhas Desertas e ilhas Salvagens).*

● *El archipiélago de Madeira, se extiende sobre una superficie de 782 km². Está formado por dos islas (Madeira y Porto Santo) y dos grupos de islotes deshabitados (las islas Desertas y las islas Salvagens).*

● *L'archipel de Madère qui s'étend sur une superficie de 782 km², est composé de deux îles (Madère et Porto Santo) et de deux groupes d'îlots inhabités (les îles Desertas et les îles Salvagens).*

● *L'arcipelago di Madera che si estende su una superficie di 782 kmq, è composto da due isole (Madera e Porto Santo) e da due gruppi di isolotti disabitati (le isole Desertas e le Salvagens).*

● *Die Inselgruppe von Madeira hat eine Fläche von 782 km². Sie besteht aus zwei Inseln (Madeira und Porto Santo) sowie zwei kleineren inseln die nicht bewohnt sind (Desertas und Salvagens).*

● *The islands of Madeira cover a total of 782 km², including two main islands (Madeira and Porto Santo) and two groups of uninhabited islets (Desertas and Salvagens).*

MADEIRA (Arquipélago da) ★★★ 940 - 255 427 h.

ver : Funchal e Vila Baleira.

para Madeira ver : Lisboa. Em Madeira ver : Funchal, Vila Baleira.

Caniçal 9206.

Funchal 34.

Estalagem Quinta do Lorde, Sítio da Piedade (091) 96 02 0... Fax (091) 96 02 02, ≤ cidade e Ponta de São Lourenço, – – 25/7... AE VISA.
Refeição lista aprox. 3800 – **9 qto** 20000/24000.

Caniço 9125 – 7 249 h.

Funchal 8.

Quinta Splendida, Sítio da Vargem (091) 93 04 00, Fax (091) 93 04 01, ≤, « Harmonioso conjunto em torno dum belo jardim com climatizada », – ... E VISA.
Refeição 4000 - ***La Perla*** *(só jantar)* **Refeição** lista 4300 a 7000 – 2000 – **109 apartamentos** 19000/25400, 6 suites – PA 8000.

A Lareira, Sítio da Vargem (091) 93 42 84 – –
17 qto.

em Caniço de Baixo *Sul : 2,5 km – ✉ 9125 Caniço :*

Oasis Atlantic, (091) 93 44 44, *Fax (091) 93 41 11*, ≤, climatizada – – 25/250. AE E VISA.
Atalaia *(só jantar, fechado 3ª feira)* **Refeição** lista aprox. 4400 - ***Acquamarina*** : **Refeição** 3900 – **55 qto** 12900/18000, 67 apartamentos.

Ondamar, (091) 93 45 66, *Fax (091) 93 45 55*, ≤, – . AE VISA.
Espetada (Carnes. só jantar, fechado 5ª feira) **Refeição** lista 2250 a 3020 – **51 q...** 8500/13500, 2 suites.

Tropical, (091) 93 49 91, *Fax (091) 93 49 93*, ≤, – . AE VISA.
Refeição (no Hotel ***Roca Mar***) – 1250 – **33 apartamentos** 14000.

Roca Mar, (091) 93 43 34, *Fax (091) 93 40 44*, ≤, , – . AE VISA.
Refeição 3200 – 1300 – **100 qto** 13000/17000 – PA 5500.

Galomar, (091) 93 44 10, *Fax (091) 93 45 55*, ≤, – . AE VISA.
O Galo *(fechado 2ª feira)* **Refeição** lista 2830 a 4330 – **45 qto** 650... 10100.

Studios Ondamar sem rest. com snack-bar, (091) 93 45 66, *Fax (091) 93 45 5...* ≤, – . AE E VISA.
42 apartamentos 8500/13250.

Jährlich eine neue Ausgabe, jährlich eine Ausgabe, die lohnt : jährlich für Sie !

Estreito de Câmara de Lobos 9325.

Funchal 9.

Santo António, (091) 91 03 60 – . AE E VISA.
Refeição lista aprox. 2500.

Faial – 2 622 h. – ✉ 9225 Porto da Cruz.

Arred. : *Santana★ (estrada ≤★) Noroeste : 8 km – Estrada do Porto da Cruz (≤★) Sudest... 8 km.*

Funchal 54.

em Lombo de Baixo *na estrada do Funchal - Sul : 2,5 km – ✉ 9225 Porto ... Cruz :*

Casa de Chá do Faial, Estrada do Funchal (091) 57 22 23, ≤ vale e montanha, – **Refeição** - só almoço -.

unchal *9000 – 99 244 h.*

Ver : ⩽★ *de ponta da angra* BZ **V**- *Sé★ (tecto★)* BZ – *Museu de Arte Sacra (colecção de quadros★)* BY **M1**- *Museu Frederico de Freitas★* BY – *Quinta das Cruzes★★* AY – *Largo do Campo Santo★* DZ – *Jardim Botánico★* ⩽★ Y.

Arred. : *Miradouro do Pináculo★★ 4 km por ② - Pico dos Barcelos★★ (✲★★) 3 km por ③ - Monte (localidade★) 5 km por ① – Quinta do Palheiro Ferreiro★★ 5 km por ② – Câmara de Lobos (local ★, estrada ⩽★) passeio pela levada do Norte★ - Cabo Girão★ 9 km por ③* X *– Eira do Serrado ✲★★★ (estrada ⩽★★, ⩽★) Noroeste : 13 km pela Rua Dr. Pita – Curral das Freiras (local★, ⩽★) Noroeste : 17 km pela Rua Dr. Pita.*

18 *Santo da Serra, 25 km por ② ☏ (091) 55 23 21 Fax (091) 55 23 67.*

✈ *do Funchal 23 km por ② - Direcção dos aeroportos da Madeira ☏ (091) 52 49 65 Fax (091) 524 32.*

⛴ *para Lisboa : E.N.M., Rua da Praia 45 ✉ 9000 ☏ (091) 23 01 95 Fax (091) 23 27 58 – para Porto Santo : Porto Santo Line ☏ (091) 22 65 11.*

Av. Arriaga 18 ☏ (091) 22 90 57 Fax (091) 23 21 51 – **A.C.P.** *Rua Dr. Antonio José de Almeida 17 ☏ (091) 22 36 59 Fax (091) 22 05 52.*

Planos páginas seguintes

Reid's Palace, Estrada Monumental 139 ☏ (091) 71 71 71, *Telex 72139, Fax (091) 71 71 77,* ⩽ baía do Funchal, « Magnífico jardim semi-tropical sob um promontório rochoso », climatizada, – AE JCB. X z
Les Faunes *(só jantar fechado domingo e 2ª feira)* **Refeição** lista 7800 a 9100 – **148 qto** 60000/89000, 21 suites.

Cliff Bay Resort H. , Estrada Monumental 147 ☏ (091) 707 07 07, *Telex 72232, Fax (091) 76 25 25,* ⩽, , climatizada, , – – 25/80. AE JCB. X c
Il Gallo D'Oro *(cozinha italiana, só jantar, fechado domingo)* **Refeição** lista 4750 a 5650
The Rose Garden *(só jantar)* **Refeição** lista 3950 a 4650 - ***Blue Lagoon*** *(só almoço)* **Refeição** lista 3500 a 4200 – **97 qto** 56200/69000, 4 suites.

Savoy, Av. do Infante ☏ (091) 22 20 31, *Fax (091) 22 31 03,* ⩽, , « Terraço com climatizada à beira-mar », , , – – 25/300. AE . X n
Grill Fleur de Lys *(só jantar)* **Refeição** lista 5900 a 7600 - ***Cúpula :*** **Refeição** lista 3600 a 5000 – **338 qto** 40000/65000, 12 suites.

Madeira Carlton H., Largo António Nobre ☏ (091) 23 95 00, *Fax (091) 22 33 77,* ⩽, , , climatizada, – – 25/450. AE . X s
Refeição 2950 - ***Taverna Grill*** *(só jantar)* **Refeição** lista 4680 a 7080 - ***Os Arcos*** *(só jantar)* **Refeição** lista 3150 a 3650 - ***Buffet Atlântico Pool :*** **Refeição** *(só almoço)* 2900 – **374 qto** 41000/62000.

Casino Park H., Av. do Infante ☏ (091) 23 31 11, *Telex 72118, Fax (091) 23 20 76,* ⩽ montanha, cidade e mar, « Jardim florido », , climatizada, – – 25/650. AE . rest AZ y
Chez Oscar *(fechado domingo e 2ª feira, só jantar)* **Refeição** lista 4950 a 6550 - ***Panorámico*** *(só jantar)* **Refeição** lista 3350 a 4300 - ***Coffee Shop*** *(só almoço)* **Refeição** lista 2750 a 4080 – **354 qto** 27000/41000, 20 suites.

Estalagem Quinta da Bela Vista , Caminho do Avista Navios 4 - 3 km ☏ (091) 76 41 44, *Fax (091) 76 50 90,* ⩽, « Quinta de fim do século XIX com belo jardin », climatizada, – . AE . por Rua Doctor Pita X
Refeição 5700 – **62 qto** 22850/30500, 5 suites.

Do Carmo, Travessa do Rego 10 ☏ (091) 22 90 01, *Telex 72447, Fax (091) 22 39 19,* – , rest, CY f
80 qto.

Madeira sem rest, Rua Ivens 21 ☏ (091) 23 00 71, *Fax (091) 22 90 71,* – – 25/70. AE . BZ z
53 qto 10500/11300.

Quinta da Penha de França sem rest. com snack-bar, Rua da Penha de França 2 ☏ (091) 22 90 87, *Fax (091) 22 92 61,* « Jardim », climatizada – . AE . – **40 qto** 18500. AZ e

Penha França Mar sem rest. com snack bar ao almoço, Rua Carvalho Araújo 1 ☏ (091) 22 90 87, *Fax (091) 22 92 61,* ⩽, – . AE . AZ b
33 qto 20500.

Estalagem Quinta Perestrello, Rua Dr. Pita 3 ☏ (091) 76 37 20, *Fax (091) 76 37 77,* ⩽, , – . AE . X d
Refeição - só jantar - 4000 – **30 qto** 29400.

Windsor sem rest. com snack-bar, Rua das Hortas 4-C, ✉ 9050, ☏ (091) 233 081, *Fax (091) 233 080,* – . CY r
67 qto 9500/11500.

FUNCHAL

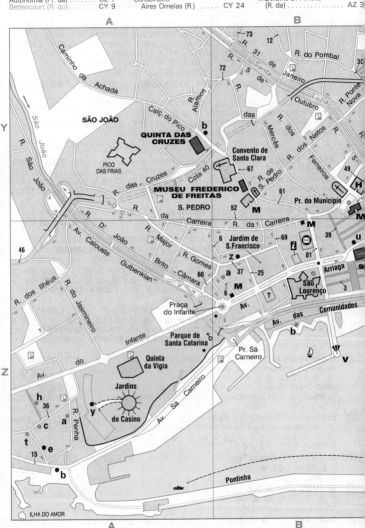

Santa Clara sem rest, Calçada do Pico 16-B ✆ (091) 74 21 94, *Fax (091) 74 32 8*
≤, « Antiga casa senhorial », 🏊, 🌳 – |♦| ☎. ✂ AY
15 qto ☕ 5500/7500.

Albergaria Catedral sem rest, Rua do Aljube 13 ✆ (091) 23 00 91, *Fax (091) 23 19*
– |♦| ☎. AE ⓓ E VISA. ✂ BZ
25 qto ☕ 6600/7500.

Casa das Hortas sem rest e sem ☕, Rua das Hortas 55, ✉ 9050, ✆ (091) 75 28 9
Fax (091) 23 21 87 – TV. ✂ CY
8 qto 4500/5500, 1 apartamento.

ns (R.) . . . . BZ 37
ão Tavira (R.) . . . . BZ 39
rino Coelho (R.) . . . . CZ 40
arêto (Caminho do) . . . . DZ 42
ravilhas (R. das) . . . . AZ 46
rquês do Funchal (R.) . . BY 49
guel Carvalho (R.) . . . . . . CY 51
Mouraria (R.) . . . . BY 52
Phelps (Largo do) . . . . CY 58
Ponte de S. Lázaro (R.) . . . AZ 60
Pretas (R. das) . . . . BY 61
Ribeirinho (R.) . . . . CY 63
Sabão (R. do) . . . . CZ 66
Santa Clara (Calç) . . . . BY 67
São Francisco
(R. de) . . . . BZ 69
Saúde (Calç.) . . . . BY 72
Til (R. do) . . . . BY 73
Visconde do Anadía
(Rua) . . . . CYZ 78
Zirco (Av.) . . . . BZ 81

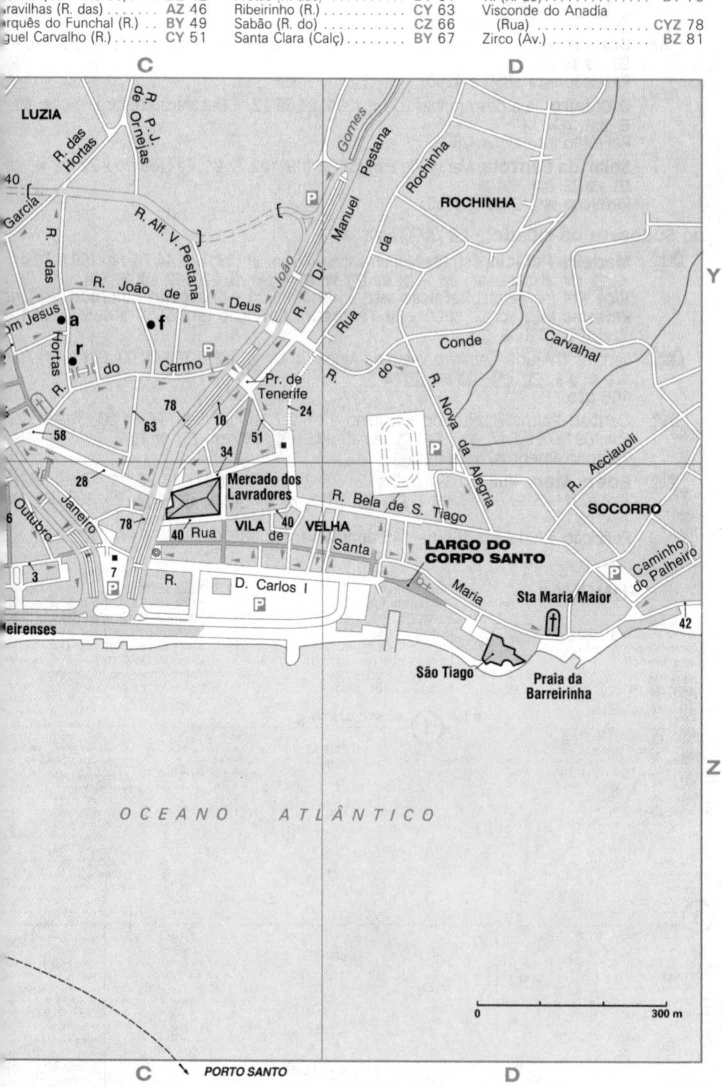

XXX **Quinta Palmeira,** Av. do Infante 5 ☎ (091) 22 18 14, *Fax (091) 22 29 13*, « Antiga quinta e terraço com plantas », – P. AE D E VISA. AZ h
Refeição lista 5650 a 6680.

XXX **Casa Velha,** Rua Imperatriz D. Amélia 69 ☎ (091) 20 56 00, *Fax (091) 22 25 04* – AE D E VISA. AZ a
Refeição lista 4000 a 4400.

XX Caravela, Rua das Comunidades Madeirenses 15 ☎ (091) 22 84 64, *Fax (091) 22 20 57*, ← CZ v

XX **Casa dos Reis,** Rua Imperatriz D. Amélia 101 ℘ (091) 22 51 82, *Fax (091) 23 88 18,* – ▤. AE ⓓ E VISA. ⛔ AZ
Refeição lista 3800 a 4550.

XX **Dona Amélia,** Rua Imperatriz D. Amélia 83 ℘ (091) 22 57 84, *Fax (091) 22 25 04* – AE ⓓ E VISA. ⛔ AZ
Refeição lista 3850 a 4200.

X **O Celeiro,** Rua dos Aranhas 22 ℘ (091) 23 06 22, « Decoração rústica » – ▤. AE E VISA JCB. ⛔ BZ
Refeição lista aprox. 2800.

X **Solar da Santola,** Marina do Funchal ℘ (091) 22 72 91, *Fax (091) 22 72 91,* ≤, AE ⓓ E VISA BZ
Refeição lista 2700 a 4650.

ao Sudoeste da cidade – ✉ *9000 Funchal :*

Madeira Palácio, Estrada Monumental - 4,5 km ℘ (091) 76 44 76, *Fax (091) 76 44* ≤, climatizada, – ▤ TV ☎ P – 25/220. AE ⓓ E VISA. ⛔
Vice Rei *(só jantar)* **Refeição** lista 5500 a 11600 - ***Cristovão Colombo*** *(só jant* **Refeição** lista aprox. 6000 - ***La Terrasse*** **: Refeição** lista 3550 a 4650 – **251 q**
31000/39000, 2 suites.

Jardins d'Ajuda, Caminho Velho da Ajuda - 4 km ℘ (091) 708 00 00, *Fax (091) 708 10,* ≤, – ▤ TV ☎
108 qto.

Carlton Palms H., Rua do Gorgulho 17 - 2,7 km ℘ (091) 76 61 00, *Telex 722 Fax (091) 76 62 47,* climatizada – ▤ rest, TV ☎ P
78 apartamentos, 11 suites.

Eden Mar, Rua do Gorgulho 2 - 2,7 Km ℘ (091) 76 22 21, *Telex 7267 Fax (091) 76 19 66,* ≤, – ▤ TV ☎ P – 25/120. AE ⓓ VISA. ⛔
Refeição 3700 – 1600 – **146 apartamentos** 18500/22000 – PA 7400.

FUNCHAL

Carne Azeda (R. da) . . . . V 12
Carvalho Araújo (R.) . . . . X 15
Casa Branca (Caminho da) . . . . X 18
Comboio (R. do) . . . . V 21
Dom João Abel de Freitas (Estr.) . . . V 27
Favila (R.) . . . . X 31
Gorgulho (R.) . . . . X 33
Lazarêto (Caminho do) . . . . X 42
Levada dos Barreiros (R.) . . X 43
Luís de Camões (Av.) . . . . . X 45
Maravilhas (R. das) . . . . X 46
Nova (Estr.) V
Palheiro (Caminho do) X
Pedro José Ornelas (R.) V
Rochinha (R. da) V
São Roque (Caminho de) . . V
V. Cacongo (Estr.) V
Velho da Ajuda (Caminho) . X
Voltas (Caminho das) V

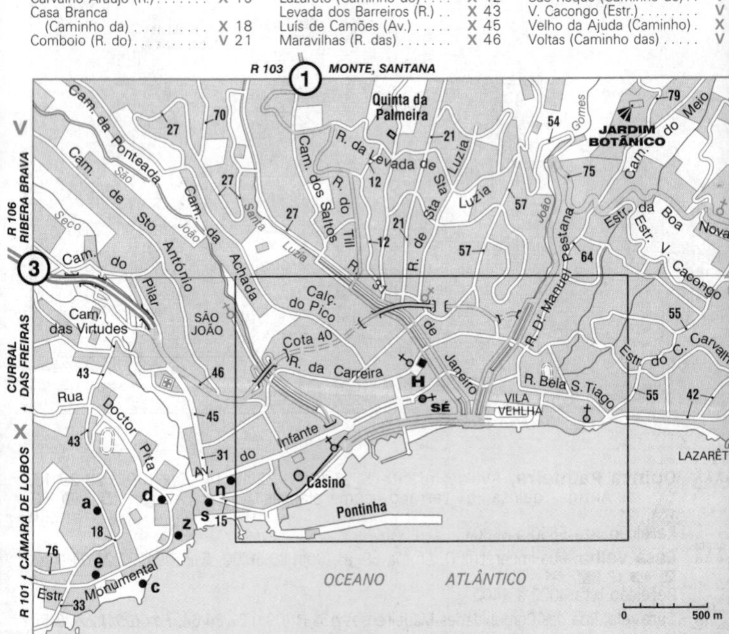

Vila Ramos ⊗, Azinhaga da Casa Branca 7 - 3 km ☎ (091) 76 41 81, *Telex 72168, Fax (091) 76 41 56*, ≤, climatizada, – ≡ TV ☎ P. AE ① E VISA.
Refeição 3600 – **116 qto** 9900/15500.

Monumental Lido, Estrada Monumental 284 - 2,7 km ☎ (091) 76 64 66, *Fax (091) 76 63 45*, ≤, climatizada – ≡ rest, TV ☎ – 25/200. AE ① E VISA.
Refeição 3000 – **201 qto** 19000/20000 – PA 6000.

Baía Azul, Estrada Monumental - 3,5 km ☎ (091) 76 62 60, *Fax (091) 76 42 45*, ≤, climatizada – ≡ TV ☎ – 25/400. AE ① E VISA.
Refeição 3500 – **215 qto** 27500/31000.

Atlantic Palms ⊗, Praia Formosa - 5,8 km ☎ (091) 700 10 00, *Fax (091) 76 16 95*, ≤, – TV ☎ P – 25/180. AE ① E VISA.
Refeição 4200 – **193 qto** 22000/25000, 13 suites – PA 8000.

Alto Lido, Estrada Monumental 316 - 3,3 km ☎ (091) 76 51 97, *Telex 72453, Fax (091) 76 59 50*, ≤, climatizada – ≡ rest, TV ☎ – 25/80
118 apartamentos.

Girassol, Estrada Monumental 256 - 2,5 km ☎ (091) 76 40 51, *Telex 72176, Fax (091) 76 54 41*, ≤, climatizada – ≡ rest, TV ☎ P X e
133 qto.

Atlantic Gardens ⊗ sem rest. com snack-bar, Praia Formosa - 5,8 km ☎ (091) 76 21 11, *Fax (091) 76 67 33*, ≤, climatizada – TV ☎ P. AE ① E VISA.
1400 – **51 apartamentos** 30000.

Do Mar, Quinta Calaça - Estrada Monumental : 3,5 km ☎ (091) 76 10 01, *Telex 72255, Fax (091) 76 21 92*, ≤ mar, climatizada – ☎ P. AE ① E VISA. rest
Refeição 3600 – **125 apartamentos** 15400/26000 – PA 7200.

n São Gonçalo *Este : 5 km – ✉ 9050 Funchal :*

Estalagem da Montanha, ☎ (091) 79 35 00, *Fax (091) 79 36 79*, ≤ mar e Funchal – TV P
10 qto. por Rua do Conde Carvalhal X

achico *9200 – 2 142 h.*

Arred. : *Miradouro Francisco Álvares da Nóbrega★ Sudoeste : 2 km – Santa Cruz (Igreja de S. Salvador★) Sul : 6 km.*
Forte do Amparo ☎ (091) 96 22 89.
Funchal 29.

Dom Pedro Baía, ☎ (091) 96 57 51, *Telex 72135, Fax (091) 96 68 89*, ≤ mar e montanha, climatizada, – ≡ rest, TV ☎ P. AE ① E VISA.
Refeição 2600 – **218 qto** 12500/18500.

co do Arieiro – ✉ *9006 Funchal.*

Ver : *Mirador★★.*
Excurs. : *Pico Ruivo★★ (✻★★) 3 h. a pé.*
Funchal 23.

Pousada do Pico do Arieiro ⊗, alt. 1 818 ☎ (091) 23 01 10, *Fax (091) 22 86 11*, ≤ montanhas e mar – ☎ P. AE ① E VISA.
Refeição 3500 – **25 qto** 12000/16000 – PA 7000.

oiso – *alt. 1 412 – ✉ 9050 Funchal.*

Funchal 15.

Casa de Abrigo do Poiso, Estrada Conde de Carvalhal 237 ☎ (091) 78 22 69 – P.

orto Moniz *9270 – 3 920 h..*

Ver : *Localidade★, escolhos★.*
Arred. : *Estrada de Santa ≤★ Sudoeste : 6 km – Seixal (local★) Sudeste : 10 km – Estrada escarpada★★ (≤★) de Porto Moniz a São Vicente, Sudeste : 18 km.*
Funchal 106.

Calhau ⊗ sem rest, ☎ (091) 85 31 04, *Fax (091) 85 34 43*, ≤ – ☎. E VISA
15 qto 6000/8000.

Cachalote, ☎ (091) 85 31 80, *Fax (091) 85 37 25*, ≤ – AE E VISA
Refeição - só almoço - lista 2600 a 3500.

Orca ⊗ com qto, ☎ (091) 85 00 00, *Fax (091) 85 00 19*, ≤ – TV ☎
12 qto.

Salgueiro ⊗ com qto, ☎ (091) 85 27 78, ≤
3 qto.

Ribeira Brava *9350 – 6 084 h.*
Funchal 30.

Valemar, Sítio do Muro (091) 95 25 63, *Fax (091) 95 11 66,* – E VISA.
Refeição 2000 – **20 apartamentos** 7500/11000 – PA 4000.

Santana *9230.*
Funchal 39.

O Colmo, Sítio do Serrano (091) 57 24 78, *Fax (091) 57 43 12,*
16 qto.

São Vicente *9240 – 4 374 h.*
Funchal 55.

Estalagem do Mar, Estrada da Ponte Delgada (091) 84 00
Fax (091) 84 00 19, – JCB.
Refeição 2800 – **80 qto** 9000/11000 – PA 5600.

Estalagem Praia Mar, Sítio do Calhău (091) 84 23 83, *Fax (091) 84 27 49* –
AE E VISA.
Refeição 1950 – **24 qto** 6000/8000 – PA 3600.

Quebra-Mar, Sítio do Calhău (091) 84 23 38, *Fax (091) 84 21 14,* – . AE
E VISA
Refeição lista 2400 a 3250.

Serra da Água – *1426 h.* – *9350 Ribeira Brava.*
Ver : *Sítio★.*
Funchal 39.

na estrada de São Vicente – *9350 Ribeira Brava :*

Pousada dos Vinháticos , Norte : 2,2 km (091) 95 23 44, *Fax (091) 95 25*
montanhas, –
21 qto.

Encumeada , Norte : 3,8 km (091) 95 12 82, *Fax (091) 95 12 81,* –
AE E VISA.
Refeição 1750 – **36 qto** 5000/7500 – PA 3500.

PORTO SANTO

Vila Baleira – *9400 Porto Santo – Praia.*
do Porto Santo 2 km (091) 98 23 79 Fax (091) 52 46 88.
para Funchal : Porto Santo Line (091) 22 65 11.
Av. Vieira de Castro (091) 98 23 61 (ext. 203) Fax (091) 98 35 62.

Torre Praia Suite H. , Rua Goulart Medeiros (091) 98 52
Telex 72389, Fax (091) 98 24 87, mar e montanha, – . AE
E
VISA.
Refeição 3000 – **62 qto** 18000/20000, 3 suites – PA 5400.

Praia Dourada, Rua D. Estêvão (d'Alencastre) (091) 98 23 15, *Telex 723*
Fax (091) 98 23 15, – . AE E VISA.
Refeição (no Hotel ***Torre Praia Suite H.***) – **110 qto** 12000/13500.

Central sem rest, Rua Abel Magno Vasconcelos (091) 98 22 26, *Fax (091) 98 34*
–
38 qto, 4 suites.

ao Sudoeste :

Porto Santo , 2 km (091) 98 23 81, *Fax (091) 98 26 11,*
. AE E VISA.
Refeição 4200 – **97 qto** 18600/24100 – PA 7700.

Luamar Suite H. sem rest, Cabeço da ponta - 5,5 km (091) 98 41
Fax (091) 98 31 00, – . AE E VISA.
75 qto 17500.

MAFRA *2640 Lisboa 940 P 1 – 13 334 h. alt. 250.*

Ver : *Palácio e Convento de Mafra★★ : basílica★★ (zimbório★), palácio e convento (biblioteca★).*

Av. 25 de Abril (061) 81 20 23 Fax (061) 521 04.

Lisboa 40 – Sintra 23.

Castelão, Av. 25 de Abril (061) 81 20 50, *Fax (061) 516 98* – rest, – 25/300. AE E VISA.

Refeição lista 3150 a 4450 – **35 qto** 11500/13500.

MAIA *4470 Porto 940 I 4 – 6 734 h.*

Lisboa 314 – Braga 44 – Porto 11 – Vila Real 98.

em Pedras Rubras *Noroeste : 6 km – 4470 Maia :*

Aeroporto sem rest, Rua Pedras Rubras 157 (02) 942 80 81, *Fax (02) 941 77 15* –

26 qto.

MALVEIRA DA SERRA *Lisboa 940 P 1 – 2750 Cascais.*

Lisboa 37 – Sintra 13.

Adega do Zé Manel, Estrada de Alcabideche (01) 487 06 38, « Decoração rústica » – . AE E VISA.

fechado 3ª feira, do 15 ao 31 de junho e do 3 ao 18 de novembro – **Refeição** lista 4600 a 5300.

Quinta do Farta Pão, Estrada de Cascais N 9-1, Sul : 1,7 km (01) 487 05 68, « Rest. típico. Decoração rústica » – . AE E VISA JCB.

fechado 2ª feira e 15 dias em novembro – **Refeição** lista 3100 a 4800.

O Camponês, (01) 487 01 16, « Rest. típico. Decoração rústica » – AE E VISA.

fechado 2ª feira e junho – **Refeição** lista aprox. 3500.

MANGUALDE *3530 Viseu 940 K 6 – 5 113 h. alt. 545.*

(032) 62 32 22.

Lisboa 317 – Guarda 67 – Viseu 18.

Estalagem Casa d'Azurara, Rua Nova 78 (032) 61 20 10, *Fax (032) 62 25 75,* « Antiga casa solarenga », – . AE E VISA.

Refeição lista 4100 a 4600 – **15 qto** 17000/19500.

Estalagem Cruz da Mata, Estrada N 16 (032) 61 95 60, *Fax (032) 61 27 22,* , – – 25/150. AE E VISA.

Refeição lista 2300 a 3500 – **28 qto** 8500/10500.

pela estrada N 16 *Este : 2,8 km – 3530 Mangualde :*

Senhora do Castelo , Monte da Senhora do Castelo (032) 61 16 08, *Fax (032) 62 38 77,* Serras da Estrela e Caramulo, , , – – 25/150. AE E VISA.

Refeição lista 2450 a 3350 – **83 qto** 8500/11000, 4 suites.

MANTEIGAS *6260 Guarda 940 K 7 – 3 428 h. alt. 775 – Termas – Desportos de Inverno na Serra da Estrela : 3.*

Arred. : *Poço do Inferno★ (cascata★) Sul : 9 km – Sul : Vale glaciário do Zêzere★★, ★.*

Rua Dr. Esteves de Carvalho (075) 98 11 29.

Lisboa 355 – Guarda 49.

pela estrada das Caldas *Sul : 2 km e desvio a esquerda 1,5 km – 6260 Manteigas :*

Albergaria Berne , Santo António (075) 98 13 51, *Fax (075) 98 21 14,* , , – , rest, . AE E VISA.

fechado 20 setembro-5 outubro – **Refeição** 2300 – **17 qto** 6000/7000.

na estrada de Gouveia *Norte : 13 km – 6260 Manteigas :*

Pousada de São Lourenço , (075) 98 24 50, *Fax (075) 98 24 53,* vale e montanha – rest, . AE E VISA.

Refeição 3650 – **22 qto** 22600/24600.

MARCO DE CANAVESES *4630 Porto 940 I 5 – 46 131 h.*

Alameda Dr. Miranda da Rocha (055) 53 41 01 Fax (055) 53 40 32.

Lisboa 383 – Braga 72 – Porto 53 – Vila Real 83.

Marco sem rest, Rua Dr. Sá Carneiro 236 (055) 52 20 93 – .

19 qto 5000/7000.

MARINHA GRANDE *2430 Leiria* 940 **M 3** – *25 504 h. alt. 70 – Praia em São Pedro de Mo*

Rua Dr. José Henrique Vareda (044) 56 66 44.

Lisboa 143 – Leiria 12 – Porto 199.

Cristal, Estrada de Leiria (Embra) (044) 56 01 00, *Fax (044) 56 00 65* – – 25/100. AE E VISA JCB. rest

Refeição 2200 – **60 qto** 8300/11500.

Paris sem rest, Av. do Vidreiro 13 (044) 56 98 21, *Fax (044) 56 98 48* – . AE E VISA

25 qto 6000/10000.

MARRAZES *Leiria – ver Leiria.*

MARVÃO *7330 Portalegre* 940 **N 7** – *309 h. alt. 865.*

Ver : *Sítio★★ – A Vila★ (balaustradas★) – Castelo★ (★★) : aljibe★.*

Estrada N 246-1, Sudoeste : 8 km (045) 937 55.

Largo de Santa Maria (045) 931 04 Fax (045) 935 26.

Lisboa 226 – Cáceres 127 – Portalegre 22.

Pousada de Santa Maria , (045) 932 01, *Fax (045) 934 40*, , « Decoraç regional » – . AE E VISA.

Refeição lista 4100 a 4800 – **28 qto** 23100/24600, 1 suite.

Dom Dinis sem rest, Rua Dr. Matos Magalhães (045) 99 32 36, *Fax (045) 99 32* – . AE E VISA

9 qto 7500/9000.

MATOSINHOS *Porto – ver Porto.*

MEALHADA *3050 Aveiro* 940 **K 4** – *5 239 h. alt. 60.*

Lisboa 221 – Aveiro 35 – Coimbra 19.

na estrada N 1 *Norte : 1,5 km – 3050 Mealhada :*

Quinta dos 3 Pinheiros, (031) 20 23 91, *Fax (031) 20 34 17*, – – 25/250. AE E VISA.

Refeição 3000 – **60 qto** 10800/12800 – PA 6000.

Pedro dos Leitões, (031) 20 20 62, *Fax (031) 20 37 45* –

Refeição - leitão assado -.

MIRA *3070 Coimbra* 940 **K 3** – *4 563 h. – Praia.*

Arred. : *Varziela : Capela (retábulo★) Sudeste : 11 km.*

Lisboa 221 – Coimbra 38 – Leiria 90.

Canhota, Rua Dr. Antonio José Almeida 104 (031) 48 05 80, *Fax (031) 45 12 86*, – – 25/200.

Refeição lista aprox. 2100 – **16 qto** 6000/7000.

na praia *Noroeste : 7 km – 3070 Mira :*

Sra. da Conceição sem rest, Av. Cidade Coimbra (031) 47 16 45 – E VISA

23 qto 7500/9000.

Do Mar sem rest, Av. do Mar (031) 47 11 44, *Fax (031) 47 11 44*, – E VISA

fechado 15 janeiro-15 fevereiro – **14 qto** 9000/10500.

MIRANDA DO DOURO *5210 Bragança* 940 **H 11** – *1 841 h. alt. 675.*

Ver : *Sé (retábulos★).*

Arred. : *Barragem de Miranda do Douro★ Este : 3 km – Barragem de Picote★ Sudoest 27 km.*

Largo Menino Jesus da Cartolinha (073) 43 11 32.

Lisboa 524 – Bragança 85.

Pousada de Santa Catarina , (073) 43 12 55, *Fax (073) 43 10 65*, – . AE E VISA JCB.

Refeição lista aprox. 3950 – **9 qto** 14500/16000, 3 suites.

Turismo sem rest, Rua 1º de Maio 5 (073) 43 80 30, *Fax (073) 43 13 35* – . AE E VISA JCB

29 qto 7000/9000.

IRANDELA *5370 Bragança* 940 **H 8** – *7 862 h.*

Praça do Mercado ✆ *(078) 268 02 72.*

Lisboa 475 – Bragança 67 – Vila Real 71.

Grande H. Dom Dinis, Av. Nossa Senhora do Amparo ✆ (078) 26 01 00, *Fax (078) 26 01 01,* ← – 25/250. AE E VISA.
Refeição 2500 – **130 qto** 12000/15000.

Miratua sem rest, Rua da República 42 ✆ (078) 268 01 40, *Fax (078) 268 01 43* – . AE E VISA.
30 qto 4700/7900.

Globo, Rua Cidade de Ortez 35 ✆ (078) 24 82 10, *Fax (078) 24 88 71* –
40 qto.

a estrada N 15 *Noreste : 1,3 km* – ✉ *5370 Mirandela :*

Jorge V sem rest, Av. das Comunidades Europeias ✆ (078) 26 58 26, *Fax (078) 26 59 26* – . AE E.
32 qto 4500/6500.

OGADOURO *5200 Bragança* 940 **H 9** – *2 648 h.*

Lisboa 471 – Bragança 94 – Guarda 145 – Vila Real 153 – Zamora 97.

A Lareira com qto, Av. Nossa Senhora do Caminho 58 ✆ (079) 34 23 63 – rest,
fechado janeiro – Refeição *(fechado 2ª feira)* lista 2100 a 3250 – **10 qto** 3000/6000.

ONÇÃO *4950 Viana do Castelo* 940 **F 4** – *2 687 h. – Termas.*

Praça Deu-La-Deu ✆ *(051) 65 27 57 Fax (051) 65 27 57.*

Lisboa 451 – Braga 71 – Viana do Castelo 69 – Vigo 48.

Albergaria Atlântico sem rest, Rua General Pimenta de Castro 15 ✆ (051) 65 23 55, *Fax (051) 65 23 76* – . AE E VISA.
16 qto 8000/12000.

Mané sem rest, Rua General Pimenta de Castro 5 ✆ (051) 65 24 90, *Fax (051) 65 23 76* – . AE E VISA.
8 qto 6500/9000.

Esteves sem rest e sem , Rua General Pimenta de Castro ✆ (051) 65 23 86 – .
fechado novembro – **22 qto** 5000/5500.

ONCHIQUE *8550 Faro* 940 **U 4** – *2 540 h. alt. 458 – Termas.*

Arred. : *Estrada★ de Monchique à Fóia ←★, Monte Fóia★ ←★.*

Lisboa 260 – Faro 86 – Lagos 42.

Albergaria Bica-Boa com qto, Estrada de Lisboa 266 ✆ (082) 91 22 71, *Fax (082) 91 23 60,* – AE VISA.
Refeição lista aprox. 3450 – **4 qto** 11500.

a estrada da Fóia – ✉ *8550 Monchique :*

Estalagem Abrigo da Montanha , Sudoeste : 2 km ✆ (082) 91 21 31, *Fax (082) 91 36 60,* ← vale, montanha e mar, , « Terraços floridos », – . AE E VISA JCB.
Refeição 3000 – **5 qto** 13000, 5 suites – PA 6000.

Quinta de São Bento com qto, Sudoeste : 5 km ✆ (082) 91 21 43, *Fax (082) 91 21 43,* ←, , , –
5 qto, 1 apartamento.

as Caldas de Monchique *Sul : 6,5 km* – ✉ *8550 Monchique :*

Albergaria do Lageado , ✆ (082) 91 26 16, *Fax (082) 91 13 10,* , de água termal – .
maio-outubro – **Refeição** 2000 – **20 qto** 6000/8000.

ONDIM DE BASTO *4880 Vila Real* 940 **H 6** – *3 165 h.*

Lisboa 404 – Amarante 35 – Braga 66 – Porto 96 – Vila Real 45.

ela estrada de Vila Real *Sul : 2,5 km* – ✉ *4880 Mondin de Basto :*

Quinta do Fundo , Vilar de Viando ✆ (055) 38 12 91, *Fax (055) 38 20 17,* , « Quinta agrícola com adegas próprias », , – .
Refeição 3000 – **5 qto** 8500/9500, 2 suites – PA 6000.

MONFORTINHO (Termas de) *6060 Castelo Branco* 940 **L 9** - *879 h. alt. 473 - Term.*
Av. Conde da Covilhã - Edifício das Piscinas Municipais *(077) 442 23 Fax (077) 442 2*
Lisboa 310 - Castelo Branco 70 - Santarém 229.

Astória, (077) 43 04 00, *Fax (077) 43 04 09*, - 25/150. *VISA*.
Refeição 2500 - **83 qto** 11000/15500 - PA 5000.

Fonte Santa, (077) 43 03 00, *Fax (077) 443 43*, « Num parque », -
VISA.
Refeição 2500 - **47 qto** 11000/15500 - PA 5000.

Portuguesa, (077) 43 42 18, -
maio-outubro - **Refeição** 1750 - **63 qto** 4000/6000 - PA 3500.

MONSANTO *Castelo Branco* 940 **L 8** - *alt. 758 - 6085 Medelim.*
Ver : *Aldeia**, *Castelo* : **.
Madrid 328 - Castelo Branco 73 - Ciudad Rodrigo 132 - Guarda 90.

Pousada de Monsanto, Rua da Capela 1 (077) 31 44 71, *Fax (077) 31 44 81*,
-
10 qto.

MONSARAZ *Évora* 940 **Q 7** - *1 182 h. alt. 342 - 7200 Reguengos de Monsaraz.*
Lisboa 191 - Badajoz 96 - Évora 59 - Portalegre 144 - Setúbal 159.

ao Sul : *2,5 km*

Horta da Moura, apartado 64 (066) 55 01 00, *Fax (66) 55 01 08*, « Nu
estilo regional alentejano em pleno campo », - - 25/180.
VISA. rest
Refeição 3000 - **24 qto** 15000/17000, 1 apartamento.

MONTARGIL *7425 Portalegre* 940 **O 5** - *4 587 h.*
Lisboa 131 - Portalegre 104 - Santarém 72.

Barragem, Estrada N 2 (042) 941 75, *Fax (042) 942 55*, barragem,
\- - 25/180. *VISA*.
Refeição 2500 - ***A Panela*** : **Refeição** lista 2450 a 3800 - **18 qto** 12000/1400
3 suites - PA 5000.

MONTE DO FARO *Viana do Castelo - ver Valença do Minho.*

MONTE ESTORIL *Lisboa - ver Estoril.*

MONTE GORDO *Faro - ver Vila Real de Santo António.*

MONTE REAL *2425 Leiria* 940 **M 3** - *2 549 h. alt. 50 - Termas.*
Parque Municipal *(044) 61 21 67.*
Lisboa 147 - Leiria 16 - Santarém 97.

D. Afonso, Rua Dr. Oliveira Salazar (044) 61 12 38, *Fax (044) 61 13 22*, -
rest, - 25/600. *VISA*.
fechado janeiro-fevereiro - **Refeição** 2300 - **74 qto** 9250/10250 - PA 4600.

Flora, Rua Duarte Pacheco (044) 61 21 21, *Fax (044) 81 50 99* - .
VISA.
abril-outubro - **Refeição** 2500 - **35 qto** 6000/8000 - PA 5000.

Santa Rita, Rua de Leiria (044) 61 21 47, *Fax (044) 61 21 72*, - .
abril-outubro - **Refeição** 2000 - **42 qto** 7000/9000.

Colmeia, Estrada da Base Aérea 5 (044) 61 25 33, *Fax (044) 61 19 30* - , res
.
maio-outubro - **Refeição** 1800 - **46 qto** 6000/7500 - PA 3300.

em Ortigosa *na estrada N 109 - Sudeste : 4 km - 2425 Monte Real* :

Saloon, (044) 61 34 38, *Fax (044) 61 34 38*, « Rest. típico. Decoração rústica
\- . *VISA*.
Refeição lista 3300 a 4500.

MONTE - SÃO PEDRO DA TORRE *Viana do Castelo - ver Valença do Minho.*

ONTECHORO *Faro - ver Albufeira.*

ONTEMOR-O-NOVO *7050 Évora* 940 Q 5 - *6 660 h. alt. 240.*

Lisboa 112 - Badajoz 129 - Évora 30.

Sampaio, Rua Bento Gonçalves 2 ℘ (066) 822 37, *Fax (066) 801 95,* « Decoração rústica regional » - ▤. AE ① E VISA. ✻
fechado 2ª feira noite e 3ª feira - **Refeição** lista 2600 a 4000.

Bar Alentejano, Av. Sacadura Cabral 25 ℘ (066) 822 24 - ▤. AE E VISA. ✻
fechado domingo noite, 2ª feira e 15 agosto-setembro - **Refeição** lista 3450 a 4650.

O Bacalhau, Av. Gago Coutinho 17 ℘ (066) 806 03, *Fax (066) 89 15 06* - ▤. AE ① E VISA. ✻
fechado 4ª feira - Refeição lista 2500 a 3800.

ONTEMOR-O-VELHO *3140 Coimbra* 940 L 3 - *2 355 h.*

Ver : *Castelo★ (✻★).*

Lisboa 206 - Aveiro 61 - Coimbra 29 - Figueira da Foz 16 - Leiria 77.

Abade João, Rua dos Combatentes da Grande Guerra 15 ℘ (039) 68 94 58, *Fax (039) 68 94 68,* ← - |‡| TV ☎ P. ① E VISA. ✻
Refeição *(fechado domingo)* 1700 - ▭ 500 - **14 qto** 5500/8000 - PA 3250.

Ramalhão, Rua Tenente Valadim 24 ℘ (039) 68 94 35, « Decoracão rústica » - AE E VISA. ✻
fechado domingo noite, 2ª feira e outubro - **Refeição** lista 3650 a 4550
Espec. Ensopado de enguias. Açorda de bacalhau com linguas do mesmo panadinhas. Pernil de porco assado no forno.

ONTIJO *2870 Setúbal* 940 P 3 - *20 399 h.*

Lisboa 54 - Setúbal 24 - Vendas Novas 45.

Sol Inn Montijo Parque H., Av. João XXIII-193 ℘ (01) 231 33 74, *Fax (01) 231 52 61* - |‡| ▤ TV ☎ ♿ ⇔ - 🏛 25/180. AE ① E VISA JCB. ✻
Refeição 2500 - **84 qto** ▭ 10350/12150 - PA 4700.

AZARÉ *2450 Leiria* 940 N 2 - *13 162 h. - Praia.*

Ver : *Sítio★★ - O Sítio* ←★ B- *Farol : sítio marinho★★.*

Av. da República ℘ (062) 56 11 94 Fax (062) 550 10 49.

Lisboa 123 ② - Coimbra 103 ① - Leiria 32 ①

Plano página seguinte

Praia, Av. Vieira Guimarães 39 ℘ (062) 56 14 23, *Fax (062) 56 14 36* - |‡| ▤ TV ☎ ⇔. AE ① E VISA JCB A f
Refeição 2000 - **40 qto** ▭ 17100/21000 - PA 4000.

Da Nazaré, Largo Afonso Zuquete ℘ (062) 56 13 11, *Fax (062) 56 12 38,* ← - |‡| ▤ TV ☎. AE ① E VISA JCB. ✻ rest A z
fechado janeiro - **Refeição** 2000 - **52 qto** ▭ 12620/13130 - PA 4000.

Maré, Rua Mouzinho de Albuquerque 8 ℘ (062) 56 12 26, *Fax (062) 56 17 50* - |‡| TV ☎. AE ① E VISA. ✻ A r
Refeição 1900 - **36 qto** ▭ 13700/15900 - PA 3800.

Miramar sem rest, Rua Abel da Silva 36 - Pederneira ℘ (062) 56 13 33, *Fax (062) 56 17 34,* ⛱ - TV ☎ ⇔. AE E VISA. ✻ B t
fechado 15 dias em outubro - **18 qto** ▭ 10660/18540, 4 apartamentos.

Dom Fuas, Av. Manuel Remigio ℘ (062) 56 13 51, *Fax (062) 56 15 00,* ← - |‡| TV ☎ P. AE ① E VISA JCB. ✻ B b
Refeição 2350 - **32 qto** ▭ 10000/14000.

Ribamar, Rua Gomes Freire 9 ℘ (062) 55 11 58, *Fax (062) 56 22 24,* ←, « Decoração regional » - TV. AE ① E VISA. ✻ A b
fechado do 15 ao 25 de dezembro - **Refeição** lista aprox. 3700 - **25 qto** ▭ 12000/18000.

A Cubata sem rest, Av. da República 6 ℘ (062) 56 17 06, *Fax (062) 56 17 00* - TV ☎. AE E VISA A n
22 qto ▭ 10000/12500.

NAZARÉ

Abel da Silva (Rua) . . . . B 3
Açougue (Trav. do) . . . . A 4
Adrião Batalha (Rua) . . . . . . A 6
Azevedo e Sousa (Rua) . . . . . B 7
Carvalho Laranjo (Rua) . . . . A 9
Dom F. Roupinho (Rua) . . . . . B 10
Dr Rui Rosa (Rua) . . . . A 12
Gil Vicente (Rua) . . . . A 13
M. de Albuquerque (Rua) . . . . A 15
M. de Arriaga (Praça) . . . . . A 16
República (Avenida da) . . . . A
Sousa Oliveira (Praça) . . . . . A 18
Sub-Vila (Rua) . . . . A
Vieira Guimarães (Avenida) . . . . A
28 de Maio (Rua) . . . . B 19

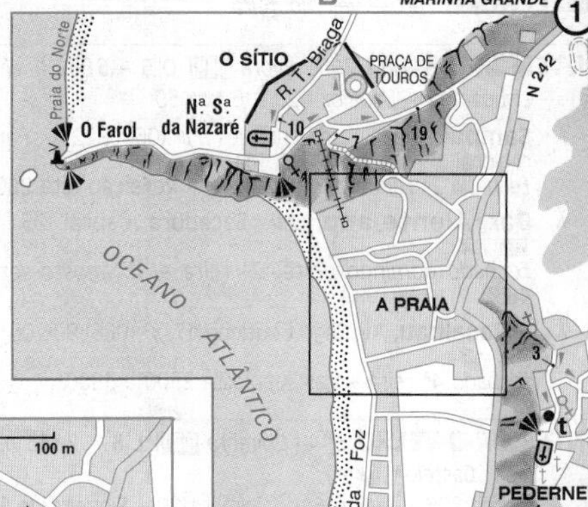

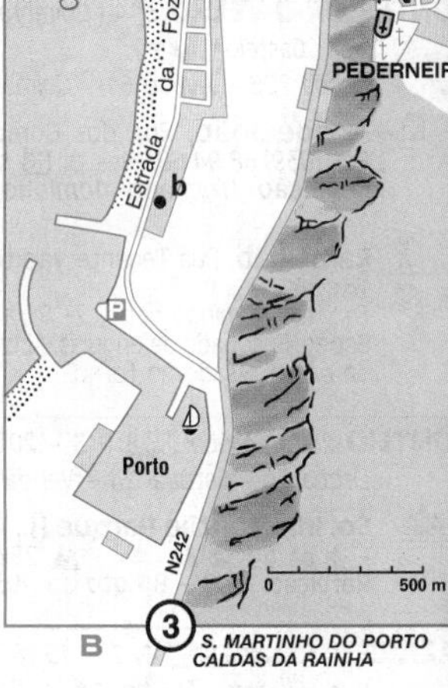

XX **Mar Bravo** com qto, Praça Sousa Oliveira 67-A ☎ (062) 55 11 80, *Fax (062) 55 39 79*, – ☎ A
Refeição (peixes e mariscos) – **16 qto.**

X **Beira Mar** com qto, Av. da República 40 ☎ (062) 56 13 58 – TV. AE ⓓ E VISA JCB A
março-novembro – **Refeição** lista 1950 a 3340 – **15 qto** ☕ 9000/12000.

NELAS *3520 Viseu* 940 K 6 – *3 453 h.*
Largo Dr. Veiga Simão ☎ (032) 94 43 48.
Lisboa 277 – Coimbra 81 – Viseu 19.

XX **Os Antónios,** Largo Vasco da Gama ☎ (032) 94 95 15, *Fax (032) 94 94 91* – . AE
E VISA.
Refeição lista 3150 a 3900.

em Canas de Senhorim *na estrada N 234 - Sudoeste : 4 km* – ✉ *3525 Nelas :*

Urgeiriça, ☎ (032) 67 12 67, *Fax (032) 67 13 28*, Num pinhal, « Decoraç elegante », – ☎ – 25/100. ⓓ E VISA.
Refeição 3200 – **83 qto** ☕ 12500/15000, 2 suites, 4 apartamentos – PA 5500.

ÓBIDOS *2510 Leiria* 940 N 2 – *825 h. alt. 75.*
Ver : *A Cidadela medieval★★ (Rua Direita★, Praça de Santa Maria★, Igreja de Santa Mar Túmulo★) - Murallas★★ (≤★).*
Rua Direita ☎ (062) 95 92 31 Fax (062) 95 50 14.
Lisboa 92 – Leiria 66 – Santarém 56.

Pousada do Castelo, Paço Real ☎ (062) 95 91 05, *Fax (062) 95 91 48*, « Be instalações nas muralhas do castelo. Mobiliário de estilo » – TV ☎. AE ⓓ
VISA.
Refeição lista 4550 a 6050 – **9 qto** ☕ 32000/34000.

Estalagem do Convento ⑤, Rua D. João d'Ornelas ✆ (062) 95 92 16, *Telex 44906, Fax (062) 95 91 59,* « Decoração estilo antigo » – ☎. AE E VISA JCB. ✻
Refeição *(fechado domingo)* - só jantar - 3200 – **31 qto** ☐ 13500/15800.

Albergaria Josefa d'Óbidos, Rua D. João d'Ornelas ✆ (062) 95 92 28, *Fax (062) 95 95 33* – |♦| ▤ TV ☎. AE ◑ E VISA JCB. ✻
Refeição *(fechado janeiro)* 2400 – **36 qto** ☐ 10000/12000 – PA 4800.

Albergaria Rainha Santa Isabel ⑤ sem rest, Rua Direita ✆ (062) 95 93 23, *Fax (062) 95 91 15* – |♦| ▤ TV – ♟ 25/60. AE ◑ E VISA JCB. ✻
20 qto ☐ 11750/13250.

A Ilustre Casa de Ramiro, Rua Porta do Vale ✆ (062) 95 91 94 – ▤. AE ◑ E VISA. ✻
fechado 5ª feira e 4 janeiro-5 fevereiro – **Refeição** lista 4400 a 5500.

Alcaide, Rua Direita ✆ (062) 95 92 20, *Fax (062) 95 92 20,* ≤, ☂ – AE ◑ E VISA
fechado 2ª feira e novembro – **Refeição** lista 3200 a 4150.

na estrada de Caldas da Rainha – ✉ *2510 Óbidos :*

Mansão da Torre ⑤, Nordeste : 2,5 km ✆ (062) 95 92 47, *Fax (062) 95 90 51,* ⛱, ⛳, ✻ – |♦| ▤ TV ☎ P – ♟ 25/40. AE ◑ E VISA. ✻ rest
Refeição 2500 – **41 qto** ☐ 10500/13500 – PA 5000.

D. João V, Largo da Igreja do Senhor da Pedra - Nordeste : 1 km ✆ (062) 95 91 34, *Fax (062) 95 96 86* – P. AE ◑ E VISA. ✻
fechado 2ª feira – **Refeição** lista 2600 a 4100.

OEIRAS *2780 Lisboa* 940 **P 2** – *40 149 h. – Praia.*

ℹ *Jardim Municipal de Santo Amaro de Oeiras ✆ (01) 442 39 46.*

Lisboa 16 – Cascais 8 – Sintra 16.

em Santo Amaro de Oeiras – ✉ *2780 Oeiras :*

Solar do Marquês, Largo da Boavista 4 ✆ (01) 441 84 80 – ▤.

Patrício, Rua Mestre de Avis 4 B ✆ (01) 443 17 86 – ▤. AE E VISA. ✻
fechado 5ª feira e 21 agosto-15 setembro – **Refeição** lista 2550 a 3600.

Saisa, Praia ✆ (01) 443 06 34, ≤, ☂ – AE ◑ E VISA JCB. ✻
fechado 2ª feira – **Refeição** - peixes e mariscos - lista 2600 a 3500.

na autoestrada A 5 *Nordeste : 4 km* – ✉ *2780 Oeiras :*

Ibis Lisboa-Oeiras sem rest, Área de Serviço ✆ (01) 421 62 15, *Fax (01) 421 70 39* – ▤ TV ☎ ♿ P – ♟ 25. AE ◑ E VISA
☐ 800 – **61 qto** 8500.

OLIVEIRA DE AZEMÉIS *3720 Aveiro* 940 **J 4** – *9 210 h.*

ℹ *Praça José da Costa ✆ (056) 67 44 63.*

Lisboa 275 – Aveiro 38 – Coimbra 76 – Porto 40 – Viseu 98.

Dighton, Rua Dr. Albino dos Reis ✆ (056) 68 21 91, *Telex 23343, Fax (056) 68 22 48* – |♦| ▤ TV ☎ ♿ 🚗 – ♟ 25/200. AE ◑ E VISA. ✻
Refeição 2700 – **99 qto** ☐ 9600/11500, 1 suite – PA 4800.

Diplomata, Rua Dr. Simões dos Reis 125 ✆ (056) 68 25 90 – ▤. AE ◑ E VISA. ✻
fechado domingo noite e do 15 ao 31 de agosto – **Refeição** lista 2780 a 3850.

O Camponês com snack-bar, Rua Dr. Albino dos Reis ✆ (056) 68 21 55.

pela estrada de Carregosa *Nordeste : 2 km* – ✉ *3720 Oliveira de Azeméis :*

Estalagem São Miguel ⑤, Parque de la Salette ✆ (056) 68 10 49, *Fax (056) 68 51 41,* ≤ vila, vale e montanha, « Num parque », ⛱ – ▤ TV ☎ P. AE ◑ E VISA. ✻
Refeição 3000 – **14 qto** ☐ 12000/16000 – PA 5000.

pela antiga estrada N 1 *Norte : 2 km e desvío a direita 1 km* – ✉ *3720 Oliveira de Azeméis :*

Albergaria do Campo ⑤ sem rest, Rua de S. Miguel ✆ (056) 68 27 45, *Fax (056) 68 23 85* – ▤ TV ☎ ♿ P. AE ◑ E VISA. ✻
14 qto ☐ 8500/10500.

OLIVEIRA DO BAIRRO *3770 Aveiro* 940 K 4 – *4 351 h.*
Estrada N 235 ℘ (034) 74 75 50.
Lisboa 233 – Aveiro 23 – Coimbra 40 – Porto 88.

Paraíso, Estrada N 235 ℘ (034) 74 78 65, *Fax (034) 74 73 56,* ← – |≑| ▤ TV ☎ P. AE ⓓ E VISA JCB. ✂
Refeição 2000 – **30 qto** ☐ 6000/8500 – PA 4000.

A Estância, Estrada N 235 - Noroeste : 1,5 km ℘ (034) 74 71 15, *Fax (034) 74 83 62*
TV ☎ P
15 qto.

OLIVEIRA DO HOSPITAL *3400 Coimbra* 940 K 6 – *2 318 h. alt. 500.*
Ver : *Igreja Matriz★ (estátua★, retábulo★).*
Casa da Cultura ℘ (038) 595 22 Fax (038) 597 39.
Lisboa 284 – Coimbra 82 – Guarda 88.

São Paulo, Rua Dr. Antunes Varela 3 ℘ (038) 590 00, *Fax (038) 590 01,* ← – |≑| ▤ ☎ P – 25/80. E VISA. ✂ rest
Refeição 2000 – **43 qto** ☐ 8500/10000 – PA 4000.

na Póvoa das Quartas *pela estrada N 17 - Este : 7 km – ✉ 3400 Oliveira Hospital :*

Pousada de Santa Bárbara ⛺, ℘ (038) 596 52, *Fax (038) 596 45,* ← vale e Serra da Estrela, ⛱, ✂ – TV ☎ 🚗 P. AE ⓓ E VISA. ✂
Refeição lista 2250 a 3850 – **16 qto** ☐ 21000/22500.

ORTIGOSA *Leiria – ver Monte Real.*

OURIQUE *7670 Beja* 940 T 5 – *6 134 h.*
Lisboa 190 – Beja 60 – Faro 105 – Portimão 95 – Setúbal 158.

São Lourenço ⛺ sem rest. e sem ☐, Estrada de Garvão ℘ (086) 527 6.., *Fax (086) 527 67,* ← – TV ☎ P. ✂
16 qto 4000/6000.

junto a Igreja da Senhora da Cola *Sudoeste : 14 km – ✉ 7670 Ourique :*

O Chaparrinho, Castro da Cola ℘ (086) 51 61 53, ← – ▤. AE E VISA. ✂
fechado 3ª feira – **Refeição** lista 3750 a 5300.

OUTEIRO DA CORTIÇADA *Santarém – ver Rio Maior.*

OVAR *3880 Aveiro* 940 J 4 – *25 518 h. – Praia.*
Rua Elias Garcia ℘ (056) 57 22 15.
Lisboa 294 – Aveiro 36 – Porto 40.

Meia-lua ⛺ sem rest, Quinta das Luzes ℘ (056) 57 50 31, *Fax (056) 57 52 32,* ←, – |≑| ▤ TV ☎ 🚗 – 25/80. AE ⓓ E VISA. ✂
54 qto ☐ 10900/13900.

Albergaria São Cristóvão, Rua Aquilino Ribeiro 1 ℘ (056) 57 51 0.., *Fax (056) 57 51 07* – |≑|, ▤ rest, TV ☎ 🚗 – 25/150. AE ⓓ VISA. ✂
Refeição *(fechado 2ª feira)* - só jantar - 2500 – **57 qto** ☐ 7000/9000.

PAÇO DE ARCOS *Lisboa* 940 P 2 – ✉ *2780 Oeiras – Praia.*
Lisboa 18.

Sol Palmeiras, Av. Marginal ℘ (01) 446 83 00, *Fax (01) 446 83 99,* ←, ⛱ – |≑| ▤ ☎ P. AE ⓓ E VISA
Refeição (ver rest. ***La Cocagne***) – **35 suites** ☐ 26000/29000.

La Cocagne, Av. Marginal ℘ (01) 441 42 31, *Fax (01) 441 42 55,* ←, 🌳, « Antiga mansão senhorial » – ▤ P. AE ⓓ VISA. ✂
Refeição lista 5200 a 7450.

Os Arcos, Rua Costa Pinto 47 ℘ (01) 443 33 74, *Fax (01) 441 08 77* – ▤. AE ⓓ E VISA JCB. ✂
Refeição - peixes e mariscos - lista aprox. 5100.

ADRÃO DE MOREIRA *Porto* 940 *I 4 – 7 782 h. –* ✉ *4470 Maia.*
Lisboa 316 – Amarante 62 – Braga 44 – Porto 11.

Tourygalo da Maia, Estrada N 13 ☎ (02) 944 90 58, *Fax (02) 948 89 22* – ▤ Ⓟ. AE ⓓ E VISA. ✂
Refeição lista 2900 a 3950.

ALMELA *2950 Setúbal* 940 *Q 3 – 18 286 h.*
Ver : *Castelo★ (✳★), Igreja de São Pedro (azulejos★).*
ℹ *Castelo* ☎ *(01) 233 21 22 Fax 233 25 28.*
Lisboa 43 – Setúbal 8.

Pousada de Palmela ⛰, Castelo de Palmela ☎ (01) 235 12 26, *Fax (01) 233 04 40,* ≤, « Num convento do século XV, nas muralhas dum antigo castelo » – |‡| ▤ TV ☎ Ⓟ – 🏛 25/35. AE ⓓ E VISA. ✂
Refeição 3650 – **28 qto** ☕ 26500/29600 – PA 4900.

Varanda Azul, Rua Hermenegildo Capelo 3 ☎ (01) 233 14 51, *Fax (01) 233 14 54* – |‡| ▤ TV ☎ 🚗. AE ⓓ E VISA. ✂
Refeição (ver rest. ***Retiro Azul***) – **17 qto** ☕ 9000/12000.

Retiro Azul, Largo do Chafariz 3 ☎ (01) 235 00 21, *Fax (01) 233 14 54* – ▤. AE E VISA. ✂
fechado 4ª feira – **Refeição** lista 2300 a 4200.

ARADELA *Vila Real* 940 *G 6 – 214 h. –* ✉ *5470 Montalegre.*
Ver : *Represa★ : sítio★.*
Lisboa 437 – Braga 70 – Porto 120 – Vila Real 136.

Pousadinha Paradela ⛰, ☎ (076) 56 61 65 – Ⓟ
Refeição 1300 – **7 qto** ☕ 5500.

ARCHAL *Faro – ver Portimão.*

AREDE *2775 Lisboa* 940 *P 1 – 19 960 h. – Praia.*
Lisboa 22 – Cascais 7 – Sintra 15.

Dom Pepe, Rua Sampaio Bruno 4-1º ☎ (01) 457 06 36, *Fax (01) 457 06 36,* ≤ – ▤. AE ⓓ E VISA JCB. ✂
fechado 2ª feira – **Refeição** lista 4000 a 5350.

Toscano, Travessa Barbosa de Magalhães 2 ☎ (01) 457 28 94, *Fax (01) 457 28 94,* ≤ – ▤. AE ⓓ E VISA JCB. ✂
fechado 3ª feira – **Refeição** lista 3180 a 5580.

AREDES DE COURA *4940 Viana do Castelo* 940 **G 4.**
ℹ *Largo Visconde de Moselos* ☎ *(051) 78 35 92 Fax (051) 78 35 92.*
Lisboa 427 – Braga 59 – Viana do Castelo 49.

O Conselheiro, Largo Visconde de Moselos ☎ (051) 78 26 10, 🍽 – VISA. ✂
Refeição lista 2250 a 2950.

AUL *Lisboa – ver Torres Vedras.*

EDRAS RUBRAS *Porto – ver Maia.*

EDRÓGÃO GRANDE *3270 Leiria* 940 *M 5 – 2 830 h.*
Lisboa 150 – Castelo Branco 82 – Coimbra 65 – Leiria 90.

Este : *3 km*

Lago Verde, Vale de Góis ☎ (036) 462 40, *Fax (036) 462 44,* ≤, « Na margem do rio Zêzere » – ▤ Ⓟ. E VISA. ✂
fechado 2ª feira – **Refeição** lista 1940 a 3350.

EGO *2200 Santarém* 940 *N 5 – 3 011 h.*
Lisboa 152 – Castelo Branco 102 – Leiria 91.

a estrada N 118 *Este : 2,5 km –* ✉ *2200 Pego :*

Abrantur ⛰, ✉ apartado 2 - Pego 2201 Abrantes, ☎ (041) 934 64, *Fax (041) 932 87,* ≤, 🏊, 🎾 – |‡| ▤ TV ☎ ♿ Ⓟ – 🏛 25/200. AE ⓓ E VISA JCB. ✂
Refeição 2000 – **54 qto** ☕ 8000/12500 – PA 3700.

PENAFIEL *4560 Porto 940 I 5 – 6 886 h. alt. 323.*

Lisboa 352 – Porto 38 – Vila Real 69.

Pena H. sem rest, Parque do Sameiro ☎ (055) 71 14 20, *Fax (055) 71 14 25,* – 25/250. AE VISA.
50 qto 7000/9500.

PENHAS DA SAÚDE *Castelo Branco 940 L 7 – ✉ 6200 Covilhã – Desportos de inverno Serra da Estrela : 3.*

Lisboa 311 – Castelo Branco 72 – Covilhã 10 – Guarda 55.

Serra da Estrela, alt. 1 550, ✉ apartado 314, ☎ (075) 31 38 09, *Telex 538*
Fax (075) 32 37 89, – rest, – 25/300. AE E VISA.
Refeição 2700 – **40 qto** 16500/21500 – PA 5200.

PENICHE *2520 Leiria 940 N 1 – 15 304 h. – Praia.*

Ver : *O Porto : regresso da pesca★.*

Arred. : *Cabo Carvoeiro★ – Papoa (★) – Remédios (Nossa Senhora dos Remédio azulejos★).*

Excurs. : *Ilha Berlenga★★ : passeio em barco★★★, passeio a pé★★ (local★, ★) 1 h. barco.*

. para a Ilha da Berlenga (15 maio- 15 setembro) : Viamar, no porto de Penic ☎ (062) 78 21 53.

Rua Alexandre Herculano ☎ (062) 78 95 71 Fax (062) 78 95 71.

Lisboa 92 – Leiria 89 – Santarém 79.

PERNES *2035 Santarém 940 N 4 – 1 961 h.*

Lisboa 106 – Abrantes 54 – Caldas da Rainha 72 – Fátima 35.

ao Nordeste *na autoestrada A 1 :*

Do Prado, Área de Serviço de Santarém ☎ (043) 44 03 02, *Fax (043) 44 03 40,*
– – 25/40. AE E VISA.
Refeição 2000 – **30 qto** 12500/13500.

PESO DA RÉGUA *5050 Vila Real 940 I 6 – 9 291 h.*

Rua da Ferreirinha ☎ (054) 228 46 Fax (054) 228 46.

Lisboa 379 – Braga 93 – Porto 102 – Vila Real 25 – Viseu 85.

Columbano sem rest, Av. Sacadura Cabral ☎ (054) 32 37 04, *Fax (054) 249 45,*
– . E VISA.
70 qto 5000/6500.

Império sem rest, Rua Vasques Osório 8 ☎ (054) 32 01 20, *Fax (054) 32 14 57* –
. E VISA.
33 qto 4000/6000.

Rosmaninho, Av. de Ovar-Lote 3 ☎ (054) 223 10, *Fax (054) 223 10* – . AE E

fechado 2ª feira e janeiro – **Refeição** lista 2250 a 3900.

PICO DO ARIEIRO *Madeira – ver Madeira (Arquipélago da).*

PINHANÇOS *Guarda 940 K 6 – 1 872 h. – ✉ 6270 Seia.*

Lisboa 302 – Coimbra 102 – Guarda 63.

Senhora da Lomba sem rest, Estrada 17 ☎ (038) 48 10 51, *Fax (038) 48 10 90* –

20 qto.

PINHÃO *5085 Vila Real 940 I 7 – 831 h. alt. 120.*

Arred. : *Norte : Estrada de Sabrosa★★ ★.*

Lisboa 399 – Vila Real 30 – Viseu 100.

Vintage House, Lugar da Praia ☎ (054) 73 02 30, *Fax (054) 73 02 30,* vinhas rio Douro, – . AE E VISA.
Refeição 4900 – **43 qto** 17500/20000 – PA 8000.

Douro, Largo da Estação ☎ (054) 724 04, – qto,
Refeição *(fechado domingo)* 2000 – **14 qto** 5500/8000 – PA 4000.

OISO *Madeira – ver Madeira (Arquipélago da).*

OMBAL *3100 Leiria* 940 M 4 – *4 760 h.*
Rua Eduardo Gomes (036) 232 30.
Lisboa 153 – Coimbra 43 – Leiria 28.

Do Cardal sem rest, Largo do Cardal (036) 21 82 06, *Fax (036) 21 81 36* – 25/50. AE E VISA.
29 qto 5000/7500.

Sra. de Belém sem rest, Av. Heróis do Ultramar 185 - Urb. Sra. de Belém (036) 21 81 85, *Fax (036) 21 55 33* – .
26 qto 6000/7500.

estrada N 1 – *3100 Pombal :*

O Manjar do Marquês com snack-bar, Noroeste : 2 km (036) 281 94, *Fax (036) 288 18* – . AE VISA.
Refeição lista 2000 a 3000.

São Sebastião com snack-bar, Sudoeste : 3 km (036) 21 87 45, *Fax (036) 21 61 59* – . E VISA.
Refeição lista 1730 a 3100.

ONTE DA BARCA *4980 Viana do Castelo* 940 G 4.
Largo da Misericordia 11 (058) 428 99 Fax (058) 428 99.
Lisboa 412 – Braga 32 – Viana do Castelo 40.

San Fernando sem rest, Rua de Santo António (058) 45 25 80, *Fax (058) 45 37 66* – . E VISA.
24 qto 5400/5700.

Os Poetas sem rest, Jardim dos Poetas (058) 45 35 78, ← – . E VISA.
junho-novembro – **10 qto** 6200/6400.

Bar do Rio, Praia Fluvial (058) 45 25 82, ←, « Bela paragem junto ao rio » – .

ONTE DE LIMA *4990 Viana do Castelo* 940 G 4 – *2 438 h. alt. 22.*
Ver : *Ponte★ - Igreja-Museu dos Terceiros (talhas★).*
Praça da República (058) 94 23 35 Fax (058) 94 23 35.
Lisboa 392 – Braga 33 – Porto 85 – Vigo 70.

Império do Minho, Av. dos Plátanos (058) 74 15 10, *Fax (058) 94 25 67,* – – 25. AE E VISA.
Refeição 2000 – **50 qto** 6300/7600 – PA 3500.

Sudeste : *3,5 km*

Madalena, Monte de Santa Maria Madalena (058) 94 12 39, ← – .

ONTE DE SOR *7400 Portalegre* 940 O 5.
Lisboa 173 – Abrantes 35 – Évora 98 – Fátima 99 – Portalegre 67.

Sor, Rua João Pedro de Andrade (042) 260 26, *Fax (042) 260 28* – – 25/100. AE E VISA.
Refeição 2100 – **39 qto** 7000/9000, 2 suites – PA 4200.

ORTAGEM *Portalegre* 940 N 7 – *7330 Marvão.*
Lisboa 246 – Cáceres 115 – Castelo de Vide 9 – Portalegre 17.

Sever, Estrada do Rio Sever (045) 933 18, *Fax (045) 934 12,* – . AE E VISA.
Refeição 2200 – **16 qto** 6500/9500.

ORTALEGRE *7300* P 940 O 7 – *15 383 h. alt. 477.*
Arred. : *Pico São Mamede ★ – Estrada★ escarpada de Portalegre a Castelo de Vide por Carreiras, Norte : 17 km.*
Rossio (Galeria Municipal) (045) 33 13 59.
Lisboa 238 – Badajoz 74 – Cáceres 134 – Mérida 138 – Setúbal 199.

estrada da Serra de São Mamede *Nordeste : 4 km – 7300 Portalegre :*

Estalagem Quinta da Saude , (045) 223 24, *Fax (045) 272 34,* , – rest, . AE E VISA.
Refeição 2500 – **12 qto** 8000/10000.

PORTIMÃO *8500 Faro* 940 **U 4** – *21 196 h.* – *Praia.*

Ver : ≤★ *da ponte sobre o rio Arade* X.

Arred. : *Praia da Rocha*★★ *(miradouro*★ Z **A).**

18 9 9 *Penina, por* ③ *: 5 km* ☎ *(082) 41 54 15 Fax (082) 41 50 00.*

Av. Zeca Afonso ☎ *(082) 43 01 00 Av. Tomás Cabreira (Praia da Rocha)* ☎ *(082) 41 91*

Lisboa 290 ③ *– Faro 62* ② *– Lagos 18* ③

Plano página seguinte

Nelinanda sem rest, Rua Vicente Vaz das Vacas 22 ☎ (082) 41 78 39, *Fax (082) 41 78* – VISA. X
28 **qto** 7500/12000.

Mira Foia sem rest, Rua Vicente Vaz das Vacas 33 ☎ (082) 41 78 52, *Fax (082) 41 78* – AE E VISA. X
24 **qto** 6000/10000.

Arabi sem rest, Praça Manuel Teixeira Gomes 13 ☎ (082) 42 60 06, *Fax (082) 42 60* – X
17 **qto.**

O Bicho, Largo Gil Eanes 12 ☎ (082) 42 29 77, *Fax (082) 48 24 40* – . AE E JCB. X
fechado domingo meio-dia – **Refeição** - peixes e mariscos - lista 2950 a 5000.

em Parchal *por* ② *: 2 km* – ✉ *8500 Portimão :*

O Buque, Estrada N 125 ☎ (082) 246 78 – . E VISA.
Refeição lista 2750 a 3550.

A Lanterna, Estrada N 125 - cruzamento de Ferragudo ☎ (082) 41 44 29 – . E VISA.
fechado domingo e 29 novembro-29 dezembro – **Refeição** - só jantar - lista aprox. 45(

na Praia da Rocha *Sul : 2,3 km* – ✉ *8500 Portimão :*

Algarve Casino, Av. Tomás Cabreira ☎ (082) 41 50 01, *Fax (082) 41 59 99,* ≤ pra, climatizada, – 25/340. AE E VISA. re
Das Amendoeiras *(só jantar)* **Refeição** lista 3480 a 6850 - ***Zodíaco*** *(só almoço)* **Refeiç** lista 3800 a 6500 – **193 qto** 28500/37500, 16 suites. Z

Oriental, Av. Tomás Cabreira ☎ (082) 41 30 00, *Fax (082) 41 34 13,* ≤ praia, – 25/120. AE E VISA. Z
Refeição 3500 – **85 apartamentos** 26100/31700.

Bela Vista sem rest, Av. Tomás Cabreira ☎ (082) 42 40 55, *Telex 5738 Fax (082) 41 53 69,* ≤ rochedos e mar, « Instalado numa antiga casa senhorial » – . AE E VISA. Z
14 **qto** 22000/23000.

Avenida Praia sem rest, Av. Tomás Cabreira ☎ (082) 41 77 40, *Fax (082) 41 77 42,* – . AE E VISA. Z
abril-outubro – **61 qto** 13900/15900.

Albergaria Vila Lido sem rest, Av. Tomás Cabreira ☎ (082) 42 41 2 *Fax (082) 42 42 46,* ≤ – . E VISA. Z
março-15 novembro – **10 qto** 15000/16800.

Toca sem rest, Rua Engenheiro Francisco Bívar ☎ (082) 41 89 04, *Fax (082) 42 40 3* . Z
abril-outubro – **15 qto** 8500/9300.

Titanic, Rua Engenheiro Francisco Bívar ☎ (082) 42 23 71 – Z
Refeição - só jantar -.

Falésia, Av. Tomás Cabreira ☎ (082) 235 24, *Fax (082) 235 24,* ≤, – . AE VISA JCB. Z
fechado janeiro – **Refeição** lista aprox. 4200.

na estrada de Alvor Y *Oeste : 4 km* – ✉ *8500 Portimão :*

Por-do-Sol, ☎ (082) 45 95 05, – . AE E VISA.
fechado 24 novembro-27 dezembro – **Refeição** lista 2600 a 4100.

na Praia do Vau *Sudoeste : 3 km* – ✉ *8500 Portimão :*

Vau'Hotel, Encosta do Vau ☎ (082) 41 15 92, *Telex 58775, Fax (082) 41 15 94,* . AE E VISA.
Refeição 2350 – **74 apartamentos** 14800.

Rochavau sem rest, ☎ (082) 42 61 11, *Fax (082) 42 61 13,* – . AE E VISA.
abril-outubro – **56 qto** 11500/13500.

Casa Real, Av. Rocha Vau 3 ☎ (082) 41 80 83, – . AE E VISA.
fechado do 1 ao 15 de dezembro – **Refeição** lista 3450 a 3600.

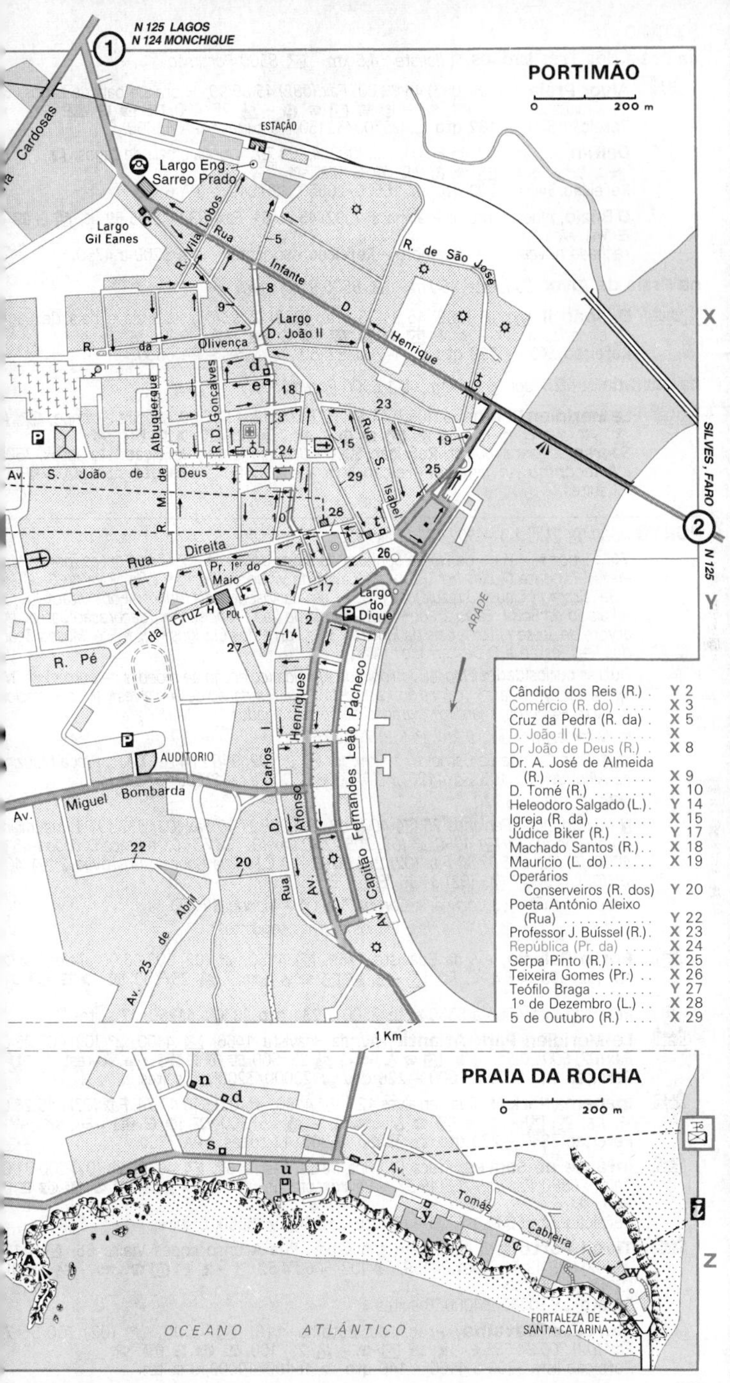
N 125 LAGOS
N 124 MONCHIQUE
PORTIMÃO
0 200 m
ESTAÇÃO
Largo Eng. Sarreo Prado
Largo Gil Eanes
Rua Infante D. Henrique
R. Vila Lobos
R. de São José
Largo D. João II
R. da Olivença
Albuquerque
R. D. Gonçalves
Rua S. Isabel
Av. S. João de Deus
R. M. de
Rua Direita
Pr. 1er do Maio
Rua da Cruz
POL.
R. Pé
Largo do Dique
ARADE
SILVES, FARO
N 125
X
Y
Z
AUDITORIO
Av. Miguel Bombarda
Carlos I
Henriques
Fernandes Leão Pacheco
D. Afonso
Rua Av.
Capitão
Av.
Av. 25 de Abril
Cândido dos Reis (R.) . Y 2
Comércio (R. do) . . . . . X 3
Cruz da Pedra (R. da) . X 5
D. João II (L.) X
Dr João de Deus (R.) . X 8
Dr. A. José de Almeida (R.) . . . . X 9
D. Tomé (R.) . . . . X 10
Heleodoro Salgado (L.) . Y 14
Igreja (R. da) . . . . X 15
Júdice Biker (R.) . . . . . Y 17
Machado Santos (R.) . . X 18
Maurício (L. do) . . . . . . X 19
Operários Conserveiros (R. dos) Y 20
Poeta António Aleixo (Rua) . . . . Y 22
Professor J. Buíssel (R.) . X 23
República (Pr. da) . . . . X 24
Serpa Pinto (R.) . . . . . . X 25
Teixeira Gomes (Pr.) . . X 26
Teófilo Braga . . . . Y 27
1° de Dezembro (L.) . . X 28
5 de Outubro (R.) . . . . X 29
1 Km
PRAIA DA ROCHA
0 200 m
Av. Tomás Cabreira
FORTALEZA DE SANTA-CATARINA
OCEANO ATLÂNTICO

na Praia dos Três Irmãos *Sudoeste : 4,5 km – ✉ 8500 Portimão :*

Alvor Praia ⓢ, ☎ (082) 45 89 00, *Fax (082) 45 89 99,* ≤ praia e baía de Lagos, climatizada, – 25/400. AE VISA. Refeição 5700 – **182 qto** 25700/32150, 16 suites – PA 11400.

Delfim ⓢ, ☎ (082) 45 89 01, *Fax (082) 45 89 70,* ≤ praia e baía de Lagos, AE VISA. Refeição 3400 – **300 qto** 16500/20650, 12 suites – PA 6800.

O Búzio, Aldeamento da Prainha ☎ (082) 45 85 61, *Fax (082) 45 95 69,* ≤, – AE VISA.
fechado novembro e dezembro – **Refeição** - só jantar - lista 3200 a 4750.

na Praia de Alvor *Sudoeste : 5 km – ✉ 8500 Portimão :*

D. João II ⓢ, ☎ (082) 45 91 35, *Fax (082) 45 93 63,* ≤ praia e baía de Lag climatizada, – AE VISA. Refeição 3400 – **229 qto** 17700/22150, 18 suites – PA 6800.

na estrada N 125 *por ③ : 5 km – ✉ 8500 Portimão :*

Le Meridien Penina, ☎ (082) 41 54 15, *Fax (082) 41 50 00,* ≤ golfe e campo, – 25/350. AE VISA.
Sagres *(só jantar buffet)* **Refeição** 6000 - ***Grill*** *(só jantar)* **Refeição** lista aprox. 750
L'Arlecchino *(só jantar)* **Refeição** lista aprox. 5500 – **179 qto** 38000/480 17 suites.

PORTO *4000* P 940 I 3 – *302 472 h. alt. 90.*

Ver : *Sítio★★ – Vista de Nossa Senhora da Serra do Pilar★* EZ – *As Pontes (ponte Ma Pia★* FZ, *ponte D. Luis I★★* EZ) – *As Caves do vinho do Porto★ (Vila Nova de Gaia)* D – *Sé (altar★) - Claustro (azulejos★)* EZ – *Casa da Misericórdia (quadro Fons Vitae★)* EY – *Palácio da Bolsa (Salão árabe★)* EZ – *Igreja de São Francisco★★ (decoração barroca★ árvore de Jessé★)* EZ – *Cais da Ribeira★* EZ- *Torre dos Clérigos★ ★* EY- *Museu Soar dos Reis (estátua O Desterrado★)* DY.

Outras curiosidades : *Museu António da Almeida (colecção de moedas de ouro★)* BU **M** *Igreja de Santa Clara★ (talhas douradas★)* EZ **E** – *Fundação de Serralves★ (Museu Nacio de Arte Moderna) : jardim★, grades de ferro forjado★* AU **M6.**

Miramar, por ⑥ : 9 km ☎ (02) 762 20 67.

Francisco de Sà Carneiro, 17 km por ① ☎ (02) 948 21 41 – T.A.P., Praça Mouzin de Albuquerque 105 ✉ 4100 ☎ (02) 608 02 00 Fax (02) 600 55 55.

☎ (02) 56 56 70.

Rua do Clube Fenianos 25 ✉ 4000 ☎ (02) 205 27 40 Fax (02) 332 33 03 Rua Infan Dom Henrique 63 ✉ 4050 ☎ (02) 205 27 40 Fax (02) 332 33 03 e Praça D. João I-45 ✉ 4000 ☎ (02) 205 67 32 Fax (02) 205 66 98 – **A.C.P.** *Rua Gonçalo Cristovão 2 ✉ 40 ☎ (02) 31 67 32 Fax (02) 31 66 98.*

Lisboa 314 ⑤ – La Coruña/A Coruña 305 ① – Madrid 591 ⑤

Planos páginas seguintes

Porto Palácio, Av. da Boavista 1269, ✉ 4150, ☎ (02) 608 66 00, *Telex 2272 Fax (02) 609 14 67,* ≤, – 25/300. AE VISA BU
Refeição lista 4000 a 5350 – 2300 – **234 qto** 28000/31250, 17 suites.

Le Meridien Park Atlantic, Av. da Boavista 1466, ✉ 4100, ☎ (02) 607 25 *Fax (02) 600 20 31* – – 25/500. AE VISA JCB. rest BU
Refeição lista 5150 a 7000 – **226 qto** 29000/32000, 6 suites.

Ipanema Park H., Rua Serralves 124, ✉ 4150, ☎ (02) 610 41 74, *Fax (02) 610 28* ≤, – – 25/300. AE VISA JCB. AV
Refeição 3850 – **270 qto** 23000/25000, 11 suites – PA 7700.

Infante de Sagres, Praça D. Filipa de Lencastre 62, ✉ 4050, ☎ (02) 200 81 *Telex 26880, Fax (02) 205 49 37,* « Bela decoração interior » – AE JCB. EY
Refeição lista 6000 a 7500 – **68 qto** 23650/28650, 6 suites.

Tivoli Porto sem rest. com snack bar, Rua Afonso Lopes Vieira 66, ✉ 410 ☎ (02) 609 49 41, *Telex 23159, Fax (02) 606 74 52,* – – 25/1 AE VISA. AU
52 qto 30000/34000, 6 suites.

Mercure Batalha, Praça da Batalha 116, ✉ 4000, ☎ (02) 200 05 7 *Fax (02) 200 24 68,* ≤ – – 25/100. AE VISA. FY
Refeição lista 3200 a 4100 – **140 qto** 16100/19000, 9 suites.

Dom Henrique, Rua Guedes de Azevedo 179, ✉ 4000, ☎ (02) 200 57 55, *Fax (02) 201 94 51,* – 25/80. FX b
Além Mar **:** **Refeição** lista 2200 a 3000 – **92 qto** 19000/20500, 20 suites.

Ipanema Porto H., Rua Campo Alegre 156, ✉ 4150, ☎ (02) 606 80 61, *Telex 27212, Fax (02) 606 33 39* – – 25/350. rest BV s
Refeição 2500 – **140 qto** 14900/16900, 10 suites.

Casa do Marechal, Av. da Boavista 2674, ✉ 4100, ☎ (02) 610 47 02, *Fax (02) 610 32 41,* « Bela moradia decorada com elegância », – – 25/30. AU n
Refeição lista 4550 a 6400 – **5 qto** 20000/25000.

Inca, Praça Coronel Pacheco 52, ✉ 4050, ☎ (02) 208 41 51, *Fax (02) 205 47 56* – – 25/35. EY r
Refeição lista 3000 a 3500 – **62 qto** 14000/15200.

Castor, Rua das Doze Casas 17, ✉ 4000, ☎ (02) 57 00 14, *Fax (02) 56 60 76,* « Mobiliário antigo » – – 25/80. FX g
Refeição 2400 – **63 qto** 13900/14900.

Beta-Porto, Rua do Amial 601, ✉ 4200, ☎ (02) 832 50 45, *Telex 27108, Fax (02) 832 52 20,* – – 25/100. BU b
Refeição 2500 – **120 qto** 15300/18400, 6 suites.

Grande H. do Porto, Rua de Santa Catarina 197, ✉ 4000, ☎ (02) 200 81 76, *Telex 22553, Fax (02) 31 10 61* – – 25/150. FY q
Refeição 2500 – **100 qto** 14400/15400 – PA 5000.

Douro sem rest, Rua da Meditação 71, ✉ 4150, ☎ (02) 600 11 22, *Fax (02) 600 10 90* – – 25/30. BU v
44 qto 12000/13000, 1 suite.

Internacional, Rua do Almada 131, ✉ 4050, ☎ (02) 200 50 32, *Telex 21076, Fax (02) 200 90 63* – – 25/45 EY a
35 qto.

Albergaria Miradouro, Rua da Alegria 598, ✉ 4000, ☎ (02) 57 07 17, *Fax (02) 57 02 06,* cidade e arredores – . FX d
Refeição (ver rest. ***Portucale***) – **30 qto** 10000/13000.

Holiday Inn Garden Court sem rest, Praça da Batalha 127, ✉ 4000, ☎ (02) 200 68 61, *Fax (02) 200 60 09* – – 25/60. FY e
118 qto 9700.

Menfis sem rest, Rua da Firmeza 13, ✉ 4000, ☎ (02) 58 00 03, *Fax (02) 510 18 26* – . FY k
24 qto 10500/12000, 2 suites.

São José sem rest, Rua da Alegria 172, ✉ 4000, ☎ (02) 208 02 61, *Fax (02) 332 04 46* – . FY a
43 qto 9650/11200.

Do Vice-Rei sem rest, Rua Júlio Dinis 779-4º, ✉ 4050, ☎ (02) 609 53 71, *Fax (02) 609 26 97* – . BV c
45 qto 9000/11000.

Nave, Av. Fernão de Magalhães 247, ✉ 4300, ☎ (02) 589 90 30, *Fax (02) 589 90 39* – . FXY m
Refeição 2500 – **81 qto** 9000/16500 – PA 5000.

Da Bolsa sem rest, Rua Ferreira Borges 101, ✉ 4050, ☎ (02) 202 67 68, *Fax (02) 205 88 88* – . EZ a
36 qto 12000/14000.

São João sem rest, Rua do Bonjardim 120-4º, ✉ 4050, ☎ (02) 200 16 62, *Fax (02) 31 61 14* – EY v
14 qto.

Antas, Rua Padre Manuel da Nóbrega 111, ✉ 4300, ☎ (02) 52 50 00, *Fax (02) 550 05 03* – . CU n
Refeição 2500 – **30 qto** 10800/12000 – PA 5000.

Solar São Gabriel sem rest, Rua da Alegria 98, ✉ 4050, ☎ (02) 200 54 99, *Fax (02) 32 39 57* – . FY s
28 qto 6900/8400.

Rex sem rest, Praça da República 117, ✉ 4050, ☎ (02) 200 45 48, *Fax (02) 208 38 82,* « Antiga moradia particular conservando os bonitos tectos originais » – . EX u
21 qto 7000/8500.

Brasília sem rest, Rua Álvares Cabral 221, ✉ 4050, ☎ (02) 208 29 81, *Fax (02) 200 65 10,* « Antiga casa senhorial » – . EX f
12 qto 6000/7000.

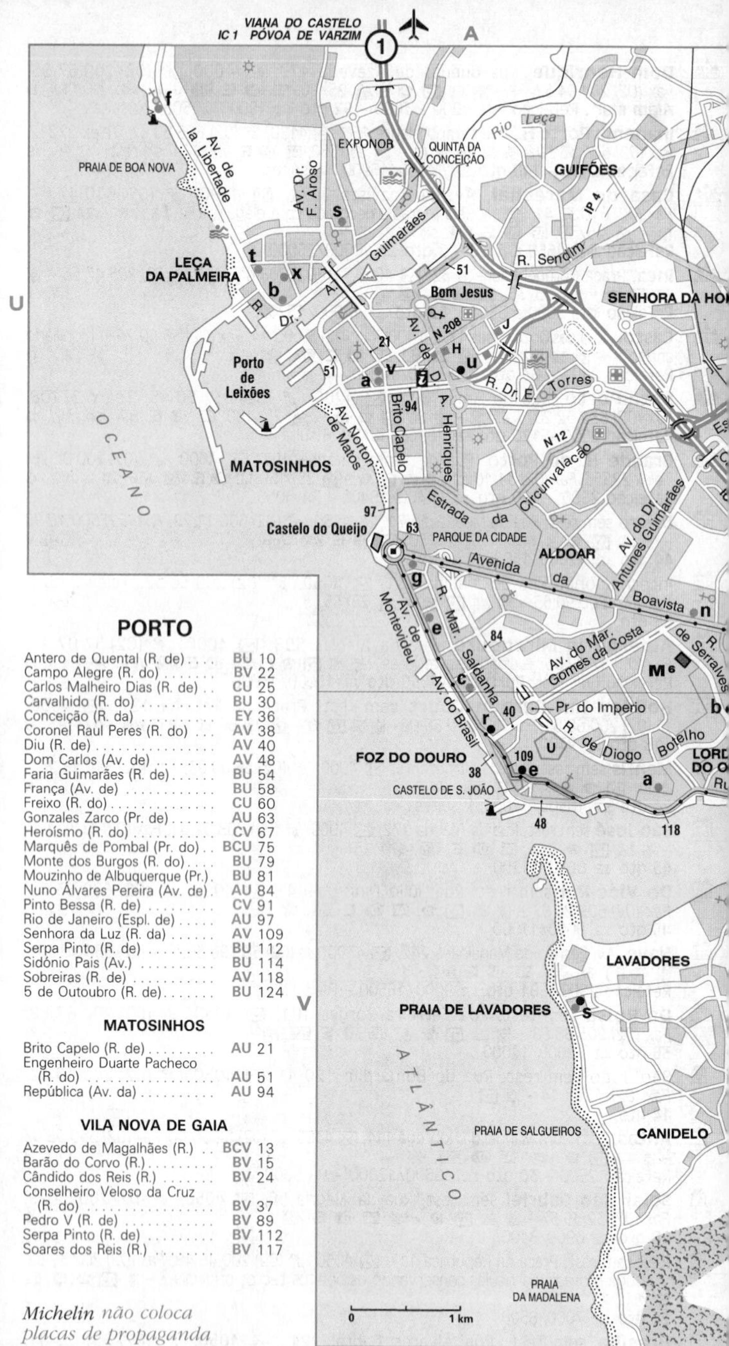

PORTO

Antero de Quental (R. de)	BU	10
Campo Alegre (R. do)	BV	22
Carlos Malheiro Dias (R. de)	CU	25
Carvalhido (R. do)	BU	30
Conceição (R. da)	EY	36
Coronel Raul Peres (R. do)	AV	38
Diu (R. de)	AV	40
Dom Carlos (Av. de)	AV	48
Faria Guimarães (R. de)	BU	54
França (Av. de)	BU	58
Freixo (R. do)	CU	60
Gonzales Zarco (Pr. de)	AU	63
Heroísmo (R. do)	CV	67
Marquês de Pombal (Pr. do)	BCU	75
Monte dos Burgos (R. do)	BU	79
Mouzinho de Albuquerque (Pr.)	BU	81
Nuno Álvares Pereira (Av. de)	AU	84
Pinto Bessa (R. de)	CV	91
Rio de Janeiro (Espl. de)	AU	97
Senhora da Luz (R. da)	AV	109
Serpa Pinto (R. de)	BU	112
Sidónio Pais (Av.)	BU	114
Sobreiras (R. de)	AV	118
5 de Outoubro (R. de)	BU	124

MATOSINHOS

Brito Capelo (R. de)	AU	21
Engenheiro Duarte Pacheco (R. do)	AU	51
República (Av. da)	AU	94

VILA NOVA DE GAIA

Azevedo de Magalhães (R.)	BCV	13
Barão do Corvo (R.)	BV	15
Cândido dos Reis (R.)	BV	24
Conselheiro Veloso da Cruz (R. do)	BV	37
Pedro V (R. de)	BV	89
Serpa Pinto (R. de)	BV	112
Soares dos Reis (R.)	BV	117

Michelin não coloca placas de propaganda nos hotéis e restaurantes mencionados no Guia.

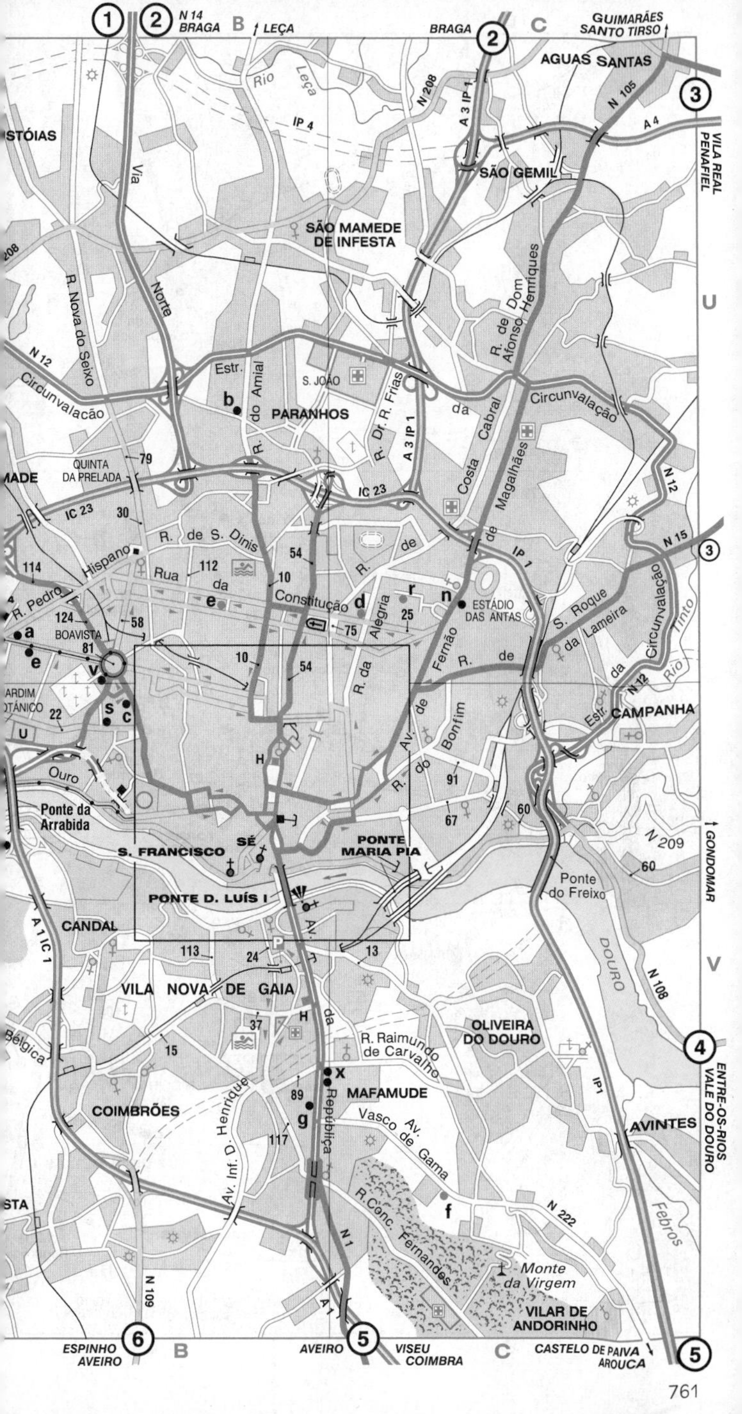
N 14
BRAGA
LEÇA
BRAGA
GUIMARÃES
SANTO TIRSO
AGUAS SANTAS
Rio Leça
IP 4
N 208
A 3 IP 1
N 105
A 4
VILA REAL
PENAFIEL
SÃO GEMIL
SÃO MAMEDE
DE INFESTA
Via Norte
R. Nova do Seixo
R. de Dom Afonso Henriques
N 12
Circunvalação
Estr.
R. do Amial
S. JOÃO
PARANHOS
R. Dr. R. Frias
da Circunvalação
Costa Cabral
R. de Magalhães
QUINTA
DA PRELADA
IC 23
R. de S. Dinis
Hispano
Rua da Constituição
R. de Alegria
IP 1
N 15
ESTÁDIO
DAS ANTAS
R. Pedro
BOAVISTA
R. da
R. de Fernão
S. Roque da Lameira
Circunvalação
Rio Tinto
JARDIM
BOTÂNICO
Av. de Bonfim
Estr.
CAMPANHA
Ouro
R. do
Ponte da
Arrabida
PONTE
MARIA PIA
N 209
S. FRANCISCO
SÉ
GONDOMAR
Ponte
do Freixo
PONTE D. LUÍS I
A 1 IC 1
CANDAL
Av. da República
DOURO
N 108
VILA NOVA DE GAIA
OLIVEIRA
DO DOURO
R. Raimundo
de Carvalho
Bélgica
MAFAMUDE
COIMBRÕES
Av. Inf. D. Henrique
Av. Vasco de Gama
IP1
AVINTES
ENTRE-OS-RIOS
VALE DO DOURO
R.Conc. Fernandes
N 222
Febros
N 1
Monte
da Virgem
A 1
N 109
VILAR DE
ANDORINHO
ESPINHO
AVEIRO
AVEIRO
VISEU
COIMBRA
CASTELO DE PAIVA
AROUCA

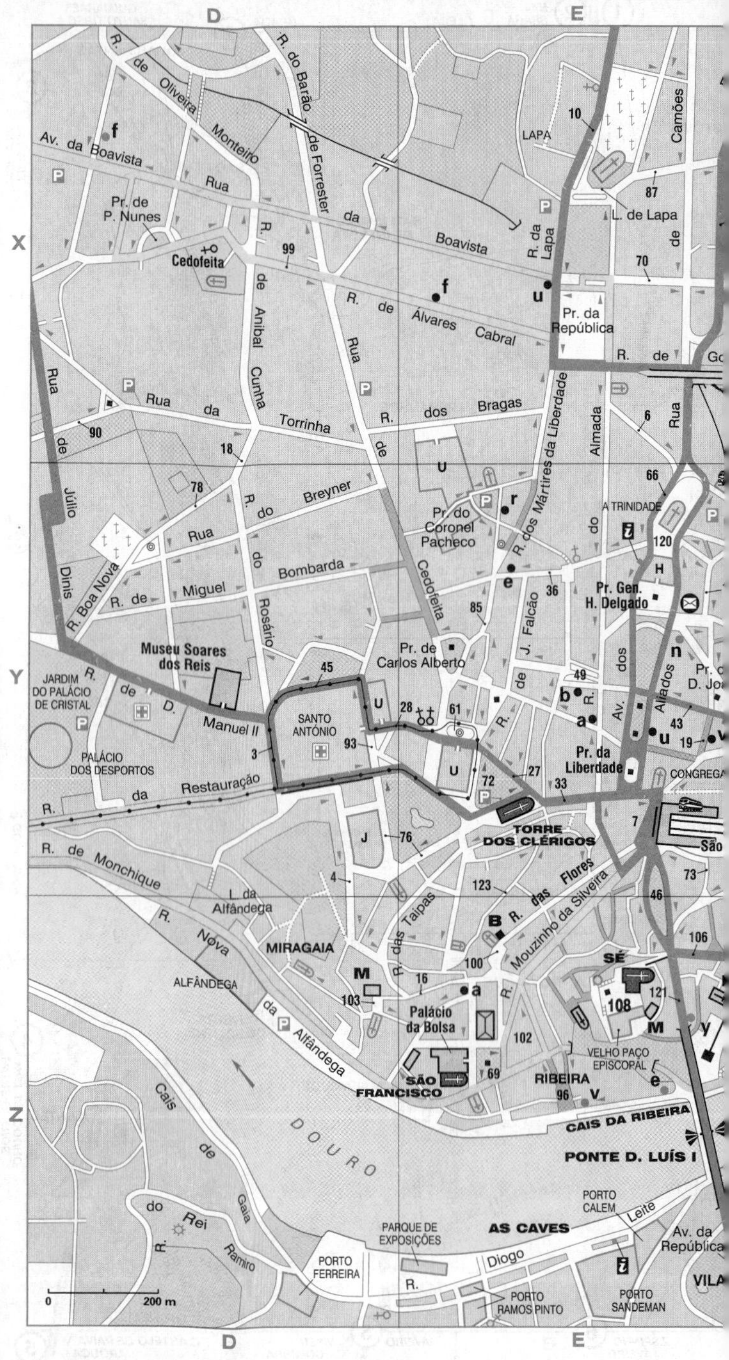
D
E
X
Y
Z
N
R. de Oliveira Monteiro
R. do Barão de Forrester
Av. da Boavista
Rua da Boavista
Pr. de P. Nunes
Cedofeita
LAPA
Camões
L. de Lapa
R. da Lapa
R. de Aníbal Cunha
R. de Álvares Cabral
Pr. da República
Rua de Cedofeita
Rua de Júlio Dinis
Rua da Torrinha
R. dos Bragas
R. dos Mártires da Liberdade
Almada
R. do Breyner
Pr. do Coronel Pacheco
A TRINIDADE
Rua da Bombarda
R. de Miguel Bombarda
R. Boa Nova
R. do Rosário
J. Falcão
Pr. Gen. H. Delgado
Museu Soares dos Reis
Pr. de Carlos Alberto
JARDIM DO PALÁCIO DE CRISTAL
R. de D. Manuel II
SANTO ANTÓNIO
Av. dos Aliados
Pr. da Liberdade
PALÁCIO DOS DESPORTOS
R. da Restauração
CONGREGA
TORRE DOS CLÉRIGOS
São
R. de Monchique
R. das Flores
L. da Alfândega
R. das Taipas
Mouzinho da Silveira
R. Nova Alfândega
MIRAGAIA
SÉ
Palácio da Bolsa
R. da Alfândega
VELHO PAÇO EPISCOPAL
SÃO FRANCISCO
RIBEIRA
Cais de Gaia
DOURO
CAIS DA RIBEIRA
PONTE D. LUÍS I
PORTO CALEM
R. do Rei Ramiro
AS CAVES
PARQUE DE EXPOSIÇÕES
R. Diogo Leite
Av. da República
VILA
PORTO FERREIRA
PORTO RAMOS PINTO
PORTO SANDEMAN
0
200 m

PORTO

Em certos restaurantes de grandes cidades, é muitas vezes difícil encontrar uma mesa livre. É aconselhado reservar com antecedência.

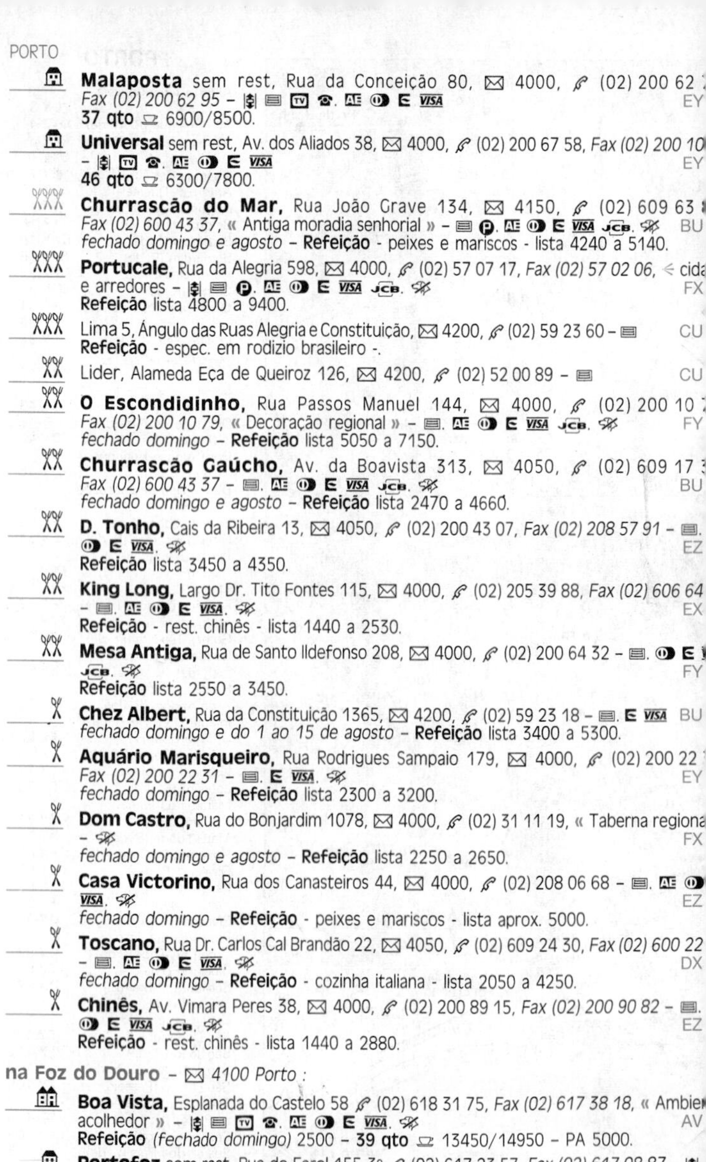

Malaposta sem rest, Rua da Conceição 80, ✉ 4000, ☎ (02) 200 62
Fax (02) 200 62 95 – AE VISA EY
37 qto 6900/8500.

Universal sem rest, Av. dos Aliados 38, ✉ 4000, ☎ (02) 200 67 58, Fax (02) 200 10
– AE VISA EY
46 qto 6300/7800.

Churrascão do Mar, Rua João Grave 134, ✉ 4150, ☎ (02) 609 63
Fax (02) 600 43 37, « Antiga moradia senhorial » – AE VISA JCB. BU
fechado domingo e agosto – **Refeição** - peixes e mariscos - lista 4240 a 5140.

Portucale, Rua da Alegria 598, ✉ 4000, ☎ (02) 57 07 17, Fax (02) 57 02 06, ≤ cida
e arredores – AE VISA JCB. FX
Refeição lista 4800 a 9400.

Lima 5, Ângulo das Ruas Alegria e Constituição, ✉ 4200, ☎ (02) 59 23 60 – CU
Refeição - espec. em rodizio brasileiro -.

Lider, Alameda Eça de Queiroz 126, ✉ 4200, ☎ (02) 52 00 89 – CU

O Escondidinho, Rua Passos Manuel 144, ✉ 4000, ☎ (02) 200 10
Fax (02) 200 10 79, « Decoração regional » – AE VISA JCB. FY
fechado domingo – **Refeição** lista 5050 a 7150.

Churrascão Gaúcho, Av. da Boavista 313, ✉ 4050, ☎ (02) 609 17
Fax (02) 600 43 37 – AE VISA JCB. BU
fechado domingo e agosto – **Refeição** lista 2470 a 4660.

D. Tonho, Cais da Ribeira 13, ✉ 4050, ☎ (02) 200 43 07, Fax (02) 208 57 91 –
VISA. EZ
Refeição lista 3450 a 4350.

King Long, Largo Dr. Tito Fontes 115, ✉ 4000, ☎ (02) 205 39 88, Fax (02) 606 64
– AE VISA. EX
Refeição - rest. chinês - lista 1440 a 2530.

Mesa Antiga, Rua de Santo Ildefonso 208, ✉ 4000, ☎ (02) 200 64 32 –
JCB. FY
Refeição lista 2550 a 3450.

Chez Albert, Rua da Constituição 1365, ✉ 4200, ☎ (02) 59 23 18 – VISA BU
fechado domingo e do 1 ao 15 de agosto – **Refeição** lista 3400 a 5300.

Aquário Marisqueiro, Rua Rodrigues Sampaio 179, ✉ 4000, ☎ (02) 200 22
Fax (02) 200 22 31 – VISA. EY
fechado domingo – **Refeição** lista 2300 a 3200.

Dom Castro, Rua do Bonjardim 1078, ✉ 4000, ☎ (02) 31 11 19, « Taberna regiona
– FX
fechado domingo e agosto – **Refeição** lista 2250 a 2650.

Casa Victorino, Rua dos Canasteiros 44, ✉ 4000, ☎ (02) 208 06 68 – AE
VISA. EZ
fechado domingo – **Refeição** - peixes e mariscos - lista aprox. 5000.

Toscano, Rua Dr. Carlos Cal Brandão 22, ✉ 4050, ☎ (02) 609 24 30, Fax (02) 600 22
– AE VISA. DX
fechado domingo – **Refeição** - cozinha italiana - lista 2050 a 4250.

Chinês, Av. Vimara Peres 38, ✉ 4000, ☎ (02) 200 89 15, Fax (02) 200 90 82 –
VISA JCB. EZ
Refeição - rest. chinês - lista 1440 a 2880.

na Foz do Douro – ✉ 4100 Porto :

Boa Vista, Esplanada do Castelo 58 ☎ (02) 618 31 75, Fax (02) 617 38 18, « Ambie
acolhedor » – AE VISA. AV
Refeição (fechado domingo) 2500 – **39 qto** 13450/14950 – PA 5000.

Portofoz sem rest, Rua do Farol 155-3° ☎ (02) 617 23 57, Fax (02) 617 08 87 –
AE VISA. AV
19 qto 11000/13000.

Don Manoel, Av. Montevideu 384 ☎ (02) 617 01 79, Fax (02) 610 44 37, ≤,
« Instalado num antigo palacete » – AE VISA. AU
fechado domingo – **Refeição** lista 7320 a 9380.

Portofino, Rua do Padrão 103 ☎ (02) 617 73 39, Fax (02) 617 73 39, – AE
VISA. AU
fechado sábado meio-dia e do 1 ao 15 de agosto – **Refeição** lista 2900 a 3850.

O Bule, Rua do Timor 128 ☎ (02) 618 87 77, « Terraço junto do jardim », – AE
VISA. AU
fechado domingo e do 1 ao 15 de agosto – **Refeição** lista 2900 a 4350.

em Matosinhos – ✉ *4450 Matosinhos* :

Amadeos sem rest, Rua Conde Alto Mearim 1229 ☎ (02) 939 97 00, *Fax (02) 939 97 19* – 50 qto 11000/13000. AU u

Esplanada Marisqueira Antiga, Rua Roberto Ivens 628 ☎ (02) 938 06 60, *Fax (02) 937 89 12*, Viveiro próprio – AE O E VISA JCB. AU v
fechado 2ª feira – **Refeição** - peixes e mariscos - lista 4450 a 5600.

O Gaveto com snack bar, Rua Roberto Ivens 826 ☎ (02) 937 87 96, *Fax (02) 938 38 12* – AE O E VISA JCB AU a
Refeição lista 4200 a 5650.

Marujo com snack-bar, Rua Tomaz Ribeiro 284 ☎ (02) 938 37 32, *Fax (02) 93 70 78* – AE O E VISA. AU v
Refeição lista 3450 a 7600.

Ver também : **Vila Nova de Gaia** *por ⑥ : 2 km*
Leça do Balio *por ① : 7 km*
Leça da Palmeira *Noroeste : 8 km*
Santo Tirso *por ② : 22 km.*

PORTO ALTO *Santarém* 940 **P 3** – ✉ *2135 Samora Correia.*
Lisboa 45 – Évora 109 – Santarém 53 – Setúbal 54.

Albergaria S. Lourenço sem rest, Estrada N 10/10-5 ☎ (063) 65 44 47, *Fax (063) 65 46 94* – AE O E VISA JCB
48 qto 8900/11000.

PORTO MONIZ *Madeira – ver Madeira (Arquipélago da).*

PORTO SANTO *Madeira – ver Madeira (Arquipélago da).*

PÓVOA DAS QUARTAS *Coimbra – ver Oliveira do Hospital.*

PÓVOA DE LANHOSO *4830 Braga* 940 **H 5**.
Lisboa 375 – Braga 19 – Caldelas 24 – Guimarães 21 – Porto 68 – Viana do Castelo 69.

El Gaucho, Av. 25 de Abril 207-11º ☎ (053) 63 11 44, ← – AE E VISA
fechado 3ª feira e do 15 ao 30 de setembro – **Refeição** lista 3500 a 4550.

PÓVOA DE VARZIM *4490 Porto* 940 **H 3** – *23 851 h. – Praia.*
Ver : *O bairro dos pescadores★* AZ.
Arred. : *Rio Mau : Igreja de S. Cristóvão (capitéis★) por ② : 12 km.*
Av. Mouzinho de Albuquerque 166 ☎ (052) 61 46 09 Fax (052) 61 78 72.
Lisboa 348 ② – Braga 40 ① – Porto 30 ②

Plano página seguinte

Vermar, Rua Alto de Martim Vaz ☎ (052) 61 55 66, *Telex 25261, Fax (052) 61 51 15*, ← – 25/700. AE O VISA. AY a
Refeição 3500 – **196 qto** 16700/19700, 12 suites – PA 7000.

Grande Hotel, Passeio Alegre 20 ☎ (052) 61 54 64, *Fax (052) 61 55 65*, ← – qto, – 25/50 AZ r
88 qto, 4 suites.

Luso-Brasileiro sem rest, Rua dos Cafés 16 ☎ (052) 69 07 10, *Fax (052) 69 07 19* – AE O E VISA JCB. AZ r
62 qto 8000/10400.

Costa Verde sem rest, Av. Vasco da Gama 56 ☎ (052) 61 55 31, *Fax (052) 61 59 31*, ← – AE O E VISA. AY e
50 qto 7700/9900.

Gett sem rest, Av. Mouzinho de Albuquerque 54 ☎ (052) 68 32 22, *Fax (052) 61 72 95* – AE E VISA. AZ n
22 qto 7000/9000.

Avô Velino sem rest, Av. Vasco da Gama ☎ (052) 68 16 28 – AY b
10 qto.

na estrada N 13 AY – ✉ *4490 Póvoa de Varzim* :

Sopete Santo André Estalagem, Aguçadoura - Norte : 7 km ☎ (052) 61 56 66, *Fax (052) 61 58 66*, ← – AE O E VISA.
Refeição 2500 – **46 qto** 15000/16200, 4 suites.

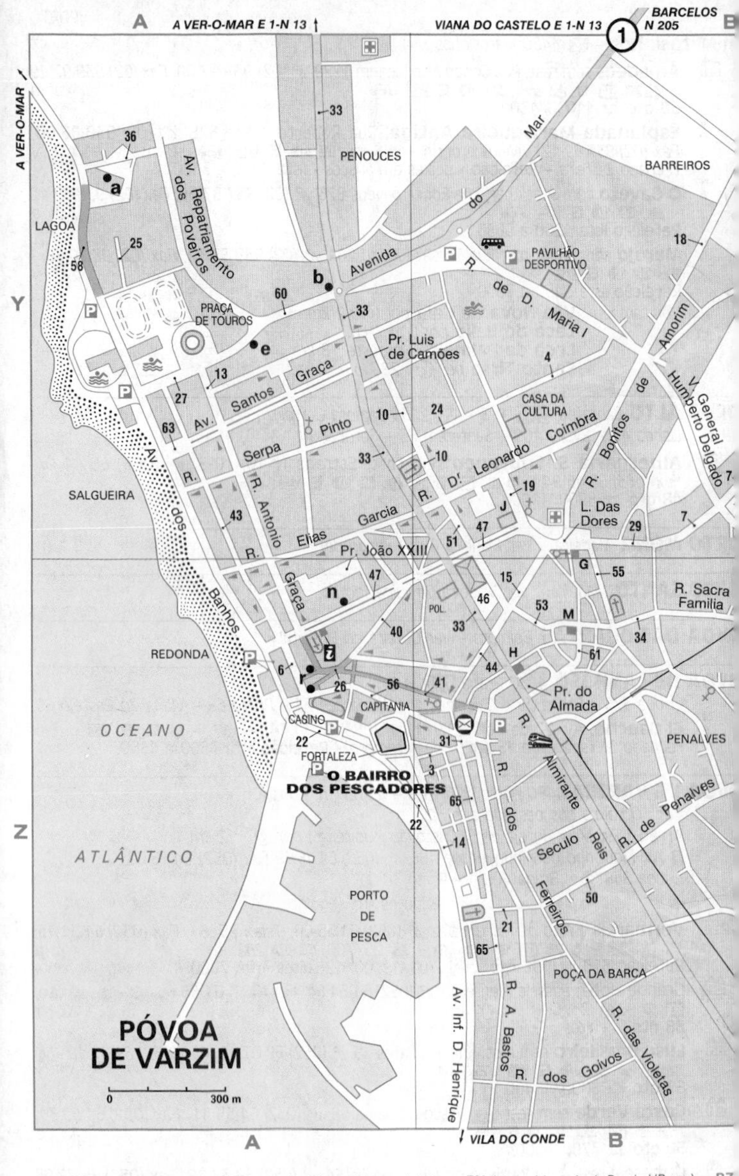

A. da Silveira (R.) . . . . BZ 3
Alberto Sampaio (R.) . . . . . BY 4
Alegre (Passeio) . . . . AZ 6
Almeida Brandão . . . . BY 7
Camilo (R. de) . . . . ABY 10
Casa dos Poveiros (R.) . . . AY 13
Caverneira (R. da) . . . . BZ 14
Cidade do Porto (R.) . . . . . BZ 15
Comendador Francisco
A. Quintas (R. do) . . . . . BY 18
Cons. Abel Andrade (R.) . . BY 19
Coronel Oudinot (R.) . . . . . BZ 21
Descobrimentos (Av. dos) . AZ 22
Dr Alberto Pimentel (R.) . . BY 24
Dr Armindo Graça (R. do) . AY 25
Dr D. Alves (Largo) . . . . . . AZ 26
Dr José Pontes (Largo) . . . AY 27
Dr Josué Trocado (R.) . . . . BY 29
Elísio da Nova (Largo) . . . . BZ 31
Gomes de Amorim (R.) . . ABYZ 33
Igreja (R. da) . . . . BZ 34
Impresa Regional (R. da) . . AY 36
José Malgueira (R.) . . . . . . AZ 40
Junqueira (R. da) . . . . BZ 41
Latino Coelho (R.) . . . . AY 43
Manuel Silva (R.) . . . . BZ 44
Marquês de Pombal (Praça) . BZ
Mouzinho
de Albuquerque (Av.) . ABYZ
Pereira Azurar (R.) . . . . . . BZ
Ramalho Ortigão (R.) . . . . . BY
Rocha Peixoto (R.) . . . . . . BZ
S. Pedro (R. de) . . . . BZ
Tenente Valadim (R.) . . . . . AZ
Varzim S. Club (R. do) . . . . AY
Vasco de Gama (Av.) . . . . . AY
Visconde (R. do) . . . . BZ
5 de Outubro (Praça) . . . . AY
31 de Janeiro (R.) . . . . BZ

Torre Mar sem rest, Norte : 2,3 km ☎ (052) 61 36 77, *Fax (052) 68 26 02* – |‡| TV ☎ 🚗 P. AE ⊙ E VISA. ✂
31 qto ☕ 7400/9800.

Estalagem Estela Sol, Norte : 8,7 km ☎ (052) 60 00 50, *Fax (052) 60 00 50* – |‡| TV ☎ P – 25/300
35 qto, 3 suites.

Contriz, Norte : 9 km ☎ (052) 60 10 50, *Fax (052) 60 10 19* – |‡| TV P – 25/300. AE ⊙ E VISA. ✂
Refeição 2600 – **21 qto** ☕ 6500/7500, 2 suites – PA 5200.

O Marinheiro, Norte : 2 km ☎ (052) 68 21 51, *Fax (052) 68 21 52*, « Imitação dum barco » – ▤ P. AE ⊙ E VISA. ✂
Refeição - peixes e mariscos - lista 3900 a 4780.

RAIA GRANDE *Lisboa – ver Colares.*

RAIA DA AGUDA *Porto* **940** **I 4** – ✉ *4405 Valadares – Praia.*
Lisboa 303 – Porto 15.

Dulcemar, Av. Gomes Guerra 960 ☎ (02) 762 40 77, *Fax (02) 762 78 24* – ▤. AE ⊙ E VISA
fechado 4ª feira – **Refeição** lista 2470 a 4710.

RAIA DA AREIA BRANCA *Lisboa* **940** **O 1** – ✉ *2530 Lourinhã – Praia.*
Praia da Areia Branca ☎ (061) 42 21 67 Fax (061) 41 20 82.
Lisboa 77 – Leiria 91 – Santarém 78.

Estalagem Areia Branca 🐚, ☎ (061) 41 24 91, *Fax (061) 41 31 43*, ≤, 🏊 – |‡| TV ☎ P – 25/70. AE ⊙ E VISA. ✂
Refeição lista aprox. 3100 – **31 qto** ☕ 10000/12000.

Dom Lourenço, ☎ (061) 42 28 09, *Fax (061) 42 28 09* – ▤ rest, TV P. AE E VISA. ✂ rest
fechado do 1 ao 15 de outubro – **Refeição** 2500 – **11 qto** ☕ 5000/8000, 7 apartamentos.

RAIA DA FALÉSIA *Faro – ver Albufeira.*

RAIA DA GALÉ *Faro – ver Albufeira.*

RAIA DA ROCHA *Faro – ver Portimão.*

RAIA DA SALEMA *Faro – ver Budens.*

RAIA DA VIEIRA *Leiria* **940** **M 3** – ✉ *2430 Marinha Grande – Praia.*
Lisboa 152 – Coimbra 95 – Leiria 24.

Vieira Praia, Av. Marginal ☎ (044) 69 79 00, *Fax (044) 69 52 11*, ≤, 🎾 – |‡| ▤ TV ☎ ♿ 🚗 – 25/150. AE ⊙ E VISA. ✂ rest
Refeição 2500 – **32 qto** ☕ 9700/11900, 1 suite.

Ouro Verde 🐚 sem rest, Rua D. Dinis ☎ (044) 69 71 56, *Fax (044) 69 59 31* – |‡| TV ☎ P
32 qto.

Estrela do Mar sem rest, Rua José Loureiro Botas 18 ☎ (044) 69 57 62, *Fax (044) 69 54 04*, ≤ – |‡| TV ☎
24 qto.

RAIA DAS MAÇÃS *Lisboa* **940** **P 1** – *606 h.* – ✉ *2710 Sintra – Praia.*
Lisboa 38 – Sintra 10.

Océano, Av. Eugenio Levy 52 ☎ (01) 929 23 99, *Fax (01) 929 21 23*, ≤, 🏋 – TV ☎ P. AE ⊙ E VISA. ✂ rest
fechado do 3 ao 30 de novembro – **Refeição** *(fechado 3ª feira)* lista 2700 a 5550 – **26 qto** ☕ 11000/14000.

Real sem rest, Rua Fernão de Magalhães ☎ (01) 929 20 02 – ✂
fechado janeiro – ☕ 750 – **12 qto** 9500/11000.

RAIA DE ALVOR *Faro – ver Portimão.*

PRAIA DE DONA ANA *Faro - ver Lagos.*

PRAIA DE FARO *Faro - ver Faro.*

PRAIA DE LAVADORES *Porto - ver Vila Nova de Gaia.*

PRAIA DE OFIR *Braga - ver Fão.*

PRAIA DO CARVOEIRO *Faro - ver Lagoa.*

PRAIA DO GUINCHO *Lisboa - ver Cascais.*

PRAIA DO PORTO NOVO *Lisboa - ver Vimeiro (Termas do).*

PRAIA DO VAU *Faro - ver Portimão.*

PRAIA DOS TRES IRMÃOS *Faro - ver Portimão.*

QUARTEIRA *8125 Faro* 940 U 5 - *8 905 h. - Praia.*

18 9 9 9 9 *Vilamoura, Noroeste : 6 km ☎ (089) 38 07 22 Fax (089) 38 07 26.*
Praça do Mar ☎ *(089) 38 92 09.*
Lisboa 308 - Faro 22.

Atis, Av. Dr. Francisco Sá Carneiro ☎ (089) 38 97 71, *Telex 56802, Fax (089) 38 97*
- AE E VISA.
Refeição 2000 - **97 qto** 10500/14100.

Zodíaco, Estrada de Almancil ☎ (089) 38 95 89, *Fax (089) 38 81 58,*
AE E VISA.
Refeição 1700 - **60 qto** 10000/12000 - PA 3400.

Claudiana sem rest, Rua Torre de Água ☎ (089) 30 03 40, *Fax (089) 30 03 41,*
E VISA.
24 qto 7500/10000.

Alphonso's, Rua Abertura Mar ☎ (089) 31 46 14, - AE E VISA.
Refeição lista 2750 a 4150.

Cataplana, Av. Infante de Sagres 107 ☎ (089) 38 86 63, - AE E
JCB.
fechado 3ª feira (inverno) e dezembro-janeiro - **Refeição** lista aprox. 3500.

em Vilamoura - ✉ *8125 Quarteira :*

Vilamoura Marinotel, Oeste : 3,5 km ☎ (089) 38 99 88, *Telex 5897*
Fax (089) 38 98 69, - 25/1200.
E VISA.
Refeição 5700 - ***Grill Sirius*** *(só jantar)* **Refeição** lista 7500 a 11300 - **364 q**
38750/51700, 21 suites.

Atlantis Vilamoura, Oeste : 3 km ☎ (089) 38 99 77, *Fax (089) 38 99 62,*
« Relvado repousante com », - 25/350. AE
E VISA.
Refeição 5600 - **290 qto** 33000/44000, 20 suites - PA 11200.

Vila Galé Marina, Oeste : 3 km ☎ (089) 320 00 00, *Fax (089) 320 00 50,*
- 25/90. AE E VISA.
Refeição 3750 - **229 qto** 22950/27000, 14 suites - PA 5800.

Dom Pedro Golf, Oeste : 3 km ☎ (089) 30 07 00, *Telex 56149, Fax (089) 31 54*
« Relvado repousante com », - 25/600. AE
VISA JCB.
Refeição 3000 - **257 qto** 20500/29400, 4 suites.

Dom Pedro Marina, Oeste : 3,5 km ☎ (089) 38 98 02, *Telex 563*
Fax (089) 31 32 70, - 25/100. AE E VISA.
Refeição 3000 - **101 qto** 19400/29900, 54 suites - PA 5000.

Casa da Madeira, Edifício Delta Marina - Oeste : 2,5 km ☎ (089) 30 17
Fax (089) 30 17 54, - AE E VISA.
fechado 3ª feira salvo verão - **Refeição** - só jantar - lista 2700 a 4450.

QUATRO ÁGUAS *Faro - ver Tavira.*

UELUZ *2745 Lisboa 940 P 2 – 47 864 h. alt. 125.*

Ver : *Palácio Nacional de Queluz★★ (sala do trono★) – Jardins do Palácio (escada dos Leões★).*

Largo do Palácio (01) 435 00 39 Fax (01) 435 25 75.

Lisboa 12 – Sintra 15.

Pousada de D. Maria I, Largo do Palácio (01) 435 61 58, *Fax (01) 435 61 89,* « Belo palacete » – 25/60. AE VISA.
Refeição (ver rest. ***Cozinha Velha***) – **24 qto** 29000/31000, 2 suites.

Cozinha Velha, Largo do Palácio (01) 435 61 58, *Fax (01) 435 61 89,* « Instalado nas antigas cozinhas do palácio » – AE VISA.
Refeição lista aprox. 5800.

n Tercena *Oeste : 4 km – 2745 Queluz :*

O Parreirinha, Av. Santo António 5 (01) 437 93 11, *Fax (01) 439 33 30* – VISA.
fechado domingo e agosto – **Refeição** lista aprox. 3800.

JINTA DO LAGO *Faro – ver Almancil.*

UINTAS DO SIROL *Leiria – ver Leiria.*

EDONDO *7170 Évora 940 Q 7 – 3 623 h. alt. 306.*

Praça da República (066) 90 91 12 Fax (066) 90 90 39.

Lisboa 179 – Badajoz 69 – Estremoz 27 – Évora 34.

n Aldeia da Serra *Norte : 10 km – 7170 Redondo :*

Convento de São Paulo , Estrada N 381 (066) 99 91 00, *Fax (066) 99 91 04,* , « Antigo convento », – 25/100. AE VISA. rest
Refeição lista 3750 a 5300 – **17 qto** 28500/33000.

EGUENGOS DE MONSARAZ *7200 Évora 940 Q 7 – 6 404 h.*

Lisboa 169 – Badajoz 94 – Beja 85 – Évora 39 – Portalegre 124.

Sudeste : *6 km*

Herdade do Esporão, (066) 51 97 50, *Fax (066) 51 97 53,* , « Conjunto regional numa extensa área de vinhas com barragem ao fundo » – AE VISA
fechado 2ª feira, do 15 ao 31 de janeiro e do 1 ao 15 de agosto – **Refeição** - só almoço salvo 6ª feira e sábado - lista 4150 a 4900.

ETAXO *6000 Castelo Branco 940 M 7 – 1 182 h.*

Lisboa 240 – Castelo Branco 13 – Castelo de Vide 81.

Motel da Represa , Norte : 1,5 km (072) 999 21, *Fax (072) 986 68,* , « Típica ambientação exterior », – 25/200. AE VISA
Refeição lista 2000 a 2580 – 560 – **42 qto** 7500/8500.

BAMAR *Lisboa 940 O 1 – 2640 Mafra – Praia.*

Lisboa 55 – Santarém 92 – Sintra 20 – Torres Vedras 22.

Viveiros do Atlântico, Estrada N 247 (061) 86 03 00, *Fax (061) 86 03 09,* , Viveiro próprio –
Refeição - mariscos -.

BEIRA BRAVA *Madeira – ver Madeira (Arquipélago da).*

BEIRA DE SÃO JOÃO *Santarém – ver Rio Maior.*

O DE MOINHOS *Santarém 940 N 5 – 1 882 h. – 2200 Abrantes.*

Lisboa 137 – Portalegre 88 – Santarém 69.

Cristina, Estrada N 3 (041) 88 11 77, *Fax (041) 88 13 43* – AE VISA.
fechado domingo noite, 2ª feira e agosto – **Refeição** lista 2450 a 4100.

RIO MAIOR *2040 Santarém* 940 **N 3** - *6 686 h.*
Lisboa 77 - Leiria 50 - Santarém 31.

R M sem rest, Rua Dr. Francisco Barbosa (043) 920 87, *Fax (043) 920 88* -
36 qto 5000/7000.

Casa do Foral sem rest, Rua da Boavista 10 (043) 99 26 10, *Fax (043) 99 26*
« Casa de traça rústica com » - . AE
8 qto 9000/11000.

Adega da Raposa, Travessa da Estalagem (043) 911 66 - .
E VISA
fechado domingo noite e do 1 ao 15 de agosto - **Refeição** lista 2900 a 3400.

no Alto da Serra *Noroeste : 4,5 km* - *2040 Rio Maior :*

Cantinho da Serra, Antiga Estrada N 1 (043) 99 13 67, *Fax (043) 99 13 67*, « Re
típico » - . AE E VISA.
fechado 2ª feira e julho - **Refeição** lista 2580 a 3780.

em Ribeira de São João *Sudeste : 7,5 km* - *2040 Rio Maior :*

Quinta da Ferraria , Estrada N 114 (043) 950 01, *Fax (043) 956 96*, « Anti
moinho de água e museu rural », , - - 25/200. AE VISA.
Refeição 3800 - **12 qto** 13000/15500, 2 apartamentos - PA 7600.

em Outeiro da Cortiçada *Este : 14 km* - *2040 Rio Maior :*

Quinta da Cortiçada , (043) 47 81 82, *Fax (043) 47 87 72*, « Requintad
instalações numa bela quinta », , , - - 25/120. AE VISA.
Refeição 3000 - **9 qto** 16000/18000.

ROMEU *5370 Bragança* 940 **H 8** - *936 h.*
Lisboa 467 - Bragança 59 - Vila Real 85.

Maria Rita, Rua da Capela (078) 93 91 34, *Fax (078) 93 91 34*, « Decoração rúst
regional » - . E VISA
fechado 2ª feira e 4ª feira ao jantar - **Refeição** lista 2250 a 2900.

SABROSA *5060 Vila Real* 940 **I 7**.
Lisboa 419 - Braga 115 - Bragança 115 - Vila Real 20 - Viseu 114.

Quality Inn, Av. Dos Combatentes da Grande Guerra (059) 93 02 4
Fax (059) 93 02 60, , - - 25/70. AE E VISA.
Refeição 2350 - **49 qto** 10000/13000, 1 suite - PA 4700.

SABUGO *2715 Lisboa* 940 **P 2**.
Lisboa 11 - Sintra 14.

em Vale de Lobos *Sudeste : 1,7 km* - *2715 Sabugo :*

Vale de Lobos , (01) 962 34 01, *Fax (01) 962 46 56*, , , , - , re
- 25/400. AE E VISA. rest
Refeição 3750 - **52 qto** 12500/15000 - PA 7500.

SAGRES *Faro* 940 **U 3** - *2 032 h.* - *8650 Vila do Bispo - Praia.*
Arred. : *Ponta de Sagres*★★ *Sudoeste : 1,5 km - Cabo de São Vicente*★★ *(★★).*
Rua Comandante Matoso (082) 62 48 73.
Lisboa 286 - Faro 113 - Lagos 33.

Pousada do Infante , (082) 62 42 22, *Fax (082) 62 42 25*, falésias e mar,
, - - 25/40. AE E VISA.
Refeição lista 3660 a 6640 - **39 qto** 23100/24600.

Aparthotel Navigator sem rest, Rua Infante D. Henrique (082) 62 43
Fax (082) 62 43 60, , - . AE E VISA
750 - **56 apartamentos** 15000/16000.

Baleeira , (082) 62 42 12, *Fax (082) 62 44 25*, falésias e mar, , ,
rest, . AE E VISA. rest
Refeição 2400 - **120 qto** 12900/16900 - PA 4800.

D. Henrique sem rest, Praça da República (082) 62 00 00, *Fax (082) 62 00 01* -
. E VISA.
18 qto 12750/15000.

a estrada do Cabo São Vicente *Noroeste : 5 km – ✉ 8650 Vila do Bispo :*

X **Fortaleza do Beliche** com qto, ☎ (082) 62 41 24, *Fax (082) 62 42 25,* « Instalado numa fortaleza sobre uma falésia dominando o mar » – qto, ☎. E VISA.
fechado dezembro e janeiro – **Refeição** lista 2450 a 3860 – **4 qto** 16000/17500.

AMEIRO *Braga – ver Braga.*

ANGALHOS *Aveiro* 940 K 4 – *4 067 h.* – ✉ *3780 Anadia.*
Lisboa 234 – Aveiro 25 – Coimbra 32.

Estalagem Sangalhos, ☎ (034) 74 36 48, *Fax (034) 74 32 74,* ≤ vale e montanha, – rest, TV ☎ P. AE E VISA.
Refeição - so jantar - 2250 – **32 qto** 7000/9500.

ANTA BÁRBARA DE NEXE *Faro – ver Faro.*

ANTA CLARA-A-VELHA *7665 Beja* 940 T 4.
Lisboa 219 – Beja 110 – Faro 92 – Portimão 56 – Sines 86.

barragem de Santa Clara *Este : 5,5 km – ✉ 7665 Santa-Clara-A-Velha :*

Pousada de Santa Clara, ☎ (083) 88 22 48, *Fax (083) 88 24 02,* ≤ barragem e montanhas, – TV ☎ P
18 qto, 1 suite.

ANTA LUZIA *Viana do Castelo – ver Viana do Castelo.*

ANTA MARIA DA FEIRA *4520 Aveiro* 940 J 4 – *4 877 h. alt. 125.*
Ver : *Castelo*★.
Rua dos Descobrimentos ☎ (056) 37 20 32.
Lisboa 291 – Aveiro 47 – Coimbra 91 – Porto 20.

Novacruz sem rest, Rua S. Paulo da Cruz ☎ (056) 37 23 11, *Fax (056) 37 23 16* – TV ☎ P – 25/130. AE E VISA.
60 qto 10500/12500, 5 suites.

la estrada N 223 *Oeste : 4 km – ✉ 4520 Santa Maria da Feira :*

Ibis Porto Sul Europarque, Europarque ☎ (056) 33 25 07, *Fax (056) 33 25 09,* – TV ☎ P – 25/60. AE E VISA. rest
Refeição lista aprox. 2500 – 800 – **63 qto** 6900.

estrada N 1 – ✉ *4520 Santa Maria da Feira :*

Pedra Bela, Nordeste : 5 km ☎ (056) 91 15 13, *Fax (056) 91 15 95,* – TV ☎ P. AE E VISA
Refeição (ver rest. ***Pedra Bela***) – **50 qto** 6500/7500.

X **Pedra Bela,** Nordeste : 5 km ☎ (056) 91 13 38, *Fax (056) 91 15 95* – P. AE E VISA.
Refeição lista 1975 a 3590.

X **Tigre** com snack-bar, Lugar de Albarrada - São João de Ver, Nordeste : 5,5 km ☎ (056) 31 22 04, *Fax (056) 31 28 28* – P. AE E VISA.
Refeição - mariscos - lista 2340 a 3500.

ANTA MARTA DE PENAGUIÃO *5030 Vila Real* 940 I 6.
Lisboa 400 – Peso da Régua 6 – Braga 95 – Porto 93 – Vila Real 17.

Oásis, Estrada N 2 ☎ (054) 915 32 – TV ☎
12 qto.

ANTA MARTA DE PORTUZELO *Viana do Castelo – ver Viana do Castelo.*

ANTANA *Setúbal – ver Sesimbra.*

SANTARÉM *2000* **P** **940** O 3 – *28 547 h. alt. 103.*

Ver : *Miradouro de São Bento* ※★ B – *Igreja de São João de Alporão (Mus Arqueológico★)* B – *Igreja da Graça★ (nave★)* B.

Arred. : *Alpiarça : Casa dos Pátudos★ (tapeçarias★, faianças e porcelanas★) 10 km por (*

Rua Pedro de Santarém 102 ✆ *(043) 33 33 18 Fax (043) 241 13.*

Lisboa 80 ③ – *Évora 115* ② – *Faro 330* ② – *Portalegre 158* ② – *Setúbal 130* ③

SANTARÉM

Alex. Herculano (Rua)	A 3
Alf. de Santarém (Rua)	B 4
Braamcamp Freire (Rua)	B 6
Cândido dos Reis (Largo)	A 7
Capelo Ivens (Rua)	AB 9
G. de Azevedo (Rua)	A 10
João Afonso (Rua)	A 12
Miguel Bombarda (Rua)	B 13
Piedade (Largo da)	A 15
São Martinho (Rua de)	B 16
Serpa Pinto (Rua)	AB
Teixeira Guedes (Rua)	A
Tenente Valadim (Rua)	B
Vasco da Gama (Rua)	A
Zeferino Brandão (Rua)	A
1º de Dezembro (Rua)	B
5 de Outubro (Avenida)	B
31 de Janeiro	A

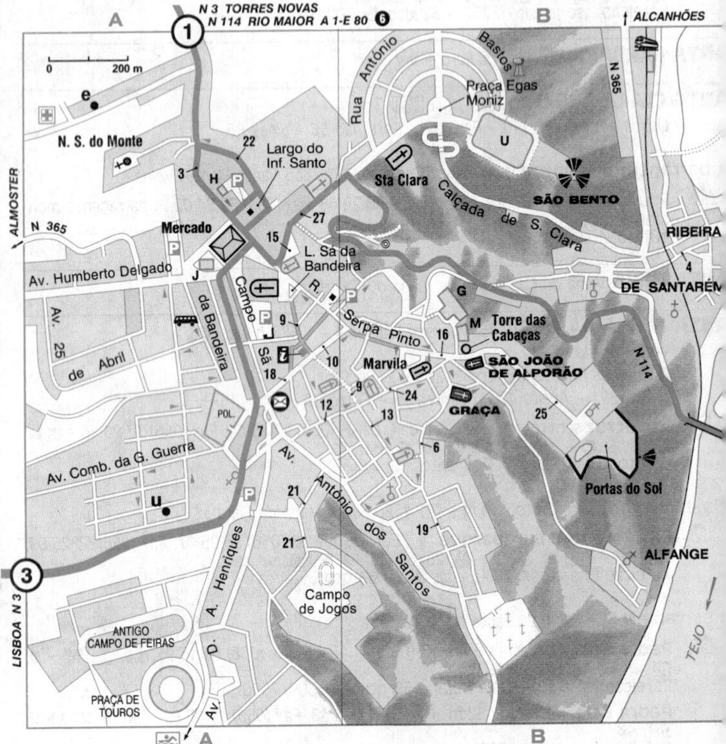

Grande H. de Santarém ⛇, Av. Madre Andaluz ✆ (043) 30 95 0 *Fax (043) 30 95 09*, « Terraço con relvado e ≤ vale e rio Tejo » – 25/90. AE VISA. por Av. D.A. Henriques A
Refeição lista aprox. 3300 – **102 qto** 16000/26000, 4 suites.

Alfageme sem rest, Av. Bernardo Santareno 38 ✆ (043) 37 08 70, *Fax (043) 37 08* – 25/200. VISA. A
67 qto 8490/9950.

Victoria sem rest, Rua 2º Visconde de Santarém 21 ✆ (043) 30 91 30, *Fax (043) 282* – VISA. A
23 qto 6000/8000.

ANTIAGO DO CACÉM *7540 Setúbal* 940 **R 3** – *18 354 h. alt. 225.*

Ver : *À saida sul da Vila* ⩽★.

Largo do Mercado ℘ *(069) 82 66 96 Fax (069) 224 98.*

Lisboa 146 – Setúbal 98.

Pousada de Santiago, Estrada de Lisboa ℘ (069) 224 59, *Fax (069) 224 59,* « Decoração regional », – . VISA.
Refeição lista 2700 a 3800 – **8 qto** 14500/16000.

Albergaria D. Nuno sem rest, Av. D. Nuno Álvares Pereira 88 ℘ (069) 233 25, *Fax (069) 233 28,* ⩽, – – 25/50. VISA.
75 qto 8000/12000.

Gabriel sem rest, Rua Professor Egas Moniz 24 ℘ (069) 222 45, *Fax (069) 82 61 02* – . VISA.
23 qto 6000/10000.

ANTO AMARO DE OEIRAS *Lisboa – ver Oeiras.*

ANTO TIRSO *4780 Porto* 940 **H 4** – *11 708 h. alt. 75.*

Praça 25 Abril ℘ *(02) 85 20 64.*

Lisboa 345 – Braga 29 – Porto 22.

Cidnay, Praça do Município ℘ (052) 85 93 00, *Fax (052) 85 93 20,* ⩽ – – 25/175. VISA.
Refeição 3000 – **64 qto** 15750/18900, 1 suite – PA 5200.

São Rosendo, Praça do Município 6 ℘ (052) 85 30 54, *Fax (052) 85 30 54* – . VISA
fechado 2ª feira – **Refeição** lista 1850 a 3650.

ÃO BRÁS DE ALPORTEL *8150 Faro* 940 **U 6** – *2 763 h.*

Rua Dr. Evaristo Gago ℘ *(089) 84 22 11.*

Lisboa 293 – Faro 19 – Portimão 63.

estrada N 2 *Norte : 2 km – ✉ 8150 São Brás de Alportel :*

Pousada de São Brás , ℘ (089) 84 23 05, *Fax (089) 84 17 26,* ⩽ cidade, campo e colinas, – . VISA.
Refeição lista aprox. 3350 – **34 qto** 23100/24600.

ÃO GONÇALO *Madeira – ver Madeira (Arquipélago da) : Funchal.*

ÃO JOÃO DA CAPARICA *Setúbal – ver Costa da Caparica.*

ÃO JOÃO DA MADEIRA *3700 Aveiro* 940 **J 4** – *18 452 h. alt. 205.*

Lisboa 286 – Aveiro 46 – Porto 32.

O Executivo, Rua Oliveira Júnior 918 ℘ (056) 83 27 85, *Fax (056) 83 27 86,* « Instalado num belo palacete do início de século », – . VISA JCB.
fechado 4ª feira, domingo noite e agosto – **Refeição** lista 4200 a 6500.

ÃO JOÃO DO ESTORIL *Lisboa – ver Estoril.*

ÃO MARTINHO DO PORTO *2465 Leiria* 940 **N 2** – *2 318 h. – Praia.*

Ver : ⩽★.

Av. 25 de Abril ℘ *(062) 98 91 10.*

Lisboa 108 – Leiria 51 – Santarém 65.

Albergaria São Pedro sem rest, Largo Vitorino Frois 7 ℘ (062) 98 93 28, *Fax (062) 98 93 27* – . VISA.
abril-setembro – **25 qto** 14000/16000.

Concha sem rest, Largo Vitorino Frois 21 ℘ (062) 98 92 20, *Fax (062) 98 98 35* – – 25/50
31 qto.

Albergaria Sto. António da Baía sem rest, Rua da Independência ℘ (062) 98 96 66, *Fax (062) 98 98 38,* ⩽ – – 25/100
22 qto.

A Casa, Av. Marginal ℘ (062) 98 96 33, *Fax (062) 98 99 89,* ⩽ – . VISA JCB.
Refeição lista 2550 a 3450.

SÃO PEDRO DE MOEL *Leiria* 940 **M 2** – ✉ *2430 Marinha Grande – Praia.*
Lisboa 135 – Coimbra 79 – Leiria 22.

Mar e Sol, Av. da Liberdade 1 ✆ (044) 59 91 82, *Fax (044) 59 94 11,* ← – |‡| ▤ TV – 25/180. AE E VISA. ✂
Refeição *(fechado 2ª feira e outubro-novembro)* 2750 – **63 qto** ☕ 950 12000.

São Pedro, Rua Dr. Adolfo Leitão 22 ✆ (044) 59 91 20, *Telex 18136, Fax (044) 59 91* – ▤ TV P – 25/300. AE ◑ E VISA. ✂
Refeição 2500 – **53 qto** ☕ 8000/10000 – PA 5000.

Santa Rita sem rest, Praceta Pinhal do Rei 1 ✆ (044) 59 94 98
9 qto ☕ 9000/12000.

Brisamar, Rua Dr. Nicolau Bettencourt 23 ✆ (044) 59 92 50, *Fax (044) 59 95 80* – ◑ E VISA. ✂
fechado 2ª feira – **Refeição** lista 2300 a 3650.

SÃO PEDRO DE SINTRA *Lisboa – ver Sintra.*

SÃO PEDRO DO SUL *3660 Viseu* 940 **J 5** – *2 464 h. alt. 169 – Termas.*
Termas de S. Pedro ✆ (032) 71 13 20.
Lisboa 321 – Aveiro 76 – Viseu 22.

nas termas *Sudoeste : 3 km* – ✉ *3660 São Pedro do Sul :*

Do Parque ⛰, ✆ (032) 72 34 61, *Fax (032) 72 30 47,* 🎾 – |‡| TV ☎ 🚗 P 25/70. AE VISA. ✂ rest
Refeição 1900 – **53 qto** ☕ 8200/12350, 3 suites.

Grande H. Lisboa, Estrada N 16 ✆ (032) 72 33 60, *Fax (032) 72 33 61* – |‡| ▤ TV ☎ – 25/140
142 qto.

Lafões sem rest, Rua do Correio ✆ (032) 71 16 16 – |‡| TV ☎ 🚗 P
21 qto.

Adega da Ti Fernanda, Av. da Estação ✆ (032) 71 24 68, ☂, « Decoração rústica – ✂
fechado 2ª feira e novembro – **Refeição** lista 2500 a 3500.

SÃO VICENTE *Madeira – ver Madeira (Arquipélago da).*

SEIA *6270 Guarda* 940 **K 6** – *7 971 h. alt. 532.*
Arred. : *Estrada★★ de Seia à Covilhã (←★★, Torre ✳★★, ←★) 49 km.*
Largo do Mercado ✆ (038) 222 72.
Lisboa 303 – Guarda 69 – Viseu 45.

Camelo, Av. 1º de Maio 16 ✆ (038) 255 55, *Fax (038) 255 50,* ←, 🏊, 🎾 – |‡| ▤ ☎ P – 25/50. AE ◑ E VISA
Refeição *(fechado 2ª feira, 15 dias em junho e 15 dias em outubro)* 2000 – **79 q** ☕ 8200/11900, 5 suites – PA 3800.

Estalagem de Seia, Av. Dr. Afonso Costa ✆ (038) 258 66, *Fax (038) 255 38,* 🏊 – ▤ TV ☎ P – 25/30. VISA. ✂
fechado do 15 ao 30 de agosto – **Refeição** 2000 – **34 qto** ☕ 1100 11500.

na estrada N 339 *Este : 6 km* – ✉ *6270 Seia :*

Albergaria Senhora do Espinheiro ⛰ sem rest, ✆ (038) 220 73, *Fax (038) 238 81,* vale – TV ☎ P
24 qto.

SEIXAS *Viana do Castelo – ver Caminha.*

SERRA DA ESTRELA *Castelo Branco* 940 **K y L 7** – *Desportos de inverno ⛷3.*
Ver : ★ *(Torre★★, ✳★★).*
✆ *(075) 249 33 Fax (075) 249 33.*
Hotéis e restaurantes ver : **Covilhã e Penhas da Saúde.**

SERRA DE ÁGUA *Madeira – ver Madeira (Arquipélago da).*

ERTÃ *6100 Castelo Branco* 940 **M 5** – *5 247 h.*
Lisboa 248 – Castelo Branco 72 – Coimbra 86.

Lar Verde sem rest, Recta do Pinhal ✆ (074) 635 84, *Fax (074) 630 95*, ≤, – ▤ TV ☎ P. E VISA. ✂
22 qto ☕ 6500/8500.

Pontevelha, Alameda da Carvalha ✆ (074) 60 01 60, *Fax (074) 60 01 69*, ≤ – ▤. AE ① E VISA JCB. ✂
fechado 2ª feira e do 1 ao 15 de maio – **Refeição** lista aprox. 2500.

Santo Amaro, Rua Bombeiros Voluntários ✆ (074) 60 41 15, *Fax (074) 60 01 69*, ☂ – ▤. AE ① E VISA JCB. ✂
fechado 4ª feira e do 15 ao 30 de maio – **Refeição** lista aprox. 2850.

ESIMBRA *2970 Setúbal* 940 **Q 2** – *14 530 h.* – *Praia.*
Ver : *Porto★.*
Arred. : *Castelo ≤★ Noroeste : 6 km – Cabo Espichel★ (local★) Oeste : 15 km – Serra da Arrábida★ (Portinho de Arrábida★, Estrada de Escarpa★★) Este : 30 km.*
Largo da Marinha ✆ (01) 223 57 43 Fax (01) 223 38 55.
Lisboa 43 – Setúbal 26.

Do Mar ⛰, Rua General Humberto Delgado 10 ✆ (01) 223 33 26, *Fax (01) 223 38 88*, ≤ mar, « Relvado com ⛱ rodeado de árvores », ⛱, ✂ – |♦| ▤ TV ☎ ♿ P – 🎤 25/220. AE ① E VISA. ✂
Refeição 4200 – **168 qto** ☕ 21500/27000, 2 suites.

Villas de Sesimbra ⛰, Altinho de São João ✆ (01) 228 00 05, *Fax (01) 223 15 33*, ≤, Fб, ⛱, ⛱ – |♦| ▤ TV ☎ 🚗 – 🎤 25/100
207 apartamentos.

Ribamar, Av. dos Náufragos 29 ✆ (01) 223 48 53, *Fax (01) 223 43 17*, ☂ – ▤. AE E VISA. ✂
Refeição - peixes e mariscos - lista 2600 a 4340.

O Pirata, Rua Heliodoro Salgado 3 ✆ (01) 223 04 01, ≤, ☂ – AE ① E VISA JCB
fechado 4ª feira e dezembro – **Refeição** lista aprox. 3800.

n Santana *Norte : 3,5 km* – ✉ *2970 Sesimbra :*

Angelus, Praça Duques de Palmela ✆ (01) 268 13 40, *Fax (01) 223 43 17* – ▤. AE E VISA. ✂
Refeição lista 2400 a 4650.

ETÚBAL *2900* P 940 **Q 3** – *89 106 h.*
Ver : *Castelo de São Felipe★ (❋★) por Rua São Filipe* AZ – *Igreja de Jesus★* AY.
Arred. : *Serra da Arrábida★ (Estrada de Escarpa★★) por ② – Quinta da Bacalhoa★ : jardins (azulejos★) por ③ : 12 km.*
⛴ *para Tróia, Cais de Setúbal ✆ (065) 351 01.*
Rua do Corpo Santo ✆ (065) 53 44 02 Fax (065) 53 44 02 – **A.C.P.** *Av. Bento Gonçalves 18 - A ✆ (065) 53 22 92 Fax (065) 39237.*
Lisboa 55 ① – Badajoz 196 ① – Beja 143 ① – Évora 102 ① – Santarém 130 ①
Planos páginas seguintes

Bonfim sem rest, Av. Alexandre Herculano 58, ✉ 2900, ✆ (065) 53 41 11, *Fax (065) 53 48 58*, ≤ – |♦| ▤ TV ☎ ♿ – 🎤 25/40. AE ① E VISA. ✂ BY b
100 qto ☕ 15000/17000.

Isidro, Rua Professor Augusto Gomes 3, ✉ 2910, ✆ (065) 53 50 99, *Fax (065) 53 51 18* – |♦| ▤ TV ☎ ♿ 🚗 – 🎤 25/75. AE ① E VISA. ✂ por Av. Jaime Cortesão CZ
Refeição (ver rest. ***Isidro***) – ☕ 1100 – **72 qto** 10000, 13 apartamentos.

Albergaria Laitau sem rest. com snack bar, Av. General Daniel de Sousa 89, ✉ 2900, ✆ (065) 534 031, *Fax (065) 360 95* – |♦| ▤ TV ☎ 🚗 – 🎤 25/200. AE ① E VISA AY b
41 qto ☕ 12000/15000.

Aranguês sem rest, Rua José Pedro da Silva 15, ✉ 2910, ✆ (065) 52 51 71, *Fax (065) 52 68 77*, Fб, ⛱ – |♦| ▤ TV ☎ ♿ 🚗. AE ① E VISA. ✂ CY a
48 qto ☕ 10000/12000, 2 suites.

Albergaria Solaris sem rest, Praça Marquês de Pombal 12, ✉ 2900, ✆ (065) 52 21 89, *Fax (065) 52 20 70* – |♦| ▤ TV ☎. AE ① E VISA. ✂ AZ c
30 qto ☕ 8000/10000.

SETÚBAL

Alexandre Herculano (Av. de)	BY 3
Almirante Reis (Praça do)	AZ 4
Almocreves (Rua dos)	BZ 6
Álvaro Castelões (Rua)	BZ 7
António Girão (Rua)	BZ 9
Arronches Junqueiro (Rua)	BZ 12
Augusto Cardoso (Rua de)	BZ 13
Bela Vista (Travessa da)	AZ 15
Bocage (Praça do)	BZ 16
Bocage (Rua do)	BZ 18
Ciprestes (Estrada dos)	CY 19
Clube Naval (Rua)	AZ 20
Combatentes da Grande Guerra (Av. dos)	AZ 21
Defensores da República (Largo dos)	CZ 22
Dr António J. Granjo (Rua)	BZ 24
Dr Paula Borba (Rua)	BZ 25
Exército (Praça do)	BZ 27
José Filipe (Rua)	AZ 30
Machado dos Santos (Praça)	AZ 31
Major Afonso Pala (Rua do)	BZ 33
Mariano de Carvalho (Avenida)	BY 34
Marquês da Costa (Rua)	AZ 36
Marquês de Pombal (Praça)	AZ 37
Mirante (Rua do)	CY 38
Ocidental do Mercado (Rua)	AZ 39
Paulino de Oliveira (Rua de)	AZ 40
República de Guiné-Bissau (Av.)	BY 42
Santo António (Largo de)	BZ 43
Tenente Valadim (Rua)	AZ 44
Trabalhadores do Mar (Rua dos)	AZ 45
22 de Dezembro (Av.)	BY 46

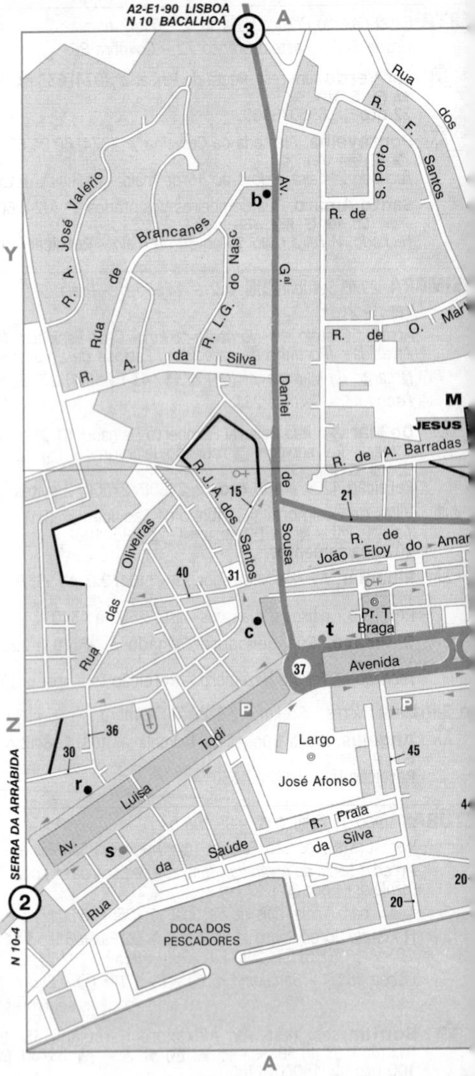

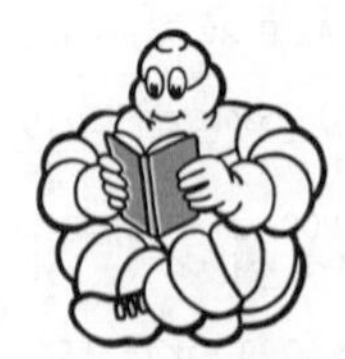

Mar e Sol sem rest, Av. Luisa Todi 606-612, ✉ 2900, ✆ (065) 53 46 C
Fax (065) 53 20 36 – 25/30. VISA. AZ
71 qto 7000/9000.

Bocage sem rest, Rua de São Cristóvão 14, ✉ 2900, ✆ (065) 215 98, *Fax (065) 218*
– AE VISA. BZ
38 qto 8000/9000.

Setubalense sem rest, Rua do Major Afonso Pala 17-1º, ✉ 2900, ✆ (065) 52 57 !
Fax (065) 52 57 89 – BZ
24 qto.

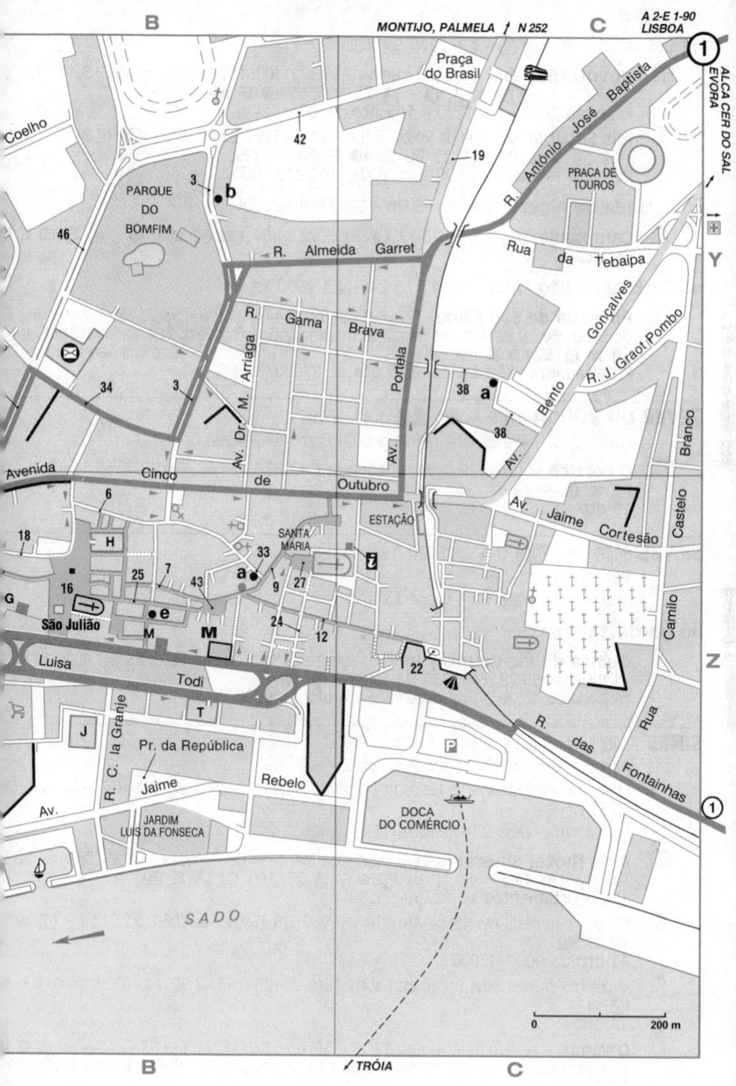

Ꮬ Rio Azul, Rua Plácido Stichini 3, ✉ 2900, ☎ (065) 52 28 28, 🏖 – ▤ AZ s

Ꮬ **Isidro,** Rua Professor Augusto Gomes 1, ✉ 2910, ☎ (065) 53 50 99, *Fax (065) 53 51 18* – ▤ 🚗. AE ⓓ E VISA. ✂ por Av. Jaime Cortesão CZ
Refeição lista aprox. 3800.

Ꮬ **O Beco,** Rua da Misericórdia 24, ✉ 2900, ☎ (065) 52 46 17, *Fax (065) 52 56 10* – ▤. AE ⓓ E VISA BZ a
fechado domingo noite e 3ª feira – **Refeição** lista 2600 a 4450.

Ꮬ **Novoreno,** Av. Luisa Todi 440, ✉ 2900, ☎ (065) 301 15, *Fax (065) 301 15*, 🏖 – ▤. AE ⓓ E VISA. ✂ AZ t
Refeição lista 3050 a 6150.

na estrada N 10 *por ① – ✉ 2910 Setúbal :*

🏨 **Novotel Setúbal** 🔇, Monte Belo - 2,5 km ☎ (065) 52 28 09, *Fax (065) 52 29 12,* 🌳, 🏊, 🎾 – 🛗 ▤ 📺 ☎ ♿ 🅿 – 🎤 25/300. AE ⓓ E VISA. ✗ rest
Refeição 2600 – ☕ 1200 – **105 qto** 11600.

🏨 **Ibis Setúbal** 🔇, Vale da Rosa - 5,5 km ☎ (065) 77 22 00, *Fax (065) 77 24 47,* 🌳, – ▤ 📺 ☎ ♿ 🅿 – 🎤 25/60. AE ⓓ E VISA. ✗ rest
Refeição lista aprox. 3000 – ☕ 800 – **102 qto** 7000.

na estrada de Algerus *por ① : 5 km – ✉ 2910 Setúbal :*

🏨 **Campanile,** ☎ (065) 75 26 72, *Fax (065) 77 24 64* – ▤ 📺 ☎ ♿ 🅿 – 🎤 25. AE E VISA
Refeição 2500 – ☕ 700 – **70 qto** 7950.

no Castelo de São Filipe *Oeste : 1,5 km – ✉ 2900 Setúbal :*

🏨 **Pousada de São Filipe** 🔇, ☎ (065) 52 38 44, *Fax (065) 53 25 38,* ≤ Setúbal e F do Sado, 🌳, « Dentro das muralhas de uma antiga fortaleza. Decoração rústica » – 📺 ☎ 🅿. AE ⓓ E VISA. ✗ por Rua São Filipe AZ
Refeição lista 3520 a 6550 – **16 qto** ☕ 27000/30000.

SEVER DO VOUGA *3740 Aveiro* 940 **J 4** – *2 598 h.*
Lisboa 278 – Aveiro 40 – Coimbra 80 – Porto 67 – Viseu 63.

🏨 **O Cortiço** sem rest, Rua do Matadouro ☎ (034) 55 54 80, *Fax (034) 55 54 82,* ≤ – 📺 ☎ 🅿. ✗
19 qto ☕ 5500/7000, 1 suite.

SILVES *8300 Faro* 940 **U 4** – *11 020 h.*
Ver : *Castelo★ - Sé★.*
Lisboa 265 – Faro 62 – Lagos 33.

ao Nordeste : *6 km*

🏠 **Quinta do Rio-Country Inn** 🔇 sem rest, Sítio de São Estévão, ✉ apartado 21 ☎ (082) 44 55 28, *Fax (082) 44 55 28* – 🅿. ✗
fechado do 15 ao 31 de dezembro – **6 qto** ☕ 9000.

SINES *7520 Setúbal* 940 **S 3** – *9 314 h. – Praia.*
Arred. : *Santiago do Cacém ≤★.*
ℹ *Av. General Humberto Delgado (Jardim das Descobertas) ☎ (069) 63 44 72 Fax (069) 63 30 22.*
Lisboa 165 – Beja 97 – Setúbal 117.

🏨 **Aparthotel Sinerama** sem rest, Rua Marquês de Pombal 167 ☎ (069) 86 25 2 *Fax (069) 63 45 51,* ≤ – 🛗 ▤ 📺 ☎ – 🎤 25/100. AE ⓓ E VISA. ✗
105 apartamentos ☕ 12750/15500.

🏨 **Búzio** sem rest, Av. 25 de Abril 14 ☎ (069) 86 25 58, *Fax (069) 63 51 51* – 📺 ☎. ⓓ E VISA. ✗
43 qto ☕ 9000/12000.

🏨 Veleiro sem rest, Rua Sacadura Cabral 19-A ☎ (069) 63 47 52, *Fax (069) 63 48 03,* ≤ 📺 ☎
14 qto.

🍴🍴 **O Migas,** Rua Pero de Alenquer 17 ☎ (069) 63 67 67, *Fax (069) 63 67 67* – ▤. AE E VISA
fechado sábado meio-dia, domingo e do 1 ao 15 de outubro – **Refeição** lista 2300 a 440

SINTRA *2710 Lisboa* 940 **P 1** – *20 574 h. alt. 200.*
Ver : *Palácio Real★★ (azulejos★★, tecto★★) Y.*
Arred. : *Sul : Parque da Pena★★ Z, Cruz Alta★★ Z, Castelo dos Mouros★ (≤★) Z, Paláci Nacional da Pena★★ ≤★★ - Convento dos Capuchos★ – Parque de Monserrate★ Oeste 3 km – Peninha ≤★★ Sudoeste : 10 km – Azenhas do Mar★ (sítio★) 16 km por ① – Cabo da Roca★ 16 km por ①.*
ℹ *Praça da República 23 ☎ (01) 923 11 57 Fax (01) 923 51 76.*
Lisboa 28 ③ – Santarém 100 ③ – Setúbal 73 ③

Plano página seguinte

🏨 **Tivoli Sintra,** Praça da República ☎ (01) 923 35 05, *Fax (01) 923 15 72,* ≤ – 🛗 ▤ 📺 ☎ 🚗 🅿 – 🎤 25/200. AE ⓓ E VISA. ✗ Y
Refeição 3900 – **75 qto** ☕ 20000/24000 – PA 7800.

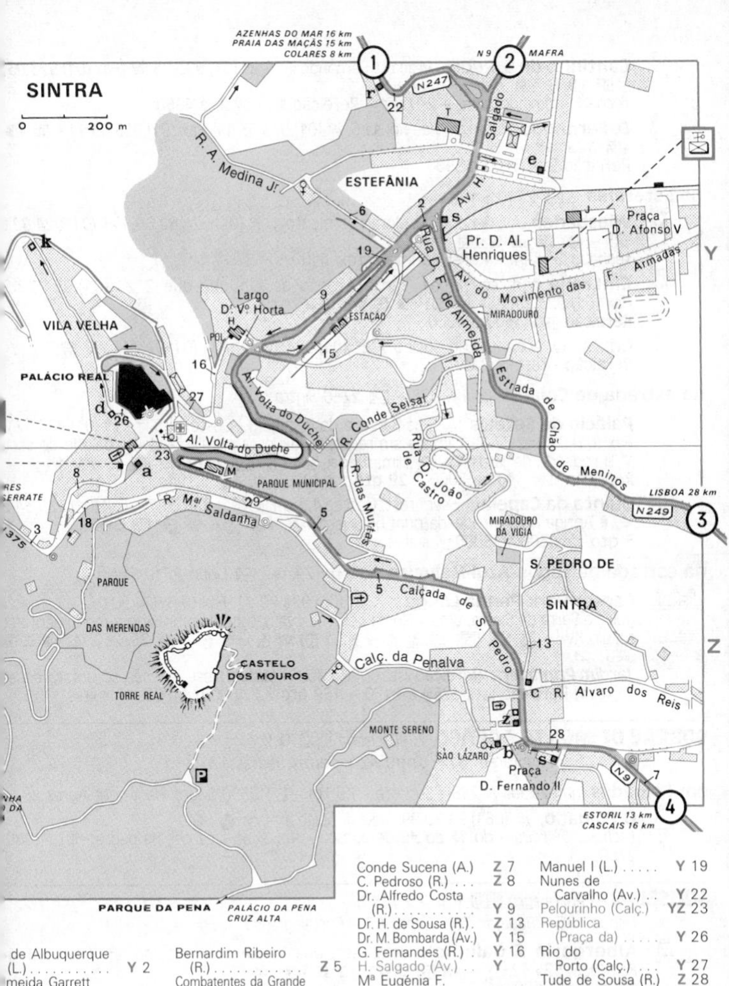

de Albuquerque (L.) .... Y 2	Bernardim Ribeiro (R.) .... Z 5	Conde Sucena (A.) Z 7	Manuel I (L.) ..... Y 19
meida Garrett (Al.) .... Z 3	Combatentes da Grande Guerra (Al.) ..... Y 6	C. Pedroso (R.) ... Z 8	Nunes de Carvalho (Av.) .. Y 22
		Dr. Alfredo Costa (R.) .... Y 9	Pelourinho (Calç.) YZ 23
		Dr. H. de Sousa (R.). Z 13	República (Praça da) ...... Y 26
		Dr. M. Bombarda (Av.) Y 15	Rio do Porto (Calç.) ... Y 27
		G. Fernandes (R.) Y 16	Tude de Sousa (R.) Z 28
		H. Salgado (Av.) .. Y	V. Monserrate (R.). Z 29
		Mª Eugénia F. Navarro (R) .... Z 18	

Casa Miradouro sem rest, Rua Sotto Mayor 55 ☎ (01) 923 59 00, *Fax (01) 924 18 36*, ≤, « Numa antiga casa senhorial » – E VISA. Y k
fechado 17 janeiro-fevereiro – **6 qto** 16800/19800.

Tacho Real, Rua da Ferreira 4 ☎ (01) 923 52 77, *Fax (01) 923 09 69*, – AE E VISA. Z a
fechado 4ª feira – **Refeição** lista 2950 a 5100.

em São Pedro de Sintra – ✉ *2710 Sintra* :

Estalagem Solar dos Mouros, Calçada de São Pedro 64 ☎ (01) 924 32 53, *Fax (01) 923 32 16* – TV ☎. AE E VISA. Z z
Refeição (ver rest. ***Dos Arcos***) – **7 qto** 15500, 1 suite.

Solar S. Pedro, Praça D. Fernando II-12 ☎ (01) 923 18 60, *Fax (01) 924 06 78* – AE E VISA JCB. Z s
fechado 4ª feira – **Refeição** lista aprox. 5500.

Dos Arcos, Rua Serpa Pinto 4 ☎ (01) 923 02 64 – AE E VISA. Z z
fechado 4ª feira, do 15 ao 30 de junho e do 1 ao 15 de outubro – **Refeição** lista 3300 a 4000.

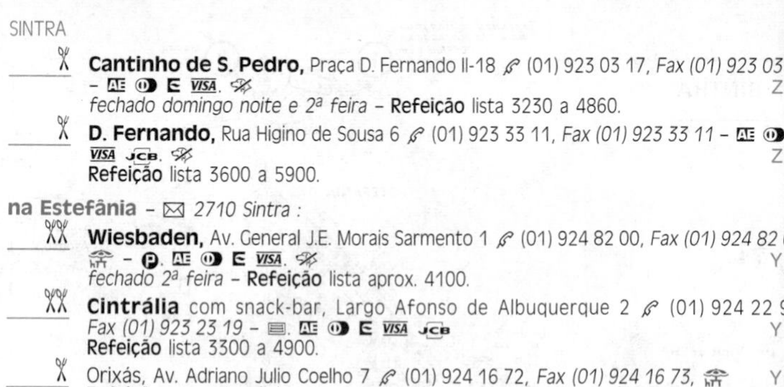

Cantinho de S. Pedro, Praça D. Fernando II-18 ☎ (01) 923 03 17, *Fax (01) 923 03* – AE ① E VISA. ✻ Z
fechado domingo noite e 2ª feira – **Refeição** lista 3230 a 4860.

D. Fernando, Rua Higino de Sousa 6 ☎ (01) 923 33 11, *Fax (01) 923 33 11* – AE ① VISA JCB. ✻ Z
Refeição lista 3600 a 5900.

na Estefânia – ✉ *2710 Sintra :*

Wiesbaden, Av. General J.E. Morais Sarmento 1 ☎ (01) 924 82 00, *Fax (01) 924 82 (* – P. AE ① E VISA. ✻ Y
fechado 2ª feira – **Refeição** lista aprox. 4100.

Cintrália com snack-bar, Largo Afonso de Albuquerque 2 ☎ (01) 924 22 9 *Fax (01) 923 23 19* – ▤. AE ① E VISA JCB Y
Refeição lista 3300 a 4900.

Orixás, Av. Adriano Julio Coelho 7 ☎ (01) 924 16 72, *Fax (01) 924 16 73,* Y
Refeição - rest. brasileiro -.

na estrada de Colares *pela N 375* – ✉ *2710 Sintra :*

Palácio de Seteais ⑤, Rua Barbosa do Bocage 8 - Oeste : 1,5 km ☎ (01) 923 32 0 *Fax (01) 923 42 77,* ≤ campos em redor, « Luxuosas instalações num palácio do sécu XVIII rodeado de jardins », climatizada, – TV ☎ P. AE ① E VISA. ✻
Refeição lista 5900 a 7000 – **29 qto** ▭ 42000/46000, 1 suite.

Quinta da Capela ⑤ sem rest, Oeste : 4,5 km ☎ (01) 929 01 70, *Fax (01) 929 34 2* ≤, « Antiga quinta rodeada dum belo jardim », – ☎ P. AE E VISA
5 qto ▭ 23000/26000, 3 suites.

na estrada da Lagoa Azul-Malveira *por ④ : 7 km* – ✉ *Linhó 2710 Sintra :*

Caesar Park Penha Longa ⑤, ☎ (01) 924 90 11, *Fax (01) 924 90 07,* ≤ campo (golfe e Serra de Sintra, « Numa bela reserva natural com históricos monumentos c século XV », 18 9 – ▤ TV ☎ ♿ P – 25/280. AE ① E VI JCB. ✻
Jardim Primavera : **Refeição** lista 6000 a 8000 - ***Midori*** *(rest. japonês, só jantar, fechac 2ª feira)* **Refeição** lista 5250 a 9150 – **159 qto** ▭ 40000/44000, 17 suites.

SOBRAL DE MONTE AGRAÇO *2590 Lisboa* 940 O 2.

Lisboa 51 – Santarém 61 – Sintra 42 – Torres Vedras 17.

em Folgados *na estrada N 248 - Sudeste : 1,5 km* – ✉ *2590 Sobral de Monte Agraço :*

O Folgado, ☎ (061) 94 20 89, « Rest típico » – ▤ P. ✻
fechado 5ª feira e do 15 ao 30 de agosto – **Refeição** - carnes na pedra - lista 1680 2750.

SOUSEL *7470 Portalegre* 940 P 6 – *2 113 h.*

Lisboa 185 – Badajoz 73 – Évora 63 – Portalegre 59.

Albergaria A Galinhola sem rest, Rua Fonte do Concelho ☎ (068) 526 4 *Fax (068) 525 32,* – ▤ TV ☎ P. ① E VISA. ✻
16 qto ▭ 9500/11000.

ao Sudoeste : *3,5 km*

Pousada de São Miguel ⑤, Estrada Particular ☎ (068) 55 00 50, *Fax (068) 55 11 5* ≤ oliveiras – ▤ TV ☎ P – 25/40
28 qto, 4 suites.

TÁBUA *3420 Coimbra* 940 K 5 – *2 416 h. alt. 225.*

Lisboa 254 – Coimbra 52 – Viseu 47.

Turismo de Tábua sem rest, Rua Profesor Dr. Caeiro da Mata ☎ (035) 41 30 4(*Fax (035) 41 31 66,* – ▤ TV ☎ P. AE ① E VISA
62 qto ▭ 8500/12000, 12 suites.

TALEFE *Lisboa* 940 O 1 – ✉ *2640 Mafra.*

Lisboa 60 – Sintra 33.

Estalagem D. Fernando ⑤, Quinta da Calada ☎ (061) 85 52 04, *Fax (061) 85 52 64* ≤, « Extraordinária localização sobre o mar » – TV P. AE ① E VISA. ✻
Refeição *(fechado 2ª feira)* - só jantar salvo sábado e domingo - lista 2750 a 3600 – **12 qt** ▭ 9000/12000.

AVIRA *8800 Faro* 940 **U 7** – *8 892 h.* – *Praia.*
Ver : *Localidade★.*
Rua da Galeria 9 ✆ *(081) 325 11.*
Lisboa 314 – Faro 31 – Huelva 72 – Lagos 111.

Convento de Santo António sem rest, Atalaia 56 ✆ (081) 32 56 32, *Fax (081) 32 56 32,* « Antigo convento », – AE. *fechado janeiro* – **6 qto** 21000/23000, 1 suite.

Quinta do Caracol sem rest, Bairro de São Pedro ✆ (081) 32 24 75, *Fax (081) 32 31 75,* « Bungalows num jardim com », – **7 apartamentos.**

Avenida, Av. Dr. Mateus T. de Azevedo 6 ✆ (081) 32 11 13, – AE E VISA. *fechado 3ª feira e maio* – **Refeição** lista 1770 a 3200.

em Quatro Águas *Sul : 2 km* – ✉ *8800 Tavira :*

Portas do Mar, ✆ (081) 32 12 55, – AE E VISA. **Refeição** - peixes e mariscos - lista 2100 a 3050.

4 Águas, ✆ (081) 32 53 29, *Fax (081) 32 53 96,* – AE E VISA. *fechado 2ª feira e 15 novembro-15 dezembro* – **Refeição** - peixes e mariscos - lista 2220 a 3840.

ERCENA *Lisboa – ver Queluz.*

ERRUGEM *Portalegre* 940 **P 7** – *1 384 h.* – ✉ *7350 Elvas.*
Lisboa 193 – Badajoz 37 – Evora 73 – Portalegre 63 – Setubal 162.

A Bolota Castanha, Quinta das Janelas Verdes ✆ (068) 65 61 18, *Fax (068) 65 75 04,* ≤ campo – AE VISA. *fechado 2ª feira, do 15 ao 31 de janeiro e do 1 ao 15 de agosto* – **Refeição** lista 4100 a 5700.

OLEDO *Lisboa* 940 **O 2** – ✉ *2530 Lourinhã.*
Lisboa 69 – Peniche 26 – Torres Vedras 14.

O Pão Saloio, ✆ (061) 98 43 55, *Fax (061) 98 47 32,* « Rest. típico » – AE E VISA. *fechado 2ª feira, do 1 ao 15 de maio e do 1 ao 15 de outubro* – **Refeição** - grelhados - lista 2300 a 3850.

OMAR *2300 Santarém* 940 **N 4** – *14 022 h. alt. 75.*
Ver : *Convento de Cristo★★ : igreja★ (charola dos Templários★★) edifícios conventuais★ (janela★★★) – Igreja de São João Baptista (portal★).*
Av. Dr. Cândido Madureira ✆ *(049) 32 24 27 Fax (049) 32 24 27.*
Lisboa 145 – Leiria 45 – Santarém 65.

Dos Templários, Largo Cândido dos Reis 1 ✆ (049) 32 17 30, *Fax (049) 32 21 91,* ≤, – 25/600. AE E VISA. **Refeição** 3200 – **171 qto** 15100/18100, 5 suites – PA 6400.

Estalagem de Santa Iria, Parque do Mouchão ✆ (049) 31 33 26, *Fax (049) 32 12 38,* « Num parque » – 25/70. AE E VISA. **Refeição** 2000 – **13 qto** 12000/15000, 1 suite – PA 4000.

Sinagoga sem rest, Rua Gil Avó 31 ✆ (049) 32 30 83, *Fax (049) 32 21 96* – AE E VISA. **23 qto** 6000/9200.

Trovador sem rest, Rua 10 de Agosto de 1385 ✆ (049) 32 25 67, *Fax (049) 32 21 94* – AE E VISA. **30 qto** 7000/9000.

Cavaleiros de Cristo sem rest, Rua Alexandre Herculano 7 ✆ (049) 32 12 03, *Fax (049) 32 11 92* – AE E VISA. **17 qto** 6000/8800.

Bela Vista, Fonte do Choupo 6 - Ponte Velha ✆ (049) 31 28 70, *fechado 2ª feira noite, 3ª feira e novembro* – **Refeição** lista 2200 a 3800.

em Castelo de Bode *Sudeste : 14 km* – ✉ *2300 Tomar :*

Pousada de São Pedro , ✆ (049) 38 11 59, *Fax (049) 38 11 76* – AE E VISA. **Refeição** lista 2900 a 4920 – **24 qto** 18200/20300, 1 suite.

TONDELA *3460 Viseu* 940 **K 5** – *6 962 h.*
Lisboa 271 – Coimbra 72 – Viseu 24.

São José, Av. Francisco Sá Carneiro (032) 81 34 51, *Fax (032) 81 34 42,* – 25/200. VISA.
Refeição lista 2850 a 4600 – **19 qto** 7500/10000.

Tondela sem rest, Rua Dr. Simões de Carvalho (032) 82 24 11 –
26 qto.

TORRÃO *7595 Setúbal* 940 **R 5.**
Lisboa 126 – Beja 51 – Évora 46 – Faro 168 – Setúbal 95.

ao Sudoeste *pela estrada N 5 : 13,6 km – 7595 Torrão :*

Pousada de Vale de Gaio, junto da Barragem Trigo de Morais (065) 66 96 1
Fax (065) 66 95 45, – VISA JCB. rest
Refeição lista 3700 a 4900 – **14 qto** 21000/22500.

TORRE DE MONCORVO *5160 Bragança* 940 **I 8** – *2 457 h. alt. 399.*
Ver : *desde a Estrada N 220.*
Rua Manuel Seixas (079) 25 22 89 Fax (079) 25 27 28.
Lisboa 403 – Bragança 98 – Vila Real 109.

Brasília sem rest, Estrada N 220 (079) 25 40 94, *Fax (079) 25 42 55,* –
VISA.
27 qto 6500/10500, 2 suites.

TORREIRA *Aveiro* 940 **J 3** – *2 308 h. – 3870 Murtosa – Praia.*
Av. Hintze Ribeiro (034) 482 50.
Lisboa 290 – Aveiro 42 – Porto 54.

Estalagem Riabela, Estrada N 327 (034) 481 37, *Fax (034) 481 47,* ria c
Aveiro, – rest, – 25/150. VISA JCB. rest
Refeição lista 1500 a 3950 – **37 qto** 9000/11000.

Alber-Tina sem rest, Travessa Arrais Faustino (034) 83 83 06, *Fax (034) 83 82 06*
VISA.
20 qto 6000/9000.

na estrada N 327 *Sul : 5 km – 3870 Murtosa :*

Pousada da Ria, Bico do Muranzel (034) 83 83 32, *Fax (034) 83 83 33,* ria d
Aveiro, – VISA.
Refeição lista 3500 a 5000 – **19 qto** 21000/22500.

TORRES NOVAS *2350 Santarém* 940 **N 4** – *14 267 h.*
Largo dos Combatentes (049) 81 30 19 Fax (049) 81 20 08.
Lisboa 118 – Castelo Branco 138 – Leiria 52 – Portalegre 120 – Santarém 38.

Dos Cavaleiros sem rest. com snack-bar, Praça 5 de Outubro (049) 81 24 2C
Fax (049) 81 20 52 – VISA.
60 qto 8000/12000.

Artur's, Av. de São José (049) 217 21, *Fax (049) 217 21* – VISA.
fechado domingo noite, 2ª feira e do 15 ao 31 de agosto – **Refeição** lista 2700 a 380C

Pascal, Av. 8 de Julho - Lote 6 (049) 81 32 12 – VISA JCB.
fechado domingo – **Refeição** lista 2000 a 4000.

TORRES VEDRAS *2560 Lisboa* 940 **O 2** – *13 394 h. alt. 30 – Termas.*
Rua 9 de Abril (061) 31 40 94 Fax (061) 31 30 82.
Lisboa 55 – Santarém 74 – Sintra 62.

Império Jardim, Praça 25 de Abril (061) 31 42 32, *Fax (061) 32 19 01* –
– 25/180. VISA.
Refeição 2000 – **47 qto** 7000/8500 – PA 4000.

Dos Arcos sem rest, Bairro Arenes - Estrada do Cadaval (061) 31 24 89
Fax (061) 32 38 70 – – 25/40. VISA
28 qto 6000/9000.

São Pedro sem rest, Rua Dias Neiva (061) 31 61 44 –
18 qto 4500/7000.

Moderna sem rest e sem, Av. Tenente Valadim 18 (061) 31 41 46 –
14 qto.

m Paul *pela estrada N 9 - Oeste : 3,5 km - ✉ 2560 Torres Vedras :*

X O Barracão, ✆ (061) 32 49 08, *Fax (061) 31 69 10* - ▤
Refeição - grelhados -.

X **Moínho do Paúl,** Av. da Lapa 13 ✆ (061) 32 36 96, *Fax (061) 31 43 75* - ▤ P. E VISA. ✻
fechado 5ª feira e do 13 ao 30 de setembro - **Refeição** lista 2350 a 2650.

ROFA *4785 Porto* 940 **H 4.**
Lisboa 330 - Amarante 73 - Braga 26 - Porto 29.

a estrada N 104 *Este : 3,5 km - ✉ 4785 Trofa :*

X **A Cêpa** com qto, Abelheira ✆ (052) 41 34 77, *Fax (052) 41 65 65,* - ▤ rest, P. E VISA
Refeição *(fechado domingo)* lista aprox. 3600 - ☕ 400 - **9 qto** 3500/4000.

a autoestrada A 3 *Sul : 14 km - ✉ 4785 Trofa :*

Ibis Porto-Norte sem rest, Área de Serviço Santo Tirso ✆ (02) 982 50 00, *Fax (02) 982 50 01* - ▤ TV ☎ ♿ P. AE ◑ E VISA. ✻
☕ 800 - **61 qto** 7100.

UIDO-GANDRA *Viana do Castelo - ver Valença do Minho.*

URCIFAL *Lisboa* 940 **O 2** - ✉ *2560 Torres Vedras.*
Lisboa 49 - Estoril 69 - Sintra 41 - Torres Vedras 9.

X **Lampião,** junto à igreja ✆ (061) 95 11 42 - ▤. ✻
fechado 2ª feira noite, 3ª feira e do 15 ao 31 de julho - **Refeição** lista aprox. 4100.

AGOS *3840 Aveiro* 940 **K 3** - *2 865 h.*
Lisboa 233 - Aveiro 12 - Coimbra 43.

Santiago sem rest, Rua Padre Vicente Maria da Rocha ✆ (034) 79 37 86, *Fax (034) 79 37 86* - |‡|. AE ◑ E VISA. ✻
21 qto ☕ 5500/7900.

X A Marisqueira, Praça da República 54 ✆ (034) 79 15 75 - ▤.

ALE DA TELHA *Faro - ver Aljezur.*

ALE DE AREIA *Faro - ver Ferragudo.*

ALE DE LOBOS *Lisboa - ver Sabugo.*

ALE DO LOBO *Faro - ver Almancil.*

ALENÇA DO MINHO *4930 Viana do Castelo* 940 **F 4** - *2 810 h. alt. 72.*
Ver : *Vila Fortificada★ (<★).*
Arred. : *Monte do Faro★★ (✻★★) Este : 7 km e 10 mn. a pé.*
Estrada N 13 ✆ (051) 233 74 Fax (051) 233 74.
Lisboa 440 - Braga 88 - Porto 122 - Viana do Castelo 52.

Valença do Minho, Av. Miguel Dantas ✆ (051) 82 41 44, *Fax (051) 82 43 21,* - |‡| ▤ TV ☎ P. E VISA. ✻
Refeição 1100 - **33 qto** ☕ 6000/9000, 3 suites - PA 2200.

Lara, São Sebastião ✆ (051) 82 43 48, *Fax (051) 82 43 58* - |‡| TV ☎ - 25/70. AE ◑ E VISA. ✻ rest
Refeição *(fechado sábado e domingo)* - só jantar - 1950 - **53 qto** ☕ 9500/11500, 1 suite.

Val-Flores sem rest, Esplanada ✆ (051) 82 41 06, *Fax (051) 82 41 29* - |‡| TV ☎. AE ◑ E VISA. ✻
32 qto ☕ 4800/8000.

dentro das muralhas :

Pousada do São Teotónio , ✆ (051) 82 42 42, *Fax (051) 82 43 97,* < vale do Minho, Tuy e montanhas de Espanha, - ▤ TV ☎. AE ◑ E VISA. ✻
Refeição lista 3050 a 5250 - **16 qto** ☕ 21000/22500.

X **Fortaleza,** Rua Apolinário da Fonseca 5 ✆ (051) 231 46, - ▤. AE E VISA. ✻
fechado 3ª feira e 15 janeiro-15 fevereiro - **Refeição** lista aprox. 3000.

X Baluarte, Rua Apolinário da Fonseca ✆ (051) 82 40 42, 🏠.

X Bom Jesus, Largo do Bom Jesus ✆ (051) 220 88, 🏠.

em Tuido-Gandra *Sul : 3 km* – ✉ *4930 Valença do Minho :*

XX **Lido,** Estrada N 13 ✆ (051) 82 52 90, *Fax (051) 82 52 98* – ▤ **P**. AE ◑ E VISA
fechado 3ª feira – **Refeição** lista 2380 a 3600.

no Monte do Faro *Este : 7 km* – ✉ *4930 Valença do Minho :*

X **Monte do Faro** com qto, ✆ (051) 82 58 07, 🏠, « Num parque » – **P**. AE ◑ VISA
Refeição *(fechado 2ª feira)* lista 2960 a 3850 – **6 qto** 6000/9000.

em Monte-São Pedro da Torre *Sudoeste : 7 km* – ✉ *4930 Valença do Minho :*

Padre Cruz sem rest, Estrada N 13 ✆ (051) 83 92 39, *Fax (051) 83 96 47* – TV
31 qto 4000/7000.

VIANA DO CASTELO 4900 P 940 G 3 – *13 157 h. – Praia.*

Ver : *Praça da República*★ B – *Hospital da Misericórdia*★ B- *Museu Municipal*★ *(azulejos*★★ *faianças portuguesas*★*)* A **M.**

Arred. : *Monte de Santa Luzia*★★, *Basílica de Santa Luzia* ※★★ *Norte : 6 km.*

Rua do Hospital Velho ✆ (058) 82 26 20 Fax (058) 82 78 73.

Lisboa 388 ② – Braga 53 ② – Orense/Ourense 154 ③ – Porto 74 ② – Vigo 83 ③

VIANA DO CASTELO

Bandeira (Rua da) . . . . B
Cândido dos Reis (Rua) . . . B 3
Capitão Gaspar de Castro (Rua) . . . . B 4
Carmo (Rua do) . . . . B 6
Combatentes da Grande Guerra (Av. dos) . . . . AB 7
Conde da Carreira (Av. da) . A 9
Dom Afonso III (Av.) . . . . B 10
Gago Coutinho (Rua de) . . . B 12
Humberto Delgado (Av.) . . . A 13
João Tomás da Costa (Largo) . . . . B 1
Luís de Camões (Av.) . . . . . . B 1
República (Praça da) . . . . . . B 1
Sacadura Cabral (Rua) . . . . . B 1
Santa Luzia (Estrada) . . . . . . A 2
São Pedro (Rua de) . . . . B 2

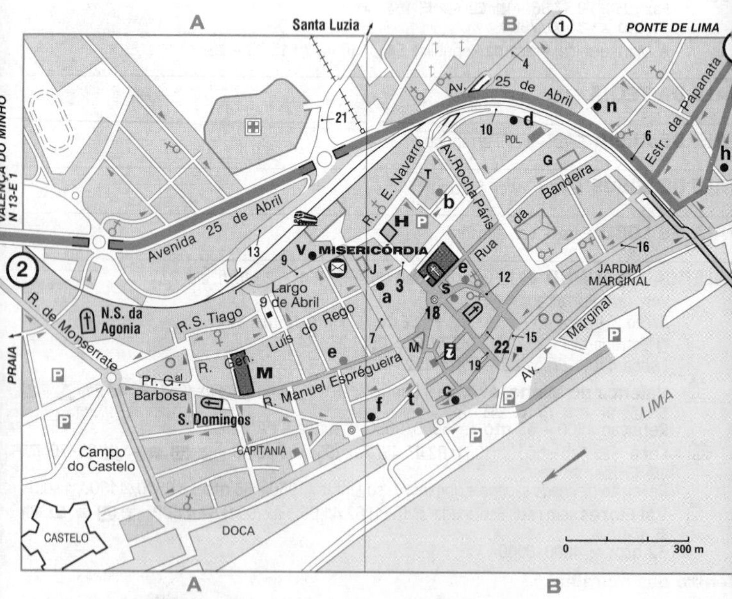

Estalagem Casa Melo Alvim, Av. Conde da Carreira 28 ✆ (058) 810 82 00 *Fax (058) 810 82 20*, « Conjunção de diferentes estilos numa elegante casa senhorial » – ▤ TV ☎ ♿ **P** – 25/80. AE E VISA. A
Refeição lista 3600 a 4700 – **17 qto** 18500/22000, 3 suites.

Do Parque sem rest, Praça da Galiza ✆ (058) 82 86 05, *Fax (058) 82 86 12*, ≤, 🏊 - |◆| ▤ 📺 ☎ 🅟 - 🏠 25/180. AE ⓓ E VISA. ✗ B h
124 qto ☕ 13950/16950.

Viana Sol sem rest, Largo Vasco da Gama ✆ (058) 82 89 95, *Fax (058) 82 34 01*, 🏋, 🏊 - |◆| 📺 ☎ - 🏠 25/145. AE ⓓ E VISA. ✗ B f
65 qto ☕ 9950/12500.

Rali sem rest, Av. Afonso III-180 ✆ (058) 82 97 70, *Fax (058) 82 00 60*, 🏊 - |◆| ▤ 📺 ☎ 🅟 - 🏠 25/50. AE E VISA JCB. ✗ B d
38 qto ☕ 10000/12000.

Calatrava sem rest, Rua M. Fiúza Júnior 157 ✆ (058) 82 89 11, *Fax (058) 82 86 37* - 📺 ☎. AE E VISA JCB. ✗ B n
15 qto ☕ 7500/12500.

Jardim sem rest, Largo 5 de Outubro 68 ✆ (058) 82 89 15, *Fax (058) 82 89 17* - |◆| 📺 ☎. AE ⓓ E VISA. ✗ B c
20 qto ☕ 6500/9000.

Laranjeira sem rest, Rua General Luís do Rego 45 ✆ (058) 82 22 61, *Fax (058) 82 19 02* - 📺 ☎ 🚗. AE ⓓ E VISA. ✗ B a
27 qto ☕ 7000/8500.

Casa d'Armas, Largo 5 de Outubro 30 ✆ (058) 249 99 - ▤. ⓓ E VISA. ✗ B t
fechado 4ª feira e novembro - **Refeição** lista 4480 a 5300.

Cozinha das Malheiras, Rua Gago Coutinho 19 ✆ (058) 82 36 80 - ▤. AE ⓓ E VISA. ✗ B e
fechado 3ª feira - **Refeição** lista 2150 a 4350.

Verde Viana, Praça 1º de Maio ✆ (058) 82 99 32, *Fax (058) 258 65* - ▤. AE ⓓ E VISA. ✗ B b
Refeição lista 2400 a 3650.

Os 3 Potes, Beco dos Fornos 7 ✆ (058) 82 99 28, *Fax (058) 82 52 50*, « Decoração rústica regional » - ▤. AE E VISA B s
fechado 2ª feira - **Refeição** lista aprox. 3725.

Alambique com qto, Rua Manuel Espregueira 86 ✆ (058) 82 38 94, « Decoração rústica regional » - ▤ 📺 ☎. AE ⓓ E VISA A e
Refeição *(fechado 3ª feira salvo agosto)* lista 3250 a 4050 - **17 qto** ☕ 5500/7500.

em Santa Luzia *Norte : 6 km - ✉ 4900 Viana do Castelo :*

Pousada do Monte de Santa Luzia 🐦, ✆ (058) 82 88 89, *Fax (058) 82 88 92*, 🌳, « Bela situação com ≤ mar, vale e estuário do Lima », 🏊, 🌲, 🎾 - |◆| 📺 ☎ 🅟 - 🏠 25/40. AE ⓓ E VISA. ✗
Refeição lista 3850 a 6620 - **50 qto** ☕ 23100/24600, 3 suites.

em Santa Marta de Portuzelo *por ① : 6,5 km - ✉ 4900 Viana do Castelo :*

Camelo, Estrada N 202 ✆ (058) 83 05 17, *Fax (058) 83 19 54* - ▤. AE E VISA. ✗
fechado 2ª feira do 15 ao 30 de junho e do 15 ao 30 de outubro - **Refeição** lista 2500 a 4700.

VIDAGO *5425 Vila Real* 440 **H 7** *- alt. 350 - Termas.*

Largo Miguel Carvalho ✆ (076) 974 70.
Lisboa 447 - Braga 108 - Bragança 109 - Porto 140 - Vila Real. 38.

Vidago Palace 🐦, ✆ (076) 90 73 56, *Fax (076) 90 73 59*, 🌳, « Majestuoso edifício do princípio do século num frondoso parque », 🏊, 🌲, 🎾, ⛳9 - |◆| ▤ 📺 ☎ 🅟 - 🏠 25/200. AE ⓓ VISA. ✗
Refeição 2900 - **73 qto** ☕ 20000/23000, 9 suites - PA 5700.

VIEIRA DO MINHO *4850 Braga* 440 **H 5** *- 2 229 h. alt. 390.*

Lisboa 402 - Braga 34 - Porto 84.

em Caniçada *Noroeste : 7 km - ✉ 4850 Vieira do Minho :*

Pousada de São Bento 🐦, Estrada N 304 ✆ (053) 64 71 90, *Fax (053) 64 78 67*, ≤ Serra do Gerês e rio Cávado, 🌳, 🏊, 🌲, 🎾 - ▤ 📺 ☎ 🅟. AE ⓓ E VISA. ✗
Refeição lista aprox. 4500 - **29 qto** ☕ 21000/25000.

VILA BALEIRA *Madeira - ver Madeira (Arquipélago da) : Porto Santo.*

VILA DO CONDE *4480 Porto* 940 H 3 – *22 259 h.* – *Praia.*

Ver : *Convento de Santa Clara★ (túmulos★).*

Rua 25 de Abril 103 ☎ (052) 64 27 00 Fax (052) 64 18 76.

Lisboa 342 – Braga 40 – Porto 27 – Viana do Castelo 42.

Estalagem do Brasão sem rest, Av. Dr. João Canavarro ☎ (052) 64 20 1
Fax (052) 64 20 28 – 25/150. AE VISA.
26 qto 9900/13800, 4 suites.

Le Villageois, Praça da República 94 ☎ (052) 63 11 19, – AE
JCB.
fechado 2ª feira meio-dia (julho-agosto), 2ª feira resto do ano e do 6 ao 21 de setemb
– **Refeição** lista aprox. 2900.

em Azurara *pela estrada N 13 - Sudeste : 1 km – ✉ 4480 Vila do Conde :*

Motel Sant'Ana , ☎ (052) 64 17 17, *Fax (052) 64 26 93*, – . AE
VISA.
Refeição 2500 – **35 qto** 14400 – PA 4800.

VILA FRANCA DE XIRA *2600 Lisboa* 940 P 3 – *19 823 h.*

Av. Almirante Cândido dos Reis 147 ☎ (063) 260 53 Fax (063) 27 15 16.

Lisboa 31 – Évora 111 – Santarém 49.

Flora, Rua Noel Perdigão 12 ☎ (063) 27 12 72, *Fax (063) 265 38* – rest,
VISA.
Refeição *(fechado domingo e setembro)* lista 2300 a 5500 – **21 qto** 7500
8500.

O Redondel, Estrada de Lisboa (Praça de Touros) ☎ (063) 229 73, « Debaixo das bar
cadas da Praça de Touros » – . AE VISA.
fechado 2ª feira – **Refeição** lista 2900 a 4700.

O Forno, Rua Dr. Miguel Bombarda 143 ☎ (063) 321 06 – . AE VISA.
fechado 3ª feira – **Refeição** lista 2900 a 4800.

na estrada N 1 *Norte : 2 km – ✉ 2600 Vila Franca de Xira :*

Lezíria Parque, ☎ (063) 266 70, *Fax (063) 269 90* – – 25/50
Refeição Aquários – **67 qto**, 4 suites.

pela estrada do Miradouro de Monte Gordo – ✉ *2600 Vila Franca de Xira :*

Quinta do Alto sem rest, Norte : 3,5 km ☎ (063) 268 50, *Fax (063) 260 27,*
« Casa de campo senhorial rodeada duma quinta », , , , – . AE
VISA
10 qto 20000/25000, 1 apartamento.

Quinta de Santo André sem rest, Norte : 2,5 km ☎ (063) 221 4
Fax (063) 227 76, , « Instalado numa quinta. Bela decoração interior », , – .
4 qto 6000/12000, 1 suite, 1 apartamento.

VILA FRESCA DE AZEITÃO *Setúbal* 940 Q 2 y 3 – ✉ *2925 Azeitão.*

Lisboa 33 – Sesimbra 14 – Setúbal 12.

Club d'Azeitão sem rest, Estrada N 10 ☎ (01) 218 22 67, *Fax (01) 219 16 29*, « Antig
casa senhorial », , – . AE VISA.
10 qto 16000/18000.

VILA NOVA DE CERVEIRA *4920 Viana do Castelo* 940 G 3 – *1 034 h.*

Rua Dr. António Duro ☎ (051) 79 57 87 Fax (051) 79 57 87.

Lisboa 425 – Viana do Castelo 37 – Vigo 46.

Pousada D. Diniz , Praça da Liberdade ☎ (051) 79 56 01, *Fax (051) 79 56 04*
« Instalações dentro dum conjunto amuralhado » – – 25/50. AE
VISA.
Refeição lista aprox. 4340 – **25 qto** 21000/22500, 3 suites.

em Gondarém *pela estrada N 13 - Sudoeste : 4 km – ✉ 4920 Vila Nova de Cerveira :*

Estalagem da Boega , Quinta do Outeiral ☎ (051) 790 05 00, *Fax (051) 790 0*
09, , « Antiga casa senhorial rodeada duma quinta », , , – . AE
VISA.
Refeição *(fechado domingo noite)* - só buffet - 2760 – **26 qto** 13000/14000
2 suites.

ILA NOVA DE FAMALICÃO 4760 Braga 940 H 4 – 7 147 h. alt. 88.

Rua Adriano Pinto Basto 112 (052) 31 25 64 Fax (052) 32 37 51.
Lisboa 350 – Braga 18 – Porto 32.

Francesa sem rest, Av. General Humberto Delgado 227 (052) 31 12 41, *Fax (052) 31 12 71* – VISA.
300 – **38 qto** 5800/8400.

Iris, Rua Adriano Pinto Basto (052) 300 02 00, *Fax (052) 31 66 48* – AE VISA.
Refeição lista 3200 a 4800.

Tanoeiro, Praça Dª Maria II-720 (052) 32 21 62, *Fax (052) 31 71 01* – VISA.
Refeição lista 2630 a 3800.

a estrada N 206 *Nordeste : 1,5 km – 4760 Vila Nova de Famalicão :*

Moutados, (052) 31 23 77, *Fax (052) 31 18 81* – 25/350. AE VISA.
Refeição (ver também rest. ***Moutados de Baixo***) 3250 – **57 qto** 7900/10850 – PA 6000.

Moutados de Baixo, (052) 32 22 76, *Fax (052) 31 18 81* – AE VISA.
fechado 2ª feira – **Refeição** lista 2750 a 3800.

ILA NOVA DE GAIA 4400 Porto 940 I 4 – 63 177 h.

Av. Diogo Leite 242 (02) 370 37 35 Fax (02) 375 19 02.
Lisboa 316 – Porto 2.

ver plano de Porto aglomeração

Holiday Inn Porto, Av. da República 2038, 4430, (02) 379 60 51, *Fax (02) 379 24 35*, – 25/200. AE VISA. BV g
Refeição 2500 – 950 – **90 qto** 15000/15950, 2 suites – PA 5000.

Quinta S. Salvador, Rua Silva Tapada 200, 4430, (02) 370 25 75, *Fax (02) 370 36 21*, « Antiga casa senhorial » – 25/100. AE VISA. rest CV e
Refeição 2000 – **7 qto** 14500/16000 – PA 4000.

Cervantes sem rest, Av. da República 1559 (02) 374 59 10, *Fax (02) 374 59 11* – 25. AE VISA. BCV x
53 qto 9800/11800.

Davilina sem rest, Av. da República 1571, 4430, (02) 375 75 96, *Fax (02) 375 75 71* – AE VISA. BCV x
28 qto 5500/6500.

Boucinha, Av. Vasco de Gama (02) 782 77 64, *Fax (02) 782 78 15*, « Instalado numa antiga quinta. Século XVIII », – AE VISA. CV f
fechado domingo noite e 2ª feira – **Refeição** lista aprox. 4800.

unto a Autoestrada A 1 – *4400 Vila Nova de Gaia :*

Novotel Porto Gaia, Lugar das Chãs - Afurada (02) 772 42 42, *Fax (02) 772 25 90*, – 25/200. AE VISA JCB BV r
Refeição lista 2800 a 4150 – 1200 – **93 qto** 12300/13500.

Ibis Porto-Gaia, Lugar das Chãs - Afurada (02) 772 07 72, *Fax (02) 772 07 88* – 25/80. AE VISA. rest BV r
Refeição 2000 – 800 – **108 qto** 8950 – PA 4000.

a Praia de Lavadores *Oeste : 7 km – 4400 Vila Nova de Gaia :*

Casa Branca Praia, Rua da Bélgica 86 (02) 772 74 00, *Fax (02) 781 36 91*, « Ambiente acolhedor em elegantes instalações », – 25/150. AE VISA JCB AV s
Refeição (ver rest. ***Casa Branca***) – **56 qto** 17000/20000.

Casa Branca, Av. Beira Mar 413 (02) 772 74 06, *Fax (02) 781 36 91*, « Colecção de estatuetas de terracota » – AE VISA JCB AV s
fechado 2ª feira – **Refeição** lista 3200 a 4900.

VILA NOVA DE MILFONTES 7645 Beja 940 S 3 – 3 294 h. – Praia.

Rua António Mantas (083) 965 99.
Lisboa 185 – Beja 109 – Faro 169 – Lagos 93 – Setúbal 109 – Sines 41.

Casa dos Arcos sem rest, Rua do Cais (083) 962 64, *Fax (083) 99 71 56* –
10 qto.

VILA PRAIA DE ÂNCORA *4910 Viana do Castelo* 940 **G 3** – *3 801 h. – Termas - Praia.*
Av. Dr. Ramos Pereira (058) 91 13 84 *Fax (058) 91 13 84.*
Lisboa 403 – Viana do Castelo 15 – Vigo 68.

Meira, Rua 5 de Outubro 56 (058) 91 11 11, *Fax (058) 91 14 89,* – 25/250. VISA
Refeição 2500 – **52 qto** 10000/15000, 3 suites – PA 4000.

Albergaria Quim Barreiros sem rest, Av. Dr. Ramos Pereira (058) 95 12 1
Fax (058) 95 12 20, – . AE E VISA.
28 qto 12000.

VILA REAL *5000* P 940 **I 6** – *13 649 h. alt. 425.*
Ver : *Igreja de São Pedro (tecto★).*
Arred. : *Solar de Mateus★★ (fachada★★) Este : 3,5 Km – Estrada de Vila Real a Amaran ★ – Estrada de Vila Real a Mondim de Basto (★, descida escarpada ★).*
Av. Carvalho Araujo 94 (059) 32 28 19 *Fax (059) 32 17 12* – **A.C.P.** *Av. 1º de Ma 199* (059) 756 50 *Fax (059) 756 50.*
Lisboa 400 – Braga 103 – Guarda 156 – Orense/Ourense 159 – Porto 119 – Viseu 10

Mira Corgo, Av. 1º de Maio 76 (059) 32 50 01, *Fax (059) 32 50 06,* – – 25/200. AE E VISA.
Refeição 2600 – **144 qto** 7500/10800, 22 suites – PA 5200.

Cabanelas sem rest, Rua D. Pedro de Castro (059) 32 31 53, *Telex 2458*
Fax (059) 32 30 28 – . AE E VISA JCB
26 qto 6000/9000.

Real sem rest, Rua Serpa Pinto 25 (059) 32 58 79, *Fax (059) 32 46 13* – .
12 qto 4500/6500.

Espadeiro, Av. Almeida Lucena (059) 32 23 02, *Fax (059) 724 22,* – . AE
E VISA.
fechado 4ª feira – **Refeição** lista aprox. 6200.

junto a estrada IP 4 *Oeste : 12,5 km* – *5000 Vila Real :*

Quality Inn Casa da Campeã , Vale de Campeã (059) 97 96 4
Fax (059) 97 97 60, , – rest, . AE E VISA.
Refeição 3000 – **34 qto** 8000/11200, 2 suites – PA 6000.

VILA REAL DE SANTO ANTÓNIO *8900 Faro* 940 **U 7** – *10 950 h. – Praia.*
para Ayamonte (Espanha), Av. da República 21 (081) 51 20 35.
Av. Infante Dom Henrique (em Monte Gordo) (081) 54 44 95.
Lisboa 314 – Faro 53 – Huelva 50.

Guadiana sem rest, Av. da República 94 (081) 51 14 82, *Fax (081) 51 14 78* –
. AE E VISA.
37 qto 12500/15500.

Apolo sem rest, Av. dos Bombeiros Portugueses (081) 51 24 48, *Fax (081) 51 24 5*
– . AE E VISA
750 – **42 qto** 15000.

em Monte Gordo *Oeste : 4 km* – *8900 Vila Real de Santo António :*

Casablanca, Praceta Casablanca (081) 51 14 44, *Fax (081) 51 19 99,* , –
. AE E VISA.
Refeição *(só jantar)* 2250 – **42 qto** 14000/18500.

Baía de Monte Gordo, Rua Diogo Cão (081) 51 18 51, *Fax (081) 51 20 15* –
. VISA.
Refeição - só jantar - 2000 – **108 qto** 12000/14000.

Paiva sem rest, Rua Onze (081) 51 11 87, *Fax (081) 51 16 68* – . AE
E VISA.
fevereiro-outubro – **26 qto** 9900/13000.

Copacabana, Av. Infante Dom Henrique 13 (081) 415 36, *Telex 56054*
Fax (081) 51 28 72, – . AE E VISA.
março-outubro – **Refeição** - grelhados - lista 2730 a 4070.

Monte Gordo, Rua Pedro Álvares Cabral 5 (081) 51 23 63, – .

VILA VERDE *4730 Braga* 940 **H 4** – *2 690 h.*
Lisboa 370 – Braga 14 – Porto 64 – Viana do Castelo 64.

Recreio com snack-bar, Praça do Município 86-96 (053) 31 11 34 – . AE E VISA
fechado 4ª feira – **Refeição** lista 3300 a 3800.

ILA VIÇOSA *7160 Évora* 940 P 7.

Lisboa 185 – Badajoz 53 – Évora 56 – Portalegre 76.

Pousada de D. João IV, Terreiro do Paço (068) 987 42, *Fax (068) 987 47*, « No real convento das Chagas de Cristo », – 25/50. AE E VISA.
Refeição lista 5150 a 6050 – **34 qto** 17900/51500, 2 suites.

ILAMOURA *Faro – ver Quarteira.*

ILAR DO PINHEIRO *4480 Porto* 940 I 4.

Lisboa 330 – Braga 43 – Porto 16.

Rio de Janeiro, Estrada N 13 - Noroeste : 1 km (02) 927 02 04, *Fax (02) 600 43 37* – AE E VISA JCB.
fechado 2ª feira – **Refeição** - rest. brasileiro - lista 2230 a 4450.

ILAR FORMOSO *6355 Guarda* 940 K 9.

Lisboa 382 – Ciudad Rodrigo 29 – Guarda 43.

Lusitano, Av. da Fronteira (071) 51 35 03, *Fax (071) 51 33 38* – 25/100. AE E VISA. rest
Refeição 1700 – **30 qto** 10500/11700, 4 suites.

IMEIRO (Termas do) *Lisboa* 940 O 2 – *1 146 h. alt. 25 – 2560 Torres Vedras – Termas.*

Vimeiro Praia do Porto Novo, (061) 98 41 57 Fax (061) 98 46 21.

Lisboa 67 – Peniche 28 – Torres Vedras 12.

Das Termas, Maceira (061) 98 00 50, *Fax (061) 98 42 18*, de água termal, – AE VISA.
julho-setembro – **Refeição** 3400 – **83 qto** 8000/11000, 3 suites – PA 6800.

Rainha Santa sem rest, Estrada de A. dos-Cunhados - Quinta da Piedade (061) 98 42 34, *Fax (061) 98 42 76* – E VISA.
fechado do 15 ao 30 de outubro – **19 qto** 5000/6500.

a Praia do Porto Novo *Oeste : 4 km – 2560 Torres Vedras :*

Golf Mar, (061) 98 41 57, *Fax (061) 98 46 21*, – 25/400
269 qto, 9 suites.

ISEU *3500* P 940 K 6 – *23 672 h. alt. 483.*

Ver : *Vila Velha★ : Adro da Sé★ Museu Grão Vasco★★* **M***(Trono da Graça★, primitivos★★) – Sé★ (liernes★, retábulo★) – Igreja de São Bento (azulejos★).*

Av. Gulbenkian 3510 (032) 42 09 50 Fax (032) 42 18 64 – **A.C.P.** *Rua da Paz 36 (032) 42 24 70 Fax (032) 42 24 37.*

Lisboa 292 ④ – Aveiro 96 ① – Coimbra 92 ④ – Guarda 85 ② – Vila Real 108 ①

Plano página seguinte

Montebelo, Urb. Quinta do Bosque (032) 420 00 00, *Fax (032) 41 54 00*, – 25/250. AE E VISA JCB.
Refeição 3000 – **92 qto** 13000/15000, 8 suites – PA 6000.
por Av. Infante D. Henrique Z

Meliá Confort Grão Vasco, Rua Gaspar Barreiros (032) 42 35 11, *Fax (032) 42 64 44*, « Relvado com » – 25/180. AE E VISA. rest Z u
Refeição lista 2250 a 3650 – **106 qto** 12000/14000, 4 suites.

Moinho de Vento sem rest, Rua Paulo Emílio 13 (032) 42 41 16, *Telex 52698, Fax (032) 42 96 62* – AE E VISA. Z a
30 qto 6000/7500.

Avenida, Av. Alberto Sampaio 1 (032) 42 34 32, *Fax (032) 256 43* – AE E VISA. rest Z z
Refeição 2250 – 1000 – **30 qto** 7500/9800.

Churrasqueria Santa Eulália, Bairro de Santa Eulália - 1,5 km (032) 262 83 – AE E VISA. por ④
fechado 5ª feira – **Refeição** lista 1890 a 3140.

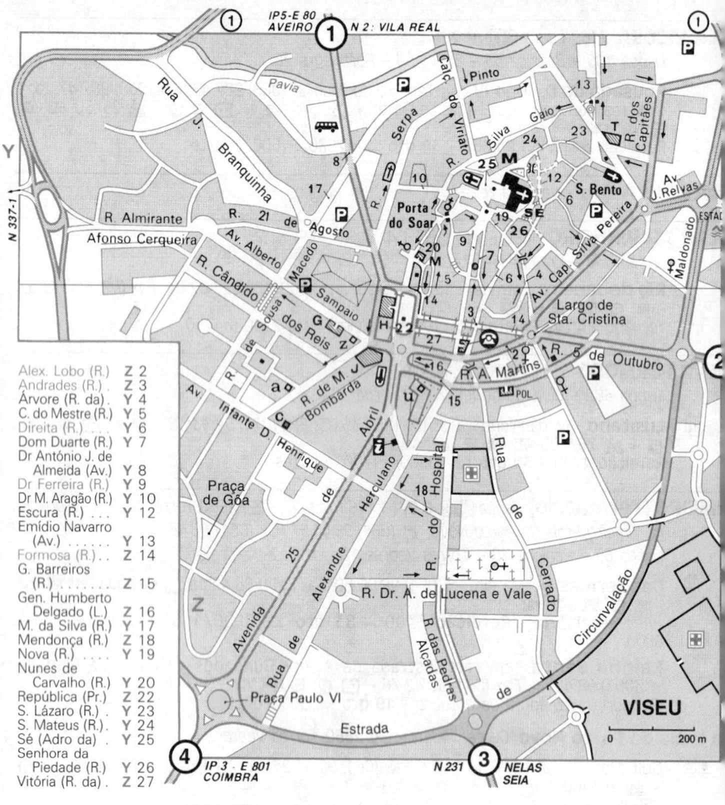

em Cabanões *por ③ : 3 km – ✉ 3500 Viseu :*

Príncipe Perfeito, Bairro da Misericórdia ☎ (032) 46 92 00, *Fax (032) 46 92 1* – 25/300. AE VISA.
***O Grifo** :* **Refeição** lista 2250 a 3350 – **38 qto** 9000/11000, 5 suites.

Magalhães, Urb. da Misericórdia Lote A-5 ☎ (032) 46 91 75, *Fax (032) 46 91 75* – AE VISA.
fechado 3ª feira – **Refeição** lista 2000 a 3200.

na estrada N 16 *por ② : 4 km – ✉ 3500 Viseu :*

Onix, Via Caçador ☎ (032) 47 92 43, *Fax (032) 47 87 44,* – 25/300. AE VISA. rest
Refeição 2500 – **75 qto** 6500/8500.

Quinta da Magarenha, Via Caçador ☎ (032) 47 91 06, *Fax (032) 47 94 22* – AE VISA.
fechado 2ª feira e do 1 ao 15 de julho – **Refeição** lista 2700 a 3500.

na estrada N 2 *por ① : 4 km – ✉ 3500 Viseu :*

Comfort Inn, Vernum-Campo ☎ (032) 45 12 58, *Fax (032) 45 13 71* – 25/60. AE VISA. rest
Refeição 1600 – **60 qto** 9000/11000.

Prefijos telefónicos internacionales
Indicativos telefónicos internacionais
Indicatifs téléphoniques internationaux

a/para/en/in nach/to desde/da/d'/ dalla/von/from	AND	A	B	CH	CZ	D	DK	E	FIN	F	GB	GR
AND Andorra		0043	0032	0041	00420	0049	0045	0034	00358	0033	0044	0030
A Austria	00376		0032	0041	00420	0049	0045	0034	00358	0033	0044	0030
B Belgium	00376	0043		0041	00420	0049	0045	0034	00358	0033	0044	0030
CH Swizerland	00376	0043	0032		00420	0049	0045	0034	00358	0033	0044	0030
CZ Czech Republic.	00376	0043	0032	0041		0049	0045	0034	00358	0033	0044	0030
D Germany	00376	0043	0032	0041	00420		0045	0034	00358	0033	0044	0030
DK Denmark	00376	0043	0032	0041	00420	0049		0034	00358	0033	0044	0030
E Spain	00376	0043	0032	0041	00420	0049	0045		00358	0033	0044	0030
FIN Finland	00376	0043	0032	0041	00420	0049	0045	0034		0033	0044	0030
F France	00376	0043	0032	0041	00420	0049	0045	0034	00358		0044	0030
GB United Kingdom	00376	0043	0032	0041	00420	0049	0045	0034	00358	0033		0030
GR Greece	00376	0043	0032	0041	00420	0049	0045	0034	00358	0033	0044	
H Hungary	00376	0043	0032	0041	00420	0049	0045	0034	00358	0033	0044	0030
I Italy	00376	0043	0032	0041	00420	0049	0045	0034	00358	0033	0044	0030
IRL Ireland	00376	0043	0032	0041	00420	0049	0045	0034	00358	0033	0044	0030
J Japan	001376	00143	00132	00141	001420	00149	00145	00134	001358	00133	00144	00130
L Luxembourg	00376	0043	0032	0041	00420	0049	0045	0034	00358	0033	0044	0030
N Norway	00376	0043	0032	0041	00420	0049	0045	0034	00358	0033	0044	0030
NL Netherland	00376	0043	0032	0041	00420	0049	0045	0034	00358	0033	0044	0030
PL Poland	00376	0043	0032	0041	00420	0049	0045	0034	00358	0033	0044	0030
P Portugal	00376	0043	0032	0041	00420	0049	0045	0034	00358	0033	0044	0030
RUS Russia		81043	81032	81041	810420	81049	81045	*	810358	81033	81044	*
S Sweden	009376	00943	00932	00941	009420	00949	00945	00934	009358	00933	00944	00930
USA	011376	01143	01132	01141	011420	01149	01145	01134	01358	01133	01144	01130

** No es posible la conexión automática*
** Não é possível a ligação automática*
** Pas de sélection automatique*

Importante: para las llamadas internacionales, no se debe marcar el cero (0) inicial del prefijo interurbano (excepto para llamar a Italia).

Importante: para as chamadas internacionais, o (0) inicial do indicativo interurbano não se deve marcar (excepto nas ligações para Italia).

Important : pour les communications internationales, le zéro (0) initial de l'indicatif interurbain n'est pas à composer (excepté pour les appels vers l'Italie).

ndicativi telefonici internazionali

nternationale Telefon-Vorwahlnummern

nternational dialling codes

H	I	IRL	J	L	N	NL	PL	P	RUS	S	USA	
0036	0039	00353	0081	00352	0047	0031	0048	00351	007	0046	001	**Andorra AND**
0036	0039	00353	0081	00352	0047	0031	0048	00351	007	0046	001	**Austria A**
0036	0039	00353	0081	00352	0047	0031	0048	00351	007	0046	001	**Belgium B**
0036	0039	00353	0081	00352	0047	0031	0048	00351	007	0046	001	**Swizerland CH**
0036	0039	00353	0081	00352	0047	0031	0048	00351	007	0046	001	**Czech Republic. CZ**
0036	0039	00353	0081	00352	0047	0031	0048	00351	007	0046	001	**Germany D**
0036	0039	00353	0081	00352	0047	0031	0048	00351	007	0046	001	**Denmark DK**
0036	0039	00353	0081	00352	0047	0031	0048	00351	007	0046	001	**Spain E**
0036	0039	00353	0081	00352	0047	0031	0048	00351	007	0046	001	**Finland FIN**
0036	0039	00353	0081	00352	0047	0031	0048	00351	007	0046	001	**France F**
0036	0039	00353	0081	00352	0047	0031	0048	00351	007	0046	001	**United Kingdom GB**
0036	0039	00353	0081	00352	0047	0031	0048	00351	007	0046	001	**Greece GR**
	0039	00353	0081	00352	0047	0031	0048	00351	007	0046	001	**Hungary H**
0036		00353	0081	00352	0047	0031	0048	00351	*	0046	001	**Italy I**
0036	0039		0081	00352	0047	0031	0048	00351	007	0046	001	**Ireland IRL**
00136	00139	001353		001352	00147	00131	00148	001351	*	00146	0011	**Japan J**
0036	0039	00353	0081		0047	0031	0048	00351	007	0046	001	**Luxembourg L**
0036	0039	00353	0081	00352		0031	0048	00351	007	0046	001	**Norway N**
0036	0039	00353	0081	00352	0047		0048	00351	007	0046	001	**Netherland NL**
0036	0039	00353	0081	00352	0047	0031		00351	007	0046	001	**Poland PL**
0036	0039	00353	0081	00352	0047	0031	0048		007	0046	001	**Portugal P**
81036	*	*	*	*	*	81031	81048	*		*	*	**Russia RUS**
00936	00939	009353	00981	009352	00947	00931	00948	009351	0097		0091	**Sweden S**
01136	01139	011353	01181	011352	01147	01131	01148	011351	*	01146		**USA**

* *Selezione automatica impossibile*
* *Automatische Vorwahl nicht möglich*
* *Direct dialling not possible*

Importante: per le comunicazioni internazionali, non bisogna comporre lo zero (0) iniziale dell'indicativo interurbano (escluse le chiamate per l'Italia).

Wichtig: bei Auslandsgesprächen darf die Null (0) der Ortsnetzkennzahl nicht gewählt werden (ausser bei Gesprächen nach Italien).

Note: when making an international call, do not dial the first "0" of the city codes (except for calls to Italy).

Distancias **Algunas precisiones**

En el texto de cada localidad encontrará la distancia a las ciudades de los alrededores y a la capital del estado.

Las distancias entre capitales de este cuadro completan las indicadas en el texto de cada localidad. Utilice también las distancias marcadas al margen de los plano[s].

El kilometraje está calculado a partir del centro de la ciudad por la carretera más cómoda, o sea la que ofrece las mejores condiciones de circulación, pero qu[e] no es necesariamente la más corta.

Distâncias **Algumas precisões**

No texto de cada localidade encontrará a distância até às cidades dos arredores e à capital do país.

As distâncias deste quadro completam assim as que são dadas no texto de cada localidade. Utilize também as indicações quilométricas inscritas na orla das planta[s].

A quilometragem é contada a partir do centro da localidade e pela estrada mais prática, ou seja, aquela que oferece as melhores condições de condução, mas que não é necessàriamente a mais curta.

Distances **Quelques précisions**

Au texte de chaque localité vous trouverez la distance des villes environnantes et de sa capitale d'état.

Les distances intervilles de ce tableau complètent ainsi celles données au texte de chaque localité. Utilisez aussi les distances portées en bordure des plans.

*Les distances sont comptées à partir du centre-ville et par la route la plus pratique, c'est-à-dire
celle qui offre les meilleures conditions de roulage, mais qui n'est pas nécessairement la plus courte.*

Distanze **Qualche chiarimento**

Nel testo di ciascuna località troverete la distanza dalle città viciniori e dalla capitale

Le distanze fra le città di questa tabella completano cosi quelle indicate nel testo di ciascuna località. Utilizzate anche le distanze riportate a margine delle piante.

Le distanze sono calcolate a partire dal centro delle città e seguendo la strada più pratica, ossia quella che offre le migliori condizioni di viaggio ma che non è necessariamente la più breve.

Entfernungen **Einige Erklärungen**

In jedem Ortstext finden Sie die Entfernungsangaben nach weiteren Städten in der Umgebung und nach der Landeshauptstadt.

Die Kilometerangaben dieser Tabelle ergänzen somit die Angaben des Ortstextes. Eine weitere Hilfe sind auch die am Rande der Stadtpläne erwähnten Kilometerangaben.

Die Entfernungen gelten ab Stadtmitte unter Berücksichtigung der günstigsten (nicht immer kürzesten) Strecke.

Distances **Commentary**

The text on each town includes its distance from its immediate neighbours and from the capital.

The distances in the table completes that given under individual town headings in calculating total distances. Note also that some distances appear in the margins of town plans.

Distances are calculated from centres and along the best roads from a motoring point of view – not necessarily the shortest.

Distancias entre las cuidades principales

Distancias entre as cidades principais

Distances entre principales villes

Distanze tra le principali città

Entfernungen zwischen den größeren Städten

Distances between major towns

	Albacete	Alicante/Alacant	Almería	Andorra la Vella	Badajoz	Barcelona	Bilbao/Bilbo	Burgos	Cáceres	Cádiz	Coimbra	Córdoba	La Coruña/ A Coruña	Faro	Granada	León	Lérida/Lleida	Lisboa	Logroño	Madrid	Málaga	Murcia	Oviedo	Pamplona/Iruñea	Porto	Salamanca	San Sebastián/Donostia	Santander	Segovia	Sevilla	Toledo	València	Valladolid	Vigo	Vitoria/Gasteiz
Alicante/Alacant	168																																		
Almería	348	290																																	
Andorra la Vella	622	637	886																																
Badajoz	602	770	627	1014																															
Barcelona	516	531	780	187	1014																														
Bilbao/Bilbo	640	808	939	554	702	613																													
Burgos	482	650	781	601	543	600	162																												
Cáceres	504	672	677	917	95	916	609	450																											
Cádiz	586	638	452	1241	341	1109	1019	862	390																										
Coimbra	764	933	923	1131	295	1130	703	544	340	637																									
Córdoba	349	515	328	1003	277	871	782	624	326	244	573																								
La Coruña/ A Coruña	863	1032	1153	1104	694	1104	567	502	682	1059	409	996																							
Faro	690	828	618	1344	325	1212	1123	965	416	326	458	347	857																						
Granada	352	350	163	946	466	841	808	651	516	291	762	169	1022	458																					
León	598	766	888	782	512	782	344	181	419	807	520	730	322	833	758																				
Lérida/Lleida	482	497	746	160	858	172	457	444	760	1085	974	846	947	1189	806	626																			
Lisboa	828	996	819	1240	224	1240	899	740	316	533	197	499	596	294	658	708	1084																		
Logroño	551	642	876	479	662	478	137	122	569	958	664	719	625	1061	747	304	322	859																	
Madrid	251	419	546	617	395	617	393	235	297	627	513	388	609	730	416	341	461	621	333																
Málaga	463	472	206	1068	427	962	920	763	476	258	723	166	1134	418	124	864	928	619	858	527															
Murcia	150	86	217	682	742	576	793	636	658	566	918	442	1017	756	278	747	542	940	687	404	399														
Oviedo	709	877	999	836	623	895	286	300	531	919	608	842	292	945	869	120	739	796	419	457	947	863													
Pamplona/Iruñea	617	647	895	483	753	483	160	213	660	1024	756	785	715	1127	813	395	327	951	92	400	890	692	441												
Porto	830	998	1081	1133	403	1133	692	533	447	767	117	677	296	565	894	407	976	305	653	573	853	983	495	743											
Salamanca	458	627	748	824	307	824	396	236	214	602	309	591	468	628	618	201	668	504	356	207	696	612	312	447	361										
San Sebastián/Donostia	699	723	999	454	761	560	102	222	669	080	764	841	665	1183	869	403	404	960	169	453	946	769	384	79	753	455									
Santander	635	803	934	653	668	711	103	152	575	1015	669	777	471	989	804	269	555	865	235	388	882	788	191	258	625	362	200								
Segovia	349	517	639	715	394	714	357	199	302	720	469	481	544	823	509	277	558	615	317	97	586	502	388	408	510	163	417	352							
Sevilla	489	598	411	1143	218	1011	922	764	267	125	514	146	917	203	250	679	987	410	859	529	211	526	790	926	621	479	982	917	622						
Toledo	240	409	501	687	362	686	464	306	264	582	511	344	675	686	371	408	530	588	403	71	449	394	519	469	594	236	524	459	164	485					
València	183	177	426	460	749	355	600	585	651	757	868	518	967	860	487	696	320	975	465	354	608	223	807	470	934	562	547	698	452	659	372				
Valladolid	442	610	732	717	424	716	278	119	332	720	426	574	450	746	602	138	561	621	239	190	679	596	257	330	415	118	338	244	123	596	257	545			
Vigo	844	1013	1134	1109	543	1108	668	509	587	907	257	822	156	705	1005	382	952	445	628	590	993	998	395	719	144	412	728	573	525	765	657	948	431		
Vitoria/Gasteiz	595	764	895	567	658	567	70	118	565	976	659	738	620	1080	765	299	411	855	91	349	843	749	352	95	649	352	104	168	313	879	420	554	234	624	
Zaragoza	405	495	744	310	706	309	308	296	608	933	822	695	798	1037	722	477	153	932	174	309	800	540	590	178	828	516	255	407	406	836	378	318	412	803	262

590 km

Madrid - Vigo

CARRETERAS PRINCIPALES

Nº de carretera .... *N 63.C 535*

Distancia en kilómetros 12

Establecimientos administrados por el Estado :
Parador (España), Pousada (Portugal)

Periodo probable de nieve (ej : Nov. a Abril) 11-4

ESTRADAS PRINCIPAIS

Nº da estrada .... *N 63.C 535*

Distancia em quilómetros 12

Estabelecimentos dirigidos pelo Estado :
Parador (Espanha), Pousada (Portugal)

Periodo provável de neve (ex : Nov. a Abril) 11-4

PRINCIPALES ROUTES

Nº de route .... *N 63.C 5*

Distance en kilomètres 12

Etablissements gérés par l'État :
Parador (Espagne), Pousada (Portug

Période approximative d'enneigement (ex : Nov. à Avril) 11-4

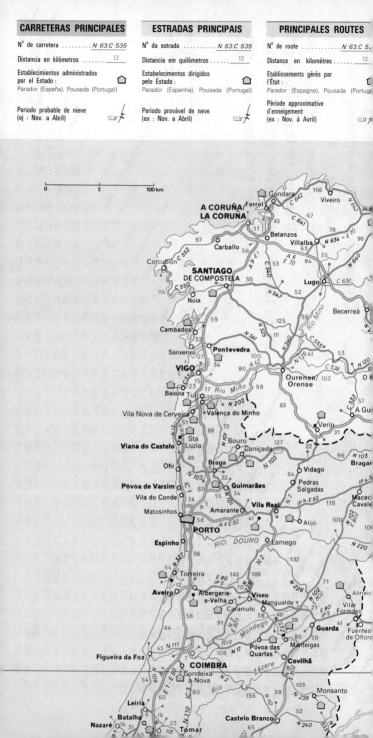

0 5 100 km

A CORUÑA/LA CORUÑA, Ferrol, Gándara, Viveiro, Betanzos, Villalba, Carballo, Corcubión, SANTIAGO DE COMPOSTELA, Lugo, Noia, Becerreá, Cambados, Sanxenxo, Pontevedra, VIGO, Ourense/Orense, Baiona, Tui, Valença do Minho, Vila Nova de Cerveira, Verín, Viana do Castelo, Sta Luzia, Bouro, Caniçada, Ofir, Braga, Vidago, Pedras Salgadas, Póvoa de Varzim, Guimarães, Vila do Conde, Vila Real, Amarante, Matosinhos, Alijó, PORTO, Espinho, Lamego, Rio Douro, Rio Miño, Torreira, Aveiro, Albergaria-a-Velha, Viseu, Caramulo, Mangualde, Almeida, Vilar Formoso, Guarda, Fuentes de Oñoro, Rio Mondego, Póvoa das Quartas, Manteigas, Figueira da Foz, Covilhã, COIMBRA, Condeixa-a-Nova, Zêzere, Monsanto, Leiria, Batalha, Nazaré, Castelo Branco, Tomar

PRINCIPALI STRADE

di strada .... *N 63.C 535*

tanza chilometrica 12

ercizi gestiti dallo
ato :
rador (Spagna), Pousada (Portogallo)

riodo approssimativo
nnevamento-(esempio :
vembre-Aprile) 11-4

HAUPTVERKEHRSSTRASSEN

Straßennummer .... *N 63.C 535*

Entfernung in Kilometern 12

Staatlich geleitete
Hotels :
Parador (Spanien), Pousada (Portugal)

Voraussichtliche Wintersperre
(z.B. : Nov.-April) 11-4

MAIN ROADS

Road number .... *N 63.C 535*

Distance in kilometres 12

State operated
hotels :
Parador (Spain), Pousada (Portugal)

Period when roads are likely
to be blocked by snow
(11-6 : Nov.-April) 11-4

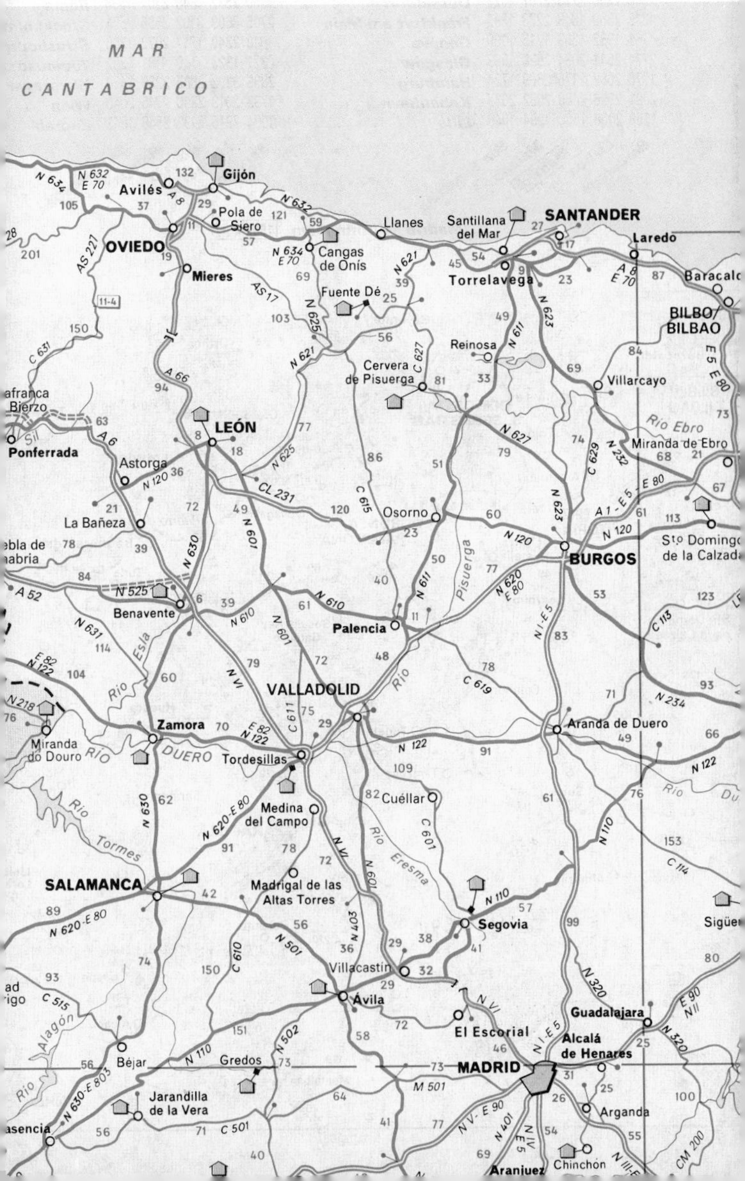

MAR
CANTABRICO
Gijón
Avilés
Pola de Siero
OVIEDO
Mieres
Llanes
Cangas de Onís
Fuente Dé
Santillana del Mar
SANTANDER
Torrelavega
Laredo
Baracaldo
BILBO/BILBAO
Reinosa
Cervera de Pisuerga
Villarcayo
Río Ebro
Miranda de Ebro
Ponferrada
LEÓN
Astorga
La Bañeza
Osorno
BURGOS
Sto Domingo de la Calzada
Benavente
Palencia
VALLADOLID
Zamora
Miranda do Douro
Tordesillas
Río Duero
Aranda de Duero
Cuéllar
Medina del Campo
Río Tormes
SALAMANCA
Madrigal de las Altas Torres
Segovia
Villacastín
Ávila
El Escorial
Guadalajara
Alcalá de Henares
Béjar
Gredos
MADRID
Jarandilla de la Vera
Arganda
Chinchón
Aranjuez
Sigüenza

Barcelona	Lisboa	Madrid	Málaga	San Sebastián	
1564	2285	1778	2272	1327	**Amsterdam**
1019	2240	1617	1973	1101	**Basel**
1853	2837	2330	2807	1879	**Berlin**
924	2145	1522	1878	1172	**Bern**
1651	2057	1550	2044	1099	**Birmingham**
564	1196	689	1182	238	**Bordeaux**
1838	3059	2436	2792	2086	**Bratislava**
1859	3081	2458	2813	2107	**Brindisi**
1360	2095	1588	2082	1137	**Bruxelles/Brussel**
1203	1843	1335	1829	884	**Cherbourg**
628	1566	1059	1582	604	**Clermont-Ferrand**
1922	1995	1488	1981	1037	**Dublin**
1388	2280	1773	2267	1322	**Düsseldorf**
1319	2350	1843	2273	1392	**Frankfurt am Main**
761	1982	1359	1715	1009	**Genève**
2124	2541	2034	2528	1583	**Glasgow**
1778	2682	2175	2669	1724	**Hamburg**
2091	2996	2488	2982	2037	**København**
1268	2008	1500	1994	1049	**Lille**

Barcelona	Lisboa	Madrid	Málaga	San Sebastián	
1447	2187	1680	2173	1229	**London**
1154	2130	1622	2108	1171	**Luxembou**
634	1856	1233	1588	882	**Lyon**
504	1725	1102	1458	752	**Marseille**
982	2203	1580	1936	1230	**Milano**
1347	2568	1945	2301	1595	**München**
881	1520	1013	1507	562	**Nantes**
1549	2771	2147	2503	1797	**Napoli**
2464	3369	2862	3355	2411	**Oslo**
1556	2778	2154	2510	1804	**Palermo**
1041	1781	1274	1768	823	**Paris**
1696	2801	2294	2650	1842	**Praha**
1350	2572	1948	2304	1598	**Roma**
2705	3609	3102	3596	2651	**Stockholm**
1119	2340	1717	2072	1306	**Strasbourg**
321	1323	700	1191	352	**Toulouse**
2335	3392	2885	3289	2434	**Warszawa**
1792	3013	2390	2745	2040	**Wien**
1594	2815	2192	2548	1842	**Zagreb**

Madrid - Birmingham **1550 km**

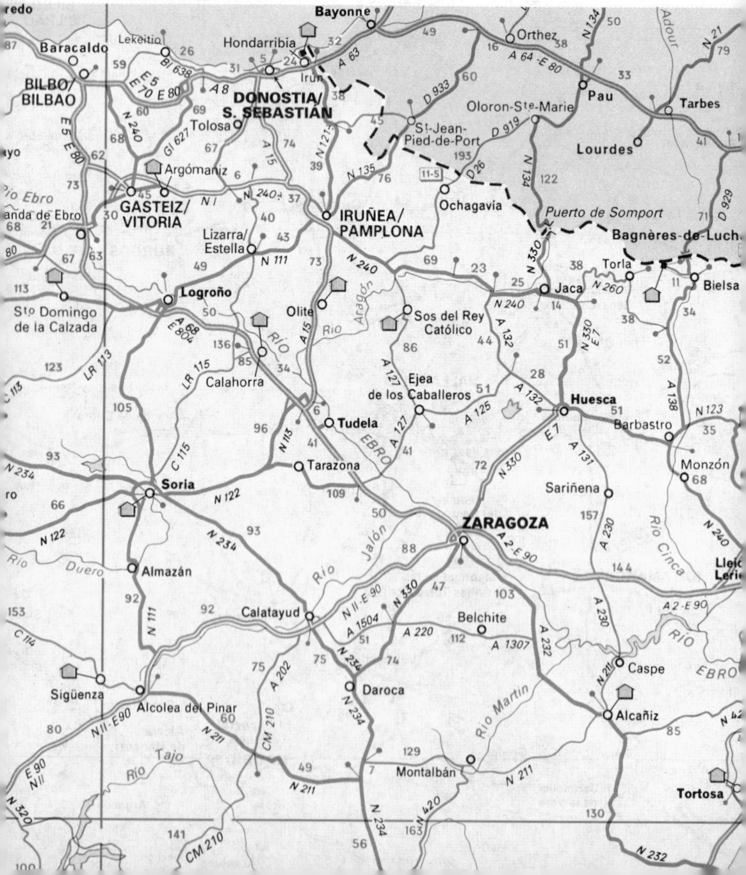

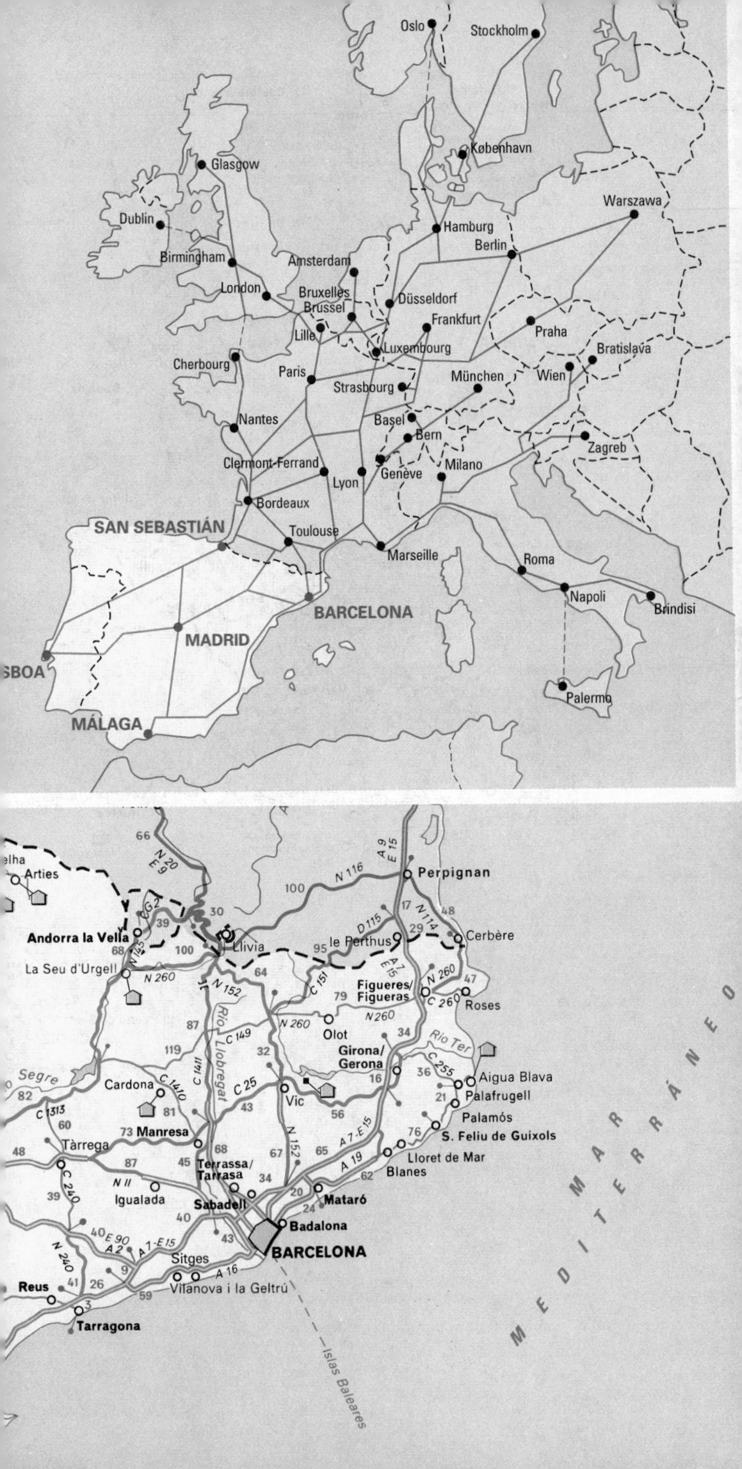

Oslo
Stockholm
København
Glasgow
Dublin
Warszawa
Hamburg
Berlin
Birmingham
Amsterdam
London
Bruxelles
Brussel
Düsseldorf
Frankfurt
Lille
Praha
Luxembourg
Bratislava
Cherbourg
Paris
München
Wien
Strasbourg
Basel
Nantes
Bern
Zagreb
Clermont-Ferrand
Milano
Lyon
Genève
Bordeaux
SAN SEBASTIÁN
Toulouse
Marseille
Roma
Napoli
Brindisi
BARCELONA
MADRID
SBOA
Palermo
MÁLAGA
Perpignan
Arties
Andorra la Vella
Llivia
le Perthus
Cerbère
La Seu d'Urgell
Figueres/
Figueras
Roses
Olot
Río Ter
Girona/
Gerona
Río Llobregat
Segre
Cardona
Vic
Aigua Blava
Palafrugell
Palamós
Manresa
S. Feliu de Guixols
Tàrrega
Lloret de Mar
Terrassa/
Tarrasa
Blanes
Igualada
Sabadell
Mataró
Badalona
BARCELONA
Sitges
Vilanova i la Geltrú
Reus
Tarragona
Islas Baleares
MAR MEDITERRÁNEO

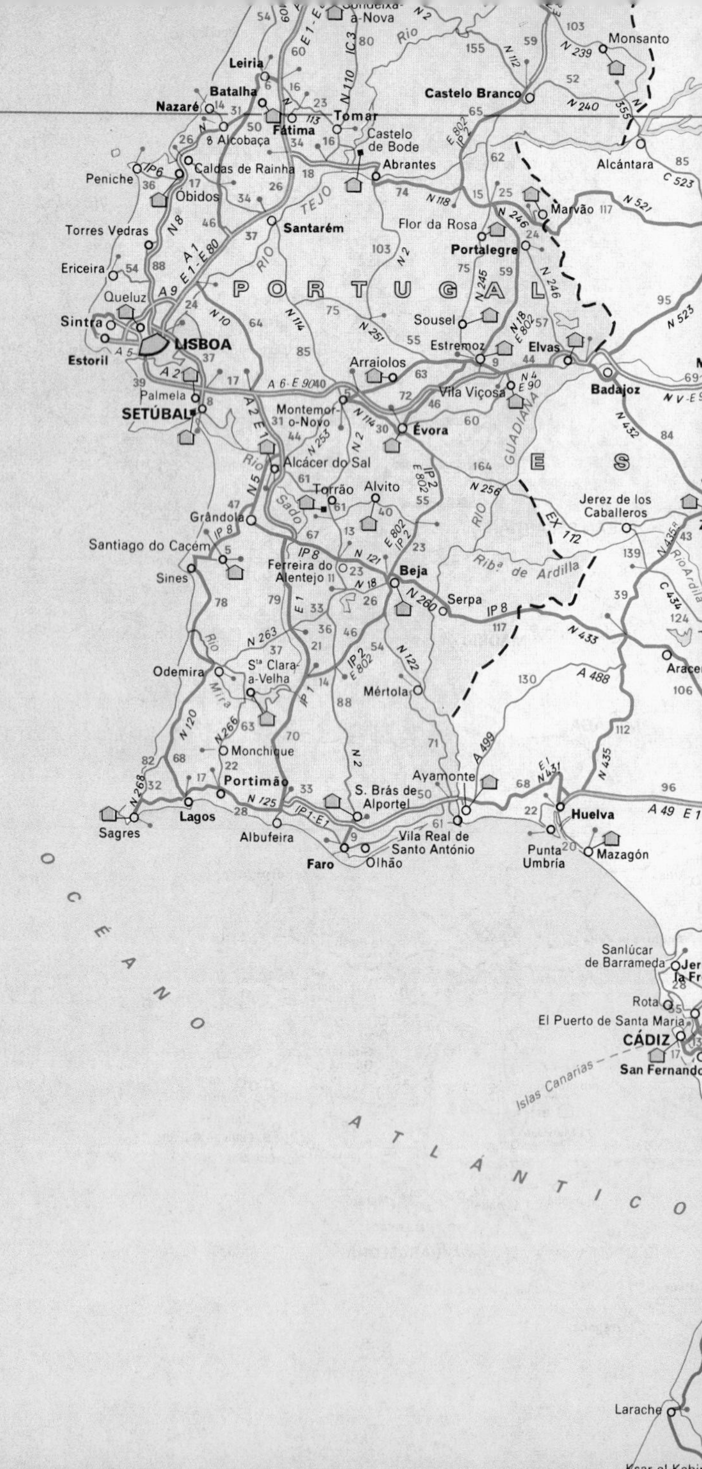

Leiria
Batalha
Nazaré
Fátima
Tomar
Castelo de Bode
Abrantes
Alcobaça
Caldas de Rainha
Peniche
Óbidos
Torres Vedras
Santarém
Ericeira
Queluz
Sintra
Estoril
LISBOA
Palmela
SETÚBAL
Castelo Branco
Monsanto
Alcántara
Marvão
Flor da Rosa
Portalegre
P O R T U G A L
Sousel
Estremoz
Elvas
Badajoz
Arraiolos
Vila Viçosa
Montemor-o-Novo
Évora
Alcácer do Sal
Torrão
Alvito
Grândola
Santiago do Cacém
Sines
Ferreira do Alentejo
Beja
Serpa
Jerez de los Caballeros
E S
Odemira
Sta Clara-a-Velha
Mértola
Monchique
Portimão
Lagos
Sagres
Albufeira
S. Brás de Alportel
Faro
Olhão
Vila Real de Santo António
Ayamonte
Huelva
Punta Umbría
Mazagón
Sanlúcar de Barrameda
Rota
El Puerto de Santa Maria
CÁDIZ
San Fernando
Islas Canarias
Larache
O C É A N O A T L Á N T I C O
Rio Tejo
Rio Sado
Rio Mira
Rio Guadiana
Ribª de Ardilla

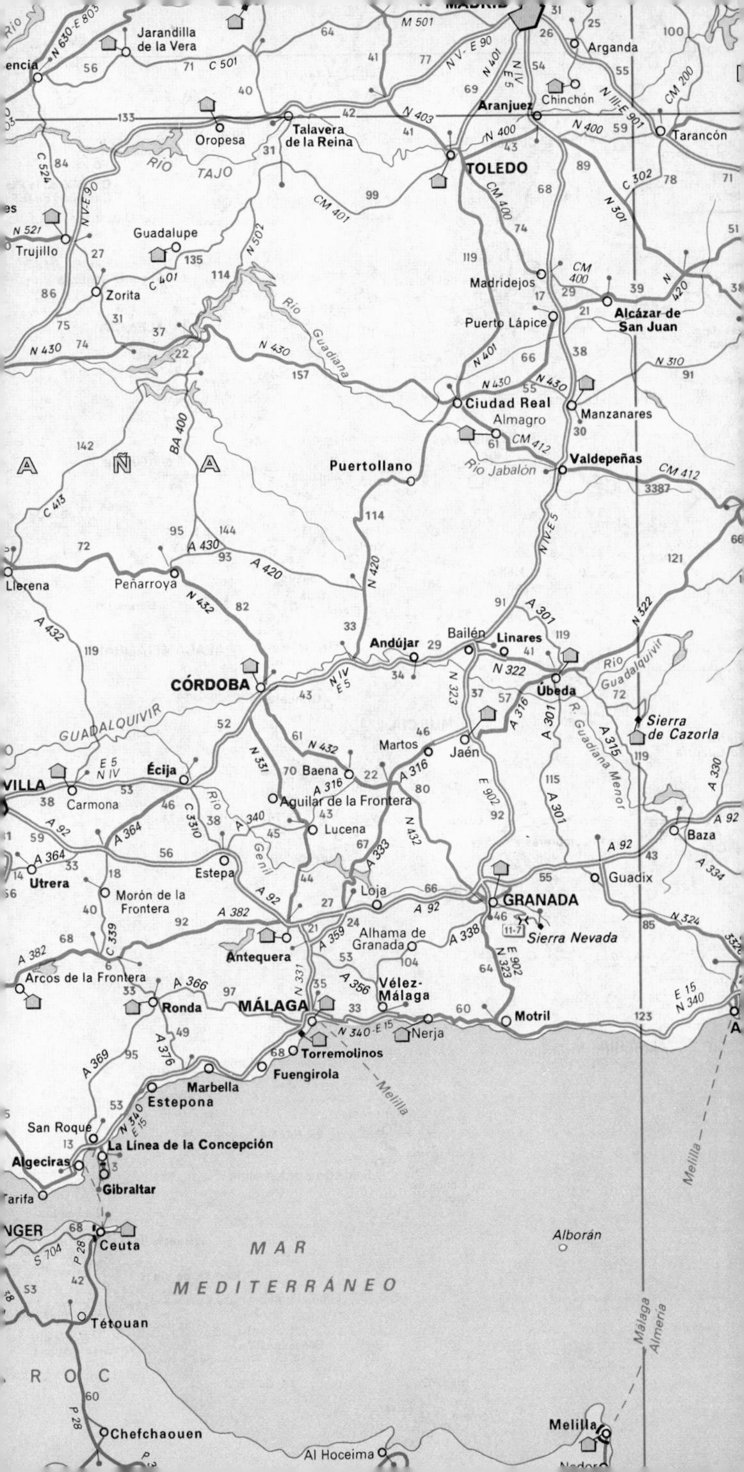
Madrid
Jarandilla de la Vera
Talavera de la Reina
Oropesa
Aranjuez
Arganda
Chinchón
Tarancón
Toledo
Río Tajo
Guadalupe
Trujillo
Zorita
Madridejos
Alcázar de San Juan
Puerto Lápice
Río Guadiana
Ciudad Real
Almagro
Manzanares
Valdepeñas
Río Jabalón
Puertollano
A Ñ A
Llerena
Peñarroya
Andújar
Bailén
Linares
Úbeda
Córdoba
Guadalquivir
Río Guadalquivir
R. Guadiana Menor
Sierra de Cazorla
Martos
Jaén
Écija
Carmona
Baena
Aguilar de la Frontera
Lucena
Río Genil
Estepa
Utrera
Morón de la Frontera
Loja
Granada
Sierra Nevada
Baza
Guadix
Antequera
Alhama de Granada
Arcos de la Frontera
Ronda
Málaga
Vélez-Málaga
Nerja
Motril
Torremolinos
Fuengirola
Marbella
Estepona
San Roque
La Línea de la Concepción
Algeciras
Gibraltar
Tarifa
Ceuta
Alborán
Mar Mediterráneo
Tétouan
Chefchaouen
Al Hoceima
Melilla
Málaga
Almería

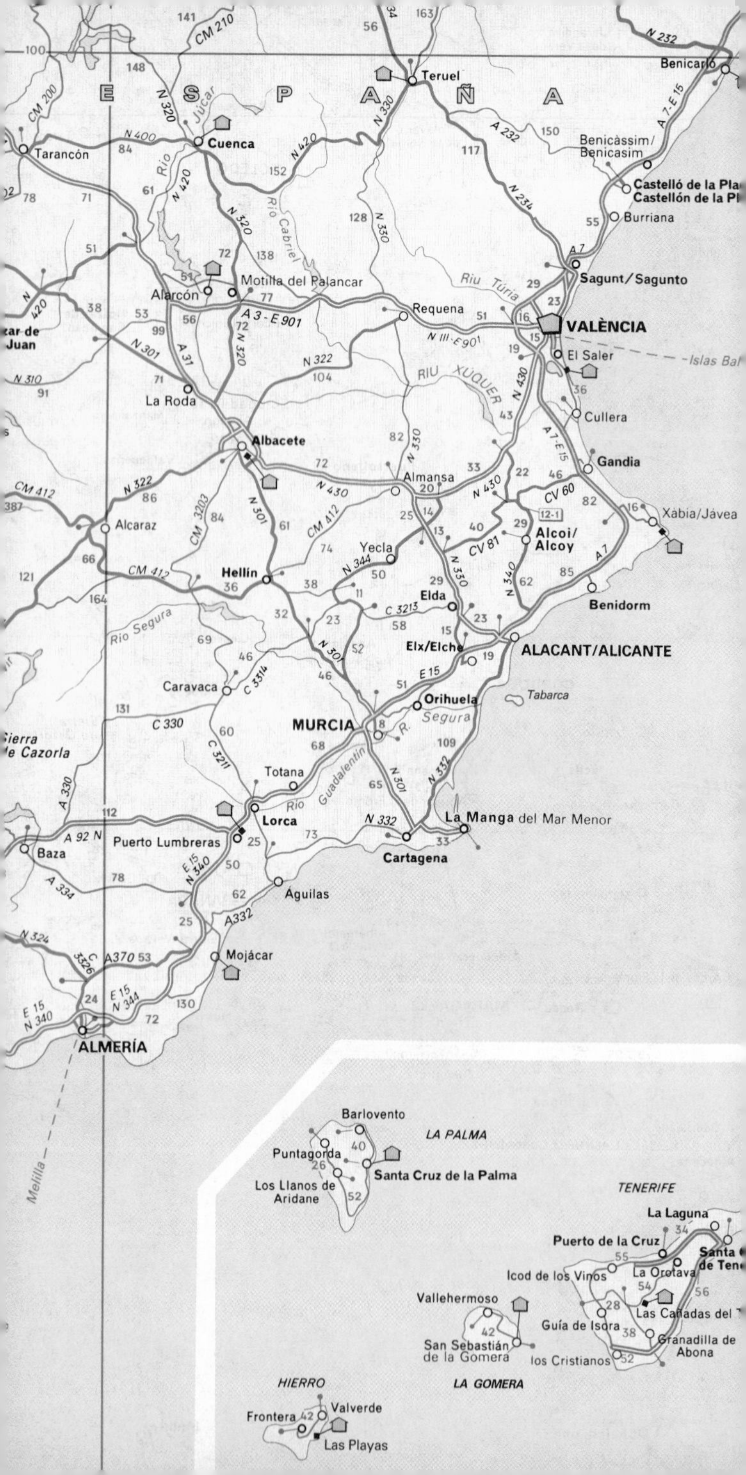

E S P A Ñ A
Teruel
Benicarló
Cuenca
Tarancón
Benicàssim/
Benicasim
Castelló de la Pla
Castellón de la Pl
Burriana
Sagunt/Sagunto
Motilla del Palancar
Alarcón
Requena
VALÈNCIA
El Saler
Islas Bal
La Roda
Cullera
Albacete
Gandia
Almansa
Alcaraz
Xàbia/Jávea
Alcoi/
Alcoy
Yecla
Hellín
Elda
Benidorm
ALACANT/ALICANTE
Elx/Elche
Caravaca
Tabarca
Orihuela
MURCIA
Sierra
de Cazorla
Totana
Lorca
La Manga del Mar Menor
Baza
Puerto Lumbreras
Cartagena
Águilas
Mojácar
ALMERÍA
Melilla
Río Júcar
Río Cabriel
Riu Túria
RIU XUQUER
Río Segura
Segura R.
Río Guadalentín
Barlovento
LA PALMA
Puntagorda
Santa Cruz de la Palma
Los Llanos de
Aridane
TENERIFE
La Laguna
Puerto de la Cruz
Santa
de Tene
La Orotava
Icod de los Vinos
Vallehermoso
Las Cañadas del T
Guía de Isora
San Sebastián
de la Gomera
Granadilla de
Abona
los Cristianos
HIERRO
LA GOMERA
Valverde
Frontera
Las Playas

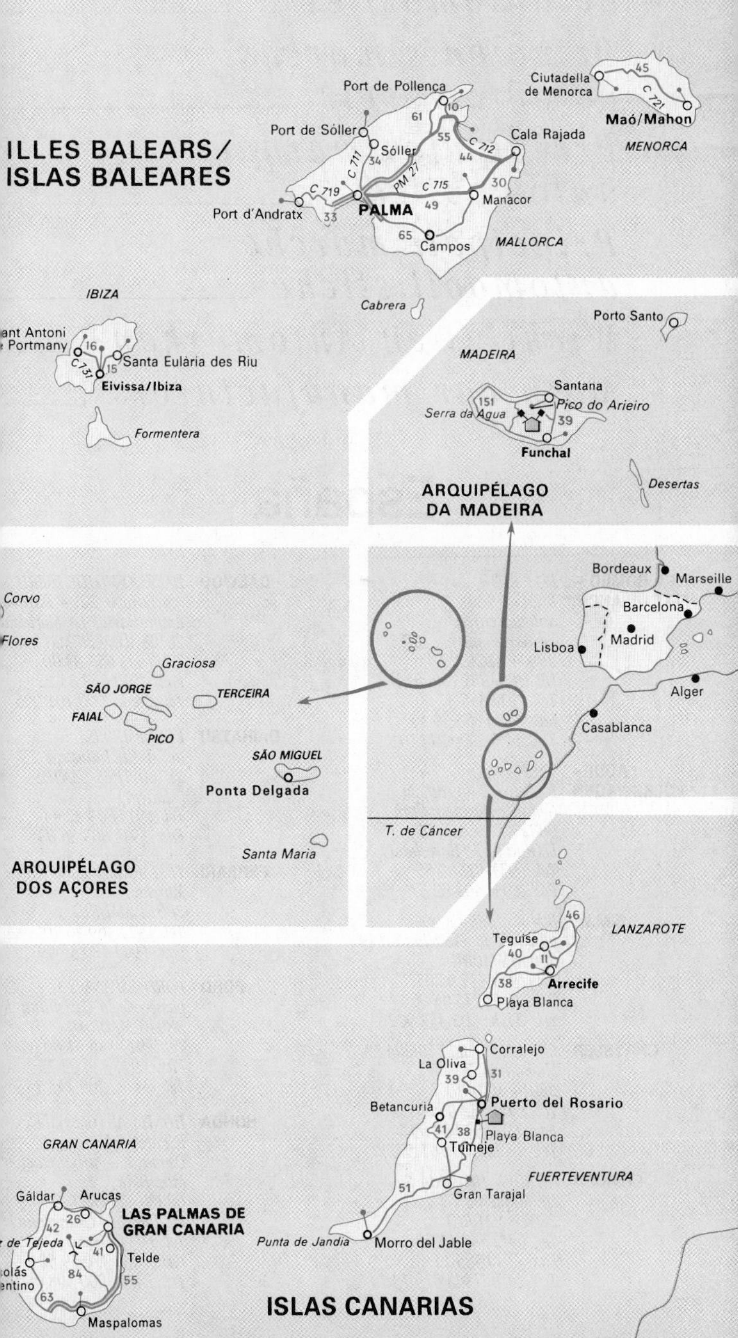
ILLES BALEARS/
ISLAS BALEARES
Port de Pollença
Port de Sóller
Sóller
Cala Rajada
Ciutadella de Menorca
Maó/Mahon
MENORCA
PALMA
Port d'Andratx
Manacor
Campos
MALLORCA
Cabrera
IBIZA
Sant Antoni de Portmany
Santa Eulària des Riu
Eivissa/Ibiza
Formentera
Porto Santo
MADEIRA
Santana
Pico do Arieiro
Serra da Agua
Funchal
Desertas
ARQUIPÉLAGO
DA MADEIRA
Bordeaux
Marseille
Barcelona
Madrid
Lisboa
Alger
Casablanca
T. de Cáncer
Corvo
Flores
Graciosa
SÃO JORGE
TERCEIRA
FAIAL
PICO
SÃO MIGUEL
Ponta Delgada
Santa Maria
ARQUIPÉLAGO
DOS AÇORES
LANZAROTE
Teguise
Arrecife
Playa Blanca
Corralejo
La Oliva
Puerto del Rosario
Betancuria
Playa Blanca
Tuineje
FUERTEVENTURA
Gran Tarajal
Punta de Jandia
Morro del Jable
GRAN CANARIA
Gáldar
Arucas
LAS PALMAS DE
GRAN CANARIA
Telde
Maspalomas
ISLAS CANARIAS

Principales marcas de automóviles
Principais marcas de automóveis
Principales marques automobiles
Principali marche automobilistiche
Wichtigsten Automarken
Main car manufacturers

España

ALFA ROMEO - FIAT - LANCIA *FIAT AUTO ESPAÑA S.A.*
antigua carret. de Barcelona km. 27,5
28804 ALCALÁ DE HENARES (Madrid)
Tel. (91) 885 37 00
Fax. (91) 885 39 45
Tel. 24 h. 900 211 018

AUDI - VOLKSWAGEN *VAESA*
La Selva 2 - edificio Geminis Business Park
08820 EL PRAT DE LLOBREGAT (Barcelona)
Tel. (93) 402 89 55
Fax. (93) 402 89 57

B.M.W. *B.M.W. IBÉRICA S.A.*
paseo de la Castellana 149
28046 MADRID
Tel. (91) 335 05 05
Fax. (91) 335 05 06
Tel. 24 h. 902 357 902

CHRYSLER *CHRYSLER - JEEP IBERIA S.A.*
Montalbán 7
28014 MADRID
Tel. (91) 532 06 09
Fax. (91) 532 87 09
Tel. 24 h. 900 101 577

CITROËN *CITROËN HISPANIA S.A.*
Dr. Esquerdo 62
28007 MADRID
Tel. (91) 585 11 00
Fax. (91) 585 14 46
Tel. 24 h. (91) 519 13 14

DAEWOO *DAEWOO MOTOR IBERIA S.*
av. Europa 22 - Parque Empressarial La Moraleja
28108 ALCOBENDAS (Madri
Tel. (91) 657 83 00
Fax. (91) 657 83 22
Tel. 24 h. 900 101 006

DAIHATSU *EUROEMPRESA*
av. de la Industria 28
28760 TRES CANTOS (Madrid)
Tel. (91) 803 42 44
Fax. (91) 803 86 83

FERRARI *TESTARROSA CARS S.A.*
Moreto 15
28014 MADRID
Tel. (91) 369 46 70
Fax. (91) 420 35 59

FORD *FORD ESPAÑA S.A.*
passeo de la Castellana 1
28046 MADRID
Tel. (91) 336 91 00
Fax. (91) 336 94 75
Tel. 24 h. 900 145 145

HONDA *HONDA AUTOMÓVILES ESPAÑA S.A.*
Osona 1 - urbanización Mas Blau
08820 EL PRAT DE LLOBREGAT (Barcelona)
Tel. (93) 370 80 07
Fax. (93) 370 79 52
Tel. 24 h. 900 308 080

HYUNDAI *HYUNDAI ESPAÑA D.A., S.A.*
Antonio Maura 12
28014 MADRID
Tel. (91) 522 49 14
Fax. (91) 522 55 84
Tel. 24 h. 900 153 315

JAGUAR *JAGUAR HISPANIA S.A.*
av. Dos Castillas 33 – Complejo Atica 7 – edificio 2
28224 POZUELO DE ALARCÓN (Madrid)
Tel. (91) 352 94 00
Fax. (91) 352 16 38

MAZDA *MAZDA MOTOR ESPAÑA S.A.*
av. de Burgos 118
28050 MADRID
Tel. (91) 302 99 41
Fax. (91) 766 53 09
Tel. 24 h. 901 116 124

MERCEDES BENZ *MERCEDES BENZ ESPAÑA*
José Ortega y Gasset 22-24
28006 MADRID
Tel. (91) 322 60 00
Fax. (91) 322 60 01
Tel. 24 h. 900 268 888

MITSUBISHI *MMC AUTOMÓVILES ESPAÑA, S.A.*
travesía Costa Brava 6 – 5ª
28034 MADRID
Tel. (91) 387 74 00
Fax. (91) 387 74 58
Tel. 24 h. 902 201 030

NISSAN *NISSAN MOTOR ESPAÑA*
General Almirante 4-10
Torre Nissan
08014 BARCELONA
Tel. (93) 290 74 86
Fax. (93) 290 74 49
Tel. 24 h. 900 200 094

OPEL – GENERAL MOTORS *OPEL ESPAÑA DE AUTOMÓVILES, S.A.*
paseo de la Castellana 91 – 2ª
28046 MADRID
Tel. (91) 456 92 00
Fax. (91) 456 93 15
Tel. 24 h. 900 142 142

PEUGEOT *PEUGEOT ESPAÑA*
carret. Madrid-Villaverde, km 7,5
28041 MADRID
Tel. (91) 347 20 00
Fax. (91) 347 22 43
Tel. 24 h. 900 442 424

PORSCHE – SAAB *PORSCHE ESPAÑA S.A.*
av. de Burgos 87
28050 MADRID
Tel. (91) 382 87 77
Fax. (91) 382 87 51
Tel. 24 h. 900 212 223

RENAULT *RENAULT ESPAÑA COMERCIAL S.A.*
av. de Burgos 89
28050 MADRID
Tel. (91) 374 22 00
Fax. (91) 374 10 32
Tel. 24 h. 900 365 000

ROVER *ROVER ESPAÑA S.A.*
Mar Mediterráneo 2
Polígono Industrial
28830 SAN FERNANDO DE HENARES (Madrid)
Tel. (91) 678 90 00
Fax. (91) 656 43 53
Tel. 24 h. 900 116 116

SANTANA – SUZUKI *SANTANA MOTOR S.A.*
av. 1º de Mayo s/n
23700 LINARES (Jaén)
Tel. (953) 69 30 50
Fax. (953) 65 32 01

SEAT *SEAT, S.A.*
Sector A – Calle 2 – 1al 25
Zona Franca
08040 BARCELONA
Tel. (93) 402 85 00
Fax. (93) 4 02 88 44

SSANGYONG *INTERNED S.A.*
av. de la Industria 28
28760 TRES CANTOS (Madrid)
Tel. (91) 803 16 46
Fax. (91) 803 02 52

SUBARU *IMPANIP*
av. de la Industria 28
28760 TRES CANTOS (Madrid)
Tel. (91) 803 52 21
Fax. (91) 803 02 52

TOYOTA *TOYOTA ESPAÑA S.L.*
pl. Cánovas del Castillo 4 – 6ª
28014 MADRID
Tel. (91) 429 59 46
Fax. (91) 420 33 59
Tel. 24 h. 900 101 575

VOLVO *VOLVO ESPAÑA S.A.*
paseo de la Castellana 130
28046 MADRID
Tel. (91) 566 61 00
Fax. (91) 566 61 31

Principais marcas de automóveis

Principales marcas de automóviles

Principales marques automobiles

Principali marche automobilistiche

Wichtigsten Automarken

Main car manufacturers

Portugal

ALFA ROMEO *MOCAR*
Estrada Nacional 249/4
Abrunheira
2710 SINTRA
Tel. (01) 915 81 00
Fax (01) 915 81 19

AUDI – VOLKSWAGEN – SKODA *SIVA*
Quinta Mina
Casa S. Pedro Arneiro
2050 AZAMBUJA
Tel. (063) 400 00 00
Fax (063) 400 00 99

B.M.W. *BAVIERA S.A.*
Rua Coronel Bento Roma
18 A/B
1700 LISBOA
Tel. (01) 940 76 50
Fax (01) 940 76 67
Serviço móvel :
(02) 830 11 39

CITROËN *AUTOMÓVEIS CITROËN S.A.*
Av. Praia da Vitória 9
1000 LISBOA
Tel. (01) 353 41 31
Fax (01) 354 01 67

DAIHATSU *SOCIEDADE ELECTRO-MECÂNICA DE AUTOMÓVEIS, LDA.*
Rua Nova de S. Mamede 7
1250 LISBOA
Tel. (01) 387 81 31
Fax (01) 387 65 15

FERRARI *VIAUTO – AUTOMÓVEIS E ACESSÓRIOS, LDA.*
Rua Carvalho Araújo 72
1900 LISBOA
Tel. (01) 813 74 63
Fax (01) 815 30 93

FIAT – LÂNCIA *FIAT AUTO PORTUGUESA S*
Av. Eng. Duarte Pacheco
1070 LISBOA
Tel. (01) 388 51 51
Fax (01) 388 41 88

FORD *FORD LUSITANIA*
Rua Rosa Araújo 2
1250 LISBOA
Tel. (01) 353 91 41
Fax (01) 353 69 96

HONDA *HONDA AUTOMÓVEL DE PORTUGAL, S.A.*
Abrunheira
2710 SINTRA
Tel. (01) 915 00 54
Fax (01) 925 88 87

HYUNDAI-NISSAN-SUBARU *ENTREPOSTO DE LISBOA*
Praça José Queiroz 1
1800 LISBOA
Tel. (01) 854 11 33
Fax (01) 854 11 91

JAGUAR *JAGUAR AUTOMÓVEIS S.A.*
Rua Monte dos Burgos
1062/1070
4200 PORTO
Tel. (02) 830 37 59
Fax (02) 610 38 57

LADA *LADA-COMÉRCIO DE AUTOMÓVEIS, LDA.*
Rua do Progresso 145
4460 PERAFITA
Tel. (02) 996 12 03
Fax (02) 995 99 50

MAZDA *MAZDA MOTOR DE PORTUGAL*
Rua do Espido 164 F
Edifício Via Norte
4470 MAIA
Tel. (02) 943 86 50
Fax (02) 943 86 60

MERCEDES-BENZ *MERCEDES BENZ PORTUGAL-COMÉRCIO DE AUTOMÓVEIS, S.A.*
Abrunheira
2725 MEM-MARTINS
Tel. (01) 915 10 10
Fax (01) 915 10 73

MITSUBISHI *MITSUBISHI MOTORS DE PORTUGAL, S.A.*
Estrada N 1, km 1
2600 VILA FRANCA DE XIRA
Tel. (063) 200 61 00
Fax (063) 200 62 32

OPEL *OPEL PORTUGAL-COMÉRCIO E INDÚSTRIAS DE VEÍCULOS, S.A.*
Quinta da Fonte
Edifício Fernão de Magalhães-2º
Porto Salvo
2780 OEIRAS
Tel. (01) 440 75 00
Fax (01) 440 75 58

PEUGEOT *PEUGEOT PORTUGAL AUTOMÓVEIS, S.A.*
Rua Quinta do Paizinho 5
2795 CARNAXIDE
Tel. (01) 416 66 11
Fax (01) 417 62 53

PORSCHE *ENTREPOSTO LISBOA*
Rua D. Estefânia 118 A
1000 LISBOA
Tel. (01) 352 32 71
Fax (01) 354 43 04

RENAULT *RENAULT PORTUGUESA*
Av. Marechal Gomes da Costa 21
1800 LISBOA
Tel. (01) 836 10 00
Fax (01) 836 11 91

ROVER *ROVER PORTUGAL-VEÍCULOS E PEÇAS, LDA.*
Rua Vasco da Gama 11
2685 SACAVÉM
Tel. (01) 940 60 00
Fax (01) 940 60 97

SAAB-SUZUKI *CIMPROMÓVEL-VEÍCULOS LIGEIROS. S.A.*
Edifício Cimpromóvel
Estrada Nacional 10, km 11
2685 SANTA IRIA DA AZÓIA
Tel. (01) 956 49 00
Fax (01) 959 30 70

SEAT *SOC. HISPÂNICA DE AUTOMÓVEIS, S.A.*
Estrada Nacional 249/4, km 5,9
Trajouce
2775 S. DOMINGOS DE RANA
Tel. (01) 445 56 60
Fax (01) 444 30 03

TOYOTA *SALVADOR CAETANO I.M.V.T. S.A.*
Edifício Salvador Caetano
Rua Guiné
Prior Velho
2685 SACAVÉM
Tel. (01) 940 76 00
Fax (01) 940 76 12

VOLVO *AUTO-SUECO LDA.*
Rua José Estêvão 74 A
1150 LISBOA
Tel. (01) 353 95 91
Fax (01) 353 77 04

Notas
Anotações
Notes
Appunti
Notizen
Notes

Manufacture française des pneumatiques Michelin
Société en commandite par actions au capital de 2 000 000 000 de francs
Place des Carmes-Déchaux – 63 Clermont-Ferrand (France)
R.C.S. Clermont-Fd B 855 200 507

Michelin et Cie, propriétaires-éditeurs, 1999
Dépôt légal décembre 1998 – ISBN 2-06-963999-1

Printed in France 11-98

Pages 5 à 11, 14 à 21, 24 à 31, 34 à 41, 44 à 51, 54 à 61 : Cécile Imbert
Pages 144, 172, 236, 326, 378, 522, 548, 596, 716, 736 : Rodolphe Corbel.
Pages 648 à 653 : Narratif Systèmes/Genclo.